Abhandlungen zur Theologie des Alten und Neuen Testaments

Zusammen mit Erich Grässer, Ferdinand Hahn, Ernst Jenni,
Ulrich Luck und Hans Heinrich Schmid
herausgegeben von Oscar Cullmann und Hans Joachim Stoebe

Band 74

Peter Müller: Anfänge der Paulusschule

Dargestellt am zweiten Thessalonicherbrief und am Kolosserbrief

Peter Müller

Anfänge der Paulusschule

Dargestellt am zweiten Thessalonicherbrief
und am Kolosserbrief

Theologischer Verlag Zürich

CIP-Titelaufnahme der Deutschen Bibliothek

Müller, Peter:
Anfänge der Paulusschule:
dargest. am 2. Thessalonicherbrief und am Kolosserbrief / Peter Müller. –
Zürich: Theol. Verl., 1988
(Abhandlungen zur Theologie des Alten und Neuen Testaments; Bd. 74)
Zugl.: München, Univ., Diss., 1988
ISBN 3-290-10033-2
NE: GT

Vorwort

Die vorliegende Arbeit wurde im Wintersemester 1986/87 von der ev. theologischen Fakultät der Universität München als Dissertation angenommen. Für den Druck wurde sie nur geringfügig verändert.

Die Untersuchung beschäftigt sich mit der Frage, wie die frühen nachpaulinischen Briefe die paulinische Christusverkündigung aufnehmen und zu bewahren versuchen, sie zugleich aber in eigene Konzeptionen einfügen und damit auch verändern. Daß sich darin ein Grundproblem der Theologie andeutet – wie kann man die überlieferte Botschaft in die eigene Gegenwart hinein sagen und dabei sowohl der Botschaft treu bleiben als auch der Gegenwart gerecht werden? – hat diese Frage für mich, auch in meiner Arbeit als Gemeindepfarrer, spannend und lohnend gemacht.

Daß der Dank eine der Äußerungen des Glaubens und eine angemessene Reaktion auf Gottes Handeln ist, hält schon 2Thess 1,3 fest. Arbeitskraft und Freude am Beruf sind ja durchaus nicht selbstverständlich. Ich habe beides mit Dankbarkeit erlebt.

Daneben habe ich Grund, den Menschen zu danken, die in verschiedener Weise am Entstehen der Arbeit Anteil hatten:

– Prof. Dr. Ferdinand Hahn hat die Arbeit von den ersten Anfängen an begleitet. Er hat das Thema angeregt, hat immer wieder mit seinem Rat weitergeholfen und schließlich das Erstvotum zur Dissertation geschrieben. Er hat auch mich persönlich in freundlicher Weise gefördert. Ohne seine Ermunterung hätte ich nach Jahren im Pfarramt die Arbeit wohl kaum abgeschlossen.

– Prof. D. Georg Kretschmar hat in wohlwollender Weise das Zweitvotum beigesteuert.

– Prof. Dr. O.Cullmann, Prof. Dr. F. Hahn, Prof. Dr. E. Gräßer und Prof. Dr. U. Luck haben als Herausgeber der "Abhandlungen zur Theologie des Alten und Neuen Testaments" die Aufnahme der Dissertation in diese Reihe befürwortet.

– Die Teilnehmer am Doktorandenkolloquium von Prof. Hahn in München haben durch ihre Kritik und ihre Anregungen zur Klärung mancher Fragen beigetragen. Dies ist mir vor allem deshalb wichtig gewesen, weil ich im beruflichen Alltag relativ weit von wissenschaftlicher Diskussion an einer Universität entfernt bin.

– Meine Kirche, die Ev. Kirche von Hessen und Nassau, hat mit einem Zuschuß zu den Druckkosten bei der Veröffentlichung der Arbeit geholfen.

– Die Gemeinde Horrweiler-Aspisheim (zwei Winzerdörfer in Rheinhessen), in der ich in den vergangenen Jahren gearbeitet habe, hat mir die Notwendigkeit exegetischer Arbeit auch im Pfarramt deutlich gemacht.

– Meine Frau, Anita Müller-Friese, hat mir vor allem in der Schlußphase der Arbeit an der Dissertation und während der Vorbereitung auf das Rigorosum in vielen Dingen den Rücken freigehalten. Sie hat überhaupt als erste die Freude über neue Erkenntisse und fertige Abschnitte der Dissertation miterlebt und am meisten die Belastung und den Mangel an privater Zeit, die auch damit verbunden waren, mitgetragen. Eine so mühselige Arbeit wie das Korrekturlesen hat sie ebenfalls übernommen. Zum Glück gibt es für meinen Dank ihr gegenüber auch noch andere Möglichkeiten, die über das Vorwort eines Buches hinausgehen.

Mai 1988   Peter Müller

Inhaltsverzeichnis

1) Einleitung
1.1) Das Umfeld

Die Texte des NT stehen in einem Prozeß der Übernahme und Weitergabe von Traditionen. Bereits Paulus, dessen Briefe die ältesten erhaltenen Dokumente des Urchristentums darstellen, kann auf formulierte Bekenntnisse und andere Traditionsstücke zurückgreifen (vgl 1Kor 15,1ff). Für die Evangelien zeigt der Lukasprolog (Lk 1,1-4) diesen Sachverhalt exemplarisch an. Der starke Rückgriff der Offb auf das AT ist bereits in den Anfangsversen zu erkennen (vgl besonders 1,7). Der späte 2Petr weist neben Beziehungen zum AT in Sprache und Vorstellungswelt auch eine starke Prägung durch hellenistische Frömmigkeit auf ⟨1⟩. Kennzeichnend für diesen Überlieferungsprozeß ist, daß Traditionen nicht lediglich weitergegeben, sondern geformt, neu zusammengestellt und dadurch auch verändert werden. Durch die Einfügung von θανάτου δὲ σταυροῦ in Phil 2,8 konzentriert Paulus das übernommene urchristliche Lied in 2,6-11 auf das Kreuzesgeschehen. Daß die Synoptiker bei der Ordnung und Akzentuierung der gemeinsamen Traditionen eine je eigene Gewichtung aufweisen, ist allenthalben sichtbar ⟨2⟩. Der Verfasser der Offenbarung verbindet seine Traditionen und Motive mit dem Bekenntnis zum gekreuzigten, auferstandenen und erhöhten Herrn (vgl etwa 1,5.17f) und schafft so eine christliche Apokalypse. Es ist weiter festzustellen, daß in verschiedenen Bereichen des NT bestimmte Traditionsströme, Denkvoraussetzungen, Motive und Vorstellungen, Argumentationsmuster oder sprachliche Ausprägungen vorherrschen ⟨3⟩. Dies liegt für die echten Paulusbriefe (Röm, 1.2Kor, Gal, Phil, 1Thess, Phlm) auf der Hand. Es gilt aber auch für die deuteropaulinischen Briefe, die in nachpaulinischer Zeit unter dem Namen des Paulus geschrieben sind (Eph, Kol, 2Thess, Past) ⟨4⟩. Für sie ist der Apostel die zentrale Bezugsgröße und das paulinische Denken steht als wesentlicher Traditionsstrang deutlich im Hintergrund. Man bezeichnet sie deshalb häufig als Werke der Paulusschule und spricht von ihren Verfassern als Paulusschülern. In ähnlicher Weise werden Joh und 1-3Joh als Werke einer joh Schule zusammengefaßt ⟨5⟩. Im

---

⟨1⟩ 2Petr setzt Jud literarisch voraus. Er nimmt die at.lichen Strafbeispiele aus Jud 5ff in 2,4ff auf, ordnet sie aber geschichtlich und ersetzt den Hinweis auf Israel in der Wüste durch die Sintflut, die er als Beispiel gegen die Leugner der Parusie Christi braucht. Vgl hierzu KÜMMEL, Einleitung, S.370f; VIELHAUER, Geschichte, S.594ff.

⟨2⟩ Vgl z.B. Mt 8,23-27 / Mk 4,35-41 / Lk 8,22-25 und die Auslegung von BORNKAMM, Sturmstillung.

⟨3⟩ Vgl hierzu HAHN, Methodenprobleme, S.10f.

⟨4⟩ Daß auch 1Petr traditionsgeschichtlich Paulus voraussetzt, geht aus sprachlichen und sachlichen Berührungen deutlich hervor (vgl BROX, 1Petr, S.47-51). Aber schon die Veröffentlichung unter dem Namen des Petrus verwehrt die Annahme direkter Paulusschülerschaft des Verfasses.

⟨5⟩ Häufig wird auch vom "johanneischen Kreis" gesprochen (vgl CULLMANN, Kreis). Der Begriff des Kreises betont stärker die Gemeinschaft, in der die joh Schriften entstanden sind (vgl CULLMANN, ebd, S.89), der Begriff Schule zielt eher auf die Verfasser der Schriften bzw. auf die Repräsentanten und Tradenten des joh Gedankengutes. Die Offb gehört nicht in diesen Zusammenhang, sondern weist trotz einiger sprachlicher Nähen zu Joh eine durchgehend andere Orientierung auf (vgl SCHÜSSLER FIORENZA, Quest; MÜLLER, Offb, S.49f).

Bereich der Synoptiker ist vor allem von einer mt Schule die Rede <6>. Die Offb wird einer apokalyptischen Schule zugeordnet <7>. Das Problem von Schulbildungen berührt somit einen beträchtlichen Teil der nt.lichen Texte.

Nun weist bereits der Begriff der Schule verschiedene Konnotationen auf. Schule hat es mit Traditionsbildung und Überlieferung zu tun und es stellt sich die Frage nach der Überlieferungskontinuität und der Bezugsgröße der Tradition. Tradition setzt notwendig auch Tradenten voraus, und so kommt mit dem Problem der Schule das der Schülerschaft und damit das Verhältnis von Lehrern und Schülern in den Blick. Die Einbettung des Lehr- und Überlieferungsprozesses in ein soziales Umfeld stellt die Frage nach der Schule als einer soziologischen Größe. Zum Begriff der Schule gehört schließlich die Vermittlung bestimmter Inhalte, und es ist bei einer notwendig vorauszusetzenden Variabilität doch mit einem der Schule gemeinsamen Bestand an Grundüberzeugungen zu rechnen. Diese verschiedenen Bereiche muß eine Beschäftigung mit dem Problem der Schule mit einschließen.

Der Begriff Schule wird allerdings nicht einheitlich verwendet. Die Variationsbreite des Schulbegriffs ist in mehreren Arbeiten für die joh Schule herausgearbeitet worden.

CULPEPPER hat in seiner Arbeit zur Johannesschule die Forschungsgeschichte und die Variationsbreite des Begriffs dargestellt <8>. Es werden damit einerseits Joh und 1–3 Joh bezeichnet, andererseits auch die hinter diesen Schriften stehenden Verfasser bzw. die Gruppe, denen diese Verfasser angehören. Forschungsgeschichtlich gehört der Begriff in den Zusammenhang der "johanneischen Frage" nach dem Verfasser des Evangeliums und der Briefe angesichts der literarischen Probleme des Evangeliums selbst und dessen Nähe und Differenz zu den Briefen. Dabei ist bereits umstritten, was unter "Johannes" zu verstehen ist: der Apostel, der Presbyter des 2.3 Joh, der Verfasser der Offb, ein Kreis von Verfassern und Redaktoren oder eine Gemeinschaft, innerhalb derer die Schriften entstehen <9>. Der Schulbegriff selbst kann zur Bezeichnung der Kontinuität zum Apostel und damit zur Verteidigung der apostolischen Herkunft des Evangeliums herangezogen werden <10>. Er wird in einem offenen Verständnis als Übereinstimmung oder Vergleichbarkeit mit anderen Autoren aufgefaßt <11>. In einem stärker von den Tätigkeiten einer Schule ausgehenden Verständnis werden dagegen besonders Studium, Lehre, Lernen und die Abfassung von Schriften als Charakteristika von Schule angesehen, und zwar in Analogie zu dem antiken Schulbetrieb <12>. Daß eine Johannesschule soziologisch kein Eigenleben führt, sondern eingebettet ist in eine Gemeinde oder einen Gemeindeverband, ist wiederholt erkannt worden. Die Meinung über den Charakter der joh Gemeinde(n) gehen aber wiederum auseinander: sie werden als ecclesiola in ecclesia mit entsprechender Konventikelfrömmigkeit angesehen <13>; auf der anderen Seite

---

<6> STENDAHL, School, passim rückt den Schulbegriff stark unter den Aspekt der Lehre: Mt ist für ihn "a manual for teaching and administration in the church" (S.35) oder ein "handbook" (S.21). Vgl hierzu schon v.DOBSCHÜTZ, Matthäus, S.338ff. LUZ, Mt I, S.59–61 betont dagegen mit Recht stärker den Bezug des Verfassers zu der ihn tragenden Gemeinde, deren Exponent der Verfasser ist. Vgl hierzu auch SCHWEIZER, Matthäus, S.138ff.

<7> So SCHÜSSLER FIORENZA, ebd, S.424f; vgl MÜLLER, ebd, S.49f ("Kreis von Propheten"). BORNKAMM, Artikel πρέσβυς, S.669f spricht von "judenchristlichen Konventikeln", die aber nicht repräsentativ für die Kirche gewesen seien.

<8> School, S.1f.34f. Zur Forschungsgeschichte vgl S.1–34.

<9> Auch das Verhältnis des Johannes zu der Schule bzw. dem Kreis kann unterschiedlich gedeutet werden (vgl CULPEPPER, ebd, S.34ff).

<10> Vgl hierzu die Angaben bei CULPEPPER, ebd, S.36f; SCHÜSSLER FIORENZA, ebd, S.406.

<11> Angaben finden sich bei CULPEPPER, ebd, S.35.

<12> Wichtige Impulse gehen von BOUSSET, Schulbetrieb, passim aus, der als erster zeitgenössische jüdisch-christliche Schulen untersucht und von ihnen her die joh Schule versteht (vgl auch CULPEPPER, ebd, S.258f).

<13> So KÄSEMANN, Ketzer, S.179; vorsichtig BECKER, Joh, S.45–47 im Blick auf das Verhältnis der joh Gemeinde zum Judentum, nicht aber zu anderen christlichen Gruppen.

wird auf die außengerichtete Aktivität des joh Kreises <14> und auf die erschließende Funktion der joh Bildersprache <15> hingewiesen. Eine Entwicklung des theologischen Denkens innerhalb der Johannesschule wird in einigen Arbeiten herausgestellt <16>.

Im Vergleich mit der joh Schule ist der Begriff der Paulusschule insofern mit weniger Schwierigkeiten belastet, als hier Paulus als Bezugsgröße eindeutig und zudem
sein theologisches Denken in seinen eigenen Briefen faßbar ist. Es gibt aber auch
hier ein Nebeneinander verschiedener Auffassungen. So kann Paulusschule in einem
allgemeinen Sinn die Prägung durch paulinisches Denken bedeuten <17>. Der Begriff
des Paulusschülers betont stärker die persönliche und theologische Nähe zu Paulus <18>, ohne den Schüler in eine Schulüberlieferung oder Methode einzufügen. Im
Zusammenhang der Echtheitsfrage von Paulusbriefen soll der Schüler eine größtmög-
liche Nähe zum Apostel herstellen. Dem steht die Auffassung eines fest organisierten Schulbetriebes gegenüber, in dem mit bestimmten Methoden Theologie betrieben
wird <19>. Als analoge Erscheinungen werden jüdische Weisheitsschulen, hellenistische Philosophenschulen und erste christliche Schulen herangezogen <20>. Insgesamt zeigt sich eine uneinheitliche Verwendung der Begriffe Paulusschule und Paulusschüler, hinter der auch ein verschiedenes Verständnis urchristlicher Theologiegeschichte und ihrer Trägerkreise steht <21>.

1.2) Thema und Gang der Untersuchung

Die vorliegende Arbeit befaßt sich mit dem Übergang von Paulus zu den nachpaulinischen Briefen. Wie sich dieser Übergang auf der theologischen und der literarischen Ebene vollzieht, sind die leitenden Fragestellungen. Das Ziel ist eine Definition des Begriffs der Pauluschule. Dabei erweist es sich als sachgerecht, die frühesten nachpaulinischen Briefe zur Untersuchung heranzuziehen. Hier sind am ehesten
Erkenntnisse zu erwarten, die die Entwicklung von Paulus zum nachpaulinischen

---

<14> So *VIELHAUER*, Geschichte, S.483; vgl *CONZELMANN*, Grundriß, S.387.
<15> *BERGER*, Exegese, S.230f. Im Gegensatz zu dem Verständnis der Schule als ḥaburah
      (*SCHULZ*, Komposition, S.361f; zu den ḥaburoth vgl *JEREMIAS*, Jerusalem, S.279ff) sieht
      BERGER das Selbstverständnis der joh Gruppe als Gemeinschaft von Freunden in Analogie
      zu antiken Philosophenschulen (ebd).
<16> Vgl *KLEIN*, Licht, S.261ff. *CONZELMANN*, Anfang, S.201 spricht im Blick auf 1Joh von
      einem "johanneischen Pastoralbrief".
<17> Kennzeichnend hierfür ist z.B. *SCHELKLE*, Testament, S.74, der zu Eph feststellt: "Ist der
      Epheserbrief nicht ein Werk des Paulus selber, so wird man ihn doch in seiner Schule, ja
      wohl noch mehr, in seiner Nähe entstanden denken. Die "Nähe zu Paulus" zeigt demnach
      eine stärkere Beziehung an als eine Schulzugehörigkeit.
<18> *KÜMMEL*, Einleitung spricht wiederholt von Paulusschülern (vgl das Sachregister), nicht
      aber von einer Paulusschule. Die Schulproblematik ist auch da angesprochen, wo das
      Stichwort selbst nicht begegnet: dies gilt für die Sekretärshypothese, mit der *ROLLER* die
      Echtheit von 13 Paulusbriefen zu belegen versuchte (Formular, S.21.122f.149; vgl hierzu
      TRUMMER, Paulustradition, S.47f), ebenso auch für die vielfachen Hinweise auf Redakto-
      ren oder Überarbeitungen von Paulusbriefen.
<19> So vor allem *CONZELMANN*, Weisheit; vgl *BORNKAMM*, Paulus, S.102. Vgl hierzu aus-
      führlich unten, S.270ff.
<20> Vgl *CONZELMANN*, ebd, S.233f; *LUDWIG*, Verfasser, S.201-210. Wiederholt dienen dabei
      Elemente des antiken Schulwesens als Schlüssel zum Verständnis der nt.lichen Schriften
      (vgl *CULPEPPER, LUDWIG*).
<21> So wird auf der einen Seite Mission und Theologie des Urchristentums als Werk herausra-
      gender Männer gesehen, die allenfalls durch Gehilfen unterstützt wurden. Auf der anderen
      Seite kommt ein Trägerkreis paulinischer (joh, mt, apk) Theologie in den Blick. Auch auf
      die Bedeutung der Gemeinden für die Theologie und die Mission wird hingewiesen (vgl
      OLLROG, Paulus, passim).

Denken erhellen können. 2Thess und Kol sind von allen deuteropaulinischen Briefen der paulinischen Theologie am nächsten verwandt und weisen zugleich zeitlich die größte Nähe zu seinen Briefen auf. Dies zeigt sich schon darin, daß - anders als bei den Past - bis in unsere Zeit hinein ihre paulinische Herkunft vertreten und neuerdings für Kol eine nebenpaulinische Herkunft angenommen wird. Das besondere Verhältnis beider Briefe zu Paulus, das sich in gleichzeitiger sprachlicher und inhaltlicher Nähe und Distanz ausdrückt, macht es notwendig, in einem ersten Kapitel zur Echtheitsfrage die nicht-paulinische Herkunft beider Briefe darzulegen.

Methodischer Ausgangspunkt für die weitere Untersuchung sind die beiden deuteropaulinischen Briefe selbst. Die Themenbereiche, die in 2Thess und Kol angesprochen sind, dienen als Gerüst für den Gang der Untersuchung. Die wesentlichen Aussagen in 2Thess finden sich im Bereich der Eschatologie, der Ethik und des Apostelverständnisses. Dasselbe gilt auch für Kol, wobei hier noch Kosmologie und Taufe als grundlegende Themen hinzukommen. Da sich beide Briefe als nachpaulinische Schreiben darstellen und außerdem das Thema der Tradition selbst ansprechen, ist auch ihr Traditionsverständnis zu untersuchen.

Diesen verschiedenen Themenbereichen werden jeweils vergleichbare paulinische Texte gegenübergestellt. Der historischen Abfolge entsprechend setze ich dabei jeweils mit den Paulusbriefen ein. Als methodische Grundeinsicht ist dabei vorausgesetzt, daß der Übergang von Paulus zu den nachpaulinischen Briefen vom Vergleich der Texte selbst auszugehen hat. Dadurch wird vermieden, die Texte von einem bestimmten Vorverständnis von (Paulus-) Schule her zu interpretieren. Ein Verständnis von Paulusschule ergibt sich dagegen im Laufe dieser Arbeit, wenn die Ergebnisse der einzelnen Themenbereiche zusammengefügt und auf Gemeinsamkeiten und Unterschiede hin befragt werden. Dies geschieht in einem weiteren Kapitel, in dem neben der theologischen Entwicklung auch nach den literarischen und situativen Ansätzen der Paulusschule zu fragen ist. Die Methode ist dabei auch hier der direkte Textvergleich. Die Auseinandersetzung mit der einschlägigen Literatur zum Thema findet sich ebenfalls in diesem Kapitel. Am Ende der Arbeit werden 2Thess und Kol als deuteronyme Briefe gewürdigt. Die Einzelergebnisse werden abschließend im Blick auf ein Verständnis der Paulusschule zusammengefaßt.

2) Die nachpaulinische Herkunft des 2.Thessalonicherbriefes und des Kolosserbriefes

Weder 2Thess noch Kol sind von Paulus verfaßt. Dies ist die Voraussetzung für die nachfolgenden Erörterungen zur Theologie beider Briefe. Die Echtheitsfrage ist in beiden Fällen freilich nicht immer in diesem Sinn beantwortet worden. Beide Briefe gehören im Gegenteil zu den Schriften des NT, deren Herkunft lange Zeit umstritten war <1> und die immer Anlaß gaben zu neuen Analysen und Theorien in der Echtheitsfrage. In der neueren Exegese hat sich nun aber für 2Thess und Kol eine eindeutige Tendenz zugunsten der deuteropaulinischen Herkunft herausgebildet. Hierfür ist in beiden Briefen jeweils das Zusammenspiel verschiedener Sachverhalte ausschlaggebend, die im folgenden kurz dargestellt werden. Im Verlauf der weiteren Erörterungen wird in bestimmten Einzelfragen die nichtpaulinische Herkunft der Briefe noch deutlicher hervortreten. Wenn hier in einem eigenen Kapitel die Argumente für die nachpaulinische Herkunft beider Schreiben zusammengestellt werden, so geschieht dies aus zwei Gründen: zum einen spielen nicht alle Argumente, die in der Echtheitsdebatte von Belang sind, auch im weiteren Verlauf dieser Arbeit eine Rolle. Dies gilt in besonderem Maß für die literarische Abhängigkeit des 2Thess von 1Thess, aber auch für stilistische Beobachtungen zu beiden Briefen und für einige theologisch bedeutsame Einzelfragen. Deshalb empfiehlt sich eine Zusammenstellung der Argumente, die in der Echtheitsdebatte den Ausschlag geben. Zum anderen werden dadurch im weiteren Verlauf dieser Arbeit die Kapitel, die sich mit der Eigenart des jeweiligen theologischen Denkens in 2Thess und Kol befassen, von ständigen Verweisen auf die Echtheitsfrage entlastet.

2.1) Die nachpaulinische Herkunft des 2.Thessalonicherbriefes

Die Frage nach der Echtheit des 2Thess ist nicht zu trennen vom 1Thess. Bereits ein erstes Lesen beider Briefe zeigt ihre enge Verwandschaft auf. 1Thess ist dabei ohne Zweifel ein echter Paulusbrief und gilt mit Recht als ältester erhaltener Brief des Apostels <2>. Die Frage nach der Echtheit des 2Thess wird sich also im Vergleich mit 1Thess zu bewähren haben. Dies gilt um so mehr, als in beiden Briefen die Eschatologie ein herausragendes Thema ist und sich auch unabhängig von diesem Thema vielfältige Berührungspunkte ergeben <3>.

2.1.1) Das literarische Verhältnis zum 1.Thessalonicherbrief

Zunächst ist freilich auf die literarische Verwandschaft beider Briefe einzugehen. Liest man 2Thess nach 1Thess, so findet man auf weite Strecken Bekanntes vor. Wesentlich ist dabei, daß nicht nur einzelne Formulierungen sich entsprechen, son-

----

<1>   Zum Teil wird die deuteropaulinische Herkunft immer noch bezweifelt. So ist etwa *KÜM-MEL*, Einleitung, S.300 davon überzeugt, daß Kol "zweifellos als paulinisch anzusehen" ist und auch bei 2Thess sieht *KÜMMEL* trotz aller bedenkenswerter Einzelheiten keinen Anlaß zum Zweifel an der Echtheit (vgl S.228f).

<2>   Anstelle einer Fülle von Belegen vgl *VIELHAUER*, Geschichte, S.82ff.

<3>   Vgl zum folgenden die Einleitungen und Kommentare zu 2Thess und ebenso die forschungsgeschichtlichen Arbeiten von *BORNEMANN* (Thess, S.498-537), *v.DOBSCHÜTZ* (Thess, S.32-49), *WRZOL* (Echtheit, S.2-32), *RIGAUX* (Thess, S.124-152), *ERNST* (Gegenspieler, S.63ff) und *TRILLING* (Untersuchungen, S.11-45). Weitere Literatur ist in den folgenden Anmerkungen genannt.

dern daß die Übereinstimmungen sich fast im gesamten Brief nachweisen lassen. Dies gilt zum einen für den Aufbau des Briefes: praktisch überall da, wo ein Abschnitt eingeleitet oder abgeschlossen wird, finden sich in 2Thess Wendungen, die auch in 1Thess begegnen.

Schon die Präskripte entsprechen sich, von einer Ergänzung in 2Thess 1,2 abgesehen, wörtlich. Die wesentlichen Begriffe der Danksagung 2Thess 1,3f.10f entsprechen den Aussagen in 1Thess 1,3-12 (vgl auch 2,12f; 4,16; 2,14ff). Die erneute Danksagung in 2Thess 2,13f ist parallel zu der in 1Thess 2,13f formuliert. 2Thess 3,1-5 ist aus 1Thess 5,24f; 3,11 bekannt und der ethische Abschnitt 2Thess 3,6ff findet sich vergleichbar in 1Thess 5,13f; 4,1f.10f; 2,9 und 1,6f. Der Schlußgruß 2Thess 3,16ff findet sich, mit Ausnahme von 3,17, in 1Thess 5,23.28 <4>.

Zum anderen geht die Parallelität bis in die Formulierungen hinein. Sätze oder Satzteile sind zum Teil wörtlich gleich <5>. Dabei ist festzustellen, daß ein Abschnitt in 2Thess in der Regel Parallelen zu verschiedenen Abschnitten in 1Thess aufweist. So bietet etwa der kleine Abschnitt 2Thess 2,13-17 Formulierungen, die in 1Thess über alle 5 Kapitel verstreut vorkommen (vgl 1,4; 2,13; 3,2.8.12; 4,1.7; 5,9). Diese drei Beobachtungen kommen zusammen: der Aufbau von 2Thess stimmt mit dem von 1Thess weitgehend überein; oft greift 2Thess Formulierungen aus 1Thess auf, bis hin zu wörtlicher Übereinstimmung; verschiedene Aussagen des 1Thess sind in 2Thess zusammengezogen und kombiniert. Dies alles findet sich nicht nur an einigen Stellen, sondern prägt den gesamten Brief.

Die Frage nach dem literarischen Verhältnis beider Briefe tritt am Ende des 19.Jahrhunderts in den Vordergrund <6>. WREDE stellt in seiner wichtigen Arbeit fest, daß das Verhältnis beider Briefe im Corpus Paulinum einzigartig ist und konstatiert eine "gleichmässige Massenhaftigkeit der Beziehungen zwischen beiden Briefen" <7>. Diese Beziehungen sind in ihrer Gesamtheit zu erklären. In dieser methodischen Einsicht liegt das Hauptverdienst WREDEs, sie hat sich in der weiteren Auslegungsgeschichte bewährt <8>. Neben z.T. bedeutsamen Einzelbeobachtungen stößt WREDE dabei vor allem auf folgende Sachverhalte: 2Thess weist gegenüber 1Thess kein wirklich neues Thema auf <9>; der Gang der beiden Briefe ist in merkwürdiger Gleichartigkeit gestaltet <10>; und schließlich finden sich die Einzelparallelen zum großen Teil in einander korrespondierenden Briefabschnitten. Unter der Voraussetzung der Echtheit müsse man zur Erklärung dieses Sachverhaltes zum Zufall greifen. Aber den eigentlichen Zufall, daß nämlich alle diese Zufälle zusammenkommen, kann es nach WREDE nicht geben: "Deshalb muß die Annahme (sc. der Echtheit), falsch sein, die ihn voraussetzt" <11>.

<4> Diese kurze Zusammenstellung kann hier genügen. Ausführliche Tabellen finden sich bei WREDE, Echtheit, S.3ff; RIGAUX, Thess, S.132ff; vgl auch MARXSEN, 2Thess, S.18-28.

<5> Vgl z.B. ἡμεῖς δὲ ὀφείλομεν εὐχαριστεῖν τῷ θεῷ πάντοτε περὶ ὑμῶν, ἀδελφοί 2Thess 2,13 (vgl auch 1,3) mit 1Thess 1,2; weiter das wörtlich übereinstimmende Präskript; 2Thess 3,8 und 1Thess 2,9 u.a. Bei den Präskripten findet sich im gesamten Corpus Paulinum keine weitere Übereinstimmung in diesem Ausmaß.

<6> Vgl WEIZSÄCKER, Zeitalter, S.258; PFLEIDERER, Urchristentum, S.77f; HOLTZMANN, Thessalonicherbrief, S.104 und besonders WREDE, Echtheit, S.3ff.

<7> Echtheit, S.14.

<8> Die Ansicht WOHLENBERGs aus demselben Jahr 1903, daß WREDE "nichts Neues und nichts Erhebliches beigebracht habe" (Thess, S.13, Anm.2), ist eine Fehleinschätzung. Kritik an WREDE ist aber insofern angebracht, als er zwar die Frage nach den literarischen Beziehungen beider Briefe in ihrer Gesamtheit würdigt, das Problem der theologischen Vereinbarkeit darüber aber vernachlässigt (vgl S.43ff; bes. S.45). Die methodische Einsicht, daß verschiedene Beobachtungen in ihrer Beziehung zueinander zu beurteilen sind, darf nicht auf die Erkenntnis des besonderen literarischen Verhältnisses eingegrenzt werden.

<9> Ebd, S.17.

<10> Ebd, S.27.

<11> Ebd, S.30.

Gerade die Beobachtung, daß sich die literarische Beziehung des 2Thess zum 1Thess im ganzen Brief nachweisen läßt, wird so zum starken Hinweis auf die literarische Abhängigkeit des zweiten Briefes vom ersten. Die Echtheit vorausgesetzt, hätte Paulus in diesem Fall seinen eigenen Brief kopiert bzw. im Sinne eines Konzeptes benutzt, ohne dabei freilich im zweiten Brief an die Gemeinde den ersten auch nur mit einem Wort zu erwähnen. Dies ist sehr unwahrscheinlich, besonders wenn man etwa an die Korrespondenz des Apostels mit der Gemeinde in Korinth denkt. Dort läßt sich nicht nur die Situation der einzelnen Briefe herausarbeiten, sondern in den Briefen finden sich auch Hinweise auf die jeweils anderen <12>. Das besondere literarische Verhältnis der beiden Thessalonicherbriefe zueinander ist so in der Tat nur durch die literarische Abhängigkeit des 2Thess vom 1Thess hinreichend zu erklären <13>.

2.1.2) Beobachtungen zur Theologie des Briefes

Hiervon auszunehmen sind lediglich zwei Abschnitte des Briefes, nämlich 1,5-10 und 2,1-12. In beiden Abschnitten finden sich die eschatologischen Aussagen des Briefes. Die sonstige enge, literarische Beziehung des 2Thess zum 1Thess macht das Fehlen von Parallelen in diesen beiden Abschnitten um so auffälliger. Da Paulus in 1Thess 4,13-5,11 sich zu eschatologischen Fragen ausführlich äußert, wird ein Vergleich der eschatologischen Passagen beider Briefe auch Aufschluß in der Echtheitsfrage für 2Thess geben.

Diese Fragestellung ist für die Echtheitsdebatte im 19.Jahrhundert kennzeichnend. Bereits für *SCHMIDT* haben die "Träumereien über den Antichrist nichts von Ferne (auch) nur Ähnelndes in allen paulinischen Briefen" <14>, und es stellt sich die Frage, ob und wie die eschatologischen Aussagen beider Briefe sich miteinander vereinbaren lassen. Im Zusammenhang damit stand der Versuch einer zeitgeschicht-

---

<12> Vgl hierzu *BORNKAMM*, Vorgeschichte, passim und 1Kor 5,9.11; 2Kor 2,3-9; 7,8ff.

<13> Mit verschiedenen Zwischenlösungen hat man das literarische Problem zu entschärfen versucht. *HARNACK* sieht 2Thess an eine bestimmte Gruppe innerhalb der Gemeinde in Thessalonich gerichtet, und zwar an Judenchristen, die nicht regelmäßig an den Gemeinde-veranstaltungen teilnehmen (1Thess 5,27; vgl Problem, S.564ff). Aus 2Thess 2,13 erhebt er die wahre Adresse des Briefes (ἀπαρχή = die Erstbekehrten, ebd, S.571). Von einer spezifischen Problematik von Juden- und Heidenchristen spricht 2Thess aber an keiner Stelle.
In modifizierter Weise sind dem Versuch *HARNACKs DIBELIUS* und *SCHWEIZER* gefolgt. *DIBELIUS* modifiziert dahingehend, daß er 1Thess für die Gemeindeleiter, 2Thess speziell für den Kultus bestimmt sein läßt (Thess, S.58; zur Kritik vgl *TRILLING*, Untersuchungen, S.67, Anm.3). *SCHWEIZER* (Thessalonicherbrief) sieht den Brief in Wirklichkeit an die Gemeinde in Philippi gerichtet. Er stützt sich dabei hauptsächlich auf Pol 11,3f. Freilich kann er weder die überlieferungsgeschichtliche Problematik für diesen Fall klären noch das literarische Verhältnis zum 1Thess. Richtig ist bei diesen Erklärungsversuchen, daß im Fall der Echtheit 2Thess möglichst nahe an 1Thess herangerückt werden müßte. Dann werden die theologischen Differenzen zwischen beiden Briefen um so auffälliger.
Schon *SPITTA* (Geschichte, S.109ff) hatte das Problem der Ähnlichkeit bei gleichzeitig starken Differenzen gesehen und so zu lösen vesucht, daß er Timotheus als Verfasser des 2Thess bezeichnet, der sich absichtlich eng an 1Thess angeschlossen habe. Die apokalyptischen Anschauungen des Briefes seien seine eigenen (vgl aber die heidenchrist-liche Herkunft des Timotheus!). Der Brief sei dann von Paulus mit einem eigenhändigen Schlußgruß versehen worden. Dies ist freilich angesichts der tiefgreifenden theologischen Unterschiede zwischen beiden Briefen ganz unwahrscheinlich.

<14> Vermuthungen, S.384; vgl *TRILLING*, Untersuchungen, S.161. Auch für *de WETTE* wirkt die Lehre vom Antichristen anstößig (Lehrbuch 1.Aufl., S.229). Viele weisen darauf hin, daß nach 1Thess 5,2 die Parusie des Herrn als "Sache des unberechenbaren Moments

lichen Einordnung der Aussagen des 2Thess. Der Hauptvertreter dieser zeitgeschichtlichen Deutung ist der Tübinger Theologe KERN <15>. Er findet den Ge-
schichtsstandpunkt des Verfassers unmittelbar nach dem Sturz Neros, der Antichrist wird mit Nero identifiziert, der κατέχων mit Vespasian bzw. Titus, die
ἀποστασία wird als Abfall der Juden von den Römern gedeutet. Die meisten anderen
zeitgeschichtlichen Erklärungsversuche bewegen sich zwischen den Angaben KERNs
und dem Versuch, den Abfall mit der Gnosis zu identifizieren <16>. Von den Ver-
fechtern der Echtheit wird die zeitgeschichtliche Methode keineswegs rundweg
abgelehnt. Vielmehr versuchte man den positiven Nachweis, daß 2Thess nur in der
Zeit des Paulus verständlich gemacht werden könne <17>. Mit dem Aufkommen der
traditionsgeschichtlichen Methode wurde freilich die zeitgeschichtliche Deutung einer
grundlegenden Kritik unterzogen <18>. Jetzt ging es nicht mehr in erster Linie
darum, die Aussagen des Briefes in einer bestimmten historischen Situation anzusiedeln, sondern die erste Frage war, welche Traditionen in diesem Text aufgenommen sind und welche Geschichte diese Traditionen aufweisen. Zeitgeschichtliche
Einflüsse können solche Traditionen zwar auf's Neue beleben, primär aber bleibt die
Frage nach der Herkunft und der Geschichte der Tradition.

Wiederum ist nun ausschlaggebend nicht die Frage, ob die eine oder andere Äußerung (z.B. zur ἀποστασία oder zum κατέχων) bei Paulus nicht oder so nicht begegnet. Paulus selbst greift ja im Rahmen eschatologischer Erörterungen wiederholt auf
apokalyptische Traditionen zurück (vgl 1Thess 4,16), und es ist prinzipiell denkbar,
daß er an einer Stelle Gedankengut aufgreift, das sonst bei ihm nicht wieder begegnet. Im Gegensatz zu einer Beurteilung von Einzelmotiven geht es wesentlich darum,
solche Beobachtungen einzuordnen in den Gesamtzusammenhang der Eschatologie in
1Thess und 2Thess <19>. Hierbei wird nun freilich deutlich, daß 2Thess von 1Thess
nicht nur im Blick auf Einzelmotive abweicht, sondern eine unterschiedliche Zielaussage aufweist. Während in 1Thess 4,17 der Zielpunkt aller Aussagen das σὺν κυρίῳ
ἐσόμεθα ist, richtet sich das eschatologische Ergehen der Menschen bei der Parusie
Christi nach 2Thess danach, ob sie der Wahrheit glauben oder am Unrecht Gefallen
finden (2,11f). Zu dieser unterschiedlichen Zielaussage kommt eine verschiedene
Verwendung der apokalyptischen Traditionen hinzu. Während Paulus seine Traditionen
benutzt, um seine Zielaussage zu erläutern, ist in 2Thess mit der apokalyptischen
Aussage zugleich das eschatologische Ziel angegeben. Die Einzelmotive in 2Thess,
die sonst bei Paulus nicht begegnen, sind in diesen Rahmen eingebettet und weisen
nun in diesem Zusammenhang in der Tat auf die nichtpaulinische Herkunft des
Briefes.

Theologische Differenzen lassen sich weiter an einer Reihe von Begriffen festma-
chen, die 2Thess in einem von Paulus abweichenden Sinn verwenden. Dies gilt zunächst für manche Begriffe, die im Rahmen der Eschatologie begegnen.

---

dargestellt" wird (HOLTZMANN, Lehrbuch, S.215), während 2Thess 2,1ff nach Indizien
und Anzeichen für die kommende Parusie fragt. Nach HOLTZMANN (ebd) handelt es sich
hierbei um "aus dem Rahmen sonstiger paulinischer Eschatologie heraustretende Neuig-
keiten". Auch für die Befürworter der Echtheit liegt auf dieser Frage das Hauptgewicht
der Debatte im 19.Jahrhundert. Schon de WETTE konnte 1842 (Lehrbuch 4.Aufl., S.230)
keinen Widerspruch mehr zwischen 1Thess 4,13ff und 2Thess 2,1ff feststellen. In verschiedenen Zeiten und zu verschiedenen Anlässen habe Paulus Verschiedenes akzentuiert,
erklärt GRIMM (Echtheit, S.729f; vgl KLÖPPER, Brief, S.16f), dem sich die meisten konser-
vativen Forscher anschließen.
<15> Über 2Thess 2,1-12, S.192ff.
<16> So besonders HILGENFELD, Einleitung, S.651; BAHNSEN, Verständnis, S.695ff.
<17> Vgl KLÖPPER, Brief, S.50-56. Daneben kommt hier schon vereinzelt Kritik an der zeitge-
      schichtlichen Methode auf, vgl REUSS, Geschichte, S.72; HOFMANN, Schrift, S.362.
<18> Vgl für 2Thess 2,1ff besonders GUNKEL, Schöpfung, S.215f; BOUSSET, Antichrist, S.5f.
<19> Vgl hierzu ausführlich unten, Kapitel Eschatologie.

Der Begriff παρουσία ist in 2Thess eingebettet in eine Abfolge apokalyptischer Ereignisse, während in 1Thess 5,1 das Rechnen und Kalkulieren im Blick auf die Parusie gerade abgelehnt wird. Weiter rechnet 2Thess nicht nur mit einem bestimmten Ablauf der Endereignisse, sondern auch der Parusie selbst (2,8): sie ist ausgerichtet auf die Vernichtung des Antichrists <20>. Bei Paulus ist die Funktion der Parusie freilich anders beschrieben. In 1Kor 15,23 wird Jesus als Erstling des Lebens bezeichnet und nach 1Thess 4,16 werden die Glaubenden bei der Parusie in den Lebensbereich Gottes und Christi mit hineingenommen. Auch der Zusammenhang von παρουσία und ἐπιφάνεια in 2Thess 2,8 läßt sich bei Paulus nicht belegen. ἐπιφάνεια begegnet sonst nur noch in den Past (1Tim 6,14; 2Tim 1,10; 4,1.8; Tit 2,13) und gehört in die Spätzeit des NT. Zugleich wird in der Wendung von 2Thess 2,8 eine Vorliebe für die plerophore Ausdrucksweise deutlich.

Der Begriff ἐλπίς spielt in 1Thess eine wesentliche Rolle (vgl 1,3; 2,19; 4,13; 5,8) und beschreibt das christliche Leben insgesamt. Die Nichtchristen sind nach 4,13 diejenigen, die keine Hoffnung haben, und daß die christliche Hoffnung sich auf Christi Tod und Auferstehung gründet, macht der Zusammenhang mit V.14 deutlich. Die Trias von Glaube, Liebe und Hoffnung umschreibt das christliche Leben in Zusage und Aufgabe (1,3; 5,8). Gegenüber diesem gefüllten Gebrauch von ἐλπίς in 1Thess nimmt sich das einmalige Vorkommen des Begriffs in 2Thess 2,16 merkwürdig aus, vor allem deshalb, weil 2Thess sich ausdrücklich und ausführlich mit dem zukünftigen Ergehen der Christen beschäftigt. Zudem ist die Wendung ἐλπὶς ἀγαθή singulär im Corpus Paulinum. Es offenbart sich hier wiederum eine Vorliebe zum volltönenden Ausdruck. Und schließlich ist auch das Fehlen des Zusammenhangs der Hoffnung mit Tod und Auferstehung Christi in 2Thess festzustellen.

Aber auch andere Begriffe werden in 2Thess in einer Weise gebraucht, die nicht mit der Verwendung bei Paulus übereinstimmt.

Der Begriff πνεῦμα bzw. πνευματικός ist in 2Thess 2,13 mit ἁγιασμός verbunden. Während ἁγιασμός bei Paulus überall in paränetischer Ausrichtung zu finden ist (vgl besonders 1Thess 4,3), ist dies in 2Thess zwar zu spüren, der Begriff ist hier aber in erster Linie parallelisiert mit dem Festhalten der παραδόσεις (2,15). Dieses Verständnis der Heiligung wirkt sich auf das πνεῦμα aus: ἐν πνεύματι vollzieht sich das Festsein, das Festhalten an der Überlieferung.

In ähnlicher Weise wird ὑπακούειν akzentuiert. Bei Paulus hängen ὑπακοή und πίστις eng zusammen, wie schon aus der Formel ὑπακοὴ πίστεως (vgl Röm 1,5; 16,26) hervorgeht: der Glaube ist als Gehorsamsakt verstanden <21>. In diesem Sinn kann auch vom ὑπακούειν τῷ εὐαγγελίῳ die Rede sein (Röm 10,16). Von diesen Wendungen her ist das absolute ὑπακοή und ὑπακούειν zu verstehen. In Röm 16,19 kann man geradezu mit "Glauben" übersetzen (vgl 15,18). Diese Beziehung zum Glauben kann freilich für 2Thess nicht festgestellt werden. In 1,8 erweist sich der Gehorsam gegenüber Gott in der Wahrnehmung der offenbaren Forderungen Gottes (vgl τοῖς μὴ εἰδόσιν θεόν) <22> und in 3,14 ist nicht nur Gehorsam gegenüber dem Evangelium gefordert, sondern "dem Wort des Apostels in diesem Brief" gegenüber (vgl dies etwa mit Gal 1,8). In die gleiche Richtung weist auch die Verwendung des Begriffes ἀλήθεια. In 2Thess 2,9-12 stehen die christliche Wahrheit und die Lügenwunder des Antichrists in Konkurrenz zueinander (vgl ἀλήθεια als Gegensatz zu ἀδικία, ἀπάτη, ψεῦδος). Nach 2,13 hat Gott "durch unser Evangelium" zur πίστις ἀληθείας berufen, d.h. zum christlichen Stand, der zum Heil führt. Im Vergleich zu Paulus fällt dabei besonders auf, daß der Zusammenhang von Wahrheit und Offenbarung der Gerechtigkeit Gottes in Christus (vgl Röm 1,18 mit 1,17; 2Kor 4,2) hier keine Rolle spielt. Gerade neben Röm 1,18ff wird deutlich, daß ἀλήθεια in 2Thess weniger im Sinne einer geoffenbarten Wahrheit als im Sinne apostolisch verbürgter Lehre verwendet wird <23>.

<20> Dessen Erscheinung wird in 2,9 ebenfalls mit παρουσία bezeichnet. Dieser Sprachgebrauch ist Paulus fremd.

<21> ὑπακοὴ πίστεως ist nicht als gen.obj. zu sehen (gegen MICHEL, Röm, S.41; LIETZMANN, Röm, S.26). Der Genitiv ist erläuternd aufzufassen (vgl WILCKENS, Röm I, S.67; KÄSEMANN, Röm, S.12). Nach Gal 3,5 kommt der Glaube ἐκ ἀκοῆς πίστεως. Die ἀκοή führt dabei zur ὑπακοή.

<22> Eine Aufteilung in Heiden und Juden in 1,8 ist nicht stichhaltig. Die genannten Charakterisierungen beziehen sich gleichermaßen auf die Bedränger (vgl 1,6). Einen Überblick zur Stelle gibt RIGAUX, Thess, S.629.

<23> Diese Auffassung von ἀλήθεια steht in der Nähe der Past, die das Evangelium als "Wort der Wahrheit" sehen, die nun in rechter Weise gelehrt werden muß (vgl 2Tim 2,14ff.22ff);

Nimmt man diese Beobachtungen je für sich, so sind sie auffällig; bedeutsam ist dagegen erst, daß alle Beobachtungen in eine gemeinsame Richtung weisen. Es zeigt sich insgesamt eine Verwendung theologischer Begriffe, die von Paulus abweicht. Hinzu kommt ein weiterer Sachverhalt. In 2Thess fehlen eine ganze Reihe von Begriffen, die sonst bei Paulus wesentlich sind. Dies gilt für die Wortgruppe χαρά und χαίρειν ebenso wie für alle Begriffe, mit denen Paulus seine Botschaft von Tod, Leben und Auferstehung zum Ausdruck bringt. Nun ist sicherlich richtig, daß das Fehlen des einen oder anderen Begriffes noch nicht als Zeichen unpaulinischer Herkunft gewertet werden kann. Bekanntlich findet sich ja auch die Rechtfertigungs- botschaft nicht in allen paulinischen Briefen. Gegenüber dem Vorkommen von χαρά/χαίρειν in 1Thess <24> ist aber in 2Thess nicht nur das Fehlen der Wort- gruppe festzustellen; es wird vielmehr zugleich eine andere Grundstimmung des Briefes deutlich <25>, und zwar sowohl im Blick auf das Verhältnis von Apostel und Gemeinde als auch im Blick auf das Verständnis von christlicher Existenz überhaupt. In diesem Sinn ist das Fehlen der Wortgruppe für die Echtheitsfrage von Bedeutung. Noch wichtiger ist, daß die Botschaft von Tod und Auferstehung Jesu in 2Thess nicht vorkommt, wie sich am Fehlen der Worte θάνατος und ἀποθνήσκειν, σταυρός und σταυρόω, νεκρός, ζωή und auch ἐγείρειν zeigt. Dies ist wiederum nicht für das einzelne Wort von Belang, sehr wohl aber für den Sachverhalt insgesamt, besonders wenn man bedenkt, welch eine grundlegende Bedeutung Tod und Auferstehung Christi in 1Thess 4,14 für die eschatologische Hoffnung haben <26>. Für Paulus ist Christus sicher auch der wiederkommende Herr, dies aber immer nur in Zusammenhang mit Kreuz und Auferstehung. Gerade diese zentral paulinische Botschaft fehlt in 2Thess. So werden die Unterschiede in der theologischen Begrifflichkeit zu einem Argument für die nichtpaulinische Herkunft des Briefes und es zeigt sich, daß eine Konzentra- tion auf das Problem der Eschatologie zur Entscheidung der Echtheitsfrage nicht genügt. Es wird weiterhin deutlich, daß in 2Thess in verschiedenen Abschnitten die Autorität des Apostels angesprochen wird. Sie ist die "tragende Schicht" des Brie- fes <27> und steht in engem Zusammenhang mit Eschatologie und Ethik des Brie- fes. Die persönliche Beziehung des Apostels zur Gemeinde, die in 1Thess den Brief insgesamt prägt, tritt dagegen in 2Thess ganz in den Hintergrund und selbst die Aufforderung zum Dank (εὐχαριστεῖν ὀφείλομεν 1,3; 2,13) wirkt "amtlich".

---

vgl hierzu auch den für die Past kennzeichnenden Ausdruck ἐπίγνωσις ἀληθείας (1Tim 2,4; 2Tim 2,25; 3,7; Tit 1,1). Die ἀλήθεια tritt neben die καλὴ διδασκαλία (1Tim 1,6; 2Tim 4,3). Vgl zur theologischen Begrifflichkeit auch *BRAUN*, Herkunft.

<24> Wie sonst in den Paulinen kennzeichnet das Wort auch hier die eschatologische Existenz der Christen. Freude ist bei Paulus nicht nur schönes Accessoir zum Glauben, sondern Glauben und Leben im Geist, eschatologische Existenz und Freude gehören sachlich zusammen und sind an manchen Stellen geradezu austauschbar. Nach 1Thess 2,19 ist χαρά Freude im Angesicht des kommenden Herrn, in 1,16 steht χαρά in Zusammenhang mit πνεῦμα ἅγιον. Das Verhältnis des Apostels zur Gemeinde ist ebenfalls durch χαρά gekennzeichnet (2,19f).

<25> Vgl hierzu besonders *TRILLING*, Untersuchungen, S.122. Nach *TRILLING* wiegt dies "fast so schwer ... wie das Fehlen des Kerygmas von 'Kreuz und Auferstehung'".

<26> Vgl *TRILLING*, ebd, S.130.

<27> So *DAUTZENBERG*, Theologie, S.90; vgl *TRILLING*, ebd, S.116. Hier ist es wichtig, daß Paulus offenbar als normierende Größe der Vergangenheit angesehen wird. Dies zeigt sich besonders in 2,5f; 3,7f.10.

2.1.3) Beobachtungen zu Sprache und Stil

Da 2Thess von 1Thess literarisch abhängig ist, wird man bei der Sprache und dem Stil des Briefes von vornherein manche Übereinstimmungen erwarten. Es zeigt sich freilich, daß trotz der literarischen Nähe 2Thess einen eigenständigen Stil gegenüber 1Thess aufweist <28>. So gehört der Parallelismenstil zu den ausgeprägten Merkmalen des 2Thess, wobei aber gerade der bei Paulus häufige antithetische Parallelismus hier nur in 1,6; 2,12 begegnet. Dagegen dient hier der Parallelismus häufig einer Überladenheit des Ausdrucks (vgl etwa 1,11). Dies gilt ebenso für die Zweier- und Dreiergruppen von Begriffen <29> wie für die Tatsache, daß 2Thess eine Reihe von Komposita verwendet, von denen sich nur die Grundform bei Paulus findet <30>. Die häufige Verwendung von πᾶς in allen Kapiteln des Briefes weist in die gleiche Richtung und ebenso die Vorliebe für substantivische Verbindungen <31>. Eine ausgeprägte Plerophorie kennzeichnet den gesamten Stil des 2Thess bis hin zu bisweilen langatmiger und geschraubter Ausdrucksweise (vgl 1,3-12).

Bildhafte Wendungen finden sich in 2Thess dagegen nur spärlich (angedeutet in 1,6; 3,1), während sie in 1Thess häufig sind <32>. Dagegen ist 2Thess eher geprägt durch einen "amtlichen Ton" und einen autoritativen Charakter <33>. Bedeutsam ist dabei, daß sich diese Stilmerkmale durchgängig im ganzen Brief finden <34>.

Auch eine statistische Übersicht über den Gebrauch von Konjunktionen, Präpositionen und Pronomina zeigt Unterschiede gegenüber 1Thess auf, was bedeutsam ist, weil über den Gebrauch dieser Worte weit weniger reflektiert wird als über die theologisch gefüllte Begrifflichkeit.

Dem Urteil BUJARDs <35>, der den 2Thess als echten Paulusbrief ansieht, da "er nur an wenigen Punkten vom Stil der unbestrittenen Briefe des Paulus" abweiche, kann ich nicht zustimmen. BUJARD konnte freilich auf Grund seiner anders gelagerten Thematik 2Thess nur summarisch behandeln.

Die Verwendung der verschiedenen Konjunktionen weist auch innerhalb der Paulinen eine recht große Bandbreite auf. In einer Reihe von Fällen bewegen sich aber die Werte von 2Thess im Extrembereich, so bei den kopulativen, den adversativen und den konsekutiven Konjunktionen <36>. Während in diesen Fällen die beiden Thess

---

<28> Vgl hierzu die gründliche und ausgewogene Darstellung bei *TRILLING*, ebd, S.46ff.
<29> Vgl hierzu *v.DOBSCHÜTZ*, Thess, S.42f, dort auch Stellenangaben.
<30> Vgl die Hapaxlegomena ὑπεραυξάνειν, ἐγκαυχᾶσθαι, ἐνδοξάζειν, περιεργάζεσθαι und κατάξιοῦν.
<31> Vgl *TRILLING*, ebd, S.59. Adjektivische Verbindungen sind seltener und wirken formelhaft (vgl 1,5.9; 2,16f; 3,2).
<32> Vgl 1Thess 2,7.11.19; 4,14f; 5,2f.4f.6.10.19. *RIGAUX*, Thess, S.90 stellt fest: "On est frappé de la disparité entre les deux lettres".
<33> Vgl wiederum *TRILLING*, ebd, S.63 und z.B. 1,3; 2,13; ebenso καθὼς ἄξιόν ἐστιν 1,3 oder οἴδατε πῶς δεῖ μιμεῖσθαι ἡμᾶς 3,7; ὑπακούειν τῷ λόγῳ ἡμῶν 3,14 u.ö. Hier zeigen sich die "Merkmale einer formelhaften und schon entwickelten sekundären Lehrsprache" (*TRILLING*, ebd, S.62).
<34> Dies und ebenso die im gesamten Brief feststellbaren theologischen Unterschiede zu Paulus sprechen gegen die These von *SCHMITHALS*, 2Thess sei aus einer Komposition zweier echter Paulusbriefe hervorgegangen und gehöre mit dem ebenfalls aus ursprünglich zwei Briefen bestehenden 1Thess in eine Korrespondenz von 4 echten Briefen (Thessalonicherbriefe, S.308; vgl zu 1Thess auch *ECKART*, Brief, S.30ff). Der methodische Mangel dieser These ist, daß *SCHMITHALS* nicht hinreichend fragt, ob der vorhandene Text sich sprachlich, stilistisch und inhaltlich als Einheit begreifen läßt. Dies ist aber sowohl bei 1Thess als auch bei 2Thess der Fall.
<35> Untersuchungen, S.20f. Besonders das Verhältnis zu 1Thess muß berücksichtigt werden.
<36> Vgl hierzu die Tabellen bei *BUJARD*, ebd, S.26f.33f.39ff, wobei jeweils die Gesamtlänge der einzelnen Briefe zu berücksichtigen ist. Zu den finalen Konjunktionen vgl die Tabelle

relativ nah beieinanderliegen, ergeben sich beim Gebrauch der finalen, der kausalen Konjunktionen und der Konjunktionen in Aussagesätzen recht deutliche Differenzen zwischen beiden Briefen. Auffällig ist weiterhin der Vergleich des Gesamtbestandes an Konjunktionen: hier liegt 1Thess zusammen mit 1Kor an der Spitze der Paulinen, 2Thess dagegen mit Phlm am unteren Ende. Dieses Ergebnis wird noch bestärkt, wenn man auf die Verwendung der häufig benutzten Konjunktionen blickt <37>.
Auch beim Gebrauch von Präpositionen weisen beide Thess z.T. recht deutliche Unterschiede auf, so besonders bei διά mit Akk. und Gen. und bei μετά mit Gen. <38>. Beide Briefe stimmen in der Wahl der Präpositionen überein, verwenden sie z.T. jedoch ganz verschieden häufig.
Bei den Personalpronomina ist festzustellen, daß 2Thess ἐγώ (im Gegenstz zu allen Paulusbriefen) nicht verwendet. Wichtiger aber ist die Differenz zu 1Thess. Während 1Thess ἡμεῖς 7 mal verwendet und damit prozentual an der Spitze aller Paulinen liegt, und dasselbe auch für die Verwendung von ὑμεῖς festzustellen ist (10 mal in 1Thess), gebraucht 2Thess diese Pronomina gerade umgekehrt nur ein- bzw. zwei- mal und liegt am unteren Ende der Skala <39>. Extrem unterschiedliche Werte ergeben sich auch für das Relativpronomen ὅς (1Thess 4 mal, 2Thess 12 mal) <40>. Die Interrogativpronomina τίς und τίς οὖν finden sich in 2Thess nicht, in 1Thess 3 mal. Dagegen stehen die indefiniten Pronomina τι, τις und μηδείς in 2Thess stati- stisch gesehen häufiger als in 1Thess.

In allen diesen Fällen ist besonders der Unterschied zwischen den beiden Thess signifikant. Ohne diese Einzelbeobachtungen überzubetonen, ist es doch als unwahr- scheinlich anzusehen, daß beide Briefe mit nur kurzem zeitlichen Abstand vom selben Verfasser geschrieben sind.

Im Blick auf den Stil des 2Thess ergibt sich insgesamt, daß er gegenüber dem paulinischen Stil als eigenständig angesehen werden muß, wobei dies für den gesam- ten Brief gilt. Wenn man die literarische Abhängigkeit vom 1Thess berücksichtigt, ist diese Eigenständigkeit des Stils besonders bemerkenswert.

2.1.4) Weitere Beobachtungen und Zusammenfassung

Einzelne Stellen haben in der Echtheitsdebatte von Anfang an eine Rolle gespielt, so besonders 2,2 und 3,17. Bereits *SCHMIDT* sieht in diesen beiden Briefen das zweite wichtige Argument gegen die Echtheit, und *WEIZSÄCKER* meint unmißverständlich: "Denn hat er (sc. Paulus) das nicht selber geschrieben, so ist es geradezu Fäl- schung. Und doch werden wir auch diesem Urtheile nicht ausweichen können; gerade diese Worte (sc. 3,17) werden zum Verräther" <41>. Das Wort Fälschung verweist die Erörterung dieser beiden Stellen freilich aus der Echtheitsdebatte in den Themen- bereich der Pseudonymität. Gerade wenn 2Thess sich als nicht paulinisch erweist, müssen diese beiden Stellen im Rahmen eines pseudonymen Schreibens gewürdigt

----

S.33; zu den kausalen Konjunktionen S.27f; zu den Konjunktionen in Aussagesätzen S.36f. Zum Gesamtbestand vgl die Tabelle S.49.
<37> Hier ergibt sich eine Tendenz zu den gebräuchlichen Konjunktionen und zugleich ein Unter- schied zu 1Thess. Vgl hierzu die Tabelle bei *BUJARD*, ebd, S.50f, wobei die absoluten Zahlen freilich im Verhältnis zur Gesamtlänge der Briefe zu sehen sind. Im Blick auf den gesamten Wortbestand ergeben sich die Zahlen von 2,1% für 1Thess und 3,4% für 2Thess.
<38> διά mit Akk. begegnet in 1Thess 6mal (0,4% des Wortbestandes), in 2Thess 1 mal (=0,1%). διά mit Gen. dagegen findet sich in 1Thess 4 mal (0,3%), in 2Thess 9 mal (1,1%). μετά mit Gen. steht in 1Thess 3 mal (0,2%), in 2Thess 5 mal (0,65%) . Diese Zahlen sind im einzel- nen unbedeutend, in ihrer Gesamtheit jedoch statistisch relevant.
<39> Die übrigen Kasus ergeben keine besonderen Auffälligkeiten. 2Thess geht bei ἡμεῖς und ὑμεῖς mit den Paulusbriefen nah zusammen, unterscheidet sich aber gerade von 1Thess.
<40> Auffällig ist hierbei weiter, daß 2Thess im Blick auf die Relativpronomina näher bei Eph und den Past steht als bei den Paulinen.
<41> Zeitalter, S.260. Zu 3,17 vgl ausführlich unten, S.301f.

werden.

Am Ende dieses Überblicks ergibt sich: 2Thess ist nicht von Paulus verfaßt. Darauf weisen alle Einzelergebnisse unabhängig voneinander. Die methodische Einsicht, daß nicht einzelne Stellen oder Argumente über die Echtheit entscheiden, sondern das Zusammenspiel der Argumente, wirkt sich hier aus. Zugleich wird deutlich, daß der Brief nach 1Thess geschrieben ist, den er kennt und literarisch benuzt. Die grundlegenden theologischen Unterschiede machen es dabei ganz unwahrscheinlich, daß ein Mitarbeiter des Paulus mit dessen Wissen und Billigung das Schreiben verfaßt und daß Paulus seinen eigenhändigen Schlußgruß darunter gesetzt habe. Vielmehr zeigt sich im Vergleich von 1Thess 4,13ff und 2Thess 2,1ff eine weiterentwickelte Situation. Und aus 2,5f und 3,6ff ergibt sich, daß Paulus offenbar als normative Größe der Vergangenheit gilt. 2Thess ist demnach ein nachpaulinisches Schreiben.

2.2) Die nicht paulinische Herkunft des Kolosserbriefes

Bei der Analyse des Kol ist besonders zu beachten, daß hier Ausdrücke genuin paulinischer Theologie und Sprache direkt neben eigenständigen Akzenten in Stil und theologischem Denken zu finden sind <42>. Die besonders bei Kol eindrucksvolle Zahl von Vermittlungsversuchen zwischen Echtheit und Unechtheit belegen die Nähe und gleichzeitige Differenz zu Paulus <43>. Auf der anderen Seite versuchten jeweils Befürworter und Bestreiter der Echtheit, möglichst viele Einzelbeobachtungen für ihre Ansicht zusammenzutragen, kamen aber auf Grund dieser quantifizierenden Methode lediglich zu einer mehr oder minder vollständigen Zusammenstellung von Sachverhalten, ohne jedoch diese Sachverhalte untereinander in Beziehung zu setzen und damit eine ganzheitliche Betrachtung zu erreichen <44>. Die methodische Einsicht, daß Einzelargumente in Beziehung zueinander zu setzen und zu verstehen sind, gilt hier in gleicher Weise wie für 2Thess.

2.2.1) Der Stil des Kolosserbriefes

Seit *MAYERHOFF* spielen Beobachtungen zum Stil in der Echtheitsdebatte eine wichtige Rolle <45>. Lange Zeit galt dabei die größere Anzahl paulinischer bzw. nicht

----

<42> Vgl hierzu die gängigen Einleitungen und Kommentare, außerdem *LÄHNEMANN*, Kolosserbrief, S.11-28 (dort weitere Literatur).

<43> Vgl besonders *HOLTZMANN*, Einleitung, S.265. Er erkannte in Kol einen ursprünglich echten Paulusbrief, der vom Verfasser des Eph in antignostischer Absicht überarbeitet und erweitert worden sei. *HOLTZMANN*s Theorie hat sich insgesamt nicht durchsetzen können. Für *BAUR*, Paulus, S.10f war Kol die Schrift eines Pauliners in gnostischer Zeit (2.Jahrhundert) und dem Brief kam selbst "ächt gnostisches Gepräge" zu (ebd, S.12; vgl auch *HILGENFELD*, Einleitung, S.663.668f). *De WETTE* sah in Kol dagegen ein theosophisches Judentum am Werk (Lehrbuch, S.307ff). Zum Verhältnis zu Eph ist grundsätzlich zu sagen, daß Eph den Kol literarisch voraussetzt und Kol deshalb nicht primär von Eph her interpretiert werden darf (vgl *KÜMMEL*, Einleitung, S.316ff; *LOHSE*, Kol, S.31, Anm.1).

<44> Typisch hierfür ist die Arbeit von *PERCY*, der eine wirklich beachtliche Fülle von Beobachtungen zum Stil anführt (Probleme, S.19-35), die auf die nicht paulinische Herkunft des Briefes deuten, sie aber mühelos mit "typisch paulinischen Stilmerkmalen" ausgleicht; vgl etwa Bemerkungen wie "Indessen begegnet uns manches von derselben Art auch in den anerkannten Briefen, wenn auch bei weitem nicht so häufig wie in dem Kolosser- und Epheserbrief" (ebd, S.27).

<45> Vgl Brief, S.12.28ff.

paulinischer Stileigentümlichkeiten als ausschlaggebend für das Urteil über die Echtheit. Nun hat freilich *BUJARD* in überzeugender Weise dargelegt, daß nur eine
ganzheitliche Stilbetrachtung "die allein sachgemäße Weise einer Stiluntersuchung"
und eines Stilvergleiches sein kann <46>. *BUJARD*s Ergebnisse sind durch genaue
statistische Analysen abgesichert und können hier übernommen werden. Folgendes
kommt in Betracht:

Kol weist im Gegensatz zu Paulus, der überwiegend den Infinitiv und den konjunktio-
nalen Nebensatz dem Hauptverb subordiniert <47>, einen lose anknüpfenden Stil auf,
bei dem die verschiedenen Satzglieder gleichrangig nebeneinander stehen <48>.

Folgende Beobachtungen belegen dies: Kol gebraucht Konjunktionen in erheblich geringerem Maß als Paulus. Dies gilt besonders für die adversativen, die kausalen und
die Konjunktionen in Aussagesätzen. Es zeigt sich, daß "Paulus etwa zwei- bis
dreimal so oft Konjunktionen gebraucht wie der Verfasser des Kol und daß der Eph
diesem eindeutig näher kommt als jenem" <49>. Bereits von hier aus ergibt sich die
Annahme, daß Kol "seine Sätze nicht so klar miteinander verbindet und weniger
argumentiert als Paulus das tut" <50>. Auch die Zahl der Infinitive ist in Kol prozentual erheblich geringer als bei Paulus. In besonderem Maß gilt dies für die Infinitive
mit Präpositionen und Artikel, die sich bei Paulus häufig finden <51>. Umgekehrt
weist Kol an 5 Stellen (1,10.22.25; 4,3.6) einen lose angehängten Infinitiv zur Weiterführung des Satzes auf, und diese Konstruktion begegnet dreimal in Eph, aber bei
Paulus nur in Röm 1,28. Dieser Sachverhalt weist ebenfalls auf einen lose anfügen-
den Stil in Kol hin.
Für die Partizipialkonstruktionen ergibt sich zwar zahlenmäßig keine signifikante
Auffälligkeit gegenüber Paulus. Wiederum aber verwendet Kol häufig Partizipien, "die
im Wechsel mit Relativsätzen und lose angehängten Infinitiven den Satz weiterführen" <52>, und schließlich überwiegen in Kol bei weitem diejenigen Relativanschlüsse,
die nur lose angehängt sind, während Paulus, bei einer geringeren prozentualen Anzahl von Relativkonstruktionen insgesamt eine deutlich höhere Anzahl von Relativsätzen bildet, die sich auf ein vorstehendes Subjekt oder Objekt beziehen <53>.

Alle diese Beobachtungen weisen in die gleiche Richtung. Als Einzelbeobachtungen
sind sie auffällig, in ihrer Gesamtheit aber machen sie auf einen veränderten Stil
des Kol gegenüber Paulus aufmerksam.

Die lockere Satzfügung weist zugleich hin auf eine lockere Gedankenfügung. Kennzeichnend hierfür ist zunächst, daß Kol anders als Paulus weiterführende Wiederho-
lungen nur sehr sparsam verwendet <54>. Auch der antithetische Gedankenaufbau,
der sich bei Paulus häufig findet (vgl etwa 1Kor 1,18ff) <55>, läßt sich in Kol kaum
feststellen. Hiergegen kann man nicht anführen, daß sich solch eine antithetische
Gliederung eben doch hin und wieder zeigt. Vielmehr weist dieser Unterschied auf

---

<46> Untersuchungen, S.221f.
<47> Vgl ebd, S.72.
<48> Vgl besonders die beiden Abschnitte Kol 1,3-8 und 2,6ff, in denen dieser Stil zutage tritt
     (*BUJARD*, ebd, S.79-86).
<49> Vgl die Tabellen bei *BUJARD*, ebd, S.26f.36 und zum Ergebnis S.48ff. Zum Zitat vgl S.49.
<50> Ebd, S.53.
<51> Nachweis bei *BUJARD*, ebd, S.55f.
<52> Ebd, S.60; vgl die Tabellen S.59ff.
<53> Ebd, S.64-70.
<54> Die Wiederholung in weiterführender Absicht ist bei Paulus ein beliebtes Stilmittel (vgl
     BUJARD, ebd, S.92ff; zu Kol vgl S.91f). Dagegen finden sich in Kol öfter bestimmte Phra-
     sen und Wortgruppen, die wiederholt werden, vgl besonders 1,28 und 3,16. Weitere Belege
     bei *BUJARD*, ebd, S.99.
<55> Schon *J.WEISS*, Urchristentum, S.312 hat festgestellt, daß das ganze Reden und Denken
     des Paulus einen "antithetischen Rhythmus" hat. Dies zeigt sich in vielfachen Alterna-
     tiv-Formulierungen, in der Formel μὴ γένοιτο mit vorausgehender Frage, in Überbietungen,
     antithetischen Entsprechungen. Diese Stilmittel finden sich dagegen in Kol nicht (vgl
     BUJARD, ebd, S.102ff).

einen eigenständigen Stil hin, der sich weit weniger in Gegensätzen bewegt, als dies bei Paulus der Fall ist. Die Häufigkeit der Präposition ἐν, die weit über dem bei Paulus durchschnittlichen Wert verwendet und die zugleich die in ihrer Bedeutung vielseitigste Präposition im NT ist, weist in die gleiche Richtung ⟨56⟩. So macht die Vielzahl der Beobachtungen zum Stil des Kol und vor allem ihre innere Beziehung zueinander die paulinische Verfasserschaft ganz unwahrscheinlich. Andere Erklärungsversuche, daß etwa Kol stark liturgischen Charakter habe ⟨57⟩, daß er in seinen Formulierungen besonders stark auf seine Gegner eingehe ⟨58⟩ oder daß sich hier der Altersstil des Apostels Ausdruck verschaffe ⟨59⟩, sind nicht in der Lage, die durchgängige Eigenheit des Briefstils hinreichend zu erklären.

Dies findet seine Bestätigung schließlich auch im Blick auf den Wortschatz des Briefes. Hier ergibt sich, daß der Wortschatz der Paulinen stärker vom Verb geprägt ist, während Kol deutlich das Substantiv bevorzugt ⟨60⟩ und hierin nur noch von Eph übertroffen wird. Diese Beobachtung ist ganz offentlichtlich mit der Beobachtung zu verbinden, daß Paulus stärker vom Hauptverb her den Nebensatz und den Infinitiv subordiniert, Kol dagegen die Satzglieder öfter bei- und gleichordnet. Darin wird wiederum der lockere und assoziative Charakter der Gedankenführung im Kol sichtbar.

Stil und Wortschatz weisen so insgesamt und gleichmäßig auf die nicht paulinische Verfasserschaft ⟨61⟩.

2.2.2) Theologische Unterschiede gegenüber Paulus

Was für die Beobachtungen zum Stil gilt, gilt für diejenigen zur Theologie analog. Einzelne Sachverhalte lassen sich möglicherweise erklären. Weisen dagegen verschiedene Beobachtungen in die gleiche Richtung, so wird die Gesamtheit der Argumente

---

⟨56⟩ "Denn von der Ebene der Statistik auf die der gedanklichen Leistung transponiert heißt das ja, daß der Verfasser des Kol dazu neigt, innerhalb eines Satzes logische Beziehungen mit Hilfe der Präposition ἐν und damit des Mädchens für alles zum Ausdruck zu bringen" (ebd, S.128).

⟨57⟩ So DEISSMANN, Paulus, S.87; LOHMEYER, Kol, S.13.

⟨58⟩ So KÜMMEL, Einleitung, S.305; PERCY, Probleme, S.45. In dem Abschnitt 2,6ff geht Kol in der Tat stark auf gegnerische Äußerungen ein; dies zeigt sich daran, daß von den 68 Hapaxlegomena des Briefes 26 allein in diesem Abschnitt stehen. Hinzu kommen noch einmal 7 Hapaxlegomena in dem traditionellen Hymnus 1,15f. Eine besondere Bedeutung für den Stil des Kol insgesamt hat dies freilich nicht. Vielmehr finden sich die eigenen Stilmerkmale des Kol gerade auch in 2,6ff.

⟨59⟩ So STAAB, Kol, S.67.

⟨60⟩ Nach MORGENTHALER, Statistik, S.173.38ff ergeben sich im Vergleich mit den Paulinen folgende Zahlen (in Klammern die Prozentzahlen im Blick auf den gesamten Wortbestand):

Röm: 363 Subst. (33,9%) – 120 Adj. (11,2%) – 337 Verben (35,3%) – 57 Adv. (5,3%)
1Kor: 301 Subst. (31%)   – 126 Adj. (13%)   – 352 Verben (36,4%) – 60 Adv. (6,2%)
2Kor: 268 Subst. (33,8%) – 85 Adj. (10,7%) – 283 Verben (35,7%) – 50 Adv. (6,3%)
Gal: 139 Subst. (26,4%) – 44 Adj. (8,4%) – 202 Verben (38,4%) – 38 Adv. (7,2%)
Phil: 140 Subst. (31,2%) – 54 Adj. (12%)   – 137 Verben (30,%) – 35 Adv. (7,8%)
1Thess: 104 Subst. (28,4%) – 31 Adj. (8,5%) – 128 Verben (35,1%) – 33 Adv. (9,8%)
Phlm: 35 Subst. (24,8%) – 15 Adj. (10,6%) – 33 Verben (23,4%) – 10 Adv. (7,1%)

Kol: 166 Subst. (38,5%) – 38 Adj. (10,6%) – 137 Verben (31,8%) – 18 Adv. (4,2%)
Eph: 231 Subst. (43,5%) – 54 Adj. (10,2%) – 158 Verben (29,8%) – 25 Adv. (4,75)

MAYERHOFF, ebd. S.35. spricht von einem förmlichen "Jagen nach Synonymen, wie wir es in keiner neutestamentlichen Schrift ähnlich wieder finden".

⟨61⟩ Dem widerspricht nicht, daß Kol bisweilen ganz paulinisch klingt. Denn offenbar kennt Kol verschiedene Äußerungen des Paulus, wie z.B. die Beziehung von 2,12f auf Röm 6,1ff zeigt. Der Verfasser formuliert aus einer breiten Kenntnis paulinischer Aussagen heraus. Andererseits wird dann aber gerade in Stellen wie 2,12 die theologische Differenz zu Paulus unübersehbar.

ausschlaggebend. In zweierlei Hinsicht gilt dies für die Theologie des Kol. Eine Reihe der theologischen Hauptlinien des Briefes: die (kosmische) Christologie und damit in Zusammenhang die Soteriologie, das Taufverständnis und die Eschatologie ebenso wie das Apostelverständnis weisen gegenüber Paulus eine deutlich andere Akzentuierung auf. Da auf diese Themen später ausführlich einzugehen ist, genügt hier der Hinweis darauf.

Die kosmologischen Aussagen des Kol hat besonders *KÄSEMANN* herausgearbeitet <62>. Für ihn gewinnen die besonderen Kennzeichen des Briefes (so z.b. der Hymnus in 1,15ff, der Gemeinde-Gedanke; der Triumph über die Mächte) Transparenz vom gnostischen Mythos vom Urmenschen und Erlöser her <63>. Dies zeigt sich für *KÄSEMANN* vor allem in 1,12-20, worin er eine "Taufliturgie" erkennt <64>. Diese religionsgeschichtliche Herleitung ist durch *HEGERMANN* <65> und andere in Frage gestellt worden, und in der Tat wird man die vorchristliche Herkunft des Hymnus angesichts von πρωτότοκος ἐκ τῶν νεκρῶν 1,18 nicht halten können <66>. *HEGERMANN* selbst leitet den Hymnus vom hellenistischen Urchristentum her und führt die hier verarbeiteten Motive im wesentlichen auf Philo zurück. Daß der Verfasser des Kol die Aussagen des Hymnus nicht einfach übernimmt, sondern in seinem Sinn interpretiert, hat *SCHWEIZER* herausgearbeitet <67>. Mit diesen Arbeiten wurde so einerseits der traditionsgeschichtliche Hintergrund des Briefes erhellt und andererseits die spezifische Akzentsetzung des Verfassers herausgearbeitet. Daß der Verfasser seinen Standpunkt dabei in der Auseinandersetzung mit der Irrlehre findet und schärft, ist mehrfach betont worden <68>.

Zum anderen weisen innerhalb dieser Hauptlinien eine Reihe von theologischen Begriffen wesentliche Differenzen zum paulinischen Sprachgebrauch auf.

Dies gilt zunächst für den Begriff ἐλπίς (1,5.23.27) <69>. Nach 1,5 ist ἐλπίς beschrieben als Hoffnungsgut, das jetzt schon im Himmel bereit liegt <70>. Hoffnung ist auf das ausgerichtet, was schon längst als Wirklichkeit vorhanden ist. Das christliche Leben ist bestimmt durch τὰ ἄνω ζητεῖτε und τὰ ἄνω φρονεῖτε (3,1f). Das zeitlich bestimmte eschatologische Denken tritt zurück zugunsten eines stärker sphärisch bestimmten. Dieses Verständnis der Hoffnung wirkt sich auch aus auf die πίστις. In 1,5 steht die Hoffnung nicht gleichgeordnet neben Glaube und Liebe, sondern ist vielmehr als im Himmel bereitliegendes Heilsgut deren Grund. Die ἐλπίς wird so zum Inhalt des Evangeliums und dieses Evangelium ist λόγος ἀληθείας insofern, als es sich auf das Heilsgut hin ausrichtet. Bei πίστις (das Verb fehlt ebenfalls in Kol) ist in 1,23; 2,5.7 die Verbindung zu Begriffen des Feststehens auffällig. Zweifellos ist der Glaube gebunden an Christus, den Herrn (vgl 2,5). Dennoch kann nicht übersehen werden, daß die Ausdrücke des Bleibens, Festseins, des Nicht-Bewegt-Werdens und Gegründet-Seins unzweifelhaft Interpretation bieten für die πίστις. πίστις bedeutet Festhalten an dem, worin man unterwiesen worden ist (2,7). Diese Begrifflichkeit weist voraus auf die Terminologie von der "rechten Lehre" der Past (vgl auch Eph 4,5). Damit zeigt sich auch beim Glauben die Tendenz zum Statischen, zum Festsein und Festhalten, so wie bereits bei der Hoffnung, zwar noch nicht eindeutig ausgeprägt, aber doch schon deutlich erkennbar. Für Paulus hängen Glaube und ὑπακοή eng zusammen, wie schon die Formel vom Glaubensgehorsam belegt <71>. Der Glaube ist als Gehorsamsakt verstanden. Der

----

<62>   Leib, passim. Er stellt die These auf, daß Kol nur durch eine gnostische Interpretation verständlich sei (S.155).
<63>   Vgl ebd, S.50ff.130.
<64>   Taufliturgie, S.43ff, zur gnostischen Herkunft vgl S.40f. In der Bindung an das Taufbekenntnis und der darauf folgenden besonderen Betonung des Apostolates spricht für *KÄSEMANN* das nachapostolische Zeitalter (S.49). Die Analyse *KÄSEMANN*s ist im einzelnen vielfach modifiziert worden, in ihrem literarkritischen Aspekt jedoch grundsätzlich anerkannt.
<65>   Vorstellung, S.93ff.100f.163.
<66>   Gegen *KÄSEMANN*, Taufliturgie, S.39f.
<67>   Kirche, S.296ff. *KÄSEMANN* hatte die Einschübe in V.18.20 als christliche Redaktion verstanden.
<68>   Vgl hierzu besonders *LÄHNEMANN*, Kolosserbrief.
<69>   Das Verb kommt im Kol nicht vor. Zu ἐλπίζειν bei Paulus vgl die knappe Zusammenfassung bei *BULTMANN*, Artikel ἐλπίς, S.527-529.
<70>   Vgl *BORNKAMM*, Hoffnung, S.207.
<71>   Vgl oben, S.9.

Glaubensgehorsam ist das Ziel des paulinischen Apostolates (vgl Röm 15,18) und das absolut gebrauchte ὑπακοή kann geradezu die Bedeutung "Glaube" gewinnen. Demgegenüber findet sich ὑπακούειν in Kol menschlichen Autoritäten gegenüber in der Haustafel 3,20.22, und die Begründung weist dort in die Richtung des sittlichen Gebotes. Zugleich geht die enge Verbindung zur πίστις verloren. Für einen Paulusbrief ganz auffällig wäre weiterhin das nahezu völlige Fehlen von Hinweisen auf und Begründungen mit dem Geist. "Viele Aussagen, die bei Paulus immer oder sehr häufig mit dem Hinweis auf den Geist verbunden sind, erscheinen hier ohne diesen; oft so, daß statt dessen auf anderes, vor allem auf Christus verwiesen wird" <72>. Auch die anthropologische Verwendung in 2,5 weicht von der paulinischen ab. Kol 1,8 ist vergleichbar mit Röm 15,30; 14,17. In beiden Römerbriefstellen ist der Geist jedoch Subjekt der Liebe bzw. Impuls zu Gerechtigkeit, Frieden und Freude. "Kol 1,8 ... soll vermutlich nur noch eine rein 'geistliche' von einer weltlichen Liebe unterschieden werden" <73>. Diese Interpretation legt sich auch durch die Verwendung des Adjektivs in 1,9; 3,16 nahe. Offensichtlich kommt die theologische Valenz des Begriffs bei Paulus in Kol nicht zum Tragen, der Begriff wird vielmehr zur Kennzeichnung des spezifisch christlichen Bereichs gegenüber dem weltlichen.

Auch im Blick auf das Gesetzesverständnis gibt es deutliche Unterschiede zwischen Kol und Paulus. In Kol fehlen die Begriffe ἁμαρτία, δικαιοσύνη, δικαιοῦν, νόμος. Dies allein ist freilich noch kein Beleg für die Unechtheit (denn δικαιοῦν fehlt auch in 1Thess, Phil und 2Kor; δικαιοσύνη in 1Thess und νόμος in 2Kor). Bedeutung gewinnt die Fehlanzeige aber dann, wenn man bedenkt, daß Kol in Auseinandersetzung mit einer gesetzlichen Irrlehre steht (vgl damit Gal 4,8ff), die sogar den Sabbat kennt (2,16). Nicht das Fehlen der genannten Begriffe als solches ist auffällig, sondern das Fehlen trotz der Nähe der gesetzlichen gegnerischen Front zu der in Gal. Umgekehrt spricht 2,17 in einer Weise von den gesetzlichen Vorschriften als vom "Schatten des Zukünftigen", während das eigentliche Wesen Christus zukomme (vgl Hebr 8,5; 10,1), wie sie bei Paulus kaum denkbar ist. Wohl ist auch für Paulus das Gesetz als Gottes Gesetz heilig, gerecht und gut (Röm 7,12; Gal 3,24). Es hat den Menschen aber faktisch in die Knechtschaft geführt (Röm 7,22-24; 8,2; Gal 4,1-3) und ist nur unter diesem Gesichtspunkt sachgerecht zu verstehen.

Es ist schließlich auch auf das Apostelverständnis einzugehen, wie es in Kol zutage tritt. Nach 1,24 erfüllt der Apostel das, was an Leiden Christi noch mangelt. Diese Formulierung geht über das deutlich hinaus, was wir bei Paulus finden (vgl z.B. Röm 15,15-21). Der Dienst des Apostels wird durch das Revelationsschema 1,26f stark hervorgehoben. Auch dies ist von dem etwa in 1Kor 2,6-16 Gesagten deutlich verschieden. Berücksichtigt man weiter die besondere Rolle, die Epaphras (1,7f; 4,12f) und Tychikos (4,7f) in Kol spielen, so wird das andere Verständnis vom Apostolat noch einmal stark betont.

Alle diese Sachverhalte ergeben zusammen ein einheitliches Bild. Wesentlich ist, daß unterschiedliche Akzente gegenüber Paulus nicht punktuell begegnen, sondern in praktisch allen Bereichen des theologischen Denkens zu finden sind. Die Akzentuierung dem Apostel gegenüber ist insgesamt zu bedeutsam, als daß der Brief von Paulus geschrieben sein kann.

2.2.3) Die nachpaulinische Herkunft des Kolosserbriefes

Hat sich so die nicht paulinische Herkunft des Kol ergeben, so stellt sich noch die

----

<72> *SCHWEIZER*, Kol, S.38.
<73> Ebd, S.39.

Frage, ob er nachpaulinisch, also nach dem Tod des Apostels, oder nebenpaulinisch, also von einem Mitarbeiter des Apostels während dessen Lebzeiten verfaßt worden ist. Für die nebenpaulinische Herkunft werden neuerdings folgende Argumente vorgebracht ⟨74⟩: Kolossae wurde im Jahr 61 n.chr. wahrscheinlich durch ein Erdbeben zerstört ⟨75⟩; die Grußliste in 4,7-18 ist eng verwandt mit der des Phlm und müßte im Fall der nachpaulinischen Herkunft "in außerordentlich kunstvoller Weise" aus dem Material des Phlm komponiert worden sein ⟨76⟩; Kol ist eindeutig ein echter Brief mit einem konkreten Anlaß, und dies sei für die nachpaulinische Zeit unwahrscheinlich ⟨77⟩; Kol ist von allen deuteropaulinischen Briefen dem paulinischen Denken am nächsten verwandt ⟨78⟩.

Diese Argumente sind zweifellos ernst zu nehmen, scheinen mir aber dennoch die nebenpaulinische Herkunft des Briefes nicht zwingend nachzuweisen. Daß Kol ein Brief in einer konkreten Situation ist, spricht nicht notwendig gegen eine nachpaulinische Herkunft; es spricht allenfalls gegen eine späte Ansetzung des Abfassungsdatums. Man wird gerade auch bei der nachpaulinischen Entstehung von einer zeitlichen Nähe zum Apostel auszugehen haben, die dann auch die inhaltliche Nähe mit begreiflich macht. Daß Kolossae 61 post zerstört wurde, ist wahrscheinlich (wenn auch das Ausmaß der Zerstörung unklar bleibt). Dies schließt freilich trotz fehlender Quellen einen bescheidenen Wiederaufbau nicht aus ⟨79⟩. Schwierig ist in der Tat die Grußliste. Zwei Argumente aber sprechen m.E. stark für die nachpaulinische Herkunft des Briefes und wiegen schwerer als die Verwandschaft mit Phlm: daß ein Mitarbeiter des Paulus zu dessen Lebzeiten und in Kontakt mit ihm (vgl hierzu gerade auch die Nähe zu Phlm) einen Gemeindebrief schreibt, der so deutlich von der paulinischen Theologie abweicht und daß dieser Brief durch Paulus sanktioniert wird (vgl 4,10), ist sehr unwahrscheinlich ⟨80⟩. Umgekehrt ist kaum anzunehmen, daß ein solcher Brief ohne Wissen des Paulus hätte geschrieben und empfangen werden können. Damit in Zusammenhang steht die Rolle des Apostels, wie Paulus sie versteht und wie Kol sie sieht. Gewiß sieht sich Paulus in einer Reihe mit seinen Mitarbeitern, weiß sich aber dennoch in besonderer Weise zum Dienst am Evangelium berufen. Faktisch hätte Paulus dem Verfasser des Briefes die Apostelwürde zuerkannt, die zudem von seinem eigenen Verständnis des Apostolats sichtlich abweicht. Gerade in dem veränderten Apostelverständnis liegt ein entscheidendes Argument gegen die nebenpaulinische Herkunft ⟨81⟩. Wir haben es also mit einem Brief zu tun, der bald nach dem Tod des Apostels verfaßt worden ist.

⟨74⟩ Vgl besonders *SCHWEIZER*, Kol, S.22; *OLLROG*, Paulus, S.236ff.
⟨75⟩ Vgl hierzu die Angaben bei *SCHWEIZER*, Kol, S.19.
⟨76⟩ Ebd, S.23f.
⟨77⟩ Ebd, S.237.
⟨78⟩ *OLLROG*, ebd, S.237f.
⟨79⟩ *LINDEMANN*, Kol, S.12f.74f nimmt an, daß gerade das zerstörte Kolossae als Scheinadresse des in Wirklichkeit für Laodizea bestimmten Briefes gedient habe; diese Adresse habe die Echtheit des Briefes unterstreichen sollen. Dies würde freilich bei dem Verfasser einen bewußten Griff zur Adressaten-Fiktion voraussetzen, der durch die Analyse der Deuteronymität des Schreibens gerade nicht gedeckt wird (vgl hierzu unten, S. 300).
⟨80⟩ Zur Angabe von Mitverfassern im Präskript vgl unten, S.292f.
⟨81⟩ Vgl hierzu die Ausführungen zum Apostelverständnis. Zur Verwandtschaft der Grußliste mit der des Phlm vgl unten, S.296f.

2.3) Weiterführende Fragestellungen

Es hat sich gezeigt, daß sowohl 2Thess als auch Kol nachpaulinischen Ursprungs sind. Sprachliche, stilistische und theologische Indizien weisen dies aus. Für 2Thess kommt besonders noch die literarische Abhängigkeit von 1Thess hinzu. Von diesem Sachverhalt ist im folgenden auszugehen.

Nun hat sich für 2Thess ergeben, daß er im Bereich der Eschatologie deutlich von Paulus abweicht. Im Zusammenhang damit steht die Frage nach dem Stellenwert apokalyptischer Tradition. Weiterhin wurde die apostolische Autorität als tragende Schicht des Briefes erkannt und auch in diesem Zusammenhang begegnete das Problem apostolischer Tradition. Hieraus ergeben sich die Eschatologie, das Apostel- und das Traditionsverständnis als Themen für die weitere Untersuchung. Der Schwerpunkt wird dabei nicht mehr darauf liegen, mit Hilfe sachlicher Differenzen zu Paulus die Unechtheit nachzuweisen, sondern vielmehr genauer der Frage nachzugehen, wie 2Thess sich von Paulus unterscheidet und welche theologische Entwicklung von Paulus hin zu 2Thess festzustellen ist. In der gleichen Weise ist auch das Thema der Ethik zu untersuchen. Denn nicht nur die veränderte Bedeutung des Wahrheits- oder Geistbegriffs haben ethische Konsequenzen, sondern auch das Fehlen der christologischen Aussagen in 2Thess (von der Parusie abgesehen), die bei Paulus ja auch für die Ethik einen wesentlichen Impuls geben.

Sieht man nun auf Kol, so ist die Neuakzentuierung des Hoffnungsbegriffes ebenfalls ein Hinweis auf eine Veränderung im Bereich der Eschatologie. Differenzen in der Frage des Apostelverständnisses zeigen sich sehr deutlich und die Bedeutung des traditionellen Hymnus in 1,15ff für den gesamten Brief liegt auf der Hand. Damit sind diese Themenbereiche auch für die Veränderung von Paulus hin zu Kol relevant. Die Bedeutung der Ethik ergibt sich darüber hinaus aus der Wichtigkeit und Breite der ethischen Ausführungen in Kol. Über 2Thess hinaus muß für Kol noch die kosmologische Akzentuierung der Christologie und der Zusammenhang von Kosmologie und Taufe untersucht werden.

3) Die eschatologischen Entwürfe

3.1) Vorüberlegungen

Für Paulus ist die Eschatologie ein zentrales Thema. Sie gehört grundlegend zum Denken des Apostels hinzu <1>. Christologie, Soteriologie und Eschatologie sind ineinander verwoben und können nur unter Berücksichtigung dieser Wechselbeziehung wirklich verstanden werden. Größere thematische Einheiten zur Eschatologie (Röm 8,18-39; 1Kor 15; 2Kor 5,1-10; 1Thess 4,13-5,11) finden sich zwar nicht in jedem Paulusbrief, überall in seinen Briefen gibt es aber entsprechende Hinweise und Ausblicke <2>. Gerade die Kurzaussagen sind dabei in verschiedene Zusammenhänge eingegliedert und lassen die Verschränkung der Eschatologie mit den anderen Themenbereichen erkennen <3>. Umgekehrt sind in die größeren thematischen Einheiten christologische und soteriologische Aussagen integriert, die auf den Gesamtzusammenhang der paulinischen Theologie verweisen.

Grundlegend ist für Paulus die Erfahrung, daß der Glaubende in Christus in einer neuen Existenz lebt (2Kor 5,17). Auf die Vollendung des Heils lebt der Christ freilich erst noch hin (vgl Röm 6,4.8). In der Bewegung von Kreuz und Auferstehung hin zur Wiederkunft Christi bildet sich die Spannung von bereits geschehenem, aber noch nicht vollendetem Heil ab.

In der Auseinandersetzung mit seinen Gegnern zeigt sich, daß offenbar gerade diese Spannung mißverstanden werden konnte (vgl etwa 1Kor 6,12; 10,23; 15,12). Es ist deshalb notwendig, zu fragen, ob und wie sich diese Spannung in der Nachfolge des Paulus durchhält. Ebenso ist zu fragen, inwieweit bei den Schülern des Paulus die grundlegende Wechselbeziehung von Eschatologie, Christologie und Soteriologie gewahrt bleibt.

Daß Paulus in seiner Eschatologie Traditionen verschiedener Art aufgreift, ist an vielen Stellen nachzuweisen. Es ergibt sich deshalb die Frage, welche Traditionen in der Paulusnachfolge aufgegriffen werden und wie mit der paulinischen Eschatologie selbst als Tradition umgegangen wird.

In den beiden Thess ist das Thema der Eschatologie zweifellos zentral. Deswegen verspricht gerade die Behandlung dieses Themas einen Einblick in den Wandel von Paulus hin zu 2Thess. Die Beziehung von Kol 2,12f; 3,1f zu Röm 6 zeigt, daß dieses Thema auch für den Vergleich mit Kol von Bedeutung ist. Ich setze mit einem Paulustext ein. Wegen der literarischen Verwandschaft der Thess empfiehlt es sich, von 1Thess 4,13ff auszugehen. Die Behandlung der eschatologischen Entwürfe in 2Thess und Kol schließt sich an.

3.2) Die eschatologischen Aussagen des 1.Thessalonicherbriefes

Innerhalb des literarisch einheitlichen 1Thess gehören die Abschnitte 4,13-18 und

---

<1> Vgl *BORNKAMM*, Paulus, S.203f; *DELLING*, Zeit, S.68f; *STUHLMACHER*, Erwägungen, S.499; *GOGUEL*, Charactère, S.328.
<2> *BECKER*, Erwägungen, S.579f versteht die Kurzaussagen geradezu als Kompaß zum Verständnis der breiteren eschatologischen Ausführungen. Dies kann man freilich nur dann gelten lassen, wenn man zugleich betont, daß die oft nur andeutenden Kurzaussagen ihrerseits der Auslegung von den ausführlichen Abschnitten her bedürfen.
<3> Vgl hierzu *LUZ*, Geschichtsverständnis, S.301-317.

5,1-11 formal und inhaltlich zusammen <4>. Sie behandeln zwei unterschiedliche Aspekte derselben Fragestellung.

3.2.1) 1.Thessalonicher 4,13-18

Der Abschnitt ist durch mündliche Nachrichten des Timotheus aus der Gemeinde veranlaßt <5>. περὶ τῶν κοιμωμένων nimmt die damit verbundene Anfrage der Thessalonicher auf und gibt zugleich die Überschrift des Abschnitts an. Offensichtlich sind Gemeindeglieder aus Thessalonich gestorben. Dies hat in der Gemeinde Trauer und Fragen ausgelöst. Soweit ist die Gemeindesituation eindeutig. Bei dem Versuch, diese Situation noch genauer zu erfassen, werden heute im wesentlichen zwei Deutungsversuche vertreten <6>.

1) Man versteht das Erleben der Parusie als Einlaßbedingung zum Heil, die bereits Verstorbenen haben also einen absoluten Nachteil. Ihnen bleibt das Heil ganz verschlossen <7>.

2) Man erkennt in der dem Brief zugrundeliegenden Gemeindesituation die Agitation gnostischer Kreise, die die Totenauferweckung in Zweifel ziehen und damit die Thessalonicher beunruhigen <8>.

Der erste Deutungsvesuch geht davon aus, daß die Verzögerung der Parusie die Thessalonicher in Unruhe versetzte, und zwar auch im Blick auf das eigene Ergehen <9>. Sie halten es für möglich, daß das Erleben der Parusie für das Heil unabdingbar sein könnte. Es wird dabei die Auffassung vertreten, daß Paulus während seines Aufenthaltes in Thessalonich angesichts der als nah erhofften Parusie nicht von der Totenauferweckung gesprochen habe <10>. In diesem Fall wäre die Unruhe der Thessalonicher leicht verständlich. Freilich ist diese Annahme sehr unwahrscheinlich. Bei Paulus ist die kerygmatische Aussage von der durch die Auferstehung Christi begründeten Auferstehung der Toten häufig zu finden (vgl Röm 6,4.8; 8,11; 1Kor 6,14; 15,12ff.20; 2Kor 4,14). Daß in solchen Formulierungen eine spätere Entwicklung paulinischer Theologie vorliege, würde der fundamentalen Bedeutung dieses Zusammenhangs im paulinischen Denken nicht gerecht. Auch macht

----

<4>   Anders SCHMITHALS, Paulus, S.89-157; ECKART, Brief; PESCH, Entdeckung. Als Argumente für literarkritische Scheidungen werden angeführt: a) die beiden Briefeingänge in 1,2-10 und 2,13. 2,13 ist ebenso gut aber auch als Nachklang der Danksagung zu verstehen. Das Prooemium selbst ist in 1Thess nicht fest eingegrenzt (vgl CONZELMANN-LINDEMANN, Arbeitsbuch, S.128). b) Die beiden Briefschlüsse in 3,11-13 und 5,23-28. 3,11-13 ist aber als Gebet zu verstehen, das den ersten Hauptteil des Briefes, der im wesentlichen eine lange Danksagung darstellt, abschließt, bevor Paulus im zweiten Hauptteil in Kapitel 4 und 5 zu Ermahnung, Belehrung und Trost übergeht. Als Abschluß einer Danksagung ist die Form von 3,11-13 hinreichend verständlich. c) Die doppelte Briefsituation in 2,17-3,4 und 3,6-10. Hiergegen ist einzuwenden, daß beide Abschnitte zusammengesehen einen in sich schlüssigen Ablauf der Ereignisse beschreiben. Wesentlich ist die Erkenntnis, daß die übliche Gliederung am Beginn des paulinischen Briefes (Präskript, Prooemium, Hauptteil) hier abgewandelt ist zu einer Form, in der in einem großen Rückblick Danksagung und (erster) Hauptteil miteinander veschmolzen sind. Die Doppelungen lassen sich deshalb auch erklären, wenn man von einem literarisch einheitlichen Schreiben ausgeht.

<5>   FAW, Writing, S.217.220ff und MASSON, Thess, S.7 rechnen mit einem Schreiben der Gemeinde an Paulus.

<6>   Die ältere Auffassung, daß die bei der Parusie Lebenden an dem messianischen Zwischenreich Anteil bekommen und dadurch einen relativen Vorteil vor den Verstorbenen haben (WOHLENBERG, Thess, S.95ff; TILLMANN, Wiederkunft, S.53; SCHWEIZER, Mystik, S.92f) wird heute mit Recht nicht mehr vertreten (vgl hierzu v.DOBSCHÜTZ, Thess, S.184f; LÜDEMANN, Paulus, S.227; LUZ, Geschichtsverständnis, S.319).

<7>   So u.a. NEPPER—CHRISTENSEN, Herrenwort, S.144f; MARXSEN, Auslegung, S.36; LUZ, ebd, S.310ff.

<8>   SCHMITHALS, Paulus, S.116ff. Für SCHMITHALS ist dabei die Gemeindesituation aus 4,13 genügend zu erhellen. Modifiziert wird diese These von HARNISCH, Existenz, S.22ff.

<9>   So LUZ, ebd, S.319f; GRÄSSER, Problem, S.135f.

<10> MARXSEN, Auferstehung, S.180; WILCKENS, Ursprung, S.58f; LÜDEMANN, ebd, S.229f. 259ff.

4,13ff nicht den Eindruck einer erstmaligen Belehrung <11>. Hat aber Paulus den Thessalonichern die Botschaft von der Totenauferstehung gebracht, wie kann man dann erklären, daß der Tod von Mitchristen die Gemeinde dennoch in Ungewißheit stürzt? .

An dieser Frage setzt die Kritik *HARNISCH*s ein <12>. Er scheidet die erste Deutung aus, weil man das Wissen von der eschatologischen Totenauferweckung bei den Thessalonichern voraussetzen müsse. Diese Auffassung liegt freilich auf einer theoretisch-akademischen Ebene. Die Botschaft von der Auferstehung Christi und der Auferstehung der Toten muß sich ja gerade in der Situation der Trauer erst bewähren. Solche Bewährung führt immer wieder durch Zweifel und Ungewißheit. Wer annimmt, die Thessalonicher hätten von der Totenauferweckung gehört und seien nun dadurch gegen alle Zweifel und Unsicherheiten gefeit, der verkennt die Not von Trauer und auch die Möglichkeit des Wachstums im Glauben. Im aktuellen Erleben von Todesfällen ist bei den Thessalonichern Ungewißheit entstanden, trotz der paulinischen Botschaft der Auferstehung. Diese Auffassung läßt sich durch andere Beobachtungen stützen. Die ehemals heidnischen Thessalonicher waren nicht vertraut mit dem apokalyptischen Gedanken einer künftigen Totenauferweckung <13> und hatten also trotz ihres Glaubens keine entsprechende Glaubenstradition, die ihnen hätte Halt geben können. Hinzu kommt, daß Paulus selbst im Bereich der Eschatologie verschiedene Vorstellungen wie Gericht, Parusie und Totenauferweckung oft unabhängig voneinander darstellt und weniger prägnant formuliert als das christologische Kerygma, so daß hier Fragen und Unsicherheiten entstehen können. Schließlich ist der ganze Abschnitt sichtlich geprägt von seelsorgerlichem Interesse (vgl 4,18; 5,11), nicht in erster Linie von lehrhaftem. Das zeigt, daß in Thessalonich ein seelsorgerlich-existentielles Problem vorlag.

Diese Deutung macht die Situation der Gemeinde in Thessalonich hinreichend verständlich. Ein Abfall vom Auferstehungsglauben, hervorgerufen durch gnostische Agitation, braucht nicht angenommen zu werden. Dies ist auch aus anderen Gründen unwahrscheinlich. Setzt man eine gnostische Agitation voraus, so wäre die Situation in Thessalonich der in Korinth ähnlich. In 1Thess 4,13ff findet sich aber eine anders gelagerte Argumentation als dort <14>, und von der Abwehr gnostischen Gedankenguts ist hier nichts zu spüren. Das Christuskerygma ist nicht auf die künftige Totenauferweckung hin ausgelegt, sondern auf das Sein mit Christus (V.17). In V.14 ist von der Auferstehung gar nicht die Rede, sondern von einem Mit-Jesus-Geführt-Werden. Zur Stützung seiner These führt *HARNISCH* an, daß V.13b eine paulinische Formulierung sei, die der Gemeinde hoffnungslose Trauer nur unterstelle <15>. Aber selbst wenn man V.13b als paulinische Interpretation ansieht, ist diese Aussage doch begründet in der Beunruhigung und Ungewißheit der Thessalonicher und nicht in der Abwehr gnostischer Gedanken.

Angesichts von Todesfällen entstehen in der Gemeinde Angst und Ungewißheit. Eng damit verbunden ist die Frage nach dem Zeitpunkt der Parusie Christi. Werden auch andere Gemeindeglieder vor der Parusie sterben? Und wenn die Parusie ausbleibt, was wird dann aus dem Glauben an die Auferstehung? Die Thessalonicher leben in der Anfechtung des Glaubens. Paulus erfährt von Timotheus von ihren Fragen und Zweifeln. Seine Antwort ist getragen von der Absicht seelsorgerlichen Zuspruchs.

περὶ τῶν κοιμωμένων **V.13** leitet den Abschnitt ein. Es geht um das Schicksal der

----

<11> *HARNISCH*, ebd, S.22. Vgl den Zusammenhang von christologischen und soteriologischen Aussagen in 1,10.
<12> *HARNISCH*, ebd, S.21.
<13> So auch *LUZ*, ebd, S.312f.
<14> *HARNISCH*, ebd, S.23 hält dieses Argument für eine petitio principii. Er sieht in ἡμεῖς οἱ ζῶντες οἱ περιλειπόμενοι V.15 eine betonte Gegenüberstellung von Lebenden und Toten und darin das eigentliche Thema der Kontroverse. *SIBER*, Christus, S.18 weist mit Recht darauf hin, daß die Basis für einen positiven Nachweis der Gnosis-These äußerst schmal ist. Paulus würde sich ja offensichtlich nur mit der Auswirkung der gnostischen Agitation auf die Gemeinde befassen. Richtig ist auch, daß das Eingehen auf das Verhältnis der Verstorbenen zu den Lebenden im Grunde gegen die Annahme gnostischer Beeinflussung spricht. Ausführlich zusammengestellt sind die Argumente gegen die These gnostischer Wirksamkeit bei *LÜDEMANN*, Paulus, S.221-226.
<15> *HARNISCH*, ebd, S.24f. *HOLTZ*, 1Thess, S.186 hebt demgegenüber zu Recht hervor, daß die Einsicht in die Argumentation des Abschnitts insgesamt Aufschluß gibt in der Frage nach der Gemeindesituation.

verstorbenen Gemeindeglieder ⟨16⟩. Die einleitende Formel οὐ θέλομεν δὲ ὑμᾶς ἀγνοεῖν unterstreicht die Wichtigkeit der Aussage ⟨17⟩. Seine Absicht schließt Paulus mit einem ἵνα-Satz direkt an: die Thessalonicher sollen nicht trauern wie die Übrigen, die keine Hoffnung haben. λυπῆσθε meint die Trauer angesichts der eingetretenen Todesfälle ⟨18⟩. Daß Paulus Trauer angesichts des Todes nicht fremd ist, belegt Phil 2,27. Wovor er die Thessalonicher aber bewahren möchte, ist eine Trauer, die keine Hoffnung mehr hat, wie dies für die λοιποί, die Nicht-Christen zutrifft ⟨19⟩. Denn Hoffnung ist für Paulus wie V.14 zeigt, allein in dem Geschehen von Tod und Auferstehung Jesu begründet. V.13b muß als Formulierung des Paulus gewertet werden ⟨20⟩. Paulus führt die Trauer ohne Hoffnung als Hintergrund an für den Glauben an Christus und die Hoffnung auf ihn, die auch die Trauer verwandelt. Der Satz ist somit nicht Warnung, sondern, wenn auch in negativer Formulierung, schon Trost: wenn ihr auch trauert, so muß eure Trauer doch nicht verzweifelt und ohne Hoffnung sein wie die der anderen.

Paulus beginnt seine Antwort **V.14**, indem er die Gemeinde des gemeinsamen Glaubens versichert ⟨21⟩. Er ist die Grundlage der Hoffnung. Damit vollzieht Paulus einen wichtigen argumentativen Schritt: die Frage der Thessalonicher nach ihrem und ihrer Toten Ergehen bei der Parusie beantwortet Paulus zuerst im Rückgriff auf das Credo. Hier liegt die Grundlage für die weiteren Ausführungen des Apostels.

Hinter der Formulierung Ἰησοῦς ἀπέθανεν καὶ ἀνέστη kann man einen vorpaulinischen Glaubenssatz annehmen ⟨22⟩. Auffällig ist das ἀνέστη statt des sonst bei Paulus üblichen ἐγείρειν ⟨23⟩. Dagegen kommt ἀνίσταμαι in den Passionssummarien der Evangelien (Mk 8,31; 9,31; 10,34) sowie in den kerygmatischen Stücken der Apg vor (Apg 2,24.32; 13,33f; 17,31). Dies spricht für die Aufnahme einer vorpaulinischen Formel. Auf der anderen Seite gibt es Beobachtungen, die dem entgegenstehen: der auffällige Gebrauch von Ἰησοῦς ⟨24⟩, der dem Wortlaut der Pistisformel (vgl Χριστός in 1Kor 15,3; Röm 6,4) gerade widerspricht; das Fehlen des ὑπὲρ ἡμῶν bei dem Sterben Christi ⟨25⟩; die "knappe Ausdrucksweise" ⟨26⟩. Daß die Aussage formelhaft wirkt, ist jedoch nicht zu bestreiten. Nimmt man das auffällige ἀνέστη hinzu, so wird man am ehesten an eine freie Formulierung des Paulus denken, die sich an eine Formel anlehnt ⟨27⟩.

⟨16⟩ κοιμάομαι wird im NT überwiegend im Sinn von Sterben gebraucht, vgl bei Paulus 1Kor 15,18.20 (vgl auch 15,51 und 7,39). Daß das Wort hier als Euphemismus für "in Frieden ruhen" oder für "Wiedererwachen" verwendet sei, ist nicht zu belegen; vgl hierzu und zur Deutung von κοιμάομαι ausführlich v.DOBSCHÜTZ, Thess, S.186f.
⟨17⟩ Vgl Röm 1,13; 11,25; 1Kor 10,1; 12,1; 2Kor 1,8; vgl auch SIBER, ebd, S.15.
⟨18⟩ ECKART, Brief, S.38, Anm.1 faßt das λυπῆσθε als Furcht oder Betrübnis derer auf, die in nächster Zeit ihr Sterben erwarten. Dagegen MARXSEN, Auslegung, S.26
⟨19⟩ Nach 5,6 erwarten die λοιποί die Parusie nicht (vgl 4,5 τὰ ἔθνη τὰ μὴ εἰδότα τὸν θεόν und MARXSEN, ebd, S.32).
⟨20⟩ HARNISCH, Existenz, S.24f. Zweifellos kommt das Stichwort λύπη aus der Gemeinde. Daß aber die Trauer hoffnungslos sei, wird weder gesagt noch als Konsequenz unterstellt (gegen MARXSEN, ebd, S.26; HARNISCH, ebd, S.24).
⟨21⟩ Es liegt ein εἰ mit Indikativ der Wirklichkeit vor, vgl BL—DEBR § 372. Das γάρ verweist auf den ἵνα-Satz. HOLTZ, 1Thess, S.190: Die "Formulierung als Bedingungssatz verfolgt das Ziel, die Thessalonicher zu einer erneuten Identifikation mit dem Bekenntis zu nötigen".
⟨22⟩ Vgl ECKART, ebd, S.38, Anm.4; KRAMER, Christos, S.25; CONZELMANN, Rechtfertigung, S.394, Anm.26.
⟨23⟩ ἀνίσταμαι bei Paulus nur in Röm 15,12 (als Zitat aus Jes 11,1.10); 1Kor 10,7 (als Zitat aus Ex 32,6). In beiden Fällen liegt kein Bezug zur Auferstehung vor.
⟨24⟩ Vgl KRAMER, ebd, S.199f.24f; HARNISCH, ebd, S.33.
⟨25⟩ Vgl KRAMER, ebd, S.22f, der das ὑπὲρ ἡμῶν als kostitutives Elemente der Pistis-Formel herausarbeitet.
⟨26⟩ Dies führt HARNISCH, ebd, S.32 an.
⟨27⟩ So auch HARNISCH, ebd, S.32f; BAUMGARTEN, Paulus, S.93, Anm.180; ähnlich LUZ, Geschichtsverständnis, S.325; SIBER, Christus, S.24f; LÜDEMANN, Paulus, S.235.

Das Credo hat einerseits argumentativen Wert: vom gemeinsam akzeptierten Glaubenssatz schreitet Paulus weiter zu den konkreten Fragen der Thessalonicher. Zugleich ist es inhaltlich höchst bedeutsam: die eschatologische Aussage des Apostels ist eine Konsequenz des christologischen Credos. Die Zukunftshoffnung gilt nicht aus sich heraus, sondern ist gebunden an Tod und Auferstehung Christi. Das zukünftige Ergehen der Glaubenden, seien es nun Lebende oder Verstorbene, gehört in das Christusgeschehen mit hinein. Die anthropologische Aussage gehört wesentlich zum christologischen Bekenntnis hinzu ⟨28⟩.

Gott wird durch Jesus die Gestorbenen mit ihm führen. Es ist ein zukünftiges Geschehen (ἄξει), das durch Jesu Tod und Auferstehung begründet ist. Das bei Paulus ungewöhnliche Verb ἄγω bereitet das σὺν κυρίῳ ἐσόμεθα V.17 als Zielpunkt der Aussage schon vor. Der Gedanke der Totenauferweckung ist, wenn auch indirekt, vorausgesetzt ⟨29⟩: Christus wird bei seiner Parusie die Auferweckten mit sich führen ⟨30⟩. Im Vordergrund steht das Ergehen von Toten und Lebenden bei der Parusie. Zielpunkt ist für beide Gruppen das σὺν κυρίῳ (V.17). In V.14 kommen die beiden Wendungen διὰ τοῦ Ἰησοῦ und σὺν αὐτῷ vor. διὰ τοῦ Ἰησοῦ bezieht sich zurück auf das christologische Credo und faßt es zusammen ⟨31⟩. Daneben ist σὺν αὐτῷ ein Ausdruck der Hoffnung. Gott wird die Entschlafenen mit Jesus führen. Wie auch sonst bei Paulus umfaßt die σύν-Wendung das ganze zukünftige Heil (vgl Röm 6,8; 8,32; Phil 1,23; 1Thess 5,10). ἄξει σὺν αὐτῷ ist deshalb weniger ein Einzelvorgang und es geht Paulus nicht um dessen genaue Beschreibung. Vielmehr handelt es sich um eine umfassende Bezeichnung des endzeitlichen Heilsgeschehens ⟨32⟩, bei dem es wesentlich darauf ankommt, daß es ein Geschehen und ein Sein "mit Jesus" sein wird (V.17). Es fällt auf, wie stark neben dem Credo V.14a auch dessen Ausle-

----

⟨28⟩ Vgl ECKART, Brief, S.39; LUZ, Geschichtsverständnis, S.326; MARXSEN, Auslegung, S,34; CONZELMANN, Rechtfertigung, S.394.

⟨29⟩ Gegen MARXSEN, Auslegung, S.33ff (vgl oben Anm.10 und auch SCHADE, Christologie, S.163). Sicher steht der Auferstehungsgedanke hier nicht im Zentrum. Dennoch muß man aus verschiedenen Gründen davon ausgehen, daß die Totenauferweckung mitgemeint ist (mit HOLTZ, 1Thess, S.191): a) die Selbstverständlichkeit der Formulierung οἱ νεκροὶ ἐν Χριστῷ ἀναστήσονται πρῶτον V.16 macht wahrscheinlich, daß Paulus hier nicht zum ersten Mal von der Auferstehung spricht. b) Es ist zu kurz gedacht, das christologische Credo in V.14a allein dem οὕτως -Satz gegenüberzustellen. V.16f ist ebenfalls als Explikation heranzuziehen. c) ἄξει σὺν αὐτῷ V.14 und ἀναστήσονται V.16 sind zwei unterschiedliche Vorstellungen, die aber am Ende eingehen in das σὺν κυρίῳ ἐσόμεθα. d) Der Zusammenhang von ἀναστήσονται und ἁρπαγησόμεθα V.16f legt ebenfalls die inhaltliche Nähe von Auferweckung und Mit-Jesus-Geführt-Werden nahe. Vgl hierzu HARNISCH, Existenz, S.35, Anm.33.

⟨30⟩ Vergleichbare jüdische oder christliche Belege vom Kommen der Engel oder der Heiligen mit Gott oder mit Christus (vgl etwa Sach 14,5) können hier nicht herangezogen werden, da die Engel bzw. Heiligen dort ja mit Gott vom Himmel herkommen, sich also auch vorher schon dort befinden.

⟨31⟩ διά mit Gen bezeichnet den Vermittler oder Urheber, vgl BL—DEBR § 223. Von der Satzstruktur her gesehen kann διὰ τοῦ Ἰησοῦ sowohl zu τοὺς κοιμηθέντας gezogen werden (so v.DOBSCHÜTZ, Thess, S.191; DIBELIUS, Thess, S.25; RIGAUX, Thess, S.535ff u.a.) als auch zu ἄξει (so LUZ, ebd, S.326, Anm.32; HENNEKEN, Verkündigung, S.78f; MARXSEN, Auslegung, S.35). Die Zwischenstellung des διὰ τοῦ Ἰησοῦ spricht am ehesten für die Deutung auf den ganzen Nachsatz. Daß διά und σύν bei der Beziehung auf τοὺς κοιμηθέντας störend nebeneinander stünden (so LUZ,ebd, S.326, Anm.32), gilt im Grunde genauso für die Beziehung auf das Verb. Entscheidend ist, daß διὰ τοῦ Ἰησοῦ die Aussage des Credo zusammenfaßt und im Blick auf die Verstorbenen aussagt (SCHADE, ebd, S.150).

⟨32⟩ Dies hat SIBER, Christus, S.29f herausgearbeitet, vgl auch LÜDEMANN, Paulus, S.230.

gung V.14b christologisch geprägt ist: das Handeln Gottes an den Toten geschieht aufgrund des Sterbens und Auferstehens Jesu und führt zu ihm hin. Die im christologischen Credo gründende Hoffnung wird nun in **V.15ff** näher ausgeführt. γάρ V.15a bezieht sich explikativ auf V.14 zurück, während τοῦτο auf den folgenden λόγος κυρίου vorausblickt. Der Umfang, die ursprüngliche Gestalt und die Herkunft des λόγος κυρίου sind nicht auf den ersten Blick erkennbar. Bei der Frage nach dem Umfang wurden der Beginn mit V.15b, mit V.16a oder auch die Beschränkung auf V.15b vertreten <33>. Syntaktisch gesehen handelt es sich um zwei, jeweils durch ὅτι eingeleitete Aussagen (V.15; V.16-17b). Als drittes Element ist die abschließende Wendung καὶ οὕτως κτλ erkennbar (V.17c). Es handelt sich in V.15-17 also um ein Satzgebilde, als dessen Einleitung V.15a zu verstehen ist.

Folgende sprachliche Beobachtungen lassen sich machen: V.15b fügt sich in sprachlicher Hinsicht gut in den bisherigen Kontext ein: τοὺς κοιμηθέντας nimmt die Formulierung in V.14b und die Wendung περὶ τῶν κοιμωμένων V.13 auf. In V.16f begegnet das Wort nicht, obwohl auch dort vom Schicksal der Verstorbenen die Rede ist. Wortstatistische Analysen ergeben ebenfalls die Nähe des in V.15 Gesagten zu dem Vorausgehenden und deuten also hin auf die paulinische Herkunft <34>. Lediglich οἱ περιλειπόμενοι fällt aus diesem Rahmen heraus. Die Wendung ist vermutlich durch die gleichlautende Aussage in V.17 beeinflußt <35> und stammt aus einer vorpaulinischen Tradition <36>. In V.16a ist αὐτὸς ὁ(κύριος) kaum als zum Herrenwort gehörig denkbar (vgl zum Sprachgebrauch besonders 1Thess 3,11; 5,23). νεκρός und ἐν Χριστῷ sind bei Paulus häufig, werden sonst aber im Corpus Paulinum nicht zusammen verwendet. Von 1Kor 15,18 her ist es aber wahrscheinlich, daß Paulus auch die Toten als Tote in Christus charakterisiert <37>. πρῶτον und ἔπειτα sind bei Paulus geläufig und auch ἡμεῖς οἱ ist bei ihm denkbar (vgl 2Kor 4,11 ἡμεῖς οἱ ζῶντες). Die übrigen Worte in V.16b.17a+b sind bei Paulus entweder sonst gar nicht verwendet (κέλευσμα, ἀρχάγγελος, περιλείπω, ἀπάντησις), begegnen in traditionellen Aussagen (σάλπιγξ in 1Kor 15,22; καταβαίνω in Röm 10,7) oder in nicht vergleichbaren Zusammenhängen (vgl 1Kor 14,8; 9,26; 14,9; 10,1f) und finden sich in jedem Fall bei Paulus nur selten.

Neben diese sprachlichen Beobachtungen treten stilistische und inhaltliche. Die Wir-Aussagen in V.15 passen "besser in einen Brief, als in ein Wort Jesu" <38>. Dies gilt dann sicher auch für die Aussage in V.17c. Weiter ist festzuhalten, daß V.15b von der zeitlichen Abfolge her sich auf V.17 bezieht, V.16 also überspringt.

<33> V.DOBSCHÜTZ, Thess, S.193 sieht den Beginn in V.15b; DIBELIUS, Thess, S.25, MASSON, Thess, S.56, JEREMIAS, Jesusworte, S.78 u.a. sehen den Beginn in V.16. J.WEISS, Urchristentum, S.417, Anm.1; WILCKE, Zwischenreich, S.133; HOLTZ, 1Thess, S.185 beschränken das Herrenwort auf V.15b.

<34> Vgl im einzelnen LÜDEMANN, Paulus, S.243f; SIBER, Christus, S.36f.

<35> So LUZ, Geschichtsverständnis, S.328; HARNISCH, Existenz, S.41, Anm.11; anders MARXSEN, Auslegung, S.30.

<36> LÖHR, Herrenwort, S.269f vermutet, daß ursprünglich οἱ περιλειπόμενοι zu einer vorpaulinischen Aussage gehörte, die sowohl in 1Kor 15,51 als auch hier ihren Niederschlag gefunden habe. Das οἱ περιλειπόμενοι wäre dann in 1Kor 15,51 weggefallen, in 1Thess 4,15 dagegen eingefügt, während die restliche Aussage, nun mit einem zusammenfassenden πάντοτε modifiziert, an das Herrenwort angefügt sei. Daß 1Kor 15,51f große Berührungen mit 1Thess 4,16f aufweist, steht außer Frage. Dies aber auch für οἱ περιλειπόμενοι zu postulieren, das in 1Kor 15,51 nicht begegnet, ist sehr unsicher. Hinzu kommt, daß V.17c als paulinische Formulierung anzusehen ist und nicht aus einer Tradition stammt. Man sollte deshalb eher davon ausgehen, daß οἱ περιλειπόμενοι in V.15 durch die Formulierung von V.17 beeinflußt ist. Das gewichtige οἱ ζῶντες οἱ περιλειπόμενοι an beiden Stellen wird ja gerade dadurch verständlich, daß im Hintergrund der paulinischen Ausführungen die Ungewißheit der Thessalonicher im Hinblick auf ihr und ihrer Toten Ergehen bei der Parusie steht. HOLTZ, 1Thess, S.185 bestimmt den Wortlaut des von ihm als Herrenwort erkannten V.15b in Abgrenzung zu 1Kor 15,51. Nach seiner Auffassung bezog sich das Herrenwort ursprünglich auf die Erwartung, vor der Parusie zu sterben (S.196). Seine Unterscheidung zwischen Herrenwort V.15b und apokalyptischer Tradition V.16f (S.198) wird allerdings den genannten sprachlichen Indizien nicht gerecht.

<37> Vgl SIBER, ebd, S.37; LÜDEMANN, ebd, S.245.

<38> V.DOBSCHÜTZ, Thess, S.25.

Schließlich fällt auf, daß sich apokalyptische Einzelmotive nur in V.16.17a+b finden, nicht aber in V.15b.17c. Überhaupt hat V.15 eher den Charakter eines in eine bestimmte Situation hineingesprochenen Trostes als einer Erklärung der Endzeitereignisse.

Diese Beobachtungen zeigen, daß das Herrenwort in V.16 und 17a+b vorliegt. V.15b und 17c erweisen sich als paulinische Formulierung und bilden einen Rahmen für die traditionelle Aussage. V.15b ist dabei als vorwegnehmende Zusammenfassung des Herrenwortes anzusehen ⟨39⟩. Im Herrenwort selbst sind als paulinische Eingriffe αὐτὸς ὁ κύριος, ἡμεῖς οἱ ζῶντες, πρῶτον-ἔπειτα und die Ersetzung des κύριος durch Χριστός anzusehen ⟨40⟩. Als mögliche ursprüngliche Form des Herrenwortes ergibt sich somit:

V.16: ὁ κύριος ἐν κελεύσματι, ἐν φωνῇ ἀρχαγγέλου καὶ ἐν σαλπίγγι θεοῦ, καταβήσεται ἀπ' οὐρανοῦ,
κατὰ οἱ νεκροὶ ἐν κυρίῳ ἀναστήσονται.

V.17: οἱ περιλειπόμενοι ἅμα σὺν αὐτοῖς ἀρπαγησόμεθα, ἐν νεφέλαις, εἰς ἀπάντησιν τοῦ κυρίου εἰς ἀέρα.

Auf die Versuche, noch weiter zurückliegende Stufen der Tradition herauszuarbeiten ⟨41⟩, braucht im Rahmen der vorliegenden Arbeit nicht eingegangen zu werden. Die Verse stellen eine kleine Apokalypse dar, die hier allerdings nur fragmentarisch aufgenommen zu sein scheint; möglich ist jedenfalls eine Fortführung der Aussagen nach V.17b. Paulus dagegen bricht an dieser Stelle die Tradition ab, da er viel stärker an der Grundaussage als an den einzelnen apokalyptischen Motiven interessiert ist.
Es ist nun noch die Frage zu erörtern, was λόγος κυρίου an dieser Stelle bedeutet. Mit großer Wahrscheinlichkeit kann ausgeschlossen werden, daß ein Wort aus den Evangelien die Grundlage des hier zitierten Spruches ist. Keiner der aus den Synoptikern und aus Joh angeführten Vergleiche ist mit der hier vorliegenden Aussage in Deckung zu bringen ⟨42⟩. Ein Agraphon anzunehmen ⟨43⟩, ist ebenfalls eine problematische Lösung. Man wird also die Tradition nicht auf den irdischen Jesus zurückführen können.
Eine Offenbarung des Erhöhten legt sich dagegen schon durch die Nähe der Formel zu der Art nahe, in der Paulus LXX-Zitate einleitet (vgl Röm 14,11; 12,19; 1Kor 14,21; 2Kor 6,17f; 14,21) ⟨44⟩. Für die Zitation von Herrenworten bei Paulus gilt, daß ihre aktuelle Geltung wohl auf dem Rückbezug zum irdischen Jesus beruht, daß sie ebenso aber auf die gegenwärtige Autorität des Erhöhten verweisen ⟨45⟩. Man wird also an der vorliegenden Stelle am ehesten von einem Prophetenspruch ausgehen können. Eine Offenbarung an Paulus selbst scheidet auf Grund der sprachlichen Untersuchung aus, die im ganzen eine unpaulinische Sprache und im einzelnen paulinische Einschübe sichtbar gemacht hat.

⟨39⟩ So auch *LUZ*, Geschichtsverständnis, S.328f; *HARNISCH*, Existenz, S.40; *JEREMIAS*, Jesusworte, S.77; *WEGENAST*, Verständnis, S.109f; *NEPPER—CHRISTENSEN*, Herrenwort, S.141ff u.a. Auch in 1Kor 15,51 ist einer Tradition eine eigene Zusammenfassung vorangestellt. *HARNISCH*, ebd, S.40f sieht in V.15 eine "redaktionelle Bemerkung des Apostels, welche das V.16 Gesagte in polemischer Absicht 'vorausappliziert' ". Die polemische Absicht findet er in οὐ μή und im Gebrauch von φθάνω. Das οὐ μή im Sinne von "keineswegs" ist aber aus der bisherigen Argumenation gut zu erklären und hat keinen polemischen Klang.
⟨40⟩ Das ὅτι ist in V.15 epexegetisch, in V.16 rezitativ. So *HARNISCH*, ebd, S.41, ebenso *MARXSEN*, Auslegung, S.35; anders *WILCKENS*, Missionsreden, S.76, Anm.1.
⟨41⟩ *JEREMIAS*, ebd, S.78. Auch *LÜDEMANN*, Paulus, *S.252f*; *HARTMANN*, Prophecy, S.186 ziehen Dan 7,13 zum Vergleich heran und vermuten, daß αὐτὸς ὁ κύριος ein ursprüngliches ὁ υἱὸς τοῦ ἀνθρώπου ersetzt. *STROBEL*, Nacht, S.23f denkt an eine literarische Abhängigkeit von der Theophanieschilderung in Ex 19,16ff.
⟨42⟩ Vgl hierzu vor allem *LUZ*, ebd, S.327, dort auch Stellenangaben. *NEPPER—CHRISTENSEN*, ebd, S.140f meint, λόγος κυρίου sei eine Bezeichnung für den Teil der christlichen Botschaft, die es mit der Parusieerwartung zu tun habe und meine also gar nicht nur ein einzelnes Logion. *HOLTZ*, 1Thess, S.183f denkt "trotz weitestgehender Ablehung dessen in der neueren exegetischen Literatur ... an ein Wort Jesu".
⟨43⟩ *JEREMIAS*, ebd, S.79; *FRAME*, Thess, S.172.
⟨44⟩ Siehe hierzu bei *KRAMER*, Christos, S.157f.
⟨45⟩ *SIBER*, Christus, S.41.

Ich wende mich nun im folgenden zunächst dem Prophetenspruch selbst zu und dann in einem weiteren Schritt der paulinischen Rahmung und Interpretation. Der Spruch setzt ein mit der Aussage, daß der Herr vom Himmel herabsteigen wird. καταβαίνω und ἀναβαίνω sind neben ihrer lokalen oder auf das Kultische bezogenen Bedeutung termini technici für die Herabkunft und den Wiederaufstieg des Erlösers ⟨46⟩. Das Herabkommen des Herrn wird mit drei Wendungen dargestellt, die allerdings im einzelnen viele Fragen aufgeben: ist das dreimalige ἐν eher temporal (bei dem Signal) oder instrumental (unter dem Ruf) zu verstehen? Handelt es sich um drei Vorgänge, oder ist ἐν κελεύσματι der Oberbegriff, der durch die zwei folgenden Wendungen näher ausgeführt wird? Wer spricht das Kommando: Gott oder der Kyrios oder der Engel? Wesentlich ist bei der Zusammenstellung dieser Motive ⟨47⟩ die Erkenntnis, daß es Paulus hier auf die Einzelelemente gar nicht ankommt ⟨48⟩. Das traditionelle Material ist aufgenommen, um ein allgemeines Bild von der Parusie zu zeichnen, nicht aber, um den Ablauf im einzelnen darzustellen. Wichtig ist das Kommen des Herrn selbst und daß mit diesem Kommen das Ergehen der Gläubigen verbunden ist.

Das Herabkommen des Herrn mit seinen Begleiterscheinungen ist zunächst ein Signal für die Totenauferstehung. Die Toten im Herrn werden auferstehen ⟨49⟩. Mit zwei Änderungen nimmt Paulus den traditionellen Satz auf: statt ἐν κυρίῳ schreibt er ἐν Χριστῷ, außerdem fügt er πρῶτον und das dazugehörige ἔπειτα ein. Die Absicht dieser Einfügung ist leicht zu erkennen: πρῶτον-ἔπειτα liegt auf der seelsorgerlichen Ebene der paulinischen Antwort und meint keine strenge zeitliche Abfolge: das πρῶτον soll vielmehr zeigen, daß die Verstorbenen des besonderen Gedenkens ihres Herrn gewiß sein können – und ihre Angehörigen auch. Weil die Unruhe der Thessalonicher sich gerade an der Frage nach den κοιμώμενοι entzündet, betont Paulus das eschatologische Heil für die Verstorbenen in besonders akzentuierter Weise ⟨50⟩. Als weitere Auswirkung des Herabkommens des κύριος werden die Übrigbleibenden zusammen mit den Auferstandenen entrückt werden. Offensichtlich rechnet der Prophetenspruch damit, daß die überwiegende Zahl der Lebenden die Parusie erleben

----

⟨46⟩ So *SCHNEIDER*, Artikel αναβαίνω, S.519. Von hier aus und im Vergleich mit 1,9f legt sich in der Tat der Zusammenhang mit der Menschensohn-Tradition nahe, die seinen Abstieg und die Sammlung und Entrückung der Gläubigen beschreibt (vgl besonders die apokalyptische Tradition in 4Esra 13,5ff). In 4Esra 13,14ff,21ff ist auch das Problem derer angesprochen, die die Parusie nicht mehr erleben. Das Herabkommen spielt auch bei dem neuen Jerusalem (Offb 3,12; 21,2.10) oder bei Engeln (Offb 10,1; 18,1; 20,1; Mt 18,2) eine Rolle. Hier ist dennoch die Nähe zur Menschensohntradition wahrscheinlich. Vgl hierzu auch *LUZ*, Geschichtsverständnis, S.328, Anm.44; *JEREMIAS*, Jesusworte, S.78; *HARNISCH*, Existenz, S.43ff; *LÜDEMANN*, Paulus, S.247ff.
⟨47⟩ Die Christozentrik des gesamten Abschnitts macht es möglich, bei κέλευσμα an das Befehlswort des κύριος zu denken, das dann aufgegliedert wird in die Stimme des Erzengels und die Posaune Gottes (vgl *SCHMID*, Artikel κέλευσμα, S.657f). ἀρχάγγελος begegnet im NT nur noch in Jud 9. Die Gottestrompete hat dagegen eine reiche Tradition im Zusammenhang mit der Theophanie (vgl z.B. Ex 19) wie auch mit dem heiligen Krieg (vgl *FRIEDRICH*, Artikel σάλπιγξ). Von der Theophanieschilderung aus findet das Motiv auch Eingang in das eschatologisch-apokalyptische Denken (4Esra 6,23, Apk Mos 22, auch das häufige Vorkommen in 1QM).
⟨48⟩ Gut *SIBER*, Christus, S.47.
⟨49⟩ An dem Ergehen der Ungläubigen ist Paulus mit seiner Tradition hier nicht interessiert (vgl 1Kor 15,51f).
⟨50⟩ *HARNISCH*, ebd, S.49 sieht das πρῶτον deshalb so stark betont, weil es Paulus darum gehe, den von gnostischen Enthusiasten ausgerufenen Vorzug der Lebenden abzuwehren.

wird. Die paulinische Zusatz ἡμεῖς οἱ ζῶντες verstärkt diese Intention und bezieht sie sowohl auf die Gemeinde als auch den Apostel selbst. ἁρπάζω ist in den jüdischen Apokalypsen Bezeichnung für die Entrückung ⟨51⟩, wobei von der sonstigen Wortbedeutung her das Machtvolle dieses Geschehens mitschwingt.

Wesentlich ist die Wendung ἅμα σὺν αὐτοῖς, die die scheinbare zeitliche Aufeinanderfolge des πρῶτον-ἔπειτα aufhebt. Beide Gruppen, die noch Lebenden und die Auferstandenen, werden zugleich entrückt ἐν νεφέλαις εἰς ἀπάντησιν τοῦ κυρίου εἰς ἀέρα ⟨52⟩. Über die Offenheit der Formulierung hinauszufragen widerspricht geradezu der Intention des Paulus, der das apokalyptische Material ganz offensichtlich nicht bis in die Einzelheiten auszieht, sondern nur sparsam und andeutend verwendet. Gegenüber dem σὺν κυρίῳ ist die Frage des Ortes von untergeordneter Bedeutung.

Ich wende mich damit dem paulinischen Rahmen des Prophetenspruchs zu. **V.17c** ist der Zielpunkt, auf den der Spruch ausgerichtet ist. Er ist ganz unapokalyptisch formuliert und macht über das Wie des Seins mit dem Herrn keine Aussage. σὺν κυρίῳ ἐσόμεθα ist für Paulus genügender Ausdruck christlicher Hoffnung (vgl 5,10; Phil 1,23) ⟨53⟩. Wichtig ist die Konzentration auf Christus und das dauernde Sein der Christen (πάντοτε) mit ihm. Obwohl das Wort selbst nicht begegnet, ist hier der Inhalt der ἐλπίς von V.13 aufgenommen. Die Hoffnung hat ihren Grund in dem Heilsgeschehen von Tod und Auferstehung Jesu. Und ebenso wie diese Ausgangsbasis ist auch ihr Ziel nur auf Jesus hin zu begreifen und zu formulieren.

Es ist nun noch auf die dem Prophetenspruch voranstehende Zusammenfassung in **V.15b** einzugehen: wir, die Lebenden, die bis zur Parusie übrig bleiben ⟨54⟩, werden den Entschlafenen nicht zuvorkommen. Die Wendung οἱ ζῶντες οἱ περιλειπόμενοι ist von dem Prophetenspruch beeinflußt. In dem ἡμεῖς schließt Paulus sich selbst und die Thessalonicher zusammen. Das Sterben von Gemeindegliedern vor der Parusie wird offenbar als Ausnahme betrachtet. φθάνω ist in der ursprünglichen Wortbedeutung "zuvorkommen vor jemandem" gebraucht ⟨55⟩. Gemeint ist: die bei der Parusie noch Lebenden haben keinerlei ⟨56⟩ Vorteil gegenüber den Verstorbenen.

Die eindeutige Negation entspringt nach *HARNISCH* einem polemischen Interesse ⟨57⟩. Nun wird φθάνω hier in der Tat anders gebraucht als an den wenigen anderen Stellen bei Paulus ⟨58⟩. Dies macht das Eingehen des Paulus auf eine in Thessalonich vertretene Anschauung wahrscheinlich. Allerdings ist dies keine von gnosti-

---

⟨51⟩ Vgl Apk Mos 37; Apk Esr 5,7; *FOERSTER*, Artikel ἁρπάζω, S.471.
⟨52⟩ Die Wolken gehören mit φωνή und σάλπιγξ in den Traditionszusammenhang der Theophanieschilderung. Diese ist dann in Dan 7,13; 4Esra 13 und auch in Mk 14,62; 13,26 par in die Vorstellung von der Erscheinung des Menschensohnes eingegangen. An unserer Stelle dienen die Wolken der Entrückung der Gläubigen. *PETERSON*, Artikel ἀπάντησις, S.380 sieht hier einen Ausdruck feierlicher Einholung, wie sie im Hellenismus bei hochgestellten Persönlichkeiten Brauch war. Dagegen mit stichhaltigen Argumenten *SIBER*, Christus, S.53.
⟨53⟩ Zu σὺν κυρίῳ vgl *HOFFMANN*, Die Toten, S.301-315.
⟨54⟩ εἰς τὴν παρουσίαν ist temporal zu verstehen, vgl *BL—DEBR* § 206. οἱ περιλειπόμενοι ist in 4Esra 7,27f; 13,14ff; syrBar 70,8f; 71 bezogen auf die, die die eschatologischen Drangsale überstehen werden. Hier handelt es sich dagegen um die, die die Parusie erleben, ohne vorher gestorben zu sein.
⟨55⟩ Vgl *FITZER*, Artikel φθάνω, S.91.
⟨56⟩ "οὐ μή mit Konj. oder Fut.Ind., beides auch klassisch, ist die bestimmteste Form der verneinenden Aussage über Zukünftiges", *BL—DEBR* § 365.
⟨57⟩ Existenz, S.27.
⟨58⟩ φθάνω mit εἰς in Röm 9,31; Phil 3,16; mit ἐν in 2Kor 10,14; mit περί in 1Thess 2,16.

schen Agitatoren vertretene Lehre, sondern Ausdruck der Zweifel der Thessalonicher selbst angesichts der Todesfälle. Die starke Negation οὐ μή erklärt sich hinreichend
aus der oben skizzierten Gemeindesituation. Weiter meint *HARNISCH*, bei der Formulierung οἱ ζῶντες οἱ περιλειπόμενοι handele es sich generell um das Verhältnis der Lebenden zu den Toten als Thema der Kontroverse, und er erkennt darin erneut die inhaltliche
Nähe zu den Enthusiasten in Korinth. Tatsächlich geht es aber um das Verhältnis von
Lebenden und Toten im Blick auf die Parusie des Herrn und die Erlangung des Heils. Dies
wiederum ist eine Frage, die sich aus der λύπη ergibt und nicht aus kontroverser Diskussion. ἡμεῖς οἱ ζῶντες οἱ περιλειπόμενοι εἰς τὴν παρουσίαν τοῦ κυρίου ist im Hinblick
darauf formuliert, daß mit den Todesfällen in der Gemeinde auch die Erwartung der
Parusie in Frage steht. Eine antignostische Argumentation ist hier nicht enthalten.

Damit ist nun der Stellenwert des Herrenwortes im gesamten Abschnitt deutlich: es
gibt nur in bescheidenem Maß Einzelmotive an und läßt viele Fragen offen. Es ist
zudem eingebettet in einen von Paulus formulierten Rahmen, wobei der einleitende
Satz V.15b die Aussage vorab zusammenfaßt und im Blick auf die Gemeinde interpretiert, während Paulus in der Schlußaussage V.17c in ganz unapokalyptischer Weise
den Zielpunkt der christlichen Hoffnung beschreibt. Offensichtlich reduziert Paulus
damit die Bedeutung der apokalyptischen Motive. Im Blick auf die konkrete Gemeinde
und ihre Unruhe liegt ihm nichts an einer "erschöpfenden" Darstellung der endzeitlichen Ereignisse. Die apokalyptische Schilderung wird begrenzt durch die seelsorgerliche Tendenz des gesamten Abschnitts. Deshalb hängen Interpretation, Reduktion
und Konkretisierung des apokalyptischen Materials zusammen ⟨59⟩. Darüber hinaus
nimmt Paulus auch im Wortlaut des Prophetenspruchs selbst Änderungen vor, gerade auch im Blick auf die Gemeindesituation (πρῶτον-ἔπειτα). Der Spruch ist damit
eingeordnet in die Funktion des ganzen Abschnitts, nämlich Hoffnung zu stärken und
Trost zu spenden. In diesem Zusammenhang hat das Prophetenwort als λόγος
κυρίου seine Bedeutung: in den drängenden Fragen der Thessalonicher gibt der
κύριος selbst durch sein Wort Zuspruch und Trost. Die Hoffnung hat ihren Grund
in Tod und Auferstehung Jesu, hat ihr Ziel im σὺν κυρίῳ ἐσόμεθα und wird bestätigt
durch das Wort des erhöhten Herrn.

Abgerundet werden die Aussagen mit dem knappen Satz **V.18**: ὥστε παρακαλεῖτε
ἀλλήλους ἐν τοῖς λόγοις τούτοις. Der Vers ist keine Glosse ⟨60⟩, sondern von
Paulus als Abschluß des Abschnitts formuliert. Dies geht aus dem Aufbau hervor:
ἵνα μὴ λυπῆσθε V.13 ist der Ausgangspunkt. Die Hoffnung wird mit Hilfe des
Credos begründet, mit dem Herrenwort ausgeführt und in V.17c abschließend zur
Sprache gebracht. Dies wird den Brüdern in Thessalonich als Trost in ihrer Trauer
gesagt. Mit diesen Worten sollen sie sich aber auch gegenseitig trösten. παρακαλεῖν
ist hier mit trösten zu übersetzen und rundet so, indem es an das μὴ λυπῆσθε anknüpft, den ganzen Abschnitt ab ⟨61⟩. Diese zusammenfassende Bedeutung hat auch
ἐν τοῖς λόγοις τούτοις. Von der Abwehr gnostischer Gedanken oder von einem
überwiegend negativen Zug in V.15-17 ⟨62⟩ kann deshalb von hier aus nicht die

----

⟨59⟩ Vgl hierzu *LUZ*, Geschichtsverständnis, S.330; *BAUMGARTEN*, Paulus, S.97f; *HARNISCH*,
Existenz, S.46ff; *v.DOBSCHÜTZ*, Thess, S.194ff; *DIBELIUS*, Thess, S.26.

⟨60⟩ Eine Glosse vermuten *FUCHS*, Hermeneutik, S.120; *ECKART*, Brief, S.40, Anm.1. Die
Aussage wirkt nach *FUCHS* blaß und angehängt und sei von 1Thess 5,11 aus hier angefügt.

⟨61⟩ Vgl *SCHMITZ*, Artikel παρακαλέω, S.791; *HENNEKEN*, Verkündigung, S.66ff. Zur Bedeu-
tungsvielfalt von παρακαλέω vgl ebenfalls *SCHMITZ*, ebd. Allen Bedeutungen liegt das
"Zureden" zugrunde.

⟨62⟩ Unverständlich ist mir, wie *HARNISCH*, ebd, S.50f meinen kann, die Negation überwiege
derart, daß die positiven Aussagen des Abschnitts ohne 5,1-11 kärglich bleiben.

Rede sein. Im Gegenteil: die Thessalonicher sollen sich auf ihren Glauben besinnen und sich gegenseitig Trost zusprechen. Hierin liegt der ekklesiologische Aspekt des Abschnitts.

3.2.2) 1.Thessalonicher 5, 1-11

Die Fragen der Thessalonicher: was wird aus den Verstorbenen? und: werden auch wir vor der Parusie sterben, kommt sie überhaupt - und wann? hängen zusammen wie die zwei Seiten einer Münze. In 5,1-11 befaßt Paulus sich nun mit dem zweiten Aspekt. Es erübrigt sich, eine eigene Anfrage der Gemeinde anzunehmen <63>.

FRIEDRICH sieht in diesem Abschnitt den apologetischen Einschub eines Späteren <64>, der mit der Aussage in 5,10 die Naherwartung von 4,15 korrigiere (310-314). FRIEDRICH stellt eine Vielzahl an geprägten Wendungen und traditionellen Bildern und nur wenig typisch Paulinisches in dem Abschnitt fest (292-295); die Vokabelanalyse zeige viele bei Paulus sonst nicht vorkommende Worte, außerdem Worte, die Paulus anders gebraucht, ebenso auch Eigentümlichkeiten im Stil (296ff); der Aufbau lehne sich an die Gliederung von 4,13-18 an und wird von FRIEDRICH als Nachahmung empfunden (298-301); schließlich weise der Abschnitt eine andere Grundaussage auf als 4,13ff: während es dort um gespannte Naherwartung gehe, sei 5,1-11 geprägt von dem Gedanken der Parusieverzögerung (301-304). Dies alles rücke den Text in die Nähe der lk Theologie (307-309).
Was die traditionellen Wendungen und Bilder und die bei Paulus sonst nicht begegnenden Begriffe angeht, sind die Beobachtungen FRIEDRICHs zutreffend. Allerdings gilt dies in gleichem Maß auch für 4,16f, wo Paulus ebenfalls Tradition aufgreift (was vielleicht wegen 1Kor 15,51f nicht so auffällt, wo er dieselbe Tradition verwendet). Ebenso gilt dies auch für den christologischen Satz 4,14 mit dem untypischen Ausdruck ἀνέστη. Auch die Beobachtungen hinsichtlich der Ähnlichkeit im Aufbau sind zutreffend. Sie sind freilich ohne Schwierigkeiten für Paulus selbst zu erklären, zumal der Aufbau ja nicht einfach parallel ist. Die grundlegende christologische Aussage findet sich erst in 5,9f, also am Ende des Abschnitts - und dies spricht gerade für Paulus als Verfasser, der damit um beide Abschnitte eine christologische Klammer schafft. Auch die Wiederaufnahme des Abschlusses von 4,13-18 in 5,10f spricht deutlich für die Herkunft von Paulus. Und schließlich sind auch die theologischen Unterschiede keineswegs so deutlich, wie FRIEDRICH meint. Dies wird im folgenden noch ausführlicher zu belegen sein. Hier nur so viel: sicherlich geht Paulus in 4,15ff davon aus, daß er die Parusie noch erlebt. Die Frage von Leben und Tod bei der Parusie ist aber für ihn angesichts von V.17c nicht entscheidend. Der andere Akzent in 5,1-11 ist zum einen aus den verschiedenen Aspekten der Gemeindefrage zu erklären. Zum anderen widerspricht die in 5,1-11 zum Ausdruck kommende Theozentrik der Zeit der Naherwartung nicht. Die Unaufhaltsamkeit des endzeitlichen Geschehens wurzelt wie die Naherwartung in dem Glauben, daß Gott die Zeit in Händen hat. Die These FRIEDRICHs wird sich deshalb, trotz mancher richtiger Beobachtungen, insgesamt nicht halten lassen.

Nach der Angabe des Problems (V.1) führt Paulus in V.2 die Bilder des Diebes in der Nacht und der Wehen der Schwangeren an. In V.4f geht es um die Söhne des Tages und des Lichtes im Gegensatz zur Dunkelheit, es geht um Wachen und Schlafen, wobei auffällt, daß V.4f ebenso wie V.9f indikativisch formuliert sind, während V.6-8 im Kohortativ sprechen. In V.11 schließlich findet sich eine abschließende Mahnung.

Die Zusammenstellung von χρόνος und καιρός V.1 begegnet auch in Weish 8,8; Dan 2,21; Apg 1,7. Dabei meint χρόνος eher die Zeitspanne (bis zur Parusie), καιρός

<63> So FUCHS, Hermeneutik, S.119; HOFFMANN, Die Toten, S.229, HENNEKEN, Verkündigung, S.74, Anm.5.
<64> So auch der Titel seines Aufsatzes. Die folgenden Seitenzahlen im Text beziehen sich auf diesen Aufsatz.

eher den Zeitpunkt ⟨65⟩. Allerdings klingt die Wendung formelhaft und die Beziehung auf die Parusie ist erst in V.2 in grammatikalisch lockerer Form nachgetragen. Paulus verwendet hier (vgl 4,9) die Stilform der Praeteritio ⟨66⟩: durch die Erklärung, etwas übergehen zu wollen, hebt man es eigens hervor. Die Thessalonicher wissen (ἀχριβῶς ist von der Praeteritio her zu verstehen), daß der Tag des Herrn kommt wie ein Dieb in der Nacht **V.2.**

Der Begriff ἡμέρα χυρίου spielt in der paulinischen Eschatologie eine wichtige Rolle ⟨67⟩. In der Regel steht "der Tag" mit Christus in Verbindung (außer Röm 2,5.16) und ist Bezeichnung für das Gericht (vgl Röm 13,11ff; 1Kor 1,8; 3,13; 5,5; 2Kor 1,14; Phil 1,18; 2,16), bei dem wiederum der Heilsaspekt im Vordergrund steht (anders in 1Kor 3,13). Von hier aus dient der ἡμέρα χυρίου-Gedanke häufig zur Motivierung der Ethik ⟨68⟩. Der Parusie-Gedanke ist in der Regel impliziert, dies ist aber nicht durchgängig der Fall (vgl Röm 2,5; 13,12f; 1Kor 3,13; 5,5). In 5,2 ist die Parusie, dem Kontext von 4,13ff entsprechend, zweifelsfrei angesprochen. Im Hintergrund des Ausdrucks stehen at.liche und apokalyptische Vorstellungen vom םוֹי הוהי ⟨69⟩. Die dort mit dem Tag Jahwes verbundenen Vorstellungen ⟨70⟩ sind hier freilich abgeblendet und bleiben im Hintergrund. Das Geschehen ist ganz auf die Parusie des Herrn und das Gericht konzentriert.

Der Tag des Herrn kommt wie ein Dieb in der Nacht. Das Bild ist in AT und jüdischer Apokalyptik ohne Vorbild, wie die Verwendung von בָּנָּג zeigt (vgl Ex 22, 2.6; Hi 24,14; 30,5; Jer 2,26; 48,27; 49,9 u.ö.). Dagegen findet sich die Vorstellung mehrfach im NT (Mt 24,42; Lk 12,39; 2Petr 3,10; Offb 3,3; 16,15), und zwar sowohl im Blick auf den Tag des Herrn (2Petr 3,10) als auch im Blick auf den Herrn selbst, der wie ein Dieb kommt (Offb 3,3; 16,15). Die Intention dieses Gleichnisses ist eindeutig ⟨71⟩: es rückt das Plötzliche und die Unberechenbarkeit des Kommens

----

⟨65⟩ *DELLING*, Artikel χρόνος, S.577.581.587; ders., Artikel χαιρός, S.457.462f; *FUCHS*, Zukunft, S.337. An verschiedenen Stellen im NT klingt im Begriff χαιρός an, daß die Zeiten der Heilsgeschichte und damit auch die Zeit der Parusie von Gott in seiner Vollmacht festgelegt sind (vgl *DELLING*, Artikel χαιρός, S.462, dort auch Stellenangaben). Dies entspricht at.licher Auffassung. In dem Begriff χαιρός selber kommt so schon die Theozentrik der Zeit zum Ausdruck, die in 5,2f auf Plötzlichkeit und Unberechenbarkeit hin ausgelegt wird. Vgl hierzu insgesamt auch *HOLTZ*, 1Thess, S.211.

⟨66⟩ Vgl *HARNISCH*, Existenz, S.53. *BL—DEBR* § 495,1 sprechen von Paraleipsis. *HARNISCH*, ebd, zieht aus der Verwendung dieses Stilmittels den Schluß, daß hier "kein Reflex auf eine Gemeindeanfrage " vorliege. Innerhalb seiner Argumentation ist dies wichtig, da er ja davon ausgeht, daß Paulus gegen gnostische Gedanken polemisiere.

⟨67⟩ Vgl hierzu *DELLING*, Artikel ἡμέρα, S.954f; *BAUMGARTEN*, Paulus, S.64f.

⟨68⟩ Stellenangaben bei *DELLING*, ebd, S.955.

⟨69⟩ Vgl *v.RAD*, Artikel ἡμέρα, S.945-949. Zwar weist *KRAMER*, Christos, S.174 darauf hin, daß die Basis für den Vergleich mit der Vorstellung vom Tag Jahwes außerhalb des Corpus Paulinum sehr schmal ist. Aber die Nähe zu der הוהי םוֹי - Vorstellung ist einfach zu deutlich, als daß sie übersehen werden könnte.

⟨70⟩ *V.RAD*, Theologie II, S.129-133 hebt die Nähe der geschilderten Erscheinungen zu den Kriegstheophanien hervor.

⟨71⟩ *JEREMIAS*, Gleichnisse, S.47; *GRÄSSER*, Parusieverzögerung, S.93 sehen hier die Aufnahme eines Krisisgleichnisses Jesu. In Zusammenhang mit V.3 ist hier in der Tat die Krisis angesprochen (vgl auch *HARNISCH*, ebd, S.56, Anm. 5 gegen *STROBEL*, Untersuchungen, S.211, Anm. 3, der lediglich den positiven Aspekt des Herrentages betont und den Zusammenhang mit V.3 nicht genügend berücksichtigt). Die Parallele Lk 12,39f gibt eine ganze Reihe von Fragen auf (vgl hierzu im einzelnen *HARNISCH*, ebd, S.85ff). Die Herkunft von Jesus ist trotz *VIELHAUER*, Jesus, S.108 und *HARNISCH*, ebd, S.93 nicht eindeutig auszuschließen (vgl hierzu *HOLTZ*, 1Thess, S.212ff.235). Für die Authentizität sprechen sich *BULTMANN*, Geschichte, S.185; *CONZELMANN*, Gegenwart, S.286; *BRAUN*, Radikalismus II, S.19 aus. Entgegen *HARNISCH*, ebd, S.89f und *JEREMIAS*, Gleichnisse, S.46 scheint mir das Gleichnis ursprünglich einheitlich komponiert zu sein. Der Vergleichspunkt liegt nicht in der Unmöglichkeit, Vorsorge zu treffen (dagegen spricht das ὑμεῖς γίνεσθε ἕτοιμοι V.40), sondern in der Unberechenbarkeit des Kommens von Dieb und Menschensohn. Eine Stilwidrigkeit der Anwendung V.40 gegenüber V.39, wie *HARNISCH*, ebd, S.91f und *FUCHS*, Hermeneutik, S.233 sie feststellen, kann ich deshalb nicht so sehen. Vgl auch die sachliche Parallele zu 5,2 in Lk 21,34f.

in den Vordergrund. Diese Antwort auf die Frage περὶ δὲ τῶν χρόνων καὶ τῶν καιρῶν weist nun freilich in eine deutlich andere Richtung als die Themaangabe selbst. Sie deutet die Wann-Frage in eine Wie-Frage um und im Zuge dessen entzieht sich Paulus apokalyptischer Zeitberechnungen und Terminspekulationen. Das zweite Bild **V.3** fügt einen weiteren Aspekt hinzu: das Bild von den Geburtswehen der Schwangeren. ὅταν λέγωσιν εἰρήνη καὶ ἀσφάλεια hängt noch mit dem Bild vom Dieb zusammen, wie der Zusammenhang des Sintflutberichts mit dem Kommen der Parusie in Mt 24,37ff; Lk 17,26ff (20ff) zeigt. Ebenso steht Jer 6,14; 8,11 (Ez 13,10) im Hintergrund. Das Subjekt von ὅταν λέγωσιν meint die Nichtchristen, die mit der Parusie des Herrn nicht rechnen und sich in Sicherheit wähnen. Gerade dann aber (τότε) wird plötzliches Verderben über sie kommen wie die Geburtswehen über die Schwangere. Es geht hier nicht in erster Linie um die weit verbreitete Vorstellung der apokalyptischen Wehen (vgl Jes 13,8f; Jer 30,61; äthHen 62,4; syrBar 48,31; 70,1ff.25ff u.ö.). Vielmehr steht die Unentrinnbarkeit und Zwangsläufigkeit des Geschehens im Vordergrund, wie auch das οὐ μὴ ἐκφύγωσιν deutlich macht. Auch für diese Aussage gibt es Parallelen in der apokalyptischen Literatur ⟨72⟩. Schon dort liegt dabei der Akzent nicht in erster Linie auf Terminspekulationen, sondern auf der Theozentrik der Zeit ⟨73⟩. Daß der Apostel gerade diese apokalyptische Tradition hier aufnimmt, zeigt erneut, daß für ihn nicht ein Interesse am Ablauf der Endereignisse im Vordergrund steht, sondern die Souveränität Gottes, die das Ende der Zeit, das Gericht und das Heil bestimmt. Die Bilder vom Dieb und den Geburtswehen verschieben die Frageintention "hinsichtlich der Zeiten und Fristen" spürbar. Sie beschreiben in doppelter Akzentuierung Wie und Daß der Parusie, die dennoch menschlicher Berechnung entzogen bleibt.

Mit **V.4** ändert sich die Aussagerichtung (vgl die erneute Anrede ἀδελφοί). Es begegnet eine andere Begrifflichkeit: Licht und Tag stehen Finsternis und Nacht gegenüber. Die Terminfrage rückt in den Hintergrund. Dagegen wird nun die indikativische Aussage des Heilsgeschehens betont. Zweifellos ist zwischen V.3 und V.4 eine Zäsur festzustellen ⟨74⟩. Ebenso deutlich ist aber auch der sprachliche (vgl besonders ἡμέρα, νύξ und κλέπτης) und sachliche Zusammenhang von V.4-11 mit V.1-3. Sachlich besteht die Übereinstimmung darin, daß in 5,2f das überraschende Kommen des "Tages" auf dem Hintergrund derer herausgestellt wird, die nicht mit dem Herrn rechnen ⟨75⟩. Die Unentrinnbarkeit des endzeitlichen Geschehens trifft sie mit voller Härte. Aber auch für die Gemeinde ist die Theozentrik der Zeit nicht

----

⟨72⟩   Vgl *HARNISCH*, Existenz, S.62f.
⟨73⟩   Ebd, S.75. *HARNISCH* hat herausgearbeitet, daß der Verzicht auf Terminspekulationen nicht als anti-apokalyptisch zu beurteilen ist, sondern einer eigenen Aussagerichtung der Apokalyptik entspricht. Er hat dies besonders an 4Esra und syrBar gezeigt (vgl ebd, S.59ff und Verhängnis, passim). Grundsatz dieser Aussagerichtung ist die Theozentrik der Zeit. Man muß sich freilich davor hüten, diese Aussage zu "dem" apokalyptischen Grundsatz zu machen und sämtliche Terminspekulationen und Ausmalungen hierunter zu subsumieren. Die Apokalyptik ist eine zu vielgestaltige Erscheinung, als daß man mit einlinigen Erklärungen auskäme. Daß von Lk 21,35 her πάγις zum Entfliehen besser passe (ᾠδίν wäre dann ein Verwechslung des ähnlichen aramäischen Wortes), wie *HOLTZ*, 1Thess, S.216.218 meint, kann ich nicht sehen.
⟨74⟩   *FUCHS*, Zukunft, S.360 spricht von einem "Hiatus der Zeiten". Vgl *HARNISCH*, Existenz, passim; *BAUMGARTEN*, Paulus, S.217; anders *HOLTZ*, 1Thess, S.237.
⟨75⟩   In 4,13ff wird die christliche Hoffnung auf dem Hintergrund derer expliziert, die keine Hoffnung haben.

aufgehoben. Wie soll sie damit umgehen, daß auch sie die Zeiten und Fristen nicht kennt? Hierauf geht V.4f ein. Paulus nimmt hier die Begriffe von V.2 auf, wandelt sie aber ab und spielt gleichsam mit ihnen <76>. Er kann dies tun, weil ἡμέρα und νύξ, σκότος und φῶς im wörtlichen wie im übertragenen Sinn geläufig sind.

An den wenigen Stellen bei Paulus, an denen das Gegensatzpaar φῶς-σκότος begegnet, ist Tradition aufgenommen. In Röm 2,19 begegnet ein Ausdruck jüdischer Heidenbekehrung <77>. Auch in 1Kor 4,5 liegt jüdische Tradition vor <78>. Überhaupt spielt der Gegensatz von Licht und Finsternis in der jüdischen Tradition eine besondere Rolle <79>. Traditionelle Begrifflichkeit findet sich ebenso in Röm 13,12 und 2Kor 4,6. Mit dieser Begrifflichkeit wird im Urchristentum auf die Taufe hingewiesen, wie ein Vergleich mit Apg 26,18; 1Petr 2,9; Eph 5,8 und Kol 1,12-14 zeigt. Mit dem Übergang von der Finsternis ins Licht ist auf die entscheidende Wende im Leben der Christen hingewiesen, in Eph mit dem Schema Einst-Jetzt und mit dem Gegensatz von Finsternis und Licht dargestellt wird <80>. Man kann so auch für 5,4f eine Tauftradition annehmen. Sie läßt sich freilich nicht exakt rekonstruieren, sondern steht nur begrifflich im Hintergrund. νύξ wird im NT häufig als Zeitangabe gebraucht (vgl 1Thess 2,9; 3,10). Für die übertragene Bedeutung ist wiederum Röm 13,12 als Parallele heranzuziehen. Tag und Nacht stehen wie Licht und Finsternis gegenüber und bezeichnen die gegenwärtige Weltzeit einerseits und das künftige Heil andererseits. Die Begriffe stehen damit in langer dualistischer Tradition <81>. Zugleich ist in 5,4f durch den Zusammenhang mit V.2f bei ἡμέρα auch die Parusie mit gemeint.

Für die Gemeinde gilt nicht, was für die Ungläubigen gilt, daß nämlich der Tag des Herrn sie wie ein Dieb in der Nacht überrascht. Denn die Christen leben ja – und jetzt wird das Bild übertragen – gar nicht in der Dunkelheit. Vielmehr sind sie "Söhne des Tages" **V.5**, die Christen sind "eschatologische Personen" <82>. Der Gegenbegriff "Söhne der Finsternis" wird nicht angeführt. Damit tritt der Gerichtsaspekt des Tages, wie er in V.2 und auch noch in V.4 anklingt, in den Hintergrund, der Heilsaspekt wird dagegen betont. Zugleich bleibt der futurische Aspekt des eschatologischen Seins in Geltung. Schon gegenwärtig sind die Getauften eschatologische Personen, aber diese Existenz kann ohne den kommenden Herrentag nicht gedacht werden. Auch die Verschränkung von φῶς mit ἡμέρα und νύξ mit σκότος hebt den zeitlichen Aspekt hervor. Während nämlich bei φῶς und σκότος eher an räumliche Macht und Einflußsphären gedacht ist, zielen ἡμέρα und νύξ auf den Übergang von der Dunkelheit ins Licht (also auf die Taufe) und nehmen die ἡμέρα κυρίου als futurische Dimension in das zeitliche Denken mit hinein. Mit seiner Tradition ist Paulus hier aber an der Präsenz des Heils interessiert. Ähnliche präsentische Aussagen finden sich auch sonst bei ihm in Zusammenhängen, in denen Taufsprache anklingt (vgl Gal 3,26-28; Röm 5,1; 8,14-17). Mit der Taufe hat der Über-

---

<76> So mit Recht *DOBSCHÜTZ*, Thess, S.207.
<77> Vgl *WILCKENS*, Röm I, S.148f.
<78> *CONZELMANN*, 1Kor, S.103. Zu 1Petr 2,9 vgl *BROX*, 1Petr, S.106.
<79> Vgl *CONZELMANN*, Artikel φῶς, S.315ff; ders., Artikel σκότος, S.442ff.
<80> In Eph 5,8 fehlt freilich der eschatologische Zusammenhang, der in 1Thess 5,4f gegeben ist. Zweifellos steht in Eph 5,8 qumranisches Denken im Hintergrund, wo der Kampf der Söhne der Finsternis öfter begegnet (vor allem in der Kriegsrolle 1QM, daneben an einigen Stellen in der Gemeinschaftsregel 1QS 1,9f; 2,1-10; 3,13.20f.24f). *HOLTZ*, 1Thess, S.237 lehnt die Aufnahme von Tauftradtion an dieser Stelle ab.
<81> Vgl *KÄSEMANN*, Röm, S.350.
<82> *FUCHS*, Zukunft, S.239. V.5a hat begründende Funktion für V.4. "Söhne des" drückt eine Zugehörigkeit aus (vgl *LOHSE*, Artikel υἱός, S.359f). Der Ausdruck "Söhne des Tages" ist sonst im NT nicht belegt. Er ist hier offensichtlich der verwendeten Begrifflichkeiten wegen von Paulus eingefügt woden. ἡμέρα wird in V.2 als terminus technicus, in V.5 als Komplementärbegriff zu φῶς gebraucht und hat damit eine Art "Gelenkfunktion" (so *HARNISCH*, Existenz, S.217, Anm.15).

gang ⟨83⟩ stattgefunden. Präsentische Aussagen stehen freilich in engem Zusammenhang mit der Taufparänese, die die eschatologische Existenz der Getauften nicht bestreitet, aber deren Angefochten-Sein herausstellt und somit auf die noch ausstehende Vollendung hinweist (vgl auch Röm 8,24f).

V.6-8 heben sich von V.4f schon dadurch ab, daß hier der Kohortativ dominiert. Es liegt eine kleine Taufparänese vor (vgl Röm 6,12-14). Sie ist im Indikativ der V.4f begründet (ἄρα οὖν). Offensichtlich ist das υἱοὶ φωτὸς εἶναι für Paulus bezogen auf die Entsprechung der Glaubenden in ihrem Leben (vgl Gal 5,25). μὴ καθεύδωμεν, ἀλλὰ γρηγορῶμεν καὶ νήφωμεν spielt noch einmal auf die Begrifflichkeit von V.2f an ⟨84⟩. Direkte ethische Forderungen sind diesen Begriffen nicht zu entnehmen ⟨85⟩, denn offensichtlich gehören sowohl γρηγορέω als auch νήφω ⟨86⟩ traditionell in den Zusammenhang der Parusieerwartung. Gerade weil die Thessalonicher Söhne des Lichtes sind, sollen sie nicht schlafen wie die Übrigen, sondern wachsam und nüchtern das Kommen des Herrentages erwarten. V.7 expliziert οἱ λοιποί. Daß das Schlafen V.6 als eschatologisches Bild gemeint ist, zeigt die betonte Aufnahme von νύξ in V.7, wobei das Schlafen dem Bereich der Finsternis zugeordnet ist. Paulus verwendet Bilder, die wohl auch in gnostischen Zusammenhängen begegnen ⟨87⟩, hier aber eine Haltung bezeichnen, die in keiner Weise mit dem Kommen des Herrn rechnet. Das zweimalige νυκτός ist wesentlich: die λοιποί sind im Bereich der Finsternis, sie wähnen sich in Sicherheit (V.3), deshalb schlafen sie und sind trunken und offenbaren damit, daß sie dem Licht und dem Tag nicht angehören. Im Zusammenhang der V.6-8 hat V.7 retardierenden Charaker. Mit V.8 wendet Paulus sich deswegen auch von den λοιποί ab und kommt wieder auf ἡμεῖς δὲ ἡμέρας ὄντες zu sprechen. Das νήφωμεν stellt die enge Verbindung zu V.6 her. ἐνδυσάμενοι κτλ expliziert den Gedanken der nüchternen Wachsamkeit.

Das Bild von der militia dei ist stark verbreitet. "Ihren Ursprung hat sie im Mythos vom Kampf der Gottheit mit widergöttlichen Mächten. Im AT ist dieser Ursprung gerade in Verbindung mit dem Bild von der Waffenrüstung noch spürbar, wenn in Is 59,17 Jahve als Kriegsmann gezeichnet wird, der an seinen Feinden Vergeltung übt"⟨88⟩. Paulus weicht vom Wortlaut von Jes 59,17 LXX ab. Die sprachliche Nähe ist aber durch ἐνδυσάμενοι θώρακα ... und περικεφαλαίαν ... σωτηρίας so groß, daß man von der Aufnahme von Jes 59,17 sicher ausgehen kann, freilich nicht in der Form eines Zitates, sondern in freier Anlehnung ⟨89⟩.

Wie in Eph 6,14 ist als Träger der Rüstung der Christ gesehen. Daß Paulus frei mit

----

⟨83⟩ SCHMITHALS, Paulus, S.149 meint, daß V.5 - für sich genommen - als präzise Darstellung der gnostischen Heilsgewißheit interpretiert werden könne. Dies könnte man so sehen, wenn man den Vers wirklich für sich allein nimmt, was SCHMITHALS selbst allerdings nicht tut.

⟨84⟩ Von hier aus ist gegen HARNISCH, Existenz, S.133 die einheitliche Komposition des Abschnitts zu betonen.

⟨85⟩ Gegen DOBSCHÜTZ, Thess, S.209. HARNISCH, ebd, S.141 bezieht νήφωμεν auf den Vollkommenheitsanspruch des gnostischen Pneumatikers, HOLTZ, 1Thess, S.224 auf 5,3.

⟨86⟩ Vgl zu γρηγορέω Mt 24,42; 25,13; Mk 13,35.37; Offb 3,2ff; 16,15. νήφω nur hier bei Paulus, sonst im NT nur noch in 2Tim 4,5; 1Petr 1,13; 4,7; 5,8. Zur Allgemeinheit der Mahnung vgl BROX, 1Petr, S.238 zu 1Petr 5,8. SIBER, Christus, S.61, Anm.168 stellt für νήφω zutreffend die positive Haltung der Erwartung heraus.

⟨87⟩ Zum Zusammenhang mit gnostischen Gedanken vgl JONAS, Gnosis I, S.113-116.

⟨88⟩ GNILKA, Epheserbrief, S.309. Daß hier Taufsprache vorliegt, zeigt ein Vergleich mit Röm 13,11-14; Gal 3,27; Kol 3,9-14; Eph 6,10-19; 1Petr 1,13 (Anders HOLTZ, 1Thess, S.237). Zur Waffenrüstung vgl HARNACK, Militia, S.12. Zu den Qumranbelegen vgl KUHN, Artikel ὅπλον, S.297ff.

⟨89⟩ Das Gleiche gilt für Eph 6,14, wo für "Panzer der Gerechtigkeit" eine noch größere Nähe zu Jes 59,17 festzustellen ist. Vgl auch Weish 5,18.

der traditionellen Wendung umgeht, zeigt sich besonders daran, daß er sie mit der
Trias πίστις, ἀγάπη und ἐλπίς verbindet. πίστις und ἀγάπη sind dabei als Gen.ep-
ex. mit θώρακα verbunden, ἐλπίς appositionell zwischen περικεφαλαίαν σωτηρίας
eingeschoben. Die Aufteilung der Trias auf die beiden traditionellen Teile der Waffenrüstung hebt die "Hoffnung des Heils" eigens hervor.

Paulus gebraucht die Trias hier als Formel, wie die Aufteilung auf zwei oder drei
Glieder belegt und wie die Verwendung der Trias in 1Thess 1,3 ebenfalls zeigt <90>.
Daneben finden sich bei Paulus aber auch die Kombination von πίστις und ἐλπίς
(Gal 5,6) und von πίστις und ἀγάπη (1Thess 3,6; 1Kor 16,13f; Phlm 5). Die Herleitung der Formel aus gnostischem Gedankengut <91> ist problematisch, da die gnostischen Belege spät und z.T. sekundär sind <92>. Der kritische Sinn der Formel,
den HARNISCH erkennt <93>, ist weder in V.8 noch im Kontext gegeben. Sicherlich
beschreibt V.8 die Waffenrüstung der Christen auf dem Hintergrund der "Übrigen"
(V.3.7). Paulus läßt aber in V.5 die Gelegenheit zur Konfrontation (Söhne der Finsternis) gerade aus. Auch V.7 hat keinen polemischen Klang, sondern dient gleichsam als Folie, auf der die Existenz der Christen entfaltet wird. Die Formel von
Glauben, Liebe und Hoffnung ist nicht polemisch, sondern thetisch entworfen <94>.
Es geht Paulus darum, mit der Trias die eschatologische Existenz der Christen
zugleich umschreibend und mahnend darzustellen.

Glaube, Liebe und Hoffnung auf das Heil sollen das Leben der Christen bestimmen.
Darin zeigt sich ihre Wachsamkeit und Nüchternheit. V.8b legt also das γρηγορῶμεν
καὶ νήφωμεν V.6.8a aus. Die Wendung von der Waffenrüstung legte sich durch die
beiden Verben nahe. Das Gewicht liegt aber auf der paulinischen Interpretation mit
Hilfe der triadischen Formel. Paulus ruft die Gemeinde auf, mit ihrem Leben dem
neuen Sinn als Söhne des Lichts zu entsprechen.

Mit **V.9** setzt wieder die indikativische Aussage ein. So bildet V.9 mit V.4f eine
Klammer um V.6-8. Die Paränese ist also gleichsam umhüllt vom Indikativ des Heils.
V.9 greift mit dem Stichwort σωτηρία zugleich das letzte Glied der Trias von V.8
auf. Die Komposition de Abschnitts wird hier besonders gut sichtbar. V.9 ist der
Höhepunkt des gesamten Abschnitts. Es geht Paulus dabei nicht lediglich um die
Abrundung des indikativischen Rahmens, sondern vielmehr um dessen Begründung. In
dieser Funktion hat V.9f hier dieselbe Bedeutung wie 4,14 für 4,13-18, womit erneut
die Parallelität beider Abschnitte zutage tritt.

Einige Beobachtungen machen es wahrscheinlich, daß der Apostel in V.9f ein gepräg-
tes Bekenntnis übernimmt <95>: διὰ τοῦ κυρίου ἡμῶν 'Ιησοῦ Χριστοῦ ist "die ur-
sprünglichste vorpaulinische διά-Formel" <96>; das bei Paulus ungewöhnliche περὶ
ἡμῶν bei der Sterbensaussage V.10 <97>; der Partizipialstil und das einleitende ὅτι;
περιποίησις ist innerhalb der echten Paulinen singulär und somit ist die Wendung
εἰς περιποίησιν σωτηρίας auffällig. Es finden sich in den Versen aber auch Aussagen, die auf Paulus selbst zurückgehen müssen: die Wendung εἴτε γρηγορῶμεν εἴτε
καθεύδωμεν kann sachlich nicht auf 5,1ff.6f bezogen werden, da die καθεύδοντες
V.6f dem Bereich der Finsternis angehören, während sie hier in Zusammenhang mit
dem Heil genannt werden. Die Wendung muß sich deshalb zurückbeziehen auf
4,13-18 mit der dortigen Erwähnung von Lebenden und Toten. εἴτε-εἴτε wendet die
gesamte Erörterung auf die Situation in Thessalonich an. Von hier aus wird man
auch das ἅμα V.10 als paulinisch ansehen. Dann ist auch das σὺν αὐτῷ ζήσωμεν
Paulus zuzurechnen, wofür neben der paulinischen Sprache besonders die Parallele

<90> Die Diskussion um Herkunft und Bedeutung der Trias ist bei CONZELMANN, 1Kor, S.271
knapp zusammengefaßt.
<91> So ursprünglich REITZENSTEIN, Historia, S.100ff; ders., Mysterienreligion, S.383ff.
<92> CONZELMANN, 1Kor, S.270.
<93> Existenz, S.138f.
<94> CONZELMANN, 1Kor, S.271.
<95> Vgl hierzu HARNISCH, ebd, S.122f; SCHILLE, Liebe; S.234f.
<96> KRAMER, Christos, S.86; vgl S.81-86.
<97> Sonst begegnet im Corpus Paulinum ὑπὲρ ἡμῶν, vgl Röm 5,6-8; 14,15; 1Kor 15,13; 2Kor 5,15.

zu 4,17 spricht ⟨98⟩. Die antithetische Formulierung οὐχ ... εἰς ὀργὴν ἀλλά ... wird man wegen ihrer stilistischen Eigenart ebenfalls Paulus zurechnen können ⟨99⟩. Der Genitiv σωτερίας bei εἰς περιποίησιν könnte ebenfalls als paulinische Einfügung im Anschluß an V.8b verstanden werden. Dann müßte man aber für die Tradition an einen anderen Begriff denken, der hier eingesetzt war. HARNISCH zieht in Anlehnung an 2Thess 2,14 den Begriff δόξα in Betracht ⟨100⟩. Die dortige Verbindung von Christi eigener 'Herrlichkeit' mit 'erwerben' wäre aber mit dem διὰ (τοῦ κυρίου ἡμῶν 'Ιησοῦ Χριστοῦ) nicht ohne Bruch zu verbinden. Außerdem findet sich der Zusammenhang von καλέω und δόξα, wie er in 2Thess 2,14 begegnet, auch in 1Thess 2,12, dort freilich in typisch paulinischer Verschränkung von Indikativ und Imperativ. Weder sollte 2Thess 2,14 hier als Parallele herangezogen, noch σωτερία der vorpaulinischen Tradition abgesprochen werden.

Paulus nimmt hier ein christologisch-soteriologisches Bekenntnis auf, das folgenden Wortlaut gehabt haben kann: ἔθετο ἡμᾶς ὁ θεὸς εἰς περιποίησιν σωτηρίας διὰ τοῦ κυρίου ἡμῶν 'Ιησοῦ Χριστοῦ, τοῦ ἀποθανόντος περὶ ἡμῶν. Dieses Bekenntnis erinnert an prädestinatianische Aussagen, wie sie in Röm anklingen (vgl 8,28-30; 9,22f) und die in Zusammenhang mit der Taufe stehen ⟨101⟩. Mit der Verwendung des Begriffs σωτηρία ist aber auch auf der vorpaulinischen Stufe die Unabgeschlossenheit des Heils gewahrt ⟨102⟩. Daß Paulus das Credo gerade an dieser Stelle aufnimmt, ist höchst bedeutsam für den gesamten Abschnitt, denn hier liegt die Begründung für V.4f und damit auch für die Paränese V.6-8. V.4f allein hat thetischen Charakter. Die in dem Credo gegebene Verschränkung von Christologie und Soteriologie macht die Aussage von V.4f erst möglich. V.9 und 10 sind deshalb die Spitzenaussagen des gesamten Abschnitts.

Die paulinischen Einschübe bedürfen noch einer Erklärung. In 1,10; 2,16 ist mit ὀργή das eschatologische Gericht Gottes gemeint (vgl Röm 2,5; 5,9 u.ö.). Wiederholt wird in 1Thess die christliche Existenz auf dem Hintergrund der "Übrigen" gesehen. Sie sind in der Finsternis (5,4f) und entsprechen ihr mit ihrem Verhalten (V.3.6f). Durch Glauben und Taufe sind die Thessalonicher von diesem Bereich der Dunkelheit ins Licht übergegangen. Dies ist mit der antithetischen Formulierung οὐκ εἰς ὀργὴν ἀλλά noch einmal aufgenommen, wobei das εἰς ὀργήν dem νυκτός bzw. σκότους εἶναι und εἰς περιποίησιν σωτηρίας dem υἱοὶ φωτὸς καὶ ἡμέρας (V.5) entspricht. Die Antithese wächst gleichsam aus dem gesamten Abschnitt heraus. Sie nimmt die Aussagen von V.4f auf und formuliert sie von Gott her (ἔθετο ὁ θεός) und auf Gott hin (εἰς περιποίησιν σωτηρίας). Die beiden εἰς-Wendungen halten dabei die futurische Dimension fest. Angelpunkt dieses Geschehens ist das Christusereignis, wobei die διά-Wendung wie in 4,14 das ganze Christusereignis umfaßt, obwohl die Formel nur die Sterbensaussage anführt: die volle christologische Bezeichnung weist ja ebenso wie das περὶ ἡμῶν auf das Christusgeschehen insgesamt.

Mit dem ἵνα-Satz **V.10b** greift Paulus auf das Verhältnis der Lebenden und der

---

⟨98⟩ Gegen HARNISCH, ebd, S.122f.

⟨99⟩ So HARNISCH, ebd, S.122f.143f; HOFFMANN, Die Toten, S.230, Anm.120. Zum antithetischen Denken bei Paulus vgl SCHNEIDER, Eigenart, S.34ff.

⟨100⟩ HARNISCH, Existenz, ebd. Er räumt freilich ein, daß sich dies nicht zwingend ergibt (S.143).

⟨101⟩ WILCKENS, Röm II, S.162-165. SCHILLE, Hymnen, S.89 vermutet das Fragment eines vorpaulinischen Taufliedes.

⟨102⟩ Vgl MATTERN, Verständnis, S.81. Es geht also nicht um die triumphale Feststellung, daß die Getauften schon zum Glanz gebracht sind (so HARNISCH, ebd, S.124). Allerdings ist die eschatologische Heilssetzung gemeint (HOLTZ, 1Thess, S.229). Ob περιποίησις aber mit "Erwerb" oder "Besitz" übersetzt wird (vgl ebd, S.228f), trägt - eben auf Grund der Heilssetzung durch Gott - letzten Endes nicht viel aus.

Toten zurück, um das es in 4,13ff ging. Das Ziel der περιποίησις σωτερίας gilt in gleicher Weise für die, die leben und wachsam sind, wie für die bereits Verstorbenen. Gerade diese Aussage betont noch einmal die enge Verbindung von 5,1-11 mit 4,13-18. Tempus und Modus des Verbs (Konj. Aor. von ζάω) lassen zunächst offen, ob das σὺν αὐτῷ sich schon auf die Gegenwart bezieht oder wie in praktisch allen anderen σὺν Χριστῷ-Wendungen das zukünftige Auferstehungsleben meint ⟨103⟩. Der zukünftige Sinn geht aber aus εἰς περιποίησιν σωτηρίας, dem Stichwort ἐλπίς V.8 und aus dem Bezug auf die gegenwärtig Lebenden und Toten ebenso hervor wie aus der Parallelität zu 4,17. Ebenso gehören aber auch die präsentischen Aussagen zur eschatologischen Existenz V.4f zum Kontext dieser Stelle. Mit beiden Aspekten wird deutlich, daß beides, die eschatologische Existenz der Christen und ihre Vollendung in der Zukunft, nur von Christus her und mit ihm zu glauben und zu verstehen sind.

Die Schlußmahnung in **V.11** ist in Anlehnung an 4,18 formuliert. Hinzu tritt nun καὶ οἰκοδομεῖτε εἰς τὸν ἕνα. οἰκοδομεῖν ist ein Gemeinschaftsbegriff ⟨104⟩ wie auch das παρακαλεῖτε ἀλλήλους. 1Kor 14,3 stellt beide Begriffe ebenfalls nebeneinander, dazu noch παραμυθία, das mit παράκλησις praktisch identisch ist (vgl auch 1Thess 2,12). Es ist deshalb auch in 5,11 angemessen, für beide Begriffe ähnliche Bedeutungen anzunehmen. Hier freilich tritt eher der Aspekt des Mahnens in der Vordergrund. Er steht im Dienst des gemeinsamen Wachstums. Der Nuancenwechsel ist nicht zufällig: auf die persönliche Betroffenheit und Trauer gibt Paulus in 4,13ff eine seelsorgerliche Antwort. Die persönliche Betroffenheit hat aber auch den allgemeineren Aspekt περὶ τῶν χρόνων καὶ τῶν καιρῶν zur Seite und in dieser Frage ist die Leitung des Apostels und die gegenseitige Mahnung und Hilfe zum Wachstum vonnöten ⟨105⟩.

Auf die Auslegung HARNISCHs muß abschließend wegen der Bedeutung seiner Arbeit noch einmal eingegangen werden. Zu vielen Einzelfragen hat er wesentliche Erkenntnisse beigesteuert. Seine grundsätzliche Position kann ich jedoch nicht teilen. Daß in dem Abschnitt 4,13-18 von einer antignostischen Argumentation keine Rede sein kann, ist oben deutlich geworden. An verschiedenen Stellen betont HARNISCH nun aber seine Auslegung von 4,13ff als heuristisches Prinzip für 5,1-11 ⟨106⟩, das auch dann wirksam sei, wenn sich vom Text her gar keine Anhaltspunkte für gnostisches Denken ergäben. Von seiner Prämisse aus betont HARNISCH die Zäsur zwischen V.3 und 4 zu stark. Sie ist zweifellos da, zieht sich aber eher als Zäsur zwischen ungläubiger und eschatologischer Existenz durch den gesamten Abschnitt hindurch. Die Begriffe in V.1-3 werden in V.4ff aufgenommen und klingen auch in der Taufparänese und in der Antithese V.9 wieder an. Zutreffend hat HARNISCH die Theozentrik als einen Zug apokalyptischer Zeitauffassung herausgearbeitet. Es genügt aber, diese theozentrische Zeitauffassung im Blick auf die unsicher gewordene Parusieerwartung der Thessalonicher zu verstehen. Als "Beweismittel einer antienthusiastischen Argumentation" ⟨107⟩ dient sie ebensowenig wie die Stichworte εἰρήνη καὶ ἀσφάλεια dazu, das gnostische Selbstverständnis zu ironisieren ⟨108⟩. Aussagen, die die Präsenz des eschatologischen Seins betonen, sind durch εἰς περιποίησιν σωτηρίας V.9 auf die zukünftige Vollendung hin ausgerichtet und brauchen deshalb auch nicht "antienthusiastisch abgebogen" zu werden ⟨109⟩. Die These HARNISCHs

⟨103⟩ Vgl hierzu SIBER, Christus, S.59ff.
⟨104⟩ VIELHAUER, Oikodome, S.95. Es handelt sich dabei um Seelsorge in und aus der Gemeinde für die Gemeinde. Vgl hierzu auch 1Kor 8,1b; 10,23f und unten, S.211f.
⟨105⟩ Die Interpretation als "Akt gegenseitiger Zurechtweisung" (HARNISCH, Existenz, S.152f) geht zu weit. HARNISCH trägt hier die Vorstellung aus 1Kor 14,4 ein.
⟨106⟩ Vgl ebd, S.80, ähnlich, S.149 und 160.
⟨107⟩ Ebd, S.161.
⟨108⟩ Ebd, S.78ff.161.
⟨109⟩ Ebd, S.165.

beruht so im einzelnen auf zu vielen fragwürdigen Prämissen und Implikationen, als daß sie insgesamt befriedigen könnte. Seine Arbeit ist dennoch in vielen Einzelfragen ein sehr wertvoller Beitrag.

Auch in 5,1-11 geht es um die durch Todesfälle ausgelöste Unruhe der Thessalonicher, wobei Paulus sich hier auf die generelle Frage nach der Parusie und deren Zeitpunkt einläßt. Die Wann-Frage wandelt er dabei um in eine Aussage über "Wie" und "Daß" der Parusie. Wie in 4,16f liegt ihm nichts an einer ausführlichen Darlegung des endzeitlichen Geschehens. Die Reduktion des apokalyptischen Materials ist ganz offensichtlich. Statt dessen bedient sich der Apostel traditioneller Aussagen über die Taufe, wobei die These V.4f in V.9f christologisch begründet wird. Hierin liegt die gleiche Argumentationsstruktur wie in 4,13ff: da das Leben der Christen durch die Taufe mit Jesus verbunden ist, braucht die Frage nach dem Wann der Parusie nicht mehr zu schrecken. Dies nicht deshalb, weil die Christen jetzt schon das Heil in Vollendung besäßen (wie die Paränese zeigt), sondern weil sie durch die Taufe von Jesus her leben und sich auf ihn hin ausrichten. Wenn nicht einmal der Tod von Christen die Hoffnung in Frage stellt, kann der Terminfrage keine letzte Wichtigkeit zukommen. Der Zusammenhang von 4,13ff und 5,1ff zeigt sich besonders in der christologischen Klammer von 4,14 und 5,9. Darin liegt der Trost für die Gemeinde und darin ist auch die Mahnung zu gegenseitiger Stärkung und Erbauung begründet.

3.2.3) Grundlinien paulinischer Eschatologie.
Zusammenfassung und weiterführende Fragen

1) Grundlegend wichtig für die paulinische Eschatologie ist ihre christologische Begründung. Alle eschatologischen Aussagen in 1Thess 4,13-5,11 gelten nur unter der Voraussetzung, daß Christus gestorben und auferstanden ist. Dieses Geschehen ist soteriologisch als περὶ (bzw. ὑπὲρ) ἡμῶν verstanden. Vom Christusgeschehen her bewegt sich das eschatologische Denken des Apostels zwischen den Polen "schon geschehen" und "noch nicht vollendet": schon geschehen ist das grundlegende Datum von Tod und Auferstehung Jesu Christi, während seine Wiederkunft noch aussteht. In gleicher Weise ist das Heil für die Christen schon geschehen; in der Taufe sind sie in das Sterben Jesu mit hineingenommen (Röm 6) und können ihre neue Existenz nur von Christus her begreifen. Ihre Vollendung aber steht noch aus. Deshalb stehen präsentische Formulierungen (1Thess 5,4f; vgl 2Kor 5,17; Röm 6,7; 7,6 u.ö.) neben futurischen einerseits und paränetischen Wendungen andererseits. Die futurischen Aussagen (1Thess 4,17; Röm 6,4.8 u.ö.) wahren die Unabgeschlossenheit des Heils, die Paränese macht, von Taufe und zukünftigem Heil her motiviert, deutlich, daß die eschatologische Existenz in diesem Leben bewahrt und festgehalten werden soll. Taufe, gegenwärtiges Leben und zukünftiges Heil, die ganze Existenz also ist von Christus her und auf ihn hin zu verstehen. Die Eschatologie bei Paulus ist somit nicht eine Anwendung der Christologie auf die Zukunft, sondern ein Teil der Christologie selbst. Anders gesagt: Christologie, Soteriologie und Eschatologie gehören für Paulus untrennbar zusammen und bedingen sich gegenseitig. Auf diesem Hintergrund erhebt sich für die Beschäftigung mit 2Thess und Kol die Frage nach der Struktur ihrer eschatologischen Entwürfe. Wie wird die paulinische Spannung von

"Schon jetzt" und "Noch nicht" aufgenommen? Wie wird das gegenwärtige Leben der Christen beurteilt, wie das zukünftige Heil?

2) In seinen eschatologischen Aussagen nimmt Paulus vielfach traditionelles Material auf. Dies gilt für die christologische Begründung (vgl z.B. 1Kor 15,3ff) wie für die Aussagen zur Endzeit selbst (1Thess 4,16f; 5,1ff; 1Kor 15,23ff.51f u.ö.). Dabei bedient er sich apokalyptischer Traditionen. An Terminfragen und apokalyptischen Einzelmotiven zeigt er aber nur wenig Interesse, vielmehr reduziert er Umfang und Bedeutung der Traditionen. Er verändert ihren Bestand und fügt sie in seinen Zusammenhang ein. Die Leitlinie der Reduktion und der Interpretation ist in 1Thess 4,13 das σὺν κυρίῳ ἐσόμεθα: die Tradition wird benutzt, insofern sie dieser Aussage dient; was ihr nicht dient, wird abgeblendet.

Von hier aus ist kurz auf die Frage einzugehen, ob Paulus als Apokalyptiker bezeichnet werden kann <110>. Wie die Diskussion im Anschluß an *BULTMANN* und *KÄSE-MANN* zeigt, trifft die Alternative "Apokalyptiker – ja oder nein" die Sache nicht. Wenn man schon ein Schlagwort benutzen will, dann ist Paulus nicht Apokalyptiker, sondern "Christologe". Im Kerygma vom gekreuzigten und auferstandenen Herrn liegt die Mitte seines Denkens. Deswegen sind auch die Stichworte wie "apokalyptischer Theologe" <111> oder "schöpferischer Apokalyptiker" <112> nicht zutreffend, weil sie den Eindruck erwecken, als sei die Apokalyptik das Zentrum des paulinischen Denkens. Ebensowenig wird auf der anderen Seite die These *BECKERs* der Sache gerecht, daß "alle kosmischen Belege nur gleichsam Restbestände" seien, "die unter dem Druck der Tradition mit einfließen" <113>. Denn 1Thess 4,15ff zeigt ja die wichtige argumentative Funktion des Herrenwortes. Das apokalyptische Material wird aber nicht im eigentlichen Sinn apokalyptisch verwendet, sondern gemessen an der christologischen Leitlinie des σὺν κυρίῳ εἶναι. Die apokalyptische Tradition dient der Christologie.

Paulus greift in eschatologischem Zusammenhang auch auf Tauftradition zurück, die die Präsenz, das "Schon jetzt" des Heils hervorhebt (1Thess 5,4ff; 2Kor 5,17). Gerade die Verbindung von Taufbekenntnis und futurischer Eschatologie ist charakteristisch für das paulinische Denken (vgl Röm 8; 13,11-14; 14,7ff). Was für die apokalyptische Tradition gilt, gilt für die Tauftradition analog: sie dient der Beschreibung der Christusbeziehung der Christen. Weil Paulus sein Material an der Christologie mißt und von ihr her begrenzt, kann er unterschiedliche Traditionen miteinander vereinen. So hat auch die Vielfalt des eschatologischen Denkens bei Paulus ihren Grund letztlich darin, daß er vom Fixpunkt des Christusgeschehens her frei ist im Umgang mit Traditionen. Die christologische Grundstruktur der Eschatologie beeinflußt und begrenzt die Rezeption des traditionellen Materials. Für den Vergleich mit 2Thess und Kol ergibt sich die Frage, welches Material dort zur Darstellung eschatologischer Aussagen herangezogen wird. Bestimmt die Tradition die eschatologische Denkstruktur oder beeinflußt umgekehrt die Denkstruktur die Aufnahme der Tradi-

----

<110> Vgl *KÄSEMANN*, Anfänge, S.100, ders., Thema, S.126ff; *BULTMANN*, Geschichte, S.100ff; ders., Exegetica, S.482.
<111> So *WILCKENS*, Bekehrung, S.285f. Gegen *WILCKENS* ist dabei hervorzuheben, daß man (ganz abgesehen von der Frage, ob seine Sicht der Apokalyptik zutreffend ist, vgl hiergegen *LOHSE*, Apokalyptik, S.49.55f) nicht einfach das Christusgeschehen innerhalb des apokalyptischen Denkens ansetzen und dabei die Grundstruktur des Denkens beibehalten kann. Während Rechtfertigung in der jüdischen Apokalyptik eine Sache des eschatologischen Gerichts Gottes ist, ist sie bei Paulus ein Geschehen der Gnade Gottes und des Glaubens an Christus (vgl Röm 1,16f; 3,24-26). Dieser fundamentale Unterschied verändert die ganze Struktur des eschatologischen Denkens.
<112> So *LUZ*, Geschichtsverständnis, S.358.
<113> *BECKER*, Erwägungen, S.603; vgl S.608.

tion? Und schließlich: in welchem Maß wird Paulus selbst zur Tradition für die eschatologischen Aussagen der deuteropaulinischen Briefe?

3) Auf die Frage nach der Bedeutung der Naherwartung muß anhand von 1Thess 4,13- 5,11 noch gesondert eingegangen werden. Nach 4,15.17 erwartet Paulus die Parusie Christi zu seinen Lebzeiten. Diese Erwartung ist aber eingebettet in das Wissen, daß die Parusie kommt und daß Gott die Zeit dafür bestimmt (5,1ff). Noch einprägsamer als diese Hintanstellung der Terminfrage ist die christologische Aussage des σὺν κυρίῳ ἐσόμεθα (4,17): sie macht die Frage nach Leben und Tod letztlich für den Glauben und die Hoffnung irrelevant. Innerhalb dieses Rahmens kann die Nähe von der Parusie ausgesagt werden, wie neben 1Thess 4,15.17 vor allem 1Kor 15,51f zeigt, wo dieselbe apokalyptische Tradition aufgenommen ist. In beiden Fällen wird die Tradition auf eine bestimmte Gemeindesituation hin ausgelegt. Dabei ist sowohl in 1Thess 4,15.17 (Trauer) als auch in 1Kor 15,51 (Auseinandersetzung mit einer gnostisierenden Leugnung der Auferstehung) Paulus als Apostel und Seelsorger gefordert. An keiner anderen Stelle legt er sich so eindeutig fest wie an diesen beiden.

Zwar bringt er auch anderswo seine Naherwartung zum Ausdruck, gibt dabei aber keine Zeitspanne an. Dies gilt für 1Kor 7,29, wo es um ethische Grundfragen angesichts der kurzen, noch zur Verfügung stehenden Zeit geht <114>, ebenso wie für Röm 13,11ff <115>, wo mit dem Hapaxlegomenon ἐγγύτερον die allgemeine Zeiterfahrung zur Sprache kommt, daß mit dem Weiterschreiten der Zeit die zukünftige Parusie näherrückt. Die anthropologische Konsequenz aus dieser Naherwartung wird mit V.12bff paränetisch gezogen. Eine ähnliche Beziehung zur Paränese findet sich in Phil 4,5 (vgl ἐν κυρίῳ in 4,2.4 und ἐν Χριστῷ Ἰησοῦ 4,7) <116>. Die Nähe des Herrn bestimmt die Existenz der Christen und sein Kommen wird im Gottesdienst erbeten <117>. Auch das ἐν τάχει Röm 16,20 ist Ausdruck dieser Naherwartung, ohne daß eine weitere Terminbestimmung festgelegt wird. Dies fällt hier um so mehr auf, als der Hintergrund des Abschnitts Röm 16,17-20 offensichtlich apokalyptisch gefärbt ist <118>. Im Zentrum des eschatologischen Handelns steht aber Gott selbst (ὁ θεὸς τῆς εἰρήνης), der auch das ἐν τάχει bestimmt. Die beiden anderen Stellen 1Kor 10,11 und Röm 11,25 tragen bei sachgemäßer Intepretation für das Problem der Naherwartung nichts aus.

Aussagen, die das Kommen der Parusie auf eine bestimmte Zeitspanne festlegen, begegnen im Corpus Paulinum nur ganz sporadisch. Öfter verweist der Apostel auf

<114> Motivgeschichtlich hat diese Aussage keinen unmittelbaren Bezug zur Naherwartung, sondern bezeichnet die Verkürzung der letzten Drangsalszeit vor dem göttlichen Gericht (vgl hierzu HARNISCH, Verhängnis, S.271ff), die von Gott selbst bewirkt wird. Neben diese Aussage tritt als weitere Begründung V.31b (παράγει γὰρ τὸ σχῆμα τοῦ κόσμου τούτου), dessen Aussage aber traditionell ebenfalls nicht notwendig mit einer speziellen Naherwartung verbunden ist. Neben diesen beiden apokalyptischen Gedanken tritt mit V.32-35 schließlich eine christologische Begründung der Paränese.

<115> Mit Recht weist WILCKENS, Röm III, S.76 darauf hin, daß es sich hier ebenfalls um ein "Zeugnis urchristlicher 'Nah-Eschatologie'" handelt und daß hier die gleichen Motive der Tauftradition begegnen wie in 1Thess 5,4ff.

<116> BAUMGARTEN, Paulus, S.205-208 versucht, die Stelle ausschließlich vom Gegenwartsaspekt her zu verstehen. Wesentlich für die Argumentation BAUMGARTENs ist die Bestreitung eines Zusammenhangs mit dem Maranatha-Ruf, wobei er von dessen imperativischer Bedeutung ausgeht (vgl zu den Deutungen des Rufs KRAMER, Christos § 23; WENGST, Formeln, S.49-54; KUHN, Artikel μαραναθά, S.471ff; HAHN, Hoheitstitel, S.101ff). Auch wenn man diese Deutung als zutreffend beurteilt, ist ein sachlicher Bezug zur indikativischen Aussage von Phil 4,5 dennoch nicht zu verneinen. Es muß berücksichtigt werden, daß auch in anderen Zusammenhängen, wie etwa in Röm 13,11ff, die futurische Aussage zur Begründung der Paränese dient. Mit dem κύριος-Titel ist der erhöhte und zugleich der wiederkommende Herr gemeint (vgl KRAMER, ebd, S.172).

<117> Der Maranatha-Ruf in 1Kor 16,22 ist mit KRAMER, ebd, S.103 Bitte um die Parusie und hat seinen Sitz in der Feier des Herrenmahls (vgl HAHN, ebd, S.101-104).

<118> Vgl die Auslegung bei BAUMGARTEN, Paulus, S.213ff.

die Nähe der Endzeitereignisse, ohne dabei einen endzeitlichen Rahmen anzugeben. Grundlegend ist für ihn das Hineingenommen-Sein der Christen in das Christusereignis (ἐν Χριστῷ, σὺν κυρίῳ), das die Terminfrage letztlich unerheblich macht. Sogar der Tod ist ja nicht mehr dazu in der Lage, diese Verbindung zu lösen (Röm 8,38f). Deshalb kann Paulus die Terminfrage Gott überlassen (1Thess 5,1ff). Daß Gott die Zeit bestimmt, hat für die Christen ja nichts Ängstendes mehr (ὑμεῖς υἱοὶ φωτός ἐστε). Damit ist gerade der Zusammenhang von 1Thess 4,13ff mit 5,1ff für das Verständnis der Naherwartung bei Paulus grundlegend. Für den Vergleich mit 2Thess und Kol ergibt sich die Frage: wie gehen beide Briefe mit der paulinischen Aussage zur Naherwartung um? Wird sie aufgenommen und – wenn ja – wird sie im paulinischen Sinn beibehalten oder modifiziert?

4) In 1Thess 4,13-5,11 geht Paulus auf eine direkte Anfrage der Thessalonicher ein und gibt vom Christusgeschehen her seine Antwort in tröstender und aufbauender Absicht. Sowohl die Reduktion des apokalyptischen Materials als auch die eschatologische Aussage σὺν κυρίῳ ἐσόμεθα selbst entsprechen dieser seelsorgerlichen Absicht. Hierin integriert ist auch die Paränese, wie besonders aus 5,1-11 hervorgeht. Damit sind die eschatologischen Aussagen in 1Thess eng bezogen auf die Adressaten und ihre konkrete Situation. Daß diese Konkretheit der eschatologischen Verkündigung bei Paulus auch sonst festzustellen ist, zeigt 1Kor 15,12ff sehr deutlich. Dort geht es nicht um Trost, sondern um Auseinandersetzung und einige der gegnerischen Positionen sind zu erkennen (vgl 15,12.29). Es ist dabei nicht zufällig, daß Paulus sich hier auf eine Auseinandersetzung über die Auferstehung Christi und der Toten einläßt und ihr einen Abschnitt voranstellt (15,1-11), in dem er die Auferstehung Christi mit Hilfe von Tradition verkündet. Beides ist deshalb so breit angelegt, weil gerade die Auferstehung der Toten in Korinth angezweifelt wurde (vgl auch 2Kor 5). Die grundsätzliche Struktur eschatologischen Redens und der Umgang mit Tradition (vgl 15,23ff.51f) entsprechen dabei dem bisher Erarbeiteten. Dennoch ist in der Argumentation eine andere Akzentsetzung festzustellen. Sie ist bedingt durch die unterschiedliche Situation. Für den Vergleich mit 2Thess und Kol ergibt sich daraus die Frage: in welcher Weise gehen beide Briefe auf die ihnen vorausliegenden Situationen ein? Und: wie bewirken diese Situationen eine Veränderung der eschatologischen Aussagen?

3.3) Die eschatologischen Aussagen des 2.Thessalonicherbriefes

Die Eschatologie ist das zentrale Thema des 2Thess. In dem Abschnitt 2,1-12 kommt das Hauptanliegen des Verfassers zur Sprache. Daß hier die eigene Position des Verfassers zu greifen ist, wird daran deutlich, daß es zu diesem Abschnitt keine Parallelen in 1Thess gibt. In 1,5-10 ist in den übernommenen Rahmen der paulinischen Danksagung ebenfalls ein eschatologischer Abschnitt eingefügt. Beide Passagen sind im folgenden zu untersuchen.

3.3.1) 2.Thessalonicher 2,1-12

Trotz der dogmatisch klingenden Übershrift ὑπὲρ τῆς παρουσίας κτλ machen die einleitenden Verben deutlich, daß die folgende Belehrung im Dienst der Paränese steht ⟨119⟩. Der Verfasser will ermahnen und die Gemeinde zu einem vernünftigen Urteil zurückführen **V.1f**. Die Empfänger stehen nämlich in der Gefahr, sich ihre Sinne verwirren und sich in Angst und Schrecken versetzen zu lassen ⟨120⟩. Die mahnende Absicht tritt ab V.3 in den Hintergrund, wird aber in V.10-12 zunächst in negativer und ab V.13 in positiver Weise wieder aufgenommen. Die Form des Abschnitts ist so als Lehrrede zu charakterisieren, deren Absicht aber die Ermahnung ist ⟨121⟩. Die Brüder ⟨122⟩ werden belehrt über die Parusie Christi und unsere Vesammlung bei ihm ⟨123⟩. Diese Themaangabe wird in V.2b durch das Zitat einer irrigen Auffassung präzisiert: es geht um die Aussage, der Tag des Herrn sei schon da, also um die Frage nach dem Termin der Parusie. Deshalb fällt im folgenden die Versammlung der Christen bei ihrem Herrn auch ganz weg und die Parusie wird nur kurz angesprochen (2,8).

Weder durch eine Geistäußerung, noch durch ein Wort noch durch einen Brief, angeblich von Paulus, soll die Gemeinde sich verwirren lassen (V.2). ὡς δι' ἡμῶν bezieht sich sicher auf den zuletzt genannten Brief. Sollte sich jemand zur Stützung der Ansicht, der Tag des Herrn sei da, auf einen Paulusbrief berufen, so kann es sich nur um einen angeblichen Paulusbrief handeln, nicht aber um einen wirklichen. Die Beziehung des ὡς δι' ἡμῶν auf die beiden anderen Glieder ist umstritten und grammatisch nicht zu klären. Der Bezug auf μήτε διὰ λόγου ist aber wahrscheinlich: in 2,15 sind ebenfalls Wort und Brief parallelisiert und 2,5 steht in deutlichem Zusammenhang mit 2,15 (ταῦτα ἔλεγον ὑμῖν). Auch auf die mündliche Verkündigung des Apostels kann sich also die falsche Ansicht nicht berufen. Weiter wäre es willkürlich, das erste μήτε von den beiden anderen abzutrennen ⟨124⟩. Da mit πνεῦμα aller Wahrscheinlichkeit nach eine prophetische Äußerung gemeint ist ⟨125⟩, kann man an einen Prophetenspruch des Paulus selbst denken. Dies ist trotz der schwierigen Abgrenzung von πνεῦμα und λόγος wahrscheinlich: denn mit der Aufzählung von prophetischer Äußerung, Wortverkündigung und der Begleitung der Gemeinde durch den apostolischen Brief sind "drei von den Gemeinden anerkannte und geschätzte Faktoren der Belehrung genannt" ⟨126⟩. Keinerlei schriftliche oder mündliche Äußerung des Paulus kann also für die Ansicht, der Tag des Herrn sei da, herangezogen werden.

Um die richtige Interpretation des ἐνέστηκεν ἡ ἡμέρα τοῦ κυρίου hat es eine ausführliche Diskussion gegeben. Das Perfekt ἐνέστηκεν bedeutet in grammatikalisch eindeutiger Übersetzung "ist gekommen, ist da". Diese Aussage ist im Rahmen eines apokalyptischen Entwurfs auffällig: mit dem Tag des Herrn wird die Äonenwende ja

----

⟨119⟩ So mit anderen *TRILLING*, Untersuchungen, S.76; ders., 2Thess, S.72.
⟨120⟩ Zu σαλευθῆναι und θροεῖσθαι vgl *DOBSCHÜTZ*, Thess, S.265. Eine Steigerung ist mit beiden Verben kaum gemeint.
⟨121⟩ *TRILLING*, 2Thess, S.72 spricht von einem "formgeschichtlichen Zwitter".
⟨122⟩ Die Anrede deckt sich in 1,3; 2,13.15; 3,1.6.13 mit den Anfängen der einzelnen Abschnitte.
⟨123⟩ Das σύν κυρίῳ von 1Thess 4,17 klingt hier entfernt an. Ob die Wahl des Begriffs ἐπισυναγωγή von dort aus beeinflußt ist, wie *TRILLING*, 2Thess, S.74 vermutet, muß aber offen bleiben. Deutlich ist dagegen der eschatologische Klang des Wortes, vgl hierzu *SCHRAGE*, Artikel ἐπισυνάγω, S.840f. Zur Vorstellung der Sammlung der Zerstreuten vgl *BOUSSET—GRESSMANN*, Religion, S.236ff; *VOLZ*, Eschatologie, S.344. Das Stichwort Parusie steht gleichberechtigt neben den Begriffen ἡμέρα κυρίου (2,2), ἀποκάλυψις (1,7) und ἐπιφάνεια (2,8).
⟨124⟩ So *DOBSCHÜTZ*, Thess, S.266 gegen *TRILLING*, 2Thess, S.77, Anm.273.
⟨125⟩ Vgl hierzu *DAUTZENBERG*, Prophetie, S.122-148.
⟨126⟩ *DAUTZENBERG*, ebd, S.140f.

für alle offenbar und es bedarf keiner Auseinandersetzungen mehr darüber. Deshalb hat man die These vertreten, daß 2,2 zwar apokalyptisch formuliert sei, in Wirklichkeit aber eine gnostische Anschauung wiedergebe <127>. Der Brief läßt aber insgesamt keine Hinweise auf gnostische Denkweise oder Agitation in der Gemeinde erkennen. Die oft erwähnte, angebliche Parallele in 2Tim 2,18 (λέγοντες ἀνάστασιν ἤδη γεγονέναι) könnte nur dann wirklich herangezogen werden, wenn die Erlösung der Seele des Gnostikers hier mit dem apokalyptischen Terminus "Tag des Herrn" identisch wäre. Eine solche Verwendung des apokalyptischen Begriffs ist aber gerade für den Verfasser von 2Thess ganz unwahrscheinlich. Der Brief macht nicht einmal deutlich, daß es sich um ausgesprochene Irrlehrer handelt. Es scheint sich eher um ein Verrennen in ein apokalyptisches Denken zu handeln, das der Gegenwart keinen Raum mehr läßt. πνεῦμα in 2,2 scheidet, da eine prophetische Aussage des Paulus gemeint ist, ebenfalls als Argument für die Gnosis-These aus.

ἐνέστηκεν ἡ ἡμέρα τοῦ κυρίου ist als Ausdruck äußerster apokalyptischer Spannung anzusehen. Das Perfekt zeigt an, daß die Erwartung der Äonenwende die Gegenwart in einem Maß überdeckt, daß eine enthusiastische Hochstimmung entsteht <128>. Daß die irrige Ansicht in 2,3-12 ausschließlich mit Hilfe apokalyptischer Vorstellungen widerlegt wird, zeigt die Offenheit der Vertreter dieser Ansicht für eine apokalyptisch gespannte Erwartung. Der Verfasser des Briefes wendet sich gegen eine Erwartung des Herrentages, bei der der Realitätssinn und die Aufgeschlossenheit für die gegenwärtig zu bewältigenden Aufgaben auf der Strecke bleiben.

Aussagen über die Zukunft finden sich in V.3f.8a.9.10a: die ἀποστασία, das Auftreten des ἄνθρωπος τῆς ἀνομίας, die Offenbarung des ἄνομος und seine Wirksamkeit. Offenbar gehören das Kommen des ἄνθρωπος τῆς ἀνομίας V.3f und die Offenbarung des ἄνομος in V.8ff inhaltlich zusammen. Ebenfalls steht noch aus die Vernichtung des ἄνομος durch die Erscheinung des Herrn V.8b.c. Andere zeitliche Angaben finden sich in V.5-7. Auf die Vergangenheit blickt V.5 zurück. V.6f beziehen sich auf die Gegenwart. V.5-7 sind also in eine Zukunftsschilderung eingeschoben. Von V.10b an finden sich erneut Gegenwartsaussagen: die ἀπολυμένοι haben die Liebe zur Wahrheit nicht angenommen, deshalb schickt Gott ihnen die "Energie" des Irrtums.

Sprachliche Beobachtungen treten hinzu. Die direkte Anrede V.5 unterbricht den Ablauf der Ereignisse. Auffällig ist der Wechsel vom im 2Thess üblichen "Wir" zu dem "Ich" des Paulus (nur noch in 3,17). Die Unbestimmtheit der Aussagen in V.5-7 (τὸ κατέχον - ὁ κατέχων; ἐν τῷ αὐτοῦ καιρῷ; μυστήριον τῆς ἀνομίας; ἕως ἐκ μέσου γένηται) steht in Kontrast zu den plastischen Angaben in V.3b.4.8ff. Auch stilistisch ist der verschachtelte Anakoluth V.3b.4 und der ebenfalls umständlich, manchmal geradezu mißverständlich <129> formulierte Satz V.8-10 zu unterscheiden von den sichtlich knapperen Sätzen in V.5-7. Schließlich ist im Hintergrund von V.3f.8-10a sehr deutlich traditionelles apokalyptisches Material nachzuweisen, während dies für die anderen Verse nicht in gleicher Weise der Fall ist.

Es ergeben sich in diesem Text offenbar verschiedene Schichtungen. In die Zukunftsaussagen von V.3f.8-10a sind ein Rückbezug auf die Vergangenheit und Worte über die Gegenwart eingearbeitet (V.5-7). Am Ende des Abschnitts werden die Gegenwartsaussagen wieder aufgenommen (V.10b-12). Diese Schichtungen literarkritisch zu unterscheiden, ist allerdings nicht angezeigt. Es zeigt sich nämlich, daß der Text trotz der verschiedenen Akzente einheitlich konzipiert ist und einer einheitlichen

---

<128> So MARXSEN, Einleitung, S.40 (vorsichtiger in ders., 2Thess, S.44.52ff) und besonders SCHMITHALS, Gnostiker, S.146ff.
<128> MARXSEN, 2Thess, S.54. Zur parallelen Erzählung bei Hippolyt, Comm in Dan IV,18.19 vgl TRILLING, 2Thess, S.79f.
<129> Vgl den Übergang von V.8 nach V.9.

Absicht dient. Dennoch ist es sinnvoll, die einzelnen Aussagereihen für sich zu untersuchen. Ich setze ein mit V.3f.8-10a und wende mich dann V.5-7 und V.10b-12 zu.

Niemand soll sich also durch die falsche These in irgendeiner Weise täuschen lassen. Bevor der Tag des Herrn eintreten kann, müssen sich erst zwei andere Dinge ereignen **V.3**. Die Bestimmtheit der Aussage und der absolute Gebrauch von ἀποστασία zeigen, daß diese Begrifflichkeit in der Gemeinde bekannt war und verstanden wurde.

ἀποστασία steht im NT nur noch in Apg 21,21 im Sinne des Abfalls vom jüdischen Gesetz. In LXX findet sich ἀποστασία in 2Chr 29,19; 33,19 für den Götzendienst unter Ahas und Manasse (עֲמַל), in Jos 22,22 als Abfall von Jahwe (מֶרֶד). Von hier aus findet der Begriff Eingang in die apokalyptische Literatur. Das abtrünnige Geschlecht in der 7.Woche der 10-Wochen-Apokalypse im äthHen ist der Taten des Abfalls schuldig. Die Ereignisse unter Antiochus Epiphanes werden als Abfall charakterisiert (1Makk 2,15). Der Abfall von Gott und der Tora wird zu einem Merkmal der Zeit vor dem Kommen des Messias (vgl äthHen 99,4ff). Mit dem Abfall einher gehen Aufruhr und Krieg, die Aufhebung der sittlichen Ordnung, sogar die Aufhebung der Naturgesetze (vgl äth Hen 100,1ff; 4Esra 4,51-5,13; 6,10ff; 8,63-9,6; syrBar 25,1-29; 48,30-37; 70,2ff) ⟨130⟩. Alle diese Zeichen haben kosmisches Ausmaß. Das Geschehen des Abfalls ist ein im Kern religiöses Geschehen: die Abwendung von Gott nimmt am Ende dieses Äons universales Ausmaß an. Deshalb können auch für 2Thess andere Deutungen, wie etwa der Abfall der Christen zum Heidentum, zur Ketzerei oder der Abfall der Juden zu Rom ⟨131⟩ den umfassenden Sinn des Begriffs ἀποστασία nicht hinreichend verständlich machen.

Eng in Zusammenhang mit dem Abfall steht die Offenbarung des ἄνθρωπος τῆς ἀνομίας ⟨132⟩. Schon durch ἀποκαλυφθῇ (vgl V.8) wird diese Gestalt als Gegenfigur zum κύριος herausgestellt. Von dieser Gegnerschaft her ist der oft verwendete Begriff Antichrist verständlich. Dennoch sollte man wegen der Differenziertheit des ganzen Vorstellungskomplexes besser vom eschatologischen Gegenspieler reden ⟨133⟩.

Der Abschnitt vom Gegenspieler in 2Thess hat eine Fülle von Auslegungen erfahren und ist endgeschichtlich, weltgeschichtlich-politisch, kirchengeschichtlich und zeitgeschichtlich interpretiert worden ⟨134⟩. Daß hinter der endzeitlichen Auseinandersetzung zwischen Gott und seinem Widersacher mythische Vorstellungen stehen, ist oft herausgearbeitet worden. An außerbiblischen Einflüssen kommen dabei vor allem der babylonische Schöpfungsmythos ⟨135⟩, die kanaanäischen Dichtungen aus Ugarit ⟨136⟩ und iranische Texte ⟨137⟩ in Betracht. Manche dieser Vorstellungen haben Aufnahme ins AT gefunden. So wird an vielen Stellen der urzeitliche Kampf Gottes gegen seinen Widersacher beschrieben, wobei der Widersacher verschiedene Namen tragen und verschieden ausgestaltet sein kann: Rahab (vgl Jes 51,9; Ps 89,10f; Hi 26,12f), Leviathan (vgl Ps 74,14) ⟨138⟩ u.a. Diese mythischen Vorstellungen werden

----

⟨130⟩ Vgl STR-BILL IV, S.977ff. In der rabbinischen Literatur sind die Vorzeichen stärker auf die Tora bezogen, vgl ebd, S.981ff. In Qumran wird die Abkehr von der Gemeinde als Abfall gewertet und mit entsprechenden Auschlußstrafen belegt, vgl 1QS 7,18ff.

⟨131⟩ Vgl zu dieser Deutung DOBSCHÜTZ, Thess, S.269ff.

⟨132⟩ Vgl Did 16,4. Es ist nicht sicher, ob hier an eine Aufeinanderfolge der Ereignisse gedacht ist. Das verbindende πρῶτον fügt auf jeden Fall beides eng zusammen.

⟨133⟩ So ERNST, Gegenspieler, S.69. Problematisch ist es, den Begriff des Antichrists auch auf die Anti-Messias-Gestalten der jüdischen Apokalyptik zu übertragen, wie z.B. BOUSSET—GRESSMANN, Religion, S.254 es tun.

⟨134⟩ Einen ganz knappen Überblick über die Forschungsgeschichte und die bisweilen farbigen Blüten exegetischer Phantasie gibt DOBSCHÜTZ, Thess, S.262f.291-296. Vgl ERNST, ebd, passim; TRILLING, 2Thess, S.105ff.

⟨135⟩ Vgl den zusammenfassenden Artikel von LIAGRE—BÖHL, Babylonien II, Sp.812ff.

⟨136⟩ Vgl hierzu EISSFELDT, Artikel Ugarit, vor allem Sp.1104ff.

⟨137⟩ Vgl hierzu REICKE, Artikel Iran.

⟨138⟩ Zu den Leviathan-Stellen im AT und anderen Gegengestalten Gottes (der Drache, das Meer, die Urflut, auch Behemot in Hi 40) vgl GUNKEL, Schöpfung, S.36ff.40ff.61ff.69ff.

bereits im AT auf reale Größen aus Geschichte und Gegenwart übertragen. So wird aus dem mythischen Ungeheuer Rahab (vgl Jes 51,9ff) in Ps 87,4 eine Bezeichnung für Ägypten. Die mythischen Gestalten können auch mit dem Widergöttlichen und Widerwärtigen in der Welt zusammengebracht werden (vgl Hi 3,8) <139>. Andererseits werden sie ins Eschatologische übertragen und ihre Vernichtung wird am Tag Jahwes erwartet (Jes 27,1) <140>. Diese Vorstellung geht dann in die Apokalyptik ein, wo die gottfeindlichen Mächte am Ende wieder auftauchen und "verzehrt" werden (vgl 4Esra 6,49ff; syrBar 29,4). Hier werden nun auch die Zeugnisse für einen personifizierten Gegenspieler zahlreicher. Bei Dan wird er mit den Zügen des Antiochus IV ausgestattet (8,9-14.23ff), in syrBar 36-40 begegnet er als letzter Regent. In Ass Mos 6ff sind die Züge von Antiochus IV und Herodes zu einem Bild verbunden. Auch 4QTest 21-30 weist auf eine Personifizierung hin. Der traditionsgeschichtliche Hintergrund des Gegenspielers in 2Thess ist damit in der jüdischen Apokalyptik zu suchen.

Der Gegenspieler wird eingeführt als ὁ ἄνθρωπος τῆς ἀνομίας. ἀνομία ist ursprünglich Gegenbegriff zu νόμος, gewinnt aber darüber hinaus die allgemeine Bedeutung von Sünde und Ungerechtigkeit <141>. Faktisch sind die Zeichen der ἀποστασία mit eingeschlossen. Der bestimmte Artikel hebt die Gestalt über durchschnittliche Bosheit hinaus und stellt sie als Repräsentanten der Ungerechtigkeit hin (vgl ὁ ἄνομος V.8). Der Gegenspieler wird näher charakerisiert als υἱὸς τῆς ἀπωλείας. Wie in LXX, wo ἀπώλεια neben Begriffen wie ἅδης oder θάνατος steht, kann das Wort auch hier mit Verderben oder Untergang übersetzt werden. Es schwingt eine aktive und eine passive Bedeutung mit. Das künftige Ergehen des Bösen ist schon angezeigt, wie es dann in V.8b.c beschrieben wird. Der die Ungerechtigkeit tut, ist selbst dem Verderben preisgegeben.

Seine Taten werden in **V.4** mit den Partizipien ὁ ἀντικείμενος und ὑπεραιρόμενος κτλ beschrieben. Der Widerstreiter Gottes überhebt sich über alles, was Gott oder Heiliges heißt. Diese Wendung ist formuliert in Anlehnung an Dan 11,36ff. Allerdings liegt kein Zitat vor, wie die unterschiedlichen Verben und die Abschwächung zu ἐπὶ πάντα λεγόμενον θεόν zeigen. Der Zusatz ἢ σέβασμα <142> interpretiert im Sinne von "alles, was Gott heißt". Der Mensch der Ungerechtigkeit widerstreitet allem, was den Menschen heilig ist. Dies geht so weit, daß er sich selbst in den Tempel Gottes setzt und sich als Gott darstellt. Daß der Tempel hier weder die christliche Gemeinde <143> noch ein himmlisch-messianischer Tempel, sondern der Tempel in Jerusalem ist, legt sich schon von der insgesamt apokalyptisch geprägten Tradition her nahe <144>.

Bereits in der Mythologie existieren Vorstellungen von dem Versuch einer gottfeindlichen Macht, den Platz Gottes einzunehmen. Anklänge daran finden sich im AT <145>. Vor allem bei Dan begegnet das Motiv der Entweihung des Tempels (vgl 9,27; 11,31; 12,11), das bezogen ist auf die Ereignisse unter Antiochus IV und das im NT mehrfach aufgenommen wird (vgl Mk 13,14; Mt 24,15). Damit vergleichbar ist-

---

<139> Voraussetzung war, daß Jahwe die widergöttliche Macht nicht vernichtete, so daß weiterhin mit ihr zu rechnen war. In Ps 114,26 begegnet der Leviathan als Spielzeug Gottes.
<140> Vgl hierzu KAISER, Jes, S.177ff.
<141> So GUTBROD, Artikel ἀνομία, S.1077f; ERNST, Gegenspieler, S.33.
<142> Vgl FOERSTER, Artikel σέβομαι κτλ, S.173. Im NT begegnet das Wort nur noch in Apg 17,23.
<143> Von dieser Deutung aus sieht man dann in der Person des Widersachers die sich eindrängende Irrlehre bis hin zur protestantischen Interpretation auf das Papsttum, vgl RIGAUX, Thess, S.660.
<144> So mit Recht RIGAUX, Thess, S.660f; vgl auch MICHEL, Artikel ναός, S.891f; anders NEIL, Thess, S.164.
<145> Zu Jes 14,13f vgl KAISER, Jes, S.34f; zu Ez 28,2 vgl ZIMMERLI, Ez II, S.667f.

der Versuch Caligulas, im Tempel ein Bild von sich selbst aufstellen zu lassen <146>. Der Verfasser des 2Thess lehnt sich hier an Daniel an, ohne aber direkt zu zitieren <147>. Den Platz Gottes einnehmen und sich selbst als Gott darstellen, begegnet sinngemäß schon in Jes 14,13f und Ez 28,2. Beide Wendungen bezeichnen dasselbe Geschehen <148>.

In V.5 bricht dieser Gedankengang ab. Die begonnene Schilderung wird aber in V.8 aufgenommen und weitergeführt. Zweifellos ist der ἄνομος identisch mit dem ἄνθρωπος τῆς ἀνομίας V.3b. Parallel ist ebenfalls der Begriff der Offenbarung. Sie ist freilich nur angedeutet und macht sofort der Erscheinung des Herrn Jesus <149> Platz. Im Hintergrund der Formulierung steht Jes 11,4, wo die richterliche Funktion des Sprosses aus dem Stumpf Isais beschrieben wird. Wiederum liegt keine wörtliche Abhängigkeit vor. Die parallelen Satzglieder bei Jesaja sind zu einer Aussage verbunden: durch den Hauch seines Mundes vernichtet der Herr den Widersacher. Im Vergleich mit anderen apokalyptischen Darstellungen (zB 4.Esra 13,1ff) fallen hier Begleiterscheinungen dieses Geschehens weg. Die parallele Aussage in V.8c hebt dies noch hervor: allein durch seine Ankunft und Erscheinung vernichtet der Herr Jesus den Gesetzlosen. Beide Begriffe (die Zusammenstellung ist im NT singulär) sind synonym und entsprechen dem Parallelismenstil und der Plerophorie im ganzen Brief.

ἐπιφάνεια ist ein griechischer terminus technicus für die Erscheinung der Gottheit, wobei in LXX sowohl die heilbringenden (vgl Ps 31,17; 7,2; Jer 29,14; Ez 39,28) als auch die furchterregenden Taten Gottes (vgl 2Sam 7,23; Mal 3,23) gemeint sein können. Im NT begegnet das Wort nur noch in den Pastoralbriefen <150>. Der Begriff παρουσία kommt von der Bezeichnung der Ankunft eines Herrschers her, dann auch von der hilfreichen Ankunft der Götter <151>. Im AT kommen ähnliche Gedanken zur Sprache, wenn auch in anderer Terminologie. Daß aber Gott kommt – zur Befreiung von der Tyrannei (Ex 3,8; Ps 80,3), zum Bundesschluß (Ex 19,18.20), zur Erlösung aus dem Exil (Jes 40,3ff; 59,20; 60,1; 62,11) – ist lebendige geschichtliche Erfahrung und Hoffnung zugleich. Von hier aus wird dann auch die Erwartung vom Kommen Gottes als Weltkönig ausgestaltet, zT. verbunden mit einer Neuschöpfung von Himmel und Erde (vgl zB Jes 66,22; 65,17ff; 60,1ff). An die Stelle Jahwes kann das Kommen des Gesalbten treten. Dessen Kommen wird zunächst in der Geschichte erwartet, später (vgl Dan 7,13f) wird es als Ereignis der Endzeit aufgefaßt. In der Apokalyptik wird dann häufig vom Kommen Gottes gesprochen. Dabei wird auch der Begriff παρουσία gebraucht (Test Jud 22,2; Test Lev 8,14f; Ass Mos 10,12; vgl auch äthHen 1,4.9;25,3). Vor allem ist die Erwartung des Kommens hier aber auf die eschatologische Heilsgestalt bezogen und z.T. ausgeschmückt.

Der Relativsatz **V.9** beschreibt nicht die weiteren Begleitumstände der Parusie Christi, sondern bezieht sich in einer grammatisch wenig einleuchtenden Konstruktion auf ὁ ἄνομος V.8a zurück. Das Gewicht der Darstellung ruht so stark auf dessen Gestalt, daß die Parusie Christi nur kurz gestreift wird. Die parallele Begrifflichkeit bestätigt den Widersacher als Gegengestalt zu Christus. Dies tritt neben die anti-

---

<146> Dies hat man als direkten Hintergrund der Mk-Apokalypse gesehen. Zu der Problematik dieser Deutung vgl LOMEYER, Evangelium, S.275f.

<147> Gegen TRILLING, 2Thess, S.87, der keine Beeinflussung durch Daniel annimmt.

<148> Die Stelle ist in der Echtheitsdebatte oft als Argument für die paulinische Herkunft oder wenigstens für die Entstehung vor 70 n.Chr. herangezogen worden. Die Erkenntnis traditionsgeschichtlicher Zusammenhänge hat dieses Argument freilich entwertet (vgl DIBELIUS, Thess, S.45).

<149> Zu Ἰησοῦς vgl METZGER, Commentary, S.636. Die Benutzung von Ἰησοῦς ist im ganzen Brief durchgängig. Zur Weglassung von Ἰησοῦς in der Textgeschichte vgl DOBSCHÜTZ, Thess, S.284, Anm.3.

<150> Von der Danielstelle her kann man überlegen, ob nicht die Bezeichnung des Antiochus IV als Antiochus Epiphanes (vgl 1 Makk 1,10 u.ö.) oder ähnliche römische Kaisertitel (vgl LOHSE, Umwelt S.161f) hier die Wahl des Begriffes beeinflußt haben. Die Epiphanie des Kyrios wäre dann die machtvolle Absage an alle widergöttlichen Ansprüche weltlicher Herren.

<151> Vgl OEPKE, Artikel παρουσία, S.857f.

göttliche Ausrichtung in V.3b. Es handelt sich um den ἄνομος schlechthin, in dem sich die widergöttlichen Kräfte sammeln. Seine Ankunft geschieht κατ' ἐνέργειαν τοῦ σατανᾶ. ἐνέργεια und ἐνεργεῖν beschreiben in AT und NT fast immer das Wirken göttlicher oder dämonischer Kräfte ⟨152⟩. In der Wirksamkeit des Menschen der Bosheit kommt die Kraft Satans zum Ausdruck, dessen Ziel die Versuchung der Gemeinde, der Abfall von ihr und das Zugrunde – Gehen ist ⟨153⟩. Die satanische Kraft zeigt sich ἐν πάσῃ δυνάμει καὶ σημείοις καὶ τέρασιν ψεύδους καὶ ἐν πάσῃ ἀπάτῃ ἀδικίας. Der Satz ist in zwei Teile aufgeteilt, die mit ἐν πάσῃ beginnen. Der erste Teil in V.9b stellt nur scheinbar eine Trias dar. Der Singular ἐν πάσῃ δυνάμει ist von den Pluralformen καὶ σημείοις καὶ τέρασιν ψεύδους unterschieden und meint nicht die einzelne Wundertat, sondern die Fähigkeit und Vollmacht, Lügenwunder zu tun. Diese sind real gedacht. Da sie vom Satan bewirkt sind, führen sie diejenigen, die sich in ihren Bann ziehen lassen, nicht zum Heil, sondern zum Verderben. Das zweite ἐν πάσῃ schließt sich in V 10a an: ἐν πάσῃ ἀπάτῃ ἀδικίας τοῖς ἀπολλυμένοις. Hier wird die Absicht und die Auswirkung der Erscheinung des Widersachers angesprochen. Die satanische Wundermacht ist am Ende Täuschung und führt nicht zur Wahrheit, sondern in Lüge, Ungerechtigkeit und Sünde ⟨154⟩.

Insgesamt sind die V.3b.4.8-10a ganz aus apokalyptischer Tradition zu verstehen. Sowohl die einzelnen Begriffe als auch die Vorstellungen vom Widersacher Gottes bzw. Christi belegen dies. Dan 11,36ff und Jes 11,4 stehen offensichtlich im Hintergrund. Der Verfasser geht frei mit diesem Material um und ist darin zu Hause. Auch die Gemeinde kennt die apokalyptischen Aussagen. Wesentlich ist, daß der Verfasser die Schwärmerei in der Gemeinde mit einem apokalyptischen Argument relativiert. Da der Abfall und die Offenbarung des Gegenspielers noch nicht eingetreten sind, kann auch die Parusie Christi noch nicht unmittelbar bevorstehen. Wer deshalb in eschatologischer Schwärmerei lebt, hat den Ablauf der endzeitlichen Ereignisse nicht verstanden. Die zu erwartenden Ereignisse sind wirklich noch Zukunft. Wer sie in die Gegenwart schon hineinnimmt, der mißversteht beides: Zukunft und Gegenwart. Bedeutsam ist, daß die gesamte Wirksamkeit des ἄνομος seine Gegnerschaft zu Gott und Christus betont (V.4.8f). Er richtet sich damit zugleich gegen die, die sich zum Herrn Jesus halten wollen. Ihre Versuchung und Verführung ist das Ziel des Gegenspielers (V.9f). Es handelt sich also nicht um ein objektiv zu beobachtendes Geschehen, sondern betrifft die Menschen existentiell. Die Vernichtung des ἄνομος (V.8) bezieht sich dabei auch auf das Ergehen derer, die sich von ihm beeinflussen lassen.

In die Darstellung der endzeitlichen Ereignisse hat der Verfasser drei Verse eingeschoben, die sich mit der Vergangenheit und der Gegenwart befassen. Der Tempuswechsel, die direkte Anrede der Adressaten und das "Ich" des Paulus markieren

---

⟨152⟩ Vgl BERTRAM, Artikel ἔργον, S.649f.
⟨153⟩ Vgl FOERSTER, Artikel σατανᾶς, S.161. Belege für die Wunder der Gegenspieler finden sich bei BOUSSET, Antichrist, S.115ff; vgl ERNST, Gegenspieler, S.41ff.
⟨154⟩ In V.12 begegnet ἀδικία als Gegenbegriff zu ἀλήθεια, vgl dazu SCHRENK, Artikel ἄδικος, S.153ff. In 4Esra 4,51f;5,1f ist die ἀδικία Zeichen der Endzeit. Der vergehende Äon ist in äth Hen 48,7 als Welt der Ungerechtigkeit beschrieben (vgl 91,5ff). Von hier aus muß man die umfassende Bedeutung des Begriffs sehen.

den Neueinsatz. Zunächst erinnert der Verfasser die Leser daran, daß die Erkenntnisse über die Zukunft von Paulus selbst stammen (**V.5**). μνημονεύω ist bei Paulus selten und an dieser Stelle von 1Thess 2,9 beeinflußt ⟨155⟩. Während seiner Anwesenheit in der Gemeinde hat Paulus wiederholt (ἔλεγον) über den Ablauf der Endereignisse gesprochen. Das ταῦτα bezieht sich auf V.3b.4, schließt aber auch V.8ff mit ein. Der Verfasser bringt paulinische Lehre und Tradition ins Spiel. Sie war mündliche Lehre des Apostels in der Gemeinde, ist also nicht neu oder unzuverlässig, sondern durch die Person des Apostels verbürgt. Daran soll sich die Gemeinde erinnern. Wenn sie sich von Schwärmerei mitreißen läßt, handelt sie also nicht nur gegen den Augenschein (der ἄνθρωπος τῆς ἀνομίας ist ja noch nicht da), sondern ebenso gegen die Verkündigung des Paulus und damit gegen ihre eigene Grundlage. V.5 nimmt zugleich V.2 auf: im Gegensatz zu den Unruhestiftern stimmt der Verfasser wirklich mit der apostolischen Verkündigung überein.

Neben der Rückbesinnung auf Tradition und Lehre steht das gegenwärtige Wissen **V.6**. Die betonte Stellung des καὶ νῦν am Satzanfang, die Parallelität zu οὐ μνημονεύετε ὅτι ἔτι ὤν κτλ und der gesamte Gedankengang in V.5ff lassen eine andere als die temporale Deutung nicht zu ⟨156⟩. Ebenso ist sicher, daß das καὶ νῦν zu οἴδατε gezogen werden muß.

Für die Analyse des Katechon-Begriffs sind zunächst der Text selbst, danach in einem zweiten Schritt die bisherigen Auslegungsmodelle zu untersuchen.

Der Text hat folgenden Aufbau:

6a: καὶ νῦν τὸ κατέχον οἴδατε ⟨157⟩
6b: εἰς τὸ ἀποκλυφθῆναι αὐτὸν ἐν τῷ αὐτοῦ καιρῷ
7a: τὸ γὰρ μυστήριον ἤδη ἐνεργεῖται τῆς ἀνομίας
7b: μόνον ὁ κατέχων ἄρτι ἕως ἐκ μέσου γένηται.

αὐτόν in V.6b läßt eine Beziehung auf τὸ κατέχον nicht zu (es müßte sonst αὐτό heißen). Diese sprachliche Beobachtung wird durch sachliche Gründe gestützt. Die Aufgabe des κατέχον ist es, jetzt etwas zurückzuhalten. Seine Funktion ist den Thessalonichern bekannt. Diese Funktion muß sich auf etwas Vorangegangenes beziehen. Hierfür kommt nur der ἄνθρωπος τῆς ἀνομίας V.3b.4 in Frage. Der Sinn in V.6 ist also: jetzt aber kennt ihr τὸ κατέχον, dessen Aufgabe es ist, aufzuhalten, damit er (der Mensch der Bosheit) offenbart werde zu seiner Zeit. Daß V.7a sachlich zu dem Menschen der Bosheit gehört, ergibt sich aus der erneuten Aufnahme von ἀνομία. Ein Geheimnis der Bosheit ist jetzt schon wirksam, aber noch im Verborgenen, und zwar so lange, bis der jetzt wirkende κατέχον entfernt ist ⟨158⟩.
Als weitere Beobachtungen sind zu nennen:
- die Zeit, um die es in diesem Abschnitt geht, ist die Gegenwart (νῦν, ἤδη, ἄρτι). Sie ist charakterisiert durch die Kräfte des μυστήριον τῆς ἀνομίας einerseits und des Katechon andererseits. Sie findet ihre Begrenzung durch die Offenbarung des Menschen der Bosheit, die durch die Entfernung des Katechon ermöglicht wird. Im

---

⟨155⟩ Vgl *WREDE*, Echtheit, S.7. Eine enge formale Parallele liegt in 1Thess 3,4 vor. An beiden Stellen in 1Thess ist aber auf das Leben des Apostels abgehoben, ein Rückbezug auf die Lehre liegt nicht vor.

⟨156⟩ Vgl die knappe Zusammenstellung anderer Deutungen bei *BORNEMANN*, Thess, S.365ff; *DOBSCHÜTZ*, Thess, S.279; *DIBELIUS*, Thess, S.46.

⟨157⟩ Zu καὶ νῦν im Sinne von "jetzt aber" vgl *BL-DEBR*, §442,1. Die Lesart ἑαυτοῦ in V.6b ist unsicher. Es kann sich um eine stilistische Korrektur wegen des vorangehenden αὐτόν handeln, vgl *RIGAUX*, Thess, S.663; *DOBSCHÜTZ*, Thess, S.280, Anm.1.

⟨158⟩ ἕως ἐκ μέσου γένηται kann sich nicht, wie STROBEL, Untersuchungen, S.108f meint, auf das Geheimnis der Bosheit beziehen. Zwar könnte ἕως ἐκ μέσου γένηται noch auf τὸ γὰρ μυστήριον ἤδη ἐνεργεῖται V.7a bezogen werden, aber nicht auf εἰς τὸ ἀποκαλυφθῆναι V.6b. Wenn der Katechon seine Funktion aufgibt, wird das jetzt wirksame Geheimnis ja erst offen zutage treten, nicht aber weggeschafft sein. Umgekehrt ergibt die Beziehung von ἕως ἐκ μέσου γένηται auf ὁ κατέχων einen einleuchtenden Zusammenhang mit V.8.

Gegensatz zu den Gegenwartsangaben bleiben die Angaben über diesen Zeitpunkt in der Schwebe. Auch die Wirksamkeit des Bösen in der Gegenwart ist nur verhüllend als μυστήριον τῆς ἀνομίας beschrieben und seine Erkenntnis bedarf offensichtlich des Hinweises und der Interpretation.

- Bei κατέχον/κατέχων handelt es sich um eine Gegengröße zu ἀνομία/ἄνθρωπος τῆς ἀνομίας. Nur ihr ist zuzuschreiben, daß die Offenbarung des Menschen der Bosheit noch nicht stattfindet. Da der Gegenspieler in V.3b.4.8-10a als Gegenfigur zu Gott und Christus beschrieben ist, muß man bei dem Katechon an eine zu Gott gehörende Macht denken <159>. Nur eine solche Macht ist in der Lage, den gottfeindlichen Menschen in Schranken zu halten.

- Nach V.6a ist den Thessalonichern die aufhaltende Macht bekannt. Die vielfach beobachtete Unbestimmtheit des Ausdrucks bezieht sich ja in erster Linie auf das Geheimnis der Bosheit und das Auftreten des Gegenspielers. Wenn die Briefempfänger sich dagegen unter dem Katechon nichts Genaues vorstellen könnten, wäre die Intention des Abschnitts (Wachsamkeit gegen aufgeregte Naherwartung) gerade nicht erreicht, sondern die Tür für erneute Spekulation geöffnet <160>.

- Das Begriffspaar τὸ κατέχον/ὁ κατέχων steht in Parallele zu dem μυστήριον τῆς ἀνομίας und dem ὁ ἄνθρωπος τῆς ἀνομίας. Bei dem Geheimnis der Bosheit ist es naheliegend, an eine widergöttliche Macht und bei dem Menschen der Bosheit an deren Repräsentanten zu denken. Von daher kann man auch in der zweifachen Form des Katechon beides sehen: eine von Gott ausgehende Macht und einen Träger dieser Macht. So wäre jedenfalls der Genuswechsel am einleuchtendsten zu erklären.

Von den verschiedenen Bedeutungen des Wortes κατέχειν kommen in Betracht: aufhalten, hemmen, in Schranken halten. bei Paulus sind keine direkten Parallelen zum hier vorliegenden Gebrauch zu finden <161>.

Für die zeitgeschichtliche Exegese stand die Deutung auf den römischen Staat und den Kaiser im Vordergrund <162>. Ermöglicht wurde diese Deutung durch die Gleichsetzung des römischen Reiches mit dem 4.Reich in Dan 2 und 7, die sich im NT in Offb 13 und 17 auswirkt, dort freilich so, daß Rom negativ gesehen wird. Nachweisbar ist die Deutung des Katechon auf Rom erst seit der Wende vom 2. zum 3.Jahrhundert im Anschluß an Tertullian im Danielkommentar Hippolyts (IV 21,3). Aus exegetischer Sicht ergeben sich keine Hinweise auf ein solches Verständnis des Katechon <163>.

Eine Abkehr von der zeitgeschichtlichen Exegese ergab sich durch die religionsgeschichtliche Forschung. Für GUNKEL war klar, daß es sich beim Katechon um "keine geschichtliche Person" handelt <164>, sondern daß hier mythische Vorstellungen aufgenommen sind (vgl etwa Hi 40,26). Diese Herleitung wird von DIBELIUS in einem Kommentar durchgeführt. Es handele es sich um die Aufnahme der mythischen Anschauung, daß die dämonischen Urkräfte im alten Äon zwar gefesselt sind, aber in der Endzeit noch einmal losbrechen (vgl Jes 27,1; äthHen. 60,24f; 4.Esra 6,52; syrBar 29,4).

CULLMANN bleibt nicht bei der Herausarbeitung mythischer Vorstellungen stehen, sondern versucht, die Traditionsgeschichte aufzuarbeiten. Er bringt die Frage nach dem Beginn der Herrschaft Gottes und die rabbinische Aussage, daß erst die Buße des Volkes die messianische Erlösung bringt, in Zusammenhang mit dem Katechon <165>. Beim Übergang zum Christentum sei aus der Notwendigkeit der Buße die Notwendigkeit der Verkündigung des Evangeliums geworden (Mk 13,10; Mt 24,14). κατέχον sei demnach die christliche Mission und Paulus, als Träger der Mission, der κατέχων <166>.

<159> Gegen GIBLIN, Threat, S.245f.
<160> Gegen TRILLING, 2Thess, S.90.102.
<161> Man sah deshalb in dem Begriff eine Bildung des Verfassers (so vor allem v.DOBSCHÜTZ, Thess, S.280).
<162> Vgl hierzu TRILLING, 2Thess, S.94-102.
<163> Andere zeitgeschichtliche Deutungsversuche zählt v. DOBSCHÜTZ, Thess, S.282 auf.
<164> Schöpfung, S.225. Vgl den Kommentar von DIBELIUS, besonders S.50; CULLMANN, Charakter, S.309f.
<165> CULLMANN, ebd, S.315ff. Vgl die Angaben bei STR-BILL II, S.589; I, S.164.599. In Ass Mos 1,18 wird der Tag Gottes "Tag der Buße bei der letzten Heimsuchung" genannt.
<166> Vgl ebd, S.319.314. HAHN, Verständnis, S.125f wendet treffend ein, daß in 2Thess der missionarische Aspekt so gut wie ganz verschwunden ist und es deshalb unwahrscheinlich ist, daß die Mission hier angesprochen wird. Gar nicht läßt sich die Deutung des κατέχων auf Paulus in einem nachpaulinischen Brief durchführen.

Dieser Gedanke wurde nach *CULLMANN* nicht weiterverfolgt. Aber die Suche nach traditionsgeschichtlich relevanten Aussagen hat sich in der Folgezeit als fruchtbar erwiesen. In dieser Richtung arbeiten hauptsächlich *STROBEL* und *BETZ*. Der Ausgangspunkt bei *STROBEL* ist Hab 2,3. Dort begegnen אחר (Pi. אחֵר) und חזה (Hitp. יתמהמה) als Zeitaussagen und beziehen sich auf eine Verzögerung der Offenbarung. Eine aufschlußreiche Interpretation dieser Stelle findet sich in 1 QpHab VII,1ff: "Alle Zeiten Gottes kommen nach ihrer Ordnung, wie er es ihnen festgesetzt hat in den Geheimnissen seiner Klugheit" (VII, 13f) <167>. Der Grundgedanke der Habakuk-Stelle und des Kommentars besagt, daß der Ablauf der Zeiten und deshalb auch eine Verzögerung im Zeitenlauf in Gottes Willen begründet ist. Rückgriffe auf Hab 2,3 weist *STROBEL* in Qumran, in der frühen Synagoge, der Apokalyptik, bei den Amoräern und in jüdisch-griechischen Zeugnissen nach. Im NT ist die Stelle aufgenommen in Hebr 10,37f. Deshalb kann es sich nach *STROBEL* bei dem κατέχον nicht um eine ad hoc entwickelte Idee handeln: "Dabei wird verkannt, daß einzig und allein eine Zeitaussage vorliegt, die ihrem Gehalt nach voll dem hebräischen Pi אחר (bzw חזה Hitp) Hab 2,3 entspricht". Der Begriff "ist t.t. für die in den Weltplan Gottes einberechnete Parusieverzögerung und als solcher ohne einen näheren Inhalt" <168>. Der κατέχων ist Gott selbst <169>.
BETZ versucht in seinem Aufsatz ebenfalls, den traditionsgeschichtlichen Hintergrund der Vorstellung aufzuhellen. Er findet den hebräischen Gegenbegriff im Mysterienbuch aus Qumran. Wichtiger als diese Erkenntnis ist für ihn aber eine Parallele, die sich zu Dan 9,24 ergibt. In 2,4 spielt der Verfasser ja auf Daniel an und da der Zeitablauf in V.6 einen apokalyptischen Zeitplan voraussetzt, weist dies nach *BETZ* erneut auf die Danielstelle. In V.8b wird wie in Dan 9,26b das Ende des Frevlers verfrüht erwähnt und im Anschluß daran sein schlimmes Ende dargestellt. "Vor dessen Offenbarung – und das ist das Wichtigste – verschwindet hier wie dort ein Anderer, und eben dieses Ereignis markiert den Endzeitbeginn" <170>. "Vergleicht man beide Aussagen miteinander, so entspricht das Prädikat נכרת bzw. אין־לו dem ἐκ μέσου γένηται, an der Stelle des Subjekts steht der κατέχων bei Paulus" <171>.

Die Beobachtungen am Text und die verschiedenen Auslegungsmodelle führen zu folgenden Schlußfolgerungen:

1) Daß mythische Vorstellungen in den Umkreis des Katechon-Gedankens gehören, ist nicht zu bestreiten. Dies trifft auch für andere apokalyptische Traditionen zu, die in 2Thess 2 aufgenommen sind. Allerdings ist dieser Hintergrund angesichts τὸ κατέχον οἴδατε noch zu allgemein.

2) Daß der Verfasser Katechon ad hoc einführt, ist angesichts der breiten Verzögerungstradition auszuschließen. Der Grundgedanke dieses Traditionsstroms ist, daß Gott die Zeiten festgelegt hat und daß deshalb auch eine Verzögerung nicht ohne Gottes Willen eintritt. Hinter der Wirkung des Katechon steht deshalb Gott selbst. Daß die Offenbarung des Gesetzlosen noch nicht eingetreten ist, ist Teil seines Plans. Der traditionsgeschichtliche Hintergrund bestätigt, daß Katechon eine Macht auf der Seite Gottes ist.

3) Daß κατέχων und κατέχον unterschiedslos gebraucht werden, ist angesichts der Parallelität zu dem Menschen und dem Geheimnis der Bosheit zu bezweifeln. Eher ist bei dem Neutrum an eine von Gott bewirkte Größe, bei dem Maskulinum an deren Repräsentant zu denken. Das Neutrum meint dabei Gottes Zeitplan und die darin eingeschlossene Parusieverzögerung. Sähe man aber in κατέχων Gott selbst,

----

<167> Zitiert nach *LOHSE*, Texte, S 235f.
<168> *STROBEL*, Untersuchungen, S.101.
<169> Ebd S.107. Weitere hebräische Äquivalente bei *CULLMANN*, Charakter, S 317; *AUS*, Gods Plan, S 546; *BETZ*, Katechon, S 280. Die Vielzahl der erwogenen Möglichkeiten läßt es problematisch erscheinen, sich auf ein bestimmtes hebräisches Äquivalent festzulegen.
<170> *BETZ*, Katechon, S.282ff; hier S.238.
<171> Ebd S.284. Es ist fraglich, ob der Titel des Gesalbten hier so verhüllend gebraucht würde. Außerdem wäre dann im nt.lichen Zusammenhang das Verhältnis von Katechon zu Christus zu klären.

wäre das ἕως ἐκ μέσου γένηται V.7b kaum vorzustellen. Die Theozentrik der Zeit gilt ja auch für die Zeit der Wirksamkeit des ἄνομος. Auch diese Zeit ist nicht gott-los, selbst wenn Gott den Gottlosen gewähren läßt. Daß κατέχων hier nur als allgemeiner Begriff gebraucht ist, ist unwahrscheinlich. Der Verfasser wäre damit kaum in der Lage gewesen, Aufgeregtheit und Spannung in der Gemeinde zu dämpfen <172>. Sicher ist dagegen, daß der Begriff mit der Aufhalte-Thematik eng verbunden ist.

4) V.6 legt den Schluß nahe, daß hier die Aufhalte-Thematik in einer konkreten Ausformung aufgenommen ist. Zwischen der in AT und Apokalyptik faßbaren Tradition und 2Thess muß ein traditionsgeschichtliches Stadium liegen, in dem die Funktion des Aufhaltens und ein bestimmtes Verständnis des Katechon zusammengefallen sind. In dieser Ausformung ist der Begriff den Thessalonichern bekannt, wenn auch aus dem Text nicht mehr zu ersehen. Ganz deutlich ist jedoch die Funktion des Katechon: er hält das Offenbarwerden des ἄνομος noch auf.

5) Zu dem Ausdruck μυστήριον τῆς ἀνομίας bietet das NT keine Parallele, dagegen aber Qumran <173>. Der Genitiv ist epexegetisch: die Macht des Bösen ist als Geheimnis schon in der Gegenwart (ἤδη) wirksam. Nicht jeder kann ihre Wirksamkeit erkennen. Die Gemeinde aber soll sie erkennen. Die Gegenwart wird damit zur Entscheidungszeit, in der es gilt, sich der Wirksamkeit der widergöttlichen Macht entgegenzustellen. Die Gegenwart ist aber auch geprägt durch den Katechon und darin liegt ein tröstliches Element: selbst die Zeit, in der die Macht des Bösen wirkt, ist nicht Zeit ohne Gott und seinen Plan.

Damit ist der Zweck des Einschubs klar: in V.3f.8-10a stellt der Verfasser Ereignisse dar, die vor der Parusie Christi noch eintreten müssen. Sie sind noch nicht Realität. So kann jeder sehen, daß auch der Tag des Herrn noch nicht unmittelbar bevorstehen kann. Die Belehrung über die Endereignisse war bereits Bestandteil der Verkündigung des Paulus in Thessalonich. Die These, der Tag des Herrn "sei da", ist also falsch, weil sie die apostolische Lehre und ihr entsprechend auch den Augenschein gegen sich hat. Die Lehre hat aber bereits für die Gegenwart wesentliche Bedeutung. Die Schwärmerei läßt die Gegenwart angesichts des Eschaton als nicht mehr relevant erscheinen. Für 2Thess macht dagegen die Kenntnis der Zukunft erst richtig aufmerksam für die Gegenwart. Wer nämlich von der Offenbarung des Menschen der Bosheit und seiner versucherischen Macht weiß, der kann die geheimen Anzeichen dieser Macht schon in der Gegenwart erkennen. In der Gegenwart kommt es deshalb darauf an, sich vom Bösen nicht verführen zu lassen. Von der Kenntnis der Zukunft her für die Gegenwart zu argumentieren, ist eine typisch apokalyptische Denkstruktur. Sie entspricht der formalen Beobachtung, daß die Gegenwartsaussagen in den Ablauf der eschatologischen Ereignisse eingeschoben sind. Auch über die Wirksamkeit des Katechon hat der Apostel die Gemeinde schon belehrt <174>. Wer sich deshalb an seine Lehre hält, der hat darin den Schlüssel

<172> MARXSEN, 2Thess, S.84f vertritt die Ansicht, daß der Verfasser hier mit Absicht in Rätseln rede und daß er es vermeide, den Lesern eine Hilfe für die Berechnung der Parusie zu geben.
<173> Vgl 1 QM XIV,9; 1 Q XXVII und BETZ, Katechon, S.279f; BRAUN, Qumran I, S.235.
<174> Dies legt sich durch den Zusammenhang von V.5 mit V.6a nahe. Die apostolische Tradition leitet die Gemeinde an, die in der Gegenwart wirksamen Kräfte zu erkennen. Anders MARXSEN, 2Thess, S.83f.

zum Verständnis von Zukunft und Gegenwart.

Die gleiche Denkstruktur von der Zukunft her zur Gegenwart kennzeichnet auch **V.10b-12**. Die Beschreibung der endzeitlichen Ereignisse bricht in V.10b ab. Statt dessen geht der Verfasser im Anschluß an τοῖς ἀπολλυμένοις auf den Gegensatz zwischen denen ein, die die Wahrheit annehmen, und denen, die Gefallen an der Ungesetzlichkeit finden (V.12). Die Aoriste in V.10b.12, das Präsens πέμπει und der unlogische Ablauf (die ἐνέργεια πλάνης müßte dem οὐκ ἐδέξαντο vorausgehen) zeigen den Gegenwartsbezug. Täuschung, Wohlgefallen an der ἀδικία und Unglaube sind wie die Liebe zur Wahrheit Erscheinungen der Gegenwart. Enstprechend ist das Gericht (ἵνα κριθῶσιν V.12) als Konsequenz menschlichen Verhaltens dargestellt.

τοῖς ἀπολλυμένοις V.10a meint keine Prädestination. Das Substantiv ἀπώλεια hat schon in der Verbindung mit υἱὸς τῆς ἀπωλείας V.3 auf das zukünftige Geschick des Menschen der Bosheit verwiesen. Dieses gleiche Gericht trifft auch diejenigen, die sich auf ihn und das Geheimnis der Bosheit einlassen. Die Begründung wird in V.10b gegeben. Auch für sie gab es die Rettung als reale Möglichkeit. Das Verderben kommt, weil sie die Liebe zur Wahrheit nicht angenommen haben. Daß in den Ausdruck τὴν ἀγάπην τῆς ἀληθείας die ἀλήθεια das Gewicht trägt, geht schon aus der parallelen Wendung οἱ μὴ πιστεύσαντες τῇ ἀληθείᾳ V.12 hervor. ἀγάπη τῆς ἀληθείας ist im NT singulär ⟨175⟩. Das absolut gebrauchte ἀλήθεια ist hier ein Gegenbegriff zu ἀδικία (V.12), πλάνη (V.11) und ἀπάτη (V.10) und bedeutet von dieser Antithetik her das Rechte, Richtige und Beständige. In diesem Sinn spielt der Begriff auch an auf das ταῦτα ἔλεγον ὑμῖν V.5. Sachlich geht es hier wie dort um die verbürgte Lehre ⟨176⟩. ἀλήθεια ist die Lehrwahrheit. "Daß sie durch Jesus Christus offenkundig und vermittelt wurde, ja mit seinem Leben und Geschick als die christliche Heilswahrheit geregelt ist, klingt nicht an" ⟨177⟩. Die als richtig erkannte und tradierte Wahrheit gilt es festzuhalten, zu lieben und zu glauben. ἀγάπη und πιστεύειν tragen nur wenig eigenes Gewicht.

Denjenigen, die der Wahrheit keinen Glauben geschenkt haben, schickt Gott die Kraft des Irrtums. In dem Präsens ist die gleiche Absicht wirksam wie in dem Einschub V.5-7. Bereits in der Gegenwart muß sich der Mensch für ἀδικία oder ἀλήθεια entscheiden. Denn jetzt schon wirkt die versucherische Macht, wie die Aufnahme der Begriffe πλάνη, ψεῦδος (V.11) und ἀδικία (V.12) zeigt. Im Grunde sind diese Begriffe auch eine Auslegung des μυστήριον τῆς ἀνομίας V.7. Die Lügenwunder bei der Parusie des göttlichen Gegenspielers werden allen offenbar sein. Die widergöttlichen Mächte sind aber schon jetzt wirksam mit eben den gleichen Mitteln. Auch die Kraft des Irrtums schickt Gott nicht erst bei der Offenbarung des Widersachers ⟨178⟩, sondern schon in der Gegenwart. Allerdings geht bei den Verlorenen ein Akt des Verweigerns der Wahrheit voran. Die εὐδοκήσαντες τῇ ἀδικίᾳ sind mit

----

⟨175⟩ Vgl τὸ μυστήριον τῆς ἀνομίας, ἐν ἁγιασμῷ πνεύματος καὶ πίστει ἀληθείας (2,13), ὁ κύριος τῆς εἰρήνης (3,16). Alle diese Wendungen sind im NT singulär. Vgl *TRILLING, Untersuchungen*, S.60f.

⟨176⟩ Vgl *TRILLING, Untersuchungen*, S.110ff, bes 112f. Im Vergleich mit Paulus ist nicht in erster Linie wichtig, daß die hier verwendete Begrifflichkeit dort so nicht begegnet. Wesentlich ist, daß der für Paulus grundlegende Bezug der ἀλήθεια zur Christusoffenbarung hier erheblich verengt ist. Vgl oben S.9.

⟨177⟩ *TRILLING, Untersuchungen*, S.110.113.

⟨178⟩ Die Lesart πέμψει unterstellt dies.

den ἀπολλυμένοι V.10a identisch. Der Parallelismus οἱ μὴ πιστεύσαντες τῇ ἀληθείᾳ ἀλλὰ εὐδοκήσαντες τῇ ἀδικίᾳ ist insofern ausgewogen, als ἀδικία hier die umfassende Bedeutung von Sünde und einer gegen Gott gerichteten Lebenspraxis hat. ἀλήθεια meint im Gegensatz dazu die Wahrheit der paulinischen Lehre, die zu Rettung und Heil und auch zu einem Gott wohlgefälligen Leben führt <179>. Das Gericht ist abhängig von der Annahme der Wahrheit.

In 2Thess 2,1-12 kommt das Hauptanliegen des Verfassers zum Ausdruck. Gerade hier fehlen die Parallelen zu 1Thess. Die Ausführungen sind durchgehend geprägt von apokalyptischer Tradition, sowohl im Blick auf die Zukunftsereignisse als auch im Blick auf die gegenwärtige Wirksamkeit des Katechon und des Geheimnisses der Bosheit. Die Betonung der Widergöttlichkeit des eschatologischen Gegenspielers zeigt eine dualistische Grundauffassung. Wesentlich ist, daß auch von Christus nur mit Hilfe apokalyptischer Aussagen gesprochen wird (V.8). Andere christologische Daten werden weder genannt noch haben sie argumentative Bedeutung. Das apokalyptische Material prägt somit den gesamten Abschnitt. Mit Hilfe eines Zeitplans widerlegt der Verfasser die falsche Ansicht, der Tag des Herrn stehe unmittelbar bevor. Weil dabei aber gerade die Gefahr besteht, daß sich die apokalyptische Spannung nur neue Objekte sucht, wird in den Zeitplan eine Aussage über die Gegenwart eingearbeitet (V.6f) und eine andere angefügt (V.10bff). Hieran zeigt sich die Denkstruktur des Verfassers. Vom eschatologischen Sieg des Herrn her wird die Gegenwart in den Blick genommen. In der Gegenwart bereitet sich der letzte Kampf bereits vor. Das Wissen vom Ende ermöglicht der Gemeinde die Standhaftigkeit in der Gegenwart. Dieses Wissen ist der Gemeinde vermittelt durch die apostolische Lehre. Die Dreistufigkeit der Aussage ist für den gesamten Abschnitt kennzeichnend. Die Belehrung über die Endereignisse, die Paulus bei seinem Aufenthalt der Gemeinde gab, erweist in der Gegenwart ihre Gültigkeit. Der lehrhafte Charaker des Abschnitts wird deutlich in der Auseinandersetzung mit der falschen Lehre (V.1f), in dem Hinweis auf die apostolische Tradition (V.5) und in dem Ausdruck ἀγάπη τῆς ἀληθείας. Das Stichwort παράδοσις in 2,15 unterstreicht dies noch. Wer sich an die paulinische Paradosis hält, der kennt den Ablauf der Endereignisse und kann von dieser Kenntnis her die Gegenwart bestehen.

3.3.2) 2.Thessalonicher 1,3-12

Die Verse bilden einen einzigen, verschachtelten Satz. Parallelismen (außer in V.4 in jedem anderen Vers!), Substantivverbindungen (V.7.9.11), steigernde Komposita (V.3. 4.5.10.12) und das Wort πᾶς (V.3.4.10.11; πάντοτε in V.3.11) begegnen häufig. Bestimmte Worte prägen die Gedanken: ἄξιος V.3.11; θλῖψις V.4.6.7; δίκαιος V.5.6. 8.9; δόξα V.9.10.12; πίστις V.3.4.10.11. Der Abschnitt macht einen überladenen, aber auch einförmigen Eindruck <180>. Als Vorlage dient die Eingangseucharistie in 1Thess 1,2-10. Aber schon beim ersten Lesen fallen Unterschiede auf. In 1Thess sind die Sätze ebenfalls lang, aber keineswegs so verschachtelt wie hier. Dort ist

---

<180> V.DOBSCHÜTZ, Thess, S.291 findet hier wegen des Gegensatzes zu τῷ ψεύδει und des Aoristes in ἀλήθεια die Gottesoffenbarung in Christus. Davon ist im Text aber gerade nicht die Rede.

<180> Vgl zu den sprachlichen Beobachtungen oben, S.11f.

der ganze Abschnitt geprägt durch konkrete Angaben (vgl besonders V.6) und Erinnerungen, alle Aussagen stehen unter dem Oberbegriff εὐχαριστοῦμεν τῷ θεῷ, der Parusiegedanke ist in V.10 in diese Danksagung mit einbezogen ⟨181⟩. Diese konkreten Elemente in der Danksagung des 1Thess haben in 2Thess kaum eine Parallele. Die formalen Elemente der Eucharistie finden sich dagegen auch in 2Thess, wie der Aufbau des Abschnitts zeigt:

V.3f   Dank für Glaube, Liebe und Standhaftigkeit in Verfolgung
V.5-10   Eschatologische Ausführungen über Gericht und Parusie
V.11f   Gebet des Verfassers für die Gemeinde

Sachlich tragen V.5-10 das Hauptgewicht. Sie sprengen zugleich den bei Paulus üblichen Rahmen der Eucharistie. Dieser Sachverhalt hat zu literarkritischen Scheidungen geführt ⟨182⟩. Dennoch muß man von einer einheitlichen Konzeption ausgehen: die stilistischen Eigenheiten des Verfassers finden sich im gesamten Abschnitt, die Begriffe θλῖψις, δόξα und πίστις verbinden V.5-10 mit den Anfangs- und Schlußversen und es ist eine inhaltliche Verwandschaft mit 2,8ff vorhanden. Ein liturgisches Gebet liegt nicht vor, da V.3-10 gerade ohne den Gedanken des Gebets auskommen und das Stichwort προσευχόμεθα erst in V.11 auftaucht. Außerdem ist der Charakter von V.6.7a weniger liturgisch als lehrhaft. Im Mittelpunkt des Abschnitts steht die Belehrung über die Endzeitereignisse.

Die ungewöhnliche Formulierung εὐχαριστεῖν ὀφείλομεν (vgl 2,13) ist durch den Zusatz καθὼς ἀξιόν ἐστιν noch gesteigert (1,3). Sie wirkt distanziert und feierlich. Die Parallelen bei den apostolischen Vätern ⟨183⟩ und die zweifache, fast wörtlich übereinstimmende Verwendung in 2Thess lassen einen liturgischen Sprachgebrauch vermuten. Der Dank ist eine der Äußerungen des Glaubens der Gemeinde und angemessene und dauernde (πάντοτε) Reaktion des Menschen auf Gott und sein Handeln. Der Grund für das Danken V.3b ist das Wachsen im Glauben ⟨184⟩, das Zunehmen in der Liebe. Auch diese Aussage wirkt überladen (vgl ἑνὸς ἑκάστου πάντων ὑμῶν εἰς ἀλλήλους). Sinngemäß ist die φιλαδελφία von 1Thess 4,9f aufgenommen. Während Paulus aber in 1Thess auch zur Liebe εἰς πάντας aufruft (vgl 1Thess 3,12; 5,15), ist hier in einer betonten Wendung die Liebe der Gemeindeglieder untereinander angesprochen. Die außerhalb der Gemeinde stehenden Menschen kommen nicht in den Blick.

Von der Trias in 1 Thess 1,2f ⟨185⟩ sind hier zunächst nur die beiden ersten Glieder aufgenommen, die Hoffnung begegnet in einem weiteren Gedankengang und mit anderer Akzentuierung. Neben dieser formalen Verschiedenheit zeigt sich auch eine inhaltliche Differenz: in 1Thess wird die Hoffnung (1,3) in 4,13 zu einer Art Über-

---

⟨181⟩ Vgl zur Struktur der Eucharistie in 1Thess *SCHUBERT*, Form, S.16ff.180. Besuchswünsche, Reisepläne etc. sind bei Paulus oft schon in die Eucharistie eingearbeitet, vgl auch Röm 1,8ff; 2Kor 1,3ff; Phil 1,3ff; Phlm 4ff.

⟨182⟩ *BORNEMANN*, Thess, S.329 (Stück eines urchristlichen Hymnus); *DIBELIUS*, Thess, S.41ff (durch Einschübe verchristlichte, jüdische Gerichtstheophanie). Vgl hierzu *TRILLING*, Untersuchungen, S.73, Anm.19.

⟨183⟩ Barn 5,3; 7,1; 1Klem 38,4. *AUS*, Background, S.436 hält εὐχαριστεῖν ὀφείλομεν für eine direkte Übersetzung von Pesachim X,5c. Wenn dies auch dahingestellt bleiben mag, so kann doch der Einfluß jüdischer Gebetssprache generell angenommen werden (vgl ebd, S.433ff). Anders *RIGAUX*, Thess, S.613.

⟨184⟩ ὑπεραυξάνειν ist Hapaxlegomenon. Die Überschwänglichkeit der Formulierung erklärt sich aus der Steigerung von 1Thess. Ein Grund für solches Lob findet sich in 2Thess jedenfalls nicht.

⟨185⟩ Vgl hierzu *TRILLING*, Untersuchungen, S.54f.

schrift: die Haltung der Christen zur Zukunft ist eine im Christusgeschehen begründete Hoffnung. 2Thess dagegen läßt, obwohl er in so starkem Maß eschatologische
Belehrung gibt, das Wort ἐλπίς an dieser Stelle aus: statt ὑπομονή τῆς ἐλπίδος
steht nur noch die ὑπομονή V.4.

Der Gedankengang wird mit dem konsekutiven ὥστε fortgesetzt V.4: so daß wir
selbst uns euretwegen rühmen. 1Thess 1,7-9 (und 2,19) stehen im Hintergrund. Das
Rühmen steht bei Paulus freilich immer unter der Prämisse von Gottes Gnade ⟨186⟩.
1Thess 1,9 wendet das περὶ ἡμῶν gleich auf die Thessalonicher selbst. 2Thess 1,4
steigert dagegen den Hinweis auf Paulus (αὐτοὺς ἡμᾶς; ἐγκαυχᾶσθαι). Das Wachstum der Gemeinde in Glaube und Liebe ist Anlaß für den Apostel, sich zu rühmen.
Dieser Ruhm ist erklärbar aus der nachapostolischen Zeit, in der die überragende
Stellung des Gründers der Gemeinde feststeht. Der Plural αἱ ἐκκλησίαι ist in den
echten Paulinen selten ⟨187⟩: neben die Steigerung tritt die Verallgemeinerung.

Grund für das Rühmen sind ὑπομονή und πίστις der Gemeinde in der Verfolgung.
Daß beide Begriffe sachlich eng zusammengehören, zeigt der gemeinsame Artikel.
πίστις ist deshalb eher mit "Treue" als mit "Glauben" zu übersetzen. Gemeint sind
die Geduld, die Ausdauer ⟨188⟩ und die Treue der Thessalonicher.

Während für Paulus der Zusammenhang von Geduld und Hoffnung unaufgebbar ist
(vgl Röm 5,3ff; 12,12; 1Kor 13,7; Röm 8,25), und Geduld und Ausdauer ohne Hoffnung gar keinen Sinn ergeben (1Thess 1,3), ist hier "der spezifische Inhalt der
Hoffnung ... von der 'Ausdauer' aufgesogen" ⟨189⟩. Auch der Zusammenhang von
Bedrängnis, Hoffnung und Freude, wie er bei Paulus etwa in Röm 12,12; 2Kor 8,2
und in 1Thess 1,6 anklingt, fehlt an dieser Stelle. Zwar ist nach 2Thess 3,5 die
ὑπομονή als ὑπομονή τοῦ Χριστοῦ beschrieben. Aber der Begriff ist im allgemeinen
christlichen Sinn gefaßt. Die Parusie Christi oder sein Vorbild im Leiden sind nicht
angesprochen. Die Verwendung des Wortes steht hier in einer Reihe mit den Spätschriften des NT (Hebr 10,32.36; 12,1ff.7; Offb 2,2f.19; vgl 13,10; 14,12). In den
Past begegnet ὑπομονή mehrmals im Rahmen von Tugendkatalogen (1Tim 6,11; 2Tim
3,10; Tit 2,2). Die Geduld wird zur Ausdauer im Sinn des tapferen Aushaltens und
rückt damit stärker in die Nähe des griechischen Tugendbegriffes. In dieser Verwendung steht der Begriff auch den nachat.lichen Schriften des Judentums nahe ⟨190⟩. Auch πίστις wird in der nachpaulinischen Literatur gern in Tugendkataloge
eingereiht ⟨191⟩ und zusammen mit der ὑπομονή genannt (Jak 1,3; Offb 13,10;
14,12). In dieser und anderen Zusammenstellungen (vgl πίστις und μακροθυμία Hebr
6,12; ἀγάπη, πίστις, διακονία und ὑπομονή in Offb 2,19) steht die Bedeutung
"Treue" im Vordergrund ⟨192⟩. Dies gilt ebenso dort, wo vom Bleiben im Glauben
(1Tim 2,15) und vom Bewahren des Glaubens (2Tim 4,7), bzw. vom Nicht-Verleugnen
(Offb 2,13) gesprochen wird.

Bewährt haben sich die Thessalonicher in Verfolgung und Bedrängnis. In der Regel
wird θλῖψις als der weitere Begriff, διωγμός als der engere aufgefaßt. Aber beide
Begriffe sind hier weitgehend synonym gebraucht und sind feststehende Ausdrücke,
die auch ohne Beziehung auf eine konkrete Leidenssituation verwendet werden kön-

---

⟨186⟩ Das Rühmen steht bei Paulus in Zusammenhang mit dem Dank des Beschenkten. Ruhm ist
deshalb immer καύχησις ἐν Χριστῷ Ἰησοῦ (Phil 3,2), während Selbstruhm, und sei er
selbst für segensreiche apostolische Tätigkeit, ausgeschlossen ist, denn: τί δὲ ἔχεις ὃ
οὐκ ἔλαβες; (1Kor 4,7).
⟨187⟩ Neben 1Kor 11,16 wird der Plural nur noch mit Näherbestimmungen verwendet: in Judäa
(1Thess 2,14; Gal 1,22); in Galatien (Gal 1,2; 1Kor 16,1); in Mazedonien (2Kor 8,1).
⟨188⟩ Zu ὑπομονή vgl HAUCK, Artikel μένω, besonders S.589ff.
⟨189⟩ TRILLING, 2Thess, S.47.
⟨190⟩ Vgl HAUCK, ebd, S.585.588f; auch DIBELIUS, Jak, S.72 zu Jak 1,3.
⟨191⟩ Vgl 1Tim 6,11; 2Tim 3,10; 2Petr 1,5ff. Zur katalogischen Paränese vgl KAMLAH, Paränese,
S.207ff.
⟨192⟩ Vgl BULTMANN, Artikel πιστεύω. S.208.

nen. Der endzeitliche Charakter der Worte muß mitgehört werden ⟨193⟩. Die ganze Wendung fügt sich in den plerophoren Stil des Verfassers ein.

ἔνδειγμα ⟨194⟩ τῆς δικαίας κρίσεως τοῦ θεοῦ **V.5** stellt die Überschrift für den eschatologischen Einschub dar, ist selbst aber als Apposition vom Vorangehenden abhängig. Hier ist die extreme Verschachtelung des ganzen Satzes gut zu erkennen. In V.5-10 finden sich fast keine Parallelen zu 1Thess. Wie bei dem Abschnitt 2,1-12 weicht auch hier der Verfasser von seiner Vorlage ab und formuliert eigene Gedanken. Auch hier nimmt er dabei in hohem Maß apokalyptisches Gedankengut auf.

Die Leiden der Gemeinde sind das Anzeichen des Gerichtes Gottes. Dieses Gericht ⟨195⟩ ist eine futurische Größe. Die Leiden sind also weder Beginn des Gerichtes, wie in 1Petr 4,17 noch eschatologische Drangsal und damit der Parusie vorangehend (das würde ja der Intention von 2,1ff widersprechen). Sie sind ein Anzeichen des Gerichts, weil dieses Gericht Gottes gerecht sein wird. Mit εἰς τὸ καταξιωθῆναι κτλ ist eine Zweckbestimmung eingeschoben: des Reiches Gottes gewürdigt zu werden ⟨196⟩, ist das Ziel, auf das die Gemeinde Gottes hinlebt. Der Ausdruck "Reich Gottes" steht auf einer Linie mit σωτηρία (2,10.13) und δόξα τοῦ κυρίου (2,14) und ist damit einer der umfassenden Begriffe des 2Thess für das zukünftige Heil. Im Hintergrund steht allgemein-christlicher Sprachgebrauch ⟨197⟩. ὑπὲρ ἧς καὶ πάσχετε wird nachgetragen. πάσχειν knüpft dabei sowohl an die Verfolgungen und Nöte als auch an die Ausdauer und Treue der Gemeinde an. Nach diesem Ausblick auf das Ziel nimmt der Verfasser den Faden wieder auf und entfaltet den Gedanken des gerechten Gerichts Gottes. ἀνταποδοῦναι ist ein Ausdruck des ius talionis ⟨198⟩, sein sachliches Subjekt ist Gott.

Das Talio-Prinzip entspricht nicht der at.lichen Rechtsauffassung insgesamt. Vielmehr ist das Prinzip der Vergeltung in einen Zusammenhang von Tun und Ergehen eingeordnet. Die Strafe ist nicht in erster Linie forensischer Akt der Vergeltung, sondern

----

⟨193⟩ Zur eschatologischen θλῖψις vgl SCHLIER, Artikel θλίβω, besonders S.144ff.

⟨194⟩ ἔνδειγμα ist Hapaxlegomenon im NT und ist verwandt mit Worten, die auch bei Paulus begegnen. ἔνδειξις findet sich in Röm 3,25; 2Kor 8,24; Phil 1,28; ἐνδείκνυμι in Röm 2,15; 9,17; 2Kor 8,24.

⟨195⟩ Bei Paulus begegnet nur κρίμα. Für κρίσις kommt hier die Bedeutung "Scheidung" mit in Betracht, vgl SCHWEITZER, Thess, S.94, Anm.10.

⟨196⟩ καταξιόομαι ist von V.3 an das 4. Hapaxlegomenon. Bei Ignatius begegnet das Wort öfter, vgl Eph XX,1; Magn 1,2; Tr XII,3; Rom II,2; Phld X,2.

⟨197⟩ Außerhalb der Synoptiker tritt der Begriff der Gottesherrschaft an den Rand (vgl bei Paulus Röm 4,17; 1Kor 4,20; 6,9f; 15,24.50; Gal 5,21; 1Thess 2,12). In den späteren nt.lichen Schriften ist wiederholt vom Reich Gottes die Rede, allerdings in verschiedener Ausprägung; vgl Kol 1,13 (Herrschaft Christi als gegenwärtiger Bereich der Befreiung von den Mächten) mit 2Tim 4,1 (Herrschaft Christi bei seiner Epiphanie als Weltrichter, vgl 4,18) und 1Petr 1,11 (ewiges, jenseitiges Reich Christi). Es ist freilich zu beachten, daß sich in der synoptischen Tradition neben βασιλεία τοῦ θεοῦ andere, synonyme Begriffe finden, die sowohl bei Paulus als auch in den späteren Schriften wiederum begegnen: vgl das Nebeneinander von βασιλεία und δικαιοσύνη in Mt 6,33 mit Röm 4,17; das Nebeneinander von εἰσελθεῖν εἰς τὴν ζωήν und εἰσελθεῖν εἰς τὴν βασιλείαν τοῦ θεοῦ in Mk 9,45.47, die Parallelisierung von σωτηρία und βασιλεία τοῦ θεοῦ in Offb 12,10; die Bitte um Plätze ἐν τῇ βασιλείᾳ σου Mt 20,21 findet sich in Mk 10,37 als Bitte um Plätze ἐν τῇ δόξῃ σου. Über solche Begriffe besteht durchaus eine sachliche Verbindung zur Reich-Gottes-Verkündigung Jesu, wie sie in den Synoptikern ihren Niederschlag findet. In dem Zuspruch der Gerechtigkeit Gottes für die Gottlosen (Röm 4,5) ist ebenfalls der Zuspruch des Heils für die Armen und Sünder sachlich aufgenommen, wie sie in der Verkündigung Jesu vom Gottesreich laut wird.

⟨198⟩ Zum ius talionis vgl PREISER, Vergeltung, S.28ff; KOCH, Vergeltungsdogma, passim; gegen KOCHs These HORST, Gottes Recht, S.174f.288f; PESCH, Artikel Vergeltung, S.748ff.

"Ausstrahlung des nunmehr weiterwirkenden Bösen" <199>. Gott bewirkt, daß die Folge aus der menschlichen Tat eintritt. Die ursprünglich weisheitliche Auffassung <200> wird bei den Propheten und in der Apokalyptik ins Eschatologische ausgedehnt (vgl Hos 12,3.15; Ps 62,12) und beispielsweise mit der Vorstellung der im Himmel bis zum Ende aufbewahrten Schätze der Gerechten (vgl syrBar 44,13-15; 24,1; äthHen 38,2) oder mit der Aufbewahrung der Sünden der Ungerechten in Schriften (syrBar 24,1) ausgeführt. Am Ende der Zeiten wirkt beides sich aus: Gott wird die Menschen, "Gerechte wie Sünder, an die Geschichtsfolge anheimgeben ..., die ihr irdisches Tun bereits als solches gleichsam angerichtet hat" <201>.

Dieser Zusammenhang ist in **V.6.7a** angesprochen. Diejenigen, die die Gemeinde bedrängen (θλίβουσιν), werden selbst Bedrängnis erfahren (θλῖψις). Gott wird die Gerechtigkeit herstellen, indem er die Bedränger selbst der Bedrängnis und damit der Konsequenz ihres eigenen Tuns preisgibt. Ganz parallel ist V.7a ausgestaltet, der das Ergehen der Gläubigen beschreibt: (da es gerecht ist) euch, den Bedrängten, Ruhe (zu geben), zusammen mit uns. ἄνεσις bedeutet Erholung, Ruhe, "Befreiung von Druck" <202>. Das Wort hat eschatologischen Klang. Es geht nicht um eine Vorwegnahme des Gerichts. Vielmehr: "Was in der Gegenwart geschieht (und zwar: negativ und positiv), wird in der Zukunft Konsequenzen haben (wieder: negativ und positiv)" <203>. Dieses Wissen gibt der Gemeinde die Kraft, die Gegenwart mit ihren Bedrängnissen auf sich zu nehmen. Wieder bewegt sich die Argumentation von der Zukunft zur Gegenwart: von dem Wissen um das gerechte Gericht Gottes her haben das Aushalten der Bedrängnis, die Ausdauer und Treue einen Sinn <204>.

Terminologisch eng verwandt ist der Begriff δικαιοκρίσια in Röm 2,5. Er ist eingebettet in den Kontext von 2,1-11: das Gericht Gottes ergeht der Wahrheit entsprechend (V.2), es vergilt jedem nach seinen Werken (V.6 in Aufnahme von Ps 61,13 LXX) und zeigt so, daß es vor Gott kein Ansehen der Person gibt (V.11). Aussageabsicht ist der Nachweis, daß es für das Gericht Gottes nur den Bewertungsmaßstab der Werke gibt und daß Heiden und Juden ihm gleichermaßen unterliegen <205>. Wie dieser Gedanke mit der Rechtfertigung des Sünders zu vereinbaren ist, ist vor allem in der protestantischen Auslegungstradition immer wieder zum Problem geworden <206>. Zum Verständnis darf der Gesamtzusammenhang von 1,16-3,31 nicht übersehen werden. Die Gerechtigkeit Gottes aus Glauben zu Glauben hat in 1,17 den Charakter einer Überschrift. Diese Wendung wird in 3,21ff mehrfach in enger terminologischer Anlehnung aufgenommen. Offensichtlich bilden 1,16f und 3,21ff eine Klammer um den Abschnitt 1,18-3,20. χωρὶς νόμου 3,22 und χωρὶς ἔργων 3,28 ziehen dabei zugleich die negative Konsequenz aus 1,18ff. Die Vorstellung von der δικαιοκρισία in 2,5 greift mit den beiden dazugehörenden Begriffen ὀργή und ἀποκάλυψις zurück auf 1,18. Die Offenbarung des Zornes Gottes über alle Gottlosig-

----
<199> V.RAD, Theologie I, S.278.277ff.379ff. Zum Weiterwirken der Vorstellung vgl WILCKENS, Röm I, S.128ff.
<200> WILCKENS, ebd; vgl v.RAD, ebd, S.450.
<201> WILCKENS, ebd, S.130.
<202> So v.DOBSCHÜTZ, Thess, S.244.
<203> MARXSEN, 2Thess, S.67.
<204> Die angehängten Worte μεθ᾽ ἡμῶν gehören für v.DOBSCHÜTZ, Thess, S.245 zu den "kleinen echtpaulinischen Zügen" des Briefes. Der Zusammenhang von Apostel und Gemeinde steht freilich in 2Thess unter dem Aspekt von rechter und verbürgter Lehre und der Nacheiferung des apostolischen Vorbildes, vgl 2,15; 3,6ff.
<205> Nach jüdischer Auffassung ergeht das Gericht über Israel wohl ebenfalls nach den Werken, steht aber zugleich unter der Voraussetzung der Bundestreue Gottes, die in Röm 2,4 mit Hilfe der Begriffe χρηστότης, ἀνοχή und μακροθυμία angedeutet ist. Wie diese Begriffe im jüdischen Denkhorizont verwendet werden, zeigt Weish 15,1ff (vgl 11,9f.23; 12,22). Indem Paulus den Juden diese Zuflucht aber entwindet, radikalisiert er den Gerichtsgedanken und wendet ihn in gleicher Weise auf Juden und Heiden an (vgl hierzu WILCKENS, Röm I, S.124ff). Diesem besonderen paulinischen Akzent geht SYNOFZIK, Gerichts- und Vergeltungsaussagen, S.12.106 mit seinem traditionsgeschichtlichen Ansatz nach. Darin geht er über die Arbeit von MATTERN, Verständnis, hinaus.
<206> Vgl etwa LIETZMANNs hypothetische Deutung des Abschnitts (Röm, S.39f) und insgesamt BRAUN, Gerichtsgedanke, S.14-31; SYNOFZIK, ebd, S.9f.

keit und Ungerechtigkeit der Menschen ist dort die Überschrift über 1,18-3,20
insgesamt und gilt für Heiden (1,18ff), aber auch für Juden, die die Heiden zwar
verurteilen, aber dasselbe tun (2,1.3). Sie können sich nicht auf das Gesetz und den
Gottesbund berufen, solange sie das Gesetz nicht halten (2,13). Weist Paulus dies
den Juden in 2,17ff im einzelnen nach, so macht er in 3,20 die aufdeckende Funktion des Gesetzes insgesamt deutlich <207>. Es deckt die Situation des Menschen
unter der Sünde auf, der wiederum Heiden und Juden gleichermaßen unterworfen
sind (3,9). Die Begriffe ὀργή, δικαιοκρισία und ἁμαρτία stehen so in einem wechsel-
seitigen Verhältnis und bilden in 1,18-3,20 einen Spannungsbogen.
Die Vorstellung von der ὀργή darf freilich nicht als prinzipiell vorchristlich angesehen
werden. Dies ist ausgeschlossen sowohl durch das parallele ἀποκαλύπτεται im Präsens in 1,17f und durch πάντες γὰρ ἥμαρτον in 3,23: πάντες nimmt εἰς πάντας
τοὺς πιστεύοντας V.22 auf, bezieht sich zugleich auf 3,9 zurück und schließt so in
die Situation unter der Sünde auch die Christen mit ein. Die πιστεύοντες in 3,22
stehen freilich unter dem neuen Aspekt des νυνὶ δέ V.21. Es handelt sich dabei um
eine grundlegende, heilsgeschichtliche Zäsur. Diese Zäsur hebt aber das doppelte
ἀποκαλύπτεται in 1,17f nicht auf, sondern umgreift es. Das Perfekt πεφανέρωται in
3,21 bezieht sich auf das geschehene und nun in Geltung stehende Heil in Christus
(vgl V.24f), das dem Glaubenden die Gerechtigkeit zuspricht. In der neuen Situation
des νῦν (vgl 2Kor 6,2) wird dem Menschen zugleich aber seine Situation unter
Gottes Zorn und unter Gottes Gnade offenbar: unter Gottes Zorn, solange er sich
im Vertrauen auf seine eigenen Werke seine Gerechtigkeit selber schaffen will und
sich doch als Sünder entdeckt; unter Gottes Gnade, wo er allein auf Christus vertraut und sich alles Heil von Gott erhofft. 1,18-3,20 beschreiben die eigene Vergangenheit der Christen unter der Sünde, die sich ihnen vom Glauben her erst als
grundsätzliche Situation des Menschen vor Gott offenbart <208>. So umgreift das
νῦν des Heils zwar den Zorn Gottes, wie dies formal schon die Klammer in 1,16f;
3,21ff zeigt. Die Zäsur ist aber als solche nicht aufgebbar, sondern gehört zur
Gerechtigkeit aus Glauben wesentlich hinzu. Dementsprechend sind auch die grundsätzlichen Aussagen in 2,5f.13 nicht aufgehoben, sondern eingebettet in die Rechtfertigung des Sünders aus Glauben.
Vom Gericht Gottes, auch vom Gericht nach den Werken, ist bei Paulus auch an
anderen Stellen wiederholt die Rede <209>. Wesentlich ist dabei für ihn überall der
an Röm 2,5 aufgezeigte Zusammenhang mit der Rechtfertigung, auch wenn dies
nicht immer in der typischen Rechtfertigungsterminologie zum Ausdruck gebracht
wird. Nach 1Kor 3,10ff wird im Endgericht über das Werk derer geurteilt, die die
Gemeinde aufbauen. Es wird daran gemessen, ob es dem Grundstein Jesus Christus
entspricht (V.11). Indem die Missionare auf diesem Grundstein weiterbauen, sind sie
συνεργοὶ θεοῦ (V.9; vgl 1Thess 3,2; 2Kor 6,1-4). Die verschiedenen Baumaterialien
in V.12 weisen freilich darauf hin, daß nicht jedes Weiterbauen dem Grundstein
entspricht. Die Feuerprobe (V.13ff) wird erweisen, wessen Werk Bestand haben
wird. Sie ist Hinweis auf die Unbestechlichkeit und Endgültigkeit des göttlichen
Gerichts <210>. Aber selbst wenn ein Werk keinen Bestand hat und verbrennt
(V.15), wird die Person doch gerettet werden, ὡς διὰ πυρός. Bei aller Undeutlich-
keit gehört der Ausdruck doch offenbar in den Zusammenhang des Rechtfertigungs-
denkens und bildet dessen Kehrseite. Die Wendung wehrt den Gedanken ab, als sei
das Werk des Christen, auch wenn er aus Glauben gerechtfertigt ist, gleichgültig.
Vielmehr muß es dem συνεργὸς θεοῦ um die Entsprechung seines Werkes mit dem

----

<207> Das Gesetz mehrt die Sünde geradezu (Röm 5,20), indem es keine eigene Gerechtigkeit
zuläßt. Wäre sie auch quantitativ denkbar (Phil 3,6), so zielte sie doch auf Ruhm (Röm
3,27) und ginge so an dem fordernden Charakter des Gesetzes vorbei. An diesem Charakter des Gesetzes aber wird das Versagen des Menschen erst offensichtlich (Röm 7,1ff).
Das Gesetz deckt so die tatsächliche Sitution des Menschen auf. Röm 7,7ff und 5,12-28
gehören als Kontext zu 2,1-29 hinzu.

<208> Bestätigung findet diese Deutung durch das γάρ in 1,18, das das wiederholte γάρ in 1,16f
aufnimmt und weiterführt. Dies wie das gemeinsame Präsens zeigt die grundsätzliche
Situation des Menschen vor Gott. Die ὀργή gehört zur Situation des Menschen vor Gott
hinzu. Wird sie nicht ernst genommen, so ist auch Gottes δικαιοσύνη nicht als Geschenk
und Gnade (3,24) zu begreifen.

<209> Vgl das Inhaltsverzeichnis bei SYNOFZIK, Gerichts- und Vergeltungsaussagen und zusam-
menfassend S.13.105. Die vielfältigen Zusammenhänge zeigen dabei, daß der Gerichtsgedanke für Paulus grundlegende Voraussetzung ist (vgl Röm 3,6; 2,6; 14,11).

<210> In Mal 3,2 ist das Motiv der Feuerprobe mit dem Tag Jahwes verbunden. Vgl zu dem im
einzelnen schwer deutbaren Abschnitt 1Kor 3,10ff CONZELMANN, 1Kor, S.95ff; LANG,
Kor, S.53-55.

Grundstein gehen, auf dem er baut <211>. Tut es dies nicht, so kann es im Gericht dessen, der kein Ansehen der Person kennt (Röm 2,11), keinen Bestand haben, selbst wenn die Person gerettet wird. Die Unbestimmtheit der Wendung ὡς διὰ πυρός zeigt, daß in diesem Bereich der Gnade und Souveränität Gottes keine begriffliche oder lehrmäßige Festlegung mehr möglich ist. Selbst bei dem Unzuchtsfall in 1Kor 5, der zum Ausschluß aus der Gemeinde und zum παραδοῦναι τῷ σατανᾷ εἰς ὄλεθρον führt, ist als Ziel (ἵνα V.5) die Rettung des πνεῦμα angegeben (vgl 11,32). Der Gedanke ist nur von Röm 8,11; 2Kor 1,22; 5,5 und vergleichbaren Aussagen her verständlich. Weder kann der Ausschluß aus der Gemeinde noch die Übergabe des Sünders an den Satan dem Gericht Gottes oder seinem Ja zum Sünder vorgreifen. So hält Paulus bis in den äußersten Konflikt hinein den Rechtfertigungsgedanken durch. Der Christ, der dem Gericht Gottes entgegengeht, kann dies deshalb mit Zuversicht tun (2Kor 5,6-10). Diese Zuversicht holt ihre Kraft aus der grundlegenden Beziehung zum Herrn, die bereits die Gegenwart prägt (vgl den Zusammenhang von V.8 und V.9). Hier liegt nun zugleich der Ansatzpunkt für die Paränese, die ebenfalls mit dem Gerichtsgedanken verbunden sein kann. Daß auch Christen von der Sünde überrascht werden können, hält Gal 6,1 in der Verbindung von 1b und 1c fest. Auch als πνευματικοί (vgl 5,25) sollen sich die Christen vor der Versuchung hüten und sich selbst überprüfen. Der eschatologische Aspekt der Mahnung im Blick auf das Gericht wird spätestens in 6,7ff deutlich. Das "Säen auf den Geist" V.8 steht also zwischen den beiden Polen von 5,25 und 6,8d. Daß der Imperativ (bzw. Hortativ) durch den Indikativ erst ermöglicht wird und zugleich dessen direkte Folge ist, bringt ja gerade Gal 5,25 in nicht zu überbietender Dichte zum Ausdruck <212>. Das neue Leben im Geist ist aber im Glauben an Christus geschenkt. Deshalb ist das Christusgeschehen zugleich die inhaltliche Leitlinie für die Konkretion dieses Lebens.

Der Gerichtsgedanke bei Paulus ist ohne den Zusammenhang mit der Rechtfertigung und der Paränese nicht wirklich zu verstehen. Erst vom Heilsgeschehen in Christus her wird dem Menschen seine Situation vor Gott offenbar. Zugleich erfährt er im Glauben an dieses Geschehen sein eigenes Heil und kann dem Gericht mit Zuversicht entgegengehen. Gott bleibt der Richter auch über die Sünde im Leben der Christen, und von hier aus kann die Paränese begründet werden. Sie gewinnt ihren eigentlichen Impuls aber aus dem Heilsgeschehen selbst, dem sie ihre Mahnungen nachbildet. Dieser Sachverhalt wird nun gerade in 1Thess deutlich. Besonders aufschlußreich ist dabei 1Thess 5,9 <213>. Paulus hat hier in ein traditionelles Bekenntnis den antithetischen Hinweis auf den eschatologischen Zorn eingefügt (vgl 1,10; 2,16). Die Formulierung macht deutlich, daß Gott der Handelnde (ἔθετο) und daß sein Heil der Zielpunkt ist. Der Ansatz für das Heilshandeln Gottes aber ist das Christusgeschehen (V.9c.10a), und zwar sein Tod und seine Auferstehung (1,10). Derselbe Gedanke findet sich als Gebetswunsch in 3,13; 5,23: daß die Christen untadelig ἔμπροσθεν τοῦ θεοῦ bei der Parusie Christi dastehen werden, liegt letzten Endes daran, daß Gott selbst sie heiligt und sein begonnenes Werk vollendet (5,23f) <214>. Von hier aus hat der ἁγιασμός als Überschrift der gesamten Paränese (vgl 4,3) in Gott Grund und Ermöglichung (5,23). Auch da, wo ausdrücklich vom Werk des Glaubens die Rede ist (1,3), ist dies eng mit der Berufung durch Gott verbunden (V.4). Anders als in 2Thess 1,5ff sind die Hinweise auf das Gericht in 1Thess formal und inhaltlich eng in das Heilsgeschehen in Christus eingeordnet. So fällt in 2Thess 1,5ff die alleinige Orientierung am künftigen Gericht besonders auf.

Mit **V.7b** beginnt ein anderer Gedankengang. Durchgehend ist der Gedanke des Gerichts. Von 7b an wird es aber als Gericht des Herrn Jesus beschrieben. Hierfür benutzt der Verfasser eine Reihe at.licher Aussagen. Der Anfangssatz (ἐν τῇ ἀποκαλύψει κτλ) und der Schlußsatz (ἐν τῇ ἡμέρᾳ ἐκείνῃ) rahmen die kleine Einheit ein.

<211> Die Differenzierung von Werk und Werken ist in diesem Zusammenhang wesentlich. Vom Gericht nach den Werken ist nur in Röm 2,6 die Rede. Sonst spricht Paulus, wie auch in 1Kor 3,10ff, vom Werk der Christen (vgl *BRAUN*, Gerichtsgedanke, S.51f; *MATTERN*, Verständnis, S.141ff). Wesentlich ist dabei, daß nicht die ἔργα zur Rechtfertigung führen, sondern das das ἔργον der Christen sich am Heilswerk Gottes orientiert. Ohne Zweifel schließt dabei das ἔργον das einzelne, konkrete Tun ein. Dieses ist aber erst verständlich in der gesamten Orientierung des christlichen Lebens an dem Grundstein Christus.

<212> Vgl hierzu unten, S.147f.

<213> Vgl oben, S.35f.

<214> Vgl hierzu unten, S.144f.

Die Offenbarung des Herrn Jesus gibt den Zeitpunkt für das Gericht an. Wie die Verwendung der Begriffe in Kap. 2 zeigt, ist ἀποκάλυψις synonym zu παρουσία (vgl 2,1.8 und die Gegenüberstellung 2,6.8). Gemeint ist die Erscheinung Jesu bei seiner Wiederkunft ⟨215⟩. Sie wird auf dreifache Weise ausgestaltet. Sie wird vom Himmel her erwartet (ἀπ' οὐρανοῦ) ⟨216⟩. Dabei ist die Vorstellung, daß Gott zum Gericht vom Himmel herabkommt (Jes 64,1; Ps 10,10), auf Christus übertragen ⟨217⟩.

Vor dieser Übertragung steht der Gedanke an Christi Erhöhung in den Himmel auf Grund der Auferstehung (etwa Phil 2,9 und häufig in Joh). Von hier aus kann der Himmel dann wie ein "Aufenthaltsort" des Herrn aufgefaßt werden, wie dies z.B. in Eph 4,9f; 6,9; Kol 4,1; Hebr 8,1; 1Petr 3,22 geschieht. Vom Himmel her wird dann die Parusie erwartet und mit Hilfe at.licher Vorstellungen beschrieben.

Auch die zweite Näherbestimmung μεϑ' ἀγγέλων δυνάμεως αὐτοῦ entspricht dem hebräischen Vorbild (vgl im AT Sach 14,59) ⟨218⟩. Besonders in der Apokalyptik haben die Engel eine wichtige Rolle bei der Durchführung des Endgerichts. Dort ist auch die Begleitung Gottes durch die Engel erwähnt (äthHen 1,3ff). Daß der Messias von Engeln begleitet wird, begegnet dagegen erst im Urchristentum (Mk 8,38par; Mt 25,31). Die dritte Näherbestimmung ἐν πυρὶ φλογός ⟨219⟩ entspricht einer gängigen Vorstellung in der Apokalyptik (äthHen 102,1; syrBar 37,1; 48,39.43; 4Esra 13,10f u.ö.). Eng verwandt ist auch Jes 66,15f. Die Offenbarung des Herrn ist zugleich der Beginn des Gerichts.

διδόντος ἐκδίκησιν (V.8) bezieht sich auf ἀποκάλυψις τοῦ κυρίου Ἰησοῦ V.7. Wiederum ist Vergeltung im Sinn eines dem Tun folgenden Ergehens gemeint. Im apokalyptischen Zusammenhang schwingt bei dem Stichwort ἐκδίκησις freilich auch die Bedeutung der Rache mit (vgl Offb 6,10; 19,2; 1Thess 4,6). In jedem Fall wird V.8f zu einem Kommentar von V.6. Die Menschen, die dieses Ergehen als Folge ihrer Taten trifft, werden in einem synonymen Parallelismus beschrieben: τοῖς μὴ εἰδόσιν ϑεόν und τοῖς μὴ ὑπακούουσιν τῷ εὐαγγελίῳ. An verschiedene Gruppen, etwa Heiden und Juden, ist nicht gedacht ⟨220⟩. Der Verfasser hat im allgemeinen die Gegner des Glaubens vor Augen, die Gott nicht kennen und dem Evangelium unseres Herrn Jesus nicht gehorchen.

Zu τῷ εὐαγγελίῳ τοῦ κυρίου ἡμῶν Ἰησοῦ gibt es im NT keine Parallele. In 1Thess begegnet εὐαγγέλιον τοῦ ϑεοῦ (2,2.8.9), τὸ εὐαγγέλιον τοῦ Χριστοῦ (3,2), πιστευϑῆναι τῷ εὐαγγελίῳ (2,4), τὸ εὐαγγέλιον ἡμῶν (1,5). Für Paulus ist

---

⟨215⟩ Diese Erwartung teilt der Verfasser mit Paulus. Dagegen fehlt die schon gegenwärtige Komponente von ἀποκάλυψις, die den Menschen bereits in der Gegenwart betrifft und ihn in eine eschatologische Existenz stellt (vgl Gal 1,12.16; 1Kor 9,1; 15,8 u.ö.). Vgl hierzu den knappen Überblick bei HOLTZ, Artikel ἀποκάλυψις, S.314f.

⟨216⟩ Vgl ähnlich 1Thess 4,16 und 1,10; Phil 3,20 (dort aber mit ἐκ konstruiert).

⟨217⟩ Texte und Belege zu Theophanieschilderungen bei PREUSS, Artikel ﬡﬨ, S.565ff; FUHS, Artikel ﬧﬤﬨ, S.1006f; HAMP, Artikel שֶׁאֱ, S.459ff. Vgl auch JEREMIAS, Theophanie, S.97ff.

⟨218⟩ αὐτοῦ ist am ehesten Gen.poss. (vgl v.DOBSCHÜTZ, Thess, S.246). Zur Rolle der Engel beim Strafgericht vgl die Angaben bei STR-BILL IV,2, S.868.1059f.1209; I, S.937f. Zur ausgeprägten Angelologie des nachat.lichen Judentums vgl KITTEL, Artikel ἄγγελος, S.79ff; BOUSSET—GRESSMANN, Religion, S.320ff.

⟨219⟩ Sachlich gehört der Ausdruck zu V.7. die Lesart ἐν πυρὶ φλογός ist auffällig und als lectio difficilior vorzuziehen (umgekehrt in Apg 7,30), vgl KATZ, ἐν πυρὶ φλογός, S.135.

⟨220⟩ Man kann darauf verweisen, daß τοῖς μὴ εἰδόσιν ϑεόν nach Jer 10,25 LXX, Gal 4,8 und 1Thess 4,5 die Heiden meint und daß der zweifache Artikel eine Unterscheidung nahelegt. Dennoch ist hier nur an eine Menschengruppe zu denken. Der Parallelismus ist für 2Thess ein beliebtes Stilmittel. Auch Jer 10,25 ist als synonymer Parallelismus geformt. Der hebraisierende Stil von 2Thess ist an dieser und anderen Stellen gut zu erkennen. Weiter legt sich eine Unterscheidung von Juden und Heiden im Kontext in keiner Weise nahe.

εὐαγγέλιον umfassender Ausdruck für das Heilsgeschehen. Inhaltlich ist das Wort eine Zusammenfassung dieses Geschehens (vgl z.B. Röm 1,1ff; 1Kor 15,1ff), als Bezeichnung des Vollzuges ist es zugleich dynamischer Ausdruck für die Verkündigung (vgl das nomen actionis in 2Kor 8,18; Röm 1,9 u.ö.). "Das Evangelium zeugt nicht nur vom Heilsgeschehen, es ist selbst Heilsgeschehen" <221>. Die Tätigkeit des Paulus kann insgesamt als εὐαγγελίζεσθαι umschrieben werden (1Kor 1,17). Als mit dem Evangelium Beauftragter kann er deshalb von "meinem" Evangelium reden, ohne daß damit eine Verfügung über das Evangelium ausgedrückt wäre. Im Gegenteil: nicht der Apostel verfügt über das Evangelium, sondern das Evangelium nimmt ihn in Dienst und bestimmt seine ganze Existenz (vgl 1Kor 9,16; Gal 1,8f).

In 2,8 ist die Beziehung auf das Heilsgeschehen trotz der Nennung "unseres Herrn Jesus" nur angedeutet und nicht recht greifbar. ὁ κύριος Ἰησοῦς klingt formelhaft. Durch den Parallelismus wird dieser Eindruck verstärkt. Die Erkenntnis Gottes im Sinn von Jer 10,25 und "'Evangelium' als neutestamentlicher Begriff werden beigeordnet, ohne daß das spezifisch Neue am Evangelium sichtbar würde" <222>. Es sind deshalb pauschal die Ungläubigen gemeint, die die Gemeinde in Bedrängnis bringen (V.6). Umgekehrt ist auch bei ἐν πᾶσιν τοῖς πιστεύσασιν V.10 eine Beziehung auf das Christusgeschehen nicht angedeutet, und es sind im Vergleich mit 2,10-12 ebenfalls schematisch Glaubende und Ungläubige gegenübergestellt. Der dort verwendete Ausdruck ἀλήθεια kann deshalb auch hier zum Verständnis herangezogen werden und die Verengung dieses Begriffes trifft auch auf εὐαγγέλιον zu. Gemeint ist die apostolische Lehre, die die Gegner nicht für wahr halten.

In diesem Zusammenhang muß auch auf die in 2Thess durchgängige Benutzung des κύριος-Titels hingewiesen werden. Der absolut gebrauchte Titel begegnet in 1,9; 2,2.13; 3,1.3.4.5.16. Alle anderen Stellen, an denen Ἰησοῦς oder Ἰησοῦς Χριστός stehen, führen ebenfalls den Kyrios-Titel <223>. Das bei Paulus häufige absolute Χριστὸς Ἰησοῦς fehlt in 2Thess ganz. Und während κύριος Ἰησοῦς Χριστός und ähnliche Formulierungen bei Paulus eine Zusammenfassung des Heilsgeschehens geben <224>, ist davon in 2Thess nur wenig zu spüren. Überhaupt ist das Christusereignis nur schwach angedeutet. Kreuz und Auferstehung werden nicht erwähnt, obwohl für Paulus diese Theologumena gerade im eschatologischen Zusammenhang unaufgebbar sind. Auch die das Leben und die Hoffnung bestimmende Formel ἐν Χριστῷ ist in 2Thess nur schwach vertreten <225>. Einzig als kommender Weltenrichter gewinnt Christus deutlichere Konturen (1,7ff; 2,8f). Gerade hier ist gegenüber Paulus eine deutliche Steigerung zu verzeichnen. At.liche Bilder vom Kommen Gottes sind dabei auf Christus übertragen. Dafür ist auch die Verwendung des Kyrios-Titels ein deutlicher Hinweis <226>. Sie ist im ganzen Brief festzustellen und unterstreicht, daß die Darstellung Christi ganz wesentlich mit Hilfe at.licher und apokalyptischer Bilder erfolgt. Die Kyrios-Prädikation ist Indiz für die at.lich-apokalyptische Christusdarstellung überhaupt.

<221> FRIEDRICH, Artikel εὐαγγελίζομαι, S.729.
<222> TRILLING, Untersuchungen, S.111.
<223> Vgl die Zusammenfassung bei v.DOBSCHÜTZ, Thess, S.60f.
<224> Vgl z.B. 2Kor 4,5. Die aus dem vorpaulinischen Bekenntnis übernommene Formel κύριος Ἰησοῦς Χριστός in Phil 2,11 ist eine Zusammenfassung des ganzen Hymnus 2,6-11 und damit Ausdruck des Heilsgeschehens. In Röm 1,3f umgreift die volle Bezeichnung den Davidssproß κατὰ σάρκα und den Gottessohn κατὰ πνεῦμα.
<225> Vgl 3,4.12, ohne daß dort der spezifische Gehalt wirklich zum Tragen käme. Vgl auch noch die Formulierung καὶ ὑμεῖς ἐν αὐτῷ 1,12. In 3,6 dient die ἐν ὀνόματι-Wendung zur Verstärkung der Mahnung.
<226> Zur Entwicklung der Übertragung des Kyrios-Titels auf Jesus und die Übernahme at.licher (LXX) Anschauungen vgl HAHN, Hoheitstitel, S.117ff. Zum Zusammenhang des Kyrios-Titels mit Parusieaussagen im Corpus Paulinum vgl KRAMER, Christos, S.172ff. Zu 2Thess vgl BRAUN, Herkunft, S.155f. Er weist hin auf das zweimalige κύριος in 2,16; 3,5, dem in 2,16 θεός nur nachfolgt, während in 1Thess 3,11f θεός voransteht; weiter auf die Beziehung von πιστός auf κύριος in 3,3 und die Verbindung von εἰρήνη mit κύριος in 3,16. "All diese Beobachtungen weisen nicht auf einen Stimmungswechsel, sondern auf eine der Änderung innewohnende Logik".

V.9 bezieht sich auf beide Glieder des vorangehenden Parallelismus. δίκην τίσουσιν nimmt das διδόντος ἐκδίκησιν V.8 auf. Jetzt wird die Strafe beschrieben, die die Gegner des Glaubens erleiden werden: sie ist ὄλεθρος αἰώνιος. ὄλεθρος meint weniger Vernichtung als Verderben ⟨227⟩, einen Zustand des Elends, der als ewig gekennzeichnet ist. αἰώνιος tendiert dabei im Zusammenhang mit negativen Begriffen (πύρ, κόλασις, ὄλεθρος κτλ) zu der Bedeutung unaufhörlich, endlos ⟨228⟩. Die Strafe für die Ungläubigen, die Verfolger der Gemeinde, ist endloses Verderben. Sie ergeht "vom Angesicht des Herrn her" ⟨229⟩. Er ist der Handelnde. Die Worte sind ein fast wörtliches Zitat aus Jes 2. Dort ist in eine Schilderung des Tages Jahwes an drei Stellen als Refrain eingeschoben: Verkrieche dich im Felsen, verbirg dich im Staub ἀπὸ προσώπου τοῦ φόβου κυρίου καὶ ἀπὸ τῆς δόξης τῆς ἰσχυος αὐτοῦ (Jes 2,10.19.21 LXX). Der Vers ist fast wörtlich übernommen, allerdings nicht als Zitat: der Verfasser greift den ihm geläufigen Kehrvers auf.

Mit dem temporalen ὅταν **V.10** schließt der Verfasser einen weiteren Satz an, in dem at.liche Aussagen anklingen. Neben Jes 2,10ff werden vor allem Ps 88,8 und Ps 67,36 LXX genannt. ἐνδοξασθῆναι (vgl 1,12) und θαυμασθῆναι kommen dort freilich nicht zusammen vor. Auch legt es sich nicht nahe, an die Kombination verschiedener Zitate zu denken. Der Verfasser von 2Thess lebt in apokalyptischer Sprache und Denkweise und benutzt sie, ohne sich akkurat über die Herkunft einer Wendung Rechenschaft zu geben. "Fast-Zitate, Zitatanklänge und Assoziationen gehen so ineinander über, daß wir nicht mehr säuberlich zwischen ihnen trennen können - und sollen" ⟨230⟩. Daß dabei bestimmte Texte den Verfasser in besonderer Weise beeinflußt haben, ist offensichtlich, vor allem Jesaja (2; 66) und Daniel. Andere Texte treten hinzu: Ps 88,8; 67,36 LXX; Jer 10,25. Aber der Verfasser geht aus seiner guten Kenntnis dieser Texte frei mit ihnen um.

Die Aussage hat den Charakter einer Epiphanie-Schilderung (vgl Jes 2). Formal liegt wie in V.8 ein synonymer Parallelismus vor. Und auch hier handelt es sich nicht um verschiedene Gruppen von Menschen. Das Hauptgewicht liegt aber auf der Verherrlichung des Herrn. Er steht im Mittelpunkt des Geschehens. Das Ergehen der Glaubenden kommt im Zusammenhang mit der Verherrlichung des Herrn in den Blick. Diese soll ἐν αὐτοῖς geschehen ⟨231⟩. Das ἐν ist zunächst in lokalem Sinn zu nehmen: die Verherrlichung soll unter den Glaubenden stattfinden. Es schwingt auch die Bedeutung "in und durch" mit. An einen eigenständigen Akt der Akklamation ist aber nicht gedacht. Daß der Herr verherrlicht und bewundert wird, ist der Gegensatz zu ὄλεθρος αἰώνιος V.9. Haben die Verfolger der Gemeinde ewiges Verderben zu gewärtigen, so wird der Treue der Glaubenden Recht gegeben in der Erscheinung des Herrn und sie haben Teil an seiner Herrlichkeit.

⟨227⟩ Vgl BAUER, Wörterbuch, Sp.1115. Das Wort ist der Wortgruppe ὄλλυμι verwandt, ist aber enger verstanden als das Verderben von Menschen; vgl 1Thess 5,3.

⟨228⟩ Vgl SASSE, Artikel αἰώνιος, S.209.

⟨229⟩ Zu der Verbindung ἀπὸ προσώπου vgl BL—DEBR § 217,1. Nicht durchsetzen konnte sich das temporale Verständnis von ἀπό (vgl zu dieser und anderen Deutungen DOBSCHÜTZ, Thess, S.249f).

⟨230⟩ TRILLING, 2Thess, S.60.

⟨231⟩ Zu den verschiedenen Deutungen des ἐν vgl v.DOBSCHÜTZ, Thess, S.250; RIGAUX, Thess, S.633 sieht den lokalen und instrumentalen Sinn von ἐν hier vereint.

ἐν τῇ ἡμέρα ἐκείνῃ bildet den Schlußpunkt. Zuvor ist aber noch ein Zwischensatz eingeschaltet: ὅτι ἐπιστεύθη τὸ μαρτύριον ἡμῶν ἐφ' ὑμᾶς. Der Satz wirkt sperrig und förmlich. Sachlich betont er den Gegensatz zu V.8b. Das Zeugnis des Apostels steht dabei neben εὐαγγέλιον (und ἀλήθεια). "Dem Zeugnis des Apostels glauben" bekommt dadurch den gleichen Stellenwert wie "dem Evangelium gehorchen". Die christliche Wahrheit ist in der Botschaft des Apostels ausgesagt. Der Satz liegt auf der gleichen Ebene wie die Betonung der Verkündigung des Apostels in 2,5. Sie wird zum Prüfstein für Glauben und Unglaube, denn in ihr ist die christliche Lehre verankert. So ist die Parenthese zwar sperrig, hat aber für den Verfasser den wichtigen Sinn, die künftige Teilhabe an der Herrlichkeit des Herrn mit der Annahme des apostolischen Zeugnisses zu verbinden. Ähnlich wie in 2,3ff sind Vergangenheit, Gegenwart und Zukunft miteinander verbunden: auf dem Fundament des ergangenen Zeugnisses (V.10) wird die Gegenwart (V.3f) beschrieben und beides der Zukunft (V.5ff) gegenübergestellt. Die Zukunft ist als Gegensatz zur Gegenwart gesehen und steht dadurch apokalyptischer Schilderung offen. Die Gegenwart ist Erprobungszeit im Blick auf das Heil. So zeigt sich gerade an diesem Einschub der theologische Akzent des Verfassers und zugleich wird erneut seine Vorliebe deutlich, die eigenen Gedanken in den übernommenen Zusammenhang einzuordnen.

Den Schlußakzent setzt das apokalyptische ἐν τῇ ἡμέρα ἐκείνῃ. Zwar wirkt es "abgesprengt", aber gerade dadurch auch betont. Diese Wendung und ἐν τῇ ἀποκαλύψει V.7b geben den Rahmen für die Schilderung der Ereignisse. Sachlich ist die Formulierung mit ἡ ἡμέρα τοῦ κυρίου in 2,2 gleichzusetzen.

Der Satz ist auch mit V.10 noch nicht wirklich abgeschlossen. Die Fürbitte **V. 11f** schließt mit εἰς ὅ relativisch an und faßt den Inhalt von V.10 zusammen: im Hinblick auf die Teilhabe an der Herrlichkeit beten wir allezeit (πάντοτε, vgl V.3; 2,13) für euch. Daß hier "nicht eigentlich jetzt im Augenblick betend, sondern über dauernde Fürbitte berichtend" gesprochen wird, hat schon *DOBSCHÜTZ* <232> festgehalten. Die erneut als Parallelismus geformte Fürbitte richtet sich zunächst auf die Vollendung der Glaubenden, dann in V.12a auf die Verherrlichung Christi. Die Wortgruppe ἄξιος κτλ begegnet zum dritten Mal in der Eingangseucharistie (vgl V.3.5). Wie in V.5 ist das Für-Würdig-Erachten ein Akt, der in der Zukunft liegt.

Aufschlußreich ist ein Vergleich mit Röm 16,2, Phil 1,27 und 1Thess 2,12. Dabei wird deutlich, daß das paränetische ἀξίως nicht das Heil schafft, sondern erst auf Grund der Zusage des Heils möglich ist. In 1Thess 2,12 kommt wie in 2Thess 1,11 der Zusammenhang von αξίως und κλῆσις (καλέω) zum Tragen. κλῆσις und καλέω sind bei Paulus Ausdruck für den Heilsvorgang der Berufung des Menschen durch Gott (Röm 8,30; 1Kor 1,26f). In der Zusammenstellung der Verben von Röm 8,30 kommt ein charakteristischer Sachverhalt zum Tragen: die κλῆσις ergeht an den Menschen und nimmt ihn in die Beziehung zu Gott mit hinein. Für den Menschen beginnt in der κλῆσις das Heilsgeschehen, sie hat ihren Ort in seiner Geschichte <233>.

Die Verbindung ἵνα ... ἀξιώσῃ τῆς κλήσεως ὁ θεός bezeichnet die noch ausstehende Berufung durch Gott. κλῆσις rückt damit eng an βασιλεία τοῦ θεοῦ (V.5) heran. Diese Akzentsetzung entspricht der apokalyptischen Orientierung: das Heil liegt ganz

----

<232> Thess, S.253.
<233> Dem widerspricht auch Phil 3,14 nicht. Es ist dort nicht von einem besonderen Ruf an die bereits Gläubigen zur ewigen Vollendung die Rede. Vielmehr weist die ergangene Berufung auf das Ziel hin, das ἄνω - nach oben - orientiert ist (*LOHMEYER*, Phil, S.146f).

in der Zukunft und über die Teilnahme am Heil entscheidet das Verhalten in der Gegenwart. Die bei Paulus für ἄξιος und κλῆσις konstitutive Beziehung auf das Heilsgeschehen in Christus kommt hier nicht zum Tragen ⟨234⟩. Das zweite Glied des Parallelismus ist noch einmal in zwei Bitten aufgeteilt, wobei sich ἐν δυνάμει am Ende von V.11 auf beide bezieht. Es wird darum gebeten, daß Gott πᾶσαν εὐδοκίαν ἀγαθωσύνης erfülle. Vom Kontext her liegt die Auslegung auf den guten Willen der Menschen nahe, da ἀγαθωσύνη im NT nur auf das Gutsein und die Rechtschaffenheit von Menschen bezogen ist (vgl Röm 15,14; Gal 5,22; Eph 5,9), da die beigeordnete Wendung (πᾶσαν) ἔργον πίστεως nur auf Menschen bezogen werden kann und da in 2Thess 2,12 das Verb εὐδοκέω eindeutig als menschliches Tun begegnet. Gott soll das "Wohlgefallen der Rechtschaffenheit", das Wollen und das Tun bei den Thessalonichern vollenden ⟨235⟩. Bei ἔργον πίστεως ist an die Glaubenswerke der Gemeinde gedacht. Die Formulierung nimmt 1Thess 1,3 auf. In 1,3 ist πίστις im Blick auf Treue und Ausdauer, in V.10 auf das Festhalten der apostolischen Botschaft hin ausgelegt. Hier ist das rechte Tun betont. Bestimmte Werke sind nicht gemeint (πᾶς). Die sachliche Nähe zu 2,17 ist deutlich und in der Allgemeinheit von Mahnung (2,17) und Bitte (1,11) ist die Tendenz zur Generalisierung erkennbar. Dazu paßt der überladene Stil, für den auch das angehängte ἐν δυνάμει Indiz ist. V.12 schließt die Bitte um Verherrlichung "des Namens unseres Herrn Jesus unter euch" und "eure (Verherrlichung) in ihm" an. Es liegt eine Beziehung zu Jes 66,5 vor (... ἵνα τὸ ὄνομα κυρίου δοξασθῇ). Erneut zeigt sich die Bedeutung von Jes 66 für die Gedankenwelt des Verfassers. Die Verherrlichung setzt den Willen zum Guten und die Werke des Glaubens voraus (finales ὅπως). V.10 ὅταν ἔλθῃ ἐνδοξασθῆναι klingt an. Es ist deshalb auch hier an die eschatologische Verherrlichung zu denken ⟨236⟩. δόξα und ὄνομα entsprechen der Übertragung der Gottesprädikationen auf Jesus in V.5-10. ἐν ὑμῖν bezieht sich ebenfalls auf V.10. In dem angehängten καὶ ὑμεῖς ἐν αὐτῷ klingt erneut das σὺν αὐτῷ von 1Thess 4,17 an.

Aufmerksamkeit hat der Schlußvers vor allem wegen des fehlenden Artikels vor κυρίου Ἰησοῦ Χριστοῦ erregt. Vom unzweifelhaften Text her kann dies nur als Ineins-Setzung Gottes und Christi verstanden werden. Solche Identifikationen sind im NT sehr selten. Sie begegnen in späten Schriften (vgl Joh 20,28; 2.Petr 1,1) ⟨237⟩. Die Identifikation hat als Argumente das Übertragen der Gottesattribute auf Christus und den Subjektwechsel in V.5-7a und 7.b-10 für sich. Sehr erwägenswert ist aber

----

⟨234⟩ Deutlicher an Paulus erinnert der Gebrauch von καλέω in 2,14. Aber dort geschieht die Berufung διὰ τοῦ εὐαγγελίου ἡμῶν , während sie bei Paulus immer ein Akt Gottes ist.

⟨235⟩ Siehe TRILLING, 2Thess,S.63. Anders v.DOBSCHÜTZ, Thess, S.256; SCHRENK, Artikel εὐδοκέω, S.744. εὐδοκία bedeutet in LXX vorwiegend das Wohlgefallen Gottes, kann aber auch vom Menschen verwendet werden als Empfinden oder Belieben. Bei Paulus ist das Wort nicht häufig. In Röm 10,1 und Phil 1,15 ist es auf Menschen bezogen, während in Phil 2,13 die Beziehung zu Gott in den Blick kommt. Das Verb εὐδοκέω wird in Bezug auf den Menschen verwendet in Röm 15,26f; 12,10; 1Thess 2,8; 3,1. Von Gott wird es benutzt in 1Kor 1,21; 10,5; Gal 1,15. Eine Entscheidung muß aus dem Kontext gefällt werden.

⟨236⟩ Anders TRILLING, 2Thess, S.64, der die Verherrlichung des Herrn im Wirken der Gemeinde sieht; so auch DOBSCHÜTZ, Thess, S.257; RIGAUX, Thess. S.640f.

⟨237⟩ In Joh 20,28 liegt ein persönliches Bekenntnis des Thomas vor, in dem die Anfangsaussage des Prologes aufgenommen ist (Joh 1,1c). Die Gottessohnschaft Jesu (vgl Joh 20,31) impliziert das Gott-Sein (vgl SCHNACKENBURG, Joh III, S.397). Davon ist in 2Thess keine Rede. In 2Petr 1,1 werden θεός und σωτήρ einander beigeordnet, wobei man an die Übertragung hellenistischer Begrifflichkeit auf Jesus zu denken hat (vgl BROX, Pastoralbriefe, S.232f). In V.2 ist dann aber je für sich von Gott und von Jesus die Rede. Zu Tit 2,13 vgl BROX, ebd, S.300f.

die Deutung *TRILLING*s und anderer <238>, daß bei θεός keine titulare Verwendung vorliege, sondern vielmehr die ganze Wendung κατὰ τὴν χάριν τοῦ θεοῦ ἡμῶν zu berücksichtigen sei. Als Abschluß der Danksagung ergäbe es einen guten Sinn, daß die Gedanken wieder auf Gott zurücklenken. καὶ κυρίου 'Ιησοῦ Χριστοῦ wäre dann der Fülle und wegen V.7b-10 hinzugefügt. Das Fehlen des Artikels könnte grammatische Ungenauigkeit sein. Die Formelhaftigkeit der Sprache würde einen solchen Lapsus zulassen. Vom Kontext des Briefes her ist eine Ineinssetzung jedenfalls nicht angezeigt.

Neben 2,1-12 hat 1,3-12 durchaus eigenes Gewicht. In Kap. 2 werden im Blick auf die Verwirrung in der Gemeinde die noch eintretenden Ereignisse vor dem Tag des Herrn beschrieben. Die Parusie findet trotz 2,1 nur beiläufig Erwähnung. Gerade hierauf liegt aber der Akzent in 1,5ff. Mit der Parusie tritt das Gericht ein, das die Menschen entsprechend ihrem gegenwärtigen Tun beurteilen wird. Muß die Gemeinde jetzt auch Bedrängnis erdulden, so stehen ihr doch Ruhe (1,7) und Teilhabe an der Herrlichkeit Christi (V.10.12) vor Augen. Dieses Wissen ist für die bedrängte Gemeinde ebenso wichtig wie die Kenntnis der Vorzeichen. Denn selbst wenn der Tag des Herrn noch nicht unmittelbar bevorsteht, so kommt er doch gewiß und mit ihm die Erlösung für die Glaubenden. Darin liegt der tröstliche Zug des Briefes. Auch für die Arbeitsweise des Verfassers ist 1,3-12 aufschlußreich. Der Text lehnt sich an die Struktur der paulinischen Danksagung an, fügt aber mit V.5-10 einen eschatologischen Abschnitt ein, in dem der Verfasser selbst und die ihn prägenden Traditionen zur Sprache kommen. Innerhalb der Danksagung wird damit an einem kleinen Textabschnitt deutlich, was im Briefganzen für 2,1-12 gilt: der Verfasser übernimmt den vorgegebenen Rahmen des paulinischen Briefes und fügt seine eigentliche Aussage ein. In den Einschüben kommt sein Interesse deshalb am deutlichsten zum Ausdruck.

3.3.3) Grundlinien der Eschatologie des 2.Thessalonicherbriefes

1) Die grundlegende Frage des 2Thess ist das Verhältnis von Gegenwart und Zukunft. Diese Frage teilt er mit denen, deren falsche Ansicht er abwehren will. Während jene aber die Gegenwart nur noch unter dem Vorzeichen der Zukunft sehen (2,2) und damit in apokalyptische Schwärmerei geraten, ist für den Verfasser des Briefes die Abgrenzung von Gegenwart und Zukunft konstitutiv. Das Heil ist eine ausschließlich zukünftige Größe. Es tritt erst mit der Parusie Christi ein (1,7bff; 2,8), die zugleich das Gericht sein wird. Vor der Parusie müssen noch bestimmte Vorzeichen eintreten (2,3f). Die in der Zukunft offenbar werdende Macht des Bösen ist schon in der Gegenwart im Geheimen wirksam. Dies kann die Gemeinde von dem Wissen über die Endereignisse her erkennen und sich dem entgegenstellen. Von der Zukunft her können also die Gläubigen ihr Leben deuten und verstehen. Aus diesem Grund schiebt der Verfasser in den Ablauf der zukünftigen Ereignisse in 2,6f einen Hinweis auf die Gegenwart ein und hängt in 2,11f einen weiteren an. Die Arbeitsweise des Verfassers (vgl auch 1,10b) entspricht seiner Denkstruktur: wer die Ereignisse der Zukunft kennt, der kann die Gegenwart verstehen (vgl οἴδατε in 2,6). Sie ist Entscheidungszeit für die Zukunft, die mit der Parusie Christi eintritt. Umgekehrt tröstet der Blick auf das zukünftige Heil die Glaubenden, wenn sie jetzt Not und

----
<238> 2Thess, S.65. Ebenso *RIGAUX*, Thess, S.643.

Verfolgung erleiden (1,4.7a; vgl 3,2). Diese Konzeption ist in sich einheitlich und konsequent durchgeführt. Im Vergleich mit Paulus geht es deshalb nicht um die Frage, ob dieser die eine oder andere Vorstellung nicht auch hätte verwenden können. Die grundlegende Veränderung liegt darin, daß der radikale Einschnitt, der bei Paulus zwischen der Vergangenheit ohne Christus und der Gegenwart und Zukunft mit ihm liegt, in 2Thess verschoben ist und sich zwischen Gegenwart und Zukunft auftut. Die zeitliche Grundstruktur der Eschatologie in 2Thess ist das "Jetzt noch nicht - aber dann". Damit verlagert sich die eschatologische Existenz bei Paulus zu einer apokalyptischen Erwartung.

2) Innerhalb dieses zeitlichen Rahmens finden sich christologische Aussagen nur im Blick auf Parusie und Gericht. Sie sind ausgestaltet mit Hilfe at.lich - apokalyptischer Bilder. Vorstellungen, die im AT mit Gott verbunden sind, werden hier auf Christus übertragen. Die wenigen Aussagen, die Christus mit den Glaubenden in Verbindung bringen, liegen in der Zukunft (vgl 1,10a.11f; 2,14) und bleiben inhaltlich blaß. Die Christen sind wohl von Gott Berufene (vgl 2,14), der Zugang zu Christus (2,1) steht aber wesentlich noch aus (von ein paar formelhaften Wendungen abgesehen) und wird erst bei seiner Parusie Wirklichkeit (1,7b.10). Die Vorstellung von Christus als dem Richter ist zentral. Eine Verbindung des Gerichtsgedankens mit einem ihm vorangehenden Heilsgeschehen ist im Rahmen der eschatologischen Aussagen aber nicht festzustellen. Bei der Offenbarung vom Himmel (1,7b) wird der Zugang der Christen (ἐπισυναγωγή 2,1) zu Christus eröffnet. Kreuz und Auferstehung Christi finden keine Erwähnung. Die Christologie ist reduziert auf ein apokalyptisches Ereignis. Als solche hat sie zwar erschließende Bedeutung für die Gegenwart und damit auch argumentative Funktion. Sie ist aber mit der theologischen Aussage (1,5-7a) praktisch austauschbar.

3) Die eschatologische Belehrung wird in 2,5 und 1,10b auf die apostolische Botschaft zurückgeführt. Die damalige Verkündigung beweist in der Gegenwart ihre Wirksamkeit (2,5f). Sie ist die rechte, christliche Lehre, wie die lehrhaft verstandenen Begriffe μαρτύριον, ἀλήθεια und εὐαγγέλιον zeigen. Von der Gemeinde ist das Festhalten an der Überlieferung gefordert (2,15) und πίστις bekommt den Akzent von Ausdauer und Treue. Die in der Vergangenheit verkündete Botschaft hat der Gemeinde das Wissen um die Ereignisse der Endzeit vermittelt, das ihr hilft, die Gegenwart zu bestehen.

4) Obwohl der Verfasser sich auf Paulus beruft, finden sich in den eschatologischen Passagen keinerlei Anklänge an 1Thess. Das aufgenommene Traditionsmaterial ist ausschließlich apokalyptischer Art. Der Verfasser verfügt offenbar über eine breite Kenntnis dieses Materials und ist darin zu Hause. Christus wird mit Hilfe at.licher Gottesvorstellungen beschrieben. Wird bei Paulus die apokalyptische Tradition durch die Christologie begrenzt, so wird hier die apokalyptische Tradition zur eschatologischen Aussage selbst. Die grundlegende Differenz von Gegenwart und Zukunft wirkt sich aus. Die apokalyptische Grundlinie des Briefes und das verwendete Traditionsmaterial entsprechen sich.

5) Auch wenn Paulus nach 1Thess 4,13ff die Parusie Christi zu seinen Lebzeiten erwartet, hat die Terminfrage für ihn doch keine grundsätzliche Bedeutung. Dem Verfasser des 2Thess genügt es offenbar nicht, die Terminfrage offenzuhalten. In

der Auseinandersetzung mit den Schwärmern kommt es ihm gerade auf retardieren-de Ereignisse an. Dies ist sowohl hinsichtlich der Aufstellung eines Zeitplans als auch der generellen Beurteilung der Terminfrage eine Korrektur an Paulus. Eine grundsätzliche Abkehr von der Naherwartung liegt aber nicht vor. Der Verfasser weiß sich in der Endzeit lebend. Er dämpft die apokalyptische Hochspannung der Schwärmer, schiebt die Naherwartung aber mit dem Hinweis auf die jetzt schon wirksame Macht des Widergöttlichen nur um ein Stück hinaus. Eine missionarische Absicht ist nicht festzustellen.

6) Anders als in 1Thess sind Todesfälle und Trauer hier nicht angesprochen. Dage-gen wird erkennbar, daß die Gemeinde oder ein Teil von ihr apokalyptischer Schwär-merei verfällt. Eine ausgesprochene Irrlehre liegt nicht vor. Eher ist es so, daß sich die Gemeinde in ein schwärmerisches Denken verrennt, das für gegenwärtige Aufga-ben keinen Raum mehr läßt. Der Verfasser stimmt mit den Schwärmern darin überein, daß das Heil nur von der Zukunft zu erwarten ist. Wie sie denkt auch er in apokalyptischen Bahnen und versucht, die falsche Ansicht gerade mit apokalypti-schen Mitteln zu dämpfen. Die Eschatologie des Briefes ist von der Situation der Adressaten weit weniger entfernt, als es beim ersten Lesen scheint. Für den Verfas-ser hat allerdings die Gegenwart eine unaufgebbare Funktion: sie ist die Zeit der Bewährung für das Eschaton. Mit dieser Auffassung vertritt er der Gemeinde gegen-über ein im Kern paulinisches Anliegen, wenn auch in deutlich anderer Akzentu-ierung als Paulus.

3.4 Die eschatologischen Aussagen im Kolosserbrief

In Kol ist die Parusie Christi oder das Ergehen der Christen in der Zukunft nicht in gleicher Weise thematisiert wie in 1.2Thess. Die Parusie ist in 3,4 nur angedeutet; von der Hoffnung ist in 1,5.23.27 die Rede, dort ist eine futurische Dimension aber nur skizziert. Öfters finden sich Hinweise, die vom Heil in der Gegenwart sprechen (1,13f.22.27; 2.6.10.2ff; 3.1). Offensichtlich sind in 3,1-4 die Aussagen der beiden ersten Kapitel zusammengefaßt. Deshalb empfiehlt es sich, mit diesem Abschnitt einzusetzen. Seine vielfältigen Beziehungen im Kontext des gesamten Briefes, beson-ders zum Hymnus und den Taufaussagen in 2,11f können in diesem Kapitel zur Eschatologie nur angedeutet werden. Kosmologie und Taufe und ihr Verhältnis zur Eschatologie sind in einem eigenen Kapitel zu behandeln.

3.4.1 Kolosser 3,1-4

3,1-4 verbinden als Übergangsabschnitt den ersten, lehrhaften Briefteil mit dem zweiten, paränetischen ⟨239⟩.

οὖν 3,1 (vgl 2,6.16; 3,5.12) setzt die Aussage 2,12f voraus. Auch συνηγέρθητε nimmt 2,12f auf, ἀπεθάνετε γάρ 3,3 ebenso (vgl 2,20). Auch τὰ ἄνω und τὰ ἐπὶ τῆς γῆς nehmen Bezug auf die beiden ersten Kapitel. τὰ ἄνω ist eine Zusammen-fassung dessen, was dort über die Herrschaft Christi gesagt ist und τὰ ἐπὶ τῆς γῆς ist summarischer Ausdruck für das, was die Irrlehre kennzeichnet. Zugleich weisen diese Begriffe auch auf das Folgende voraus. συνηγέρθητε bereitet die Aus-sagen vom Anziehen des neuen Menschen vor; ἀπεθάνετε wird mit νεκρώσατε 3,5

⟨239⟩ So SCHWEIZER, Kol, S.130; GRÄSSER, Kol 3,1-4, S.146; LÄHNEMANN, Kolosserbrief, S.30f, LOHSE, Kol, S.197.

und dem ganzen Abschnitt 3,5-11 weitergeführt. τὰ ἄνω dient als "Überschrift" für die Darstellung des neuen Menschen, τὰ ἐπὶ τῆς γῆς für den Lasterkatalog.

Die terminologische Verknüpfung macht die inhaltliche Verbindung und die Gelenkfunktion des Abschnittes deutlich. Auffällig ist in 3,1 wie in 2,12 die Zeitform des Verbs (Aorist pass). Im Vergleich mit Röm 6,4f zeigt sich die Besonderheit dieser Formulierung . Daß eine Verwandtschaft vorliegt, ergibt sich - neben der gleichen Thematik - hauptsächlich daraus, daß hier wie dort vom Mitbegraben-Werden (Kol 2,12; Röm 6,4), nicht aber vom Mitsterben oder Mitgekreuzigt-Werden die Rede ist ⟨240⟩. Bezieht Paulus in Röm 6,4f die Zeitform der Vergangenheit aber nur auf das Mitgestorben-Sein mit Christus in der Taufe (vgl Röm 8,1-17; 2Kor 4,14; 1Kor 15), findet sie sich in Kol 2,12; 3,1 auch bezogen auf das Mitauferweckt-Werden (συνηγέρθητε). In der Taufe ist auch die Auferstehung der Christen schon geschehen ⟨241⟩. Diese Differenz gegenüber Paulus ist äußerst bedeutsam und darf nicht nivelliert werden ⟨242⟩. Auf dem Geschehen-Sein der Auferstehung liegt in 2,12 gerade der Akzent und diese Aussage wird in 3,1 aufgenommen. Hinzu kommt, daß das Verb συνεγείρω neben Kol 2,12; 3,1 nur noch in Eph 2,6 begegnet ⟨243⟩. Der andere Akzent gegenüber Paulus tritt offen zutage. Es liegt eine Neuakzentuierung des paulinischen Denkens vor, wobei Röm 6 nicht unbeträchtlich verändert wird ⟨244⟩.

Es ist nun zu fragen, in welchem Zusammenhang die Auferstehungsaussage im Kol selbst steht. Hierfür ist ein Blick auf das kolossische Selbstverständnis unerläßlich. Ausdrücklich setzt sich der Verfasser des Briefes mit der Philosophie der Kolosser in 2,6-23 auseinander, wenngleich der ganze Brief durch die Gegnerschaft zur Häresie bestimmt ist. Verschiedene Elemente der Häresie lassen sich erkennen. Dazu gehören bestimmte Speise- und Festgebote (2,16f; in V.21f sind sie als Tabu-Gebote formuliert), Demut ⟨245⟩ und die Verehrung von Engeln (2,18). Möglicherweise spielt sexuelle Enthaltsamkeit eine Rolle (μὴ ἅψῃ V.21). Die schwierige Wen-

---

⟨240⟩ Daß in 6,4 Tradition aufgenommen ist, zeigt sich daran, daß συνετάφημεν wohl im grundlegenden Satz 6,4, nicht aber im paulinischen Kontext der V.3 und 5ff begegnet (SCHWEIZER, Kol, S.111, Anm 343; vgl KÄSEMANN, Röm, S.158). Zur Auslegung von Röm 6 und zur Taufthematik insgesamt vgl unten, S.87ff.

⟨241⟩ In 2,12 ist bei dem Relativpronomen ἐν ᾦ fraglich, ob es sich auf Christus oder die Taufe bezieht. LOHSE, Kol, S.156, Anm 4 tritt für Christus ein, da ἐν ᾦ auch sonst stets auf Christus bezogen sei (vgl GRUNDMANN, Artikel σύν, S.793, Anm 122). Wegen der Satzstruktur wird man aber doch mit SCHWEIZER, Kol, S.113 das ἐν ᾦ in Zusammenhang mit ἐν τῷ βαπτίσματι sehen müssen.

⟨242⟩ PERCY, Probleme, S.110 sieht in den Zukunftsaussagen in Röm 6 logische Futura, verdirbt damit aber die paulinische Dialektik (vgl GRÄSSER, Kol 3,1-4, S.150, Anm 32). OEPKE, Urchristentum, S.104f sieht Kol 2,12f als "authentischen Komentar" zu Röm 6 (vgl auch SCHNACKENBURG, Baptism, S.70).

⟨243⟩ GRÄSSER, Kol 3,1-4, S.149 weist auf die Entwicklung hin, die sich in Röm 6 - Kol 2,12; 3,1 - Eph 2,6 dokumentiert. Bei Paulus gibt die Taufe Anteil am Sterben Jesu und begründet die Hoffnung auf die Auferstehung mit ihm. Für Kol ist die Auferstehung schon in der Taufe konstituiert. In Eph 2,6 erscheint die Taufe als "Einbeziehung in die große göttliche Heilsaktion" (SCHNACKENBURG, Eph, S.95), mit der Eph zugleich die Einsetzung im Himmel gegeben sieht.

⟨244⟩ GRÄSSER, Kol 3,1-4, S.150 meint: nicht Röm 6 wird kommentiert, sondern "mit Hilfe von Röm 6 wird das kol Welt- und Heilsverständnis gültig interpretiert, wobei Röm 6 dann beträchtlich alteriert wird"..."Die Gemeinde ist der 'Text', mit dessen Hilfe Röm 6 existential interpretiert wird". Hier ist Vorsicht geboten. Der 'Text', die Tradition, ist paulinisch. Die Gemeinde ist der Adressat, auf den hin sich der Text dann in der Tat verändert.

⟨245⟩ ταπεινοφροσύνη ist vermutlich ein kolossisches Schlagwort und meint die Demut, die man durch Fasten zeigt (SCHWEIZER, Kol, S.122). Vgl das Fasten als Ausdruck der Beugung des Menschen vor Gott in Lev 16,29.31; 23,27.29 (GRUNDMANN, Artikel ταπεινός , S.7).

dung & ἑόρακεν ἐμβατεύων (2,18) läßt auf einen Mysterienritus schließen <246>. Das Stichwort φιλοσοφία ist eine eigene Kennzeichnung der kolossischen Lehre durch ihre Anhänger <247>. Die genannten Merkmale der kolossischen Lehre sind als Vorschriften und Satzungen (vgl δόγματα 2 ,14.20) <248> Bestandteile der Philosophie. Der wichtigste Begriff der kolosssischen Lehre tritt uns aber in den στοιχεῖα τοῦ κόσμου gegenüber (2,8.20) <249>: an beiden Stellen wird das Christusgeschehen ganz betont als Gegenpol zu den στοιχεῖα angeführt. Außerdem begegnet der Begriff in ebenfalls betonter Weise am Beginn der Auseinandersetzung (2,8) und in dem begründenden Satz 2,20.

Aus dem Kontext ergeben sich Hinweise für das Verständnis der στοιχεῖα: zwischen ihnen, den ἀρχαὶ καὶ ἐξουσίαι und den ἄγγελοι besteht ein Zusammenhang <250>. Die Kontextbezüge machen deutlich: die στοιχεῖα stehen im Gegensatz zu Christus (2,8). In ihrem Bereich werden Satzungen auferlegt. Diese Bezüge erwecken den Eindruck von Wesen und personalen Mächten, die bestimmte Forderungen gesetzlicher Art stellen <251>. In diesem Zusammenhang ist an personhaft vorgestellte Weltelemente zu denken oder an Gestirne, die ebenfalls als Personen vorgestellt werden können <252>. Gegenüber dem Einwand, daß vergleichbare Texte erst ab dem 2. christlichen Jahrhundert literarisch faßbar sind, muß man berücksichtigen, daß aus späteren Texten ältere Überlieferungen durchaus erschlossen werden können <253 >.

SCHWEIZER geht in seiner Deutung von der empedokleischen Lehre der vier Elemente aus, die zur Zeit des NT mehrfach diskutiert wird, vor allem unter dem Aspekt des Kreislaufs und des Kampfes der Elemente, in die der Mensch einbezogen ist <254>. In einem pythagoreischen Text des 1. vorchristlichen Jahrhunderts <255> findet SCHWEIZER eine direkte Parallele zu den Aussagen des Kol, bei der lediglich die Sabbatheiligung fehlt. Die Parallele hat hat viel für sich, wird aber der Beobachtung nicht voll gerecht, daß im Zusammenhang von Kol 2 und Gal 4 die στοιχεῖα in die Nähe personaler Darstellung gerückt werden. Auch in der jüdischen Apokalyptik gibt es eine Verbindung von Engeln und Gestirnsmächten <256>. Dies verweist auf die Frage, ob es sich bei der kolossischen Irrlehre um ein synkretistisches oder um ein judaistisches System handelt <257>. Im einzelnen kann dies hier nicht dargestellt

<246> ἐμβατεύειν ist ein Begriff der Mysteriensprache (Betreten des Heiligtums zum Vollzug der Weihehandlung und zum Empfang der Mysterien, LOHSE, Kol, S.176). Die Kürze des Ausdrucks erschwert eine genaue Deutung. Möglicherweise widerfährt dem Mysten in der Weihe die Schau kosmischer Zusammenhänge (LOHSE, ebd, S.177f).
<247> Vgl hierzu unten, S.117.
<248> Vgl hierzu unten, S.124
<249> Die Antithese zu κατὰ Χριστόν macht es sehr wahrscheinlich, daß hier ein Stichwort der kolossischen Philosophie aufgenommen ist (LOHSE, Kol, S.149). Hierfür spricht auch, daß στοιχεῖα in Gal 4,3.8-10 innerhalb der Auseinandersetzung mit der galatischen Irrlehre begegnet. Zwar kann man die galatische Irrlehre mit der in Kolossae nicht einfach gleichsetzen und sicher war die jüdische Komponente in Galatien stärker. Das ἦμεν und ἤμεϑα in Gal 4,3 könnte darauf hindeuten, daß Paulus hier die Worte selbst einführt, um die eigene Vergangenheit zu deuten. Paulus versteht aber die vorchristliche Situation sowohl auf jüdischer wie auf heidnischer Seite "in gleicher Weise als Dienst an den elementaren Kräften des Kosmos" (SCHLIER, Gal, S.193), so daß er den gegnerischen Begriff sehr wohl auf die eigene Vergangenheit beziehen kann.
<250> So LOHSE, Kol, S.150, Anm 1; WENGST, Versöhnung, S.15f; gegen BLINZLER, Lexikalisches, S.432ff; DELLING, ebd S.685ff. Zur Literatur vgl die Angaben bei DELLING, ebd, S.170; SCHWEIZER, Elemente, S.147f und ders., Forschung, S.173-176. Vgl ebenso MUSSNER, Gal, S.193ff; LÄHEMANN, Kolosserbrief, S.63ff.
<251> Diesen Eindruck legt auch Gal 4,3ff nahe, indem die στοιχεῖα in Verbindung stehen mit ἐπίτροποι καὶ οἰκονόμοι (V.2) und sie in V.8 negativ als φύσει μὴ οὖσιν ϑεοῖς beschrieben sind. In V.3 erscheinen erscheinen sie als Mächte, die die Macht zum Versklaven haben.
<252> Das religionsgeschichtliche Material ist vielfach abgedruckt, vgl die knappe Auswahl bei LOHSE, Kol, S. 146ff; ausführlich DELLING, Artikel στοιχεῖον, S.670-682. SCHLIER, Gal, S.191f deutet die στοιχεῖα als Gestirnsgeister; LOHSE, Kol, S.149 eher als Elementargeister (vgl auch BORNKAMM, Häresie, S.139f).
<253> So LOHSE, Kol, S.150, Anm 1 gegen BLINZLER, ebd, S.439.
<254> Plutarch (Is et Os 63 - II 37 6D), Philo (Fac Lun 28-30; Def Orac 10). Bei beiden geht es um ein Aufsteigen der Seele aus dem Bereich der Elemente, wobei Askese eine wichtige Rolle spielt; vgl SCHWEIZER, Kol, S.101ff
<255> DIELS, Fragmente I, 448,33 - 451,19.
<256> Angaben hierzu finden sich besonders bei SCHLIER, Gal, S.192f.
<257> Vgl SCHWEIZER, Kol, S.100. Die verschiedenen Deutungen sind zusammgefaßt bei LÄHNEMANN, Kolosserbrief, S.63ff; vgl auch ERNST, Gegenspieler, S.215ff.

werden. Wichtig ist freilich, daß in Kol und in Gal heidnische Vorstellungen und Forderungen des jüdischen Gesetzes nebeneinander auftauchen. Daß Paulus hierbei ursprünglich heidnische Forderungen aus seinem Blickwinkel im Licht jüdischer Gesetzlichkeit (über)interpretiere <258>, braucht dann nicht angenommen zu werden, wenn man das Phänomen der galatischen wie der kolossischen Irrlehre wirklich als synkretistisches sieht, in das auch jüdische Elemente Eingang gefunden haben. Die Verehrung der Elemente und der Dienst an ihnen legte ihre Personifizierung nahe. Zu bedenken ist auch, daß es sich bei der kolossischen Philosophie offenbar um eine Häresie christlicher Spielart handelt. Die Häretiker zweifelten wohl nicht an der Heilsbedeutung Christi, sahen aber neben ihm und gegen ihn noch Mächte am Werk. Ihre Forderungen zu erfüllen, sahen sie als Erlösungsweg zu Christus hin an. Das ἀπεθάνετε σὺν Χριστῷ Kol 2,20 läßt sich auf diesem Hintergrund in Richtung auf Askese und Lösung von der Welt durchaus interpretieren, wobei man sich möglicherweise die Taufe als Weihe vorstellen kann, die den Eingeweihten über den Dienst an den στοιχεῖα den Weg zum Heil weist. Das Mitsterben in der Taufe könnte so in der kolossischen Philosophie eine Rolle spielen und wäre zugleich der Ansatzpunkt synkretistischen Gedankenguts.

3,1ff ist auf diesem Hintergrund verständlich. Im Gegensatz zur kolossischen Philosophie legt der Verfasser des Kol alles Gewicht darauf, daß mit der Taufe den Getauften das Heil schon eröffnet ist: denn sind sie mit Christus gestorben und begraben (3,3; 2,12 - was die Häretiker in asketischer Hinsicht wohl übernehmen konnten), so sind sie auch mit Christus auferweckt. Mit diesem Geschehen sind die Mächte entmachtet, ihre Satzungen aus dem Weg geräumt (2,13-15), ihre Heilsnotwendigkeit abgetan. Von hier aus muß die Akzentuierung des Kol im Gegenüber zu Röm 6 beurteilt werden. Das paulinische Noch-Nicht war im kolossischen Welt- und Erlösungsverständnis ungenügend geworden, weil gerade hier der Ansatzpunkt der kolossischen Philososphie lag. Kol nimmt deshalb die paulinischen Taufaussagen auf und interpretiert sie im Blick auf das Weltverständnis der kolossischen Häresie neu.

Mit τὰ ἄνω ζητεῖτε und φρονεῖτε zieht **3,1f** aus dem Auferweckt-Sein die Konsequenz.

Diese Formulierung begegnet in den Paulinen so nicht. Vom oberen Jerusalem (Gal 4,25) spricht Paulus bezeichnenderweise nicht als Gegensatz zum "unteren", sondern zum "jetzigen". Auch bei der ἄνω κλῆσις (Phil 3,14) ist mit οὐχ ὅτι ἤδη ἔλαβον die zeitliche Differenz betont und ebenso in 2.Kor 4,18. Mit dem räumlichen Begriff des "Oben" interpretiert Paulus also die zeitliche Differenz und die eschatologische Erwartung.

Das, was oben ist, steht dem ἐπὶ τῆς γῆς entgegen: es ist die obere, göttliche Welt, die im Gegensatz zur unteren das Eigentliche, Bleibende und Wirkliche darstellt <259>. Die untere dagegen ist nur ein Schatten der oberen (2,17) <260>. Die Sehnsucht, an der oberen Welt teilzuhaben, ist dem hellenistischen Menschen eigen, denn "die γῆ ist zum Ggs. zum ἄνω der Sitz aller ird. Schwäche und Minderwertigkeit" <261>. Deshalb soll der Mensch τὴν πρὸς τὰ ἄνω ὁδόν suchen (Corp.Herm. 4,11) und ἀπὸ γῆς πρὸς οὐρανόν gehen (Philo Spec leg 1,207) <262>. Es geht nicht um ein zukünftiges Ziel, sondern um das Jenseitige und Transzendente.

Parallel wird in Kol der Begriff ἐλπίς verwendet. Nach 1,5 liegt ἐλπίς im Sinn von Hoffnungsgut im Himmel schon bereit. Zwar steht der Begriff noch in jüdisch-apoka-

---

<258> Diese Möglichkeit klingt bei *SCHWEIZER*, Kol, S.101 an.

<259> Vgl *GRÄSSER*, Kol 3,1-4, S.165. Zum hellenistischen, besonders von Plato beeinflußten Weltbild vgl ebd, S.154ff.

<260> Zu σκιά vgl *SCHULZ*, Artikel σκιά, S.397ff. Bei σκιὰ τῶν μελλόντων ist freilich die eschatologische Dimension terminologisch gewahrt.

<261> *BAUER*, Wörterbuch, Sp.312, mit Stellenangaben.

<262> *LOHMEYER*, Kol, S.134 hat hier auf das Schema von Urbild und Abbild hingewiesen, demzufolge τὰ ἄνω ζητεῖν auf die Vereinigung mit dem himmlischen Doppelgänger abziele. Dies kann allenfalls zum weiten Umfeld des Gedankens gehören. Zu dem mythologischen Hintergrund der Formulierung vgl *GRÄSSER*, Kol 3,1-4, S.157f.163f.

lyptischer und damit auch in paulinischer Tradition, aber an die Stelle zeitlichen Denkens ist ein räumliches, sphärenhaftes getreten <263>. Dabei ist bedeutsam, daß in 1,5 nicht die Hoffnung durch den Glauben, sondern der Glaube durch dieses Hoffnungsgut begründet wird <264>. Deshalb kann ἐλπίς in 1,5 das Evangelium schlechthin bezeichnen und umschrieben werden mit dem Stichwort μυστήριον (1,26f), das seit Äonen und Geschlechtern verborgen war, jetzt aber als "Christus in euch" offenbar ist <265>. Der zeitliche Sinn der Wendung (νῦν δὲ ἐφανερώθη) ist dabei nicht aufgegeben, aber überlagert von einer Anschauung, die in Sphären denkt <266>. In diesen Rahmen fügt sich auch Kol 1,23 ein. Wie in 1,5 steht ἐλπίς für Evangelium und ist wie dort die bereitliegende Hoffnung im objektiven Sinn <267>. Die Stelle liest sich wie eine Vorstufe zu Eph 1,18ff, wo diese Hoffnung der Berufung ekklesiologisch interpretiert in der Kirche als dem Leib Christi erkannt wird. Sie wird bezogen auf den jenseitigen Ort, an dem sie als Hoffnungsgut schon jetzt für die Glaubenden bereitliegt.

Der Zusammenhang von Indikativ und Imperativ ist beibehalten. Die Kolosser sollen das, was droben ist, suchen. ζητέω und mehr noch φρονέω <268> meinen das Sinnen und Trachten, das Ausgerichtet-Sein des Menschen. Dies ist eng mit dem verwoben, woher der Mensch bestimmt ist und seinen Grund hat. Hinter der Formulierung stehen Aussagen wie Röm 8,5 und Phil 3,19; 2,5. Das Heilsgeschehen in Christus gibt dem Leben der Getauften eine neue Richtung, ein neues Bestimmt-Sein. Von hier aus gewinnt das "oben" seine imperativische Bedeutung: "oben" ist nicht nur der Ort, an dem das Heil objektiv vorhanden ist, sondern ebenso der Einflußbereich, in dem der Getaufte nun steht <269>. μὴ τὰ ἐπὶ τῆς γῆς fügt konkretisierend die Negation hinzu. Das Mit-Auferweckt-Sein der Christen hebt nicht auf, daß ihr Ort noch nicht "oben" ist, und der Imperativ tritt notwendig zum Indikativ hinzu. Hierin nimmt der Verfasser des Kol genuin paulinisches Denken auf.

τὰ ἄνω ist in V.1 mit einer Partizipialwendung näher umschrieben. Formuliert ist im Anschluß <270> an Ps 110,1. Diese Stelle nimmt in der urchristlichen Schrift-

----

<263> Vgl hierzu BORNKAMM, Hoffnung, S.208.211.
<264> Ebd S.207; SCHWEIZER, Kol, S.36.
<265> Zum Revelationsschema vgl unten, S. 229f.
<266> Die Nähe der Aussagen des Kol zu Eph 3,5.9 macht das Denken in Einflußsphären vollends deutlich, vgl BORNKAMM, Hoffnung, S.208ff. Kol steht hier deutlich näher bei Eph als bei Paulus.
<267> So SCHWEIZER, Kol, S.78; LOHSE, Kol, S.109; BORNKAMM, Hoffnung, S.211. SCHWEIZER, Erniedrigung, S.130ff hat mit Recht darauf aufmerksam gemacht, daß räumliche Vorstellungen auch im jüdischen Denken begegnen. Bei den Rabbinen spielt der Gegensatz zwischen oben und unten (לְמַעְלָה / לְמַטָּה) eine Rolle (vgl STR-BILL II, S.430f; III, S.360; gegen GRÄSSER, Kol 3,1-4, S.155). In Kol 1,12 (εἰς τὴν μερίδα τοῦ κλήρου τῶν ἁγίων ἐν τῷ φωτί klingen apokalyptische Vorstellungen an (vgl SCHWEIZER, Kol, S.47). Der Akzent liegt in Kol aber auf dem Denken in Räumen und das zeitliche Schema ist hierin einbezogen (vgl BORNKAMM, Hoffnung, S.230, Anm 7).
<268> Zu ζητέω GREEVEN, Artikel ζητέω, S.895f; LINK, Artikel ζητέω, S.1190f. Es ist hier nicht die griechische Bedeutung von Suchen im Sinne von Streben nach Erkenntnis gemeint, sondern das Sich-Ausrichten, das "willentliche Trachten und Begehren" (LINK, ebd, S. 1191). Zu φρονέω vgl besonders BERTRAM, Artikel φρονέω, S 227ff.
<269> So auch SCHWEIZER, Kol, S.133.
<270> HAHN, Hoheitstitel, S.130 hat darauf aufmerksam gemacht, daß alle nt.lichen Belege, die das Sitzen zur Rechten Gottes im Blick auf Jesu Erhöhung aufnehmen, auf Grund eines durchgängig geprägten Aussagenstils gewisse Abweichungen vom at.lichen Grundtext aufweisen. Bei Paulus ist Ps 110,1 zitiert in Röm 8,34. Die Stelle begründet dort das Eintreten Christi für uns. In 1Kor 15,25 ist mit Ps 110,1b die Erhöhung Christi und seine Herrscherstellung beschrieben (vgl zur Aufnahme von Ps 110,1 im NT insgesamt HAHN, ebd, S.126-132). In Mk 14,62 ist das Sitzen zur Rechten Gottes mit dem Kommen des Menschensohnes auf den Wolken verbunden. Im Zusammenhang mit Ps 110,1a tritt diese eschatologische Komponente an den anderen nt.lichen Stellen in den Hintergrund und ist, wenn noch vorhanden, eher an Ps 110,1b gebunden. Die Ent-Eschatologisierung der Aussage ist dann (in Verbindung mit Ps 8,7) in Eph 1,20-22a gegeben. Interessanterweise findet

theologie eine hervorragende Stellung ein. Eph 1,20 ⟨271⟩ und 1Petr 3,22 kommen dabei Kol 3,1 besonders nahe. Diese Parallelen wie der gesamte Kontext des Kol zeigen, daß das Sitzen zur Rechten Gottes in 3,1 die Herrschaft Christi über allen anderen Mächten betont. Seine Auferstehung ist als Erhöhung interpretiert und τὰ ἄνω ist sein Herrschaftsbereich, der alle anderen Herrschaften relativiert. Damit gewinnt das traditionelle Bekenntnis einen neuen Akzent - wie umgekehrt auch τὰ ἄνω mit einem Inhalt gefüllt wird, der dem urchristlichen Credo von Anfang an zugehörig war ⟨272⟩. Das hellenistische Denken in Sphären wird, da Christus selbst in die höchste Sphäre erhöht ist, mit Hilfe des at.lichen Zitates dem traditionellen christlichen Denken angenähert. Im Mit-Auferweckt-Sein in der Taufe haben die Christen Anteil an der oberen Welt. Sie können sich, obwohl noch "unten" lebend, doch schon nach droben ausrichten.

ἀπεθάνετε γάρ **V.3** schließt an τὰ ἐπὶ τῆς γῆς an. Die V.2 und 3 haben einen chiastischen Aufbau, bei dem die beiden mittleren und die beiden äußeren Satzglieder jeweils aufeinander bezogen sind. Aus dem ἀπεθάνετε wie aus dem συνηγέρθητε (3,1) wird die gleiche Konsequenz gezogen, sich auf die obere Welt auszurichten. Das Heil ist dort als Realität bereit. Es wird mit dem absoluten ἡ ζωή umschrieben. Dabei ist συνεζωοποίησεν 2,13 zu beachten. Daß dort vom Glauben die Rede ist (διὰ τῆς πίστεως 2,12), ist von Bedeutung: das Leben ist nicht eine für alle offenbare Realität und das συνηγέρθητε in 2,12; 3,1 gilt nicht im Sinne der in 2Tim 2,18 abgewiesenen Auffassung (λέγοντες ἀνάστησιν ἤδη γεγονέναι). Die Realität des Auferstehungslebens ist objektiv, aber verborgen (κέκρυπται) ⟨273⟩. 1,26 und 2,3 erläutern die Stelle. Ausdruck für das Heil ist beide Male μυστήριον, dessen Nähe zu ἐλπίς in 1,26 deutlich wurde. Daß die Offenbarung des Geheimnisses auch nach 1,26 keine allgemeine ist, macht der Zusatz εν τοῖς ἁγίοις deutlich. Mit anderen Worten entspricht dies dem διὰ τῆς πίστεως von 2,12. In diesem Zusammenhang ist auch die Formel σὺν τῷ Χριστῷ ἐν τῷ θεῷ (V.3) zu verstehen. σύν ist beeinflußt (vgl V.4) von den verwendeten Komposita mit σύν in 2,12f und 3,1. ἐν τῷ θεῷ ist dagegen lokal zu verstehen. In Gott ist das Leben der Christen verborgen, aber es ist in ihm gegenwärtige Realität. Die ζωή entspricht somit dem, was von der Hoffnung gesagt ist.

Das Offenbar-Werden des Heils ist mit der Erscheinung Christi verbunden (**V.4**). Die zeitliche Dimension des ὅταν-τότε steht außer Zweifel. Dieser Zeitpunkt ist mit der Parusie Christi gegeben. Bezeichnenderweise fehlt aber dieses Stichwort - nicht nur

----
sich gerade im räumlich geprägten Denken des Kol noch eine Verbindung der Erhöhungsvorstellung anhand von Ps 110,1 mit der Parusie (3,4).
Die These HAHNs (ebd, S.112f), die Erhöhungsvorstellung sei erst im hellenistischen Judenchristentum anhand von Ps 110,1 entstanden, hat manchen Widerspruch erfahren (vgl VIELHAUER, Weg, S.42ff.46ff; CONZELMANN, Grundriß, S. 87; THÜSING, Erhöhungsvorstellung, S.43; LINDEMANN, Aufhebung, S.82ff). Tatsächlich wird die Erhöhungsvorstellung schon mit der Auferweckung Jesu verbunden gewesen sein. Auch ist sie nicht durchgängig mit Ps 110,1 verknüpft, wie Röm 1,3f und Phil 2,9ff zeigen. Ps 110,1 erwies sich aber als geeigneter Schriftbeweis für die Erhöhung.

⟨271⟩ καὶ παντὸς ὀνόματος κτλ ist zusammenfassender Ausdruck für die genannten Mächte, vgl SCHNACKENBURG, Eph, S.77. Die Vierzahl der Mächte macht die Beziehung zu Kol 1,16 wahrscheinlich. Mit der Auferstehung Christi ist sein Sitzen zur Rechten Gottes bereits gegeben.
⟨272⟩ Vgl GRÄSSER, Kol 3,1-4, S.157.
⟨273⟩ κέκρυπται ist nicht mit "aufbewahren" zu übersetzen, wie MOULE, Kol, S.112 vorschlägt (vgl dagegen LOHSE, Kol, S.195 Anm 1). Der Vorbehalt ist paulinisch, nicht aber die Art und Weise, wie er vorgebracht wird.

hier, sondern im ganzen Brief. An seine Stelle tritt die öffentliche Erscheinung des Herrn. Daß gerade dieses Wort gebraucht wird, ist nicht zufällig: denn der Gegensatz von Verborgenheit und Offenbar-Werden bestimmt ja den ganzen Abschnitt <274>. Gleichwohl ist φανερωϑῆναι als Bezeichnung für die Parusie ungewöhnlich und bezeichnet eine Abkehr von der apokalyptischen Ausgestaltung der Parusie <275>. Die zeitliche Komponente ist insofern gewahrt, als das gegenwärtige Leben nicht in enthusiastischem Sinn überhöht wird. Die Christen leben noch nicht "oben". Dies wird erst bei dem Offenbar-Werden Christi so sein, bei dem die jetzt schon reale, aber noch verborgene christliche Existenz als Heilsexistenz in der göttlichen Sphäre vor aller Welt erscheinen wird. Für eine apokalyptische Ausgestaltung bietet die Konzeption keinen Platz, denn die grundlegende christologische Aussage ist die gegenwärtige Herrschaft Christi über alle Mächte.

Daß Christus als ἡ ζωὴ ἡμῶν <276> bezeichnet wird, findet sich bei Paulus so nicht. In Gal 2,20 führt er ζῇ δὲ ἐν ἐμοὶ Χριστός durch ἐν πίστει ζῶ weiter aus. Das Verb macht dabei die eschatologische Existenz als ein Leben im Vollzug deutlich. Demgegenüber betont die substantivische Formulierung Χριστὸς ἡ ζωὴ ἡμῶν hier das Leben als eschatologische Gabe schlechthin (vgl V.3), die unlösbar mit Christus verbunden ist: Christus selbst ist dieses Hoffnungsgut <277>. Wie der Begriff φανέρωσις apokalyptische Aussagen abblendet, so fehlt bei der ζωή ein Hinweis auf die Totenauferweckung. Statt dessen beschreibt φανερωϑῆναι auch die Zukunft der Christen. Die futurische Zeitform begegnet in Kol nur noch in der Paränese 3,24 <278>. Sie ist des eschatologischen Vorbehalts wegen wichtig, steht aber im Dienst des räumlichen Vorstellungshorizontes <279>. φανερωϑῆναι zeigt dabei den Wandel gegenüber Paulus. Dessen Aussagepaar "Mit Christus gestorben – mit Christus auferweckt werden" ist geändert in "mit Christus gestorben und auferweckt – mit ihm offenbar werden, erscheinen". Was die Qualität dieses zukünftigen Lebens angeht, so liegt sie darin, "daß das Teilhaben an Christi Leben dann ohne Vorbehalt alles bestimmt, ganze, volle Gemeinschaft mit ihm bedeutet" <280>.

Dies wird ἐν δόξῃ geschehen. Nach 1,11.27 gehört δόξα zum Bereich Gottes und Christi. Insofern der Begriff die Teilhabe der Christen am göttlichen Heil bezeichnet, steht er gleichwertig neben ἐλπίς, ζωή und κληρονομία. Für sich genommen betont δόξα mehr die Herrlichkeit Gottes selbst <281>. Deshalb kann in 1,27 von der ἐλπίς

<274> Vgl SCHWEIZER, Kol, S.134; BULTMANN/LÜHRMANN, Artikel φαίνω, S.5. Für die Parusie wird das Revelationsschema nur in 1Petr 5,4; 1Joh 2,28 verwendet. In 1Joh 2,28 wird παρουσία parallel gebraucht.
<275> Im Revelationsschema 1,25-27 klingt apokalyptische Sprache an (vgl LOHSE, Christusherrschaft, S.270; BORNKAMM, Artikel μυστήριον, S.821ff). Ob hinter 1,24b apokalyptische Vorstellungen stehen (so LOHSE, ebd), ist mit SCHWEIZER, Kol, S.85 mindestens fraglich. Die Sprache ist wohl apokalyptisch gefärbt, nicht aber die Denkweise.
<276> Die Lesart ὑμῶν ist mit LOHSE, Kol, S.196 Anpassung an die den Abschnitt bestimmende Form der Anrede.
<277> Vgl SCHWEIZER, Kol, S.135.
<278> In 3,24 liegt strukturell die gleiche Aussage vor. κληρονομία ist vergleichbar mit ἐλπίς und ζωή und meint das im Himmel bereitliegende Erbteil. Um dieses Erbteil nicht zu verscherzen, bedarf es des christlichen Wandels. τῷ Χριστῷ δουλεύετε schließt deshalb imperativisch an.
<279> Vgl GRÄSSER, Kol 3,1-4, S.159f. Es werden zwei heterogene eschatologische Konzeptionen einander angeglichen.
<280> SCHWEIZER, Kol, S.135.
<281> Die Häufung gleichwertiger Wörter in 1,11.27 versucht, die Fülle des göttlichen Bereichs auszudrücken.

τῆς δόξης die Rede sein, der "Vorgabe der Herrlichkeit" ⟨282⟩. Sie wird den Christen aber nur mit Christus zuteil (σὺν αὐτῷ), er allein ist "unser Leben". Ohne diesen christologischen Bezug ist die Existenz der Christen weder jetzt noch dann denkbar.

3.4.2) Der Hymnus in Kolosser 1,15-20 als Begründung der Eschatologie

3,1-4 faßt als Übergangsabschnitt die beiden ersten Kapitel des Briefes zusammen und leitet über zur Paränese. Daß seine Ausführungen auf dem Hintergrund der Auseinandersetzung mit den Irrlehrern in 2,6-23 zu interpretieren sind, ist deutlich geworden. Seine eschatologische Aussage erwächst dabei aus der christologischen Erkenntnis, daß mit der Auferstehung Christi die Herrschaft jeglicher anderen Macht abgetan ist. Diese christologische Erkenntnis kommt – für den ganzen Brief grundlegend – im Hymnus 1,15-20 zur Sprache. Der Hymnus gibt mit seinem Verständnis von Kosmologie und Soteriologie die Voraussetzung für das Verständnis der Eschatologie. Die vielen Detailfragen können hier nicht im einzelnen untersucht werden. Es muß ein Überblick genügen. Dabei sind die Verbindungslinien zwischen dem Hymnus und den eschatologischen Aussagen des Briefes aufzuzeigen. Daß in 1,15-20 ein vom Verfasser übernommener Hymnus vorliegt, ist eine exegetisch erwiesene Tatsache ⟨283⟩. Sprache und Stil ⟨284⟩ und die hymnische Gestaltung weisen auf ein übernommenes Lied hin. Es finden sich in diesen Versen auch christologische Aussagen, die über das hinausgehen, was der Kontext an Christologie bietet. Daß dieser Kontext einen Rahmen um den Hymnus bildet (V.12-14.21-23), kann ebenfalls als gesichert gelten: hier finden sich die üblichen Stilmerkmale des Kol in ausgeprägter Weise ⟨285⟩. Die Rahmenverse interpretieren den Hymnus und wenden ihn auf die Gemeinde an. An der Zweistrophigkeit des Liedes sollte man nicht mehr zweifeln ⟨286⟩.

Beide Strophen beginnen relativisch mit ὅς ἐστιν (V.15.18b) und entsprechen sich in den Bestimmungen πρωτότοκος πάσης κτίσεως (V.15) und πρωτότοκος ἐκ τῶν νεκρῶν (V.18b). Sie werden jeweils von einem Begründungssatz fortgeführt. Es schließt sich eine Aussage über Christus als das Ziel und die Erlösung des Alls an. Die V.17.18a beginnen in eigener Konstruktion jeweils mit καὶ αὐτός. Durch diese beiden Verse wird die erste Strophe sichtlich länger ist als die zweite. Man kann die Verse als Zwischensatz zwischen beiden Strophen verstehen ⟨287⟩. Die Strophen unterscheiden sich dadurch, daß die erste die kosmische Stellung des Christus beschreibt, die zweite seine versöhnende Bedeutung. Kosmologie und Soteriologie sind die Themen des Hymnus, Christus ist seine Mitte.

Der Verfasser des Kol hat den Hymnus nicht unverändert übernommen, sondern durch Zusätze interpretiert. Ein solcher Zusatz findet sich in den Worten τῆς ἐκκλησίας in V.18a ⟨288⟩. Er gibt dem Begriff κεφαλὴ τοῦ σώματος, der Christus als Haupt des Kosmos sieht, eine Interpretation auf die Kirche als den Leib Christi. Ein zweiter Einschub ist διὰ τοῦ αἵματος τοῦ σταυροῦ αὐτοῦ V.20. Hierfür sprechen

⟨282⟩ SCHWEIZER, Kol, S.81.89.
⟨283⟩ Bei SCHWEIZER, Kol, S.50ff und LOHSE, Kol, S.77ff ist dies ausführlich begründet.
⟨284⟩ Vgl LOHSE, Kol, S.78f.
⟨285⟩ Vgl SCHWEIZER, Kol, S.44, Anm.84 gegen KÄSEMANN, Taufliturgie, S.37ff.
⟨286⟩ Vgl hierzu den Überblick bei GABATHULER, Jesus Christus, S.11-124.
⟨287⟩ So SCHWEIZER, Kol, S.52; KEHL, Christushymnus, S.42f.
⟨288⟩ So besonders KÄSEMANN, Taufliturgie, S.36f. Nicht durchsetzen konnte sich KÄSEMANN mit seiner These, die Worte seien eine christliche Redaktion eines vorchristlichen Hymnus (vgl Anm 283).

neben dem doppelten διά vor allem inhaltliche Gründe: der Hinweis auf das Kreuzesgeschehen ist durch den Kontext des Hymnus nicht nahegelegt. Vielmehr ergibt sich,
klammert man die fraglichen Worte ein, ein Zusammenhang von ἀποκαταλλάξαι τὰ
πάντα εἰς αὐτόν und εἰρηνοποιήσας ... δι' αὐτοῦ κτλ. Offensichtlich will der Verfasser des Kol der Versöhnungsaussage des Hymnus ihren Grund und ihr geschicht-
liches Datum im Kreuzesgeschehen geben.

Über weitere Zusätze im Hymnus herrscht nicht in gleichem Maße Einigkeit. Da in
2,12 nur die ἀρχαί und die ἐξουσίαι begegnen, kann man fragen, ob die Vierergrup-
pe in 1,16 in dieser Zusammensetzung vom Verfasser des Kol hier eingefügt wurde <289>. In der Auseinandersetzung kommt es dem Verfasser gerade auf die
Herausstellung Christi an. In 2,10 wären θρόνοι und κυριότητες freilich nicht wieder
aufgenommen. So wird sich hier keine Sicherheit gewinnen lassen. Die Schlußwendung εἴτε τὰ ἐπὶ τῆς γῆς εἴτε τὰ ἐν τοῖς οὐρανοῖς als späteren Zusatz anzusehen,
empfiehlt sich nicht, da diese Aussage auf den Anfang des Hymnus in V.16 zurück-
lenkt und "mit dem Hinweis auf die kosmische Dimension der Versöhnung ein(en)
sachgemäße(n) Abschluß erreicht" <290>. V.18c als Zusatz zu fassen <291>, ist
zwar denkbar, aber nicht schlüssig zu beweisen. Man setzt dabei voraus, daß beide
Strophen einen parallelen Aufbau haben müssen, was nicht notwendig der Fall ist.
Solange eine Aussage nicht in einleuchtender Weise als Zusatz des Verfassers
nachgewiesen werden kann, ist davon ausgehen, daß sie zum Hymnus gehört. Deshalb ist der vorliegende Wortlaut, von den Zusätzen in V.18a und V.20 abgesehen,
dem übernommenen Hymnus zuzuweisen. Bereits auf dieser Stufe hat es sich um
ein christliches Liedgut gehandelt <292>: πρωτότοκος ἐκ τῶν νεκρῶν trägt sicher
christlichen Charakter, und daß der vom AT herkommende Begriff εὐδοκεῖν V.19 hier
auf die Offenbarung von Jesus Christus hinweist, ist sehr wahrscheinlich <293>.

Der so gewonnene, vom Verfasser des Kol benutzte urchristliche Hymnus weist
freilich auf hellenistisch-jüdische Voraussetzungen zurück <294>. Dies gilt für die
Ausdrücke εἰκὼν τοῦ θεοῦ τοῦ ἀοράτου <295> und πρωτότοκος πάσης κτίσεως, für
das häufige τὰ πάντα <296> wie für die Tatsache, daß von der Schöpfung im
Zusammenhang mit der Christologie gesprochen wird. Dies erinnert an die Aussagen
des Johannesprologs (vgl auch πλήρωμα in Kol 1,19 und Joh 1,16). Den hellenistisch-
jüdischen Hintergrund belegen weiterhin die Verknüpfung von Schöpfung und Versöhnung, der Begriff πλήρωμα als Bezeichnung der Fülle Gottes <297> und das Verb
εἰρηνοποιεῖν (V.20). Die im hellenistischen Judentum auf σοφία und λόγος bezogenen Aussagen werden dabei auf Christus übertragen. Schöpfung und Versöhnung

---

<289> Vgl SCHWEIZER, Kol, S.69. Für NORDEN, Agnostos Theos, S.261 sind diese Aufzählung
und die Schlußwendung V.20 "schnörkelhafter Putz". Vgl hierzu SCHENKE, Widerstreit,
S.401; HEGERMANN, Schöpfungsmittler, S.91.
<290> LOHSE, Kol, S.81.
<291> So BAMMEL, Versuch, S.94; LOHSE, Kol, S.81 macht auf das Hapaxlegomenon πρωτεύων
aufmerksam. Vgl ROBINSON, Analysis, S.280-282.
<292> Die These KÄSEMANNs, Taufliturgie, S.39f, es handele sich auf dieser Stufe um einen
vorchristlichen, gnostischen Text, wird heute so nicht mehr vertreten. Richtig wendet
SCHWEIZER, Kol, S.72 dagegen ein, daß die positive Rolle der Schöpfung und ihre Versöhnung dem gnostischen Denken widersprechen.
<293> Der Begriff hat in den Taufberichten Jesu seinen festen Platz, vgl Mt 3,17par; 17,5; 12,18.
<294> Vgl hierzu ausführlicher SCHWEIZER, Kol, S.56-74.
<295> Es ist auf das dynamische Element von εἰκών zu achten, wie es in Weish 7,25f vorliegt
und auch in dem Begriff πρωτότοκος mitschwingt. Vgl Anm 300.
<296> Jüdische und hellenistische Belege bei PÖHLMANN, Prädikationen, S.58-74. Das εἰς
αὐτόν V. 16 fin ist gegenüber der jüdischen Weisheitsliteratur neu hinzugekommen.
<297> Vgl die Angaben bei SCHWEIZER, Kol, S.66 mit Anm 171f.

sind nur durch Christus und auf ihn hin zu verstehen. Wesentlich ist das Verständnis des Textes als hymnisches Lied ⟨298⟩. Es wird nicht gesungen, um zu belehren oder zu ermahnen. Wenn man deshalb logische Unstimmigkeiten oder Brüche zwischen beiden Strophen feststellt (das All ist nach Strophe 1 von Anfang an in Christus geschaffen und zusammengehalten; die 2. Strophe spricht von der Versöhnung des Alls), so geht dies an der Intention des Hymnus vorbei. Er ist weder logisch deduzierende Belehrung noch Schlüssigkeit verlangende Ermahnung. Letzten Endes sind nicht die Menschen die Adressaten des Liedes, sondern Gott selbst und Christus.

Christus ist das zentrale Thema des Hymnus. In ihm, durch ihn und auf ihn hin ⟨299⟩ ist alles geschaffen, er ist εἰκών Gottes und πρωτότοκος πάσης κτίσεως. Mit beiden Begriffen ist Christus in seiner einzigartigen Bedeutung herausgestellt ⟨300⟩. Er steht der Schöpfung als Herr gegenüber und als Schöpfungsmittler auf der Seite Gottes. Diese Stellung gilt gegenüber allem Geschaffenen, dem Sichtbaren und Unsichtbaren, den Mächten und Gewalten. In ihm hat der ganze Kosmos Bestand ⟨301⟩, er hält die Welt zusammen, er ist das Haupt des kosmischen Leibes (V.18) ⟨302⟩. Christus weist allen anderen Mächten ihren Platz zu, gibt ihnen ihre Bedeutung und garantiert die Ordnung. Die Kosmologie ist ganz von der Christologie her zu verstehen.

Daß in der Einheit des Kosmos eine Störung eingetreten ist, ist im Hymnus vorausgesetzt. In hymnischer Sprache konzentriert sich das Lied selbst auf das Heilsgeschehen. Dieses ist mit den Verben ἀποκαταλλάσσω und εἰρηνοποιεῖν V.20 beschrieben. Einbezogen in die Versöhnung ist der ganze Kosmos (εἴτε-εἴτε V.20). Der Haftpunkt für die Versöhnung ist die Auferstehung, wobei mit πρωτότοκος wie in V.15 Christus nicht lediglich als Erster einer Reihe angesprochen ist, sondern als der, der für die anderen die Versöhnung schafft. Deshalb kommt ihm die Bezeichnung ἀρχή zu ⟨303⟩. πρωτεύειν V.18 "faßt zusammen, steigert und rundet ab, was von V.15 an ausgeführt war" ⟨304⟩. Der ὅτι-Satz V.19 begründet und

----
⟨298⟩ Hierzu ausführlich *SCHWEIZER*, Kol, S.71f.
⟨299⟩ Durch den spielerisch erscheinenden Wechsel der Präpositionen wird die letzte Einheit alles dessen ausgesagt, was ist (*LOHSE*, Kol, S.88f). εἰς αὐτόν ἔκτισται V.16 hat dabei soteriologisch-eschatologischen Klang und ist so ein Bindeglied zwischen beiden Strophen (vgl *KÄSEMANN*, Taufliturgie, S.42).
⟨300⟩ Im Hintergrund stehen hellenistische Aussagen, die den Kosmos als das sichtbare Abbild Gottes bezeichnen. Im hellenistischen Judentum finden sich Aussagen über die Rolle der Weisheit bei der Schöpfung (vgl Weish 7,26; Philo, leg all I,43; de conf ling 146), die bei Philo der Rolle des Logos entspricht (deus imm 142f; de migr Abr 175). Nach der Erwartung des äth.Hen wird die Weisheit, die am Anfang der Schöpfung da war, dann aber zum Himmel zurückkehrte, am Ende des Äons ausgegossen werden (42,1f; 49). Zu πρωτότοκος vgl ebenfalls die Aussagen über die Weisheit in Sir 14,9; Weish 9,4.9; Philo, quaest in Gen IV 97 (bei Philo wird πρωτότοκος auf den Logos angewendet (de conf ling 146; de agr 51; de somn I 215).
⟨301⟩ συνεστηκέναι wird in der platonischen und stoischen Philosophie gebraucht, um die Einheit des Kosmos zum Ausdruck zu bringen (vgl die Angaben bei *SCHWEIZER*, Kol, S.62, Anm 148). Auch dieser Gedanke wird im hell. Judentum aufgegriffen, vgl Sir 43,26; Philo, rer div her 281.311.
⟨302⟩ Zu σῶμα im kosmologischen Sinn vgl *SCHWEIZER*, Artikel σῶμα, S.1024-1091. Eine knappe Einführung findet sich bei *LOHSE*, Kol, S.93ff. Für den ursprünglichen Hymnus ist von der kosmologischen Bedeutung von σῶμα auszugehen. Erst der Verfasser des Kol deutet den Begriff auf die Kirche. Zu κεφαλή vgl *LOHSE*, Kol, S.95.
⟨303⟩ Zu dieser Bedeutung von ἀρχή vgl Prov 8,23; Philo, leg all I,43.
⟨304⟩ *MICHAELIS*, Artikel πρωτεύω, S.883.

führt weiter: der Fülle gefiel es, in ihm Wohnung zu nehmen ⟨305⟩. Wesentlich ist bei diesem Begriff der Charakter der Ganzheit und Fülle. Das Wort wird hier ohne Näherbestimmung verwendet, begegnet aber in 2,9 mit dem Genitiv τῆς θεότητος ⟨306⟩. Man wird deshalb πλήρωμα als Gottesbezeichnung fassen können. In Christus hat die göttliche Fülle Wohnung genommen, um durch ihn und auf ihn hin Versöhnung zu schaffen. εὐδόκησεν bezieht sich weniger auf einzelne Ereignisse (Auferstehung oder Erhöhung), sondern auf das Christusgeschehen überhaupt. Wie die Kosmologie so ist auch die Soteriologie nur vom Christusgeschehen her zu begreifen.

Durch Christus und auf ihn hin ist die Versöhnung bereits geschehen ⟨307⟩. Im Hymnus wird sie preisend besungen. Andere Mächte sind deshalb nicht mehr in der Lage, dies in Frage zu stellen. Christus ist ja der Herr über alle Gewalten. Sind sie ihm unterstellt, so haben sie auch soteriologisch keine Funktion mehr ⟨308⟩. Nur von der Versöhnung her können deshalb die Welt und der Mensch richtig begriffen werden. Wer zu Christus gehört, der ist versöhnt und gehört nicht mehr dem Bereich des Streits oder der Gewalt von Mächten an. Diese Konsequenz zieht und beschreibt der Rahmen des Hymnus. Dort wird das Lied ausgelegt und angewendet auf die Gemeinde. Der Hymnus selbst bleibt ganz in hymnischer Sprache konzentriert auf das Lob des Christus.

Der Verfasser des Kol hat nun an zwei Stellen in den Wortlaut des Hymnus eingegriffen. Mit dem Zusatz τῆς ἐκκλησίας (V.18) verändert er die kosmologische Aussage freilich grundlegend. Christus ist der Herr über den Kosmos und alle ihm zugeordneten Mächte und Gewalten, weil er als ihr Schöpfer Gewalt über sie hat. Sein Leib aber ist die Kirche ⟨309⟩, weil sie vom πρωτότοκος ἐκ τῶν νεκρῶν her lebt und sich mit der Taufe auf diesen Herrn hinwendet. Christus als Herr über die Mächte wird deshalb nur in der Kirche wirklich als Haupt geglaubt und anerkannt. Diese Aussage hat auf dem Hintergrund der kolossischen Situation besonderes Gewicht, weil damit die Kirche als der Ort nachgewiesen wird, an dem die Beachtung und Verehrung anderer Mächte keinen Platz mehr haben kann. Wer dies den-

---

⟨305⟩ πᾶν τὸ πλήρωμα ist am ehesten einleuchtend als Gottesbezeichnung (vgl *LOHSE*, Kol, S.98; *SCHWEIZER*, Kol, S.65f). Das sprachlich-grammatikalische Problem der Stelle und die verschiedenen Deutungen sind dargestellt bei *ERNST*, Pleroma, S.83f; vgl auch *DELLING*, Artikel πλήρωμα, S.301.

⟨306⟩ θεότης (im NT nur hier) meint das Gottsein, während θειότης die Eigenschaft des Göttlichen bezeichnet (vgl *STAUFFER*, Artikel θεότης, S.120; *KLEINKNECHT*, Artikel θειότης, S.123). Gerade 2,9 macht es denkbar, daß mit dem betonten πᾶν τὸ πλήρωμα der Begriff der kolossischen Philosophie entwunden werden soll (so mit anderen *LOHSE*, Kol, S.151): die ganze Fülle der Gottheit wohnt (nur) in Christus. Zu beachten ist aber, daß πλήρωμα in 1,19 in hymnischer Sprache begegnet, die zunächst ohne polemischen Klang auskommt.

⟨307⟩ Die andere zeitliche Akzentuierung tritt im Vergleich mit Röm 8,19-21 deutlich zutage. Im Zusammenhang mit 1,23 und 3,4 kann Kol die Unabgeschlossenheit des Heils in 1,20 angedeutet finden.

⟨308⟩ Die kosmologischen Aussagen sind von den soteriologischen her zu verstehen. Auf die Schöpfungsmittlerschaft wird hingewiesen, "um die 'Dimension' dessen zu beschreiben, den die Gemeinde als ihren Retter preist" (*SCHWEIZER*, Kol, S.55; *LOHSE*, Kol, S.103). Für die Genese des Hymnus bedeutet dies weder, daß die 2.Strophe primär und die erste hinzugewachsen, noch daß der Ausgangspunkt des gesamten Hymnus der Hinweis auf das Kreuz in V.20 sei (so *ERNST*, Pleroma, S.90f; ders, Phil, S.171.177). Allenfalls weist dies auf die Vorgeschichte des Hymnus im urchristlichen Bekenntnis, wo von Auferstehung und Erhöhung her die Bedeutung Christi für die Schöpfung mit einbezogen wird. Für das Stadium der Entstehung des Hymnus ist dieser Zusammenhang bereits vorausgesetzt.

⟨309⟩ Vgl *KÄSEMANN*, Taufliturgie, S.50f.

noch tut, der hängt Mächten an, die in Wirklichkeit untergeordnet sind und die ihn nur in falsche Abhängigkeiten bringen. Die Herrschaft des Christus und die Versöhnung werden dagegen in der Kirche verkündet. Der Aussage V.20, daß die Versöhnung bereits geschehen ist, fügt der Verfasser διὰ τοῦ αἵματος τοῦ σταυροῦ αὐτοῦ hinzu ⟨310⟩. Diese Aussage wirkt nachgetragen, da ja direkt davor gesagt wird, daß die Versöhnung durch die Einwohnung des Pleroma in Christus geschaffen wird. Der Hinweis auf Leiden und Sterben Jesu gibt diesem Geschehen aber seinen geschichtlichen Ort. Zugleich ist erneut auf die Kirche hingewiesen, die den Tod und die Auferstehung Christi verkündet. Das Verfahren ist somit dasselbe wie in V.18: eine auf den Kosmos bezogene Aussage wird in eine Aussage über die Kirche verwandelt. Indem die Kirche Kreuz und Auferstehung Christi verkündet, ruft sie in die Zugehörigkeit zum Leib Christi. So fügt der Verfasser in paulinischer Tradition hinzu, was das Lied in seiner hymnischen Betonung von Schöpfungsmittlerschaft und Versöhnung nicht erwähnt: das geschichtliche Ereignis des Kreuzes. Es dient freilich einer ekklesiologischen Aussage. Die Zusätze dienen somit derselben Intention wie der den Hymnus umgebende Rahmen: wer zur Kirche als Leib Christi gehört, der hat Teil an dem Versöhnungswerk Christi und ist von allen Mächten frei ⟨311⟩.

Daß V.21-23 den Hymnus aufnehmen und ihn im Blick auf die Situation der Gemeinde anwenden, ebenso wie ihn V.12-14 vorbereiten, ist nicht zu übersehen. Begriffe und Gedanken aus dem Hymnus werden angesprochen, so der Leibgedanke V.22, die kosmische Wendung V.23 und besonders das Verb ἀποκαταλλάσσω. Wird im Hymnus der Übergang der Menschen in den Bereich der Versöhnung nicht ausgeführt, so ist er hier eigens thematisiert. Damit ist zugleich die Verbindung zu V.12-14 geschaffen, wo es ebenfalls um diesen Wechsel von der Finsternis ins Licht geht ⟨312⟩. Der Hymnus wird so eingeleitet durch eine Danksagung V.12 (die vermutlichen einer ursprünglichen Einleitung des Hymnus entspricht), die Gott als den preist, der die Kolosser aus der Macht der Finsternis in das Reich seines Sohnes versetzt hat. 1,21-23 interpretieren den Hymnus im Blick auf die Gemeinde. Wesentlich ist der Neueinsatz mit καὶ ὑμᾶς (V.21). Dabei rückt der Übergang zum Glauben

----

⟨310⟩ Die Wendung "Blut seines Kreuzes" begegnet so sonst nicht mehr. Bei Paulus ist vom "Blut Christi" in Röm 3,25; 5,9 in traditionellen Formulierungen die Rede. Typisch ist die Wendung vom Blut Christi für Hebr und Offb. Es besteht jedoch kein Zweifel daran, daß der Verfasser den Hinweis auf das Kreuz von Paulus übernommen hat.

⟨311⟩ SCHWEIZER, Kol, S.104 hat vermutet, daß die Kolosser den Hymnus wohl mitsingen konnten, im Unterschied zu dessen Dichter aber Askese und religiöse Vorschriften als Mittel zur Lösung von der Welt und zum Aufstieg zu Christus ansahen. Die Zusätze des Verfassers zeigen aber, daß der Hymnus in der Auseinandersetzung offenbar einer Interpretation bedarf. Hier wird die generelle Schwierigkeit deutlich, hymnisches Reden in den Bereich der Auseinandersetzung zu übertragen.

⟨312⟩ Die Terminologie in V.12-14 ist traditionell geprägt. Bei Paulus finden sich nicht die Begriffe κλῆρος τῶν ἁγίων, ἐν τῷ φωτί, βασιλεία τοῦ υἱοῦ τῆς ἀγάπης αὐτοῦ. μέρις steht in 2Kor 6,15 in einem traditionellen Abschnitt. ἱκανόω steht bei Paulus nur in 2Kor 3,6 im Zusammenhang mit dem apostolischen Dienst. Parallelen zu 1,12-14 finden sich dagegen reichlich in der Qumran-Literatur (vgl ausführlich LOHSE, Kol, S.69ff). Sie gehören zur Bekehrungsterminologie, die Gott als den bekennt, der die Menschen von der Finsternis ins Licht ruft. So handeln V.12-14 denn auch von Gott und erst das relativische ἐν ᾧ V.14 bereitet den Übergang zum Christushymnus vor. Trotz der traditionelle Terminologie sind die Verse doch dem Verfasser des Kol zuzuschreiben (gegen KÄSEMANN, Taufliturgie, S.37ff, der V.13f schon zum Hymnus ziehen will).

in den Vordergrund (ὑμᾶς ποτε ὄντας ἀπηλλοτριωμένους ⟨313⟩ und νυνὶ δὲ ἀποκατήλλαξεν). Das einstige Fremdsein war eine generell falsche Ausrichtung des Lebens, weg von Gott ⟨314⟩. Mit νυνὶ δὲ ἀποκατήλλαξεν wird die Zeit nach der Taufe beschrieben. Das Verb nimmt den Hymnus auf, bezieht sich jetzt aber nicht auf den Kosmos, sondern auf die Gemeinde. Dies entspricht dem Zusatz τῆς ἐκκλησίας V.18. Da dort aber ἐκκλησία den Begriff σῶμα interpretiert, wird hier genauer vom Fleischesleib geredet. Christus hat die Glaubenden in seinem Fleischesleib durch den Tod versöhnt. Die Gemeinde, die das Kreuz verkündet, weiß in diesem Geschehen um ihre Versöhnung. Das Ziel der Versöhnung ist mit παραστῆσαι V.22 beschrieben. Vor Christus ⟨315⟩ sollen die Glieder der Kirche heilig, untadelig und unbescholten dastehen. Dabei ist ein zukünftiges Gericht nicht im Blick ⟨316⟩. Die Versöhnung ist ja geschehen und dementsprechend soll das παραστῆσαι für die Gegenwart der Christen gelten. Für die Gemeinde kommt es darauf an, im Bereich der Versöhnung zu bleiben: εἴ γε ἐπιμένετε τῇ πίστει ⟨317⟩. ἐπιμένειν, τεθεμελιωμένοι und ἑδραῖοι beschreiben das Gegründet-Sein, das Bleiben und Beharren im Bereich der Versöhnung ⟨318⟩. Die Ausdrucksweise ist formelhaft. Eigens wird betont, daß die Kolosser sich nicht von der Hoffnung des Evangeliums wegbewegen lassen sollen. Wie bei dem Begriff ἀπηλλοτριωμένους V.21 ein räumliches Fernsein von Gott mitschwingt, so hat auch das μετακινέω V.23 diesen Klang, wobei die Hoffnung wie in 1,5 das im Jenseits bereitliegende Hoffnungsgut bezeichnet. Ohne Zweifel ist mit ἐλπίς auch die Offenheit des Glaubens auf die Zukunft hin angesprochen, wie dieser Aspekt auch in 3,1-4 begegnet. Dennoch steht das Festhalten an der jetzt schon bereitliegenden Hoffnung im Vordergrund. In der Auseinandersetzung mit der Irrlehre gewinnt das Bleiben bei der Hoffnung eine immer wichtigere Bedeutung.

Aus diesem Überblick erhellt die grundlegende Bedeutung des Hymnus für den ganzen Brief. Seine christologische und soteriologische Konzeption prägt auch 3,1-4. Im Hymnus wird die Herrscherstellung Christi über alle Mächte und Gewalten besungen. Sie ist bereits gegenwärtige Realität und wird in der Kirche erfahrbar und bezeugt. Wer zur Kirche als dem Leib Christi gehört, der ist bereits frei von der Herrschaft

----

⟨313⟩ Das Verb steht nur hier und in Eph 2,12; 4,18 (jeweils als Part.Perf.Pass). Es beschreibt den Zustand vor bzw außerhalb des Heils. In Eph 2,12 entfaltet es das χωρὶς Χριστοῦ und steht parallel zu ξένοι τῶν διαθηκῶν τῆς ἐκκλησίας. Auch dort begegnet das Verb im Schema von πότε und νῦν. Bei ἐχθρός ist eine passivische Deutung (bei Gott verhaßt) durch V.21b verwehrt.

⟨314⟩ διάνοια begegnet bei Paulus nicht, wiederum aber in Eph 2,3; 4,18. Es geht um die von Gott weggerichtete Gesinnung. In 2Petr 3,1 begegnet das Wort in positivem Zusammenhang als lautere Gesinnung. Der Hebr übernimmt in 8,10; 10,16 den Parallelismus von διάνοια und καρδία aus Jer 38,33 LXX (vgl Lk 1,51).

⟨315⟩ κατενώπιον findet sich im NT nur noch in Eph 1,4; Jud 24. Eph 1,4 ist in Anlehnung an Kol formuliert, ändert den Sinn aber insofern ab, als die heilige und untadelige Präsentation der Christen schon als Erwählungsabsicht Gottes vor der Grundlegung der Welt beschrieben wird.

⟨316⟩ In 1Kor 1,8 ist ausdrücklich mit ἕως τέλους und ἐν τῇ ἡμέρᾳ τοῦ κυρίου κτλ auf die Parusie Christi und das Gericht hingewiesen. Davon ist hier keine Rede.

⟨317⟩ Zu εἴ γε vgl BL-DEBR § 439,2. Es ist mit "wenn nur" oder "sofern" zu übersetzen. Der Dativ τῇ πίστει gibt den Grund an, auf dem die Gemeinde feststehen soll.

⟨318⟩ Zu θεμελιόω vgl SCHMIDT, Artikel θεμέλιος, S.64. Der Gedanke an Christus als das Fundament steht im Hintergrund (vgl Röm 15,20; 1Kor 3,11). ἑδραῖος ähnlich in 1 Kor 15,58, anders in 1Kor 7,37.

der Mächte. Was 3,1f mit τὰ ἄνω ausdrückt, ist so im Hymnus bereits vorgeprägt. Die Stellung Christi auf der Seite Gottes ist in 1,15ff.19f wie in 3,1.4 beschrieben. In εἰς αὐτόν 1,20 klingt die Unabgeschlossenheit des Heilsgeschehens an und in gleicher Weise ist die zeitliche Komponente in 3,4 gewahrt. Das Heil steht aber unter dem generellen Vorzeichen der bereits geschehenen Versöhnung 1,20. Hier ist das συνεζωοποίησεν und das συνηγέρθητε 3,1 bereits vorweggenommen. Die Übertragung der Versöhnungsaussage auf die Gemeinde wird im Rahmen des Hymnus vorgenommen und begegnet wieder in 3,1-4. Bereits in 1,22 ist dabei eine paränetische Aussage andeutungsweise vorhanden (παραστῆσαι ὑμᾶς ...; εἴ γε ἐπιμένετε ...). Sie wird in τὰ ἄνω ζητεῖτε, φρονεῖτε 3,1f ausdrücklich hervorgehoben und in 3,5ff expliziert. Schließlich zeigt das Nebeneinander von ἐλπίς und εὐαγγέλιον in 1,23 die Nähe der hymnischen Aussage zur Eschatologie und belegt die gegenwärtige, objektive Realität des Heils, von dem sich die Gemeinde nicht wegbewegen darf.

3.4.3) Grundlinien der Eschatologie des Kolosserbriefes

Gibt die kleine Texteinheit 3,1-4 eine Art Zusammenfassung der Theologie des Verfassers, so findet sich im Hymnus 1,15-20 die Basis dafür. Die Christologie und ihre Bedeutung für den ganzen Kosmos ist der Ausgangspunkt für den Verfasser. Sie ist die Grundlage für Kosmologie und Soteriologie.

1) Die Welt, das Leben und die christliche Existenz sind nur von Christus her zu deuten. Terminologischer Ausdruck hierfür sind die σύν-Wendungen. In der Taufe sind die Glaubenden mit Christus gestorben und mit ihm auferweckt (2,12.13; 3,1). Andere Mächte haben damit ihren Einfluß auf die Christen verloren. Die Mächte gehören dem Bereich des "Unten" an. Christus dagegen ist als Herr "oben", zur Rechten Gottes (3,1). Dort ist auch das Heil der Christen jetzt schon vorhanden (vgl die Begriffe "oben", "Hoffnung", "Herrlichkeit", "Erbteil"). Dieses im Himmel vorhandene Heilsgut ist die Voraussetzung christlicher Existenz (vgl 1,5). Das räumliche Denken, das ein Unten und ein Oben, ein Diesseits und ein Jenseits, eine Existenz in und von der Welt und eine Transzendenz unterscheidet, prägt die Eschatologie des Kol. Die Zukunftshoffnung tritt demgegenüber in den Hintergrund. Sie wird nicht aufgegeben (3,4): paulinischem Erbe gemäß ist als gegenwärtiger Ort der Christen das "unten" beibehalten. Es handelt sich bei der christlichen Existenz nicht um ein enthusiastisches Überheben über die Wirklichkeit. Da aber ihr Heil schon "oben" bereit liegt, soll auch ihr Leben von dorther bestimmt und ihr Blick nach dort gerichtet sein. Es ist eine von der Transzendenz bestimmte Existenz <319>. Sie ist freilich noch verborgen und muß erst offenbar werden. Wie von der Parusie Christi unter dem Gesichtspunkt von Verborgenheit und Offenbarung gesprochen wird, so gilt dies auch für die Christen (3,4). Die futurische Aussage ist dabei in das räumliche Denken integriert und von ihm aus zu verstehen. Von dem Geschehen der Versöhnung her gehören Gegenwart und Zukunft unter dem Aspekt von Verborgenheit und Offenbar-Sein zusammen. Dem steht die Vergangenheit als Zeit fern von Gott und unter dem Einfluß der Mächte gegenüber.

<319> Vgl *GRÄSSER*, Kol 3,1-4, S.165.

2) Futurische Aussagen begegnen im ganzen Brief nur in 3,4.24. Wo vom künftigen Offenbarwerden der Christen die Rede ist, ist an eine bestimmte Frist nicht gedacht. An zeitliche Nähe oder Ferne ist die Lebendigkeit von Glauben und Hoffnung nicht gebunden. Das Heil ist ja objektiv vorhanden und die Christen können sich jetzt schon daran orientieren. Es ist deshalb nicht so, daß der Verfasser aus dem paulinischen Denken die Naherwartung eliminiert und dies apologetisch vermittelt. Auch die Häretiker haben ja keine Naherwartung vertreten. Vielmehr liegt eine Naherwartung im Rahmen des Welt- und Heilsverständnisses des Briefes gar nicht nahe, wie überhaupt zeitliches Denken nur am Rande steht. Daß Kol die Bedeutung der Kirche hervorhebt (vgl besonders 1,18), weist in die gleiche Richtung. Wo die Kirche Christus als den Herrn verkündet und wo Menschen sich dieser Verkündigung und der Kirche öffnen, da werden sie in das Heilsgeschehen mit hineingenommen und sind Teil des Leibes Christi. In der Kirche ist deshalb das Heil schon erfahrbar, wenn auch noch nicht für alle offenbar.

3) Futurische Aussagen treten in Kol auffallend zurück. Für die Wiederkunft Christi wird nicht das Wort Parusie verwendet, sondern das auffällige φανερωθῆναι. Entsprechend treten auch apokalyptische Traditionen in den Hintergrund. Zwar klingt apokalyptische Terminologie an wenigen Stellen an (vgl 1,12.25-27), sie dient aber gerade keiner apokalyptischen Aussage. Es geht dem Verfasser nicht um die Darstellung zukünftiger Ereignisse. Besonderes Interesse hat er dagegen an Taufaussagen, die er aus verschiedenen Bereichen aufnimmt (vgl 1,12-14; 2,12f). Den futurischen Aspekt der paulinischen Aussage (Röm 6,4) läßt er freilich unberücksichtigt. Dagegen stellt er die Gegenwart des Heils ins Zentrum. In der Auseinandersetzung mit der Irrlehre liegt ihm daran, anhand der Taufe darzulegen, daß das Heil schon geschaffen ist und die Glaubenden im Bereich der Auferstehung leben. Als Hintergrund für diese Auffassung dient ihm ein Weltbild, das er mit Hilfe hellenistisch-judenchristlichen Materials entfaltet. Dies zeigt sich am Hymnus ebenso wie an dem Gegenüber von Unten und Oben oder dem Gedanken vom Schatten des Zukünftigen (2,17). Die grundlegende Wichtigkeit des Hymnus für den ganzen Brief belegt die Bedeutung dieses Traditionsstromes für den Verfasser. Von hier aus gewinnt er seine kosmologischen Vorstellungen ebenso wie seine christologischen Aussagen zu Schöpfung und Versöhnung. Daß er als Haftpunkt dieses Geschehens die Kreuzesaussage in den Hymnus einfügt, zeigt freilich, daß er die Paulustradition nicht nur terminologisch aufnimmt, sondern sich ihr grundlegend verpflichtet weiß. οὗ ὁ Χριστός ἐστιν ἐν δεξιᾷ τοῦ θεοῦ καθήμενος 3,1 zeigt exemplarisch, wie der Verfasser das hellenistische Denken in Sphären mit dem aus Ps 110 übernommen urchristlichen Credo auszugleichen versucht: die Erhöhung zur Rechten Gottes ermöglicht dem hellenistischen Denken von Gottes Bereich als der höchsten, vollkommenen Sphäre den Eingang in den christlichen Glauben.

4) Die theologischen Grundgedanken des Kol sind entwickelt in der Auseinandersetzung mit der Häresie, die die Gemeinde bedroht. Auf die Thesen dieser Lehre wird teils angespielt, teils werden sie mehr oder weniger deutlich zitiert (besonders in 2,6-23). Die Weltelemente sind dabei von entscheidender Bedeutung. Ihnen muß in bestimmter Weise gedient werden, damit sie nicht den Aufstieg der Seele behindern. In diesem synkretistische System ist akzeptiert, daß das Heil in Christus liegt. Auch

die Taufe spielt eine Rolle. Der Heilsweg zu Christus ist aber gekoppelt mit dem Dienst an den Elementen. Kol setzt die Akzente ganz anders als die Häretiker und für ihn der Elementendienst abgetan. Er hat aber das Weltbild mit seinen Gegnern gemeinsam. Auch er denkt in Sphären und Einflußbereichen. Der Hymnus, den er übernimmt, belegt dies mit seiner Kosmologie deutlich. Die grundlegende Prägung des Briefes durch den Hymnus zeigt, daß der Verfasser die Tradition und das Denken der Kolosser kennt und ihm offenbar selbst verpflichtet ist. Die Adressaten des Briefes sind deshalb nicht austauschbar. Ihr Weltbild und das des Verfassers sind in der Grundstruktur vergleichbar. Auf der anderen Seite kommt der Verfasser von Paulus her und übernimmt von ihm die grundlegende Differenz von Einst und Jetzt durch das Christusereignis. So steht er dem kolossischen Weltbild nahe, interpretiert es aber durch sein zentrales Verständnis vom geschaffenen Heil in Christus und gewinnt so gegen die Häresie die Freiheit von den Mächten.

3.5) Ergebnis

3.5.1) Die Struktur der eschatologischen Entwürfe <320>

Die Christologie ist für die Eschatologie bei Paulus grundlegend. Sie bewirkt als Struktur des eschatologischen Denkens die Spannung von "schon jetzt – noch nicht". Schon geschehen sind Tod und Auferstehung Jesu. Entsprechend sind die Christen in seinen Tod hineingenommen und leben nun als "eschatologische Personen". Die Wiederkunft Christi steht dagegen noch aus und ebenso die Vollendung des Heils für die Christen. Durch Christi Tod ist der Christ gerechtfertigt, aber er ist noch nicht gerettet (vgl Röm 5,9f) <321>. Die Argumentation in 1Thess 4,13ff bestätigt dies: Ausgangspunkt ist das christologische Credo (4,14; 5,9). Die Existenz des Christen ist von Kreuz und Auferstehung her (διὰ τοῦ 'Ιησοῦ V.14) auf das Sein mit Christus hin (σὺν αὐτῷ V.14.17) orientiert. Gegenwart und Zukunft des Glaubenden werden von Christus gerahmt und gehalten und sind von der Vergangenheit verschieden. Es zeigt sich eine Denkstruktur, die man auf die Formel "einst – jetzt und dann" bringen kann. "Jetzt" und "dann" haben je eigene Qualität, orientieren sich aber beide am Christusgeschehen. 2Thess und Kol verändern die Struktur der paulinischen Eschatologie in entgegengesetzter Richtung. Für 2Thess liegt die entscheidende Zäsur zwischen Gegenwart und Zukunft. Heil kann allein von der Zukunft erwartet werden. Entsprechend ist die Christologie reduziert auf das künftige Erscheinen Christi (1,7bff; 2,8). Die Gegenwart wird nicht von Kreuz und Auferstehung her interpretiert, sondern von dem Wissen über die Endereignisse und den künftigen Sieg des Herrn über den ἄνομος. Bei der Parusie und dem Gericht wird sich die Teilhabe am Heil entscheiden. Wer dies weiß, wird sich bereits in der Gegenwart dem Bösen entgegenstellen und sich nicht von der apostolischen Lehre abbringen lassen (2,5f.15). Diese Denkstruktur von der Zukunft her zur Gegenwart ist apokalyptisch

----
<320> Vgl hierzu besonders oben, S.38-41.65ff.80-82.
<321> Vgl hierzu MERKLEIN, Theologie, S.41. Daß bei Paulus die Gegenwart im Sog der Zukunft stehe (ebd), ist einseitig formuliert. Die Gegenwart steht bei Paulus genauso unter dem Vorzeichen von Kreuz und Auferstehung und der Taufe. Unter dem Sog der Zukunft steht viel eher das apokalyptische Modell des 2Thess.

und kann mit "noch nicht – aber dann" zusammengefaßt werden. Der Aspekt der Vergangenheit ist insofern bedeutsam, als die apostolische Verkündigung in der Vergangenheit erging und nun in der Gegenwart ihre Glaubwürdigkeit beweist ⟨322⟩. Grundsätzlich gehören aber Vergangenheit und Gegenwart gegenüber der Zukunft zusammen und bekommen ihren Sinn von der Zukunft her. 2Thess lebt in apokalyptischer Erwartung.

Gerade umgekehrt sind die eschatologischen Aussagen des Kol akzentuiert. Für ihn ist das Auferweckt-Sein der Christen bereits mit der Gegenwart verbunden (2,12f; 3,1). Die Christen gehören der Kirche als dem Leib Christi an und stehen unter keiner anderen Macht mehr. Die Versöhnung ist durch Tod und Auferweckung Christi geschaffen (1,20.18f) und liegt als Heilsgut im Himmel bereit (1,5). Wenn auch die Christen noch "unten" leben, so ist ihre Existenz doch von diesem "oben" bereitliegenden Heil geprägt. Dorthin sollen sie sich ausrichten (3,1f). In der Vergangenheit waren die Christen in ihrem Tun und ihren Abhängigkeiten fern von Gott (1,21). Das νυνὶ δέ V.22 betont die Zäsur zwischen Vergangenheit und Gegenwart, die durch die Versöhnung eingetreten ist. Demgegenüber hat die Zukunft kein eigenes Gewicht. Sie wird das Heil offenbar machen, das jetzt bereits vorhanden, wenn auch noch verborgen ist (3,3f) ⟨323⟩. Die zeitliche Komponente fehlt also nicht und man kann mit Recht von einem eschatologischen Entwurf sprechen ⟨324⟩. Sie ist aber integriert in das räumliche Denken, auf dem der Hauptakzent liegt. Die Existenz des Christen ist bestimmt von der Transzendenz. Dies kann man so zusammenfassen: "(einst) fern von Gott – (jetzt) im Bereich Gottes (verborgen erst, dann offenbar)".

Es bleibt festzuhalten: Bei Paulus kommt die christliche Existenz von Christus her und bewegt sich auf ihn hin. Diese grundlegende Struktur wird in 2Thess und Kol in gerade entgegengesetzter Akzentuierung verändert: in einen apokalyptischen Entwurf, der die Zukunft betont, in 2Thess; in einen räumlich-transzendenten Entwurf, der die Gegenwart betont, in Kol. Die Veränderung ist in 2Thess radikaler als in Kol, vor allem deshalb, weil Kol den paulinischen Zusammenhang von Indikativ und Imperativ und das Ineinander von Christologie und Soteriologie beibehält. Indem er die Dimension des Zukünftigen aber ganz vom bereits vorhandenen Heil her versteht, verlagert er die Gewichtung in einem Maß, daß von einer Strukturveränderung die Rede sein muß.

3.5.2) Die Naherwartung

Aus der veränderten Struktur ergeben sich Veränderungen im Blick auf das Problem der Naherwartung. Für Paulus kommt alle Hoffnung von Christus her und geht auf ihn hin (1Thess 4,14.17). Da die Christen in das Heilsgeschehen durch Taufe und Glauben hineingenommen sind, ist die Frage nach dem Zeitpunkt der Heilsvollendung

----

⟨322⟩ Die Rolle des Apostels wird in der Dreistufigkeit von 2,5ff sehr deutlich und hat für 2Thess großes Gewicht. Sie wird in dem Kapitel über das Apostelverständnis eigens behandelt.

⟨323⟩ Vgl *MERKLEIN*, ebd.

⟨324⟩ *LINDEMANN*, Aufhebung, S.236ff spricht für Eph von der Eschatologie als "himmlischer Ekklesiologie" oder "Ekklesiologie in Kosmologie".

zweitrangig. Auch das persönliche Ergehen der Glaubenden, auch Tod und Trauer können von hier aus angenommen und in Hoffnung getragen werden. Aus konkreten Anlässen kann Paulus die Erwartung der Parusie zu seinen Lebzeiten betonen (1Thess 4,15.17; 1Kor 15,51). Solche Sätze sind aber situationsabhängig und für die eschatologische Erwartung nicht konstitutiv ⟨325⟩.

In einem apokalyptischen Entwurf, der die Gegenwart unter dem Vorzeichen der Zukunft sieht, verändert sich dies konsequenterweise. Zwar betont die Apokalyptik auch die Theozentrik der Zeit ⟨326⟩. Aber mit dem Interesse an den Ereignissen der Endzeit rückt auch die Terminfrage stärker in den Vordergrund. Für 2Thess ist der Termin der Parusie ein Problem: und zwar zum einen, weil er sich mit einer extrem gesteigerten Naherwartung auseinandersetzt (2,2), zum anderen, weil er selbst auf diesen Termin hinlebt und von ihm her die Zeichen der Zeit zu deuten versucht. Sein Konzept eines Zeitplans (2,3f.8ff) schiebt zwar die Naherwartung ein Stück hinaus, löst sich aber gerade nicht von der Terminfrage. Der Brief steht in einer Entwicklung, die die paulinischen Sätze zur Naherwartung aus ihrem Zusammenhang löst und als Frage nach dem Termin der Parusie akzentuiert ⟨327⟩. Daß für Kol die Naherwartung als Problem nicht existiert, geht aus der Struktur seines eschatologischen Denkens ohne weiteres hervor. Die zeitliche Komponente hat im primär räumlich geprägten Denken des Briefes keine zentrale Bedeutung ⟨328⟩.

3.5.3) Das verwendete Traditionsmaterial

Von dem christologischen Rahmen seiner Eschatologie aus greift Paulus verschiedenartiges Traditionsmaterial auf. Mit Hilfe geprägter Bekenntnisse (1Thess 4,14; 5,9) beschreibt er das grundlegende Christusgeschehen. Die Hineinnahme der Christen in dieses Geschehen durch die Taufe bringt er mit Tauftraditionen zum Ausdruck (1Thess 5,4ff uö.). Zur Umschreibung der Zukunftshoffnung nimmt der Apostel verschiedentlich apokalyptische Tradition auf (1Thess 4,16f; 1Kor 15,23ff.51f uö.). Dabei ist er offensichtlich an Einzeldarstellungen nicht interessiert. Vielmehr reduziert er die apokalyptischen Traditionen und mißt sie an der christologischen Leitlinie (σὺν κυρίῳ ἐσόμεθα 4,17). Die Vielfalt des Traditionsmaterials wird dadurch möglich, daß Paulus die Existenz des Christen in seiner Herkunft (συνετάφημεν Röm 6,4),

---

⟨325⟩ Die Auffassung, daß die urchristliche Entwicklung insgesamt durch das Ausbleiben der Parusie bestimmt sei (so WERNER, Entstehung, passim), läßt sich so an den Paulusbriefen als den frühesten Zeugnissen des Urchristentums gerade nicht verifizieren. Vgl dagegen mit Recht CONZELMANN, Grundriß, S.338f. Dies hebt nicht auf, daß an einigen Stellen die Frage nach dem Termin der Parusie tatsächlich als Problem auftaucht.
⟨326⟩ Gerade diesen Aspekt apokalyptischen Denkens nimmt Paulus auf (vgl oben, S.31f.37).
⟨327⟩ Auch 2Petr behandelt das Problem des Zeitpunktes der Parusie ausführlich. Zur Verteidigung der Erwartung des Gerichtstages (3,7) führt er als Argumente die andere Größenordnung der Zeitbegriffe Gottes (3,8) und seine Langmut an (3,9). Das Eintreten der Parusie kann durch ein heiliges Leben beschleunigt werden (3,11f). 2Thess und 2Petr zeigen, daß bestimmte Kreise in der nachpaulinischen Entwicklung die Terminfrage und das Problem des Kommens der Parusie betont haben. Zwar berufen sich in 2Petr die bekämpften Irrlehrer auf Paulus (3,4.15f). Der Verfasser führt den Apostel aber umgekehrt gerade als Zeugen gegen die Irrlehrer an.
⟨328⟩ Daß Kol und Eph ein räumlich orientiertes Schema in den Vordergrund schieben, um damit die Eschatologie von dem Problem der Naherwartung zu entlasten (MERKLEIN, Theologie, S.45), ist so nicht zutreffend. Die künftige Offenbarung ist inhaltlich so nahe an das bereits vorhandene Heil herangerückt, daß die Zeitfrage generell in den Hintergrund tritt.

Gegenwart (ἐν Χριστῷ) und Zukunft (σὺν κυρίῳ) von Christus her versteht. Ihren Einheitspunkt haben die verschiedenen Traditionen in ihrer Konzentration auf das Christusgeschehen. So steht die Aufnahme von Tradition bei Paulus in direktem Zusammenhang mit der Grundstruktur seiner Eschatologie.

Ein solcher Zusammenhang besteht auch für 2Thess, allerdings anders als bei Paulus. Daß der Verfasser sich in seinen eschatologischen Aussagen nicht am Apostel orientiert, zeigt schon die Beobachtung, daß er sich in 2,1-12; 1,5-10 gerade nicht an 1Thess anlehnt. Innerhalb dieser Abschnitte können alle Aussagen auf apokalyptisches Denken zurückgeführt werden. Die Struktur der Eschatologie und das Traditionsmaterial entsprechen sich genau. Im Vergleich mit Paulus ist weniger die Fülle oder die jeweilige Eigenart der Traditionen von Bedeutung als die Tatsache, daß die apokalyptische Tradition selbst die eschatologischen Aussagen des Briefes bildet und daß auch Christus nur mit Hilfe dieser Tradition geschildert wird. Aussagen über die Gegenwart des Herrn kommen von dieser grundlegenden Struktur aus nicht in den Blick <329>.

In Kol klingt apokalyptische Sprache nur an wenigen Stellen an und dient keiner apokalyptischen Aussage. Dagegen steht die Betonung Christi als Schöpfungsmittler und Versöhner des Alls im Mittelpunkt (1,15ff.21ff). Die zentralen christologischen und soteriologischen Gedanken werden mit Hilfe eines Liedes zum Ausdruck gebracht, das auf hellenistisch-jüdische Denkvoraussetzungen zurückverweist (1,15-20). Die Begriffe in 3,1-4 stehen auf demselben Traditionshintergrund. Die grundlegende Bedeutung des Hymnus für den Brief macht die zentrale Bedeutung dieses Traditionsstromes für den Verfasser deutlich. Bei der Interpretation der paulinischen Taufaussage in 2,12f; 3,1f erweist er sich als dominierend. Daß als zweiter Traditionsstrom die paulinische Theologie selbst auch auf die hellenistisch-judenchristlichen Denkvoraussetzungen einwirkt, belegt die Einfügung des Hinweises auf das Kreuz in den Hymnus (1,20) <330>. Die christologisch-soteriologische Konzeption des Hymnus und ihre ekklesiologische Zuspitzung durch den Verfasser ist jedoch für den Entwurf des Kol zentral. Es bleibt festzuhalten: Struktur und Aufnahme von Traditionsmaterial der Eschatologie entsprechen sich sowohl bei Paulus als auch in 2Thess und Kol. Von seinem Verständnis des Heilsgeschehens in Christus aus kann Paulus verschiedenartige Traditionen aufgreifen und in sein eschatologisches Konzept einfügen. Diese Vielfalt ist sowohl in 2Thess als auch in Kol aufgegeben. Beide greifen ausschließlich (2Thess) oder überwiegend (Kol) solche Traditionen auf, die mit ihrem Grundverständnis der Eschatologie in Einklang stehen und blenden anderes ab.

3.5.4) Die Bedeutung der Adressaten

Daß die eschatologischen Aussagen bei Paulus in bestimmte Situationen hineingesprochen sind, macht ein Vergleich von 1Thess 4,13ff mit 1Kor 15 deutlich. In 1Thess

---

<329> Zur Frage, ob der Verfasser die eschatologischen Aussagen des 1Thess ergänzt oder korrigiert, vgl unten S.318f. Hier geht es zunächst nur um die Feststellung des Sachverhaltes.

<330> MERKLEIN, Theologie, S.45 meint, ein räumlich orientiertes Schema werde "durch die Übernahme paulinischer Theologie und paulinischer Sachanliegen" paulinisiert. Dies ist für 1,20 zutreffend. Insgesamt aber steht zweifellos die räumliche Konzeption des Hymnus im Vordergrund und verändert ihrerseits die paulinische Tradition.

ist eine Situation der Trauer vorausgesetzt, in der die Gemeinde durch Todesfälle verunsichert ist. In 1Kor geht es um die Auseinandersetzung mit Irrlehrern, deren Positionen zum Teil angeführt werden (vgl 15,12). Genügt deshalb in 1Thess 4,14 ein Hinweis auf das christologische Credo als die gemeinsame Basis des Glaubens, so bedarf es in 1Kor 15 einer breiten Darlegung des Credos (15,1ff) und einer Auseinandersetzung mit der gegnerischen Postition (12ff). Die Situation der Adressaten hat somit Auswirkungen auf die Aussagen des Paulus. Seine Argumentationsstruktur ist jedoch in beiden Fällen gleich: er geht aus vom Bekenntnis, das er auf die Situation der Empfänger hin interpretiert. Glaube und Hoffnung haben ihren Grund allein im Kreuz und der Auferstehung Jesu Christi.

Nun greift 2Thess zur Abwehr der apokalyptischen Schwärmerei nicht auf paulinische Aussagen zurück, sondern auf Traditionen apokalyptischer Herkunft. Die knappen Hinweise in 2,3f zeigen, daß diese Tradition in der Gemeinde bekannt ist und verstanden wird. Zugleich ist deutlich, daß die eschatologische Auffassung des Verfassers und die der Schwärmer dieselbe Zäsur zwischen Gegenwart und Zukunft aufweisen. Er betont ihnen gegenüber allerdings das "noch nicht" und damit die Gegenwart als Entscheidungszeit für das Eschaton. Insgesamt steht er freilich in deutlicher Nähe zu der in der Gemeinde vertretenen Auffassung, die jedenfalls erheblich größer ist als seine Nähe zur paulinischen Eschatologie. Die Eschatologie der Adressaten, die apokalyptische Tradition und der eigene Entwurf des 2Thess stehen somit in einem relativ engen Verhältnis zueinander. Daß Kol seine Theologie in Auseinandersetzung mit der Irrlehre entwirft, hat sich aus 2,6-23 ergeben. Auch hier zeigt sich jedoch eine auffallende Nähe des Weltbildes der bekämpften Häresie zu der Auffassung des Kol selbst. Ob die Häretiker den Hymnus mitsingen konnten ⟨331⟩, kann offen bleiben. Die Nähe ihrer στοιχεῖα-Vorstellung zu dem hellenistisch-jüdischen Traditionshintergrund des Kol ist jedoch offensichtlich. In der Zeit der Gottferne (1,21) waren die Christen nach der Auffassung des Kol unter der ἐξουσία τοῦ σκότους (1,13) und damit Mächten unterworfen (vgl ἐξουσία in 1,16). Das Weltbild und das räumliche Denken in Sphären und Einflußbereichen hat Kol mit seinen Gegnern gemeinsam. So zeigt sich auch hier trotz der Bekämpfung der Häresie eine Verwandschaft zwischen ihr und der eigenen Konzeption des Kol. Ihnen gegenüber betont er freilich das "Ein-für-alle-Mal" des Heilsgeschehens in Christus. Festzuhalten bleibt: Die in den Gemeinden angesprochenen Gruppen und ihre theologischen Auffassungen prägen die Eschatologie in 2Thess und Kol einerseits als Gesprächspartner mit. Darin unterscheiden sie sich nicht von Paulus. Andererseits weisen sie jedoch zu den von ihnen bekämpften Ansichten selbst eine jeweils große Affinität auf und teilen ihre Denkvoraussetzungen mit ihren Gegnern. Dies schränkt zugleich ihre Freiheit im Umgang mit Tradition ein. Darin liegt ein wesentlicher Unterschied zu Paulus.

⟨331⟩ So *SCHWEIZER*, KOL, S.104; vgl oben, Anm 311.

4) Taufe und Kosmologie bei Paulus und im Kolosserbrief

Es hat sich gezeigt, daß die eschatologischen Aussagen des Kol nur von seinen Beziehungen zu den übrigen Aussagen des Briefes her zu verstehen sind. Hier haben sich vor allem die Taufaussagen 2,12f (die auf Röm 6 zurückgreifen) und der Hymnus 1,15ff als wesentlich erwiesen. Daraus ergibt sich eine enge Zusammengehörigkeit von Taufaussagen und kosmologischen Aussagen in Kol, die beide offenbar auch die Eschatologie des Briefes prägen. Der Vergleich mit Paulus wird sich an Röm 6 orientieren und dann weitere Tauf- und kosmologische Aussagen heranziehen. Ein ähnlich enger Zusammenhang zwischen Taufe und Kosmologie findet sich freilich bei Paulus nicht. In 2Thess finden sich keine parallelen Aussagen, so daß der Brief in diesem Zusammenhang unberücksichtigt bleiben kann.

4.1) Römer 6, 1 - 14

Röm 6,1ff gilt als locus classicus der paulinischen Taufaussagen. Eine ausgeführte Tauflehre des Apostels liegt freilich nicht vor <1>. Zum einen zeigt sich das daran, daß wichtige Aspekte der urchristlichen und auch der paulinischen Auffassung zur Taufe hier keine Erwähnung finden <2>. Zum anderen geht dies aus dem Kontext hervor. Der Einwand in 6,1 wird von 5,20 her formuliert, wobei 3,8 aufgenommen ist <3>. Diesen judenchristlichen Einwand nimmt Paulus wohl aus apologetischem Interesse auf, besonders aber deshalb, weil sich hier ein zentrales Problem des christlichen Glaubens meldet: ist die Gnade Gottes wirklich gerechtmachende Gnade, die zum Leben führt oder gibt es andere Voraussetzungen für das Heil, die zu erfüllen sind? In seiner Antwort führt er zunächst die These von V.2 ins Feld: wer der Sünde gestorben ist, der kann nicht länger in ihr leben <4> und untersteht ihr nicht mehr. Positiv wird diese Aussage in V.11 gewendet: wer für die Sünde tot ist, der lebt nun τῷ θεῷ ἐν Χριστῷ. Es geht Paulus also um das Thema der christlichen Existenz <5>. Dieses Thema wird von 6,3 ab mit Aussagen über die Taufe erläutert.

Für *BORNKAMM* und *KÄSEMANN* endet der Abschnitt mit V.11, ein weiterer Abschnitt schließt in V.12-23 an <6>. Andere ziehen V.12-14 noch zu V.1-11 <7>. Daß

<1> Vgl *KÄSEMANN*, Röm, S.155; *EICHHOLZ*, Theologie, S.203; *THYEN*, Studien, S.195f. Die kaum zu übersehende Fülle der Literatur entspricht der zentralen Bedeutung des Abschnitts.

<2> So fehlen die Geistverleihung oder die Eingliederung in den Christusleib. Weiterhin wird nichts über den Ritus als solchen oder über die Vorbereitung der Taufbewerber gesagt (vgl *KÄSEMANN*, ebd; *SCHWEIZER*, "Mystik", S.242f). Auch über die Vorgeschichte des Sakraments läßt der Abschnitt nichts erkennen.

<3> Zu τί (οὖν) ἐροῦμεν vgl 3,5; 4,1; 7,7; 9,14.38. Es liegt ein wirklicher Einwand vor (gegen *GÄUMANN*, Taufe, S.28.68f). Das zeigt sich weniger an sprachlichen und stilistischen Beobachtungen (vgl *BULTMANN*, Stil, S.13f) als daran, daß der Einwand sachlich schon in 3,5ff begegnet, ebenso in 6,15. Gerade 6,15 spricht für einen Einwand von jüdischer bzw. judenchristlicher Seite, der die Aufhebung des Gesetzes als Konsequenz des paulinischen Denkens (so *WILCKENS*, Röm II, S.8f; *EICHHOLZ*, Theologie, S.204) und damit dessen Unhaltbarkeit dartun will.

<4> τῇ ἁμαρτίᾳ drückt ein Besitzverhältnis aus (vgl *BL-DEBR* § 188,3), ἐν αὐτῇ dessen Geltungsbereich.

<5> So formuliert *EICHHOLZ*, ebd, S.203. Die ganze Theologie des Paulus als Taufauslegung zu bezeichnen, wie *LOHSE*, Taufe, S.318 vorschlägt, empfiehlt sich von hier aus nicht.

<6> *BORNKAMM*, Taufe, S.44. *KÄSEMANN*, Röm, S.155; vgl auch *KUSS*, Röm, S.294; *SCHNACKENBURG*, Baptism, S.30.

<7> Vgl *WILCKENS*, Röm II, S.7f; *EICHHOLZ*, ebd, S.202 u.a.

V.15 in formaler Hinsicht V.1 gleichgestaltet ist und inhaltlich denselben Einwand aufnimmt, ist ein starkes Argument für die Zäsur nach V.14. Zu berücksichtigen ist auch, daß die Stichworte νόμος und χάρις in V.14b sich zurückbeziehen auf 5,20f und 6,1. Wohl setzt die Paränese bereits in V.12-14 ein und wird in V.15f weitergeführt. Es ist aber zu beachten, daß bereits in V.4 das περιπατεῖν ἐν καινότητι ζωῆς angesprochen ist und das Dienst-Motiv von V.15ff findet sich bereits in V.6. V.12-14 gehören also des Neuanfangs in V.15 wegen offenbar noch zu V.1-11, ziehen aber selbst schon die Konsequenz aus dem Gesagten (οὖν) und haben so auch V.15ff schon im Blick.

In 6,3f wird die These von V.2 mit dem Hinweis auf die Taufe begründet und in V.5-7 und V.8-10 in zwei parallelen Gedankengängen entfaltet <8>. Dabei findet sich jeweils ein Bedingungssatz (V.5a.8a), gefolgt von einem futurischen Nachsatz (V.5b. 8b). V.6 und 9 beziehen sich auf ein bereits vorhandenes Wissen bei den Christen in Rom; daran schließt sich in V.7 und 10 jeweils mit γάρ eine Erläuterung an, die der paulinischen Argumentation einen prägnanten Akzent gibt. V.11 faßt diesen ersten Argumentationsgang zusammen. V.12-14 ziehen hieraus die Konsequenz, die mit Hilfe von Imperativen formuliert wird. Die Zusage in V.14b schließt diesen Abschnitt ab, wobei das Stichwort νόμος auf 5,20 zurückgreift.

Die Formulierung in **6,3f** wird verständlich auf dem Hintergrund der Glaubenstradition von 1Kor 15,3b-5 <9>: Christus ist gestorben, begraben und auferweckt worden. Damit gewinnt die Taufe ihre Bedeutung von der Christologie her. Wer εἰς Χριστὸν Ἰησοῦν getauft ist, der ist in Christi Tod hinein getauft <10> und mit ihm begraben. Wie in 1Kor 15,4 folgt auf das Begrabensein die Auferweckungsaussage <11>. Nun ist die Auferstehung Christi der Ausgangspunkt und ὥσπερ-οὕτως stellen die Verbindung mit den Getauften her. Damit ist zugleich eine Begründung gegeben <12>. Die Entsprechung von Christus und dem Getauften tritt in Kraft eben durch die Taufe. Wie und weil er von den Toten auferweckt worden ist, sollen auch "wir in der Neuheit des Lebens wandeln" <13>. Das Hineingenommensein in das Geschick Christi soll sich im Leben ausdrücken. καινότης meint das eschatologisch Neue (vgl 7,6, 2Kor 5,17; Gal 6,15). ἐν καινότητι ζωῆς bildet dabei den Gegensatz zu ἐν ἁμαρτίᾳ in V.2 und weist voraus auf ἐν Χριστῷ Ἰησοῦ in V.11. Weil Christus auferstanden ist, ist den Christen eine neue Lebensmöglichkeit eröffnet <14>, die sie nun wahrnehmen sollen.

Die Auferweckung der Christen bleibt freilich, wie die Futura in V.5b.8b zeigen, der Zukunft vorbehalten. Der Gedanke von V.3f wird zunächst in V.5-7 weiter entfaltet. Das Verständnis von **V.5** hängt ab von der Aussage σύμφυτοι γεγόναμεν τῷ ὁμοιώματι τοῦ θανάτου αὐτοῦ. τῷ ὁμοιώματι gehört als soziativer Dativ zu σύμφυτοι

<8> Dies hat BORNKAMM, Taufe, S.38f herausgearbeitet.
<9> So KRAMER, Christos, S.24. Gegenüber der Formel in 1Kor 15 ist allein das Fehlen von ὤφθη festzustellen, das aber in Verbindung mit der Taufaussage keinen Ort hat.
<10> εἰς τὸν θάνατον in V.4 ist syntaktisch und vom Zusammenhang mit V.3 her mit διὰ τοῦ βαπτίσματος zu verbinden (so WILCKENS, Röm II, S.12; anders BORNKAMM, Taufe, S.38, Anm. 6). Das εἰς hat lokale Bedeutung. Vgl DELLING, Zueignung, S.70 und ebd, S.68ff zur Wendung "taufen auf den Namen".
<11> Der traditionelle Charakter der Aussage zeigt sich weiter an dem Passiv ἠγέρθη (1Kor 15,4.12ff; 2Kor 5,15; Röm 4,25; 6,9; 7,4); an der Näherbestimmung διὰ τῆς δόξης τοῦ πατρός und an der Nennung Gottes als des Vaters (vgl MICHEL, Röm, S.153, Anm. 5).
<12> Vgl KÄSEMANN, Röm, S.158; die Aussage hat ihre Entsprechung in 5,12ff.15.19.
<13> Der Aor.Konj. könnte zwar ein logisches Futur ersetzen (so LARSSON, Christus, S.71); hiergegen sprechen aber die eschatologischen Futura in V.5b.8b. Vgl auch MERK, Handeln, S.24. περιπατεῖν ist Terminus technicus für das christliche Leben, vgl Röm 8,4; 13,13; 1Kor 7,17; Gal 5,16; 1Thess 2,14; 4,1.12.
<14> Mit dem ἵνα-Satz wird zugleich der ἵνα-Satz der gegnerischen These von V.1 abgewehrt. SIBER, Christus, S.240 verweist auf den imperativischen Sinn, der dem ἵνα-Satz eignet.

γεγόναμεν ⟨15⟩, der Genitiv τοῦ θανάτου zu τῷ ὁμοιώματι und zu σύμφυτοι γεγόναμεν ist kein αὐτοῦ zu ergänzen ⟨16⟩. ὁμοίωμα bezieht sich also auf das Sterben Jesu. Das Wort bezeichnet die Gleichheit, allerdings nicht strikte Identität ⟨17⟩: dies zeigt sich in Röm 5,14; 8.,3; in Phil 2,7 ist der erniedrigte Christus zwar den Menschen völlig gleich geworden, aber eben doch geworden als ursprünglich ἐν μορφῇ θεοῦ ὑπάρχων. Gemeint ist die gleiche Gestalt des Todes Christi. Damit verbietet sich die Auslegung der Stelle, die zwischen dem Tod Jesu und der Taufe eine Ähnlichkeit feststellt; es geht nicht um eine sakramentale Wiederholung des Todes Jesu ⟨18⟩. Vielmehr werden wir der Gleichgestalt seines Todes verbunden ⟨19⟩, wobei ὁμοίωμα festhält, daß es *Christi* Tod ist, mit dem die Getauften verbunden sind.

σύμφυτοι γεγόναμεν ist auch für den Nachsatz V.5b zu ergänzen. Nur so ist die durch εἰ γὰρ - ἀλλά angezeigte Entsprechung gegeben. Sind die Getauften der Gleichgestalt des Todes Christi verbunden, so werden sie auch der Gleichgestalt der Auferstehung Christi verbunden. Es ist nicht angebracht, die Auferweckung Christi und die eschatologische Totenauferstehung zu trennen, wie schon aus dem allgemeinen ἀνάστασις hervorgeht. Nach 1Kor 15,20 ist ja die Auferweckung Christi das erste Ereignis der eschatologischen Totenauferweckung. Das Futur ist ein eschatologisches Futur ⟨20⟩. Dies ist durch die parallele Aussage in V.8 eindeutig gestützt. Freilich steht hier wie in V.8.11 eine präsentische Aussage neben der zukünftigen: die Teilhabe der Getauften an der Auferstehung Christi bleibt der Zukunft vorbehalten, aber die Auferstehung Christi wirkt als eschatologisches Geschehen bereits in das gegenwärtige Leben des Getauften hinein und begründet den Wandel ἐν καινότητι ζωῆς.

V.6 faßt den bisherigen Gedanken zusammen, legt ihn im Blick auf das Verhältnis zur Sünde aus und bezieht sich mit τοῦτο γινώσκοντες auf ein Wissen der Adressaten. Dies liegt in der Wendung vom alten Menschen vor: es ist damit auf die ἄνθρωπος-Aussagen in 5,12ff hingewiesen, "jedoch so, daß, was dort allgemein vom

----

⟨15⟩ Vgl *BORNKAMM*, Taufe, S.42 und die meisten neueren Ausleger.
⟨16⟩ Anders wäre τῷ ὁμοιώματι als instrumentaler Dativ aufzufassen und würde sich auf die Taufe beziehen. αὐτῷ ist jedoch an dieser Stelle durch nichts gerechtfertigt. Die Aussage bezieht sich direkt auf Christus, nicht auf die Taufe (*BORNKAMM*, ebd). Das Perfekt γεγόναμεν betont den Charakter des Geschehenen (*SCHNACKENBURG*, Baptism, S.36). Die Deutungsmöglichkeiten sind zusammengefaßt bei *LARSSON*, Christus, S.60f, Anm.2.
⟨17⟩ *SCHNEIDER*, Artikel ὅμοιος κτλ, S.191. Zur Variationsbreite des Begriffs vgl *KÄSEMANN*, Röm, S.159. Der Sinn wird vom Kontext mitbestimmt. *BIEDER*, Verheißung, S.196, interpretiert mißverständlich im Sinn des verpflichtenden Modells. Aber die Taufe ist nicht Modell, sondern verbindet mit Tod und Auferstehung Christi.
⟨18⟩ So hat *CASEL* die Stelle als Vergegenwärtigung des Todes Christi im Sakrament gedeutet (Kultmysterium, S.31; vgl *WARNACH*, Taufe, S.284ff). Für *K.BARTH* (Lehre, S.6; vgl *M.BARTH*, Taufe, passim) ist umgekehrt die Taufe nicht das Heilsgeschehen, sondern sie bezeugt es nur, sie ist Gleichnis dafür (ὁμοίωμα). Ihre Bedeutung als Zeichen hängt an der Einsetzung durch Christus selbst (vgl hierzu ausführlich *SCHNELLE*, Gerechtigkeit, S.20-24). *HAHN*, Mitsterben, S.90ff interpretiert im Sinne eines von Kierkegaard geprägten Gleichzeitigkeitsgedankens. Richtig dagegen *RIDDERBOS*, Paulus, S.200).
⟨19⟩ συμφύομαι (im NT nur hier) bedeutet ursprünglich zusammenwachsen; es gewinnt die allgemeine Bedeutung: verbunden mit (*GRUNDMANN*, Artikel σύν - μέτα, S.786; vgl *GÄUMANN*, Taufe, S.78; *MICHEL*, Röm, S.154, Anm.1).
⟨20⟩ *BORNKAMM*, Taufe, S.43f. Anders *LARSSON*, ebd, S.69-71. *THYEN*, Studien, S.206f betont, daß Paulus den Akzent hier nicht auf die Zukunft, sondern auf den Wandel lege. Dies ist zwar richtig, aber die Aussage ist doch in Zusammenhang mit V.8 zu sehen. Der Wandel ἐν καινότητι ζωῆς wird eschatologisch begründet.

Verhaftetsein aller Menschen in der umfassenden Wirkung der Sünde des 'einen Menschen' gesagt ist, hier auf den einzelnen konkret angewandt wird" <21>. Im Hinweis auf das Mitgekreuzigt-Sein liegt der eigene Akzent des Paulus; jedenfalls findet er sich nicht in V.3f, wo die Tradition von 1Kor 15,3b-5 aufgenommen ist. Er bringt das Ablegen des alten Menschen (so in Kol 3,9) <22> mit dem Hinweis auf das Kreuz zusammen (vgl Phil 2,8; 1Kor 1,18): im Kreuz Christi und im Mitgekreuzigt-Sein der Getauften liegt die Voraussetzung, daß wir in der Neuheit des Lebens wandeln können (V.4). Das Alte ist mit dem Kreuz abgetan und ist nun für die Getauften keine Möglichkeit mehr (2Kor 5,17; Gal 6,15). Im nachfolgenden ἵνα-Satz wird der alte Mensch mit σῶμα τῆς ἁμαρτίας präzisiert (vgl 6,12; 7,24) <23>. Das Mitgekreuzigt-Sein hat das Ziel, daß der alte Mensch und der Leib der Sünde vernichtet wird <24>. Die Konsequenz zieht die Genitiv-Wendung: "wir" dienen nicht mehr der Sünde und sind ihr in keiner Weise mehr verpflichtet. Darin kommt der eschatologische Aspekt zum Tragen. So wird hier im Blick auf die Sünde negativ beschrieben, was Paulus in V.4 mit dem Wandel in der Neuheit des Lebens bezeichnet hat.

V.7 begründet diese Aussage mit Hilfe eines rabbinischen Rechtssatzes <25>, dessen Sinn ist: wer gestorben ist, ist rechtmäßig von der Sünde befreit, indem er sie durch seinen Tod gesühnt hat. Das Verb δικαιοῦν bezeichnet hier die durch den Tod eintretende Befreiung von allen irdischen Mächten und der Verpflichtung ihnen gegenüber. Mit dieser Sentenz begegnet Paulus dem jüdischen Einwand von V.1. Er bezieht sie aber nicht auf den physischen Tod, sondern auf das Mitgekreuzigt-Sein in der Taufe. Da der "Leib der Sünde" vernichtet wird, ist der Getaufte aus dem Machtbereich der Sünde herausgenommen. Wegen der Sentenzhaftigkeit des Satzes und der Präposition ἀπό wird man hier nicht in erster Linie an die Sühnebedeutung des Todes Christi denken, obwohl diese natürlich von 5,8 her mitgedacht ist <26>. Daß einer für alle gestorben ist und folglich alle gestorben (2Kor 5,14bf) und in dieses eine Sterben mit hineingenommen sind, ist paulinische Überzeugung und im Kontext von V.7 ist der Sühnegedanke angesprochen. Mit dem Satz aus der Überzeugungswelt des jüdischen Gegners kann Paulus freilich in besonderer Weise den Einwand aus V.1 entkräften.

<25> WILCKENS, Röm II, S.16; vgl auch KÄSEMANN, Röm, S.161.
<22> Zu den religionsgeschichtlichen Parallelen zu diesem Bild vgl unten S.172. Auch wenn diese das Ablegen des alten und das Anlegen des neuen Menschen nicht genau treffen, so geben sie doch das Umfeld an, in dem diese Redeweise steht.
<23> σῶμα "meint den Menschen in seinem Gegenüber zu Gott oder der Sünde oder zu seinem Mitmenschen ... So wird σῶμα der Bereich, in dem der Mensch dient" (SCHWEIZER, Artikel σῶμα, S.1063).
<24> Zur Bedeutung "vernichten" vgl BAUER, Wörterbuch, Sp. 825.
<25> Dies hat KUHN, Röm 6,7, S.305ff herausgearbeitet; vgl Sifre Num 112; Schab 151 B Bar und STR-BILL III, S.232. Das δικαιοῦσθαι ἀπό erklärt sich aus diesem Zusammenhang (vgl KÄSEMANN, Röm, S.162). Im Hintergrund steht die at.liche Auffassung vom Zusammenhang von Tun und Ergehen (vgl oben, S.56f; dagegen THYEN, Studien, S.204f). Frühere Herleitungsversuche sind bei GÄUMANN, Taufe, S.81f verzeichnet. SCROGGS, Romans 6,7, S.106ff hat ὁ ἀποθανῶν auf Christus bezogen, sich mit dieser Auslegung aber nicht durchsetzen können.
<26> So mit KÄSEMANN, Röm, S.162. HAHN, Taufe, S.111 gegen WILCKENS, Röm II, S.18. Zu δικαιοῦσθαι ἀπό vgl Sir 26,29; Test S 6,1; Apg 13,38. Das Gerechtfertigtsein ist freilich mit dem Motiv der Todestaufe verbunden (vgl hierzu EICHHOLZ, Theologie, S.211; HAHN, ebd, S.11f; GOPPELT, Theologie, S.425).

Mit V.7 ist der Gedankengang von V.5 an abgerundet. **V.8-10** beziehen sich auf das neue Leben und damit auf V.5b zurück. Das Futur ist eindeutig ein eschatologisches Futur. Hierauf weisen besonders das eingeschobene πιστεύομεν und ebenso das οὖν bei συζήσομεν, mit dem der eschatologische Zielpunkt der Existenz des Glaubenden dargestellt wird (vgl 1Thess 4,14.17). Das Sterben mit Christus gibt dem Getauften Anteil an der eschatologischen Wende und eröffnet ihm die Zukunft mit Christus. Es geht um die grundlegende Erkenntnis <27>: wer mit Christus gestorben ist, dessen Gegenwart (πιστεύομεν) und dessen Zukunft (συζήσομεν) ist von Christus geprägt und bestimmt. Es ist das hoffende Vertrauen des "mit Christus", das hier angesprochen ist. Glaube und Taufe stehen nicht in Konkurrenz zueinander, sondern sind eng aufeinander bezogen: der Glaube empfängt die Taufe (vgl Gal 3,26) und ebenso folgt er der Taufe (Röm 8,6) <28>.

V.9 zieht aus der Auferstehung Christi die Folgerung <29>: Christus stirbt nicht mehr und der Tod hat keine Macht mehr über ihn. Das Getauftsein in Christi Tod befreit von der Herrschaft der Sünde und eröffnet zugleich das neue Leben in Christus (V.11) und die Hoffnung auf das zukünftige Leben mit ihm.

V.10 ist in Parallele zu V.7 zu sehen, geht aber über die dortige Aussage hinaus. Hier formuliert Paulus ganz vom Christusereignis her: mit seinem Tod, den er gestorben ist, ist er der Sünde gestorben, und zwar ἐφάπαξ. In der Parallele zu V.7 ist nicht zu übersehen, daß Tauf- und Christusgeschehen zusammengehören. Wie in V.2 zeigt der Dativ τῇ ἁμαρτίᾳ das Besitzverhältnis an, dem nun das ζῇ τῷ θεῷ gegenübersteht. Christi Leben ist ein Leben von und für Gott und damit allein wahres und bleibendes Leben. Unausgesprochen ist dabei in dem Zusammenhang von V.10 und V.5-7 vorausgesetzt, daß der Tod Christi ein Tod für die an ihn Glaubenden und auf ihn Getauften ist. **V.11** zieht hieraus die Konsequenz für die Adressaten (ὑμεῖς). οὕτως faßt dabei das Gesagte zusammen. Sie sollen sich als solche ansehen, die nun selbst, Christus entsprechend (V.10), für die Sünde tot sind und jetzt für Gott leben, und zwar in Christus Jesus. Dieses ἐν Χριστῷ Ἰησοῦ beschreibt als prägnante Formel den Raum, in dem sich die Existenz der Christen auf Grund der Erlösung vollzieht (Röm 3,24), in dem sie vom Gesetz der Sünde und des Todes frei sind (Röm 8,2), in dem die Liebe Gottes herrscht (Röm 8,39) und in dem deshalb alle Glaubenden zu einem Leib ἐν Χριστῷ zusammengehören.

Zur Frage nach vorpaulinischer Tradition müssen einige Hinweise genügen <30>. Die Frage drängt sich durch die Verweise auf das Wissen der Adressaten in V.3.6 geradezu auf <31>. Die Formulierung βαπτίζειν εἰς Χριστὸν Ἰησοῦν <32> und die

---

<27> *MICHEL*, Röm, S.155 denkt von εἰδότες her für πιστεύομαι an das Bekenntnis (vgl ähnlich *GÄUMANN*, Taufe, S.94). Hierfür ergibt sich im Text aber kein Anhaltspunkt.

<28> Vgl *SCHNELLE*, Gerechtigkeit, S.150; *WILCKENS*, Röm II, S.52-54. Nach *THYEN*, Studien, S.208 bezeichnet das Futur die eschatologisch qualifizierte Gegenwart (vgl ebenso *LARSSON*, Christus, S.71).

<29> Gegen *GÄUMANN*, ebd, S.85, der in der Auferstehung einen Satz des Credo und das Zentrum von V.9 sieht.

<30> Vgl die Diskussion der verschiedenen Standpunkte bei *KUSS*, Röm, S.319-381; *SCHNELLE*, ebd, S.75ff.

<31> ἢ ἀγνοεῖτε bezieht sich auf ein tatsächlich vorhandenes Wissen (*KÄSEMANN*, Röm, S.157; *WILCKENS*, Röm II, S.11; *BORNKAMM*, Taufe, S.37, Anm.5; *SCHNELLE*, ebd, S.75; *HAHN*, Taufe, S.109).

<32> Vgl hierzu *DELLING*, Zueignung, passim. Es liegt eine eingliedrige Tauformel vor. Vgl zu der Formel der vorpaulinischen Gemeinde auch *BULTMANN*, Theologie, S.135ff; CONZEL-

Vorstellung der Taufe εἰς τὸν θάνατον αὐτοῦ ist traditionell <33>. Gerade diese Vorstellung ist für das Folgende von Bedeutung. Mit den σύν-Wendungen von V.4f wird dieser Gedanke weiter ausgeführt. Dabei steht die christologische Bekenntnistradition von 1Kor 15,3b-5 im Hintergrund, wie das συνετάφημεν V.4 und der Zusammenhang von Grablegung und Auferweckung zeigen <34>. Diese Beziehung zum christologischen Credo ist für die paulinische Auffassung von der Taufe unaufgebbar. Daß die Taufe bereits vorpaulinisch mit der Sündenvergebung verbunden war, klingt in V.6 an <35>. Auch für V.8 ist eine vorpaulinische Aussage anzunehmen.

In der Frage nach Herkunft und Bedeutung der σὺν Χριστῷ-Wendungen kann man das Problem der Abhängigkeit der paulinischen Taufaussagen von vorpaulinischer Tradition bündeln. Es gibt bei Paulus verschiedene Bereiche, in denen er σύν-Wendungen gebraucht. Dies sind zum einen eschatologische Aussagen, die von der Parusie und von der Vereinigung der Christen mit Christus im Eschaton sprechen. Hauptbeleg hierfür ist 1Thess 4,14 (vgl 5,10) <36>. Weiter sind zu nennen die Mit-Christus-Wendungen im Zusammenhang mit der Taufe (vgl vor allem Röm 6). Schließlich wird die Leidensnachfolge mit σύν-Aussagen zum Ausdruck gebracht, und zwar im Blick auf den Apostel (vgl Phil 3,10f) wie auf alle Christen (vgl Röm 8,17). Die ältesten Belege bei Paulus sind zweifellos die in 1Thess. 4,14 ist apokalyptisch geprägt und stellt das Mit-Christus in einen endzeitlichen Zusammenhang. Dasselbe gilt für 2Kor 13,4, wo das zukünftige Leben mit Christus dem gegenwärtigen Schwachsein in ihm entgegengestellt wird. Das künftige Mit-Sein mit Christus ist für Paulus der eschatologische Zielpunkt schlechthin. Von dem sachlichen Gewicht dieser Aussage wie von der im ältesten Paulusbrief erkennbaren Nähe von σύν-Aussagen und apokalyptischer Tradition her kann man die Herkunft der σὺν Χριστῷ-Wendungen von der Apokalyptik nicht gut bestreiten <37>.

Damit sind freilich die Taufaussagen von Röm 6 noch nicht erklärt. Nun kann nicht übersehen werden, daß auch die Taufaussagen hinzielen auf das zukünftige Leben mit Christus (Röm 6,8) und in Röm 8,17 ist das jetzige Mitleiden der Christen mit Christus verbunden mit dem zukünftigen Mit-Verherrlicht-Werden mit ihm. Von hier aus wurde die Ausweitung der apokalyptischen σύν-Aussagen auf das schon gegenwärtige Leiden mit Christus vertreten <38>. Einen ganz anderen Weg ging die religionsgeschichtliche Schule, die in dem Mit-Sterben und -Auferstehen in der Taufe eine direkte Beeinflussung durch hellenistische Mysterienreligionen erkannte. Die hellenistische Gemeinde habe die Taufe in Analogie zur Mysterienweihe <39> verstan-

----

MANN, Grundriß, S.64-67. Neben der bereits vorpaulinischen Verbindung von Taufe und Tod Jesu (vgl Mk 10,38; Lk 12,50) sind auch die Reinigung von Sünden und der Empfang des Geistes schon vor Paulus mit der Taufe verbunden (vgl Apg 2,38; DELLING, ebd, S.96ff). Daß das Eintauchen ins Wasser als Zeichen für das Sterben, das Auftauchen für das Auferstehen verstanden sei (vgl LIETZMANN, Röm, S.65; LARSSON, Christus, S.57), wird man so nicht halten können. βαπτίζειν gewinnt im Urchristentum sehr schnell technische Bedeutung. Auch ist die Bedeutung des Taufwassers eher in dem Abwaschen der Sünde zu sehen (vgl RIDDERBOS, Paulus, S.287; DELLING, Zueignung, S.77).

<33> Hierin kommt die Schicksalsgemeinschaft des Getauften mit Christus zum Ausdruck (vgl KÄSEMANN, Röm, S.156; HAHN, Taufe, S.109). KÄSEMANN findet in V.3b die traditionelle Aussage und in V.3a die paulinisch formulierte Prämisse; WILCKENS, Röm II, S.11 urteilt gerade umgekehrt. Tatsächlich ist der ganze Vers in Anlehnung an bei der römischen Gemeinde bekannte Tradition verfaßt. Paulus stellt sich zu Beginn seiner Ausführungen mit der angeredeten Gemeinde auf eine gemeinsame Basis, von der aus er seine spezifische Aussage entfalten kann (vgl 1Thess 4,14).

<34> Vgl hierzu besonders THYEN, Studien, S.196.

<35> Vgl WILCKENS, Röm II, S.8; MICHEL, Röm, S.155 (anders KÄSEMANN, Röm, S.161).

<36> Die Belege für die genannten Bereiche sind zusammengestellt bei KUSS, Röm, S.319f.

<37> LOHMEYER, ΣΥΝ ΧΡΙΣΤΩ, S.245ff vertrat die Herleitung der Formel von der Apokalyptik mit dem Ansatzpunkt in 1Thess 4,13. Er führte die Formel auf eine dem Paulus und Johannes gemeinsame Menschensohnchristologie zurück. SCHWEIZER, "Mystik", S.239ff hat diese These aufgegriffen. Dagegen THYEN, Studien, S.197, Anm.1; S.209, Anm.2.

<38> So SCHWEIZER, "Mystik", S.246ff.

<39> Vgl LIETZMANN, Röm, S.65ff; GÄUMANN, Taufe, S.37-46. In diesem Zusammenhang wird immer wieder hingewiesen auf Apuleius, Met XI (vgl KUSS, Röm, S.358ff; S.344ff findet sich ein Überblick über die wichtigsten Mysterien). BULTMANN, Theologie, S.142ff nimmt diese Herleitung auf und deutet sie existential (ebd, S.297-303). Die Unterschiede der paulinischen Aussagen zu denen der Mysterienreligionen sind zusammengefaßt bei SCHNACKENBURG, Heilsgeschehen, S.132-139. SCHNELLE, ebd, S.77f weist zu Recht auf die unterschiedliche Struktur von Weihe und Taufe hin. Vgl auch die kritische Bemerkung bei Apuleius selbst (Met XI 29,1ff), wo er angesichts der dritten Weihe Zweifel äußert an der Zuverlässigkeit der beiden ersten.

den. Nun liegt darin, daß bei der Mysterienweihe der Myste Anteil bekommt am Schicksal der Gottheit, sicherlich eine Verbindung zu Röm 6,3ff vor, allerdings kaum in der Art einer direkten Ableitung <40>. Denn die Taufe stellt ja weder einen Initiationsritus in einem umfassenden kultischen Stufensystem dar, noch führt sie zur Vergottung des Getauften, sondern sie gibt Anteil am Heilsgeschehen von Tod und Auferstehung Christi und an der Hoffnung auf das Mit-Sein mit ihm <41>. Dennoch gehören die Mysterienreligionen zu dem Umfeld von Röm 6 hinzu. Ebenso gehört die Vorstellung von der korporativen Persönlichkeit in dieses Umfeld <42>, ohne daß sich damit die für Röm 6 typischen σύν-Aussagen bruchlos erklären lassen. Denn in 1Kor 15,21f ist gerade nicht die σύν-Aussge mit der Adam-Christus-Vorstellung verbunden, sondern die ἐν-Aussage und auch in Röm 5,12ff fehlen die σύν-Wendungen.

Dieser Sachverhalt führt dazu, die Taufaussagen auf ihren Zusammenhang mit inner-christlichen Erscheinungen hin zu untersuchen. Die Taufe "auf den Namen Jesu" zeigt die Beziehung des Getauften zu Christus und zum Heil. Diese Beziehung ist schon vor Paulus als Schicksalsgemeinschaft verstanden worden, die bereits im Nachfolgegedanken der Jesusüberlieferung ihren Ausdruck findet <43>. Die Jünger werden aus ihrem bisherigen Leben radikal herausgerufen, die Nachfolge bestimmt ihr gesamtes jetziges Leben bis hin zum Mit-Leiden mit Jesus (vgl Mt 26,38.40) und zum Gedanken des Mit-Sterbens (vgl Mk 14,31). Das Tragen des Kreuzes ist nach Lk 14,27 Kennzeichen der Nachfolge, wobei in der nachösterlichen Tradition sicherlich das Kreuz Jesu mitgemeint ist (vgl Lk 9,23). Nun fehlen allerdings der Nachfolge- und Jüngerbegriff bei Paulus und im Kontext der σύν-Aus-sagen finden sich keine ausdrücklichen Hinweise auf Jesustradition <44>, so daß man die σύν-Wendungen nicht direkt von dorther ableiten kann. Inhaltlich ist der Gedanke der Schicksalsgemeinschaft zwischen Jesus und dem, der an ihn glaubt, aber zweifellos bereits vorgegeben.

Paulus setzt in Röm 6,3ff offensichtlich das christologische Credo von 1Kor 15,3b-5 voraus. Dieser Zusammenhang ist so deutlich, daß man die Gemeinschaft des Getauf-ten mit Christus vom christologischen Credo her konstituiert und auch bis in die Formulierung hinein beeinflußt sehen kann <45>. Taufe und σύν-Aussagen sind nur vom Christusereignis als dem grundlegenden Datum her zu begreifen und werden von ihm her gewonnen. Weil Christus das Heil ist, kann es für den Christen Heil nur mit Christus geben. Weil Christus aber der auferstandene und gegenwärtige Herr ist, gilt dies nicht nur für die Zukunft, sondern bereits für den gegenwärtigen Wandel (V.4). Dementsprechend orientiert sich sowohl das Leben des Apostels (Phil 3,10; 2Kor 4,7ff; Gal 6,17) wie der Christen überhaupt (Röm 8,17; Phil 2,3ff) an Christus. Hier hat auch der Gedanke der imitatio Christi seinen Ansatzpunkt, in dessen Rahmen ebenfalls σύν-Aussagen begeg-

----

<45> Gegen GÄUMANN, Taufe, S.46. WAGNER, Problem, S.281ff streitet umgekehrt jede Verbindung zwischen den Mysterien und Röm 6 ab. Methodisch ist gegen seine Arbeit einzuwenden, daß er die einzelnen Mysterienkulte isoliert betrachet und dadurch nicht zu einer Würdigung des allen Kulten Gemeinsamen kommen kann (vgl GÄUMANN, ebd, S.40, Anm.27; SCHNELLE, Gerechtigkeit,S.208f, Anm.418; WILCKENS, Röm II, S.58).

<41> SCHNELLE, ebd. Festzuhalten ist auch, daß die verschiedentlich bei den Mysterienreligio-nen belegten Waschungen von dem eigentlichen Weiheakt unterschieden sind, vgl Apuleius, Met XI,23.

<42> So GRUNDMANN, Artikel σύν-μέτα, S.781 (vgl RIDDERBOS, Paulus, S.288). GRUNDMANN geht von der Vorstellung der korporativen Person aus, bei der Christus als zweier Adam dem ersten Adam gegenübersteht und jeder von beiden die gesamte Menschheit repräsen-tiert (Röm 5,12ff); vgl LARSSON, Christus, S.24f; SCHWEIZER, Erniedrigung, S.140-143. Zum Gedanken der korporativen Person im Judentum vgl ROBINSON, Conception, S.49ff.

<43> Vgl WILCKENS, Röm II, S.59-62; GOPPELT, Theologie, S.429; SCHWEIZER, ebd, S.140-143; LARSSON, ebd, S.24f.

<44> Vgl SCHNELLE, ebd, S.79. Die Behauptung SCHNELLEs, daß "bedeutsame Hinweise auf Jesustradition" bei Paulus fehlten (ebd), kann man freilich so nicht aufrecht erhalten (vgl unten S. 148ff). Die Gleichsetzung von μαθηταί und Χριστιανοί in Apg 11,26 bietet den Ansatz der nachösterlichen Rezeption des Nachfolgegedankens.

<45> Vgl hierzu besonders THYEN, Studien, S.196f.199. THYEN überzieht seine Position frei-lich, wenn er feststellt, daß die Erinnerung an die Taufe im Gedankengang des Röm über-flüssig sei (ebd, S.198). Daß Christus das Sakrament ist, wie v.SODEN, Sakrament, S.375 pointiert formulierte, entspricht der christologischen Zentrierung des paulinischen Denkens, berücksichtigt aber nicht genügend, daß für den Christen die Taufe der Ort ist, an dem die Unterstellung unter das Geschick Christi sich vollzieht (gegen THYEN, ebd, S.200f). LOHSE, Taufe, S.316 stellt zu Recht fest, daß der Rekurs auf bekenntnisartige Formulierungen in Röm 6,3ff und 1Kor 1,21f den "rechtlichen Charakter der Taufe" unter-streicht, also ihre Bedeutung als Ansatzpunkt der Zugehörigkeit zum Heilsgeschehen; vgl SCHNELLE, ebd, S.147f.

nen. So übernimmt Paulus den Gedanken der eschatologischen Vollendung mit Christus mit der σύν-Formulierung aus der apokalyptischen Tradition. Für ihn ist aber bereits im Geschehen von Tod und Auferstehung Jesu das Heil ein für alle mal da (Röm 6,10), und in der Taufe wird der Christ diesem Geschehen zugeordnet. Deshalb lebt der Getaufte schon jetzt in der Neuheit des Lebens, d.h. eine eschatologische Existenz. Und deshalb bezeichnet Paulus den Ansatzpunkt dieser Existenz (nicht von Christus her gesehen, aber vom Christen her) als ein Mitsterben mit Christus, auf das der neue Wandel und die Hoffnung auf die eschatologische Vollendung folgen. Die Wendung σὺν Χριστῷ bekommt so für Paulus einen grundlegenden Akzent als Kennzeichnung der Existenz des Christen zwischen den Polen der Taufe einerseits und der zukünftigen Vollendung andererseits. Die Ausweitung auf die Taufe und das gegenwärtige Leiden des Apostels und der Christen ist seine theologische Leistung, während er das Grundkonzept aus der apokalyptischen σύν-Wendung gewinnt <46>.

Neben Paulus haben offensichtlich aber auch andere Gruppen innerhalb der paulinischen Gemeinden auf urchristliche Tauftraditionen zurückgegriffen, um damit ihre eigenen Auffassungen zu stützen. Man kann dies an verschiedenen Stellen erkennen. In 1Kor 15,29 bezieht sich Paulus auf den Brauch der stellvertretenden Taufe, der in Korinth geübt wird. Es ist oft versucht worden, die Massivität der Vikariatstaufe bei Paulus zu mildern <47>; dabei hat man aber übersehen, daß die paulinische Argumentation nicht auf die Taufe zielt, sondern auf die Auferstehung. Dabei geht es ihm zunächst von V.12 ab um den Nachweis der Zusammengehörigkeit von Auferstehung Jesu und eschatologischer Totenauferweckung. Von V.23 an beschreibt er die τάξις dieser Auferweckung und führt auf das Ziel hin: ἵνα ᾖ ὁ θεὸς πάντα ἐν πᾶσιν (V.28). Hieran fügt Paulus Argumente aus dem eigenen Anschauungsbereich der Korinther an, zu denen nun auch die Vikariatstaufe gehört. Mit diesem Hinweis zeigt er ihre Inkonsequenz auf <48>. Es liegt hier also nicht die eigene Überzeugung des Paulus vor <49>, sondern es spiegelt sich die Auffassung korinthischer Kreise wider, die Paulus bekämpft. Er greift sie auf, weil er mit diesem Argument die Gegner mit ihren eigenen Waffen schlagen kann. Deren Taufverständnis ist offenbar in einer Weise sakramental, daß die vollzogene Taufe Wirkung sogar für bereits Gestorbene hat. Gerade bei ihnen fallen aber Taufe und Glaube notwendig auseinander und die Taufe wirkt tatsächlich ex opere operato. Dieser Sakramentalis-

----

<46> Dies in Übereinstimmung und Abgrenzung zu *SIBER*, Christus, S.205f.247f. Anders *HAHN*, Taufe, S.110, Anm.58. Die Umbiegung des Gedankens in V.4c wie das Futur in V.8 sind nicht die Durchbrechung der eigenen Logik (gegen *SCHNELLE*, ebd, S.78), sondern wahren den eschatologischen Vorbehalt aus der apokalyptischen Tradition des σὺν Χριστῷ. *SCHNELLE* nimmt bei seiner Deutung den Ausgangspunkt ebenfalls bei 1Thess 4,13f und findet hier die "soteriologische Partizipation des Glaubenden am Schicksal seines Herrn ... nach dem Schema 'wie Christus' - 'so die Seinen'" (S.79f). Als Herkunftsort dieser Tradition sieht er Korinth an. Dort besteht nach seiner Auffassung eine eigenständige Weiterentwicklung der paulinischen Problemlösung von 1Thess 4,13ff. Paulus habe diese Tauftradition aufgenommen und modifiziert, weil er einerseits mit ihr ein Anliegen seiner Rechtfertigungstheologie habe ausdrücken und andererseits habe voraussetzen können, daß dieses Verständnis im Urchristentum verbreitet gewesen sei. Es darf jedoch nicht übersehen werden, daß Paulus bereits in 1Thess 4,14 einen Glaubenssatz zur Formulierung heranzieht und die zukünftige σύν-Aussage mit dem christologischen Bekenntnis von Tod und Auferstehung Jesu zusammenbringt. Das παρακαλεῖν (4,18) und das οἰκοδομεῖν (5,11) geschehen zwischen den Polen von Tod und Auferstehung Christi einerseits und eschatologischer Vollendung andererseits. Der Unterschied zu Röm 6 besteht also nur darin, daß diese Konzeption dort im Blick auf die Taufe ausgelegt ist, nicht aber in der Konzeption selbst. Es ist also unwahrscheinlich, daß Paulus in Röm 6 eine von seinem Denken beeinfußte, aber eigenständig weiterentwickelte Tauftradition aufgenommen hat.

<47> Vgl hierzu den Überblick bei *RISSI*, Taufe, passim und *WOLFF*, 1Kor, S.185-191. *HEITMÜLLER*, Taufe, S.11ff versuchte umgekehrt, die übrigen paulinischen Aussagen von dieser Stelle her zu deuten. Richtig ist, daß die νεκροί nur bereits verstorbene Nichtchristen sein können.

<48> *LOHSE*, Taufe, S.310.

<49> *RISSI*, ebd, S.89 deutet die Stelle als Bekenntnisakt, der die Auferstehungshoffnung bezeuge. *SCHNELLE*, ebd, S.151 sieht 1Kor 15,29 "auf einer Linie mit 1Thess 4,16 und Röm 6,3f, die in Korinth geschrieben bzw. konzipiert wurden". Dieses Verständnis wird freilich der Tatsache nicht gerecht, daß für Paulus Taufe und Glaube zusammengehören und daß schon von daher eine positive Aufnahme der Vikariatstaufe ausgeschlossen ist. Hinzu kommt, daß es sich in 1Thess anders als hier um verstorbene Christen handelt.

mus in der Taufauffassung ist auch in 1Kor 10,1-13 zu erkennen. Daß der Hinweis auf den Götzendienst V.7 in V.14 aufgenommen ist (auch V.19.23ff), zeigt den inhaltlichen Zusammenhang. Die Warnung in V.12 läßt dabei erkennen, daß die Korinther sich durch die Teilnahme an den Sakramenten so gesichert wähnten, daß sie ein "Fallen" nicht mehr für möglich hielten <50>. Diese Heilssicherheit zeigt sich ebenso in den Wendungen von 1Kor 4,8: es handelt sich um Ausdrücke der Vollkommenheit, die die Pneumatiker in Korinth für sich annehmen (vgl 1Kor 12-14; 1,22; 2,1; 8,1; 15,12). Deshalb steht ihnen alles frei (πάντα μοι ἔξεστιν 6,12; 10,23). In diesem Zusammenhang wird die Taufe als lebensverleihend angesehen. Daß die Taufe das Leben verleiht, gilt bereits für die Taufpraxis der Urgemeinde. Dies äußert sich in der Vergebung der Sünden, in der Eingliederung in das neue Gottesvolk und in der Geistverleihung <51>. Die Nennung des Namens Jesu bei der Taufe weist zugleich auf das Bekenntnis des Täuflings hin, das nach Ostern an die Stelle der Jesusnachfolge durch die Jünger tritt. Auch für die hellenistische Gemeinde gilt dabei, daß die Taufe nicht als Ritus wirkt <52>. Daraus ergibt sich aber, daß die Auffassung von 1Kor 15,29 sich nicht aus der vorpaulinischen hellenistischen Gemeinde ableiten läßt, sondern daß die Gegner den paulinischen Gedanken vom Sterben und dem (künftigen) Leben mit Christus aufnehmen und hellenistisch, und nun in der Tat unter Aufnahme von Gedanken der Mysterienreligionen, weiterführen <53>. Bei der Weihehandlung erlangt der Myste die Göttlichkeit. Dementsprechend tritt die Bedeutung der Taufe als Eingliederung in die Gemeinde als den Leib Christi und das bei Paulus zwischen den Polen von Taufe und eschatologischer Vollendung liegende, ethisch zu verantwortende Leben ἐν Χριστῷ in den Hintergrund und die Taufe bekommt betont sakramentalen Charakter bis hin zur Wirksamkeit für bereits Verstorbene.

V.12-14 schließen an V.11 an und bereiten zugleich den folgenden Abschnitt vor. Es handelt sich um eine grundlegende Mahnung an die Getauften. Die Sünde soll nicht mehr herrschen (V.11) ἐν τῷ θνητῷ ὑμῶν σώματι <54>. Der Getaufte ist wohl der Sünde noch ausgesetzt, ihr aber nicht mehr ausgeliefert. Er braucht ihr seine Glieder nicht mehr zur Verfügung zu stellen als Waffen der Ungerechtigkeit (V. 13a) <55>. Die Paränese ist die Konsequenz aus der Befreiung von der Sünde und das Christusgeschehen prägt damit auch das Verhalten der Getauften. Hinter dem Imperativ steht so der Zuspruch des Lebens für Gott, das in der Taufe Wirklichkeit geworden ist. In V.13b macht Paulus dies durch ὡσεὶ ἐκ νεκρῶν ζῶντα deutlich <56>. Der Imp.Aor. konkretisiert dabei: das Leben für Gott hat begonnen und

----

<50> Zum Sakramentalismus der Korinther vgl WOLFF, 1Kor, S.39; CONZELMANN, 1Kor, S.199.

<51> Nach BULTMANN, Theologie, S.42 ist das Taufen εἰς τὸ ὄνομα τοῦ Χριστοῦ und die Geistverleihung erst in der hellenistischen Gemeinde zugewachsen. Aller Wahrscheinlichkeit war aber der Taufakt von vornherein mit der Anrufung des Namens Jesu verbunden (vgl GOPPELT, Theologie, S.331), und die Geistverleihung gehörte bereits in der Urgemeinde zur Taufe hinzu (vgl hierzu CONZELMANN, Geschichte, S.36f und die Äußerungen des Geistes im Umkreis von Jerusalem: Apg 2,11.28; 21,8f.10).

<52> CONZELMANN, Geschichte, S.61; ders., Grundriß, S.65f.

<53> Vgl Apuleius, Met XI 23,4 (sic ad instar exornato ...). Die olympische Stola und die Darstellung vor dem Volk bestätigen die Vergöttlichung des Mysten. Vgl hierzu HAUFE, Mysterien, S.102.122ff.

<54> Erst bei der eschatologischen Totenauferstehung wird das Vergängliche, das Sterbliche und Schwache (1Kor 15,42f) verwandelt werden (1Kor 15,53ff). So warten denn die Gläubigen auf die Erlösung des Leibes (Röm 8,23).

<55> Nach Röm 7,7ff täuscht die Sünde dem Menschen vor, er werde, wenn er seiner ἐπιθυμία folgt, das Leben gewinnen, während er sich den Tod beschafft (BULTMANN, Theologie, S.284). Die Vorstellung von den Gliedern als dem Sitz der Sünde stammt aus dem Judentum (vgl SCHWEIZER, Sünde, S.437-439). Bei den ὅπλα handelt es sich um Waffen, derer sich die Sünde bedient. Von den mächtigen Waffen im Dienste Gottes gegenüber den fleischlichen Waffen spricht Paulus in 2Kor 10,4 und in 2Kor 6,7 ist die Rede von den Waffen der Gerechtigkeit. Zum Bild der militia Christi bzw. dei vgl oben S. 34.

<56> Das ὡσεί ist sowohl begründend (KUSS, Röm, S.384; MICHEL, Röm, S.157) als auch vergleichend (WILCKENS, Röm II, S.21 mit Anm.76); vgl den eschatologischen Vorbehalt, wie er auch in V.5.8 durch das Futur ausgedrückt ist (KÄSEMANN, Röm, S.169). Ein Verständnis des ὡσεί im Sinne von "als ob" ("als wären sie körperlich von den Toten auferstanden", so LARSSON, Christus, S.73) wird der Stelle nicht gerecht.

jetzt geht es in jedem Augenblick darum, Gott zu dienen. Das Futur in V.14 ist sowohl Zusage für die Paränese als auch Verheißung im Blick auf das eschatologische Heil. Der folgende Gegensatz von νόμος und χάρις überrascht zunächst. Von 5,20f und 6,1 her ist diese Wendung jedoch folgerichtig und gibt der ganzen Argumentation ihren Rahmen. Trotz des mißverstehenden gegnerischen Einwandes von 6,1 bleibt die Aussage von 5,20f wahr: die Gnade Gottes hat den Herrschaftsanspruch der Sünde aufgehoben. Deshalb kann die angebliche Konsequenz "Laßt uns also bei der Sünde bleiben" für den Getauften nur ein Anachronismus sein. Dasselbe gilt für das Gesetz, das die Übertretungen vermehrt hat. Es gehört seinem Ziel (vgl Gal 3,23f) und seiner Wirkung nach auf die Seite des Todes. Aber wer glaubt und getauft ist, lebt ja nicht mehr unter der Herrschaft (ὑπό) des Gesetzes, sondern ὑπὸ χάριν.

4.1.1) Weitere Tauftexte bei Paulus

Auf einige weitere Tauftexte bei Paulus ist noch einzugehen. In **Gal 3,26ff** begegnet keine σύν-Aussage (vgl aber Gal 2,19), sondern die Taufe auf Christus wird mit dem Bild vom Anziehen Christi verdeutlicht ⟨57⟩. Dieses neue Gewand kleidet alle, die auf Christus getauft sind (V.28). Damit werden die bisherigen Unterschiede im Blick auf das Heil irrelevant. V.27 begründet die Aussage von V.26. Söhne Gottes sind die Galater durch den Glauben ⟨58⟩ und sie sind es, indem sie in Christus Jesus sind. Vom Glauben wird, wie schon von V.23 ab, im Sinne des Heilsweges und des Gegensatzes zum Gesetz gesprochen. Glaube und Taufe gehören zusammen, wie dies auch in Röm 6 der Fall ist (vgl 6,8 mit 6,4). Zielpunkt der Aussage ist das εἰς ἐστε ἐν Χριστῷ Ἰησοῦ. Darin liegt zugleich der Nachweis der Erbschaft der Abrahamverheißung.

Dieser Gedanke begegnet auch in **1Kor 12,12f**. Die Christen sind in den einen Leib Christi hineingetauft und Christus ist es, der diese Einheit stiftet und gewährleistet ⟨59⟩. Hineingenommen in diesen Leib wird der Christ durch die Taufe. Sie ist der Ansatzpunkt der Existenz im Leib Chrsiti. Dies wird auch in **1Kor 6,11** deutlich. In V.11a klingt das Schema von "Einst und Jetzt" an und die Taufe ist der Beginn der jetzigen Existenz. Mit ihr ist in negativer Hinsicht die Reinigung von der Sünde und in positiver Hinsicht die Heiligung verbunden. Beides übernimmt Paulus aus der traditionellen Taufanschauung ⟨60⟩ und bestimmt es näher mit δικαιωθῆναι. Die Rechtfertigung bezieht sich auf die Taufe und kommt von ihr her, bestimmt aber zugleich die Gegenwart des Getauften und ermöglicht ihm neues Handeln (vgl 1Kor 1,30). Natürlich bezieht sich die Taufe dabei stets auf das Christusereignis als das Urdatum des Heils, des Glaubens und der Kirche. Für den Glaubenden aber ist sie

---

⟨57⟩ Zum Gebrauch von ἐνδύεσθαι vgl MUSSNER, Gal, S.263; vgl auch Röm 13,14.

⟨58⟩ Paulus spricht nicht vom Glauben ἐν Χριστῷ Ἰησοῦ im Sinne des Glaubens an Christus (vgl SCHLIER, Gal, S.171). Das "In Christus Jesus" expliziert hier vielmehr die Gottessohnschaft.

⟨59⟩ Der Bruch des Bildes betont die Zusammengehörigkeit des Verschiedenen. MUSSNER, Christus, S.125ff interpretiert das εἰς final bzw. konsekutiv. Aber "Paulus setzt in seiner Ethik ... und Taufparänese immer schon die geschichtlich-soziale Wirklichkeit der Gemeinde voraus" (SCHNELLE, Gerechtigkeit, S.157).

⟨60⟩ CONZELMANN, 1Kor, S.129; DELLING, Zueignung, S.56. Traditionell ist auch der Ausdruck βασιλεία τοῦ θεοῦ (vgl HAHN, Taufe, S.105), die Nennung des Namens Jesu und der Hinweis auf das Wirken des Geistes V.11c.

der Ansatzpunkt für die Existenz in Christus ⟨61⟩. Auch auf **Röm 3,24-26** wird man in diesem Zusammenhang hinzuweisen haben. Die Wendung ἀπολύτρωσις τῆς ἐν Χριστῷ ᾽Ιησοῦ erinnert an den Zusammenhang von ἀπολύτρωσις, ἁγιασμός und δικαιοσύνη in 1Kor 1,30 (vgl Kol 1,14 ἄφεσις τῶν ἁμαρτιῶν). Dieser Motivzusammenhang gehört offensichtlich zur Taufe hinzu ⟨62⟩ so daß auch hier das δικαιούμενοι als gegenwärtiges Gerechtfertigtsein bezogen ist auf die empfangene Taufe. Diese gegenwärtige Existenz des Gerechtfertigten muß freilich ethisch verantwortet werden. In **1Kor 10,1ff** legt Paulus das Geschick der Väter während der Wüstenwanderung aus im Blick auf die Gemeinde (vgl V.11). Die Taufe auf Mose ist in Parallele zur Taufe εἰς Χριστόν formuliert und ihr Sinn darf nicht gepreßt werden ⟨63⟩: dem Getauftsein auf Mose wird nicht im eigentlichen Sinn sakramentaler Charakter zugesprochen, sondern es wird ein Heilsweg beschrieben. Wer "auf Mose getauft ist", für den gilt das mosaische Gesetz als Heilsweg. Das Ziel des Abschnitts ist die Aktualisierung des Schicksals der Wüstengeneration im Blick auf die Korinther (V.6.11), die nun ihrerseits vor Götzendienst, Unzucht, Versuchung Christi und Murren gewarnt werden (V.7-10). Offenbar sind die auf Christus Getauften versuchlich und noch nicht zur Vollendung gelangt (gerade dies wird in Korinth anders gesehen). Das hebt die Bedeutung der Taufe nicht auf. Für das Leben in Christus ist sie das Anfangsdatum. Aber auch der Getaufte lebt noch in seinem sterblichen Leib (Röm 6,12) ⟨64⟩. So wird gerade die Taufe zum Ansatzpunkt für die Ethik, ohne daß man ihre Bedeutung auf die Begründung ethischer Aussagen reduzieren kann ⟨65⟩. Denn indem sie vom Christusgeschehen herkommt und dem Getauften daran Anteil gibt, ist sie der Ethik voraus.

4.2) Kosmologische Aussagen bei Paulus

Aussagen zur Welt und zur Schöpfung finden sich im Corpus Paulinum nicht an einigen Stellen konzentriert, sondern verstreut und lehrmäßig nicht zusammengefaßt. Ihrer Komplexität wird man nur gerecht, wenn man Intention und Kontext der einzelnen Aussagen überprüft und sie zueinander in Beziehung setzt. Neben den Begriffen κόσμος und κτίσις sind auch andere Wendungen zu berücksichtigen, die Schöpfung oder Welt thematisieren (wie etwa τὰ πάντα). κτίσις ist aber für Paulus der umfassendere Begriff, der nicht nur die Schöpfung und das Geschaffene, sondern auch die eschatologische Neuschöpfung bezeichnen kann. Es empfiehlt sich deshalb, mit diesem Begriff und dem Schöpfungsgedanken einzusetzen. Die Behandlung der

---

⟨61⟩ In 1Kor 1,17 liegt deshalb auch keine Abwertung der Taufe vor. Es geht Paulus dort um die Näherbestimmung seines Auftrags (vgl Gal 1,16). Die soteriologische Bedeutung der Taufe wird nicht bestritten.

⟨62⟩ Vgl *HAHN*, Taufe, S.112f.115; *KERTELGE*, Rechtfertigung, S.53-55. Auf die vielfältigen Auslegungsprobleme von Röm 3,21ff kann hier nicht eingegangen werden. Mit Röm 3,24-26a; Röm 6,7; 1Kor 6,11 gehört auch das τούτους καὶ ἐδικαίωσεν in Röm 8,30 zusammen.

⟨63⟩ Paulus denkt von der Bedeutung der christlichen Taufe zurück ins AT (so *CONZELMANN*, 1Kor, S.195 gegen *SCHNELLE*, Gerechtigkeit, S.154), wobei es nicht auf eine Entsprechung in allen Einzelheiten ankommt. Der Gedanke der Präexistenz (Christus als Fels) ist vorausgesetzt.

⟨64⟩ Vgl hierzu *SCHNELLE*, ebd, S.148: "Die Taufe hat eine 'Mittelposition': sie kommt vom Kreuz her, ohne mit dem Kreuz identisch zu sein, und sie führt zur Vollednung hin, ohne die Vollendung zu sein".

⟨65⟩ Eine Ethisierung der Taufe findet sich bei *THYEN*, Studien, S.213; *GÄUMANN*, Taufe, S.65f.125ff u.ö.

Kosmos-Aussagen schließt sich an, kann aber knapper erfolgen, da hier im wesentlichen ein Aspekt des paulinischen Weltverständnisses zum Tragen kommt. Für den Vergleich mit Kol ist schließlich die Wendung στοιχεῖα τοῦ κόσμου (Gal 4,3ff) aufschlußreich, da sie in der kol Philosophie eine wichtige Rolle spielt.

Bereits ein erster Überblick über die κτίσις-Aussagen zeigt, daß für Paulus auf dem Hintergrund des at.lichen Schöpfungsglaubens Gott als der Schöpfer der Welt fraglos feststeht ⟨66⟩. In 2Kor 4,6 greift der Apostel in freier Zitierung auf Gen 1,3 zurück. Hinter Röm 4,17 stehen neben der 2.Benediktion des 18-Bitten-Gebetes ⟨67⟩ die Schöpfungsaussagen von Jes 48,12f (vgl syrBar 21,4; 48,8) und die Vorstellung von dem schöpferischen Wort Gottes. In 1Kor 11,9 bedient Paulus sich des at.lichen Schöpfungsgedankens und in 1Kor 10,26 argumentiert er mit dem Rückgriff auf Ps 23,1 LXX. Daß Gott die Welt geschaffen hat, hält Röm 1,20 als grundlegende Erkenntnis fest. Die grundsätzliche Differenz zwischen Schöpfer und Geschaffenem betont Röm 1,25; 9,20f beschreibt sie mit dem Bild von Töpfer und Ton. Als Werk der göttlichen Weisheit (1Kor 1,21) weist dabei der Kosmos auf Gott hin ⟨68⟩. In den auf das hellenistische Judenchristentum zurückgehenden Bekenntnisformeln 1Kor 8,6 und Röm 11,36 hat das τὰ πάντα neben einem heilsgeschichtlichen auch einen schöpfungstheologischen Aspekt ⟨69⟩. In ähnlicher Weise ist auch das τὰ πάντα in 1Kor 3,21ff umfassend gemeint. Alle Mächte und Gewalten, die in Röm 8,38f aufgezählt sind, werden abschließend in V.39 als Schöpfung charakterisiert. Daß die Weltelemente in Gal 4,9 als ἀσθενῆ und πτωχά bezeichnet werden können, hängt damit zusammen.

Eindeutig steht Paulus mit seinen Aussagen zur Schöpfung auf dem Boden des at.lich-jüdischen Schöpfungsglaubens. Weil dieser für ihn feststeht, braucht er ihn im einzelnen auch nicht auszuführen. Zitate oder knappe Hinweise reichen ihm meist aus. An verschiedenen Stellen hat nun der Schöpfungsgedanke offenbar argumentative Funktion innerhalb anderer Zusammenhänge. Zum Verständnis der paulinischen Aussagen zur Schöpung erweist es sich deshalb als notwendig, diesen Zusammen-

----

⟨66⟩ Im Blick auf das göttliche Schaffen wird überwiegend κτίζω mit seinen Derivaten gebraucht (seltener ποιέω, πλάσσω, κατασκευάζω, θεμελιόω). Auch Wendungen wie τὰ πάντα oder das absolut gebrauchte ἀρχή signalisieren den Schöpfungsgedanken, ebenso die Wendung in Röm 4,17 und die Wiederholung der Aussage des Schöpfungsberichtes in 2Kor 4,6. Die Bevorzugung von κτίζω übernimmt das NT bereits aus der LXX, die mit diesem Wort den geistig-willentlichen und damit den eigentlich schöpferischen Aspekt des Schaffens gegenüber dem stärker handwerklich geprägten δημιουργεῖν hervorhebt (vgl FOERSTER, Artikel κτίζω, S.1025). Im AT wird die Schöpfung als absolute Machthandlung Gottes verstanden (vgl Ps 33,9) und im Wort ברא schwingt der Gedanke der creatio ex nihilo mit (vgl v.RAD, Theologie I, S.155f; FOERSTER, ebd, S.1009). Der Schöpfer steht allem Geschaffenen als Herr gegenüber. In das Umfeld des Schöpfungsgedankens gehören die Aussagen von der Weisheit und Allwissenheit Gottes, von seiner Geschichtsmächtigkeit, seinem Recht auf die Kreatur, seiner Einzigartigkeit, seiner Macht über die Geschöpfe ebenso wie die Begründung des Vertrauens auf ihn (vgl FOERSTER, ebd, S.1012; zur Bedeutung des Schöpfungsglaubens im nachat.lichen Judentum vgl S. 1015).
⟨67⟩ Vgl hierzu STR—BILL IV, S.208ff.
⟨68⟩ Vgl LANG, Kor, S.30. Zu den verschiedenen Deutungen des ἐν τῇ σοφίᾳ τοῦ θεοῦ vgl CONZELMANN, 1Kor, S.60f. Auch in Röm 1,19-21 wird die Gotteserkenntnis mit dem Schöpfungshandeln Gottes begründet (vgl V.19b). Zum Problem einer theologia naturalis bei Paulus vgl KÄSEMANN, Röm, S.35ff und die Literaturangaben ebd, S.33.
⟨69⟩ Im paulinischen Konzept ist die Verbindung von kosmologischer Aussage und Heilsaussage konstitutiv (vgl WILCKENS, Röm II, S.272f; FOERSTER, ebd, S.1028f). Paulus vermeidet dadurch nicht nur den pantheistischen Aspekt der All-Aussage, sondern weist mit dem Schöpfungsgedanken zugleich auf das Ziel der Schöpfung hin.

hängen im einzelnen nachzugehen.

2Kor 4,6 rundet den Abschnitt 4,1-6 ab, in dem es um den apostolischen Dienst geht. Die Wirksamkeit des Paulus geschieht in Offenheit (vgl παρρησία 3,12 mit φανέρωσις τῆς ἀληθείας in 4,2). Wird das Evangelium dennoch als verhüllt angesehen, so ist dies nur von denen her zu erklären, die verloren gehen (V.3b) <70>. Denn im Evangelium selbst leuchtet die Herrlichkeit Christi auf. φωτισμός (V.4) schafft die Verbindung zu V.6, der abschließend sowohl V.1-4 wie V.5 begründet. Im Evangelium kommt die Herrlichkeit Christi zum Leuchten; was aber aufleuchtet, liegt offen zutage. παρρησία eignet der paulinischen Verkündigung also sowohl im Blick auf den Inhalt als auch auf den Vorgang der Verkündigung: denn Gott selbst leuchtet zur Erkenntnis seiner Herrlichkeit auf dem Angesicht der Gläubigen auf, so wie er bei der Schöpfung aus Dunkelheit Licht werden ließ.

Das Heilsgeschehen in Christus bis hin zu dessen gläubiger Annahme wurzelt so in dem schöpferischen Handeln Gottes. Der Hinweis auf die Schöpfung gehört in diesem Abschnitt demnach in den Zusammenhang der Verkündigung des Heilsgeschehens und damit in einen soteriologischen Gesamtrahmen hinein.

Röm 4,17 steht im Zusammenhang des Nachweises der Glaubensgerechtigkeit aus der Schrift. Röm 4 hebt dabei zunächst die Gerechtigkeit Abrahams als Glaubensgerechtigkeit hervor. Kernstellen sind das Zitat aus Gen 15,6 in V.3 und der zentrale Satz V.5, mit dem 3,21ff entfaltet wird. Die diesen ersten Abschnitt abschließende Seligpreisung wird in V.9ff im Blick auf Beschnittene und Unbeschnittene ausgelegt. So ist Abraham auch zum Vater der Unbeschnittenen geworden. Von V.13 an stehen die Ausführungen unter dem Stichwort ἐπαγγελία (vgl V.13.14.16.20.21). Auch das Stichwort von "unserem Vater Abraham" wird wieder aufgenommen (V.16f. 18) <71>. Die Abrahamverheißung ist so auch der unmittelbare Kontext von 4,17. Dabei setzt die Kombination der 2.Benediktion des 18-Bitten-Gebetes, also der Hinweis auf Gott, der die Toten lebendig macht, mit der Schöpfungsaussage, den Akzent: den Toten Leben zu schaffen entspricht dem Ruf bei der Schöpfung, der das Nichts in das Sein bringt. Das eschatologische Ereignis entspricht dem Ereignis des Anfangs. Glauben heißt deshalb, der Verheißung Gottes und seiner Schöpferkraft zu vertrauen. V.18-22 verdeutlichen dies am Beispiel Abrahams.

Der Hinweis auf die Schöpfung steht also in Röm 4,17 im Kontext des Glaubensbegriffs, der inhaltlich als Glauben an Gottes Verheißung und an seine Schöpferkraft gefüllt wird. Der Glaube steht freilich selbst in engem Zusammenhang mit der Vorstellung von der Rechtfertigung. Dies belegt nicht nur V.22, sondern ebenso die enge Verbindung mit 4,1-8 <72> und der Bezug zu 3,21ff. Damit radikalisiert der Hinweis auf die Schöpfung den Rechtfertigungsgedanken <73>: der Glaubende erkennt, daß er vor Gott nichts vorweisen kann, was zur Rechtfertigung führt, sondern diese nur auf Grund der Gnade Gottes durch die Erlösung in Jesus Christus geschenkt bekommt. Die Erkenntnis der Nichtigkeit vor Gott ist erst im Glauben an den, der das Nichts ins Sein ruft, wirklich möglich. 4,17 nimmt so den Zusammenhang von 1,17-3,31 stichwortartig gedrängt auf. Von der Rechtfertigung aus Glauben her bekommt der Hinweis auf die Schöpferkraft Gottes eine bestätigende Bedeutung.

Ebenfalls im Rahmen des Rechtfertigungsgedankens wird in **Röm 1,20.25** von der Schöpfung gesprochen. Der Zorn Gottes über alle Gottlosigkeit und Ungerechtigkeit

----

<70> Hinter ihnen steht der "Gott dieses Äons", der ihre Sinne verblendet. Diese Bezeichnung ist bei Paulus einzigartig, sonst begegnet in der Regel "Satan" (vgl Röm 16,20; 1Kor 5,5; 7,5; 2Kor 11,14; 12,7; 1Thess 2,18). αὐγάσαι ist sehr wahrscheinlich transitiv zu verstehen (vgl hierzu *BULTMANN*, 2Kor, S.108f). In V.3bf wirkt offenbar noch das Motiv aus 3,13ff nach. *BAUMBACH*, Schöpfung, S.202 spricht im Zusammenhang mit 2Kor 4,6 zu Recht von der Kontinuität des Schöpfungshandelns Gottes, das auch Heilscharakter, und von seinem Heilshandeln, das auch Schöpfungscharaker hat.

<71> Mit *KÄSEMANN*, Röm, S.112 ist auf den Zusammenhang des gesamten Abschnitts 4,13-25 hinzuweisen (gegen *WILCKENS*, Röm I, S.260ff u.a., die in verschiedene Abschnitte unterteilen).

<72> Gegen *BERGER*, Abraham, S.172ff. Den Zusammenhang der creatio ex nihilo mit der Rechtfertigung betont demgegenüber *KÄSEMANN*, Röm, S.116 zu Recht (vgl auch *WILCKENS*, Röm I, S.275, Anm. 892). Das Zum-Glauben-Kommen Abrahams wird ja nicht nur in 4,1-8 beschrieben und im Bekenntnis 4,25 abschließend wieder aufgenommen, sondern ist auch in 4,17 selbst angedeutet. Jüdische Parallelen, vor allem JosAs 8,9 belegen, daß die Vorstellung von Gott, der die Toten ins Leben ruft, eng mit der Bekehrungsthematik zusammenhängt (vgl im NT neben 2Kor 5,17 vor allem die Formulierung in Eph 2,10: κτισθέντες ἐν Χριστῷ Ἰησοῦ).

<73> So mit Recht *KÄSEMANN*, ebd.

der Menschen (1,18) ist Überschrift über 1,18-3,20. 1,18-32 präzisiert im Blick auf die Heiden. Obwohl sie Gott kannten, sind sie doch dem Nichtigen verfallen (V.21). An die Stelle der Wahrheit Gottes haben sie den Trug gesetzt (V.25a), der V.23 im Blick auf die Gegenstände ihrer Verehrung, in V.26ff im Blick auf die dann von Gott gewirkten Konsequenzen dargelegt wird. V.25b bündelt dies in der Wendung ἐλάτρευσαν τῇ κτίσει παρὰ τὸν κτίσαντα. Die Möglichkeit, in dem Geschaffenen die ewige Macht und Gottheit Gottes zu erkennen, hat bereits V.20 festgehalten <74>. Der unsichtbare Gott hat sich in seinen Schöpfungswerken der vernünftigen Anschauung zugänglich gemacht. τὸ γνωστὸν τοῦ θεοῦ bezeichnet Gott in seiner Erkennbarkeit, die in seinem Schöpfungshandeln begründet ist. Wer deshalb Geschaffenes an die Stelle Gottes setzt (V.23), der geht gerade an Gott vorbei. Er steht unter seinem Zorn und ist des Todes schuldig (1,32). Daß dies nicht nur für die Heiden gilt, sondern gleichermaßen für die Juden, legt Paulus von 2,1 an dar. In 1,18ff jedoch geht es um die grundsätzliche Situation der Heiden vor Gott, wie sie sich freilich erst vom christlichen Standpunkt aus voll entschlüsselt (vgl die Klammer in 1,16f; 3,21ff). Die Situation des Menschen als ἀναπολόγητος (V.20) gehört als Kehrseite der Rechtfertigung zu dieser eng hinzu. So gibt die anthropologische Situation vor Gott den Kontext der Schöpfungsaussagen in 1,20.25 an.

Der Gegensatz von Weisheit und Torheit, wie er in Röm 1,22 begegnet, wird in **1Kor 1,18ff** breit ausgeführt <75>. Dabei ist auch die Möglichkeit angesprochen, durch die in der Schöpfung waltende Weisheit Gott zu erkennen (V.21). Im Hintergrund dieser Aussage stehen hellenistisch-jüdische Vorstellungen (vgl Weish 7,24ff): die Weisheit ist ἀπαύγασμα, ἔσοπτρον, εἰκών (7,26) Gottes; durch sie hat Gott die Welt geschaffen (vgl Spr 8,22f) <76>. Der Wechsel der Präpositionen (ἐν τῇ σοφίᾳ und διὰ τῆς σοφίας in V.21) hängt mit dieser Weisheitstradition zusammen <77>, die die Welt als durch Gottes Weisheit geschaffen und in ihr existierend begreift. So hätte der Kosmos durch die Weisheit Gott erkennen und als Schöpfer anerkennen können. Er hat sich aber an seiner eigenen Weisheit orientiert (V.20). V.22 schlüsselt dies für Juden und Griechen in ihrer je eigenen Weise auf: σημεῖα und σοφία fordern dabei in gleicher Weise den Beweis für die göttliche Weisheit und stellen sich dadurch selbst als beurteilende Instanz dar. So negiert der Kosmos nicht nur Gott, sondern zugleich sein eigenes Geschaffen-Sein. Deshalb wählt Gott den Weg, durch die μωρία τοῦ κηρύγματος, nämlich die Botschaft vom Kreuz (V.23), die Gläubigen zu retten (V.21b). Wenngleich sich dies dem Glauben als Kraft und Weisheit Gottes offenbart (V.24), ist es ohne den Glauben doch nur als Skandal oder Torheit zu verstehen. So erschließt sich hier in ähnlicher Weise wie in Röm 1,18ff vom Glauben her die wirkliche Situation der Welt und der Menschen. Nach Röm 1,18ff offenbart sich diese Situation auf Grund der Rechtfertigung aus Glauben, wie sie in 3,21ff beschrieben ist. Nach 1Kor 1,18ff ergibt sie sich im Wort vom Kreuz Gottes als Kraft und Weisheit. In beiden Briefen begegnet aber die Schöpfungsaussage im Rahmen einer Beschreibung der kosmischen und anthropologischen Wirklichkeit.

Daß dabei die kosmische Wirklichkeit nur von der anthropologischen Erkenntnis her zu verstehen ist, macht **Röm 8,19ff** deutlich. Der Abschnitt wirft eine Reihe schwieriger Fragen auf, die hier nicht im einzelnen ausgeführt werden können. Die folgenden Beobachtungen sind aber für das Verständnis grundlegend. Der Ausdruck πᾶσα ἡ κτίσις in V.22 ist ohne Zweifel umfassend gemeint und bezieht sich auf die gesam-

---

<74> Vgl hierzu BORNKAMM, Glaube, S.126. Die breite jüdische Tradition, die hinter dieser Aussage steht, ist bei WILCKENS, Röm I, S.96-100 dokumentiert. Die Nähe zu Weish 13 reicht bis ins Vokabular hinein. Vergleichbare Urteile über die Gottlosigkeit der Heiden finden sich auch in anderen jüdischen Texten (vgl bei WILCKENS ebd, S.97). In den Zusammenhang der eschatologischen Gerichts werden diese Aussagen in der apokalyptischen Literatur gestellt. Ist in den weisheitlichen Texten hellenistisch-philosophischer Einfluß wirksam (vgl den stoischen Gedanken der Erkenntnis Gottes aus der Harmonie und Schönheit des Kosmos), so ist doch schon in der Weish die Kritik am heidnischen Polytheismus zu erkennen. In der Apokalyptik wird dies gesteigert zur Gerichtsaussage über alle, die die heidnischen Bilder verehren und die vom wahren Glauben abfallen. Die "natürliche Theologie" der Erkenntnis Gottes aus den Schöpfungswerken wird so in die Heilsgeschichte Gottes mit Israel integriert und steht unter diesem Vorzeichen (vgl WILCKENS, ebd, S.100). Die paulinische Aussage über den Zorn Gottes knüpft hieran an.

<75> Der Zusammenhang geht bis 3,18-23. Diese grundsätzlichen Aussagen (vgl V.19) lenken auf 1,18-25 zurück.

<76> Vgl hierzu die Angaben bei SCHWEIZER, Kol, S.57f.

<77> Vgl zu den verschiedenen Interpretationsmöglichkeiten CONZELMANN, 1Kor, S.60f.

te Schöpfung, nicht nur auf einen Teilbereich <78>. Die Menschen sind also mitgemeint, wenngleich der Akzent hier offenbar nicht auf ihnen, sondern stärker auf der nichtmenschlichen Schöpfung liegt <79>. Nicht eingeschlossen sind dagegen die Christen, wie aus dem ganzen Zusammenhang und besonders aus der Steigerung V.23 hervorgeht. Da Paulus in V.20 aller Wahrscheinlichkeit nach auf Gen 3,15 zurückgreift, kann man in διὰ τὸν ὑποτάξαντα Adam sehen, durch dessen Sünde die Schöpfung der Vergänglichkeit unterworfen wurde <80>. Andererseits steht aber hinter dem Aor.pass ὑπετάγη ohne Zweifel als Subjekt Gott selbst, so daß man bei διὰ τὸν ὑποτάξαντα auch an Gott denken kann <81>. Allerdings bleiben dann das διά und die Doppelung mit ὑπετάγη schwierig. So ist eine eindeutige Entscheidung kaum möglich. Denn selbst wenn man - mit Wahrscheinlichkeit - auch in der διά-Wendung Gott als Subjekt erkennt, ist dadurch die Tradition von Gen 3,15 ja nicht aufgehoben und die Schuld Adams bleibt auf jeden Fall mit angesprochen. So ist die Schöpfung οὐχ ἑκοῦσα der Nichtigkeit unterworfen.

ματαιότης bezeichnet die Nichtigkeit und Vergänglichkeit und begegnet bei Paulus nur hier (vgl μάταιος in 1Kor 3,20; 15,17; und ματαιόομαι in Röm 1,21) <82>. Der Begriff stellt freilich Vergänglichkeit nicht einfach fest, sondern stellt sie in den Gegensatz zu Gott und seiner Allmacht <83>. Sachlich hat Paulus diesen Gegensatz in Röm 1,21 beschrieben, dort freilich im Blick auf die Menschen und ihre Schuld <84>. Hier dagegen ist die Vergänglichkeit und Nichtigkeit der Schöpfung als Konsequenz der menschlichen Schuld im Blick. Die gesamte Schöpfung ist schicksalhaft an die Situation und das Geschick der Menschen gebunden. Als Gegenpol kommt ἐφ' ἐλπίδι in den Blick <85>: Gott setzt der Schöpfung ein Ziel, dem sie mit Hoffnung entgegensehen kann. Die Verbindung mit ὑπετάγη hält die Hoffnung als gewisse, weil von Gott gesetzte, fest. Daß die ἀποκαραδοκία V.19 im Zusammenhang mit der ἐλπίς zu verstehen ist, geht aus dem Zusammenhang <86> eindeutig hervor (vgl Phil 1,20). Das Harren der Schöpfung wartet auf die Offenbarung der Söhne Gottes. Es wird mit der Hoffnung parallelisiert und in V.21 mit dem Stichwort Freiheit erläutert. Auch das sehnsüchtige Harren erklärt sich nur von daher, daß Gott ein Ziel dafür gesetzt hat. Das Verb ἀπεκδέχεται unterstützt diese Deutung, da es in V.23 und

----

<78> Dabei sind vor allem Engelmächte genannt worden. 8,39 bestätigt aber die umfassende Bedeutung von κτίσις.
<79> Vgl die Übersicht bei KUSS, Röm, S.622ff. PAULSEN, Überlieferung, S.116f weist mit Recht darauf hin, daß die unterschiedlichen Differenzierungen "zwischen menschlicher und außermenschlicher, christlicher und nichtchristlicher Welt" wenig glücklich sind (vgl BALZ, Heilsvertrauen, S.47f). Es handelt sich hier um die Schöpfung insgesamt. Da aber trotz personifizierender Verben von Schuld und einer entsprechenden Preisgabe an ihre Folgen hier mit keinem Wort die Rede ist, sind die Menschen zwar auch, nicht aber primär gemeint (vgl neuerdings vor allem KÄSEMANN, Röm, S.22f und WILCKENS, Röm II, S.152f, dort auch weitere Literatur). Im Hintergrund steht eine at.liche Tradition, derzufolge "die Schöpfung ohne eigene Schuld u. deshalb wider ihren eigenen Willen lediglich infolge der menschlichen Sünde ins Verderben hineingeraten sei" (STR—BILL III, S.247; vgl die Angaben S.250 und weiter von Gen 3,15ff aus 4Esr 7,11). Neben dieser dominierenden Ansicht findet sich aber auch die andere, "daß die Kreatur sich den Fluch Gottes wegen ihres eigenen Ungehorsams zugezogen habe" (vgl hierzu STR—BILL III, S.252).
<80> So BALZ, Heilsvertrauen, S.41; VÖGTLE, Zukunft, S.195, Anm. 203; FOERSTER, Artikel κτίζω, S.1030.
<81> So u.a. MICHEL, Röm, S.203; PAULSEN, ebd, S.114. Eine wichtige Stütze hat diese Deutung in der parallelen Formulierung von 1Kor 15,27.
<82> Daneben ist das Wort in den Spätschriften des NT auf die Nichtigkeit des Lebens der Ungläubigen bezogen und damit Ausdruck der urchristlichen Missionssprache (so BALZ, ebd, S.39).
<83> BALZ, ebd, S.40; DELLING, Artikel τάσσω, S.41, Anm.5. Im Hintergrund steht die Verwendung des Wortes in der weisheitlichen und prophetischen Literatur des AT, besonders in Pred. Dort kann das Substantiv auch die nicht-menschliche Welt mit einschließen (Pred 1,2.14; 2,11.17; 3,19; 12,8).
<84> Wenn allerdings die Menschen die Schöpfung anstelle des Schöpfers verehren (Röm 1,25; vgl Gal 4,8), so fällt die Schöpfung selbst der Nichtigkeit anheim.
<85> Die Wendung ist zu ὑπετάγη zu ziehen (vgl PAULSEN, ebd, S.115; MICHEL, Röm, S.203). Das Stichwort ἐλπίς verbindet V.20 mit dem Kontext, besonders mit V.23-25.
<86> ἀποκαραδοκία als "unbestimmtes Abwarten" (so DELLING, Artikel ἀποκαραδοκία, S.302) zu verstehen, ist deshalb nicht angemessen. Wohl ist für Paulus ἐλπίς das gefülltere Wort und er will es, da es die personale Hoffnung bezeichnet, zunächst nicht für die gesamte Schöpfung verwenden. Aber das Harren der Schöpfung erklärt sich nur von der ἐλπίς her; vgl hierzu BERTRAM, Ἀποκαραδοκία, besonders S.269f.

25 ganz eindeutig von der christlichen Erwartung ausgesagt ist. Gleichwohl ist die Aussage von V.19 bei Paulus singulär. Dasselbe gilt von der Offenbarung der Söhne Gottes (vgl τέχνα τοῦ θεοῦ V.21; υἱοθεσία V.23) <87>. Das Offenbarwerden der Söhne Gottes ist nicht ihr eigenes Handeln, sondern Gottes, und sie selbst leben in Erwartung dieser Offenbarung (V.23). So steht ihr Offenbar-Werden zunächst für das endzeitliche, von Gott gesetzte Heil. Es hat aber im Kontext noch eine andere Bedeutung: so wie die gesamte Schöpfung als Konsequenz der menschlichen Schuld der Nichtigkeit anheimgegeben ist, so ist auch die Sehnsucht der Schöpfung mit den Menschen verbunden, und zwar derjenigen, die als Söhne und Kinder Gottes offenbar werden. Die Freiheit der Herrlichkeit der Kinder Gottes bringt für die Schöpfung die Freiheit ἀπὸ τῆς δουλείας τῆς φθορᾶς mit sich (V.21). φθορά steht dabei parallel zu ματαιότης, hat aber stärker den Akzent der Vergänglichkeit <88>. δουλεία nimmt das ὑπετάγη von V.20 auf und εἰς τὴν ἐλευθερίαν weist auf die Hoffnung hin. So sind die V.19-21 auf das engste miteinander verwoben. Zugleich wird mit den Stichworten υἱοὶ τοθεοῦ, δουλεία und τέχνα τοῦ θεοῦ der enge Zusammenhang mit den Ausführungen in V.12ff deutlich. Auch υἱοθεσία begegnet in V.15 und später in V.23. Inhaltliche Verbindungen lassen sich darüber hinaus in der Parallelität dessen erkennen, was V.13 mit ἀποθνῄσχειν, V.15 mit πνεῦμα δουλείας und V.21 mit φθορά ausdrücken. Umgekehrt findet sich die δόξα nicht nur in V.21, sondern im verbalen Ausdruck bereits in V.17. Dieser Vers aber zeigt die enge Verbindung der Gotteskinder mit Christus auf, aus der heraus allein ihre Sohnschaft zu erklären ist. So erweist sich in der Tat V.17c als das "hermeneutische Kriterium" für V.18ff <89>: das sehnsüchtige Harren der Schöpfung ist zwar in V.19-22 nicht direkt mit dem Christusgeschehen verbunden, aber nur von dorther zu verstehen. Wie sich die Situation des Menschen vor Gott erst unter dem Blickwinkel der Rechtfertigung wirklich offenbart, so ist auch die Situation der Schöpfung insgesamt nur vom Heil in Christus her zu begreifen.

V.22 faßt einerseits das bisher Gesagte zusammen. Andererseits weisen die Komposita mit σύν auf V.23-25 voraus. Der Vers hat so eine Gelenkfunktion <90>. Auch die Christen, die den Geist als Erstlingsgabe haben, stöhnen und erwarten die Sohnschaft <91>, d.h. das Offenbarwerden der Sohnschaft (V.19) bzw. die Befreiung zur Herrlichkeit der Kinder Gottes (V.21). Der Indikativ des Heils ist dabei durch die ἀπαρχή des Geistes und durch V.24a gewährleistet. Indem die Christen ihren Ort zwar noch in der Vergänglichkeit haben, durch den Geist aber das Heil in gewisser Hoffnung erwarten, begründet ihre Hoffnung zugleich die Sehnsucht der Kreatur. Dieser Zusammenhang ist bereits für V.18 zu erkennen. Die Funktion von V.19-22 ist nicht lediglich der Nachweis mit Hilfe der Wehen der Schöpfung, daß die Offenbarung der Kinder Gottes nahe bevorsteht <92>, sondern auch die Verbindung des Schicksals der Schöpfung mit der Schuld des Menschen und mit seinem Heil. V.18 gewinnt so umfassende Bedeutung <93>.

<87> Hinter dieser Vorstellung ist eine apokalyptische Tradition zu erkennen, nach der am Ende die Gerechten öffentlich in Erscheinung treten (vgl äthHen 51,4f; 69,26ff; 71,14ff; 4Esr 6,25f; 7,26ff; syrBar 19f und die Zusammenstellung bei *BALZ*, Heilsvertrauen, S.38). Eine Abhängigkeit von einem bestimmten Text liegt freilich nicht vor.

<88> Diese wird gerade angesichts der Unvergänglichkeit (vgl im Kontext von V.21 die δόξα) offensichtlich. Insofern sind beide Begriffe eschatologisch geprägt. Röm 6,20ff ist ein Kommentar zu dieser Stelle.

<89> So *WILCKENS*, Röm II, S.152.

<90> συστενάζειν und συνωδίνειν nehmen in betonter Weise die ἀποχαραδοχία auf. ἄχρι τοῦ νῦν weist auf den νῦν χαιρός V.18 zurück. Die hellenistischen Parallelen zum Stöhnen der Kreatur hat *WILCKENS*, Röm II, S.150 verzeichnet; vgl auch *BALZ*, ebd, S.54. Mit dem Bild der Wehen sind zugleich Nähe und Gewißheit des erwarteten Geschehens hervorgehoben (vgl auch 1Thess 5,3 und oben, S. 32).

<91> Vgl Gal 4,5. Daß sie nach 8,15 die Sohnschaft bereits empfangen haben, ist kein Widerspruch, weil Paulus die Sohnschaft nicht als einen unanfechtbaren Besitz versteht (*KÄSEMANN*, Röm, S.229).

<92> So *VÖGTLE*, Zukunft, S.197f; *SCHWANTES*, Schöpfung, S.51f.

<93> V.18 ist die These für den gesamten Abschnitt V.18-30, die in verschiedenen Argumentationsgängen vertieft wird. V.28a setzt neu ein, führt aber zugleich auf V.18 zurück und darüber hinaus. V.28b-30 deuten das Vorstehende durch Indikative des Heils. V.29 weist auf V.17c zurück und bildet so einen Rahmen, der seinerseits den Abschnitt in den Gesamtzusammenhang von Kapitel 8 einreiht. Man kann davon ausgehen, daß Paulus hier Traditionen verarbeitet (vor allem jüdisch-apokalyptischer, ebenso aber auch urchristlicher Herkunft in V.23ff), daß die verschiedenen Motive aber erst von ihm zu einer Einheit verbunden worden sind (vgl *PAULSEN*, Überlieferung, S.118; *WILCKENS*, Röm II, S.150f; anders *v.d.OSTEN—SACKEN* Römer 8, S.78ff).

Für den Kontext der kosmologischen Aussagen ergibt sich von hier aus eine Bestätigung bereits gewonnener Ergebnisse. Zunächst ist die Ausführung über die Schöpfung in Röm 8,19ff von der Anthropologie her gewonnen. Sowohl die gegenwärtige Nichtigkeit des Geschaffenen als auch die Sehnsucht nach dem Heil wird vom Menschen her in den Blick genommen, von seiner Schuld und von seinem Heil. Beides aber ist, wie die Klammer in V.17c.29 zeigt, erst vom Heilsgeschehen in Christus her in seiner Ganzheit und Bedeutung zu erfassen. So sind die kosmologischen Aussagen über die Schöpfung in diesen soteriologischen Zusammenhang eingeordnet.

Derselbe Zusammenhang ergibt sich auch für **Röm 8,38f.** Diese beiden Verse schliessen den Abschnitt 8,31–39 und zugleich das 8.Kapitel ab. Die verschiedenen Gliederungsversuche belegen die Problematik einer minutiösen Gliederung <94>. Wahrscheinlich steht kein traditioneller Hymnus im Hintergrund, auch wenn streckenweise hymnische Sprache verwendet ist <95>. Der dialogische Stil (vgl V.31.32b. 33a.34a.35a) und die katalogische Form in V.35.38f entsprechen dem Stil der Diatribe. In V.32 findet sich eine bekenntnishafte Formulierung. Diese Formelemente weisen auf die Zusammenstellung unterschiedlichen Traditionsgutes hin. Paulus verbindet sie in einer gehobenen Sprache zu einer neuen, dem Gegenstand angemessenen Aussageform. Der Hinweis auf gottesdienstliches Reden mit der Tendenz, unterschiedliches liturgisches Gut miteinander zu verbinden, hat viel für sich <96>. Eine gedankliche Gliederung des Abschnitts läßt sich gleichwohl erkennen. Die Eingangsfrage V.31a nimmt Bezug auf den Gesamtzusammenhang des Kapitels. V.31b antwortet thesenartig darauf. Diese These wird in verschiedenen Schritten entfaltet: zunächst belegt V.32, daß "Gott für uns ist"; V.33f legen das τίς κατ' ἡμῶν (in Form eines Rechtsstreites) aus. V.35-38 werden durch das Verb χωρίζω zusammengehalten und stellen alles zusammen, was den Glaubenden von der Liebe Gottes und Christi trennen will. Im Zusammenhang kosmologischer Aussagen interessieren besonders V.38f. 10 Begriffe sind zu einer Reihe zusammengestellt. Tod und Leben, Engel und Mächte, Gegenwärtiges und Zukünftiges und auch Höhe und Tiefe bilden jeweils ein Paar. οὔτε δυνάμεις fällt als Einzelglied auf, ebenso am Ende der Reihe οὔτε τις κτίσις ἑτέρα <97>. Das zusammenfassende κτίσις ist ein "kategorialer Begriff"<98>: alle genannten Mächte gehören für Paulus zur Schöpfung und sie haben keine eigenständige Macht. Form und Sprache könnten einen traditionellen Hymnus im Hintergrund nahelegen <99>, wobei man paulinische Zusätze annehmen kann. Daß in hymnischen Zusammenhängen Reihungen von Mächten begegnen (vgl Phil 2,10; Kol 1,16; Eph 1,21), stützt diese Ansicht. Allerdings weisen diese Reihungen keine einheitliche Begrifflichkeit auf. Relativ durchgängig sind nur die Begriffe ἀρχαί und ἐξουσίαι. In 1Kor 15,24 findet sich nun bei Paulus selbst eine Reihe, in der ohne einen hymnischen Zusammenhang die endzeitliche Unterwerfung der Mächte ausgesagt ist. Der Hinweis auf die Schöpfung findet sich, wenn auch in anderer Terminologie, auch in 1Kor 8,6. Dies und die kategoriale Eigenschaft von κτίσις machen die paulinische Herkunft der Aussage durchaus wahrscheinlich. Das Gegensatzpaar θάνατος-ζωή begegnet bereits in Röm 6,23; 7,10 und 8,6 (allerdings mit einer anderen Ausrichtung

----

<94> Ältere Gliederungsversuche sind bei *BALZ*, ebd, S.166f verzeichnet. An jüngeren Arbeiten vgl besonders *v.OSTEN-SACKEN*, Römer 8, S.20-25; *PAULSEN*, Überlieferung, S.141-147; *SCHILLE*, Liebe, S.236-238.

<95> So mit Recht *WILCKENS*, Röm II, S.172; *KÄSEMANN*, Röm, S.238. Auch von einer Doxologie (*BALZ*, ebd, S.116) kann man nicht sprechen, wenn auch doxologische und bekenntnishafte Elemente begegnen. Einen Hymnus mit 4 Strophen erkennt *MICHEL*, Röm, S.213; *PAULSEN*, ebd, S.151; *v.OSTEN-SACKEN*, ebd, S.20ff. *PAULSEN*, ebd, S.141ff rechnet für V.31-34 mit einer Vorlage; *v.OSTEN-SACKEN*, ebd, S.20ff rechnet die Verse 31-34. 35a.38.35a zu einer Vorlage. Zur Kritik vgl *WILCKENS*, Röm II, S.171f; *KÄSEMANN*, Röm, S.238.

<96> So *WILCKENS*, Röm II, S.172.

<97> *PAULSEN*, ebd, S.149 zieht beide Ausdrücke zum jeweils vorangehenden Paar und erhält so je zwei Zweier- und zwei Dreiergruppen. Für den letzten Ausdruck der Reihe empfiehlt sich dies aber nicht sicher.

<98> Vgl *EICHHOLZ*, Theologie, S.72.

<99> So *SCHILLE*, ebd, S.237ff. Er sieht dabei οὔτε ἐνεστῶτα οὔτε μέλλοντα als paulinischen Zusatz an; *v.OSTEN-SACKEN*, ebd, S.40ff erkennt darüber hinaus in οὔτε θάνατος οὔτε ζωή einen paulinischen Zusatz, so daß für ihn der traditionelle Hymnus nur aus zwei Gruppen zu je drei Gliedern besteht.

für ζωή). Für ἐνεστῶτα und μέλλοντα kann man auf 1Kor 3,22 verweisen. Dann bleiben ἄγγελοι, ἀρχαί, δυνάμεις und das Paar ὕψωμα und βάθος übrig, wobei ἀρχαί und δυνά- μεις auch in 1Kor 15,24 begegnen. Vom Sprachrhythmus her empfiehlt es sich dabei keineswegs, δυνάμεις zur vorangehenden Zeile zu ziehen, vielmehr folgt nach drei Paaren ein Einzelglied, das aber sogleich mit einem Gegensatzpaar aufgelöst wird: noch Mächte, (seien sie in der) Höhe oder (in der) Tiefe <100>. Alle diese Beobachtungen weisen eher auf eine paulinische Formulierung als auf die Verwendung eines traditionellen Hymnus. Dabei ist natürlich nicht ausgeschlossen, daß solche Reihungen traditionellen Charakter haben. Ein vorpaulinischer Hymnus läßt sich aber hinter Röm 8,38f nicht mit genügender Sicherheit nachweisen.

Der Einsatz der Reihe mit θάνατος hängt möglicherweise mit dem Schriftzitat in V.36 zusammen. In 1Kor 15,26 ist der Tod als letzter der Feinde genannt, die vernichtet werden. Die Freiheit dem Tod gegenüber wird in 1Kor 3,22 mit dem Χριστοῦ εἶναι begründet. Weder das eigene Leben noch dessen letzte Grenze können von der Liebe Gottes trennen. Aber auch die Mächte, die über das persönliche Leben hinausgreifen, vermögen dies nicht. ἄγγελοι, ἀρχαί und δυνάμεις <101> bezeichnen die Gesamtheit aller geschaffenen Mächte (vgl Phil 2,10). Hinzu kommt alles, was in Gegenwart oder Zukunft Einfluß auf den Menschen ausübt oder Anspruch auf ihn erhebt (vgl 1Kor 3,22). ὕψωμα und βάθος erläutern die δυνάμεις näher und bezeichnen den gesamten kosmischen Raum <102>. Sie bilden das räumliche Pendant zu Gegenwart und Zukunft: nichts in Zeit und Raum ist in der Lage, die Glaubenden von der Liebe Gottes zu trennen, denn als Mächte sind geschaffen und haben keine endgültige Macht. ἐν Χριστῷ Ἰησοῦ gibt dabei das Geschehen an, in dem Gottes Liebe erfahrbar wird; mit τῷ κυρίῳ ἡμῶν liegt die volle, liturgische Christusprädikation vor. Sie führt zurück auf 5,11.21; 6,23.

In dem gesamten Abschnitt geht es um die begründete Zuversicht der Gotteskinder. Im unmittelbaren Kontext beschreiben in 8,28-30 die Aoriste das ganze, von Gott gewirkte Heil, wobei die Berufung die gesamte Zuwendung Gottes bis hin zur Verherrlichung umfaßt. Die Verse nehmen 8,17 (und ebenso 5,1ff) auf. Es ist nun bedeutsam, daß im Zusammenhang von 8,19f die Begriffe von V.38f gerade nicht genannt werden, obwohl dort von der ἀποκαραδοκία τῆς κτίσεως und von der ματαιότης die Rede ist. Dies zeigt, daß Paulus hier an einer thematischen Darstellung der Kosmologie nichts gelegen ist <103>. Auch die Nebenordnung des Peristasenkataloges in V.35 belegt dies. Beides zeigt an, was den Menschen gefangen und in Beschlag nehmen kann. Im Gottesdienst aber bekennt die Gemeinde, daß nichts davon in der Lage ist, die Beziehung der Liebe Gottes zu den Menschen zu lösen.

Röm 11,36 setzt den Schlußakzent der hymnischen Aussage von V.33 an <104>. Der Hymnus wiederum beschließt den gesamten Abschnitt von Kapitel 9-11, der sich in Klage und Trauer hinbewegt zu dem Geheimnis von 11,25ff. So wird selbst hinter dem dunklen Weg Israels das Ziel des göttlichen Erbarmens sichtbar. Das ὅτι in V.36 nimmt sowohl die Stichworte von V.33a als auch die daran sich anschließenden Fragen V.34f auf: allein von Gott kommt alles, durch ihn ist alles geschaffen und und auf ihn geht alles hin <105>. τὰ πάντα ist umfassend zu verstehen (vgl auch

----

<100> Dies wird von *WILCKENS*, Röm II, S.176 erwogen.

<101> In äthHen 6ff sind die Engel als Gewalten mit eigenem Herrschaftsbereich dargestellt. Zum Fall der Engel vgl Gen 6,1ff (und *KITTEL*, Artikel ἄγγελος, S.85). ἀρχή "meint stets einen Primat" (*DELLING*, Artikel ἀρχή, S.477), sei es der Zeit, des Ortes oder der Stellung. ἀρχαί und ἐξουσίαι begegnen im innerweltlichen Bereich als Hendiadyoin für Obrigkeiten (vgl Lk 12,11; 20,20; Tit 3,1). Sie bezeichnen in gleicher Weise auch kosmische Mächte. Die δυνάμεις können auch mit Engeln ineins gesetzt werden (vgl Ps 102,21; 148,2 LXX).

<102> Höhe und Tiefe sind mit Mächten erfüllt, wobei man mit *LIETZMANN*, Röm, S.88f an siderische Mächte denken kann (vgl *BERTRAM*, Artikel ὕψος, S.612). Die astrologische Komponente des Begriffs schwingt hier mit.

<103> Vgl *BECKER*, Erwägungen, S.604.

<104> Zur Gliederung des Abschnitts vgl *BORNKAMM*, Lobpreis, S.70ff (im Anschluß an *NORDEN*, Theos, S.240ff). Die einleitenden Stichworte des neunzeiligen Hymnus sind πλοῦτος, σοφία und γνῶσις (V.33a). Sie werden in V.33b mit dem Hinweis auf die Unerforschlichkeit Gottes ausgelegt. Die drei Fragen in V.34f schließen sich in umgekehrter Reihenfolge an diese Stichworte an. Dabei wird mit Hilfe von Jes 40,13 und Hi 15,8 die Unerforschlichkeit Gottes aus der Schrift belegt. Die Schlußstrophe V.36 faßt alles zusammen.

<105> Den stoischen Hintergrund dieser Formel hat *NORDEN*, ebd, S.240ff herausgearbeitet (vgl Marc Aurel, Wege IV,23; weitere Belege bei *NORDEN*, ebd, S.247.249; im NT vor allem das Aratos-Zitat in Apg 17,28). Die Vermittlung an Paulus erfolgt über das hellenistische Judentum. Paulus verändert die stoische Formel, indem er ἐν σοί durch δι' αὐτοῦ ersetzt. Dadurch entgeht er der pantheistischen Ausrichtung der Formel. Zugleich fügt er sie in seinen Zusammenhang ein (vgl V.36 mit dem doppelten τοὺς πάντας in V.32) und biegt so den Immanenzgedanken ab (vgl *BORNKAMM*, ebd, S.73; *KÄSEMANN*, ebd, S.308.310).

8,22.32) und stellt Schöpfung und Erlösung unter ein theologisches Vorzeichen. Es schließt zugleich das Handeln Gottes in seinen Gerichten und Wegen mit ein (V.33b): es ist Gerichtshandeln über alle, die unter dem Ungehorsam zusammengeschlossen sind. Das Stichwort ἀπειθεία in V.31f greift auf 2,8 zurück und nimmt 1,18-3,20 zusammenfassend auf. Gottes Handeln ist aber auch Heilshandeln, wie V.32b mit ἐλεεῖν zeigt <106>. Es ist das Handeln an denen, die im Ungehorsam zusammengeschlossen sind: vor allem die Juden als νῦν ἠπείτησαν, von ihnen ausgehend aber auch τοὺς πάντας <107>. Das Heilshandeln Gottes vollzieht sich so gerade sub contrario <108>, indem er sich der Ungehorsamen erbarmt (vgl 4,17 und sachlich 1Kor 1,18ff). Diesen gesamten Zusammenhang von der Schöpfung bis hin zum endzeitlichen Erbarmen Gottes nimmt der Hymnus von V.23 an auf. So ist auch hier der Schöpfungsgedanke nicht isoliert verwendet, sondern eingebettet in das Handeln Gottes überhaupt, das sich in seinen κρίματα und ὁδοί nicht durchleuchten, sondern nur preisen läßt (V.36b) <109>. Der Schöpfungsgedanke ist auf das Heilshandeln Gottes bezogen <110>.

Der Bekenntnissatz in **1Kor 8,6** ist Röm 11,36 nah verwandt. Das 8.Kapitel behandelt das Essen von Götzenopferfleisch. In 8,1-6 geht es um Erkenntnis oder Liebe als Kriterium des Verhaltens. Paulus greift in V.1 und 4 Thesen der Korinther auf und beleuchtet sie kritisch in den jeweils folgenden Versen. Bei πάντες γνῶσιν ἔχομεν V.1 ist bereits der Grundsatz des Monotheismus in V.4 im Blick. οἴδαμεν bestätigt, daß es sich hier um eine grundlegende christliche Erkenntnis handelt. Die Kritik des Paulus setzt aber da an, wo die Erkenntnis ohne Liebe auszukommen meint. Die Korinther verstehen Erkenntnis im Sinne von Thesen, aus denen bestimmte Schlußfolgerungen zu ziehen sind. Für Paulus ist dagegen die Erkenntnis Gottes immer ein Akt, in dem Gott sich auf den Menschen und dann der Mensch auf Gott einläßt (vgl V.3). Eine solche Erkenntnis setzt ein liebendes Verhältnis voraus. Dies macht den Gegensatz von Erkenntnis und Liebe in V.1ff verständlich und erklärt zugleich die deutliche Kritik in V.1b. Paulus übt in zweierlei Weise Kritik an dem als solchen ja durchaus richtigen korinthischen Satz V.4 (der eine wesentliche at.liche Aussage aufnimmt, vgl Dtn 4,35; Jes 44,8; 45,4 und den Beginn des Schᵉma Dtn 6,4). Zum einen kann er den Satz nur als Glauben und Bekenntnis verstehen, zu dem das Von-Gott-Erkannt-Sein wesentlich hinzugehört. Zum anderen führt der Glaube zu einer anderen Erkenntnis der Welt als die Korinther sie haben. Für sie ergibt sich aus ihrer Erkenntnis die logische Deduktion, daß es keine Götzen gibt und daß deshalb auch das Essen von Götzenopferfleisch erlaubt ist. Für Paulus ergibt sich aus dem Bekenntnis zu dem einen Gott, daß er die Existenz anderer Mächte wohl sieht, ihnen aber keine Göttlichkeit zumessen kann (vgl λεγόμενοι V.5). Sie existie-

----

<108> Sachlich ist damit 3,21-5,11 aufgenommen (so *WILCKENS*, Röm II, S.262f). Die mit dem ἀ-privativum gebildeten Verbaladjektive ἀνεξεραύνατος und ἀνεξιχνίαστος sind ebenfalls hellenistischen Ursprungs und durch das hellenistische Judentum vermittelt (vgl *KÄSE-MANN*, ebd, S.308). Die Wege Gottes sind zwar menschlicher Erfahrung nicht einfach unzugänglich, aber sie sind in ihrer Tiefe nicht auszuloten (so *BORNKAMM*, ebd, S.72). Wesentlich ist für Paulus aber, daß Gottes Geheimnis (V.25) und seine Unerforschlichkeit gerade an sein heilsgeschichtliches Handeln gebunden sind. Derselbe Zusammenhang begegnet in 1Kor 2,10.

<107> Der Einwurf *KÄSEMANN*s (Röm, S.309) gegen *BULTMANN* (Theologie, S.229), daß es nicht um die Völkergeschichte gehe, hat von hier aus seine Berechtigung, zumal es in Kapitel 9-11 insgesamt um Israel geht. Die Heiden sind freilich von 1,18ff her ebenfalls unter dem Ungehorsam.

<108> So *KÄSEMANN*, ebd. Von den Wegen Gottes aus sind auch die Begriffe πλοῦτος, σοφία und γνῶσις zu verstehen. Es geht nicht um Eigenschaften Gottes (so *LIETZMANN*, Röm, S.107). Ganz verwehrt ist die trinitarische Interpretation, wie sie vor allem im Blick auf V.36 von der alten Kirche an vertreten worden ist. Eine Aufteilung auf Gott und Christus (vgl 1Kor 8,6) findet sich hier nicht.

<109> Die Unergründbarkeit Gottes ist ein wichtiges Thema der at.lich-jüdischen Weisheit (Hiob 28 u.ö.) und vor allem in der Apokalyptik auf das Gerichtshandeln Gottes bezogen (vgl syrBar 14,8-15 und den Überblick bei *WILCKENS*, Röm II, S.270f). Daß Paulus die Unerforschlichkeit Gottes preisen kann und nicht fürchten muß, ist in der Offenbarung des Geheimnisses begründet (11,25).

<110> Das ἵνα ᾖ ὁ θεὸς πάντα ἐν πᾶσιν von 1Kor 15,28 weist einen ähnlichen philosophischen Hintergrund auf, ist aber in gleicher Weise auf das Heilshandeln Gottes bezogen. Das mehrfach wiederholte ὑποτάσσειν zeigt, daß Paulus die Formel nicht in einem pantheistischen Sinn, sondern im Blick auf die Herrschaft versteht, die Gott am Ende wieder allein und unangefochten ausübt (vgl *CONZELMANN*, 1Kor, S.326).

ren im Himmel und auf der Erde und haben damit ihren Platz in der Schöpfung. Im folgenden V.6 wird als Basis der bisherigen Argumentation ein Bekenntnis zitiert. Daß hier ein Traditionsstück vorliegt, wird deutlich an dem Parallelismus membrorum (außer dem einleitenden ἀλλ' ἡμῖν), an der im NT einzigartigen Formulierung θεὸς ὁ πατήρ und an dem bei Paulus sonst nicht ausdrücklich begegnenden Motiv der Schöpfungsmittlerschaft Christi (vgl Kol 1,15-17). Die beiden letztgenannten Beobachtungen machen eine vorpaulinische Herkunft der Formel wahrscheinlich <111>. Der Hintergrund der Formel ist das hellenistische Judentum. Hierauf verweist die Allformel (τὰ πάντα) <112>; εἷς θεός nimmt Dtn 6,4 auf; der Gedanke von Gott als dem Vater spiegelt die Vorstellung vom Allvater wider (Platon, Tim 28c), die wiederum in der Stoa und bei Philo begegnen <113>. Auch die Vorstellungen von Präexistenz und Schöpfungsmittlerschaft weisen auf das hellenistische Judentum und dort näher auf die Rolle der σοφία <114>. Die Präexistenzvorstellung begegnet bei Paulus auch in 1Kor 2,6-9 unter Identifizierung der Weisheit mit Christus. Sowohl die Präexistenz (vgl Phil 2,6ff; Kol 1,15ff; Joh 1,1ff) als auch die Schöpfungsmittlerschaft (vgl Kol 1,15-17; Hebr 1,2; Joh 1,3) wird auf Christus übertragen und ist Paulus bereits vorgegeben, wie die unterschiedliche Bezeugung im NT zeigt. Ihre Aufnahme bei Paulus ist aber durch das soteriologische Interesse bestimmt: Christus ist von Anfang an das Heil der Welt und ihr Ziel <115>. In dieselbe Richtung weist die Verbindung mit dem Kyriostitel, dessen zeitlicher Horizont primär die Gegenwart ist <116>. Auch die zweimalige Erwähnung der ἡμεῖς in der Formel und dem διά im zweiten Teil belegen den Bezug zur Soteriologie: Christus ist der Schöpfungsmittler und ebenso ist durch ihn die neue Schöpfung, die Gemeinde als Heilsgemeinschaft entstanden. In Form und Inhalt handelt es sich in 1Kor 8,6 um ein Bekenntnis. Der Gottesdienst ist der Ort, an dem die ἡμεῖς Gott als Ursprung und Ziel und den Herrn als Schöpfungsmittler und Erlöser bekennen. Ein direkter Bezug zur Taufe ist aus der Formel nicht zu entnehmen <117>.

ἀλλ' ἡμῖν ist von Paulus interpretierend vorangestellt und sprengt die Parallelität der Aussage. Paulus betont damit, daß es für die Christen nur einen Gott und einen Herrn gibt und zugleich, daß die angeblichen Götter (V.5) ihre "Existenz" als Götter nur dadurch haben, daß sie als solche anerkannt und verehrt werden. Der Glaube an den einen Gott und Herrn macht dagegen von allen solchen Bindungen frei. Das Thema des Abschnitts ist weder Präexistenz noch Kosmologie, sondern ein konkretes Problem im Zusammenleben der korinthischen Gemeinde. Für Paulus ist Entschei-

----

<111> So auch *CONZELMANN*, 1Kor, S.170ff; *WOLFF*, 1Kor S.7; *KERST*, 1Kor 8,6, S.138. Zum Motiv der Schöpfungsmittlerschaft bei Paulus vgl *HAHN*, Schöpfungsmittlerschaft, S.664ff.

<112> Vgl Marc Aurel, Wege IV,23; Philo, De spec Leg I, 208 und die Angaben bei *KERST*, ebd, S.131.

<113> In Op mund 84.89.156 begegnet absolutes ὁ πατήρ; θεὸς ὁ πατήρ findet sich in Leg all II,67; die Verbindung von εἷς θεός und πατήρ wird in Leg Gaj 115 angedeutet. Wenn in 1Kor 8,6 von Gott als dem Vater gesprochen wird, so ist dabei zweifellos an den Vater Jesu Christi gedacht.

<114> Vgl im AT Hiob 28,25ff, Spr 8,22-31, dann Weish 7,12; Sir 1,4-9; 24,3.9; zu Phil vgl *HEGERMANN*, Vorstellung, S.6-87. Gerade die Schöpfungsmittlerschaft macht die Herkunft aus hellenistisch-judenchristlichen Kreisen wahrscheinlich (so *WOLFF*, 1.Kor, S.8f; anders *WENGST*, Formeln, S.141; *KERST*, ebd, S.134.138; *HAHN*, ebd, S.665). Vermutlich ist dabei die Gottesaussage von Schöpfung und Ziel des τὰ πάντα um eine Kyriosaussage erweitert worden. Der Titel εἰκὼν τοῦ θεοῦ (2Kor 4,4; vgl Kol 1,15) hat denselben Hintergrund (vgl oben S.75f). Für Paulus beschreibt der Begriff die Gegenwart Gottes in dem Bild (vgl bereits Weish 7,25f). Das Bild hat "Teil an der Art dessen, den es repräsentiert" (*SCHWEIZER*, Kol, S.58) und ist sachgemäß als Repräsentant zu verstehen. Für 2Kor 4,4 ist, wie *KITTEL*, Artikel εἰκών, S.395 mit Recht feststellt, am bezeichnendsten, was Paulus nicht sagt. Es sind keinerlei spekulative Interessen an den Titel geknüpft. Paulus kommt es darauf an, daß in Christus Gott erkennbar wird. Die Nähe von εἰκών zu Schöpfungsaussagen ist zwar unverkennbar und auch in 4,4.6 vorhanden. Dennoch sollte man nicht davon reden, daß der Titel für Paulus speziell auf den Präexistenten zielt (gegen *RIDDERBOS*, Paulus, S.54).

<115> So *KERST*, ebd, S.137; *WOLFF*, 1Kor, S.8. Die Präposition διά, sonst überwiegend für die Vermittlung des Heils durch Christus gebraucht, belegt den Bezug zur Soteriologie (vgl *HAHN*, ebd, S.667).

<116> *KRAMER*, Christos, S.79.94f. Das Verhältnis des erhöhten Herrn zu seiner Gemeinde wird bis zur Schöpfung zurück ausgesagt (*WOLFF*, 1Kor, S.8), vgl auch Phil 2,6-11.

<117> *KERST*, ebd, S.138f sieht hier einen Teil einer Taufliturgie. Im Gegensatz zu Eph 4,4-6 findet sich hier aber kein Bezug zur Taufe, nur allgemeine Erwägungen weisen darauf hin.

dungskriterium nicht die "Richtigkeit" der Erkenntnis, sondern das liebende Verhältnis Gottes zum Menschen, aus dem die Erkenntnis erwächst und das ἀγάπη und οἰκοδομή begründet. Ohne dieses grundlegende Verhältnis ist die Erkenntnis unsachgemäß, weil sie die Gebundenheit der Welt an die Mächte und damit die Abhängigkeit von ihnen nicht wirklich erkennt. Ohne dieses Verhältnis ist zugleich der Bezug zum Bruder gestört, weil die Liebe zum Schwachen hieraus (und nicht aus theoretischer Erkenntnis) erwächst. Es geht Paulus deshalb nicht um einen thetischen Monotheismus, sondern um das Bekenntnis zu dem einen Herrn und dem einen Gott. Paulus benutzt die kosmologischen Aussagen des Bekenntnisses zur Darstellung der Soteriologie. Präexistenz und Schöpfungsmittlerschaft Christi klingen an, werden aber weder ausgeführt noch sind sie als solche wichtig. Sie zeigen vielmehr die Heilsabsicht, die von Anfang an für die Schöpfung gilt, sie sind bezogen auf das "Wir" der Bekennenden und führen hin zur aufbauenden Liebe in der Gemeinde.

In 2Kor 5,17 und Gal 4,15 wird das Heilshandeln Gottes mit dem Ausdruck der Neuschöpfung zur Sprache gebracht. **2Kor 5,17** gehört in den Zusammenhang der Apologie von 2,14-7,4 <118>, deren Thema das Wesen des Apostelauftrags ist. Innerhalb dieses Abschnitts gehört der Vers in den Gedankengang von 5,11-6,10. Hier geht es um das Angebot des Heils durch den apostolischen Dienst. 5,14-21 stellen das Zentrum des Abschnitts dar. V.14f bilden dabei in ihrer Auslegung dessen, was ἀγάπη τοῦ Χριστοῦ bedeutet, den christologischen Ausgangspunkt. Er wird in V.18 durch διὰ Χριστοῦ, in V.20 durch ὑπὲρ Χριστοῦ und insgesamt durch die christologische Aussage V.21 wieder aufgenommen, was zugleich die Klammerfunktion der Christologie zeigt. Ihr Leben können deshalb die Christen nicht mehr von sich selbst aus und auf sich selbst hin verstehen, sondern nur als ein Leben für den, der für sie gestorben und auferweckt worden ist. In V.16 zieht Paulus hieraus eine erste Konsequenz <119>: dabei rückt weder die Kenntnis des irdischen Jesus noch die der irdischen Vorfindlichkeit der Menschen in den Hintergrund. Vielmehr ist für Paulus eine Kenntnis Jesu abgesehen davon, daß er in seinem Tod und seiner Auferstehung das Heil begründet, nicht mehr möglich. Das schließt ein, daß er auch den Menschen und seine Situation nicht mehr unabhängig davon sehen kann. V.17 führt dies in einem zweiten ὥστε-Satz aus, der zugleich auf V.14 zurückgreift: wer in der Liebe Christi festgehalten, von ihr beherrscht ist, wer so sein Leben von ihm her und auf ihn hin begreift und damit also ἐν Χριστῷ ist, für den ist nicht nur das Erkennen neu, sondern das ganze Sein, der ist καινὴ κτίσις. Beide Worte in diesem Ausdruck sind gewichtig <120>. κτίσις hält fest, daß dieses Sein nicht einer menschlichen Möglichkeit entspringt, sondern nur der Schöpferkraft Gottes (vgl Röm 4,17). Und καινή stellt diese Schöpfung der alten gegenüber, die ihre Geschöpflichkeit verfehlt hat. Dem Kontext nach ist ἀρχαῖα dabei alles, was (und indem es) von der σάρξ her beurteilt und gebraucht, καινή dementsprechend alles, was (und indem es) von dem Heilsgeschehen in Christus her <121> beurteilt und gebraucht wird. Diesen Gedanken der neuen Schöpfung interpretieren die V.18ff mit dem Stichwort der Versöhnung, das aufgeschlüsselt wird in das versöhnende Handeln Gottes und in die Verkündigung der Versöhnung (vgl in V.18 und zum Versöhnungsaspekt auch 3,6). V.19 entfaltet beide Aspekte und ist im vorliegenden Zusammenhang von besonderem Interesse. Daß Gott den Kosmos in Christus mit sich versöhnt hat, setzt ja eine vorausgehende Feindschaft zwischen Kosmos und Gott voraus <122>. Diese bestand in den παραπτώματα, u.z. αὐτῶν, d.h. der Menschen, so daß hier der Kosmos als die Menschenwelt verstanden ist <123>, die sich auf sich selbst, auf die eigene σάρξ verläßt. Insofern sich der Kosmos, der ja auch Gottes Schöpfung ist, ganz dem Vertrauen auf sich selbst hingegeben hat, kann er sein Heil nur in einer

----

<118> Zur Literarkritik des 2Kor vgl unten, S.304.

<119> Vgl hierzu unten, S.255f.

<120> Der Ausdruck entspricht dem rabbinischen חֲדָשָׁה בְּרִיָּה (vgl hierzu STR—BILL III, S.519; II, S.421ff; BULTMANN, 2Kor, S.158f). Bereits der rabbinische Ausdruck hält als Wesen der Neuschöpfung fest, daß sie von Gott ausgeht. Er kann in eschatologischer Bedeutung auf die messianische Zeit bezogen sein, in verschiedener Weise aber auch auf das Individuum.

<121> 1Kor 11,25 und 2Kor 3,6 verwenden dementsprechend den Begriff der καινὴ διαθήκη.

<122> Vgl hierzu Röm 5,10f und überhaupt den Abschnitt Röm 5,1ff. BULTMANN, 2Kor, S.160 weist mit Recht darauf hin, daß die Versöhnung nicht als Aufhebung gegenseitiger Feindschaft vorgestellt ist, sondern als alleiniges Handeln Gottes. Der λόγος καταλλαγῆς ist demnach "nicht das versöhnliche und versöhnende Wort, sondern die Botschaft von der vollzogenen Versöhnung".

<123> Vgl das parallele ἡμᾶς in V.18 und αὐτοῖς V.19.

versöhnenden Tat Gottes finden, die für ihn zugleich eine καινὴ κτίσις bedeutet. Der Ausdruck von der Neuschöpfung begegnet auch im Postskript des Gal in **Gal 6,15**. Wie Paulus bereits im Präskript und im Prooemium dieses Briefes, von seinem sonstigen Stil abweichend, hinzielt auf die Auseinandersetzung mit der galatischen Irrlehre, so greift er im Postskript diese Auseinandersetzung noch einmal kurz auf. Dabei unterstreicht die Eigenhändigkeit des Schreibens V.11 die Wichtigkeit des Gesagten. V.12ff fassen die Kritik und die eigene Stellungnahme mit den Stichworten der Beschneidung und des Ruhmes zusammen. Daß die Gegner die Gemeinde zur Beschneidung nötigen, hängt mit ihrem εὐπροσωπῆσαι ἐν σαρκί zusammen <124>. Deshalb trifft sie aber um so härter der Vorwurf, daß sie selbst das Gesetz nicht beachten (V.13). Sie meinen freilich, daß sie bei der Beschneidung der Galater selbst zur Geltung kommen <125>, daß also die beschnittene σάρξ der Galater ihnen zum Ruhm dient. Das Stichwort des Ruhms führt zum folgenden Gedanken weiter. In V.14 lehnt Paulus den Ruhm in zweifacher Hinsicht ab: zum einen im Blick auf sich selbst; es kommt ihm nicht darauf an, selbst eine gute Rolle zu spielen (vgl εὐπρο-σωπῆσαι in V.12), seinen Ruhm hat er nicht in oder aus sich selbst, sondern im Kreuz Jesu Christi. Darin ist aber zugleich als zweites auch eine inhaltliche Ablehnung des Rühmens gegeben: das Kreuz ist als solches schon eine Ablehnung der Möglichkeiten des Kosmos (vgl 1Kor 1,18ff; 3,19) und damit auch eine Abkehr vom Ruhm des Fleisches. Das Kreuz Christi bezeichnet das Ende aller eigenen Möglich-keiten und damit zugleich ihres Ruhmes und ihres verpflichtenden Anspruchs, so daß also weder das εὐπροσωπῆσαι ἐν σαρκί noch die περιτομή das Heil sichern können. Eigenes Tun und das Vertrauen darauf erweisen sich angesichts des Kreuzes nur noch als Möglichkeiten des Kosmos. Wer aber auf das Kreuz Christi seine Hoffnung setzt <126>, für den sind die Möglichkeiten des Kosmos kein Heil mehr und er ist seinen Ansprüchen und Zwängen nicht mehr unterworfen. Das artikellose κόσμος ist an dieser Stelle also eine in bestimmter Weise qualifizierte Bezeichnung: es ist die Welt des Fleisches, die auf ihre eigenen Möglichkeiten und Fähigkeiten vertraut und ihre eigenen Ansprüche und Heilswege setzt <127>. Sie ist aber für den Glaubenden durch das Kreuz Christi abgetan, freilich nicht im Sinne eigener Möglichkeiten oder Leistung. Vielmehr ist, wer dem Kosmos gekreuzigt ist, καινὴ κτίσις. Er kann diese Existenz nur von Gott her begreifen als von ihm geschaffen. Bisherige Heilsmöglich-keiten und bisheriger Ruhm, ob nun jüdisch oder heidnisch orientiert (περιτομή, ἀκροβυστία), spielen keine Rolle mehr und können nur noch als das "Alte" verstan-den werden. Vom Heilsgeschehen in Christus her ist dagegen die christliche Existenz eine Neuschöpfung. Daß sie ihrer Vollendung freilich erst noch entgegengeht, hält Paulus in verschiedenen Zusammenhängen fest <128>. Zugleich zeigt V.16, daß die Neuschöpfung den Wandel der Christen einschließt <129>.

<124> Auf die Frage, wie die Nötigung zur Beschneidung und in Zusammenhang damit der ἵνα-Satz V.12b zu verstehen sind, braucht hier nicht eingegangen zu werden (vgl die Kommentare zur Stelle). ἐν σαρκί weist voraus auf das Ende von V.13, wie überhaupt die beiden Wendungen am Beginn von V.12 und am Ende von V.13 parallel sind, hat aber von der Fülle der σάρξ-Stellen in Gal (vgl besonders 5,13.16.17.19; 6,8) her gesehen grundsätz-liche Bedeutung als Gegensatz zu πνεῦμα.

<125> Vgl SCHLIER, Gal, S.281. Zu beachten ist, daß die Charakterisierung der Gegner von diesen sicher so nicht geteilt wurde. Für Paulus ist als Hintergrund solcher Charakterisie-rung aber immer die Gesamtheit seiner Rechtfertigungs- und Gesetzesvorstellung zu beachten. Daß sie das Gesetz nicht halten, trifft die Gegner als solche, die durch die Be-schneidungsforderung das Gesetz zum Heilsweg erheben.

<126> σταυρός ist hier Bezeichnung für das Heilsgeschehen und V.14 schließt unausgesprochen den Glauben an das Kreuz als Heil für die Glaubenden mit ein. Röm 6,1f bietet vom Taufge-schehen her einen ähnlichen Gedankengang.

<127> Der Kontext von V.12 an macht deutlich, daß Kosmos anthropologisch verstanden wird, allerdings nicht im Gegensatz zu einem umfassenden kosmologischen Verständnis des Begriffs. Ein solches ist hier gar nicht im Blick.

<128> Vgl hierzu den typischen Wechsel der Tempora in Röm 6,5.8; 1Kor 15,49. Im Zusammen-hang von 1Kor 15,49 machen die Antithesen in V.42-44 deutlich, daß es sich auch bei dem zukünftigen ἐγείρειν nicht um eine kontinuierliche Entwicklung handelt, sondern um eine Existenz, die sich dem schöpferischen Handeln Gottes verdankt.

<129> Die Formulierung von 6,15 findet sich ähnlich in Gal 5,6, wobei πίστις δι᾽ ἀγάπης ἐνεργουμένη eine inhaltliche Umschreibung dessen darstellt, was καινὴ κτίσις meint. Auch 1Kor 7,18f hält fest, daß Beschneidung oder Unbeschnittenheit keine Heilsfunktion mehr besitzen und umschreibt sinngemäß die Neuschöpfung mit dem Halten der Gebote. So bieten beide Stellen, vor allem aber Gal 5,6 mit dem umfassenden Begriff der Liebe eine positive Ausführung der καινὴ κτίσις.

Dementsprechend steht der Schöpfungsgedanke auch in **1Kor 10,26** im Dienst der Paränese. Der Abschnitt 10,23-11,1 ist eine den gesamten Briefteil von 8,1 an abschließende Stellungnahme zum Essen von Götzenopferfleisch <130>. Der Schöpfungsglaube hat dabei erneut eine begründende Funktion, wie der Rückgriff auf Ps 23,1 LXX in V.26 belegt. Da die ganze Schöpfung des Herrn ist, ist ein ἀνακρίνειν im Blick auf die Speise weder notwendig noch angebracht <131>. Offensichtlich ist für Paulus der Schöpfungsgedanke mit der Frage nach dem ethischen Verhalten der Christen im Blick auf die Speisen eng verbunden, wie die begründende Funktion von 8,6 und 10,26 zeigt. Die Freiheit gilt für die Christen auch im Umgang mit Speisen, die in einem heidnischen Haus gegessen werden (V.27). V.28 bezieht ihre Freiheit darüber hinaus nun aber auf die Gebundenheit des Gewissens im Gegenüber. Im Blick auf dessen Gewissen kann der Christ auch seine prinzipielle, schon in dem Schöpfungsgedanken wurzelnde Freiheit einschränken und sein Handeln am Mitmenschen orientieren. Dies ist zugleich ein Handeln εἰς δόξαν θεοῦ, weil hier nicht das eigene Gewissen zum Zentrum gemacht wird, sondern vom Glauben an das Heilsgeschehen her der Bruder.

Dieser Überblick über die Schöpfungsaussagen und ihre Kontexte läßt verschiedene Erkenntnisse zu. Zunächst ist deutlich, daß Paulus an bestimmten kosmologischen Einzelvorstellungen kein besonderes Interesse hat. Dies zeigt sich exemplarisch an der Präexistenz und der Schöpfungsmittlerschaft, wie sie in 1Kor 8,6 begegnen. Beide Vorstellungen sind bereits vor Paulus auf Christus übertragen worden. Der Apostel übernimmt sie, führt sie aber nicht als solche aus, sondern ordnet sie auf die soteriologische Aussage hin, daß Christus von Anfang an das Heil und Ziel der Welt ist. Die kosmologischen Aussagen werden da übernommen, wo sie der soteriologischen Aussageabsicht dienen.

Insgesamt bindet sich Paulus mit seinen Schöpfungsaussagen eng an die at.lich-jüdische Tradition. Das zeigt sich nicht nur da, wo ausdrücklich zitiert wird wie etwa in 2Kor 4,6; 1Kor 10,26, sondern gilt generell. Immer wieder wird hinter den paulinischen Aussagen die at.liche und nachat.liche Tradition erkennbar (vgl Röm 1,18ff; 4,17; 1Kor 11,9). Auch indem Paulus den Schöpfungsgedanken mit κτίσις und κτίζω zur Sprache bringt, steht er in dieser Tradition und selbst der Begriff καινὴ κτίσις hat eine Parallele in der rabbinischen Literatur.

Daß die gesamte Schöpfung durch die Schuld des Menschen ins Verderben hineinge-

----

<131> <130> In 1Kor 8 hat Paulus aufgezeigt, daß Speisen vor Gott weder als Nachteil noch als Vorteil gelten (vgl besonders 8,8). Diese Freiheit ist freilich in V.9 sogleich an die Mahnung der Rücksicht gegenüber den Schwachen gebunden. Voraussetzung der Freiheit ist bereits in 8,6 die Erkenntnis, daß Gott einer und daß die Schöpfung von ihm her durch den Herrn Jesus Christus geschaffen ist und Bestand hat. Wenn den geschaffenen Dingen somit keine eigenständige Macht zukommt, so kann auch die Speise als solche nicht heilsfördernd oder -hindernd sein. Kapitel 10 ergänzt hierzu die Kehrseite: wenn mit dem Essen von Götzenopferfleisch ein Dienst an eben diesen Götzen verbunden ist, so ist den Christen nach der Auffassung des Paulus die Teilnahme an solchen Kultmahlzeiten verboten. Dann nämlich würde der Speise und dem Trank eine Qualität zugestanden, die ihnen nicht zukommt, und was Röm 1,25 von den Heiden gesagt ist, träfe auf die Christen selbst zu. Hierin liegt kein Unterschied zu dem in Kapitel 8 Gesagten, denn dort geht es zum einen um die grundsätzliche Bedeutung der Schöpfungsaussage für das Verhalten im Blick auf die Speisen; zum anderen wird in dem ἡμῖν 8,6 deutlich, daß die Freiheit sich nur vom Glauben her ergibt. Wer diesen Glauben an das Heil in Christus aber nicht teilt, sondern in der Welt Dämonen in eigener Machtfülle am Werk sieht, für den kann es eine solche Freiheit gerade nicht geben.

<131> Denselben Standpunkt vertritt Paulus in Röm 14.14.20. Dort wird argumentiert im Blick auf die kultische Reinheit, wobei V.14 den Unterschied zwischen Reinheit und Unreinheit für den aufhebt, dessen Leben von der Christusbotschaft geprägt ist. V.20f hält aber auch hier im Blick auf den Bruder fest, daß das Handeln als Freiheit ihm nicht zum Anstoß dienen soll. Den Rabbinen dient Ps 23,1 LXX als Begründung dafür, daß niemand essen soll, bevor er eine Benediktion gesprochen hat (vgl TosBer VI,1 und *LOHSE*, Zu 1Cor 10,26.31, S.277ff).

raten ist (vgl Röm 8,19ff), wird von Gen 3,15f her begründet. Und selbst da, wo Paulus stoische Gedanken aufgreift, biegt er deren Pantheismus und Immanenzvorstellung ab und verknüpft sie mit den Wegen und Gerichten Gottes, wie sie in der Heilsgeschichte Gottes mit seinem Volk erkennbar werden. Grundgedanken und Terminologie seiner Schöpfungsaussagen entnimmt er aus der Tradition, wobei der jüdische Traditionsstrang das eindeutige Übergewicht hat und auch die hellenistischen Formeln prägt. Dieser Sachverhalt erklärt zum einen, daß Paulus die Schöpfungsaussagen weder systematisch ordnet noch lehrmäßig zusammenfaßt. Er kann selbst wichtige schöpfungstheologische oder kosmologische Aspekte oft nur andeuten oder gar stillschweigend voraussetzen, eben weil der Schöpfungsgedanke von seiner Tradition her fraglose Voraussetzung ist. Hieraus ergibt sich zum anderen, daß Schöpfungsaussagen bei Paulus wiederholt argumentative Funktion haben und in verschiedene Kontexte eingeordnet werden können.

Es ergibt sich freilich ein innerer Zusammenhang dieser Kontexte. So gehört die Anspielung auf das Schöpfungsgeschehen in 2Kor 4,6 in einen soteriologischen Gesamtrahmen und speziell in die Verkündigung des Heilsgeschehens hinein. Röm 4,17 gehört in den Kontext von Glauben und Rechtfertigung. Von der Rechtfertigung aus wird aber die anthropologische Situation des Menschen vor Gott und von hier aus auch die kosmologische Situation der Welt vor Gott erst als der Nichtigkeit unterworfene transparent (Röm 1,20.25; 1Kor 1,18ff; Röm 8,19ff). Umgekehrt kann auch das Handeln Gottes als Gerichts- und als Heilshandeln erst von dem Christusgeschehen her - wenn auch nicht ganz ausgelotet, so doch - gepriesen werden. Und wenn Paulus die christliche Existenz als Neuschöpfung bezeichnet (2Kor 5,17; Gal 6,15), so geschieht dies aus dem Wissen, daß diese Existenz sich nicht eigener Kraft oder Tat verdankt, sondern der schöpferischen Tat Gottes (Röm 4,17). Hierin als dem die christliche Freiheit begründenden Indikativ kann dann schließlich auch die Paränese wurzeln.

So ist als Ergebnis festzuhalten, daß die Kontexte, in die Schöpfungsaussagen eingebettet sind, eine gemeinsame Zentrierung aufweisen auf das Heilsgeschehen in Christus hin. Von dieser Mitte aus werden nicht nur die anthropologische und kosmologische Situation vor Gott, sondern zugleich die schöpferische Kraft Gottes, die Neues schafft, soteriologisch entschlüsselt. Schöpfung und Neuschöpfung gewinnen so vom Christusgeschehen her ihren Sinn und sind auf dieses Geschehen hin zentriert. In ihm wird die Kontinuität zum at.lichen Schöpfungshandeln gewahrt, zugleich aber die Basis zum Verständnis der gesamten Schöpfung und ihrem Ziel gelegt. Dieses Modell der Zentrierung erweist sich dem paulinischen Denken als angemessener als ein lineares Modell von Schöpfung, Fall und Neuschöpfung <132>: denn nach der Auffassung des Apostels erschließt sich das Verständnis der Schöpfung als gefallen und der Nichtigkeit unterworfen nicht primär von einem linearen Ablauf her, sondern durch das zentrale Ereignis der Rechtfertigung aus Glauben. Erst dem aus Glauben Gerechtfertigten wird die wahre Situation des Menschen und der Welt offenbar.

<132> Vgl hierzu etwa *FOERSTER*, Artikel κτίζω, S.1072ff. Dagegen weist *BAUMBACH*, Schöpfung, S.204 mit Recht darauf hin, daß Paulus Schöpfungsaussagen in eschatologische Zusammenhänge rückt und sie in der Auferstehung Jesu und im Rechtfertigungsgeschehen lokalisiert.

Der κόσμος-Begriff fügt sich in diesen Rahmen ein. Dies hat sich für einige Stellen bereits ergeben (vgl besonders Gal 5,6) und soll nun an weiteren Stellen überprüft werden. κόσμος ist dabei grundsätzlich als κτίσις verstanden (Röm 1,20). Der Begriff τὰ πάντα (1Kor 8,6; 15,27; Phil 3,21) ist synonym <133> und weist ebenfalls auf die Schöpfung hin. κόσμος ist die Summe dessen, was geschaffen ist und zugleich der umfassende Raum, in dem alles Geschaffene existiert <134>. Von hier aus kann κόσμος im einzelnen verschiedene Bedeutungen annehmen: die Vielfalt der Sprachen gehört in seinen Bereich (1Kor 14,10). Wenn auf der ganzen Welt vom Glauben der Gemeinde in Rom die Rede ist (Röm 1,8; vgl 16,19), so sind alle Menschen gemeint, zu denen diese Kunde dringt. In gleicher Weise bezieht sich der Wandel des Paulus ἐν τῷ κόσμῳ (2Kor 1,12) auf den Umgang mit den Mitmenschen (πρὸς ὑμᾶς). Überhaupt ist der Kosmos der Ort des menschlichen Lebens (2Kor 1,12). Der Begriff faßt so die menschlichen Lebensbedingungen zusammen. Der Schöpfungscharakter jeglicher unter diesem Begriff zusammengefaßten Existenz ist dabei grundlegende Voraussetzung <135>.
Neben dieser umfassenden und neutralen Verwendung des Begriffs bekommt κόσμος seine charakteristische Bedeutung durch die theologische Wertung, die Paulus an der Mehrzahl der Stellen mit ihm verbindet. Wenn er die Menschenwelt als Kosmos bezeichnet, so geschieht dies unter den theologischen Aspekten des Gerichts (Röm 3,6; 1Kor 11,32) oder der Versöhnung (die das Gericht Gottes voraussetzt 2Kor 5,19). κόσμος wird so zur Bezeichnung für die Schöpfung, die der Sünde unterworfen ist und damit unter dem Gericht Gottes steht. Die Sünde ist durch den ersten Menschen εἰς τὸν κόσμον gekommen und in ihrem Gefolge der Tod. Dadurch sind alle Menschen der Sünde und dem Gericht verfallen (Röm 3,19). Zusammenfassender Ausdruck für diesen Sachverhalt ist ὁ κόσμος οὗτος. Er zeigt den grundlegenden Gegensatz zwischen Gott und der Welt auf. Was in dieser Welt Weisheit beansprucht, ist Torheit bei Gott (1Kor 3,19). Er hat die Weisheit der Welt gerade zur Torheit gemacht (1Kor 1,20), und hat das erwählt, was in der Welt Torheit ist (1,26f; 2,12; 7,33f). Im Zentrum dieser Gegenüberstellung steht das Kreuz (1,18). Es ist Torheit in den Augen der Welt. Aber in ihm verliert die Welt ihre Heilsbedeutung (vgl Gal 6,14). Dies gilt zugleich für alles, was den Raum des Kosmos füllt und damit zum Geschaffenen hinzugehört. Röm 8,38 nennt ἄγγελοι, ἀρχαί und δυνάμεις, 1Kor 15,24 fügt noch ἐξουσίαι hinzu. An beiden Stellen ist auch der Tod in diese Reihe eingeordnet. Röm 8,39 faßt aber alle diese Mächte unter dem Oberbegriff der Schöpfung zusammen und 1Kor 8,5f macht durch ἀλλ' ἡμῖν deutlich, daß die sogenannten Götter und Herren ihre Stellung nur bekommen, indem sie geglaubt und anerkannt werden. Der zu κόσμος οὗτος parallele Begriff αἰὼν οὗτος betont stärker den Zeitaspekt und stellt damit für die Herrscher dieser Welt (1Kor 2,6.8; vgl 2Kor 4,4) zugleich die zeitliche Begrenzung ihrer Macht heraus: sie gehören zum Geschaffenen und damit zum σχῆμα τοῦ κόσμου τούτου, zur Erscheinung und Gestalt dieser Welt, die keinen ewigen Bestand hat, sondern vergeht (1Kor 7,31). Wird aber in diesem Äon die Schöpfung anstelle des Schöpfers verehrt (Röm 1,25), so verkennt die Welt ihre eigene Situation und kann insgesamt als böse bezeichnet werden (Gal 1,4). Kosmos wird so zum Inbegriff einer Existenz, die sich aus sich selbst heraus versteht und sich ihr Heil selbst schaffen will.
Wer dagegen an Christus als den Herrn glaubt, erkennt nicht nur die wahre Situation der Welt und des Menschen vor Gott, sondern ist dadurch zugleich aus der Welt herausgerufen: er gehört zur ἐκκλησία. Wohl lebt er im Kosmos (1Kor 5,10; Phil 2,15). Er bedient sich sogar der weltlichen Dinge, aber er hängt ihnen nicht an. Er ist, obwohl noch in der Welt, doch nicht mehr von der Welt (1Kor 7,29-31), weil er sein Leben und sein Heil nicht mehr aus ihr begründet. Vielmehr erfährt er in Christus die Versöhnung des Komsos mit Gott (2Kor 5,19). Die Welt ist damit nicht

----
<133> Das at.liche Denken kommt ohne einen bestimmten Weltbegriff aus und umschreibt stattdessen mit "Himmel und Erde" (vgl SASSE, Artikel κοσμέω, S.880f). Im hellenistischen Judentum gewinnt dagegen κόσμος eine wesentliche Bedeutung. Im NT ist dieser Übergang noch in Apg 17,24 zu erkennen (vgl auch Apg 4,24; 14,14; Joh 1,3.10; Offb 10,6). Der räumliche Denkhorizont des Begriffs ist deutlich.
<134> Kosmologische Einzelvorstellungen sind in den Paulusbriefen selten (vgl hierzu SASSE, ebd, S.886f). Singulär bei Paulus ist die Aussage in Phil 2,15. Zu 1Kor 4,9 und der Vorstellung vom (paradoxen) Schauspiel, das der Apostel der Welt (nämlich den Engeln und den Menschen) gibt, vgl CONZELMANN, 1Kor, S.107f.
<135> Zum Geschaffenen gehört hinzu, daß es einen Anfang hat (Röm 1,20) und auf ein Ende zugeht (1Kor 7,31). Der Zeitaspekt wird in der Regel durch αἰών zum Ausdruck gebracht. 1Kor 1,20; 2,6 zeigen aber, wie auch αἰών in einem zeitlichen und einem eher räumlichen Verständnis gebraucht werden kann.

unabhängig vom Heilsgeschehen, sondern wird zum Ort des Heilsgeschehens. Weil Paulus aber im Kreuz das Heil erkannt hat, hat der Kosmos für ihn seine bestimmende Kraft und seine Heilsmächtigkeit verloren (Gal 6,14). Von hier aus erklärt sich auch, daß Paulus den Begriff κόσμος im Blick auf die neue und versöhnte Welt vermeidet und stattdessen von einer καινὴ κτίσις spricht. Denn für den Kosmos ist gerade das Gebundensein an die eigene Existenz und das Vertrauen auf die eigenen Möglichkeiten charakteristisch. Im Geschehen von Kreuz und Auferstehung aber hat Paulus das Heil als ein Handeln Gottes erfahren, das Neues schafft. So verdankt sich die Versöhnung gerade nicht den Möglichkeiten des Kosmos, sondern der Schöpferkraft Gottes.

Der Ausdruck στοιχεῖα τοῦ κόσμου ⟨136⟩ begegnet in Kol 2 als Begriff der Irrlehre, er findet sich aber auch bei Paulus in Gal 4,3. An diesem Ausdruck können deshalb zum einen die bisherigen Ergebnisse zum paulinischen Weltverständnis überprüft werden, zum anderen bietet er sich als Grundlage für den Vergleich mit Kol an. Paulus geht in Gal 4,1-11 aus von der Erkenntnis in 3,27-29: der Christ hat in der Taufe Christus angezogen. Wer in Christus Jesus ist, der gehört zu den Söhnen Gottes (3,26) und ist in Wahrheit Nachkomme des Abraham und Erbe der Verheißung. Um die Stellung des Erben vor und nach der Sendung Christi geht es nun in 4,1-7. Die Zeit vor der Sendung beschreibt Paulus mit einem Vergleich aus dem bürgerlichen Rechtsleben. Der unmündige Erbe untersteht, obwohl er eigentlich Herr über alles ist ⟨137⟩, den ἐπίτροποι und den οἰκονόμοι ⟨138⟩. V.3 bezieht diesen Vergleich auf die (Juden- und Heiden-) Christen (ἡμεῖς): sie unterstanden Vormunden und Verwaltern, und zwar bis zu einem bestimmten Zeitpunkt (vgl 3,19.23-25 und das in V.4 folgende ὅτε). Diese bestimmenden Autoritäten werden nun als στοιχεῖα τοῦ κόσμου bezeichnet. Sie beanspruchen den Menschen ganz und fordern Beachtung und Verehrung, und zwar unterschiedslos von Heiden und Juden. Das "wir" von V.3 schließt "die unter dem Gesetz" von V.5 mit ein. Die Elemente sind als personale Engel- und Gestirnsmächte verstanden, wie aus der Parallele zu den ἐπίτροποι und οἰκονόμοι V.2, aus der Nähe zu φύσει μὴ οὖσιν θεοῖς V.8f und aus der Beobachtung hervorgeht, daß sie als Herren gedacht werden (δεδουλωμένοι V.3), die bestimmte Forderungen stellen und die Beachtung bestimmter Vorschriften verlangen (V.9). Damit bestimmen sie das Leben der Menschen.

Diese Versklavung an die Weltelemente ist mit der Sendung des Sohnes ⟨139⟩ vorbei (V.4), wobei die nähere Erläuterung der Sendung die Menschheit des Sohnes und die Unterwerfung unter das Gesetz hervorhebt. Im Vergleich mit V.5 ist das "völlige Hingegebensein des Sohnes in den Kosmos" ⟨140⟩ und damit die Gleichheit des Gottessohnes mit denen gemeint, denen seine Sendung zugute kommt. πλήρωμα τοῦ χρόνου setzt das Herrsein Gottes über die Zeit voraus und gehört traditionsge-

----

⟨136⟩ Literatur zum στοιχεῖον-Begriff findet sich bei SCHLIER, Gal, S.190 und bei PLÜMACHER, Artikel στοιχεῖον, Sp. 664-666.

⟨137⟩ κύριος wird hier im Sinne von Besitzer gebraucht, vgl MUSSNER, Gal, S.189. Im Hintergrund steht das hellenistische Rechtsdenken (vgl OEPKE, Gal, S.127f; SCHLIER, Gal, S.189). Im römischen Recht ist das Ende der Vormundschaft mit einem bestimmten Alter verbunden, hier jedoch mit der προθεσμία des Vaters V.2.

⟨138⟩ ἐπίτροπος ist der Vormund, οἰκονόμος der Verwalter (vgl OEPKE, Gal, S.128, Anm.143-145). Es geht Paulus hier nicht um eine genaue Differenzierung, sondern es kommt ihm auf die Unmündigkeit des Erben an, die mit beiden Begriffen deutlich wird. Der Plural erklärt sich am besten aus der Parallele zu den στοιχεῖα.

⟨139⟩ In der Sendung klingt die Präexistenz des Gottessohnes an, wird aber nicht ausdrücklich angesprochen. Vgl hierzu die Aussagen von 1Kor 8,6; 2Kor 8,9; Phil 2,6ff.

⟨140⟩ SCHLIER, Gal, S.196.

schichtlich in die jüdische Apokalyptik. Gott hat der Zeit und der Welt ein bestimmtes Maß gesetzt, das mit der Sendung des Sohnes erfüllt ist. Die Sendung
selbst stellt damit den Anbruch des neuen Äons dar, in dem die Macht des Gesetzes, damit aber aller kosmischen Mächte abgetan ist ⟨141⟩. Ihr Ziel ist die
Sohnschaft V.5 ⟨142⟩. Diese Sohnschaft führt zur Sendung des Geistes (V.6; vgl
Röm 8,14), unter dessen Leitung die Christen Gott als ihren Vater bekennen. Als
Söhne sind sie zugleich Erben der Verheißung Gottes, womit das Stichwort von
3,29; 4,1 abrundend aufgenommen ist ⟨143⟩.

V.8-11 stellen die Unmöglichkeit eines Rückfalls fest, den Paulus für die Galater aber
doch befürchtet. Mit φύσει μὴ οὖσιν θεοῖς wird das Gottsein der angeblichen Götter
bestritten. Der Glaube (V.9a) an Gott und die Erlösung in seinem Sohn erkennt
diese Götter als das, was sie sind: schwache und arme Elemente, denen keine
Heilsbedeutung zukommt. Für den Stellenwert der kosmischen Elemente in 4,1-11
wird damit deutlich: der Hinweis auf die στοιχεῖα τοῦ κόσμου gehört auf die Seite
der Vergangenheit (V.3), die mit der Sendung des Sohnes abgetan ist. Sie ist
charakterisiert als Zeit der Abhängigkeit von Mächten, die zwar göttliche Verehrung
verlangen, selbst aber nur geschaffene Elemente sind (V.9). Die kosmologische
Aussage ist nicht als selbstständiges Thema eingeführt. Die zentrale Aussage des
Abschnitts beschreibt die Sendung des Sohnes mit dem Ziel der Sohnschaft für die
Glaubenden. Sie ist eingebettet in den Rahmen der Verheißung (3,29; 4,7). Nur in
der Ausführung dieses Themas hat die kosmologische Aussage Bedeutung. Dem
entspricht, daß die Präexistenz des Sohnes in V.4 wohl im Hintergrund steht, aber
nur angedeutet wird. Auch hier geht es Paulus nicht um eine kosmologische Aussage, sondern darum, daß der Sohn "ganz Sohn für uns" ist (vgl V.6) ⟨144⟩. Die
kosmologischen Aussagen dienen dem soteriologischen Ziel ⟨145⟩.

⟨141⟩ Vgl Lk 21,24; Mt 13,39.40.49; 24,3; 28,20; Hebr 9,26. Zur Herrschaft Gottes über die
Zeit vgl syrBar 48,2; zur Festsetzung eines Maßes vgl 4Esr 4,36f; 5,50ff; 6,13ff.
⟨142⟩ Die υἱοθεσία erlangen bedeutet an die Stelle eines adoptierten Sohnes zu rücken, vgl
OEPKE, Gal, S.133; SCHLIER, Gal, S. 197. Von 4,1f her müßte als Ziel der Sendung eigentlich das Mündigsein gelten. Aber die Unmündigkeit ist ja in V.2 gesehen als Unterstellung
unter die Mächte. Gerade dies hebt die Sohnschaft auf.
⟨143⟩ Im Hintergrund des Abschnitts steht ein traditionelles Schema (vgl KRAMER, Christos,
S.108ff: Sendungsformel; DAHL, Beobachtungen, S.7: teleologisches Schema), bei dem
einem Sendungssatz (V.4b ἐξαπέστειλεν ὁ θεὸς τὸν υἱὸν αὐτοῦ) eine Aussage über das
Heilsziel folgt (V.5b ἵνα τὴν υἱοθεσίαν ἀπολάβωμεν; vgl auch Röm 8,3f). Die Sendungs-
aussage erinnert an joh Formulierungen (vgl Joh 3,17; 1Joh 4,9f.14) und weist auf ein
übereinstimmendes Schema, das aber bei Joh und bei Paulus verschieden gefüllt wird.
⟨144⟩ So MUSSNER, Gal, S.273.
⟨145⟩ Von den Gewalten und Mächten ist in 1Kor 15,24ff im Blick auf die Vernichtung am Ende
die Rede. Die vielen zeitlichen Hinweise von V.21 ab legen auch für τέλος diesen Sinn nahe
(vgl WOLFF, 1Kor, S.180; CONZELMANN, 1Kor, S.321). Nach der Auferstehung Christi,
der der zeitliche und sachliche Vorrang zukommt, ereignet sich die Auferstehung der
Christen bei seiner Parusie. Wenn Christus alle Mächte und Gewalten unterworfen hat,
wird er die Herrschaft Gott übergeben.
Diese Aussage steht unter dem δεῖ des eschatologischen Planes Gottes (V.25), in dem die
Zeiten festgelegt sind. In der Apokalyptik kann das Reich des Messias dem neuen Äon
vorgeschaltet sein (vgl 4Esr 7,26ff; Offb 20,2f und BOUSSET—GRESSMANN, Religion,
S.286ff). Die Beschreibung der Mächte und Gewalten als personaler Größen hat ebenfalls
Ansatzpunkte in der Apokalyptik (vgl SCHLIER, Gal, S.192f); die Begriffe sind inhaltlich im
einzelnen freilich kaum zu differenzieren. Während bei κόσμος und στοιχεῖα in Gal 4,3
stärker von der griechischen Elementenlehre her gedacht wird, ist hier in apokalyptischer
Tradition die Vernichtung der gegnerischen Mächte im Blick. Apokalyptische Dämonologie
und griechische Elementenlehre sind für Paulus gleichermaßen nur unter dem Aspekt des

Daß beides seinen Ansatzpunkt im Kreuzesgeschehen hat, zeigt **Phil 2,6-11**. Im ersten Teil dieses vorpaulinischen Liedes sind die Präexistenz (V.6) und die Tat Christi (V.7f) beschrieben. V.9 stellt die Erhöhung als Tat Gottes dar und V.10f zielt mit dem ἵνα-Satz auf die Anerkennung des Gehorsamen und Erhöhten als Herrn des Kosmos ⟨146⟩. Die paulinische Einfügung θανάτου δὲ σταυροῦ zeigt seine eigene Perspektive: die Präexistenz und die kosmische Herrscherstellung Christi nimmt er vom Kreuz aus in den Blick. Hier ist das Zentrum seiner Theologie. Die anderen Aussagen treten hinzu, sind aber nur von diesem Zentrum aus verständlich.

4.3) Zusammenfassung: Taufe und Kosmologie bei Paulus

1) Bei Paulus finden sich weder eine ausgesprochene Tauflehre noch eine ausgeführte Kosmologie. An verschiedenen Stellen nimmt er auf die Taufe Bezug und hebt dabei unterschiedliche Aspekte hervor. So ist in Röm 6,1-14 sein eigentliches Thema die Existenz des Christen, die von der Taufe her expliziert wird. Typisch ist für Paulus, daß er die Taufe nicht isoliert betrachtet, sondern einordnet in den Gesamtzusammenhang seines theologischen Denkens. Von der Taufe aus ergeben sich Beziehungen zu Soteriologie, Eschatologie und Ethik und nur in diesen Wechselbeziehungen werden die Taufaussagen verständlich. Noch weniger kann man bei Paulus von einer ausgeführten Kosmologie sprechen. Kosmologische Aussagen finden sich insgesamt eher sporadisch. Sie werden nicht eigenständig ausgeführt, sondern sind eingeordnet in andere Zusammenhänge. Wo sie sich auf kosmische Mächte und Gewalten beziehen, stehen sie grundsätzlich unter dem Vorzeichen des Kosmos als Schöpfung, freilich zugleich einer Schöpfung, die sich vom Schöpfer abgewandt hat und der Macht der Sünde unterworfen ist. Diese Situation der Welt wird aber erst vom Heilsgeschehen in Christus her wirklich offenbar: denn nur wer sich von Gott durch Christi Tod und Auferstehung gerechtfertigt weiß, kann von hier aus seine eigene Situation und die der Welt vor Gott anerkennen. Er erfährt zugleich, daß die geschaffenen Mächte keine eigenständige Macht haben (vgl Röm 8,39; 1Kor 8,5; Gal 4,8) und deshalb auch keinen Anspruch mehr auf die Glaubenden erheben können. Aber auch diejenigen kosmologischen Aussagen, die sich auf die Schöpfungsmittlerschaft Christi und seine Präexistenz beziehen (1Kor 8,6; Gal 4,4; Phil 2,6ff), werden nicht als solche ausgeführt. An ihrer Darstellung hat Paulus kein eigenständiges Interesse. Ihm geht es vielmehr darum, mit Hilfe solcher Vorstellungen die Heilsabsicht darzulegen, die von Anfang an dem Handeln Gottes innewohnt. Dies zu erkennen ist aber wiederum nur dem möglich, der an das in Christus geschehene Heil glaubt. So ist der Ansatzpunkt sowohl für die Taufe als auch für die kosmologischen Aussagen das Heilsgeschehen von Kreuz und Auferstehung Christi. Bei der

----

Vorläufigen und Geschaffenen zu interpretieren. Die at.lichen Zitate in 1Kor 15,25f belegen die Herrscherstellung Christi. Die Verbindung von Ps 109, 1b und 8,7 ist vermutlich bereits traditionell. Paulus verbindet hier verschiedene apokalyptische Motive mit den beiden Schriftzitaten zu einer Einheit. Dies ist eher wahrscheinlich als verschiedene traditionsgeschichtliche Überlegungen, die von *LUZ*, Geschichtsverständnis, S.343ff und *BECKER*, Auferstehung, S.84ff angestellt wurden. Zur Auslegung im einzelnen vgl *CONZELMANN*, 1Kor, S.322f. Er weist zu Recht darauf hin, daß "das Beweisende und der 'Schriftbeweis' nicht abstrakt zu trennen sind". Die Schriftstellen sind selbst ein Teil der Darstellung der Endereignisse.

⟨146⟩ Vgl zum Hymnus die gute Zusammenfassung bei *EICHHOLZ*, Theologie, S.132ff.

Taufe machen dies die Beziehung auf das christologische Bekenntnis und die σύν-Wendungen in Röm 6 deutlich, bei der Kosmologie die Einbettung der entsprechenden Aussagen in Kontexte, die christologisch zentriert sind.

2) Eine direkte thematische Verbindung von Taufe und kosmologischen Aussagen läßt sich nicht feststellen. Nach Gal 4,3ff gehören die Mächte auf die Seite dessen, was mit der Sendung des Sohnes abgetan ist und im Kontext dieser Aussage ist auch die Taufe angesprochen (3,27). Auch hier wird die Verbindung jedoch nicht direkt hergestellt, sondern über den Begriff κληρονόμος. Eine Beziehung beider Themenbereiche ergibt sich allerdings über ihre jeweilige Zentriertheit auf Christologie und Soteriologie. Dies entspricht der Grundstruktur der paulinischen Theologie überhaupt.

3) In beiden Themenbereichen greift Paulus auf Tradition zurück. Bei der Taufe gilt dies für die Wendung "taufen auf" und die Vorstellungen der Reinigung von Sünde, des Sterbens auf den Tod Christi und der Geistverleihung. Seine eigene Sicht prägt Paulus mit den σύν-Wendungen, die er aus apokalyptischer Tradition übernimmt und in Röm 6 auf die Taufe ausweitet. Das σὺν Χριστῷ orientiert sich am Christusgeschehen selbst. An ihm bekommt der Christ in der Taufe Anteil. So wird die Taufe – vom Getauften aus gesehen – zum Anfangsdatum der eschatologischen Existenz. Dies bedeutet freilich keine Konkurrenz zum Glauben. Bei dem einmaligen Akt der Taufe wird der Glaubende in den Christusleib hineingenommen (1Kor 12,13). Von ihm wird deshalb im Aorist gesprochen. Die Existenz des Getauften als eines Glaubenden bleibt gegenwärtig und lebt hin auf die eschatologische Vollendung. Vor der Taufe ist der Christ "ein zur Gnade Gottes Gerufener, nach der Taufe ein unter dem Zuspruch der Rechtfertigung bereits Lebender" <147>. Ist so der Zusammenhang von Taufe und Soteriologie stets gewahrt, so liegt hier zugleich der Ansatzpunkt für die Ethik; denn die Taufe ist ja noch nicht Vollendung und der Glaubende lebt noch nicht im Schauen (2Kor 5,7). Deshalb gliedert sich die Paränese eng an die Taufe an, wobei das Heilsgeschehen stets vorgeordnet bleibt.

Von diesen vielfältigen Beziehungen der Taufe her ist es verständlich, daß die Theologie des Paulus geradezu als Taufauslegung bezeichnet worden ist <148>. Dies ist dennoch irreführend, wie schon die enge Veflechtung von Taufe und Glauben zeigt. Paulinisch ist vielmehr die ständige Interdependenz der verschiedenen Themen und dies nicht zufällig: alle diese Aussagen wären für Paulus nicht denkbar ohne das Urdatum des christlichen Glaubens – das Geschehen von Kreuz und Auferstehung Christi. Von hier aus bekommt auch die Taufe ihren Ort. Sie ist mehr als nur ein Bekenntnisakt; durch sie wird der Getaufte konkret in das Heilsgeschehen hineingenommen. Aber sie wirkt nicht ex opere operato, sondern gehört mit dem Glauben zusammen. Sie stellt in die Gemeinschaft der Heiligen hinein, schafft aber noch nicht die Vollendung. Sie befreit von der Herrschaft der Sünde, garantiert aber kein sündloses Leben. Sie ist der Anfang des Lebens ἐν Χριστῷ. Wer mit ihm gestorben ist, der kann nun in ihm leben und auf die Vollendung mit ihm sein Vertrauen setzen.

4) Vom Christusgeschehen her wird auch der Kosmos in den Blick genommen. Die Welt und die eigene Existenz vor Gott zu verstehen, ist erst dem von Gott Ge-

----
<147> HAHN, Taufe, S.123.
<148> LOHSE, Taufe, S.318.

rechtfertigten wirklich möglich. Die Rechtfertigung ist dabei so radikal verstanden, daß Paulus für dieses Geschehen den Begriff der (neuen) Schöpfung verwendet. In Anlehnung an das at.liche Schöpfungshandeln kann er dabei auch die eschatologische Neuschöpfung allein dem Handeln Gottes zuweisen. Zur Beschreibung dieses Schöpfungshandelns steht Paulus dabei die at.lich-jüdische Tradition fraglos fest. Zwar bedient er sich auch hellenistischer Vorstellungen, ordnet diese aber dem Heilshandeln Gottes in seinen Wegen und Gerichten unter (Röm 11,33). Beide Traditionsströme werden aber verstanden, eingeordnet und begrenzt von Kreuz und Auferstehung Christi her. Was sich für die Rezeption der apokalyptischen Tradition ergeben hat, gilt für die Aufnahme kosmologischer Tradition ganz analog. Paulus denkt nicht von einem kosmologischen Rahmen aus, sondern vom geschichtlichen Fixpunkt des Kreuzes.

4.4) Taufe und Kosmologie im Kolosserbrief

4.4.1) Kolosser 2, 6-23

In dem Abschnitt 2,6-23 setzt sich der Verfasser des Kol explizit mit der Philosophie der Irrlehre auseinander. Innerhalb dieser Auseinandersetzung kommt er in V.8-15 auf die Taufe zu sprechen, wobei eine Reihe anderer Vorstellungen mit der Taufe verbunden sind. Dies wird an einem Überblick über den Aufbau der Verse deutlich:

V.8   κατὰ τὴν παράδοσιν τῶν ἀνθρώπων
        κατὰ τὰ στοιχεῖα τοῦ κόσμου καὶ οὐ κατὰ Χριστόν

V.9   ἐν αὐτῷ κατοικεῖ πᾶν τὸ πλήρωμα τῆς θεότητος σωματικῶς
V.10 καὶ ἐστὲ ἐν αὐτῷ πεπληρωμένοι
        ὅς ἐστιν ἡ κεφαλὴ πάσης ἀρχῆς καὶ ἐξουσίας
V.11   ἐν ᾧ καὶ περιετμήθητε περιτομῇ ἀχειροποιήτῳ
        ἐν τῇ ἀπεκδύσει τοῦ σώματος τῆς σαρκός
        ἐν τῇ περιτομῇ τοῦ Χριστοῦ
V.12   συνταφέντες αὐτῷ ἐν τῷ βαπτίσματι
        ἐν ᾧ καὶ συνηγέρθητε διὰ τῆς πίστεως τῆς ἐνεργείας τοῦ θεοῦ
        τοῦ ἐγείραντος αὐτὸν ἐκ νεκρῶν
V.13   καὶ ὑμᾶς νεκροὺς ὄντας τοῖς παραπτώμασιν
        καὶ τῇ ἀκροβυστίᾳ τῆς σαρκὸς ὑμῶν
        συνεζωοποίησεν ὑμᾶς σὺν αὐτῷ
        χαρισάμενος ἡμῖν πάντα τὰ παραπτώματα
V.14   ἐξαλείψας τὸ καθ' ἡμῶν χειρόγραφον τοῖς δόγμασιν
        ὃ ἦν ὑπεναντίον ἡμῖν καὶ αὐτὸ ἦρκεν ἐκ τοῦ μέσου
        προσηλώσας αὐτὸ τῷ σταυρῷ
V.15   ἀπεκδυσάμενος τὰς ἀρχὰς καὶ τὰς ἐξουσίας
        ἐνδειγμάτισεν ἐν παρρησίᾳ θριαμβεύσας αὐτοὺς ἐν αὐτῷ.

Um die Taufaussage V.12 sind die Begriffe Beschneidung und Unbeschnittenheit, Fleischesleib und Übertretungen und die Aussagen zum Pleroma und den kosmischen Mächten gruppiert. Dies macht die Verschränkung der Taufe mit den kosmischen Mächten deutlich. Da der στοιχεῖα-Begriff innerhalb der kol Philosophie eine bedeutende Rolle spielt, zeigt sich, daß die hier ausgebreitete Auffassung von der Taufe offenbar in Auseinandersetzung mit der kol Irrlehre formuliert ist.

V.6 faßt die Aussagen des Hymnus 1,15ff und die Ausführungen über den apostolischen Dienst (1,24-2,5) in knapper Form zusammen, wie die Wendungen ἐν αὐτῷ
περιπατεῖτε, ἐποικοδομούμενοι ... καὶ βεβαιούμενοι V.7 und καθὼς ἐδιδάχθητε V.7
zeigen. Mit ὡς οὖν παρελάβετε wird die Aufnahme der paulinischen Verkündigung
gekennzeichnet. Sie erschöpft sich freilich nicht in der Übernahme bestimmter
theologischer Sätze. Durch sie sind die Kolosser in den Herrschaftsbereich Christi
hineingestellt. Das Nebeneinander von Indikativ und Imperativ in 2,6 zeigt, daß das
ganze Leben der Kolosser angesprochen ist. Die Partizipien in V.7 führen sowohl
den Indikativ als auch den Imperativ weiter aus. Die Verwurzelung (Perfekt) bezieht
sich auf παρελάβετε τὸν Χριστὸν Ἰησοῦν τὸν κύριον, während die Auferbauung und
Festigung auf ἐν αὐτῷ περιπατεῖτε zielt.

Der Wandel soll sich im Glauben vollziehen (**V.7**), der hier in Aufnahme von 1,24-2,5
mit einem Hinweis auf die Unterweisung ergänzt wird, ebenso aber auch mit einem
Hinweis auf den überfließenden Dank ⟨149⟩ . Mit beiden Versen ist so im Zusammenhang des Hymnus und der Ausführungen zum Apostolat die Voraussetzung
geschaffen für die Auseinandersetzung mit der Irrlehre. Der von der kol Philosophie
her drohenden Gefahr wird mit Hilfe der Christologie begegnet, wie sie in der apostolischen Verkündigung der Gemeinde vermittelt worden ist. So zieht sich denn auch
das ἐν αὐτῷ von V.6 an wie ein roter Faden durch die folgenden Verse hindurch.

Die Gemeinde soll sich von niemandem verführen lassen διὰ τῆς φιλοσοφίας καὶ
κενῆς ἀπάτης (**V.8**). φιλοσοφία ist eine Selbstbezeichnung der kol Irrlehre. Der
Begriff hat im hellenistischen Sprachgebrauch gegenüber der klassischen Verwendung
eine erhebliche Ausweitung erfahren und kann nun verschiedene religiöse Gemeinschaften bis hin zu Zauberlehren (vgl Dan 1,20 LXX) und Mysterienkulten bezeichnen ⟨150⟩ . "Analog ist die kolossische Philosophie zu begreifen, als Zusicherung,
dem Menschen mit Hilfe von sonderbaren und geheimnisvollen Sonderlehren und
-praktiken Zugang zu einem ihn befreienden Heilswissen zu verschaffen" ⟨151⟩ . So
gehören zur Heilslehre der kol Philosophie bestimmte Speise- und Festgebote (vgl
2,16f.21) ebenso wie die Verehrung der Weltelemente (2,18 und der Begriff δόγματα
in 2,14.20). Die drei κατά-Wendungen geben implizit Hinweise auf das Selbstverständnis der Philosophie, belegen aber vor allem, daß diese Lehre in Wirklichkeit nur
Täuschung ist. κατὰ τὴν παράδοσιν weist darauf hin, daß die Philosophie offenbar
als Tradition weitergegeben wird ⟨152⟩ , aber, wie sofort angegeben ist, als Men-
schenüberlieferung. Da aber in Christus alle Schätze der Weisheit und Erkenntnis

---

⟨149⟩ GNILKA, Kol, S.117 hat darauf aufmerksam gemacht, daß der Überfluß (περισσεύω) bei
Paulus "Signum der durch Christus eröffneten Heilszeit" ist und von der Gnade (Röm
5,15.17; 2Kor 4,15), Freude (2Kor 8,2; vgl Phil 4,4), der Hoffnung (Röm 15,13), dem Trost
(2Kor 1,5), der Herrlichkeit (2Kor 3,9), Liebe (1Thess 3,12), von jeglichem guten Werk
(2Kor 9,8) und eben auch vom Danken ausgesagt wird.
⟨150⟩ Vgl 4Makk 5,11; Philo, Leg ad Gaium 156; de mut nom 223; zu den verschiedenen religiösen Gemeinschaften des Judentums Josephus, Bell II,119; Ant XVIII,11. Vgl weiter BORN-
KAMM, Artikel μυστήριον, S.814ff und den aus der Mysteriensprache stammenden Begriff
ἐμβατεύειν in 2,18 (vgl oben, S. 69, Anm. 237).
⟨151⟩ So GNILKA, Kol, S.122.
⟨152⟩ Die Traditionalität wird vergleichbar in den Mysteriengemeinschaften betont, in denen das
Mysterium als παράδοσις an den Mysten vermittelt wird, ebenso in der Gnosis, vgl
Plutarch, De Iside et Osiride 2 (p.351f); de Demetrio 26,1 (p.200e); Cicero, Tusc I,13,29;
(WEGENAST, Verständnis, S.123f). Der Hinweis auf die Überlieferung konnte in der
Auseinandersetzung auch als Altersargument verwendet werden, vgl GNILKA, Kol, S.122.

verborgen sind (2,3) kann eine Paradosis von Menschen nur Täuschung sein. Die kol Philosophie ist Lehre nach den Weltelementen und nicht nach Christus. Durch diesen Gegensatz (vgl 2,20) werden die Weltelemente als das wesentliche Schlagwort der Irrlehre hervorgehoben. Es handelt sich dabei um eine Verehrung der Elemente und Gestirne, die personal vorgestellt werden und die neben Christus für die Erlangung des Heils eine bestimmte Bedeutung haben <153>. Nun ist nach 1,15ff Christus nicht nur Schöpfungsmittler, sondern in ihm ist das All versöhnt und befriedet (V.19f). Wer jetzt dennoch andere Mächte verehrt, der bezweifelt, obwohl er das Heil sichern will, doch faktisch, daß in Christus allein das Heil bereits geschehen ist und seine Lehre ist deshalb οὐ κατὰ Χριστόν. Sie ist menschliche Paradosis über die Elemente und hat nichts mit dem Geheimnis Gottes zu tun, nämlich Χριστὸς ἐν ὑμῖν (1,27). Mit dieser Aussage ist der Ausgangspunkt von V.6f wiederholt und verstärkt.

V.9 schließt sich begründend an. ἐν αὐτῷ ist zugleich Strukturelement und inhaltliche Basis für die folgenden Verse. Offensichtlich greift V.9 auf 1,19 zurück, ist also "fast ein Selbstzitat" <154>. Im Unterschied zum Hymnus wird hier aber πᾶν τὸ πλήρωμα mit τῆς θεότητος ergänzt, steht anstelle von εὐδόκησεν κατοικῆσαι hier das Präsens κατοικεῖ und ist dies mit dem Adverb σωματικῶς verbunden. θεότης drückt das Gottsein aus <155> und ist im NT singulär. Es ist deshalb zu erwägen, ob hier ein Ausdruck der kol Philosophie aufgenommen ist <156>. Er kann dort die Auffassung beschreiben, daß zur Fülle der Gottheit die στοιχεῖα hinzugehören und daß zur Vermittlung der Fülle ihre Satzungen zu beachten sind. Der Verfasser des Kol nimmt nun diesen Ausdruck selbst in Anspruch, und zwar im Blick auf Christus: in ihm - und nur in ihm - wohnt die Fülle der Gottheit. Das Präsens κατοικεῖ verweist auf die gegenwärtige Wirklichkeit des Auferstandenen und Erhöhten (vgl 1,19). Mit σωματικῶς ist ein Hinweis auf die Inkarnation hinzugefügt und es liegt in beidem zunächst die Betonung der Kontinuität der Gegenwart Gottes im Inkarnierten (und Gekreuzigten) und dem Erhöhten vor (vgl 1,20.22) <157>.

Nun weist freilich der Begriff σῶμα in Kol noch andere Beziehungen auf. Im Hymnus ist der σῶμα-Gedanke durch den Zusatz des Verfassers in V.18 bezogen auf die Kirche (vgl 1,24; 2,19). Die in 2,10f folgenden Hinweise auf die Gemeinde weisen ebenfalls in diese Richtung. Weil in der Kirche Christus als der Herr bekannt wird, ist sie der Leib Christi und in ihr wird deshalb auch die Fülle des Gottseins σωματικῶς erfahrbar; dies freilich nur, indem die Kirche in der Kontinuität des Gekreuzigten und Auferstandenen Gott erkennt und glaubt.

<153> Vgl zu den στοιχεῖα τοῦ κόσμου oben, S.68f. .

<154> So LOHMEYER, Kol, S.105. In dieser Beobachtung liegt zugleich ein erstes Argument gegen die Ansicht SCHILLEs (Hymnen, S.31-37), daß Kol 2,9-15 ein Erlöser- bzw. Tauflied zugrundeliege, das sich aus den Versen 9.10b.11.13b-15 zusammensetze. In V.9 ist die (kommentierende) Wiederaufnahme des Hymnus so deutlich, daß man nicht von einem eigenen Lied ausgehen kann. Vgl auch BURGER, Schöpfung, S.86f.

<155> Anders θειότης, das in Ableitung von τὸ θεῖον die Göttlichkeit, die Eigenschaften des Göttlichen meint, vgl Röm 1,20 und WILCKENS, Röm I, S.106, Anm.179; KLEINKNECHT, Artikel θεῖος, S.123.

<156> Vorsichtig auch SCHWEIZER, Kol, S.107; vgl LOHSE, Kol, S.105; LÄHNEMANN, ebd; LINDEMANN, Kol, S.40.

<157> Vgl LIGHTFOOT, Kol, S.182; SCHWEIZER, Kol, S.108; ders., Artikel σῶμα κτλ, S.1075. Die Beziehung des Erhöhten zum Inkarnierten lehnt BURGER, ebd, S.87f hier ab.

Es ist wichtig, die verschiedenen Auffassungen von σῶμα auseinanderzuhalten, die in
Kol begegnen. In dem vom Verfasser übernommenen Hymnus ist σῶμα mit dem
Kosmos gleichbedeutend: von V.15 an ist bis V.18aα nur von Schöpfung und Kosmos
die Rede, nicht aber von Erlösung. Die Zusammenstellung von κεφαλή und σῶμα
weist auf den Weltleib hin (dies wird durch die Ergänzung σῶμα τῆς σαρκὸς διὰ
τοῦ θανάτου in 1,22 bestätigt). Die Vorstellung vom Weltleib ist in der griechischen
Philosophie bekannt und wird von Plato ausgeführt: er versteht den Kosmos als
vernunftdurchwaltetes Lebewesen und kann vom σῶμα τοῦ παντός oder vom σῶμα
τοῦ κόσμου sprechen (vgl Tim 30b; 39e; 31b; 32a.c). Der Kosmos ist ein aus vollkommenen Körpern bestehender Körper, in den die Seele eingepflanzt ist, die alles
durchdringt (Tom 34b). Der Mensch ist mit Leib und Seele dem Kosmos nachgebil-
det (vgl Tim 44d.3). Für die Stoa ist der Kosmos der von Gott erfüllte und von ihm
umschlossene Leib (158). Nach den orphischen Fragmenten ist Zeus Haupt und
Mitte des Kosmos, er birgt alles in sich und läßt es auch sich herausgehen (159).
Diese Anschauung wird auch von Philo aufgegriffen. Der von der Seele geleitete Leib
und der von der Weltseele regierte Kosmos werden parallel gesehen. Fug 108-113
spricht ausführlich vom Logos, der den Kosmos als sein Gewand ansieht und seine
Teile zusammenhält wie die Seele den Leib (160).
Von diesem Denken ist nun auch der kol Hymnus in seiner ursprünglichen Form,
also ohne die Zusätze des Verfassers geprägt. Die erste Strophe spricht davon,
daß in Christus, durch ihn und auf ihn hin alles geschaffen ist (V.16) und in ihm
Bestand hat (V.17). Wie das Haupt die Glieder durchwaltet, so auch Christus das
All. Nur von ihm als der Mitte her haben die Mächte und Gewalten ihren Bestand.
Die Kernaussage ist die Formulierung von Christus als κεφαλὴ τοῦ σώματος V.18a:
die Welt ist der Leib Christi, den er als Haupt zusammenhält und leitet. Ein solches
Verständnis des Hauptes findet sich bei Paulus nicht. In 1Kor 12,21ff gilt das Haupt
als eines der Glieder, ohne daß ihm eine Sonderstellung zukäme (vgl Röm 12,4).
Dagegen lag dem Dichter des Hymnus die Vorstellung vom Haupt als dem den
Weltleib leitenden Organ von seinem hellenistischen Denkhintergrund her nahe. Eher
als ein Mißverständnis der paulinischen Leib-Christi-Vorstellung durch den Dichter
des Hymnus anzunehmen (das dann vom Verfasser des Kol wieder im paulinischen
Sinne korrigiert werde) (161) wird man davon ausgehen können, daß der Hymnus
einem Milieu entstammt, in dem Schöpfung und Versöhnung durch Christus mit Hilfe
hellenistisch-jüdischer Kosmologie zum Ausdruck gebracht wird.
Durch seinen Zusatz τῆς ἐκκλησίας interpretiert nun der Verfasser des Kol die
Aussagen des Hymnus. Damit wird das kosmische Verständnis des Leibes Christi
überführt in ein ekklesiologisches: der Leib Christi ist die Kirche und nicht (mehr)
das All (vgl 1,24; 3,15). Diese Aussage hat ihren Grund darin, daß Christus in der
Kirche als Haupt geglaubt und bekannt wird und daß dadurch nur in der Kirche die
Herrschaft der Mächte und Gewalten abgetan ist. Die kosmische Bedeutung Christi
ist für den Verfasser des Kol damit nicht aufgehoben, sie wird aber nur in der
Kirche wirklich erkannt, während die kol Philosophie, indem sie noch anderen Mächten und Gewalten Verehrung entgegenbringt, in Wahrheit die Herrscherstellung
leugnet. Die Versöhnung ist aber geschehen in dem geschichtlichen Ereignis des
Kreuzes Jesu. σῶμα τῆς σαρκὸς αὐτοῦ ist eindeutig der am Kreuz hingegebene Leib
Jesu (1,20.22): indem die Kirche nun die Versöhnung duch das Kreuz Christi verkündet, ruft sie in die Zugehörigkeit zum Leib Christi hinein. Dieses Verkündigungsge-

---

(158) Vgl hierzu die Angaben bei SCHWEIZER, Artikel σῶμα, S.1034.1035f; SCHLIER, Eph,
S.91. Die stoische Immanenz-Formel ist hier aufgegriffen und das εἰς αὐτόν im
Gegensatz zu Röm 11,36; 1Kor 8.6 auf Christus bezogen (vgl HAHN, Schöpfungsmittler-
schaft, S.671).

(159) Weitere Angaben bei SCHWEIZER, ebd, S.1036. Vgl orph.Fragm 168 (bei DIBELIUS—
GREEVEN, Kol, S.109, Beilage 1). Orphische Texte waren bereits Euripides, Aristophanes,
Plato und Aristoteles bekannt und wirkten durch diese Denker auch auf das Christentum
ein (vgl GUTHRIE, Orpheus, Sp.1704).

(160) Nach Som I,144 ist der Himmel, nach Quaest in Ex 2,117 der Logos das Haupt des Kosmos. Zu der Ausdeutung des hohenpriesterlichen Gewandes auf den Kosmos (Som II,18f,
Fug 108-112; de vit Mos II,117-135 vgl ausführlich HEGERMANN, Schöpfungsmittler,
S.47-67, besonders S.47ff). Die Weisheit wird in Spr 8,22ff in einer Weise beschrieben,
die dem πρωτότοκος πάσης κτίσεως sehr nahe kommt. Vgl auch Spr 2,19; 8,30; Weish
7,24ff.

(161) So SCHWEIZER, Artikel σῶμα, S.1072. Hiergegen spricht die Einheitlichkeit des Hymnus,
der durchgängig von kosmischen Gedanken geprägt ist. Außerdem findet sich ein Bezug
der Leib-Christi-Vorstellung auf die Kirche nur in den eigenen Äußerungen des Verfassers
und in seinen Einschüben in den Hymnus.

schehen aber gilt "aller Schöpfung unter dem Himmel" (1,23). Damit ist das kosmische Anliegen des Hymnus nicht nur ekklesiologisch interpretiert, sondern auch missionarisch aufgenommen (vgl 1,6). Dieser Gedanke findet sich auch in 2,19 vom Wachstum des Leibes <162>. Wiederum ist das kosmische Verständnis des Leibes nicht aufgehoben, aber es ist eingebettet in die Vorstellung von der Kirche, die die Versöhnung des Alls verkündet.

Das Haupt des Leibes ist Christus und auch hier tritt eine Veränderung gegenüber der kosmischen Vorstellung des Hymnus ein. Dort ist Christus Haupt des (Kosmos-)-Leibes, insofern er dem Kosmos in zeitlichem Sinn vor- und in räumlichem Sinn übergeordnet ist, aber doch mit dem Leib eine organische Verbindung hat. Als Haupt hält er das All zusammen. Durch die Interpretation des Leibes auf die Kirche bekommt κεφαλή in Kol dagegen den Sinn der Herrschaft über die Mächte und Gewalten: wenn Christus κεφαλή ist, dann können andere Gewalten dies nicht mehr beanspruchen (vgl 2,10.15). Ihre Macht ist erledigt und Christus ist das Haupt des besiegten Kosmos. Für die Glaubenden ist aber die Kirche der Raum, in dem die Herrschaft Christi verkündet, geglaubt und erfahren wird. Für sie ist in dem Herrschaftsaspekt von κεφαλή der Aspekt der Versöhnung mitgesehen und die Relation von κεφαλή und σῶμα ist zugleich die von Erlöser und Gemeinde. Die Erlösung ist freilich immer bezogen auf das Wachsen und Fruchtbringen der Gemeinde (1,10; 3,1ff). In der Kirche als dem Raum der Erlösung zu leben heißt deshalb, sein Leben nun im Dienst für den Herrn der Kirche zu führen.

Mit der Interpretation des Leibes Christi auf die Kirche greift der Verfasser des Kol die paulinische Vorstellung vom σῶμα Χριστοῦ auf, geht freilich an einigen Punkten darüber hinaus. Dies zeigt sich an der Kombination von σῶμα und κεφαλή. In 1Kor 12,21 begegnen zwar Augen und Kopf als hervorragende Körperteile, sie könnten aber auch mit anderen ausgetauscht werden, da es um das Angewiesensein aller Teile untereinander geht. In 1Kor 12,12ff begegnet das Stichwort σῶμα, vom Haupt ist aber gerade nicht in hervorgehobener Bedeutung die Rede. Wo dagegen Paulus selbst vom Haupt spricht (vgl 1Kor 11,2f) und damit hellenistisch-jüdische Tradition aufgreift <163>, fehlt die Vorstellung vom σῶμα Χριστοῦ. Indem Kol beide Begriffe miteinander kombiniert, greift er über Paulus hinaus: "Die Kirche ist der irdisch-gegenwärtige Leib des himmlisch-gegenwärtigen Herrn" <164>. Vom Haupt her wächst der Leib auf das Haupt hin (vgl 2,19). Dieses Wachstum richtet sich aus auf die Erkenntnis des Hauptes (vgl 2,2) ebenso auf die Orientierung der konkreten Lebensführung an dem "Oben", wo Christus zur Rechten Gottes sitzt (3,1ff). Weiter ist deutlich, daß es für Kol den Leib nicht ohne das Haupt und das Haupt umgekehrt nicht ohne den Leib gibt. Dies bedeutet zum einen, daß man Christus als Haupt nur in der Kirche erkennen und bekennen kann; da aber Christus κεφαλή auch des Alls ist, bedeutet dies zugleich, daß man nur innerhalb der Kirche die Versöhnung des Alls und die Herrschaft Christi über alle Mächte und Gewalten erkennen kann. Nur in der Kirche ist man deshalb auch frei von dem Dienst an den Weltelementen.

Diese Kombination von kosmischer Christologie und paulinischer Leib-Christi-Vorstellung bewirkt auch, daß die Kirche als Christi Leib nicht wie bei Paulus von der Ortsgemeinde her gedacht wird, sondern sich auf die weltweite Kirche bezieht, deren Aufgabe entsprechend die weltweite Mission ist (vgl 1,6.27f; 2,1). Die Herrschaft Christi über den Kosmos entspricht der Proklamation dieses Hauptes ἐν πάσῃ κτίσει τῇ ὑπὸ τὸν οὐρανόν (1,23) und ἐν τοῖς ἔθνεσιν (1,27). Dies ist nicht einfach als Weiterentwicklung des paulinischen Ansatzes zu verstehen, sondern erklärt sich aus der kosmologischen Denkvoraussetzung des Verfassers. Er "re-paulinisiert" nicht eine falsch verstandene Auffassung vom Leib Christi im ursprünglichen Kolosser-Hymnus <165>, sondern bringt seinerseits die kosmologische Christologie, wie sie für ihn im Hymnus ihren Ausdruck findet, und die paulinische Vorstellung

----
<162> Der Gedanke findet sich ebenso in 1,6 vom Evangelium und in 1,10 von den Glaubenden. Von dort ist 2,19 zu interpretieren. Die Deutung auf den Kosmos (*DIBELIUS—GREEVEN*, Kol, S.36; *FISCHER*, Tendenz, S.73, Anm.108) ist vor allem verwehrt, weil hier der Verfasser des Kol spricht und für ihn der Leibbegriff mit der Kirche in Verbindung steht. Das konsequente ekklesiologische Verständnis der 2.Strophe des Hymnus und von 2,9-15 hat *HAHN*, Schöpfungsmittlerschaft, S.673f betont.

<163> Vgl auch εἰκών in 11,7, dem der Begriff des Hauptes korrespondiert. κεφαλή und δόξα (V.7f) als "Abbild und Abglanz" (*SCHLIER*, Artikel κεφαλή, S.678) verweisen auf das seinsmäßige, natürliche Geschaffensein des Mannes von Gott und der Frau vom Mann her (ἐν κυρίῳ sind diese Unterschiede freilich aufgehoben).

<164> So *SCHLIER*, ebd, S.679.

<165> Gegen *GABATHULER*, Jesus Christus, S.141, Anm. 809.

vom Leib-Christi in Verbindung und gewinnt damit den neuen Gedanken vom Verhältnis des Leibes zum Haupt.

V.10 schließt mit dem Wortspiel von πλήρωμα und πεπληρωμένοι an V.9 an ⟨166⟩. Die Gegenwart des Heils ist angesprochen (2,6f.12f). Darin liegt ein Grundzug der Auseinandersetzung mit der kol Häresie, die das Heil ja durch die Verehrung verschiedener Mächte und die Beachtung religiöser Praktiken erst zu sichern versucht. "Ihr seid erfüllt" wehrt alle zusätzlichen Heilssicherungen bereits im Grundsatz ab ⟨167⟩. Auch die positive Aussage ἐν αὐτῷ weist eine polemische Spitze auf, insofern die Fülle in Christus erfahren wird und nicht (zusätzlich noch) in den Weltelementen. Die Hinweise auf die Gemeinde und auf Christus schaffen zugleich eine Verbindung zu σωματικῶς V.9. So wird in dem kleinen Zwischensatz eine deutliche Antithese zur Irrlehre erkennbar. Die Aussage über Christus in V.10b begründet. Wieder wird auf die Formulierungen des Hymnus zurückgegriffen, die freilich zugleich verändert werden: denn der Verfasser verbindet nun die Schöpfungsaussage (1,16) mit dem Schema von Haupt und Leib (V.18) und erreicht damit zweierlei: es wird die Herrschaftsstellung Christi über die Elemente hervorgehoben, und in Parallele zum Zusatz in V.18a (vgl 1,24) wird deutlich gemacht, daß die Mächte und Gewalten im Leib Christi keinen Platz mehr haben. Wer deshalb in diesen Leib hineingenommen ist, der ist, da in Christus erfüllt, frei von allen anderen Herrschaften ⟨168⟩.

V.11 beginnt und endet mit einem Hinweis auf Christus. Es ist von einer Beschneidung die Rede, die nicht mit Händen vollzogen wurde. Zum Verständnis des Verses ist zunächst auf die Kontextbezüge zu achten. Das Hapaxlegomenon ἀπέκδυσις klingt in 3,9 mit dem Verb ἀπεκδύομαι wieder an. Es ist dort bezogen auf das Ablegen des alten Menschen mit seinen Taten (vgl 3,5.8). Die ethische Ausrichtung des Verbs in 3,9 legt diesen Grundgedanken auch für 2,11 nahe. σῶμα τῆς σαρκός erinnert zunächst an 1,22, wo es den menschlichen Leib Jesu am Kreuz meint. Diese Bedeutung scheidet hier aber aus ⟨169⟩, ebenso die kosmische Deutung vom Begriff σῶμα her. Im engeren Kontext ist σάρξ eindeutig negativ gesehen (vgl 2,13. 18.23) und das fleischliche Sinnen und Trachten (2,18) hat ethisch negative Wertung. Berücksichtigt man weiter, daß in der 2,13 aufgenommenen Stelle Röm 6,6 vom σῶμα τῆς ἁμαρτίας die Rede ist, so kann man die ethische Deutung als gesichert ansehen ⟨170⟩. Der Fleischesleib kennzeichnet in diesem Sinn das Leben der Kolosser, bevor sie Christen wurden. Im Ausziehen des Fleischesleibes hat sich die Beschneidung vollzogen, wobei das Verb περιετμήθητε sowohl das Handeln Gottes anzeigt (Passiv) als auch deutlich macht, daß diese Wende bereits eingetreten ist (Aorist). In ἀχειροποιητός klingt die at.liche Tradition von den mit Händen gemach-

---

⟨166⟩ Vgl *DELLING*, Artikel **πλήρης** **κτλ**, S.291. Der absolute Gebrauch von **πληροῦσθαι** erklärt sich daraus, daß die Kolosser nicht mit *etwas* erfüllt sind, sondern **ἐν αὐτῷ**.

⟨167⟩ Im Vergleich zu Paulus ist ein Unterschied nicht zu übersehen: Paulus selbst spricht vom Erfüllt-Werden in der Form des Wunsches oder der Bitte (vgl Röm 15,13; Phil 1,10f; 4,19); vgl *LÄHNEMANN*, Kol, S.119.

⟨168⟩ *LOHMEYER*, Kol, S.107 meint, daß die Mächte selbst den Leib Christi bilden und repräsentieren. Diese Ansicht nimmt aber die Korrektur nicht ernst, die der Verfasser des Kol am Hymnus anbringt.

⟨169⟩ Daß der Kreuzestod Jesu mit der Beschneidung terminologisch verbunden wird, ist ganz unwahrscheinlich, vgl *GNILKA*, Kol, S.123 gegen *LOHMEYER*, Kol, S.109.

⟨170⟩ Vgl hierzu vor allem *SCHWEIZER*, Kol, S.110f.

ten Götzen an (Lev 26,1.30; Jes 2,18; 16,12; 31,7; 46,6) ⟨171⟩. Nicht mitdO Hände
gemacht ist dagegen, was von Gott selbst kommt (vgl Mk 14,58; 2Kor 5,1). Auch
der at.liche Gedanke von der Herzensbeschneidung spielt hier mit hinein (vgl Lev
26,4; Dtn 10,16; Jer 4,4) ⟨172⟩. Gegen eine sich am jüdischen Gesetz orientierende
Beschneidung wendet Kol sich aber nicht direkt, wie der Ausdruck ἀκροβυστία τῆς
σαρκὸς ὑμῶν in 2,13 vermuten läßt. Es geht vielmehr um eine ethisch verstandene
Beschneidung. Die Tatsache aber, daß vom Ausziehen des Fleischesleibes als einem
bereits geschehenen Ereignis die Rede ist, daß der Begriff der Beschneidung in
singulärer Weise neben den der Taufe gestellt wird (V.13) und daß diese Beschneidung ausdrücklich als nicht mit Händen gemacht und als Beschneidung Christi dargestellt wird, macht es wahrscheinlich, daß Kol sich gegen eine Vorstellung der kol
Häresie wendet ⟨173⟩.

Worum es sich im einzelnen handelt, ist kaum auszumachen. Da die kol Irrlehre ein
synkretistisches System darstellt, wird man mit unterschiedlichen Einflüssen rechnen
müssen. Das Ausziehen des Fleischesleibes und das Stichwort ἐμβατεύειν weisen auf
eine Mysteriengemeinschaft und einen Initiationsritus, das Stichwort περιτομή selbst
auf einen jüdischen Hintergrund, wobei allerdings die Beschneidung als Bundeszeichen
nicht in den Blick kommt. Da die Taufe ausdrücklich mit περιτομή τοῦ Χριστοῦ
parallelisiert wird ⟨174⟩, wird man eher an einen Aufnahmeritus denken, wie er in
Mysterienreligionen praktiziert wurde ⟨175⟩. Ob die Beschneidung tatsächlich vollzogen oder in spiritualisierter Weise verstanden wurde, ist nicht schlüssig zu entscheiden. Das Stichwort ἀχειροποιητός deutet allerdings eher auf den tatsächlichen
Vollzug hin.

Einer im Sinne der Häretiker verstandenen Beschneidung stellt der Verfasser des
Kol die Beschneidung gegenüber, die von Gott kommt, also nicht mit Händen gemacht ist, die im Ablegen des fleischlichen Sinnens und Trachtens besteht ⟨176⟩
und deshalb Beschneidung Christi genannt wird: die Taufe.

In der Taufe sind die Christen mit Christus begraben (**V.12**). Röm 6,4 steht offensichtlich im Hintergrund, was vor allem das συνετάφημεν und der Zusammenhang
von Begrabensein und Auferweckung belegt. Die Auferweckungsaussage weicht aber
deutlich von Paulus ab.

In der Taufe ⟨177⟩ haben die Glaubenden bereits Anteil an der Auferstehung. Und

----

⟨171⟩ Vgl auch Philo, Vit Mos I,303; II,165.168. Zur Weiterentwicklung des Gedankens bei Philo
auf dem Hintergrund stoischer Vorstellungen vgl *SCHWEIZER*, Kol, S.109, Anm.334.
⟨172⟩ Bei Paulus führt dies zu der Formulierung περιτομὴ καρδίας ἐν πνεύματι οὐ γράμματι
(Röm 2,29). Sie steht der gesetzlichen Beschneidung gegenüber (vgl 1Kor 7,19). Die
Verwendung des Bildes bei Paulus ist polemisch.
⟨173⟩ Vgl *LOHSE*, Kol, S.153; *GNILKA*, Kol, S.133 gegen *SCHWEIZER*, Kol, S.110f.
⟨174⟩ Der Genitiv weist nicht auf Christi eigene Beschneidung hin, also auf seinen Tod (vgl 1,22).
In diesem Fall müßte zu σῶμα τῆς σαρκός ein αὐτοῦ ergänzt sein. Vgl inhaltlich das
Gegensatzpaar V.8.
⟨175⟩ Vgl die Darstellung bei Apuleius, Met XI,23f; Philo, Leg all II,55. Zur übertragenen Auffassung der Beschneidung in der Gnosis vgl das Thomasevangelium, Logion 53, wo
von der wahrhaftigen Beschneidung im Geist die Rede ist. Gegen die Annahme einer
Beschneidung durch die Gegner *BURGER*, Schöpfung, S.113f.
⟨176⟩ *LOHSE*, Kol, S.153; *BORNKAMM*, Häresie, S.145 beziehen die Wendung ἀπέκδυσις τοῦ
σώματος τῆς σαρκός ebenfalls auf den Mysterienritus bzw. die Gnosis. Im Verlauf von
V.11 hat die Wendung aber die Funktion, die Beschneidung Christi zu umschreiben.
⟨177⟩ Zwar beziehen sich von V.9 an immer wieder ἐν ᾧ und ähnliche Wendungen auf Christus
(V.9. 10.11.12a.13; vgl *LOHSE*, Kol, S.156; *GNILKA*, Kol, S.134; *LOHMEYER*, Kol, S.111). Für
die Beziehung des ἐν ᾧ auf die Taufe spricht aber der unmittelbare Textzusammenhang
und auch, daß es dem Verfasser des Briefes gerade darauf ankommt, das bereis geschehene Heil an einem Punkt festzumachen (*SCHWEIZER*, Kol, S.113; *BURGER*, Schöpfung,
S.96). Allerdings weist der undeutliche Ausdruck darauf hin, daß die Taufe und Christus
nur in Zusammenhang miteinander zu verstehen sind. Vgl oben, S.68, Anm. 241.

da die Taufe ein Akt der Vergangenheit ist, so hat auch die Auferstehung (in der Taufe) bereits stattgefunden. Dies geschieht durch den Glauben an die Kraft Gottes, der Christus von den Toten auferweckt hat <178>. Die Glaubenden sind in ein Geschehen mit hineingenommen, das in Christus sein Zentrum hat. Weil aber die Irrlehrer die Unabgeschlossenheit der Erlösung betonen, kommt dem Verfasser alles darauf an, daß die Glaubenden in der Taufe durch den Glauben an die Macht Gottes bereits am Auferstehungsleben teilhaben. Die Aussage steht so in Zusammenhang mit der Frontstellung gegen die Häresie, ist aber von der paulinischen deutlich unterschieden und nur durch die unterschiedliche theologische Akzentsetzung zu erklären.

V.13 stellt das Sein der Kolosser vor der Taufe ihrem jetzigen Sein gegenüber und erläutert damit, was es mit dem Auferstehungsleben auf sich hat. Die Struktur der Aussage ist dieselbe wie in 1,21 (vgl besonders καὶ ὑμᾶς). Die Veränderung der Todesaussage <179> macht deutlich, daß es dem Verfasser an dieser Stelle wesentlich auf das bereits gewonnene neue Leben ankommt. Tot waren die Kolosser τοῖς παραπτώμασιν. παράπτωμα meint "die durch die Schuld des Menschen hervorgerufene Störung des Verhältnisses zu Gott" <180>. In den παραπτώματα zu wandeln heißt deshalb, lebendig tot zu sein. Es geht um ethische Verfehlungen in der Zeit vor der Taufe (vgl V.11). Der Gegensatz zu der nicht mit Händen gemachten Beschneidung wirkt hier nach. Nach 3,11 gelten denn auch für die mit Christus Auferweckten Vorhaut oder Beschneidung nichts mehr. Gott wird zum Subjekt des Satzes (wie schon am Ende von V.12 vorbereitet). Das Lebendigmachen geschieht darin, daß Gott "uns" die Verfehlungen vergibt. Der Wechsel im Personalpronomen deutet an, daß es sich hier um eine grundlegende Aussage des christlichen Glaubens handelt, die deshalb nicht nur für "euch", sondern im inklusiven Sinn für alle Glaubenden gilt <181>.

Nachdem von V.9 an das ἐν αὐτῷ vorgeherrscht hat, findet sich in V.13 eine σύν-Wendung: σὺν αὐτῷ hat Gott euch lebendig gemacht. Im Unterschied zum Gebrauch bei Paulus beschreibt Kol mit σὺν Χριστῷ nun auch die gegenwärtige Existenz der Christen als Mitauferwecktsein mit Christus (vgl 2,12; 3,1.3). Wohl behält der Verfasser dabei die Offenheit des Heils auf die Zukunft hin im Blick, wie 3,4 und die Paränese zeigen. Daß aber alles für das Heil Wesentliche bereits ge-

----

<178> *SCHWEIZER,* Kol, S.112, Anm.348 meint, daß die Wendung vom Glauben an die Macht Gottes für Paulus ungewöhnlich sei. Eine Nähe der Aussage zu Röm 6,4 ist aber auch hier vorhanden, zumal der Hinweis auf die Auferweckung Christi ebenfalls begründenden Charakter hat (vgl Röm 4,24; 8,11.34; 10,9; Gal 1,1).

<179> In V.12 ist vom Mitbegraben-Werden mit Christus in der Taufe die Rede. V.13 bezieht sich dagegen mit der Todesaussage auf die Zeit vor der Taufe. Diese Redeweise ist traditionell und findet sich bei Philo ebenso (vgl fug 56) wie im NT (vgl Lk 15,24.32; Eph 5,14; Jak 1,15; Offb 3,1; bei Paulus vgl Röm 6,13).

<180> So mit Recht *MICHAELIS,* Artikel πίπτω, S.172f. In Röm 5,20 werden παράπτωμα und ἁμαρτία nahezu synonym gebraucht, wobei von V.15 an der Singular für den Fall Adams verwendet wird (Gen 3). Der Singular steht außerdem noch in Röm 11,11f und Gal 6,1. In 2Kor 5,19 und an allen übrigen nt.lichen Stellen findet sich der Plural. Die ursprüngliche Wortbedeutung ist "abirren, sich verfehlen" (*MICHAELIS,* ebd, S.170).

<181> Vgl *GNILKA,* Kol, S.137; *LOHSE,* Kol, S.162; anders *SCHWEIZER,* Kol, S.105. Daß sich in diesem Wechsel das Wissen spiegele, daß Paulus selbst "aus der Beschneidung stamme" (*LÄHNEMANN,* Kolosserbrief, S.125), ist überspitzt. Das Verb χαρίζομαι bedeutet "schenken, verzeihen" (vgl Kol 3,13). Paulus selbst gebraucht das Wort nur im allgemeinen Sinn, nicht von der Sündenvergebung Gottes (vgl *SCHWEIZER,* Kol, S.113, Anm.351).

schehen ist, also auch das Mitauferweckt-Sein mit Christus, ist dem Verfasser des Briefes im Gegenüber zur kol Lehre unaufgebbar. Damit rückt die σὺν Χριστῷ-Aussage in V.13 inhaltlich ganz nah an die ἐν αὐτῷ-Wendungen in 2,9f.11f heran. Daß dieses Mit-Christus-Leben freilich ein Auferweckt-Sein durch den Glauben an die Macht Gottes ist, hat bereits V.12 deutlich gemacht. Und V.13 hat gezeigt, daß das Lebendigmachen darin geschieht, daß Gott alle Verfehlungen vergibt.

Hieran schließt **V.14** an. Der Grundsinn des Verses ist klar erkennbar: alles, was den Christen im Blick auf ihr Heil entgegensteht und sie belastet, ist aufgehoben und hat keine Bedeutung mehr. Dieser Grundgedanke wird mit Bildern umschrieben, die im einzelnen schwer zu deuten sind. χειρόγραφον ⟨182⟩ ist die mit der Hand ausgestellte Urkunde, insbesondere der private Schuldschein. Die Urkunde wird gekennzeichnet als τὸ καθ᾽ ἡμῶν, weist uns also als Schuldner aus und ist so ὑπεναντίον ἡμῖν ⟨183⟩. Worauf sich τοῖς δόγμασιν bezieht, ist umstritten. Man kann die Wendung mit dem vorangehenden χειρόγραφον verbinden ⟨184⟩, zu dem καθ᾽ ἡμῶν ziehen ⟨185⟩, oder mit dem nachfolgenden Relativsatz in Zusammenhang bringen ⟨186⟩. Der Sinn wird freilich nicht wesentlich verändert: die Vorschriften führen die in der Urkunde festgestellte Verschuldung herbei.

Mit δόγμα ist nicht in erster Linie das at.liche Gesetz gemeint. Hierfür hätte in der paulinischen Tradition das Wort νόμος näher gelegen ⟨187⟩. Da in 2,20 der gleiche Wortstamm im Blick auf die Vorschriften der kol Philosophie verwendet wird, ist davon auszugehen, daß Kol auch hier deren Vorschriften meint. Diese können mosaische Gebote einschließen, wie die Erinnerung an die Beschneidung oder die Erwähnung der Feste in 2,16 nahelegt. Diese Deutung findet ihre Bestätigung darin, daß δόγμα in der Philosophie von Aristoteles ab ein weit verbreiteter Begrif ist und sich die kol Lehre ja gerade als Philosophie versteht ⟨188⟩. So faßt dieser Begriff alles zusammen, was an Vorschriften und Geboten den Weg zum Heil versperren könnte.

Diesen Schuldschein hat Gott ausgelöscht. Der Sprachgebrauch der LXX (Ps 50,11; 108,14; Jes 43,25; Jer 18,23) steht im Hintergrund: die Schuldurkunde gegen die Glaubenden besteht nicht mehr (vgl V.13c). Das Perfekt ἦρκεν nimmt dies auf und deutet an, daß dieses Geschehen bereits eingetreten ist und in die Gegenwart hineinwirkt ⟨189⟩. Gott hat den Schuldschein ans Kreuz genagelt. Dahinter steht wohl

----

⟨182⟩ Vgl *LOHSE*, Artikel χείρ, S.424f; *CARR*, Notes, S.492ff. Rabbinische Belege bei *STR—BILL* III, S.628. Die Deutung des Schuldscheins als Pakt Adams mit dem Teufel (*LOHMEYER*, Kol, S.116; vgl auch *MEGAS*, χειρόγραφον, S.305ff, besonders S.316) hat keinen Anhalt am Text (dagegen mit Recht *LARSSON*, Christus, S.85f). Auch die Deutung auf das mosaische Gesetz (so *LARSSON*, ebd, S.87f unter Hinweis auf Ex 31,18; Dtn 9,10), kann nicht befriedigen, da die Gesetzesproblematik in Kol anders beurteilt wird als in den genuinen Paulusbriefen.

⟨183⟩ Zur Frage, ob hier ein Traditionsstück eingearbeitet ist, vgl unten. Zu κατά mit Gen. vgl *BL—DEBR* § 225; ὑπεναντίον τινί wird meist im Sinne von "jemandem entgegen, widersprechend oder feindlich" gebraucht (*BAUER*, Wörterbuch, Sp.1658). Während κατά stärker die Bezogenheit des Schuldscheins auf die Kolosser beschreibt, hat ὑπεναντίον eher den Aspekt des Feindlichen und Entgegenstehenden im Blick, vgl *GNILKA*, Kol, S.138.

⟨184⟩ So z.B. *LIGHTFOOT*, Kol, S.187. Er bezieht die Wendung auf das mosaische Gesetz.

⟨185⟩ So *DIBELIUS—GREEVEN*, Kol, S.32.

⟨186⟩ Vgl *PERCY*, Probleme, S.88f; *GNILKA*, Kol, S.139, Anm.107. Die dritte Möglichkeit zeigt am deutlichsten den dem Heil der Glaubenden entgegenstehenden Charakter der δόγματα.

⟨187⟩ Paulus verwendet das Wort ἐντολή (vgl Röm 7,8ff; 13,9, 1Kor 7,19; 14,37), nie aber δόγμα. Dagegen findet sich das Wort νόμος, das bei Paulus das mosaische Gesetz bezeichnet, nicht in Kol. Auch sonst findet sich im NT δόγμα nicht im Sinn at.licher Gebote (Eph 2,15 ist von Kol 2,14 beeinflußt, vgl *SCHNACKENBURG*, Eph, S.115), sondern bezeichnet die Erlasse oder Anordnungen unterschiedlicher Autoritäten (vgl Lk 2,1; Apg 17,7; 16,4).

⟨188⟩ Vgl hierzu *DELLING*, Artikel δόγμα, S.233f.

⟨189⟩ Zu ἐκ τοῦ μέσου vgl die Belege bei *LOHSE*, Kol, S.165, Anm. 2. *GNILKA*, Kol, S.140 weist auf die Gerichtssituation hin, in der der Ankläger in der Mitte steht (vgl Mk 14,60).

die Vorstellung vom Kreuz Christi als einem stellvertretenden Sühnetod (vgl 1Kor 15,3) und die paulinischen Aussagen, daß Christus für uns zum Fluch (Gal 3,13) oder zur Schuld und zur Sünde geworden ist (2Kor 5,21) <190>. Ob eine Anspielung auf den Kreuzestitulus (vgl Mk 15,26) vorliegt, bleibt unklar. Deutlich ist jedoch, daß das Auslöschen der Schuld geschehen ist auf Grund des Kreuzestodes Jesu. In diesem Tod sind alle Übertretungen vergeben (V.13c) und ist Frieden geschaffen (vgl 1,20). Seit dem Kreuzestod Jesu gibt es nichts mehr, was die Glaubenden von Gott trennen kann.

Dies hat zunächst Konsequenzen für die Geltung der Mächte und Gewalten. Sie sind in **V.15** in dreifacher Weise dargelegt. Dabei ist zunächst die Erkenntnis wichtig, daß das Subjekt des Verses - wie von V.13 an - Gott und ἀπέκδυσις demnach in aktiver Bedeutung zu verstehen ist <191>: er "entkleidet", "stellt öffentlich zur Schau" und "führt im Triumphzug". Dies geschieht ἐν αὐτῷ, also in Christus, und das heißt im Anschluß an V.14: im Kreuz Christi hat Gott die Mächte entmachtet. Das Doppelkompositum stellt endgültig fest. Die Ohnmacht der Mächte zeigt sich weiter darin, daß sie öffentlich zur Schau gestellt werden. "δειγματίζω ist ein sehr seltenes Wort und bedeutet etwas in die Öffentlichkeit bringen, was sich verbergen will oder muß" <192>. ἐν παρρησίᾳ unterstreicht den öffentlichen Charakter noch. Möglicherweise liegt in dieser Wendung ein Gegensatz zur Mysterienhaftigkeit der kol Häresie vor. Dies würde die Betonung der Öffentlichkeit gut erklären <193>. Der dritte Ausdruck unterstreicht noch einmal: die Mächte und Gewalten werden im Triumphzug aufgeführt <194> und ihre Ohnmacht ist unübersehbar.

Es ist nun noch auf die Frage einzugehen, ob und in welchem Umfang in dem Abschnitt traditionelles Material aufgenommen ist. Seitdem *LOHMEYER* die Verse von V.8 an strophisch gegliedert hat <195>, hat es verschiedene Versuche gegeben, hinter dem vorliegenden Text einen Hymnus oder ein hymnisches Fragment herauszuarbeiten. Am weitesten geht dabei *SCHILLE*, der in V.9.10b.11b.13-15 ein Erlöser- bzw. Tauflied erkennt <196>. Seine Rekonstruktion konnte sich in dieser Form aber nicht durchsetzen. Dagegen wurden die V.13b-15 verschiedentlich als Traditionsstück

<190> *BLANCHETTE*, Cheirographon, S.306ff sieht in dem Schuldschein Christus selbst. *DIBELIUS—GREEVEN*, Kol, S.31 denken an die Kreuzesinschrift, vgl *ERNST*, Kol, S.205. Vgl hierzu die Anmerkungen bei *GNILKA*, Kol, S.140f.
<191> Zum Wechsel von Medium und Aktiv vgl *BL—DEBR* § 316. Die mediale Form setzt Christus als Subjekt voraus. In der altkirchlichen Tradition spricht man vom Ausziehen des Fleischesleibes (und verändert τὰς ἀρχάς zu τὴν σάρκα, vgl hierzu *LOHMEYER*, Kol, S.119, Anm. 2; weitere Angaben bei *LIGHTFOOT*, Kol, S.190). Da das Fleisch der Ort sei, an dem Mächte ihre Gewalt errichten, sei damit auch die Herrschaft der Mächte abgetan. Diese Interpretation hat *KÄSEMANN*, Taufliturgie, S.45f aufgegriffen und spricht vom Fleischesleib als dem "von dem dämonischen Archonten tyrannisierten Adamsleib". Hier wird aber V.11 in einer unzulässigen Weise herangezogen und von der Verachtung des Leiblichen in der Gnosis her argumentiert (vgl etwa Ev Ver 20,25-31).
<192> Vgl *SCHLIER*, Artikel δείκνυμι, S.31. Vgl auch Mt 1,19 und hierzu *LUZ*, Mt I, S.19. Im juristischen Bereich kann das Verb die Bedeutung "an den Pranger stellen" bekommen, vgl *BAUER*, Wörterbuch, Sp.342.
<193> So *GNILKA*, Kol, S.142 und vor allem *LÄHNEMANN*, Kolosserbrief, S.132.
<194> Zu dem römischen Vorbild des Triumphzuges vgl *GNILKA*, Kol, S.142f; zum Wort vgl *DELLING*, Artikel θριαμβεύω; *BORNKAMM*, Taufe, S.46; *BURGER*, Schöpfung, S.108 zieht ἐν παρρησίᾳ zu θριαμβεύω.
<195> Kol, S.100-102.
<196> Hymnen, S.31-37. Hiergegen spricht schon die Beobachtung, daß V.9 sich kommentierend auf den Hymnus in 1,15-20 bezieht. Außerdem hat sich gezeigt, daß z.B. mit dem Begriff περιτομή die Auseinandersetzung mit der kol Irrlehre durchgeführt wird. Zur Kritik vgl *DEICHGRÄBER*, Gotteshymnus, S.167f; *BURGER*, Schöpfung, S.81f.

gekennzeichnet <197>. Als Argumente für die Annahme solcher Traditionsstücke wurden genannt: der Partizipialstil, die vielen kurzen Sätze, die sich zudem bisweilen wiederholen oder parallel gestaltet sind, der Wechsel von ὑμεῖς zu ἡμεῖς in V.13 und die Tatsache, daß sich in diesem Abschnitt mehrere Hapaxlegomena bzw. selten gebrauchte Worte finden.

Nun hat freilich BUJARD überzeugend herausgearbeitet, daß sachliche oder syntaktische Inkongruenzen nicht eo ipso zu literarkritischen Operationen herausfordern, vor allem dann nicht, wenn die Gedankenfügung des Verfassers solche Inkongruenzen erklärt. Er weist nach, daß gerade 2,6-15 "Ausdruck einer wenig zielstrebigen und wenig konsequenten Gedankenführung" des Verfassers von Kol ist <198>. Partizipialkonstruktionen und Relativsätze erweisen sich unter diesem Gesichtspunkt gerade als Kennzeichen für den Stil des Verfassers <199>. So zeigen die Beobachtungen zur Satzfügung, daß die Wendungen in V.14 den Gedanken von V.13c lediglich in verschiedenen Wendungen verbreitern. Bei der Abgrenzung von Traditionsstücken können deshalb diese stilistischen Beobachtungen allein nicht ausschlaggebend sein. Als Argumente für die Aufnahme von Tradition bleiben also zum einen der auffällige Wechsel von ὑμεῖς zu ἡμεῖς in V.13c und die Häufung ungebräuchlicher Worte gerade in V.14f. Der Wechsel des Pronomens findet dabei seine Erklärung darin, daß hier eine grundlegende Aussage über den christlichen Glauben gemacht ist, die nicht nur die Kolosser, sondern alle Glaubenden betrifft. Nun wechselt in V.13 aber nicht nur das Personalpronomen, sondern zugleich auch das Subjekt des Satzes <200>. Und es ist zu berücksichtigen, daß der Inhalt von V.13c, die Vergebung der Sünden, bereits in 1,14 mit Hilfe traditioneller Wendungen zum Ausdruck gebracht worden ist. Wird in 2,9-11 die Herrschaft Christi über den Kosmos dargestellt mit dem Zielpunkt, daß die Glaubenden in der Taufe dieser Herrschaft unterstellt und damit aller anderen Herrschaft entnommen sind, so wird in V.13-15 von der Taufe ausgehend die Sündenvergebung durch Gott beschrieben, die in V.13c bekenntnishaft zusammengefaßt ist. Die Zusammenstellung von Sündenvergebung und Unterwerfung der Mächte ist freilich auf den Verfasser zurückzuführen, wie die Verknüpfung der beiden Themen im Rahmen des Hymnus 1,12-14 und 20-22 belegt. Daß aber gerade an dieser Stelle das Personalpronomen wechselt, ist doch ein Indiz dafür, daß der Verfasser traditionelle Wendungen aufgreift. Dies findet Unterstützung durch die Häufung ungebräuchlicher Worte gerade in V.14f. Damit ist freilich nicht notwendig eine hymnische oder liturgische Vorlage gemeint; die Disparatheit des aufgenommenen Materials spricht eher dagegen, ebenso der implizite Bezug auf die kol Häresie in V.14 und die Tatsache, daß hier kein wirklich poetischer Stil festzustellen und keine klare Zeilenführung herauszuarbeiten sind. Man wird also davon auszugehen haben, daß der Verfasser sich an traditionelle Formulierungen anschließt, die er selbständig zusammenstellt, um die Schuldvergebung durch Gott zu beschreiben, die im Kreuz Christi ihren Ort hat und erfahrbar wird.

Wer mit Christus in der Taufe auferstanden ist, ist von jeglicher anderen Macht frei. Aus dieser Erkenntnis zieht der Verfasser nun von **V.16** an die Konsequenzen (οὖν) im Blick auf kultische und asketische Vorschriften der Philosophie. V.16 ist parallel zu V.8 gestaltet. Hier wird gewarnt vor dem richtenden Urteil, das die Philosophie über alle fällt, die diese Vorschriften nicht einhalten. Sie beziehen sich zunächst auf Essen und Trinken. Da gleich darauf Festtage, Neumond und Sabbat

----

<197> Vgl LOHSE, Bekenntnis, S.427ff; ders., Kol, S.159f. Er rechnet mit einem hymnischen Bekenntnisfragment, das den Zusammenhang von Sündenvergebung und Triumph über die Mächte thematisiere. Die Worte τοῖς δόγμασιν sieht er als Zusatz des Verfassers, der damit unterstreiche, daß jeder Anspruch der Weltelemente zunichte gemacht sei. WENGST, Formeln, S.186ff läßt die Tradition in V.13 beginnen, und zwar mit καὶ ὄντας ὑμᾶς. Es liege eine Tauf-Liturgie im Wir-Stil vor, deren Subjekt Gott sei. BURGER, ebd, S.79ff schließt hieran an, sieht den Beginn des Traditionsstückes aber dort, wo der Übergang vom Wir zum Ihr textkritisch gesichert ist (V.13a) und findet in V.14f einen Vierzeiler als Schlußfragment eines liturgischen Kreuz-Triumph-Liedes.
<198> Untersuchungen, S.97-86, besonders S.86, Anm.8. Zum Zitat vgl S.88.
<199> Vgl zu den Partizipialkonstruktionen ebd, S.59-63, zu den Relativsätzen S.63-71, wobei sich gerade die Relativsätze als Kennzeichen eines locker anfügenden Stils erweisen (S.70f).
<200> Zum Zusammenhang dieser Verschiebungen vgl ebenfalls BUJARD, ebd, S.83f. Er sieht auch den Wechsel vom ἐν zum σύν in diesem Zusammenhang. Es ist aber zu beachten, daß der Wechsel bereits in V.12 stattfindet.

genannt werden, stehen hier wahrscheinlich die at.lichen Speisegebote im Hintergrund (vgl Lev 7.11) ⟨201⟩. Sie stehen hier freilich unter dem Vorzeichen der στοιχεῖα τοῦ κόσμου und auch die Forderungen hinsichtlich des Festtages, des Neumonds und des Sabbats ⟨202⟩ beziehen sich nicht auf das Bundeszeichen, sondern müssen um der στοιχεῖα willen beachtet werden. So ergeben sich sachliche Anklänge der Speise- und Festgebote an das Judentum, die Begründung aber ist verschieden. Bei der Beachtung der Vorschriften der στοιχεῖα handelt es sich nicht um Adiaphora, die man dulden kann, denn mit ihnen ist ja die Verehrung anderer Mächte als Christus verbunden. Ebensowenig können sie als Weg hin zur Erkenntnis Christi gelten und in dem Ausdruck σκιὰ τῶν μελλόντων (**V.17**) liegt keine positive Anerkennung der Irrlehre, auch keine vorläufige.

Das Gegensatzpaar von σκιά und σῶμα begegnet wie analoge Begriffe wiederholt bei Philo ⟨203⟩. Im Hintergrund steht platonisches Gedankengut. σκιά weist in aller Vorläufigkeit auf das Urbild (oder σῶμα, παράδειγμα, ἀρχητύπος, πρᾶγμα) hin und schlechte Menschen haben nicht einmal eine σκιὰ ... καλοκαγαθίας (Philo, conf ling 71). σκιά begegnet freilich bei den Griechen und im AT auch als Bezeichnung von etwas Nichtigem und Unbeständigem ⟨204⟩. In diesem Sinn ist das Wort offenbar auch hier verwendet: alle Vorschriften der Philosophie sind nichtig und unbeständig wie ein Schatten, und zwar wie ein Schatten τῶν μελλόντων. τὰ μέλλοντα ist ein Ausdruck für den Äon der Heilsvollendung ⟨205⟩. Verglichen mit diesem Heil sind alle angeblichen Heilswege der Philosophie nichtig. Zugleich betont σκιὰ τῶν μελλόντων, daß im Vergleich zu diesem Zukünftigen das Festhalten an den Weltelementen etwas Vergangenes ist. In diesem Sinn nimmt die Wendung V.15 auf.

Der folgende Halbsatz "der Leib aber ist Christi" formuliert knapp und verkürzt. Man muß aber berücksichtigen, daß der σῶμα-Gedanke im Kontext mehrfach begegnet und so diese Redeweise ermöglicht. Auch in V.19 ist wieder vom σῶμα als der Kirche die Rede: das Heil ist Christus und Christus ist in der Kirche erfahrbar ⟨206⟩. **V.18** ist zunächst in Anlehnung an V.16 formuliert: niemand soll euch disqualifizieren ⟨207⟩. Dies ist dahingehend verschärft, daß die Häretiker versuchen,

----

⟨201⟩ Das AT kennt die Enthaltung von Getränken freilich nur in besonderen Fällen. Vgl die Angabe zum Nasiräat bei *JENNI*, Artikel Nasiräer, Sp.1308f; *STR—BILL* II, S.747ff.756ff. Zum Fasten in AT und nachat.lichem Judentum vgl *BÖCHER*, Dämonenfurcht, S.282-284; ders., Christus, S.115f.

⟨202⟩ ἐν μέρει ist als Formel verwendet in der Bedeutung "hinsichtlich" (*BAUER*, Wörterbuch, Sp.1001). Der Plural τὰ σάββατα ist oft in singularischer Bedeutung verwendet, vgl *LOHSE*, Artikel σάββατον, S.7.20. Die Reihenfolge Fest-Neumond-Sabbat findet sich ebenso in Hos 2,13; Ez 45,17 und umgekehrt in 1Chr 23,31; 2Chr 2,3; 31,3. Für das AT gilt besonders der Sabbat als Bundeszeichen (vgl Ex 31,13.17; Ez 20,12.20).

⟨203⟩ Vgl Decal 82; Migr Abr 12, Conf Ling 190; Vit Mos II,74; Poster C 112; Ebr 133. In Rer Div Her 72 wird deutlich, daß bei Philo im Hintergrund dieser Schatten-Körper-Beziehung platonisches Denken steht (vgl das Höhlengleichnis bei Plato, res publ VII, 514A-515D). Vgl hierzu insgesamt *SCHULZ*, Artikel σκιά. Im NT steht diese Auffassung hinter Hebr 8,15; 10,1. *LOHSE*, Kol, S.172 vermutet, daß das Verhältnis von Abbild und Urbild in der kol Philosophie eine Rolle gespielt habe. Die Wendung σκιὰ τῶν μελλόντων ist aber gerade von den christologischen Ausführungen in V.9-15 her gut verständlich, ebenso der sogleich folgende Hinweis auf den Leib.

⟨204⟩ Vgl hierzu die Angaben bei *SCHULZ*, ebd., S.397f und *GNILKA*, Kol, S.147. Besonders prägnant ist 1Chr 29,15 ὡς σκιὰ αἱ ἡμέραι ἡμῶν ἐπὶ γῆς. Vgl auch die Angaben bei *STR—BILL* III, S.629.

⟨205⟩ Zur Verwendung des Begriffs ὁ αἰὼν μέλλων bei den Rabbinen vgl *STR—BILL* IV, S.819f. Zur apokalyptischen Vorstellung vom kommenden Äon vgl Dan 7; äthHen 45,4f; 91,16; 72,1; 4Esr 7,75; syrBar 32,6 u.ö.

⟨206⟩ *LÄHNEMANN*, Kolosserbrief, S.137 sieht hier in σῶμα eine Kritik des Leib-Verständnisses der Häretiker. Dies ist denkbar, aber man sollte den Begriff σῶμα hier nicht über Gebühr strapazieren.

⟨207⟩ καταβραβεύω (vgl 3,15) gehört in die Sprache des Sports (vgl *STAUFFER*, Artikel βραβεύω, S.636).

die Glaubenden vom Heil wegzubringen. Sie gefallen sich in der Darstellung ihrer eigenen Religiosität. ταπεινοφροσύνη hat hier sicher negativen Klang (anders in 3,12; vgl Phil 2,3). Gerade weil das Wort in der Paränese positiven Sinn hat, muß es hier eine servile Demut den Weltelementen gegenüber bedeuten. Möglicherweise spielt hier auch im Zusammenhang mit V.16 das Fasten eine Rolle. In diesem Sinn bereitet das θέλων an dieser Stelle das "Aufgeblasensein im fleischlichen Sinn" von V.18c vor. Ebenso gefallen sie sich in der θρησκεία τῶν ἀγγέλων. Dies hängt eng mit der Demut und Unterwürfigkeit zusammen. In der Wendung einen Gen. subj. zu sehen, ist zwar grammatikalisch möglich ⟨208⟩, legt sich aber von der Sache her nicht nahe. Gemeint ist eine Verehrung der Engelmächte, die für die kol Philosophie zu den στοιχεῖα τοῦ κόσμου gehören ⟨209⟩.

Die folgende Wendung ἃ ἑόρακεν ἐμβατεύων hat eine Fülle verschiedener Deutungen bis hin zu unterschiedlichen Textveränderungen hervorgebracht ⟨210⟩. Vor allem das ἐμβατεύειν ist vieldeutig. Es kann bedeuten: "betreten, hineingehen, besuchen", "einen Besitz antreten", "herantreten an etwas, um es genau zu durchforschen" und es begegnet als terminus technicus der Mysteriensprache ⟨211⟩. Da bereits in V.11 auf einen Aufnahmeritus angespielt ist, wird man auch hier am ehesten an einen solchen Ritus denken, wobei freilich die abgekürzte Redeweise eine genaue Deutung nicht zuläßt. Offensichtlich ist aber ein Schlagwort der Gegner aufgenommen. Sie rühmen sich einer besonderen "Schau" und das ἐμβατεύειν läßt vermuten, daß diese Schau in Verbindung steht mit der Aufnahme in die Reihen der Anhänger der Philosophie. Gerade der verkürzte Ausdruck zeigt, daß es sich hierbei um eine der Philosophie offenbar geläufige Sache handelt. Wesentlich ist dabei, daß sich beim "Eintreten" und "Schauen" der kol Lehre der Weg zum Heil über die Elemente erschließt.

Diese besondere Schau macht die Irrlehrer eingebildet und aufgeblasen ⟨212⟩. Aber sie sind vergeblich aufgeblasen (εἰκῇ) und eingebildet auf etwas, was in Wirklichkeit nichts ist. Denn ihr "Sinn des Fleisches" besteht ja gerade darin, daß sie sich auf alles mögliche, nicht aber auf Christus verlassen. So gipfelt denn die Kritik an den Anhängern der Philosophie in der Feststellung **V.19a**, daß sie nicht am Haupt festhalten ⟨213⟩. 1.18.24 sind aufgenommen. Wie überall, wo der Verfasser selbst

----

⟨208⟩ So bei *FRANCIS*, Humility, S.176ff. Er beruft sich auf die Himmelsreisen der Seher in der jüdischen Apokalyptik und auf die Schriften von Qumran (vgl z.B. 1 QH 3,20ff). Diese Deutung berücksichtigt aber den Kontext nicht genügend. Schon *DIBELIUS—GREEVEN*, Kol, S.35 haben auf den Zusammenhang mit 2,8 und den dort genannten Weltelementen aufmerksam gemacht; daneben ist 2,23 zu beachten, wo neben der ταπεινοφροσύνη auch die ἐθελοθρησκεία begegnet und kein Zweifel daran bestehen kann, daß damit ein selbstgewählter Kult gemeint ist.

⟨209⟩ Vgl *SCHWEIZER*, Elemente, S.153ff. Im Judentum gibt es Warnungen vor einem Engelkult, vgl T Chul 2,18 (*STR—BILL* III, S.377). Nach Test D 6,2 (vgl Test L 5) ist der Engel ein Mittler zwischen den Menschen und Gott. Ignatius (Trall 5) polemisiert gegen solche, die die himmlische Rangordnung genau zu kennen meinen.

⟨210⟩ Vgl die neuere Literatur bei *GNILKA*, Kol, S.150, Anm. 42 und oben, S.69, Anm. 246.

⟨211⟩ Vgl *BAUER*, Wörterbuch, Sp.504, zur Mysteriensprache vgl *DIBELIUS*, Isisweihe, S.33f. *KRÄMER*, Isisformel, S.101ff führt die Formel auf Apuleius selbst zurück. *LOHMEYER*, Kol, S.124 bevorzugt die Deutung "genau erforschen" (vgl hierzu auch 2Makk 2,30 und Philo, Plant 80); vgl auch *PREISKER*, Artikel ἐμβατεύω.

⟨212⟩ φυσιόω begegnet im NT nur noch in der Auseinandersetzung des Paulus mit den Gegnern in Korinth, vgl 1Kor 4,6.18f; 5,2; 8,1; 13,4. Man kann 1Kor 8,1 zum Vergleich heranziehen, auch wenn es sich um eine andere Irrlehre handelt. Im Gegensatz dazu bläht die Liebe nach Paulus nicht auf (1Kor 13,4), sondern sie baut auf.

⟨213⟩ Christus wird zwar nicht genannt, ist aber gemeint und beherrscht das Bild, wie die constructio ad sensum ἐξ οὗ zeigt. Für κρατέω überwiegt im NT die Bedeutung ergreifen, halten, festhalten (vgl *MICHAELIS*, Artikel κρατέω, S.910f), in den Spätschriften im Sinne von "die Überlieferung festhalten" (2Thess 2,15).

spricht, ist mit σῶμα die Kirche gemeint ⟨214⟩. Der Hinweis auf "den ganzen Leib" wehrt dabei erneut die häretische Meinung ab, als gebe es neben Christus noch andere Heilsnotwendigkeiten. Mit dem betonten Hinweis auf das Haupt ist der Herrschaftsaspekt betont (vgl 2,15). Sein Leib ist dagegen die Kirche (1,18.24) und hier steht der Aspekt der Versorgung im Vordergrund: von Christus her wird der Leib versorgt und zusammengehalten ⟨215⟩. Die ἁφαί und σύνδεσμοι sind bildlich gemeint und entstammen der medizinischen Sprache ⟨216⟩. Vom Haupt her wird der ganze Körper zusammengehalten. Die Veränderung dieses Bildes gegenüber Paulus wird hier besonders deutlich: Christus ist das Haupt, die Gemeinde sein Leib, der von ihm her wächst. Die Wendung αὔξει τὴν αὔξησιν τοῦ θεοῦ ist kaum zu übersetzen. Deutlich ist jedoch, daß die Kirche im Wachstum begriffen ist hin auf Gott, der betont am Ende genannt ist. Es ist von 1,6 her zu verstehen: vom Haupt her unterstützt wächst der Leib, wenn er nur an dem Haupt festhält. Daß Kol unter dem Leib nicht die Ortsgemeinde, sondern die Gesamtkirche versteht, unterstreicht den Gedanken vom Wachstum.

V.20 faßt das bisher Gesagte zusammen und spricht die kol Christen selbst an. Deutlich zu erkennen ist der Bezug auf V.12, auf die στοιχεῖα τοῦ κόσμου V.8 und die δόγματα von V.14. Die Christen sind mit Christus in der Taufe gestorben (Aorist) ἀπὸ τῶν στοιχείων τοῦ κόσμου. Wie in 2,12 steht Röm 6 im Hintergrund. Freilich setzt der Verfasser in seiner Formulierung eigene Akzente: in Röm 6,2.10 (vgl Gal 2,19; 6,14) steht die Sünde, der die Christen gestorben sind, im Singular und im Dativ, hier geht es um die Weltelemente und die Wendung betont das Wegsterben von ihnen. Die Christen leben nicht mehr in dem Bereich, in dem die Weltelemente Macht ausüben (ἐν τῷ κόσμῳ). Wie sollten sie sich deshalb noch den Regeln und Verordnungen der Mächte unterwerfen? ⟨217⟩. Charakteristisch für den Verfasser und anders als bei Paulus ist das Fehlen einer Zukunftserwartung (vgl 2,12). 3,4 wird zwar die eschatologische Aussage nachholen, aber wiederum mit einem anderen Akzent als Paulus. Die Glaubenden sind den Vorschriften der Mächte nicht mehr unterworfen. **V.21** nennt drei solcher Vorschriften. Sie sind asketischer Art und greifen Verordnungen der kol Philosophie auf. In ihrer genauen Bedeutung bleiben sie allerdings im Dunkeln. ἅπτομαι wird öfter im sexuellen Sinn gebraucht ⟨218⟩ und könnte auch hier in dieser Weise gebraucht sein (vgl 1Tim 4,3). Zu θιγγάνειν besteht kein großer Unterschied. Es wird allgemein das Berühren verbotener Dinge gemeint sein ⟨219⟩. Möglicherweise besteht eine sarkastische

---

⟨214⟩ Gegen *DIBELIUS—GREEVEN*, Kol, S.36. Auf der Textebene des Hymnus begegnet die Vorstellung von der Welt als Makroanthropos (Phil, rer div her 246; migr Abr 220). Der Verfasser selbst korrigiert im ekklesiologischen Sinn.

⟨215⟩ Es ist nicht angebracht, hier an Gemeindeämter und Dienste zu denken (gegen *ERNST*, Kol, S.212; *MASSON*, Eph, S.195). Dies findet sich erst im Kontext von Eph 4,16; 4,11 (vgl zu Eph 4,16 *SCHNACKENBURG*, Eph, S.191ff).

⟨216⟩ Vgl hierzu ausführlich *LIGHTFOOT*, Kol, S.198ff.

⟨217⟩ Zu δογματίζω vgl *KITTEL*, Artikel δόγμα, S.234. Im Passiv hat es die Bedeutung "sich Vorschriften machen lassen", ähnlich wie ἀδικεῖσθε 1Kor 6,7; weitere Beispiele bei *BL—DEBR* § 314.

⟨218⟩ Vgl Gen 20,6; Spr 6,29; Josephus Ant I,163; Plato Leg 8 (840A); Plutarch, Alex XXI,4 u.ö. Diese Deutung vertreten die meisten neueren Ausleger (anders *LOHSE*, Kol, S.181).

⟨219⟩ Beide Verben stehen in Ex 19,12 synonym nebeneinander. Im Hintergrund stehen Tabuvorstellungen, die im Griechischen (vgl Lukian, de dea syr 54; Apuleius, Met XI,19,3; 21,3; 23,2f;28,5;30,1) und im jüdischen Bereich begegnen (vgl Lev 5,2f; 11,8; 15,7; Num 19,11; 31,19; 1QS 5,13).

Steigerung darin, daß man dann am Ende überhaupt nichts mehr anrühren darf ⟨220⟩. Das mittlere der Verbote bezieht sich auf bestimmte Speiseverbote (vgl schon V.16). Es handelt sich um apodiktische Forderungen, die im Zusammenhang stehen mit dem Weg der Erlösung.

V.22a ist ein Einschub, der im Gegensatz zur Irrlehre den sachgemäßen Gebrauch der Dinge beschreibt. Sie sind vergänglich und sollen gebraucht und verbraucht werden ⟨221⟩. Zu Mächten können sie nur da werden, wo man Angst hat, sich durch sie den Weg zum Heil zu versperren – das aber doch bereits geschaffen ist.

Paulus argumentiert in 1Kor 6,3 ähnlich. Er greift dort stoische Gedanken auf (πάντα μοι ἔξεστιν; συμφέρειν). In diesem Sinn bestätigt er das korinthische Schlagwort τὰ βρώματα τῇ κοιλίᾳ: die Vergänglichkeit der Dinge bedeutet zugleich ihre Neutralität. Neutral ist dagegen nicht der Gebrauch der Dinge, der sich vielmehr messen lassen muß am Aufbau der Gemeinde, wie 10,23 feststellt. Begründet wird die Freiheit mit einem Hinweis auf Ps 23,1 LXX (10,26). Dieser Hinweis auf den Schöpfungscharakter der Lebensmittel fordert den Dank dafür heraus (10,30f). In Röm 14,20 dient der Hinweis auf den Anstoß, den die Freiheit dem Schwachen geben kann und die darin liegende Begrenzung ebenfalls dem Aufbau der Gemeinde. Dies hebt freilich nicht die Überzeugung auf, daß jede Speise, da von Gott geschaffen, rein ist.
Ebenfalls im Hintergrund steht Mk 7,19. Auf diese Stelle weist vor allem die Beobachtung hin, daß dort im Zusammenhang Jes 29,13 zitiert (Mk 7,6f) und dieses Zitat nun auch auch in Kol 2,22 aufgegriffen wird ⟨222⟩.

Wer deshalb Tabugebote aufstellt, tut dies nur auf Grund menschlicher Gebote und Lehren. Dies entspricht Jes 29,13, ohne daß hier ein direktes Zitat vorliegt. Die κατά-Wendung erinnert an 2,8. Was dort festgestellt ist, wird hier vorausgesetzt und ausgeführt: wer Speisegebote und Tabus aufrichtet, der orientiert sich nicht an Christus.

Der abschließende **V.23** birgt noch einmal eine Reihe von Schwierigkeiten, die zu unterschiedlichen Interpretationen geführt haben ⟨223⟩. Es ist vom bestehenden Text auszugehen. Die Verständnisschwierigkeiten lösen sich, wenn man ernst nimmt, daß der Satz als Abschluß der Auseinandersetzung des Kol mit der Häresie dient. Wie in dem gesamten Abschnitt greift der Verfasser auch hier Begriffe der Häresie kritisch auf. Dies gilt für ἐθελοθρησκεία und ταπεινοφροσύνη (vgl 2,18); für die Hapaxlegomena ἀφειδία und πλησμονή und für die spezifische Verwendung von λόγος und τιμή. Es ist deshalb zu erwarten, daß diese Begriffe hier schillernd und gleichsam auf zwei Ebenen verwendet werden: als Selbstdarstellung der Philosophie und ironisch gewendet durch den Verfasser des Kol.
Die Philosophie steht in dem Ruf der Weisheit ⟨224⟩. Aber schon das "zwar" deutet an, daß der Verfasser diese Weisheit nur als angebliche verstehen kann. Durch den ganzen Brief zieht sich die Grundaussage hindurch, daß in Christus alle

---

⟨220⟩ So CAIRD, Kol, S.200.
⟨221⟩ ἀπόχρησις ist der Verbrauch, nicht der Mißbrauch (vgl BAUER, Wörterbuch, Sp.202).
⟨222⟩ In der Auseinandersetzung mit Judentum und Judaisten haben sich bestimmte Argumente und Schriftbezüge als wirksam erwiesen und verselbständigt (so GNILKA, Kol, S.159; LOHSE, Kol, S.182; vgl auch Tit 1,14).
⟨223⟩ Die verschiedenen Ansichten sind zuverlässig referiert bei LOHSE, Kol, S.182-185.
⟨224⟩ λόγον ἔχειν bedeutet "den Ruf haben", "in dem Ruf stehen", vgl LOHSE, Kol, S.184. ἅτινα bezieht man am besten auf das Vorhergehende. Die δόγματα von 2,14 sind mitgemeint und in den ἐντάλματα καὶ διδασκαλίαι ist V.22 aufgenommen. Das unbestimmte Relativpronomen "faßt ... alle 'Gebote und Lehren' wie in Bausch und Bogen zusammen" (LOHMEYER, Kol, S.129). Mit dem μέν kann angedeutet sein, daß hier eine kol Überzeugung formuliert ist, gerade weil ein entsprechendes δέ fehlt (so LOHMEYER, ebd).

Schätze der Weisheit und Erkenntnis verborgen sind (2,3) und daß es deshalb darauf ankommt, in dieser Weisheit zu wachsen, erfüllt zu werden (1,9.28; 3,16) und darin zu wandeln (4,5). Da die Philosophie Weisheit und Erkenntnis aber neben Christus sucht, geht sie an der Quelle der Weisheit gerade vorbei.

Die scheinbare Weisheit stellt sich in dreifacher Weise dar: das "frei gewählt" in ἐθελοθρησκία soll offenbar die besondere Einsicht und die zusätzliche Leistung betonen <225>. Für Kol dagegen ist mit diesem Wort zugleich das Unvollkommene und Nichtige dieses Dienstes und eine blinde Unterwürfigkeit machtlosen Mächten gegenüber mitzusehen. Mit ἀφειδία σώματος ist auf die asketischen Verordnungen angespielt, wobei die rigorose Askese offenbar als besondere Leistung gewertet sein will, die den Weg zum Heil ebnet. Das vieldeutige Wort τιμή <226> hat vermutlich in der kol Philosophie ebenfalls eine Rolle gespielt. Die Nähe des Begriffs zu der Mysteriensprache ist wahrscheinlich von Bedeutung. Dort ist τιμή eine Bezeichnung für die Ewählung und Vergottung, die der Myste erfährt <227>. Dieser Ehre wird nach Ansicht der Irrlehre derjenige teilhaftig, der sich den Geboten und Verordnungen der kosmischen Mächte unterordnet. Gerade dies bestreitet aber der Verfasser des Briefes den Häretikern: keinem bringt es Ehre <228>. All dies dient vielmehr nur der "Sättigung des Fleisches".

Damit bestreitet der Verfasser des Briefes den Anspruch der Irrlehre abschließend hart und energisch und legt ihre Widersprüchlichkeit bloß. Während die Philosophie durch Fasten und Halten besonderer Tage und Zeiten, durch Engelverehrung und Demut den Weltelementen gegenüber den Weg zum Heil im Besitz zu haben glaubt und sich all ihre Leistungen deshalb verdienstvoll und heilsversprechend anrechnet, verläßt sie sich eben gerade nicht auf den, von dem allein das Heil erwartet werden kann, sondern befriedigt nur das Fleisch. σάρξ ist dabei nicht mit σῶμα zu parallelisieren, sondern gewinnt seine Bedeutung erst aus dem Gegensatz hierzu: während sich die Irrlehrer etwas auf die Schonungslosigkeit dem Leib gegenüber zugute halten, sättigen sie <229> in Wirklichkeit doch nur das Fleisch. So steht πλησμονή am Ende auch im Gegensatz zu πλήρωμα 2,9, und die Schlußwendung faßt die gesamte Kritik des Verfassers an der Philosophie hart und prägnant zusammen.

4.4.2) Kolosser 3,1-4 und 1,12-23

Auf **3,1-4** ist hier noch einmal kurz einzugehen <230>, weil die beiden ersten Kapitel und besonders die Taufaussagen von 2,12 in diesem Übergangsabschnitt noch einmal gebündelt werden. συνηγέρθητε 3,1 nimmt 2,12 und συνεζωοποίησεν 2,13 auf. Die Todesaussage in V.3 nimmt 2,20 auf und spielt an auf das συνταφέντες in 2,12. Charakteristischerweise steht hier nun die Auferstehungsaussage zuerst. Dies

----

<225> Weitere Verbindungen mit ἐθέλο- bei SCHMITT, Artikel θρησκεία, S.159 und bei BL—DEBR, § 118,2. Wie aber z.B. in dem Wort ἐθελοδιδάσκαλος schwingt auch hier die Bedeutung des bloß äußeren Scheins mit.
<226> Vgl zu den einzelnen Bedeutungen des Wortes BAUER, Wörterbuch, Sp. 1617f und SCHNEIDER, Artikel τιμή, S.178f. Zu den unterschiedlichen Deutungen der Wendung vgl SCHWEIZER, Kol, S.128f; GNILKA, Kol, S.161. HEDLEY, Ad Col, S.215: "The difficulty lies not in the words, but in their asyndetic position".
<227> Vgl Apuleius, Met XI,21: perspicua evidentique magni numinis dignatione. Vgl auch REITZENSTEIN, Mysterienreligionen, S.252ff; BORNKAMM, Häresie, S.151.
<228> Die Wendung bezieht sich vermutlich auf ἅτινα κτλ zurück, vgl DELLING, Artikel πίμπλημι, S.133f.
<229> Gut GNILKA, Kol, S.162: "Anscheinend bedarf es des Sarkasmus, um Verblendete zur Einsicht zurückzuführen, oder um solche, die vom Irrtum bedroht sind, zu schützen. Darum spricht der Text ironisch von der Demut der Aufgeblasenen, der Sattheit der Asketen und der Lächerlichkeit der Geehrten".
<230> Vgl hierzu oben, S.67ff.

ist nach den Ausführungen in Kapitel 2 nur konsequent, denn das Hauptgewicht liegt für den Verfasser darauf, daß Leben und Heil (vgl ζωή V.3) für den Glaubenden bereits Realität sind und durch keine Mächte mehr in Frage gestellt werden können. Von dieser Position aus ist es dem Verfasser möglich, die Heilsvorschriften und -praktiken der Philosophie nicht nur als unnötig, sondern als unchristlich zu erweisen, da sie faktisch an der alleinigen Heilsmittlerschaft Christi zweifeln. Die Offenheit für die zukünftige Dimension des Heils ist damit freilich eingeschränkt, wie V.4 zeigt. Es geht nicht um die Parusie Christi als Heilsereignis mit eigenem Gewicht, sondern um das Offenbarwerden dessen, was jetzt schon (verborgene) Realität ist und im Himmel bereitliegt (1,5). Der Gegensatz von Verborgenheit und Offenbarwerden ist kombiniert mit dem räumlichen Gegensatz von oben und unten, mit dem in 3,1-4 die bisherige kosmologische Begrifflichkeit aufgenommen ist: oben ist der Herrschaftsbereich Christi, der das Haupt aller Mächte und Gewalten ist (vgl 2,9; 1,15-18); unten (τὰ ἐπὶ τῆς γῆς) ist der Bereich der irdischen Existenz und zugleich Machtbereich verschiedener Gewalten. Die eschatologische Komponente des Taufgeschehens ist in 3,4 zwar terminologisch gewahrt, sachlich aber von der Kosmologie her verstanden. Von hier aus ist der Bogen zu schlagen zur Interpretation des Hymnus in 1,18: nur in der Kirche als dem Leib Christi ist seine kosmische Herrscherstellung erfahrbar. Die Eingliederung in die Kirche aber geschieht durch die Taufe. Die Taufaussagen und die ekklesiologischen Aussagen werden so auf die Kosmologie hin geöffnet. Umgekehrt aber, und das ist für den Verfasser die theologische Grundlegung, sind Taufe und Kirche erst möglich durch die Versöhnung der Welt in Christus. Das kosmische Verständnis des Heils prägt das Verständnis der Taufe.

Dies ist besonders auch an dem Rahmen zu erkennen, den der Verfasser in **V.12 -14. 21-23** dem Hymnus gegeben hat. Ausdrücklich ist in V.14 mit den Stichworten ἀπολύτρωσις und ἄφεσις τῶν ἁμαρτιῶν auf die Taufe Bezug genommen. Beide Begriffe gehören zur Sprache urchristlicher Gemeindetheologie <231>, wie die bekenntnishaften Formulierungen Röm 4,24f; 1Kor 1,30; Eph 1,7.14; 4,30 zeigen. Die Vergebung der Sünden wird dem Christ in der Taufe zuteil (vgl Apg 2,38) und indem ἀπολύτρωσις auf die Sündenvergebung bezogen wird, ist auch für die Erlösung der Bezug zur Taufe gegeben <232>. Da diese Taufaussage den Hymnus direkt einleitet, hat man in ihm eine Taufliturgie vermutet <233>. Aber ein einheitlicher liturgischer Zusammenhang läßt sich nicht nachweisen. Kennzeichnend für V.12-14 ist, daß Begriffe, die aus jüdischer Denktradition kommen und Verbindung zur Apokalyptik aufweisen <234>, hier im Blick auf einen räumlichen Vorstellungshorizont

---

<231> LOHSE, Kol, S.67; ἀπολύτρωσις bezeichnet die Befreiung von Knechtschaft (BÜCHSEL, Artikel ἀπολύτρωσις, S.354).

<232> Gegen LOHMEYER, Kol, S.43ff.52f, der einen Bezug zum jüdischen Versöhnungstag annimmt.

<233> KÄSEMANN, Taufliturgie, S.34ff, bes. S.43ff. ECKART, Beobachtungen, S.87ff zieht auch V.9-11 hinzu. Es handelt sich aber nicht um einen geschlossenen liturgischen Zusammenhang, sondern um unterschiedliches Traditionsmaterial, das vom Verfasser neu zusammengestellt wird. Daß V.12-14 bereits vorpaulinisch mit dem Hymnus verbunden war (KÄSEMANN, ebd, S.37f), ist wegen der Unterschiedlichkeit des Materials und der Stileigentümlichkeiten des Verfassers in V.12-14 unwahrscheinlich (vgl SCHWEIZER, Kol, S.44, Anm. 84; LOHSE, Kol, S.77, Anm. 1).

<234> Vgl hierzu im einzelnen LOHSE, Kol, S.67ff; HAHN, Taufe, S.99f.

ausgelegt werden (vgl ἐν τῷ φωτί; ἐκ τῆς ἐξουσίας τοῦ σκότους und εἰς τὴν βασιλείαν κτλ). Damit sind die Begriffe von oben und unten in 3,1ff vorbereitet. Durch die Nähe der Taufaussage zum Hymnus kann der Verfasser zwei Gedanken verbinden: zum einen wird die Begründung der Taufe vom Hymnus her deutlich. Erlösung, Vergebung und das Versetzt-Sein in das Reich τοῦ υἱοῦ τῆς ἀγάπης αὐτοῦ ist möglich, weil in Christus als Erstgeborenem aller Schöpfung zugleich die Versöhnung geschaffen ist. Umgekehrt erschließt sich die Bedeutung des im Hymnus besungenen Geschehens erst dem Getauften und zur Kirche Gehörenden (V.18). Das νυνὶ δὲ ἀποκατήλλαξεν V.22 bezieht sich ja auf den Zeitpunkt der Taufe und auch der Aorist παραστῆσαι weist auf einen bereits erfolgten Akt hin. Insofern in der Taufe das Mitauferstehen mit Christus und die Eingliederung in den Christusleib bereits geschehen ist, ist die Taufe der Ort, an dem der Getaufte in Berührung kommt mit dem kosmischen Heilsgeschehen. Dies findet seine Bestätigung in 2,12f, wo ebenfalls in Zusammenhang mit der Taufe von der Sündenvergebung die Rede ist. πίστις ist dementsprechend in 1,23 uner dem Aspekt des Festhaltens dessen gesehen, was in der Taufe zugeeignet wurde und steht damit auf derselben Ebene wie die Hoffnung (1,5). Natürlich hat für Kol der Glaube sachliches Gewicht und auch der Hymnus läßt sich immer nur als geglaubter singen. Aber in 2,12 wird διὰ τῆς πίστεως sofort in Beziehung zu einem Bekenntnisatz gesetzt und in 1,23 ist der Glaube mit Verben des Gegründet- und Festseins verbunden. Durch die Rahmung des Hymnus wird deutlich, daß das Heilsgeschehen faßbar wird und Konsequenzen bekommt in der Taufe. Daß 2,12; 3,1 dann das Mitauferstehen in der Taufe betonen, unterstützt diesen Gedanken und hält auch von dieser Seite aus fest, daß Glaube und Hoffnung sich auf das schon bereitliegende Heil beziehen und als Festhalten der Taufgnade aufzufassen sind ⟨235⟩.

4.4.3) Zusammenfassung: Taufe und Kosmologie im Kolosserbrief im Vergleich mit Paulus

1) Der Verfasser des Kol behandelt Taufe und Kosmologie in direkter Auseinandersetzung mit der kol Irrlehre. Wiederholt greift er Schlagworte der Philosophie auf, beleuchtet sie kritisch und wendet sie gegen die Irrlehrer selbst. Dabei ist für ihn die Tatsache zentral, daß alles für das Heil Notwendige bereits geschehen ist und daß keine Macht mehr Ansprüche gegenüber den Christen geltend machen kann. Die kosmologischen und die Taufaussagen begründen dies.
2) Der Hymnus in 1,15-20 prägt den gesamten Brief. Er ist aus hellenistisch-judenchristlicher Tradition übernommen. Der gegnerischen στοιχεῖα-Lehre setzt der Verfasser den Hymnus entgegen, in dem Christus das Haupt des Kosmos ist. In ihm sind Schöpfung und Versöhnung gewirkt und neben ihm hat keine andere Macht Bestand. Der Hymnus und die darin vertretene Kosmologie werden zur Basis der Argumentation und die kosmisch orientierte στοιχεῖα-Lehre wird mit Hilfe einer kosmologischen Konzeption abgewehrt. Sein Weltbild hat Kol offensichtlich mit der bekämpften Irrlehre gemeinsam. Wie sie denkt er in räumlichen Kategorien und

---

⟨235⟩ Vgl hierzu *HAHN*, ebd, S.101.

kosmischen Dimensionen. Seine Theologie und die von der Irrlehre vertretene sind in den Grundlagen übereinstimmend geprägt. Insofern beeinflussen die Adressaten das Schreiben mit. Begegnen bei Paulus kosmologische Aussagen sporadisch und in unterschiedlichen Zusammenhängen und haben also argumentative Bedeutung, so werden sie in Kol geradezu die Grundlage der Argumentation.

3) Es ergibt sich aber zugleich eine erhebliche Differenz des Kol zur Häresie. Schöpfung und Versöhnung des Alls in Christus sind für Kol die grundlegenden Daten des Glaubens. Dies betont er mit dem Hymnus gegen die Irrlehrer. Zugleich bringt er aber auch Veränderungen am Hymnus selbst an. Er bezieht den Begriff σῶμα auf die Kirche (1,18) und interpretiert damit den Hymnus ekklesiologisch. Dies wird zugleich zum wichtigen Argument gegen die Häresie: es betont, daß in der Kirche als dem Leib Christi die Herrschaft der Mächte abgetan ist. Wer in der Kirche ist, der ist deshalb bereits im Bereich Gottes und Christi. Von hier aus erklärt sich, daß der Verfasser von der Auferstehung bereits in der Gegenwart sprechen kann (2,12; 3,1). So wird gerade der ekklesiologisch interpretierte Hymnus zum Argument gegen die Häresie. Daß das Heil in Christus geschaffen ist, wird daneben in 1,20 mit Hilfe des paulinischen Kreuzesverständnisses interpretiert. Damit ergibt sich eine Wechselbeziehung der beiden Traditionsströme, die auf Kol prägend einwirken. Mit dem paulinischen Grundgedanken des "Ein-Für-Alle-Mal" und dem Hinweis auf das Kreuz gewinnt der Verfasser ein Verständnis des Hymnus, das er gegen die Häresie verwenden kann. Zugleich wirkt die kosmologische und soteriologische Konzeption des Hymnus zurück auf die paulinischen Aussagen und verändert das paulinische Verständnis von Taufe und Soteriologie. Die Taufe wird im Rahmen der Kosmologie verstanden und umgekehrt die kosmologische Erkenntnis an der Taufe und der Zugehörigkeit zur Kirche festgemacht. In der Taufe geschieht die Eingliederung in den Leib Christi, in dem die Mächte ihre Macht verlieren. Die beiden Zusätze zum Hymnus werden so Leitlinien für das Verständnis des Briefes.

4) Für Paulus steht die Vollendung noch aus. In der Konzeption des Kol ist dagegen alles für das Heil Notwendige bereits geschehen und das Heil ist im Jenseits vorhanden. Die eschatologische Komponente ist zwar terminologisch gewahrt (vgl 3,4), wird aber mit den Gegensatzpaaren verborgen-offenbar und unten-oben im räumlichen Sinn interpretiert. Dem entspricht das Verständnis von Glauben und Hoffnung in Kol. Die Hoffnung liegt im Himmel als Hoffnungsgut bereit (1,5). Entsprechend ist der Glaube mit Wendungen des Feststehens, Standhaft-Seins und Bleibens verbunden und gewinnt die Tendenz zum Glaubensinhalt (1,23). Die Veränderung der Taufaussage steht in diesem Zusammenhang. Bei Paulus bildet die Taufe das Anfangsdatum, das Sein mit Christus das Ziel christlichen Lebens und zwischen diesen beiden Polen lebt der Christ eine eschatologische Existenz in Hoffnung. In Kol gehört die Taufe mit ihrer Auferstehungsaussage faktisch schon zur Beschreibung des Ziels und die christliche Existenz verwirklicht sich im Festhalten der Taufgnade. Terminologisches Anzeichen für diese Veränderung ist die Verwendung von σύν für die als gegenwärtig verstandene Auferstehung mit Christus.

5) Die ethischen Aussagen

Ethische Aussagen nehmen in 2Thess und Kol einen breiten Raum ein. Solche Aussagen sind bereits in 2Thess 1,11; 2,10b-12 und Kol 3,1-4 begegnet und sie werden in 2Thess 2,15-17; 3,1ff und Kol 3,5ff ausgeführt. Die Breite der ethischen Ausführungen in beiden Briefen macht im Zusammenhang der vorliegenden Arbeit den Vergleich mit der Ethik des Paulus notwendig. Für seine Ethik gilt freilich: sie ist "so in seine Theologie integriert, daß eine Darstellung des Ansatzes der paulinischen Ethik notwendig Grundzüge der paulinischen Theologie skizzieren muß" <1>. Gal 2,20; 5,25; Röm 6,1ff.12ff zeigen den engen Zusammenhang der Paränese mit Christologie, Pneumatologie oder der Taufe. Der Vergleich wird deshalb nach diesem Zusammenhang fragen müssen, nach der Begründung der Ethik und nach ihrer Struktur. Er hat ebenso nach den Traditionen zu fragen, die im ethischen Bereich aufgenommen werden <2>, und zwar sowohl nach ihrer Herkunft als auch nach der Art ihrer Aufnahme und Integration. Gerade diese Fragen haben bei der Eschatologie und der Kosmologie auf wesentliche Verschiebungen zwischen Paulus, 2Thess und Kol aufmerksam gemacht. Daß Paulus kein ethisches System ausarbeitet, ist wiederholt festgestellt worden <3>. Wohl weist der "usuelle Charakter" der paulinischen Paränese <4> über Einzelsituationen hinaus; dennoch geht es dabei um die konkrete Lebensgestaltung der Christen und die usuelle Paränese wird von Paulus immer wieder in die konkrete Situation der Gemeinde hinein aktualisiert. So finden sich in verschiedenen Situationen bei Paulus verschiedene Akzentsetzungen <5>. Auch 2Thess und Kol sind daraufhin zu befragen, wie sie das Verhältnis von aktueller und usueller Paränese gestalten und welche Rolle hier die jeweiligen Adressaten bei der Ausformulierung der ethischen Forderungen spielen.

Auch für die ethischen Aussagen empfiehlt es sich, von überschaubaren Texten auszugehen <6>. Wegen der literarischen Abhängigkeit des 2Thess von 1Thess können dies auch hier die entsprechenden Abschnitte des 1Thess sein.

5.1) Die paränetischen Texte im 1. Thessalonicherbrief

Mit 3,9-13 schließt Paulus den 1.Teil des 1Thess ab. In diesem Briefteil gehen das Prooemium und der 1. Hauptteil ineinander über und haben als gemeinsames Thema die gute Aufnahme des Evangeliums durch die Thessalonicher und ihren guten

----

<1> SCHRAGE, Ethik, S.155; vgl FURNISH, Theology, S.213.224.
<2> Vgl hierzu den Überblick bei FURNISH, ebd, S.25-67.
<3> Vgl zu Paulus JÜNGEL, Erwägungen, S.379f.
<4> Zur Unterscheidung von aktueller und usueller Paränese siehe DIBELIUS, Formgeschichte, S.239f (vgl auch HAHN, Begründung, S.90). SCHRAGE, Deutung, S.230ff macht darauf aufmerksam, daß man aktuell und konkret nicht notwendig gleichsetzen darf. "Hierbei werden Anlaß und Inhalt der Mahnungen durcheinander gebracht. Nicht alles, was aktuell veranlaßt ist, ist eo ipso auch konkret, vor allem aber ist nicht alles, was konkret ist, auch aktuell veranlaßt und auf geschichtlich einmalige Situationen zugeschnitten" (S.231).
<5> Kein Anhaltspunkt ergibt sich dagegen für eine wesentliche Wandlung der Ethik des Apostels unter dem Eindruck der Parusieverzögerung, wie sie zB. WEIDINGER, Haustafeln, S.6ff; DODD, Gesetz, S.35 vertreten.
<6> Die Systematik der Darstellung paulinischer Ethik ist unterschiedlich gewählt worden (vgl die Arbeiten von SCHRAGE und FURNISH). Für den Vergleich paulinischer und deuteropaulinischer Briefe legt sich in jedem Fall der Ausgangspunkt bei überschaubaren Texten nahe. Vgl hierzu auch EICHHOLZ, Theologie, S.13.266.

Wandel ⟨7⟩. Im 2. Hauptteil des Briefes sind Ermahnung, Trost und Aufbau der Gemeinde vereinigt (4,1-5,22). Der eschatologische Abschnitt in 4,13-5,11 ist bereits ausführlich behandelt. Im folgenden ist auf 4,1-12 und 5,12-22 einzugehen, außerdem noch auf 1,6f und 2,14, wo das für Paulus im Rahmen der Ethik wichtige Thema der imitatio Christi begegnet.

5.1.1) 1.Thessalonicher 4,1-12

4,1f bilden eine Einleitung für 4,1-12 ⟨8⟩ und den ganzen Briefteil (vgl Röm 12,1f). ἐν κυρίῳ Ἰησοῦ V.1 und διὰ τοῦ κυρίου Ἰησοῦ V.2 sind der Rahmen für diese einleitende Aussage und stellen den Zusammenhang mit dem Christusgeschehen her. V.3-8 gehören inhaltlich zusammen und stehen unter dem Oberbegriff ἁγιασμός. V.9-12 bieten Ermahnungen allgemeiner Art, zunächst im Blick auf den innergemeindlichen Raum (V.9.10a), dann im Blick auf die Nichtchristen (V.10b-12). Es liegt usuelle Paränese vor ⟨9⟩. In 4,1.10b.11 wird festgehalten, daß die Gemeinde den Weisungen bereits entspricht (vgl 1,7; 3,6f; 2,13f). Die Verse knüpfen an Bekanntes und Geübtes an (4,1.6) und rufen dies erneut ins Gedächtnis ⟨10⟩. Es ist deshalb nicht erforderlich, hinter jeder Aussage einen Mißstand in der Gemeinde zu vermuten. Den usuellen Charakter belegt gerade auch der Vergleich mit 4,13ff, wo Paulus tatsächlich auf konkrete Anfragen aus der Gemeinde eingeht.

λοιπὸν οὖν und die Anrede ἀδελφοί (vgl 2,1; 1,4) markieren den Neueinsatz (**4,1**). παρακαλοῦμεν und ἐρωτῶμεν sind synonym gebraucht. ὑμᾶς gehört zu beiden Verben, ebenso ἐν κυρίῳ Ἰησοῦ. Diese Wendung ⟨11⟩ ist unscheinbar, hat aber wesentliches Gewicht. Die Ermahnung im Blick auf das περιπατεῖν ergeht im Herrn Jesus, dh: der Lebenswandel der Christen gehört genauso in den Einflußbereich des Herrn wie der Glaube. Dies ist die Basis für die folgenden Ermahnungen ebenso wie für den Trost. Ziel der Paränese ist das Wachstum im gottgefälligen Wandel (ἵνα περισσεύητε μᾶλλον) ⟨12⟩. Aber 4,1 ist nicht nur die Einleitung des ethischen Abschnitts, sondern auch Zusammenfassung des Vorangehenden: was Paulus jetzt zu sagen hat, hat er bereits während seiner Anwesenheit verkündet (2,1ff). Und die Thessalonicher wandeln schon dementsprechend - nur daß es im christlichen Wandel keinen Meister, sondern immer nur Schüler gibt.

Auch im ethischen Bereich spricht Paulus von παραλαμβάνειν (vgl 1Kor 11,; Phil 4,9; zu παραδιδόναι vgl Röm 6,17) ⟨13⟩. Die Lebensführung der Christen ist nicht beliebig, sondern vollzieht sich ἐν κυρίῳ Ἰησοῦ und bedarf deshalb auch der Weisung.

⟨7⟩ Vgl hierzu oben, S.21, Anm 5.
⟨8⟩ *MERK*, Handeln, S.45 spricht von "eine(r) Art Überschrift".
⟨9⟩ Vgl hierzu *DIBELIUS*, Thess, S.19f; *MERK*, ebd, S.46; *KÜMMEL*, Problem, S.408f (gegen *BALTENSWEILER*, Erwägungen, S.1; ders, Ehe, S.135ff). Der Versuch von *ECKART*, Brief, S.35.37, den Abschnitt wegen der mangelnden Konkretheit Paulus abzusprechen (außer V.9.10a), ist verfehlt, da er die Eigenart usueller Paränese übersieht.
⟨10⟩ Zum Sitz im Leben der Paränese im Taufunterricht und in der Unterweisung der Neugetauften vgl *DIBELIUS*, Geschichte, S.65ff; *KAMLAH*, Form, S.34ff.38; *VIELHAUER*, Geschichte, S.56f.
⟨11⟩ Die Formel variiert in 1Thess vielfältig, vgl *v.DOBSCHÜTZ*, Thess, S.60f, wobei die Nuancen nicht überbewertet werden dürfen (vgl ebd, S.61).
⟨12⟩ Paulus benutzt περισσεύω gern in Zusammenhang mit der Beschreibung des Heils und der Gnade Gottes (vgl Röm 10,12; 5,20; 15,13; vgl 5,15.17). Vgl in 1Thess noch 3,12.
⟨13⟩ Zu den Termini παραλαμβάνειν und παραδιδόναι vgl unten, S.244ff.

V.2 nimmt dies bestätigend auf ⟨14⟩. παραγγελίας ⟨15⟩ ἐδώκαμεν weist auf die mit Autorität gegebene Unterweisung des Paulus hin und steht parallel zu καθὼς παρελάβετε V.1. Daß es dabei aber um παραγγελίαι ... διὰ τοῦ κυρίου ᾽Ιησοῦ geht, wird sogleich angefügt. Bei dieser Wendung ⟨16⟩ muß jede einschränkende Deutung ausscheiden. In der Sache gibt es keinen Unterschied zu ἐν κυρίῳ ᾽Ιησοῦ V.1. In der Paränese begegnen einerseits Worte des irdischen Jesus, und andererseits versteht sich die Lebenspraxis der Christen unter dem Einfluß des erhöhten Herrn. In beiden Fällen sind die Formeln umfassender Ausdruck für das Heilsgeschehen in Christus, das auch die konkrete Lebensführung mit umfaßt.

Zusammenfassend schließt die Formulierung des Ziels an (**V.3a**), auf das sich die Mahnungen richten: τοῦτο γάρ ἐστιν τὸ θέλημα τοῦ θεοῦ, ὁ ἁγιασμὸς ὑμῶν ⟨17⟩. τοῦτο gehört zu τίνας παραγγελίας: das Ziel der vorgetragenen Mahnungen ist – dem Willen Gottes entsprechend – eure Heiligung (die sich darin zeigt, daß ...).

ἁγιασμός ist nomen actionis von ἁγιάζειν und meint den Weg, der zur ἁγιωσύνη ⟨18⟩. Wesentlich ist, daß ἁγιασμός den geheiligten Menschen zur Voraussetzung hat. Daß die Christen als ἅγιοι bezeichnet werden (Röm 1,7; 1Kor 1,2; 2Kor 1,1; Phil 1,1 u.ö.), steht parallel neben ihrer Berufung und Auserwählung (vgl Röm 8,33). Der Zusammenhang mit der Taufe ist in 1Kor 6,11 gegeben (ἀπελούσασθε, ἡγιάσθητε). V.7f bestätigt: zur Berufung durch Gott kommt hinzu, daß er seinen heiligen Geist gibt und damit den Christen die Heiligung erst ermöglicht. Als Heilige verstehen die Christen ihr Leben und ihr Tun ἐν κυρίῳ ᾽Ιησοῦ und deshalb ist ihre Heiligung der Wille Gottes. In seinem Heilswillen (vgl Gal 1,4) hat die Berufung in der Heiligung das Ziel (vgl als inhaltliche Parallele Phil 2,13; Röm 12,2).

θέλημα τοῦ θεοῦ und ἁγιασμός leiten die folgenden Verse ein. Es wird gezeigt, in welchen Bereichen sich die Heiligung auswirkt. Für die Gliederung des Abschnitts V.3b-6a ist nach wie vor die Analyse von v.DOBSCHÜTZ gültig ⟨19⟩: von den 4 Infinitiven, die den Oberbegriff ἁγιασμός erläutern (ἀπέχεσθαι, εἰδέναι, κτᾶσθαι, τὸ μὴ ὑπερβαίνειν κτλ) gehören die beiden mittleren zu einem Ausdruck zusammen (εἰδέναι ... κτᾶσθαι). Beide beziehen sich auf das negative ἀπέχεσθαι und beschreiben positiv den Umgang mit der Geschlechtlichkeit. Der 4. Infinitiv fügt davon unabhängig eine Mahnung zur Redlichkeit an. Als Hauptlaster sind πορνεία ⟨20⟩ und

----

⟨14⟩ οἴδατε γάρ ähnlich wie in 1,5; 2,1.5.11; 3,3.5. In diesen häufigen Hinweisen auf das Wissen der Thessalonicher kommt die enge persönliche Beziehung des Apostels zur Gemeinde zum Ausdruck.

⟨15⟩ Bei Paulus nur hier; vgl 1Tim 1,5.18. παραγγέλλω begegnet noch in 1Kor 7,10; 11,17; 1Thess 4,11 (und öfter auch in 2Thess). In beiden Kor hat παραγγέλλω den Klang eines Gebotes, das mit Autorität (des Herrn bzw des Apostels) ergeht und das Befolgung verlangt. Zum militärischen Gebrauch vgl v.DOBSCHÜTZ, Thess, S.158.

⟨16⟩ Vgl die Übersicht über die verschiedenen Deutungen bei v.DOBSCHÜTZ, Thess, S.158f; MARSHALL, Thess, S.105f.

⟨17⟩ Das grammatikalische Problem ist ausführlich dargestellt bei v. DOBSCHÜTZ, Thess, S.159f.

⟨18⟩ Ebd, S.160.

⟨19⟩ Ebd, S.161-163, vgl auch den Exkurs zur Paränese S.174.

⟨20⟩ Vgl Röm 1,24-32; 13,13; 1Kor 5,10f; 6,9f; 2Kor 12,20f; Gal 5,19-21. Zur Sexualmoral in der hellenistischen Kultur vgl HAUCK/SCHULZ, Artikel πόρνη, S.582f. Zum at.lichen und nach-at.lichen Verständnis der Unzucht vgl ebd, S.583ff. Die Warnung vor der Unzucht gehört zum Hauptbestandteil der Lasterkataloge. Im Hintergrund der V.3ff steht offenbar die Form der katalogischen Paränese (vgl dazu KAMLAH, Form, passim; für 1Thess 4,3ff geht er S.198 von einem Doppelkatalog aus und sieht neben Hurerei und Habgier die Heiligung als Gegenbegriff), wie sie im NT und bei Paulus öfter begegnen. Die Form ist variabel (KAMLAH, ebd, S.176ff). Sie ist aus dem Judentum übernommen (ebd, S. 150ff), hellenistische Einflüsse, besonders der Kataloge aus der Stoa und die Popularphilosophie kommen ergänzend hinzu (ebd, S.179ff.145ff). Der Sitz im Leben der katalogischen Paränese ist die Taufunterweisung (ebd S.38-40; HAHN, Begründung, S.92), bzw steht mit der Taufe in engem Zusammenhang.

πλεονεξία genannt (vgl 1Kor 5,10f; Kol 3,5).

Zunächst werden die Thessalonicher ermahnt, sich von der Unzucht fernzuhalten. πορνεία ist dabei nicht lediglich die geschlechtliche Verfehlung des Einzelnen, sondern zieht die ganze Gemeinde in Mitleidenschaft (vgl 1Kor 5,1ff.9ff) ⟨21⟩.

Der Gedanke ist sogleich positiv gewendet (V.4). Die Stelle ist seit der alten Kirche in zweierlei Weise interpretiert worden, nämlich a) Herrschaft gewinnen über seinen Leib ⟨22⟩ und b) mit seiner Frau in Heiligung und Ehre zusammenleben ⟨23⟩. Da die Bedeutung "Frau" für σχεῦος bei Paulus sonst nicht belegt ist und da σχεῦος χτᾶσθαι von heidenchristlichen Lesern wohl nur schwerlich auf rabbinischem Hintergrund verstanden wurde, neige ich zum Verständnis von σχεῦος als Leib und verstehe die Stelle als Parallelaussage zu 1Kor 6,15.19f.

ἐν ἁγιασμῷ V.4 bezieht sich natürlich auf V.3 und macht deutlich, daß die Heiligung und der Wille Gottes sich auf den ganzen Menschen beziehen. Heiligung ist nicht Abwendung von der Welt, weder im sexuellen noch im geschäftlichen Bereich (V.6), sondern heißt, sich im Alltag unter Gottes Willen zu stellen. τιμή bedeutet dann nicht die der Frau zu erweisende Ehrerbietung, sondern die Ehre der Geschlechter überhaupt ⟨24⟩, die letztlich in der Geschlechtlichkeit des Menschen beruht (vgl Ps 8,6 LXX). V.5 fügt mit ἐπιθυμία den negativen Gegensatz an und präzisiert damit den Begriff πορνεία.

Dem Wort ἐπιθυμία eignet ursprünglich keine negative Richtung ⟨25⟩. Erst in der Stoa wird sie neben ἡδονή, φόβος und λύπη als einer der Hauptaffekte angesehen ⟨26⟩ und ὀργή, ἔρως etc werden als ἐπιθυμία bezeichnet. Im Judentum bekommt ἐπιθυμία den Sinn des gegen Gott gerichteten Wollens ⟨27⟩, wobei in der Auseinandersetzung mit der hellenistischen Kultur besonders die Sexualität mit dem Wort ἐπιθυμία in Verbindung gebracht wird. πάθος findet sich im NT nur bei Paulus und ist in Röm 1,26 (vgl Kol 3,5) ebenfalls in Zusammenhang mit sexueller Begierde gebraucht.

Sich von körperlicher Begierde leiten zu lassen, ist ein Kennzeichen der Heiden, die Gottes Willen nicht entsprechen. Der Ausdruck bezieht sich auf Jer 10,25 (vgl Ps 78,6 und Gal 4,8). Mit τὸ μὴ ὑπερβαίνειν χτλ V.6 ist als zweites Laster das Mehrhaben-Wollen und die Übervorteilung des Bruders angegeben ⟨28⟩. Die substantivier-

----

⟨21⟩ Vgl FURNISH, Theology, S.85; HAUCK/SCHULZ, Artikel πόρνη. S.593.
⟨22⟩ So z.B. BRUCE, Thess, S.83; MERK, Handeln, S.46f; DIBELIUS, Thess, S.21.
⟨23⟩ So v.DOBSCHÜTZ, Thess, S.163f; MAURER, Artikel σχεῦος, S.366ff; HOLTZ, 1Thess, S.156f. σχεῦος kann als Leib oder als Frau, χτᾶσθαι ingressiv oder durativ verstanden sein und die Verbindung beider Worte konkurriert mit der anderen Wendung χτᾶσθαι γυναίχα. Beide Lösungen sind exegetisch möglich. Der Sprachgebrauch des Paulus hilft nicht zur Entscheidung, da zwar im Töpfergleichnis Röm 9,19ff und in 2Kor 4,7 σχεῦος sicher nicht die Frau meint, aber diese wenigen Stellen eine solche Deutung auch nicht ausschließen, und da weiterhin sachliche Parallelen für die Deutung auf den Leib (1Kor 6,12ff) ebenso wie auf die Ehefrau (1Kor 7,2) vorliegen. Auch der Kontext von 1Thess 4,4 hilft nicht weiter, denn offensichtlich ist die Aussage als Gegensatz zu πορνεία aufgefaßt und beide Möglichkeiten ergeben einen guten Sinn.
⟨24⟩ Der Gegenbegriff ἀτιμία begegnet in geschlechtlichem Zusammenhang in Röm 1,24.26 (dort auch ἐπιθυμία und πάθος). Anders v.DOBSCHÜTZ, Thess, S.165f, SCHNEIDER, Artikel τιμή, S.175.
⟨25⟩ Das verwerfliche Verlangen bezeichnet Plato (Leg IX 845a; Resp I 328d) als ἐπιθυμία χαχή.
⟨26⟩ Vgl Zenon, περὶ πάθων, Diog Laert VII,110 ; VII,4 (vgl BÜCHSEL, Artikel ἐπιθυμία, S.168).
⟨27⟩ Diese Auffassung ist begründet im Schlußgebot des Dekalogs (Ex 20,17 μὴ ἐπιθυμήσεις). Von dort aus verstand man die ἐπιθυμία als Überschrift über die zweite Tafel der Gebote und sie trat neben dem Götzendienst als der grundlegenden Sünde der ersten Tafel. Vgl hierzu BERGER, Gesetzesauslegung, S.346-349.
⟨28⟩ V.DOBSCHÜTZ, Thess, S.167ff; MERK, ebd, S.47f; DELLING, Artikel πλεονέχτης, S.271. In Zusammenhang mit dem Vorangehenden interpretieren MARSHALL, Thess, S.110ff; NEILL, Thess, S.81f; BRUCE, Thess, S.84; RIGAUX, Thess, S.510. BALTENSWEILER, Erwägungen, S.9ff sieht einen Zusammenhang mit dem griechischen Erbtochterrecht.

ten Infinitive sind synonym gebraucht. πρᾶγμα muß keinen Rechtsstreit, sondern kann irgendeine Angelegenheit meinen ⟨29⟩. Verfehlungen im sexuellen und im allgemein zwischenmenschlichen Bereich sind in den Lasterkatalogen im NT öfter zu finden (vgl 1Kor 5,10; 6,9f; Kol 3,5; Eph 4,19; 5,3.5; 2Petr 2,14) und auch im außerbiblischen Bereich verbunden worden. Die Zusammenstellung unterstreicht den usuellen Charakter des Abschnitts. In V.6b-8 finden sich verschiedene Begründungen für die Paränese (vgl die Aufnahme von ἁγιασμός in V.7). Mit ἔκδικος κύριος (V.6b) ist das zukünftige Gericht gemeint (vgl 1Kor 6,9f; Röm 1,32; Gal 5,21). Gericht und Parusie Christi stehen dabei für Paulus in engem Zusammenhang ⟨30⟩ (vgl z.B. 1Kor 1,4-9; Phil 1,3-11; 1Thess 2,2-10.19f; 3,13; 5,2.23) und weisen wiederum eine Verbindung auf mit paränetischen Texten. Die Aussage klingt an Ps 93,1 an. Die Rache ist nach at.licher Vorstellung Sache Gottes ⟨31⟩. Der Zusammenhang von Parusie und Gericht macht es aber wahrscheinlich, daß κύριος hier Christus meint. Daß der Herr die Verfehlungen im Gericht rächen wird, ist also die erste, eschatologische Begründung der Paränese.

Daneben tritt in **V.7** der Hinweis auf die Berufung der Christen durch Gott. καλεῖν ist im NT Ausdruck für das Heilsgeschehen. Es bezeichnet auf dem at.lich-jüdischen Sprachhintergrund (vgl Gen 1,5.8 etc) das schöpferische Wort Gottes, das das Nicht-Seiende ins Sein ruft (Röm 4,17) und das bewirkt, was er sagt (vgl Röm 8,30). Die Bezeichnung der Christen als κλητοί (Röm 1,6f; 8,28; 1Kor 1,2.24 u.ö) zeigt, daß ihre Existenz als Einzelne und als Gemeinde in dem Heilshandeln Gottes begründet ist. Er hat die Gemeinde in sein Reich und seine Herrlichkeit berufen (1Thess 2,12). Sind die Christen aber von Gott Gerufene, so prägt Heiligkeit die gesamte christliche Existenz.

ἀκαθαρσία bedeutet Unreinheit in einem umfassenden religiösen Sinn ⟨32⟩, die sich zum Beispiel als πορνεία und πλεονεξία äußert (vgl Eph 5,3.5; 4,19; 1Thess 5,3b-5) oder in einem Atemzug mit πλάνη und δόλος genannt wird (1Thess 2,3). Sie wird so neben ἀνομία in Röm 6,19 zur Charakterisierung des vorchristlichen Lebens, während ἁγιασμός und δικαιοσύνη die christliche Existenz bezeichnen. Der Wechsel der Präpositionen unterstreicht die Aussage: nicht für die Unreinheit hat Gott die Thessalonicher berufen, sondern in Heiligkeit (vgl Röm 6,4), wobei ἐν zum Ausdruck bringt, daß ἁγιασμός bereits jetzt die christliche Existenz prägt.

Die dritte Begründung (**V.8**) ist zunächst als Konsequenz der zweiten eingeführt (τοιγαροῦν): wer diese Mahnungen verachtet und sie durch sein Handeln für unwesentlich erklärt (ὁ ἀθετῶν), der mißachtet damit letztlich Gott selbst, der ja die Christen ἐν ἁγιασμῷ berufen hat. Dies weist zurück auf den Willen Gottes V. 3a ⟨33⟩. Hieran schließt sich der Hinweis auf die Gabe des Geistes an, der die

---

⟨29⟩ MAURER, Artikel πρᾶγμα, S.640, der hier freilich die sexuelle Problematik euphemistisch umschrieben sieht. Dabei wird öfter auch auf ἀκαθαρσία V.7 hingewiesen, das aber nicht nur eine sexuelle Bedeutung hat. Umgekehrt weist περὶ πάντων τούτων V.6b darauf hin, daß es sich im Vorangehenden nicht nur um einen einzigen Bereich von Ermahnungen handelt. Vgl hierzu HOLTZ, 1Thess, S.161f.

⟨30⟩ Vgl zum Zusammenhang von Parusiegedanken und Gericht insgesamt BAUMGARTEN, Paulus, S.59.110.

⟨31⟩ Vgl hierzu die knappe Zusammenfassung bei WILCKENS, Römer III, S.25f. Der at.liche Grundtext Dtn 32,35 wird in Röm 12,19 zitiert. HOLTZ, 1Thess, S.164 ua. sehen im κύριος hier Gott.

⟨32⟩ Vgl hierzu HAUCK, Artikel ἀκάθαρτος, S.430ff.

⟨33⟩ Die Formulierung erinnert an das Wort Jesu in Mt 10,40; Lk 10,16; Mt 9,37; Lk 9,48; Joh 12,44; 13,20, das in verschiedener Form überliefert ist.

Voraussetzung schafft für die Heiligung der Christen. τὸ ἅγιον ist wohl wegen ἁγιασμός zugefügt. Das Part.Präs διδόντα deutet an, daß die Gabe Gottes jetzt wirksam und gültig ist. Die Begründung in V.6b-8 werden von verschiedenen Zeitebenen her gegeben: Wer Christi Wiederkunft und sein Gericht erwartet, der wird sein Leben darauf einrichten (V.6b); wer Gottes Ruf angenommen hat, der führt sein Leben ἐν ἁγιασμῷ. Dazu gibt Gott jetzt seinen Geist. Die eschatologische Begründung ist dabei explizit christologisch; die Begründung durch den Ruf Gottes und durch die Gabe des Geistes schließt den Hinweis auf das Taufgeschehen in sich. Das ἐν κυρίῳ und das διὰ τοῦ κυρίου 4,1f sind somit in vielfältiger Weise aufgenommen und expliziert.

In V.9f.11f schließen sich zwei weitere Ermahnungen allgemeiner Art an. Die erste bezieht sich auf den innerkirchlichen Bereich ⟨34⟩. Die φιλαδελφία (**V.9**) ist die Liebe innerhalb der christlichen Gemeinschaft.

Das Wort begegnet bei Paulus noch in Röm 12,10 und ist der "Liebe als Kriterium des Guten" ⟨35⟩ zugeordnet. Röm 14f zieht hieraus die Konsequenz und gibt gleichzeitig die Begründung dafür. Den Bruder zu lieben heißt, ihn mit seinen Schwächen und Stärken anzunehmen (14,1ff), denn Christus ist für ihn gestorben (14,9.15; 15,7). Dieser Zusammenhang ist an vielen Stellen als Begründung der Paränese erkennbar (vgl noch Gal 5,14; Röm 13,8.10; Kol 3,14; Eph 5,2; 1Petr 1,22; 2,17; 4,8) ⟨36⟩ und darf auch für diese Stelle herangezogen werden.

φιλαδελφία ist umschrieben mit εἰς τὸ ἀγαπᾶν ἀλλήλους. Die Christen sind darin von Gott gelehrt ⟨37⟩, und zwar durch die Gabe des Geistes (V.8b), und weil im Christusgeschehen die Liebe Gottes selbst anschaulich wird. Wer sich hier hineinnehmen läßt, der ist ein θεοδίδακτος und braucht nicht weitere Belehrung, sondern das περισσεύειν μᾶλλον (V.10; vgl 4,1). In diesem Sinn ermahnt und bestätigt Paulus die Thessalonicher. Die zweite Mahnung in **V.11f** ist bezogen auf die Wirkung der Gemeinde nach außen. Drei Infinitivwendungen sind einander beigeordnet und umschreiben, worauf es Paulus ankommt. φιλοτιμεῖσθαι ἡσυχάζειν, eine paradox klingende Formulierung ⟨38⟩, ruft die Gemeinde auf, ihren Ehrgeiz auf ein ruhiges, sich selbst genügendes Leben zu richten. πράσσειν τὰ ἴδια betont im negativen Aspekt: die Thessalonicher sollen sich der Dinge enthalten, die nicht die ihren sind ⟨39⟩; der positive Aspekt bringt zum Ausdruck, daß die Gemeindeglieder ihre Dinge eben auch tun, ihre Arbeit erledigen sollen (ἐργάζεσθαι ταῖς χερσὶν ὑμῶν).

⟨34⟩ Wiederholt hat man versucht, in περὶ δέ V.9 die Antwort auf eine schriftliche oder mündliche Anfrage der Thessalonicher zu finden (vgl besonders FAW, Writing, S.217ff). Von V.11 her erkennt man dann eine auf konkrete Mißstände eingehende Paränese unter der Überschrift "das Verhalten der Christen nach innen und außen". Weder läßt sich aber eine gnostische Agitation (gegen SCHMITHALS, Paulus, S.158ff) noch eine durch die Naherwartung bestimmte Gleichgültigkeit gegenüber der Verantwortung in der Welt belegen (so DIBELIUS, Thess, S.23). Der Unterschied zu dem konkret veranlaßten Abschnitt in 4,13ff in Stil und Inhalt ist recht deutlich.

⟨35⟩ So die Überschrift des Abschnitts bei WILCKENS, Römer III, S.17ff.

⟨36⟩ Vgl HAHN, Begründung, S.89f: das im Sinn der Botschaft Jesu verstandene Liebesgebot ist ein Kristallisationskern urchristlicher Paränese.

⟨37⟩ Vermutlich steht die Tradition von Jes 54,13 im Hintergrund, vgl HOLTZ, 1Thess, S.174.

⟨38⟩ φιλοτιμεῖσθαι bedeutet ehrgeizig sein, nach etwas streben, nach Ehrenstellen jagen, vgl V.DOBSCHÜTZ, Thess, S. 179. ἡσυχάζεϑν dagegen bezeichnet ein ruhiges Leben (vgl BAUER, Wörterbuch, S.690).

⟨39⟩ Dem Charakter der usuellen Paränese entsprechend bleiben die Mahnungen allgemein. V.DOBSCHÜTZ, Thess, S.180 denkt an Politik, RIGAUX, Thess, S.521 an das öffentliche Diskutieren der Parusie.

Hier an Gemeindeglieder zu denken, die wegen der bevorstehenden Parusie ein geregeltes Leben aufgeben und dann anderen zur Last fallen, ist nicht ausgeschlossen. Die Bestimmtheit, mit der die meisten Kommentatoren diese Art von Unordnung in der Gemeinde erkennen, ist aber weniger am Text selbst orientiert, als vielmehr aus 2Thess 3 hier eingetragen. Zwar ist richtig, daß sich das Problem eschatologischer Aufgeregtheit in 1Thess bereits ahnen läßt (5,1ff). Aber 4,11f ist recht allgemein gehalten. Als Parallele ist auch an 1Kor 7,17ff zu denken: Herkunft, Arbeit der Christen haben keine Heilsmächtigkeit mehr, sondern sind in Christus aufgehoben. Der Christ ist frei, aber sein Stand und seine Arbeit sind dadurch nicht einfach beliebig geworden.

Gott ruft nicht zur Weltflucht, sondern zur Heiligung gerade dieses Lebens und dieses Alltags. Das Ziel ist dabei, die Nichtchristen (οἱ ἔξω wie in 1Kor 5,12) anzusprechen: zunächst auf alltägliche Weise dadurch, daß sie niemandes Unterstützung brauchen; dann darin, daß sie ein anständiges, gutes Leben führen <40>. Hierin liegt der missionarische Aspekt christlicher Ethik: der Wandel der Christen soll so sein, daß er den Nichtchristen ein gutes und einladendes Beispiel gibt.

5.1.2) 1.Thessalonicher 5,12-22.23f

Der Abschnitt geht von einem Grundbestand ethischer Unterweisung aus (vgl Röm 12) <41>. Die einzelnen Mahnungen sind knapp formuliert und lose aneinandergereiht. Ein erkennbarer Einschnitt liegt zwischen V.15 und V.16. Ebenso sind die V.23f deutlich abgegrenzt <42>.

Paulus setzt ein mit der Bitte (ἐρωτᾶν), denjenigen Liebe und Anerkennung zu erweisen, die in der Gemeinde Verantwortung übernommen haben (**V.12.13a**). Die gemeinsame Zuordnung der Partizipien zu εἰδέναι weist auf ein und dieselbe Personengruppe hin. Da προϊσταμένους die mittlere von drei Tätigkeiten ist und weder die erste noch die dritte offizielle oder titulare Bedeutung haben, ist dies auch für die zweite nicht anzunehmen <43>. Offenbar bewertet der Apostel aber die Funktionen als dem Gemeindeaufbau dienlich <44>.

κοπιάω gewinnt bei Paulus die Bedeutung von "christliche(r) Arbeit an der Gemeinde und für die Gemeinde" <45> und zwar im Blick auf Paulus selbst (vgl 1Thess 2,9), wobei κόπος seine Handarbeit zum Lebensunterhalt ebenso bezeichnet (1Kor 4,12) wie seine Missionsarbeit (1Kor 15,10), wie auch im Blick auf die Mitarbeiter in den Gemeinden (1Kor 15,58; 2Kor 10,15). Die enge Beziehung, die das κοπιᾶν zum Christusereignis hat, geht aus dem Ausdruck κόπος τῆς ἀγάπης innerhalb der Trias in 1Thess 1,3f hervor. νουθετοῦντας ὑμᾶς bezeichnet die Funktion des "brüderliche(n) seelsorgerliche(n) Zuspruch(s)" <46>, der durchaus auch Mahnung sein kann. Das

----

<40> Zu εὐσχημόνως vgl WILCKENS, Röm III, S.77 und 1Kor 14,40; 10,32f.
<41> Die Parallelen sind zusammengestellt bei MARSHALL, Thess, S.145f. Als genereller Rahmen ist zu erkennen: auf der Voraussetzung des Getauftseins richtet sich die Paränese "auf die Bewährung des Glaubens und der Liebe im konkreten alltäglichen Leben und enthält einen Ausblick auf die eschatologische Vollendung. Dieses Rahmenschema kann vielfältig variiert werden" (HAHN, Begründung, S 90). Vgl WILCKENS, Römer III, S.18f.
<42> V.DOBSCHÜTZ, Thess, S.215 untergliedert den Abschnitt in 5 Mahnungen und einen Schlußwunsch. Diese Gliederung ist diskutabel, sie erweckt aber den Eindruck, als sei für die usuelle Paränese eine exakte Gliederung möglich. Dies ist jedoch gerade nicht der Fall. Insbesondere ist es nicht angebracht, V.12f als eigenen Abschnitt zu sehen, wie dies BRUCE, Thess, S.117f tut.
<43> So ua. HOLTZ, 1Thess, S.242f.246ff. In 1Tim 3,4.12; 5,8 liegt dann eine Amtsbezeichnung vor.
<44> Vgl HOLMBERG, Paul, S.190.
<45> So HAUCK, Artikel κόπος, S.828. Vgl auch OLLROG, Paulus, S.71.75.
<46> V.DOBSCHÜTZ, Thess, S.217; dort auch ausführliche Angaben zum grammatikalischen Problem.

ἐν κυρίῳ steht formal bei προϊσταμένους, bezieht sich inhaltlich aber auf alle drei Partizipien.

Es gilt das, was für 4,1 festgestellt wurde: die Gemeinde hat ihren Grund im Christusgeschehen. Auch die Funktionen der Gemeindeleitung sind hierin begründet. Zuspruch und Mahnung werden gegeben und empfangen, Arbeit wird geleistet, Leitungsfunktionen werden wahrgenommen unter der Voraussetzung der Glaubens- und Lebensgemeinschaft mit Christus und untereinander. Dies geschieht ἐν ἀγάπῃ (V.13) und in dem Wissen, daß das Werk derer, die besondere Aufgaben in der Gemeinde übernehmen, dem Wachstum der Gemeinde ἐν κυρίῳ dient. εἰρηνεύητε ἐν ἑαυτοῖς begegnet in ähnlicher Weise öfter in den Paulusbriefen (vgl Röm 12,18; 14,19; 2Kor 13,11; uö). Daß Gott der Gott des Friedens ist (5,23), ist unausgesprochene Voraussetzung. Es ist an den Frieden in der ganzen Gemeinde gedacht ⟨47⟩, denn in der Gemeinde des ϑεὸς τῆς εἰρήνης ist der Friede untereinander möglich und geboten, gerade auch im Blick auf die, die des Beistandes bedürfen. Deswegen richtet sich auch V.14 an die gesamte Gemeinde und nicht lediglich an die Gemeindeleiter ⟨48⟩.

Von παρακαλοῦμεν sind vier Imperative abhängig, von denen der letzte die drei ersten zusammenfaßt. Zunächst ist gesagt: νουϑετεῖτε τοὺς ἀτάκτους. ἄτακτος bezeichnet ein Verhalten, das sich außerhalb einer gegebenen Ordnung stellt ⟨49⟩ und seinen Pflichten nicht nachkommt. Was 4,11 positiv und im Blick auf die Außenstehenden formuliert (vgl auch 2,9), erscheint hier als innergemeindliche Mahnung an diejenigen, die die Gemeinde nicht fördern, sondern sich durch ihr Verhalten außerhalb ihrer Ordnung stellen. Daß hier ein Problem entsteht, deutet sich an und wird später in 2Thess 3,6ff deutlich. Hier aber hat die Mahnung noch allgemeinen Charakter. Den Kleinmütigen (ὀλιγόψυχος im NT nur hier) mangelt es an Mut und Stärke, sie haben Zweifel und brauchen Zuspruch von Mut und Trost (παραμυϑεῖσϑε vgl 2,12). ἀντέχεσϑε τῶν ἀσϑενῶν ruft dazu auf, sich der Schwachen (nicht der Kranken wie in 1Kor 11,30) hilfreich anzunehmen. Auch diese Mahnung bleibt allgemein und das spezielle Beispiel von Röm 14,1ff; 1Kor 8,9-11; 9,22 hier einzutragen, ist durch den Text nicht gesichert. Auch die vierte Mahnung ist noch innergemeindlich verstanden. Denen gegenüber, die der Führung bedürfen, ist Geduld geboten. Wie der Gott des Friedens letztlich der Beweggrund ist für den Frieden untereinander, so wird die μακροϑυμία Gottes zum Beweggrund für das μακροϑυμεῖν der Christen, das nicht als Tugend, sondern als Frucht des Geistes verstanden ist (Gal 5,22) ⟨50⟩.

V.15 rundet die bisherigen Mahnungen mit einem allgemeinen Satz ab (τις, τινι), der den Rahmen der Gemeinde überschreitet. Das Tun des Guten als Konsequenz des in Christus erfahrenen Guten duldet keine innergemeindliche Begrenzung. ὁρᾶτε und διώκετε richten sich wie bisher an die ganze Gemeinde.

⟨47⟩ So mit Recht *HOLTZ*, 1Thess, S.245. *MARSHALL*, Thess, S.149; *MORRIS*, Thess, S.99f interpretieren im Blick auf die Funktionsträger. Dies paßt aber nicht zu dem direkt vorangehenden Hinweis auf die Liebe zu ihnen.
⟨48⟩ So vor allem die altkirchliche Exegese; vgl heute *MASSON*, Thess, S.73; *MORRIS*, Thess, S.100. Richtig dagegen mit anderen *HOLTZ*, 1Thess, S.250.
⟨49⟩ Vgl *DELLING*, Artikel τάσσω, S.49.
⟨50⟩ In der Reihe Gal 5,22 steht die ἀγάπη voran und in 1Kor 13,4 ist μακροϑυμεῖν sogar als Prädikat von der Liebe ausgesagt (vgl auch 2Kor 6,6)

Im Hintergrund steht das Wort Jesu nach Mt 5,38ff.43f par. Die Aufnahme dieses Gedankens in Röm 12,17ff; 1Petr 3,9 (vgl 1Kor 4,12f; 6,7) ebenso wie in Did 1,3; Polykarp ad Phil 12,2f zeigt dessen Verbreitung und weist auf eine feste Traditionsbildung hin. An keiner dieser Stellen ist dieses Wort freilich als Jesuswort gekennzeichnet. "Die Stoffe der Jesusüberlieferung sind offenbar außerhalb ihrer originalen Tradentengruppe schon von früher Zeit an in katechetischer Lehre zu allgemeinen Sätzen christlicher Paraklese geworden" <51>. Aber der Zusammenhang dieses Wortes mit dem Christusgeschehen insgesamt ist für Paulus unaufgebbar, wie die innere Verbindung von Röm 12,17ff mit Röm 5,1-10 beweist. Den Teufelskreis des κακὸν ἀντὶ κακοῦ Röm 12,17; 1Thess 5,15) können die Christen durchbrechen, weil Gott ihn in Christus bereits durchbrochen hat. Das Kreuzesgeschehen selbst ist der Grund der Mahnung. Röm 12,17ff ist so ein Kommentar zu 1Thess 5,15 vom Apostel selbst.

In **V.16-18** schließt sich eine kleine Texteinheit locker an, die aus drei Zurufen besteht und mit einer Begründung V.18 abgerundet ist. πάντοτε, ἀδιαλείπτως und ἐν παντί zeigen die Zusammengehörigkeit und die umfassende Geltung: es geht um die Grundstimmung des Lebens ἐν Χριστῷ Ἰησοῦ. Die Freude und die Beziehung zu Gott in Gebet und Dank sind die Pfeiler christlicher Existenz.

Dies bedeutet weder ein oberflächlich fröhliches Leben ohne die Erfahrung von Trauer oder ohne Problembewußtsein (vgl 4,13-18), noch die Haltung des "es hätte schlimmer kommen können". Freude und Dankbarkeit ruhen im Christusgeschehen, auf Grund dessen Trauer nicht mehr ohne Hoffnung, die Widrigkeiten des Lebens nicht mehr ohne Sinn und das Reden mit Gott nicht mehr ohne Antwort ist. Gerade weil die Thessalonicher in der Trauer Hoffnung haben, können sie allezeit und in jeder Lage fröhlich sein. In diesem Sinn ist auch V.18b zu verstehen (der sich auf die Trias insgesamt bezieht): der Wille Gottes (vgl 4,3) ist nicht einfach bloße Forderung, sondern ist Gottes Wille zum Lebensvollzug in Christus.

Das ἐν Χριστῷ Ἰησοῦ hat doppelte Bedeutung: es beschreibt Gottes Willen inhaltlich (so wie er in Christus zum Ausdruck kommt) und es ist zugleich verbunden mit dem εἰς ὑμᾶς zu der Aussage, daß die Christen und Christus zusammengehören. Damit geben die drei kurzen Verse 16-18 den Mahnungen von 5,12 an Sinn und Ziel vom Christusgeschehen her, wie dies ja bereits in V.15 im Liebesgebot angeklungen ist. Die fünf Mahnungen in **V.19-22** sind vom Rahmen in V.18b.23f her als kleine Einheit erkennbar. Ein Zusammenhang mit dem Vorangehenden ist nur angedeutet (vgl 4,8f.16f). Das Thema ist der Umgang mit den Geistesgaben in der Gemeinde. Die beiden ersten Sätze (V.19f) rufen dazu auf, die Wirkungen des Geistes nicht zu unterdrücken, sondern zuzulassen. Sie freilich auch zu prüfen, fordert die dritte Mahnung. Dies wird in den beiden folgenden Imperativen positiv und negativ ausgeführt. Darauf, daß in der Gemeinde Geisteswirkungen und Prophetie mißachtet würden, geben V.19f keinen Hinweis; zumindest ist hierfür im restlichen Brief kein Anzeichen zu finden. Ähnlich wie in V.16-18 geht es um die grundsätzliche Einstellung zu den Wirkungen des Geistes.

Dies zeigt sich auch im Vergleich mit 1Kor 12,8ff.28ff (vgl 1Kor 14). Dort wird die Tätigkeit enthusiastischer Charismatiker sehr deutlich und Paulus geht ausführlich darauf ein. Er mißt die Geistesgaben daran, ob sie dem Aufbau der Gemeinde dienen (14,4; 12,7). In 1Thess 5,21 wird zwar zum πάντα δοκιμάζετε aufgefordert, aber außer dem allgemeinen τὸ κακόν und πᾶν εἶδος πονηροῦ <52> wird kein Prüfungskriterium genannt. Auch die negativen Mahnungen dienen der positiven Aussage, daß die Gemeinde dem Geist Gottes und seinen Wirkungen offen bleiben soll (vgl 4,8). Deshalb sollen sie den Geist nicht auslöschen <53>, sondern sich seiner Wirkung öff-

----

<51> *WILCKENS, Röm III, S.23.*

<52> Es ist gemeint: von jeder Art des Bösen haltet euch fern (zu εἶδος vgl v.DOBSCHÜTZ, Thess, S.226f). Der Satz erinnert an die at.-liche Charakterisierung des Hiob in Hi 1,1.8.

<53> σβέννυμι spielt an auf den Licht- und Feuercharakter des Geistes (vgl Apg 2,3; Mt 3,11; Lk 3,16 und 2Tim 1,6).

nen. Deshalb auch sollen sie die προφητείαι nicht mißachten <54>, sondern darin die dem Aufbau der Gemeinde dienende Rede aus Eingebung sehen. Der Hinweis auf die Prüfung gilt ganz allgemein und deutet nicht auf bestimmte Mißstände hin.

Mit 5,22 ist die Paränese abgeschlossen. In **V.23**f ist noch ein Gebetswunsch angefügt, der den paränetischen Briefteil insgesamt abschließt. Indiz hierfür ist das Verb ἀγιάσαι V.23, das 4.3.7 aufnimmt und ἀγιασμός als Oberbegriff der Paränese bestätigt. Eine Verbindung besteht auch zu 5,13. Vergleichbar ist der Gebetswunsch mit dem in 3,11-13; beide stehen im Optativ Aorist, beginnen mit dem emphatischen αὐτὸς δὲ ὁ θεός und münden ein in einen eschatologischen Ausblick. Grund und Antrieb zu einem geheiligten Leben liegen letztlich im Heilswillen Gottes für den Menschen. Dies wird am Ende des Briefes in einem Gebetswunsch noch einmal zusammengefaßt: Gott selbst soll die Christen in Thessalonich heiligen, weil er der Gott des Heils ist, der Heil und Frieden geschaffen hat <55>. Das betonte αὐτός δέ am Anfang verstärkt diese Aussage: Gott selbst, der das Heil geschaffen hat, heilige euch ὁλοτελεῖς, durch und durch. Die zweite Satzhälfte ist chiastisch angeschlossen: und unversehrt, vollkommen <56> bewahre er euch (und zwar insgesamt, den ganzen Menschen).

Die Zusammenstellung von πνεῦμα, ψυχή und σῶμα hat eine lange Diskussion ausgelöst, ob Paulus hier eine trichotomische Sicht des Menschen vertrete <57>. Da eine solche Auffassung bei Paulus sonst nicht begegnet, hat man mit Zwischenlösungen versucht, aus den drei Bezeichnungen eine Dichotomie zu konstruieren <58>, freilich ohne Erfolg. Auch die Lösung *MASSON*s <59>, der in πνεῦμα eine Generalbezeichnung für den Menschen sieht und die beiden Begriffe ψυχή und σῶμα als Appositionen hierzu, wird der Trias letztlich nicht gerecht. Richtig an dieser Sicht ist zwar, daß πνεῦμα ὑμῶν in den Schlußgrüßen Gal 6,18; Phil 4,23 und Phlm 25 gleichbedeutend ist mit ὑμεῖς und daß in 1Kor 2,11 τὸ πνεῦμα τοῦ ἀνθρώπου dem πνεῦμα τοῦ θεοῦ gegenübersteht. Wesentlich für die Interpretation der Stelle aber ist ihr Gebetscharakter.

In liturgischer Sprache wird der Mensch in seiner Ganzheit (πνεῦμα, ψυχή, σῶμα) beschrieben, ohne daß hieraus Rückschlüsse auf die Theologie des Paulus gezogen werden dürfen. Die drei Begriffe bringen in der Gebetssprache zum Ausdruck, daß nach dem Willen Gottes der ganze Mensch heilig sein soll. Dies wird noch unterstrichen durch ἀμέμπτως: Gott möge die Christen in Thessalonich untadelig bewahren ἐν τῇ παρουσίᾳ τοῦ κυρίου ἡμῶν Ἰησοῦ Χριστοῦ. Die Formulierung entspricht 3,14 und hat den umfassenden zeitlichen Sinn: bis zur und bei der Parusie (vgl auch 3,12f). V.24 bekräftigt: der euch beruft, ist treu und steht zu seinem Wort <60>.

<54> ἐξουθενέω wie in Röm 14,3.10. Das prophetische Reden ist nicht in erster Linie Vorhersage der Zukunft, sondern ähnlich wie in 1Kor 14,1ff.23ff die von Gott gewirkte Rede, die dem Aufbau der Gemeinde dient.

<55> In der jüdischen Gebetssprache hat der Ausdruck ὁ θεὸς τῆς εἰρήνης eine lange Tradition, vgl v.*DOBSCHÜTZ*, Thess, S.228 und Röm 15,33; 16,22; 2Kor 13,11; vgl Phil 4,7. Nach *MERK*, Handeln, S.58 liegt hier keine Motivierung der Paränese vor.

<56> ὁλόκληρος und ὁλοτελεῖς sind Hapaxlegomena im NT. In LXX begegnet ὁλόκληρος öfter im Sinne von "vollständig in allen Teilen" (Dtn 17,6; Jos 9,2; 1Makk 4,47) oder von "vollendet" (vgl Weish 15,3).

<57> Vgl den Exkurs bei v.*DOBSCHÜTZ*, Thess, S.230ff; neuere Literatur bei *MARSHALL*, Thess, S.162f. Zur Trichotomie vgl *SCHWEIZER*, Artikel πνεῦμα, S.393f.

<58> *STEMPVOORT*, Lösung, S.262ff erkennt in πνεῦμα ein Personalpronomen (ὑμῶν τὸ πνεῦμα), das zusammen mit ὁλόκληρον noch zum ersten Satzteil gehöre. Diese Lösung verkennt freilich den chiastischen Aufbau des Gebets. v.*DOBSCHÜTZ*, Thess, S.229f sieht in πνεῦμα den Gottesgeist, den Gott in die Menschen legt. Die Formulierung macht aber sehr deutlich, daß es sich um einen Teil des Menschen handelt.

<59> Thess, S.77f. Vgl auch *HOLTZ*, 1Thess, S.265.

<60> καλέω steht in 3,12 ebenfalls im Präsens, in 4,7 im Aorist. Das Präsens weist nicht auf einen ständigen Ruf Gottes an die Menschen, sondern sagt als Ausdruck des Heilsgeschehens: Gott, der euch das Heil schenkt ...

Damit ist am Ende des paränetischen Briefteils noch einmal bekräftigt, was als Begründung der Ermahnungen immer wieder deutlich wurde: alle Mahnungen haben ihren Grund in der Heilstat Gottes in Christus.

5.1.3) 1.Thessalonicher 1,6f und 2,14

In beiden Stellen ist von den Thessalonichern als von μιμηταί die Rede. μιμητής begegnet im profanen griechischen Sprachgebrauch wie im jüdischen Schrifttum ⟨61⟩ in ethischen Zusammenhängen. Im NT begegnet die Wortgruppe neben 3Joh 11 und Hebr 6,12; 13,17 nur bei Paulus und in den Deuteropaulinen. Die beiden Stellen in 1Thess unterscheiden sich von den anderen paulinischen Belegen durch die indikativische Formulierung ⟨62⟩. Der Abschnitt **1,2-10** steht unter der Überschrift εὐχαριστοῦμεν V.2. Zu diesem Verb treten die Partizipien μνείαν ποιούμενοι V.2, μνημονεύοντες V.3 und εἰδότες V.4. An εἰδότες τὴν ἐκλογήν fügt sich der ὅτι-Satz V.5 formal und inhaltlich an, indem er den Vorgang der ἐκλογή interpretiert. V.6 setzt neu ein, führt aber den Gedanken weiter. Es geht nun um die Annahme des Evangeliums durch die Thessalonicher und ihr eigenes Verkündigen (V.6-10). Das Annehmen des Wortes ist dabei in partizipialer Wendung dem μιμηταὶ ἡμῶν ἐγενήθητε καὶ τοῦ κυρίου angefügt. Nachahmer sind die Thessalonicher darin, daß sie das Wort angenommen haben in viel Trübsal in der Freude des heiligen Geistes. Ihr μιμητής-Sein bezieht sich auf den Apostel und den Kyrios. καὶ τοῦ κυρίου ist dabei weder rhetorische Steigerung noch Selbstkorrektur oder Bescheidenheit des Apostels ⟨63⟩, noch ist die Wendung angehängt. Und bei ἐν θλίψει πολλῇ μετὰ πνεύματος ἁγίου geht es nicht nur um eine Ähnlichkeit des Verhaltens zwischen Jesus, Paulus und den Lesern. Vielmehr ist mit dem Paradox von θλῖψις und χαρά die christliche Existenz insgesamt umschrieben, das Sein in Christus, und deshalb gehört καὶ τοῦ κυρίου wesentlich hinzu. Paulus denkt an das Christusgeschehen insgesamt. In seinem Geschick liegen das Getötet-Werden durch die Juden (2,15) und die Freude darüber, daß Gott sich in der Auferweckung zu ihm bekannt hat, zusammen und wecken die Hoffnung auf ein Leben mit ihm bei seiner Wiederkunft (vgl 1,10 uö). μιμητής εἶναι heißt deshalb, sich in die Bewegung des Leidens, das Hoffnung gründet und weckt, hineinnehmen zu lassen. Für Paulus selbst gilt dies ebenso wie für die Thessalonicher, die darin seine Nachahmer geworden sind. ἐν πολλῇ ἀγῶνι hat der Apostel in Thessalonich das Evangelium verkündet, nachdem er schon vorher in Philippi Leid erfahren mußte (2,2). Dennoch geschah seine Verkündigung ἐν δυνάμει καὶ ἐν πνεύματι ἁγίῳ καὶ ἐν πληροφορίᾳ πολλῇ (1,5), weil sie im menschlichen λόγος Evangelium war. Derselbe Sachverhalt kommt in 2,14 explizit zur Sprache: in der Botschaft des Paulus haben die Thessalonicher das Wort Gottes gehört und angenommen und es ist auch in ihnen wirksam (vgl 2,13 mit 1,5.7ff). Nachahmer der Gemeinden in Judäa ⟨64⟩ sind die Thessalonicher darin, daß sie in ihrer eigenen

----

⟨61⟩ Vgl hierzu die Ausführungen und Belege bei MICHAELIS, Artikel μιμέομαι, S.663ff.
⟨62⟩ 1Kor 4,16; 11,1; Phil 3,17 (vgl Gal 4,12); Eph 5,1; 2Thess 3,7.9.
⟨63⟩ Zur Steigerung vgl MICHAELIS, ebd, S.672, zur Selbstkorrektur DIBELIUS, Thess, S.5; v.DOBSCHÜTZ, Thess, S.72.
⟨64⟩ ἐν Χριστῷ Ἰησοῦ ist angefügt, um die christlichen Gemeinden von den jüdischen abzugrenzen.

Umgebung dasselbe zu erleiden haben wie die Gemeinde in Judäa (und Paulus selbst) von den Juden <65>. Von Anfang an muß die verkündigende Gemeinde mit der Erfahrung von Leid rechnen, das aber im Christusgeschehen und in der paradoxen Erfahrung von Freude und Geborgenheit im Leid seinen Sinn bekommt.

Diese Füllung des Begriffes μιμητής als Umschreibung christlicher Existenz trifft im wesentlichen auch auf die anderen Paulusstellen zu, dort freilich in der Form des Imperativs (1Kor 4,16; 11,1; Phil 3,17) <66>. In 1Kor 4,16f ist μιμηταί μου γίνεσθε erläutert durch ὅς (sc. Τιμόθεος) ὑμᾶς ἀναμνήσει τὰς ὁδούς μου ἐν Χριστῷ Ἰησοῦ, wobei die Wege in Christus das im Kerygma von Christus begründete Leben meinen. Der Satz in 1Kor 10,33 nimmt Bezug auf 9,23. Die dazu gehörende Wendung 11,1, die Nachahmung des Paulus und damit Christi, umschreibt abschließend ein Leben, das von Heilsgeschehen insgesamt geprägt ist. Und in Phil 3,17 ist zusammen mit 4,1 στήκετε ἐν κυρίῳ ebenfalls Ausdruck umfassender christlicher Existenz, die insgesamt auf Christus ausgerichtet ist (3,20f).

Der indikativische Gebrauch von μιμέομαι (1,6; 2,14; vgl Phil 3,17) ist somit eine Umschreibung des Seins in Christus. Die imperativischen Formulierungen rufen zu eben diesem Sein auf und sind insofern Zusammenfassungen der paulinischen Paränese. Dasselbe gilt von dem Wort τύπος, das ursprünglich den Prägestempel, das Geprägte meint: "Paulus versteht sich ... als einer, der vom Herrn geprägt worden ist. Die Thessalonicher aber sind vom Apostel und eben deswegen und durch ihn zugleich vom Herrn geprägt" <67>.

5.1.4) Die Paränese im 1.Thessalonicherbrief: Zusammenfassung

1) In den Gang der Ermahnungen sind wiederholt begründende Aussagen eingefügt. In 4,6bff werden die Mahnungen eschatologisch, durch den Hinweis auf die Berufung der Christen durch Gott und den Hinweis auf den Geist begründet. Die eschatologische Begründung hat einen ausdrücklich christologischen Akzent und das Stichwort ἁγιασμός steht in Zusammenhang mit dem Taufgeschehen. Auch das Gebot zur φιλαδελφία V.9f weist auf das Geschehen der Liebe Gottes in Christus hin. Dasselbe gilt für den Abschnitt 5,12ff: mit παραμυθία V.14 und εἰρηνεύετε V.13 ist auf Gott selbst hingewiesen, der in den Glaubenden die Möglichkeit und den Anreiz zum christlichen Handeln schafft. Der Satz 5,15 ist nur möglich auf Grund des Kreuzesgeschehens, wie Röm 12,11ff in Verbindung mit Röm 5,1-10 zeigt. Deshalb können Freude, Gebet und Dank das Leben der Christen insgesamt bestimmen. Alle diese Begründungen, die explizit oder implizit auf das Heilsgeschehen in Christus hinweisen, werden im Gebetswunsch V.23 abschließend noch einmal aufgenommen, wobei ἁγιάζω den Bogen zurück zu 4,3 schlägt. So ergeht die Paränese an die, die ἐν κυρίῳ Ἰησοῦ sind (4,1) und auf die Parusie Christi hinleben (5,23). Als solche sind sie μιμηταί des Paulus und über Paulus hinaus Christi (1,6f; 2,14).

<65> Nach Apg 17,4ff gehen die Verfolgungen in Thessalonich auch von den Juden aus. Daß Paulus in 2,15f auf sie eingeht, läßt freilich nicht darauf schließen, daß er diese Sicht hier teilt. Ihm ist der Vergleich mit dem Ergehen der Gemeinden in Judäa wichtig. Die Erfahrung von Leid und Verfolgung kam der christlichen Gemeinde von Anfang an zu. Das καὶ πᾶσιν ἀνθρώποις ἐναντίον erinnert an heidnische Judenpolemik (vgl Tacitus, Hist V 5; Josephus c.A II, 125), ist aber anders begründet: gegen alle Menschen handeln die Juden insofern, als sie die Ausbreitung des Wortes Gottes, die Mission, behindern.

<66> Vgl hierzu im einzelnen BETZ, Nachfolge, S.145ff.

<67> MARXSEN, 1Thess, S.39.

Dies kann mit einer anderen Beobachtung noch weitergeführt werden. Zwischen 4,1-12 und 5,12ff finden sich die eschatologischen Abschnitte 4,13ff; 5,1ff. Beide Abschnitte haben ihr Zentrum im Christusgeschehen. Das christologische Credo (vgl 4,14; 5,9f) ist jeweils der Ausgangspunkt für die gesamte Argumentation. Hieraus ergibt sich, daß die Christologie für den paränetischen Briefteil sowohl den Rahmen als auch das Zentrum bildet.

2) Der Aufbau des paränetischen Briefteils zeigt die Einbettung der konkreten, eschatologischen Paraklese in Abschnitte usueller Art. Die usuelle Paränese hat ihren Sitz im Leben zunächst in der Taufparänese der Neubekehrten. Sie gilt aber generell für das Leben der Christen und wird deshalb in den Briefen wiederholt. In 4,13ff geht Paulus konkret auf die Gemeindesituation ein und hier ändert sich auch der Ton der Aussagen: es geht weniger um Ermahnung als um Trost und Aufbau. Das Stichwort οἰκοδομή tritt neben ἁγιασμός und die παράκλησις ergeht, um beides zu fördern. Die Paränese ist allgemeine Orientierung und auch konkreter Zuspruch.

3) Was oben für die Übernahme von Tradition in 4,13ff herausgearbeitet wurde <68>, gilt hier analog. In 4,3bff übernimmt Paulus die Form des Lasterkatalogs aus dem hellenistischen Judentum. Einflüsse aus der Stoa und der hellenistischen Popularphilosophie sind ebenfalls nachzuweisen. Wesentlich ist für ihn freilich der Begründungszusammenhang: die Mahnungen gelten für die, die im Herrn leben und sie haben im Heilsgeschehen in Christus ihren Grund. Genau genommen sind sie ein Bestandteil dieses Geschehens, nicht gesetzliche Forderung, sondern Lebensvollzug derer, die in das Heilsgeschehen mit hineingenommen sind. Dieser grundsätzliche Zusammenhang ist für Paulus unaufgebbar. Weil diese Voraussetzung gilt, ist Paulus frei in der Benutzung des verschiedenartigen Materials. Viele Mahnungen gehören für ihn aber offenbar schon zu einem Grundbestand christlicher Paränese, wie die Tatsache zeigt, daß Paulus an vielen Stellen seiner Briefe oft ganz ähnlich formulierte Ermahnungen gibt, die sich auch außerhalb des Corpus Paulinum finden. Auch Worte Jesu spielen dabei eine wichtige Rolle (vgl 1Thess 5,15), ohne daß sie immer als solche weitergegeben werden.

5.1.5) Kennzeichen paulinischer Ethik

Die Analyse der paränetischen Aussagen des 1Thess führt im Vergleich mit analogen Abschnitten der anderen Paulusbriefe zu den folgenden Kennzeichen paulinischer Ethik.

5.1.5.1) Die Verschränkung von Indikativ und Imperativ

Sie ist besonders eindrucksvoll in Phil zu erkennen. In den paränetischen Zusammenhang Phil 1,27-2,18 ist in 2,5-11 ein Christushymnus eingearbeitet, der unverkennbar die Mitte des gesamten Abschnittes darstellt. Erniedrigung und Erhöhung fassen das ganze Christusgeschehen zusammen und dienen als begründende Basis für die Paränese <69>. Der Übergang der Paränese zum Hymnus ist zwar formal

----

<68> Vgl oben, S.39f.
<69> Das ἐν Χριστῷ Ἰησοῦ V.5 ist dabei – dem sonstigen Sprachgebrauch dieser Formel entsprechend – nicht paradigmatisch, sondern bezeichnet den Bereich Christi, in den der Christ durch Glaube und Taufe hineingenommen ist. Der Hymnus umschreibt das Christusereignis insgesamt in begründender Absicht, wobei V.5 den Hymnus von der Paränese her in den Blick nimmt. Eine Vorbild-Christologie kann hieraus nicht abgeleitet werden.

zu erkennen, sachlich aber nicht betont. Schon die Einführung der Paränese in 1,27 zeigt den engen Zusammenhang ⟨70⟩. Überall im Corpus Paulinum wird diese enge Verzahnung durch das folgernde οὖν ausgedrückt (vgl besonders Röm 12,1; Gal 5,1; 1Thess 4,1). Die Ethik basiert auf den indikativischen Aussagen, wie sie in den lehrhaften Briefteilen dargestellt werden und ist insofern "konsekutive Ethik" ⟨71⟩. Sie ist freilich nicht menschliches Tun im Gegensatz zum göttlichen Handeln oder eine beliebig austauschbare Anweisung. Das Tun der Menschen ist vielmehr ein Tun ἐν κυρίῳ und als solches in Gott begründet ⟨72⟩. Daß die Ethik ein Teil der evangelischen Botschaft selbst ist, zeigt sich an den Aussagen, die bei Paulus sowohl im Indikativ als auch im Imperativ bzw. Adhortativ begegnen.

In Gal 5,25 ist beides in einem Satz zusammengezogen. Die Freiheit von der Sünde wird in Röm 6,2 feststellend, in 6,12 mahnend beschrieben. Daß die Christen in der Taufe Christus angezogen haben (Gal 3,27), wird in Röm 13,14 zur Mahnung, den Herrn Jesus Christus anzuziehen. Die Mahnung, den alten Sauerteig hinwegzuschaffen, ergeht καθώς ἐστε ἄζυμοι (1Kor 5,7).

Hier liegt kein Widerspruch vor (zwischen Theorie und Praxis oder dem "eigentlichen" Indikativ und dem Imperativ als Rückfall in jüdische Gesetzlichkeit), sondern eine spannungsvolle Einheit. Wer ἐν Χριστῷ lebt, der kann nur ἐν κυρίῳ handeln. "Tatsächlich ist der Imperativ nicht etwas bloß Nachträgliches oder Zusätzliches, sondern von vornherein im Indikativ Mitgegebenes" ⟨73⟩. Die indikativische Begründung kann dabei in einem Hymnus konzentriert die Mitte eines paränetischen Abschnittes bilden (Phil 2,5ff). Sie kann als Rahmen die Paränese umfassen (1Thess 4,1f; 5,23f) oder in verschiedene Zusammenhänge stichwortartig eingefügt sein (1Thess 4,6bff; 5,18 u.ö.). Inhaltlich aber gilt überall die Zusammengehörigkeit von Indikativ und Imperativ.

5.1.5.2) Die inhaltliche Bestimmung der Ethik

Die Paränese in 1Thess kommt vom Christusgeschehen her und hat dort ihre Basis (ἐν κυρίῳ 'Ιησοῦ). Mit dem κύριος-Titel kommt Christus als der zur Sprache, der in der Gegenwart das Handeln der Christen bestimmt ⟨74⟩. Die Mahnungen im Namen dieses Herrn haben deshalb verpflichtende Charakter für alle Bereiche des täglichen Lebens (vgl 1Kor 7,39f; 11,11, Phil 4,4) und es gilt generell: ἐάν τε οὖν ζῶμεν ἐάν τε ἀποθνήσκωμεν, τοῦ κυρίου ἐσμέν (Röm 14,8) ⟨75⟩.

⟨70⟩ μόνον ἀξίως τοῦ εὐαγγελίου τοῦ Χριστοῦ πολιτεύειν 1,27 ist bezogen auf die Zielaussage des Hymnus 2,11.
⟨71⟩ So NAUCK, οὖν-paraeneticum, S.135.
⟨72⟩ Vgl hierzu SCHRAGE, Ethik, S.150.
⟨73⟩ Ebd, S.159. Vgl KÄSEMANN, Gottesgerechtigkeit, S.188; FURNISH, Theology, S.225.
⟨74⟩ Vgl KRAMER, Christos, S.167-172. Der Gegenwartsaspekt gilt auch für die Verwendung des Kyrios- Titels in der gottesdienstlichen Akklamation (ebd, S.76ff), in der die Gemeinde die gegenwärtige Herrschaft des Kyrios bekennt. Da der so bekannte Kyrios Herr über die Welt und das Leben der Christen ist, ist von ihm auch die Zukunft zu erwarten. So ist auch die Parusie wiederholt mit dem Kyrios-Titel verbunden (vgl zB 1Kor 4,5; 5,5; 2Kor 1,14; Phil 4,5; vgl KRAMER, ebd, S.172ff).
⟨75⟩ Die ἐν κυρίῳ-Stellen bei Paulus sind bei KRAMER, ebd, S.176 zusammengestellt. Er zeigt, daß die paulinische Formel "in Zusammenhang mit ethischen Anweisungen, mit konkreten Fragen, bestimmten Verhältnissen und Akten innerhalb der Gemeinde" auftaucht. "Demnach ist der Kyrios die Grösse, der sich die Gemeinde (so gut wie jeder einzelne Christ) in ihrem konkreten gegenwärtigen Tun und Erleiden konfrontiert und verantwortlich weiß" (ebd, S.177f).

Röm 14,8f verbindet dieses Herr-Sein mit Tod und Auferstehung Christi, und in Phil 2,5.11 kommt der Kyrios-Titel dem Jesus Christus zu, der in Erniedrigung und Erhöhung der Herr ist. Auch 1Thess 4,1f bindet κύριος und ᾽Ιησοῦς zusammen. Von hier aus ist zu verstehen, daß weniger mit dem Kyrios-Titel, wohl aber mit dem Christusgedanken Sätze materialer Ethik verbunden sind <76>. Das Ergehen und Verhalten Jesu Christi und sein Tod dienen nicht nur als Basis der Paränese, sondern ebenso als Kriterium christlichen Handelns (vgl Röm 15,2f.7). Im Blick auf Christus ist dabei die Hinwendung zum Menschen insgesamt in den Blick genommen. Sie ist Ausdruck der Liebe Christi und der Liebe Gottes. Weil diese Liebe das Christusereignis insgesamt prägt, ist das Liebesgebot die zentrale Forderung für den, der sich diesem Herrn verpflichtet weiß <77>. Und wer sich auf Christus beruft, wird seinem Leben die gleiche Bewegung der Liebe geben, wie er sie bei Christus erfahren hat <78>. Die Liebe Gottes in Christus ist so Grundlage und zugleich inhaltliche Leitlinie christlicher Paränese <79>.

So muß die Tatsache, daß Christus für die Brüder gestorben ist, das Verhältnis zu den Brüdern bestimmen (Röm 14,15; 1Kor 8,12). πραΰτης und ἐπιείκεια Christi (2Kor 10,1) sind umfassende Bezeichnungen für seine erlösende Hinwendung zu den Menschen. Der einleitende Satz des Philipperhymnus 2,5 hat dieselbe Bedeutung, und die folgenden Versen explizieren das ὁ καὶ ἐν Χριστῷ ᾽Ιησοῦ. Der νόμος τοῦ Χριστοῦ Gal 6,2 (vgl 5,14) ist das Gesetz der gegenseitigen Liebe, die den anderen mit seinen Fehlern und Sünden erträgt. In diesem Zusammenhang sind auch die Begriffe φιλαδελφία (1Thess 4,9), παραμυθία (5,14), εἰρηνεύειν (5,13) und der ganze V.15 zu verstehen.

Diese christologische Konzentration kommt in verschiedenen Zusammenhängen zur Sprache. Die sakramentale Begründung der Ethik steht ebenso wie die pneumatologische und die eschatologische in Zusammenhang mit der christologischen <80>.

Daß die Taufe Reinigung und Heiligung impliziert (1Kor 6,11), ist "durchschnittliche Gemeindeanschauung" <81> und beruht zudem auf jüdischer Tradition, gilt aber für Paulus eben nur ἐν τῷ ὀνόματι τοῦ κυρίου ᾽Ιησοῦ Χριστοῦ καὶ ἐν τῷ πνεύματι τοῦ θεοῦ ἡμῶν. Der Zusammenhang von der Taufe εἰς Χριστὸν ᾽Ιησοῦν (Röm 6,3) und der Ethik (Röm 6,12ff) ist unübersehbar. Ähnlich bestimmt die Christologie auch die Pneumatologie: der Geist ist der Geist Christi, des Herrn (Röm 7,4.6; vgl 6,4),

----

<76> Vgl *KRAMER*, ebd, S.171f. Im Zusammenhang mit dem Kyrios-Titel werden andere Vorstellungen zur konkreten Ausformung herangezogen, so etwa das Bild vom Sklaven und Herrn (1Kor 7,22f) oder das des Leibes (1Kor 6,13).

<77> Bei der Ausformung christlicher Paränese ist deshalb "das im Sinn der Botschaft Jesu verstandene Liebesgebot" ein Kristallisationskern für ethisches Material (*HAHN*, Begründung, S.89f).

<78> *DAHL*, Beobachtungen, S.S6 spricht von einem Konformitätsschema. Konformität heißt dabei nicht Imitation, da das Heilsgeschehen weder wiederholbar ist noch wiederholt zu werden braucht. Vielmehr ist im Leben und Ergehen Christi die Form des Lebens sichtbar geworden, wie sie von Gott gewollt ist. Die Differenz zum Leben der Glaubenden zeigt sich darin, daß die Erniedrigung Christi und seine Hinwendung zum Menschen in Phil 2,5ff vom Präexistenten ausgesagt wird, der seine Gottheit aufgibt (vgl 2Kor 8,9).

<79> Der Christus-Titel kann im paränetischen Zusammenhang ähnlich wie der Kyrios-Titel verwendet werden, so etwa in 2Kor 2,18; Röm 14,18; Phil 2,21. Christus ist hier "die Instanz, vor welcher sich das ethische Handeln der Gemeinde vollzieht" (*KRAMER*, ebd, S.138). Die christologische Orientierung des Liebesgebotes wird weiter deutlich an den Stellen, wo die Liebe in einer Weise beschrieben wird, die andernorts das Verhalten Christi beschreibt (vgl 1Kor 13,5 mit Phil 2,4ff; Röm 15,3). Deshalb kann Paulus auch die Liebe als καθ᾽ ὑπερβολὴν ὁδόν bezeichnen (1Kor 12,31). Weil die Liebe dem Christusgeschehen konform ist, soll das Leben der Christen insgesamt von ihr bestimmt sein (1Kor 16,14). Und nach Röm 13,8-10 ist das Liebesgebot die Zusammenfassung des ganzen Gesetzes (vgl hierzu *SCHRAGE*, Ethik, S.202ff).

<80> *SCHRAGE*, Ethik, S.164.167.170.

<81> So *CONZELMANN*, 1Kor, S.129.

wobei die Neuheit des Geistes nicht punktuell dieses oder jenes meint, sondern das ganze Leben und Handeln der Christen umfaßt <82>. Auch die eschatologische Begründung der Paränese ist zutiefst geprägt von der Christologie. So sind die Mahnungen in 1Kor 7,29ff gerahmt durch ὁ καιρὸς συνεσταλμένος ἐστίν V.29 und παράγει γὰρ τὸ σχῆμα τοῦ κόσμου τούτου V.31, wobei für Paulus das Vergehen der Welt mit dem Kommen Christi zusammenfällt. In Röm 13,11ff münden die beiden Kapitel 12 und 13 in einen Abschnitt mit eschatologischen Motiven ein. Das Heil steht noch aus, ist aber schon näher als zu der Zeit des Gläubig-Werdens. Deshalb ist schon jetzt der Kairos gekommen, vom Schlaf aufzustehen. Das ἤδη V.11 nimmt keineswegs das Heil vorweg, sondern begründet das gegenwärtige Leben der Christen von der Zukunft her <83>. Ebenso kann die Ethik bei Paulus ihre Begründung in der Tatsache finden, daß die Christen in der Taufe schon "eschatologische Personen" sind, wie 1Thess 5,4ff oder der Zusammenhang von Röm 6,1-11 mit V.12ff zeigen (vgl Gal 3,1ff; 3,26ff; Röm 5,1).

In den verschiedenen Zusammenhängen bleibt die grundlegende Struktur der Paränese bei Paulus gleich. Die Ethik hat ihren Grund im Heilsgeschehen in Christus. Wer damit verbunden ist, der ist in die Bewegung der Liebe Gottes mit hineingenommen und er orientiert seinen Wandel daran. Die Christologie begründet die Ethik und bestimmt sie inhaltlich.

5.1.5.3) Der Zusammenhang von usueller und aktueller Paränese

Wie in 1Thess 4,1-12; 5,12-24 Aussagen allgemeiner Art die konkret veranlaßten Ausführungen in 4,13-5,11 einrahmen, läßt sich auch an anderen Stellen zeigen, daß konkrete Mahnungen für bestimmte Situationen und allgemein gehaltene Paränese zusammenstehen. So erwächst aus dem konkreten Problem der Erlaubtheit bestimmter Speisen in Röm 14,1ff eine generelle Ermahnung über den Umgang der im Glauben Starken und Schwachen miteinander, die wiederum einmündet in eine christologische Begründung in 15,2.7. Situationsbezogene Aussagen (vgl etwa 1Kor 7,11; 2Kor 8) stehen in den Paulinen immer wieder neben Abschnitten allgemeiner Art, die schon durch eine lockere Gliederung auffallen (vgl zB. Röm 12,13; Gal 5f). Man kann deshalb weder sagen, daß letzten Endes die Selbstbestimmung des Einzelnen konkrete Gebote überflüssig mache <84> noch umgekehrt, daß die paulinische Ethik ausschließlich konkret und situationsbezogen sei <85>. Vielmehr ist für Paulus das Nebeneinander von aktueller und usueller Paränese charakteristisch. Christliches Handeln orientiert sich für ihn am Christusgeschehen insgesamt und verändert deshalb auch das Leben der Christen von Grund auf und insgesamt. Die usuelle Paränese umschreibt immer wieder diese Gesamtheit. Allgemeine ethische Sätze müssen aber im konkreten Alltag lebendig werden und dort ihre Glaubwürdigkeit und Dynamik zeigen. Deshalb ist für Paulus die konkrete Mahnung ebenso unaufgebbar. Es geht ihm weder um ein allgemeines ethisches System ohne konkrete Relevanz noch um eine Summe konkreter Einzelgebote ohne einen inneren Zusammen-

---

<82> Vgl hierzu ausführlich *SCHRAGE*, ebd, S.167ff; *WENDLAND*, Ethik, S.53f.
<83> Vgl auch Gal 6,9f; Phil 2,16; 3,14; 1Thess 2,12. Zur Begründung mit dem Gericht vgl 2Kor 5,9.
<84> Vgl *PREISKER*, Ethos, S.185 und die Angaben bei *SCHRAGE*, Deutung, S.220ff. Gegen diese Ansicht spricht nicht nur die Häufigkeit konkreter Ermahnungen in den Paulinen, sondern auch die usuelle Paränese selbst. Nach 1Thess 4,2.6 haben die Thessalonicher die Mahnungen bereits empfangen – und Paulus gibt sie dennoch, weil eben das Handeln der Christen sich immer wieder am Christusgeschehen oientieren muß.
<85> Vgl *CULLMANN*, Christus, S.204.

hang <86>. Sowohl in ihrer Konkretheit als auch in ihrer Gesamtheit ist die Ethik bei Paulus Ausdruck der Zugehörigkeit zum Herrn.

5.1.5.4) Das verwendete Traditionsmaterial

Die Form des Lasterkataloges, die Nennung von πορνεία und πλεονεξία als Hauptlaster und der Begriff ἐπιθυμία weisen in 1Thess darauf hin, daß Paulus in paränetischen Zusammenhängen at.lich-jüdische Traditionen aufgreift <87>.

Worte aus paränetischer oder weisheitlicher Tradition werden übernommen (vgl Röm 12,16ff) und die Formel γέγραπται γάρ 12,19 unterstreicht den autoritativen Charakter des Textes. Dies gilt ähnlich für die abschließenden Zitate in 1Kor 5,13; 2Kor 8,15; 9,9. 1Kor 7,19 zeigt, daß die Freiheit vom Gesetz nicht Gleichgültigkeit gegenüber den Geboten meint. Vielmehr gilt Röm 15,4: ὅσα γὰρ προεγράφη, εἰς τὴν ὑμετέραν διδασκαλίαν ἐγράφη. Auch schöpfungstheologische Aussagen wie das Zitat aus Ps 24,1 in 1Kor 10,26 (vgl Röm 14,20) können ethische Relevanz gewinnen, und zwar hier in Zusammenhang mit der Frage nach der Erlaubtheit von Speisen.

Wird so das AT ganz selbstverständlich für paränetische Aussagen herangezogen, so ist seine Autorität dennoch nicht absolut. In der Frage nach dem Recht des Apostels, Unterhalt zu fordern, werden verschiedene Begründungen genannt, die sich offenbar von Beispielen aus dem Leben (1Kor 9,7) über zwei Aussagen aus dem AT (V.9ff.13) hin zu einer Verordnung des Herrn selbst steigern (V.14). Das AT ist nach dem typologischen Verständnis (vgl etwa 1Kor 10,1ff) Hinweis auf Christus (vgl V.5.9) und geschrieben zur Warnung für die in der Endzeit lebende christliche Gemeinde, gewinnt also seine Bedeutung auf Christus hin. Da das Gesetz kein Heilsweg mehr ist, kann es auch keine absolute Autorität mehr verlangen. Es fällt vielmehr unter das Kriterium von 1Thess 5,21 πάντα δὲ δοκιμάζετε, τὸ καλὸν κατέχετε (vgl auch Phil 4,8) <88>. Vom Christusgeschehen her, in dem die Bewegung der Liebe Gottes sich vollzieht, wird das AT in Anspruch genommen.

Wie auf at.lich-jüdische Traditionen greift Paulus auch auf Elemente antiker Ethik zurück <89>. Dies trifft für einzelne Gedanken und Bilder zu (vgl 1Kor 9,24f; 15,28; 2Kor 10,3ff; 6,8ff u.ö.) und wird besonders an Phil 4,8 deutlich <90>. Die Nähe paulinischer Ermahnungen zur kynisch-stoischen Diatribe ist seit langem bekannt <91>. Aber auch in diesem Bereich gibt es keine Deckungsgleichheit, wie z.B. der Begriff ταπεινοφροσύνη zeigt.

<88> Interessant ist in diesem Zusammenhang der Wechsel von τὰ ἔργα τῆς σαρχός zu ὁ δὲ χαρπὸς τοῦ πνεύματος V.22, obwohl bei der Frucht des Geistes ebenfalls eine Mehrzahl genannt ist. Gott fordert nicht eine Menge von Details von den Menschen, "sondern er beansprucht den Menschen selbst mit allem, was er ist und hat" (SCHRAGE, Ethik, S.178).
<87> Vgl hierzu die Zusammenstellung bei FURNISH, Theology, S.28ff.
<88> Von hier aus ist verständlich, daß bestimmte Partien des at.-lichen Gesetzes wie etwa die kultisch- rituellen Gebote bei Paulus keine Erwähnung finden. Daneben gibt es Korrekturen des at.lich-jüdischen Denkens, z.B. in dem Satz, daß nichts unrein ist (Röm 14,24) oder in der Beurteilung des Ledig-Seins (vgl Gen 2,18 mit 1Kor 7,26). Außerdem ist festzustellen, daß nirgendwo bei Paulus eine kasuistische Verwendung des Gesetzes zu finden ist (FURNISH, Theology, S.33). Überhaupt hat paulinische Paränese "ganz und gar keinen gesetzlichen Charakter". Sie ist "Paraklese im Sinn des Zuspruch und der Ermahnung" (HAHN, Begründung, S.90).
<89> Vgl hierzu FURNISH, Theology, S.44ff.
<90> WIBBING, Tugend- und Lasterkataloge, S.101ff. Gerade hier ist aber auch wichtig, daß der Vers in einem Kontext steht, der von der Nähe des Herrn und seinem Liebesgebot (4,5) und der Verheißung von Gottes Frieden (4,7.9) ausgeht und dies als Rahmen für den Satz antiker Ethik versteht.
<91> Vgl besonder BULTMANN, Stil, passim.

Im Sprachgebrauch der griechisch-hellenistischen Welt haben ταπεινός und seine Derivate ganz überwiegend negative Bedeutung als Ausdruck niedriger, unterwürfiger Gesinnung, die dem Bild des freien Menschen widersprechen. ταπεινοφροσύνη ist ein typisches Sklavenmerkmal. Dagegen bekommt der Begriff bei Paulus "seine Prägung durch Jesu Handeln selbst, das Phil 2,5-11 unter einem Gesichtspunkt gesehen ist, mit dem Paulus die Mahnung 2,1-4 begründet" <92>. Die ταπεινοφροσύνη bekommt geradezu gemeindeaufbauende Funktion (Phil 2,3f).

Neben unterschiedlichen Bewertungen ist bei der Übernahme des hellenistischen Materials auch ein deutlicher Selektionsprozeß wahrzunehmen. Zwar begegnet das in der griechischen Ethik bedeutsame Wort ἀρετή <93> in Phil 4,8, aber eben auch nur hier. Der Terminus ὕβρις findet sich (von ὑβριστής im Katalog Röm 1,30 abgesehen) nur in dem Sinn "einer schmähenden Strafe unterziehen" (1Thess 2,2) bzw. "Schmähung" (2Kor 12,10), obwohl Stolz und Selbstruhm bei Paulus als Thema wichtig sind (vgl 1Kor 1; 4,7ff; 9,16ff u.ö). Auch die griechischen Kardinaltugenden spielen bei Paulus eine untergeordnete Rolle <94>. Der Grundsatz von 1Thess 5,21 gilt also auch für den Bereich griechischer Ethik. Und die Einbindung von Phil 4,8 in mehrere Hinweise auf das Christusgeschehen (vgl 4,4f.7.9), zeigt, daß Paulus das Material, das er übernimmt, einordnet in sein eigenes Denken <95>. Es ist deshalb keineswegs so, daß der Apostel sich in materialer Hinsicht kaum von seiner Tradition abhebe <96>, sondern es gilt umgekehrt, daß der Apostel vom Christusgeschehen ausgehend Traditionsmaterial aufnimmt, das ihm geeignet erscheint, christliches Handeln und Verhalten darzustellen. Auswahlkriterium und inhaltliche Orientierungslinie ist die Bewegung der Liebe Gottes, wie sie in Christus offenbar ist <97>. Einzelmahnungen können den Standard der jüdischen oder griechischen Umwelt widerspiegeln. Das Christusgeschehen bestimmt den Selektionsprozeß von außerchristlicher Tradition und wirkt sich bis in Einzelforderungen hinein aus.

5.1.5.5) Die paulinische Ethik als Gemeindeethik

Die φιλαδελφία 1Thess 4,9 ist die Liebe innerhalb der Gemeinde. εἰρηνεύετε ἐν ἑαυτοῖς (5,13) bezieht sich ebenfalls auf den Umgang miteinander in der Gemeinde, wie dies insgesamt für 5,12ff gilt. In 4,13ff spricht der Apostel den Thessalonichern Mut zu, damit sie nicht in Trauer verfangen sind καθὼς καὶ οἱ λοιποί. Was die Außenstehenden tun, will Paulus nicht richten (1Kor 5,12). Innerhalb der christlichen Gemeinde aber dürfen Unzucht oder Habgier keinen Platz haben. Wohl beschreiben

----

<92> Vgl *GRUNDMANN*, Artikel ταπεινός , S.23.
<93> Vgl hierzu *BAUERNFEIND*, Artikel ἀρετή, S.475ff.
<94> Vgl zu diesem Selektionsprozeß *FURNISH*, Theology, S.81f. Zu der schwierigen Frage des Verhältnisses des Paulus zum natürlichen Gesetz in Röm 2,14f vgl *FURNISH*, ebd, S.48f.
<95> *FURNISH*, ebd, S.82. *POHLENZ*, Paulus, S.81f.
<96> Gegen *DINKLER*, Problem, S.199; vgl ebenso *BULTMANN*, Problem, S.138; ähnlich *CONZELMANN*, Grundriß, S. 310.
<97> *STRECKER*, Glaube, S.29 meint: "Ein Glaube, der sein Verhältnis zur Welt nur dialektisch zur Welt auszusagen vermag, läßt sich nicht mit einer wie auch immer gearteten Materialethik zur Deckung bringen". Daran ist sicher richtig, daß die christliche Freiheit von der Welt einer materialen Ethik Grenzen setzt und eine kasuistische Auslegung ganz verbietet. Der Glaube orientiert sich aber primär am Christusereignis und läßt von hier aus sein Verhältnis zur Welt bestimmt sein. Das bedeutet, daß das Leben der Christen in die Dynamik dieses Ereignisses mit hineingenommen wird. Steht damit das Liebesgebot als Kern christlicher Ethik bei Paulus fest, dann sind Aussagen wie etwa προσλαμβάνεσθε Röm 15,7 oder ταπεινοφροσύνη Phil 2,3f in materialer Hinsicht vorgegeben.

diese Laster auch die Vergangenheit der Christen (1Kor 6,9ff; vgl Kol 3,7). In der Taufe ist ihnen aber das Heil zuteil geworden (ἀπελούσασθε 1Kor 6,11). Wer nun geheiligt und gerecht gesprochen ist (ἡγιάσθητε, ἐδικαιώθητε), der steht in einer neuen Wirklichkeit, die sich auch in ethischer Bewährung Ausdruck verschafft. Als Konsequenz dieser Wirklichkeit soll sich auch die christliche Ethik von der Lebensweise der Außenstehenden unterscheiden. Der usuelle Aspekt paulinischer Ethik zeigt dabei ihre über den Einzelfall hinausgehende grundlegende Bedeutung für die Gemeinde. Als Zielbegriff der Ermahnungen begegnet in 1Thess 5,11 das Stichwort οἰκοδομεῖτε εἰς τὸν ἕνα, das dem παρακαλεῖτε ἀλλήλους in 4,18 entspricht. So dienen die ethischen Ermahnungen dem Wachstum der Gemeinde und ihrem Aufbau. Indem die Gemeindeglieder sich in ihrem Handeln an dem Liebesgebot Jesu orientieren, wirkt die Dynamik der Liebe Gottes in ihrem eigenen Leben und durch ihr eigenes Leben hindurch. Deshalb hat die Mahnung in 1Thess 4,9ff auch einen missionarischen Akzent: der Wandel der Christen soll so sein, daß er den Nichtchristen ein gutes, einladendes Beispiel gibt. Indem die paulinische Ethik ein Christus gemäßes Leben vorzeichnet, hat sie auch die Außenstehenden im Blick. Für sie soll der Lebenswandel der Christen attraktiv sein. Die paulinische Ethik dient also dem Aufbau der Gemeinde, ist aber zugleich Ethik der missionierenden Gemeinde.

5.2) Die Paränese im 2.Thessalonicherbrief

2Thess ist mit der Absicht geschrieben, die Gemeinde zu belehren und zu ermahnen. Dies gilt mit einem stärkeren Akzent auf der Lehre bereits für die eschatologischen Aussagen des Briefes. Die ermahnende Absicht tritt vor allem in dem dritten Briefteil hervor (2,13-3,16). 2,13-17 gehört zum paränetischen Briefteil ⟨98⟩.

Von 2,13 an wird das Gefüge der Gedanken lockerer. Finden sich in 1,3-12 und 2,1-12 zwei thematische Einheiten, so liegen von 2,13 an mehrere kleine, locker gereihte Abschnitte vor: 2,13-17 (13f.15-17); 3,1-5.6-12.13-16 (13.14f.16). Sie lassen sich nicht wirklich schlüssig untergliedern. Eine solche Gedankenführung ist für einen paränetischen Briefabschnitt nicht ungewöhnlich. Auffällig ist freilich, daß es innerhalb der einzelnen Abschnitte wiederholt Überschneidungen gibt ⟨99⟩ und daß in praktisch allen Abschnitten ähnliche Aussagen begegnen. Ein längerer, gedanklich geschlossener Abschnitt liegt einzig in 3,6-12 vor, aber auch hier sind Querverbindungen zu dem umgebenden Kontext vorhanden. Ein Thema zieht sich allerdings deutlich durch alle Abschnitte hindurch. In 2,15 ist das Festhalten der παραδόσεις, ἅς ἐδιδάχθητε gefordert. 3,4 bringt das Vertrauen zum Ausdruck ὅτι ἃ παραγγέλλομεν ποιεῖτε καὶ ποιήσετε. In 3,6 taucht das Stichwort παραγγέλλω ebenso wieder auf wie τὴν παράδοσιν ἣν παρελάβετε παρ' ἡμῶν. Dem ist inhaltlich in 3, 6-12 der Gedanke πῶς δεῖ μιμεῖσθαι ἡμᾶς (V.7) beizuordnen, ebenso auch τύπος V.9. Die gleiche Thematik findet sich in V.14. Da sich der Gedanke des Festhaltens der apostolischen Tradition so durchgängig findet, muß man davon ausgehen, daß hier ein wesentlicher Punkt der Paränese des Briefes zu finden ist. Weiter fällt auf, daß der Verfasser von 2,13 an (anders als in 2,1-12) in äußerst enger Bindung an 1Thess formuliert ⟨100⟩. Auch dies ist ein Indiz dafür, daß der paränetische Briefteil hier bereits einsetzt. TRILLING hat weiterhin darauf aufmerksam gemacht,

⟨98⟩ V.DOBSCHÜTZ, Thess, S.296 untergliedert in 2,13-17 "Sicherung der Heilsgewißheit" und 3,1-16 "paränetischer Schlußteil". Die englischsprachigen Kommentare legen in 2, 13-17 den Akzent durchweg auf Danksagung und Ermutigung (worin freilich auch ein paränetisches Moment steckt). TRILLING, 2Thess, S.117f zieht zieht 2,13f noch zu 2,1-12 und läßt den paränetischen Abschnitt in 2,15 beginnen. Vgl hierzu unten.
⟨99⟩ Vgl den Hinweis auf den Brief in 2,15 und 3,14; die Bitte um Stärkung in 2,17 und 3,3; die Bitte um Bewahrung vor dem Bösen in 2,2 und 2,3; das Stichwort Überlieferung in 2,15 und 3,6.
⟨100⟩ Vgl hierzu die Tabelle bei WREDE, Echtheit, S.7-11 und MARXSEN, 2Thess, S.38-40.

daß die einzelnen Abschnitte in diesem Briefteil fast durchgängig eine Zweiteilung aufweisen <101>: einer Bitte, Mahnung oder Aufforderung folgt die Hinwendung zum Herrn und die Bitte an ihn (vgl 2,15 und 16f; 3,1f und 3; 3,4 und 5; 3,14f und 16). Wiederum ist zu beobachten, daß dies für 3,6-12 so nicht zutrifft. Für 2,15-17 aber gilt diese Zweiteilung. Schließlich findet sich die Anrede ἀδελφοί in 2,13.15; 3.1.6.13. Berücksichtigt man, daß sich die Anrede sonst nur noch in 1,3 und 2,1, also jeweils am Beginn eines Briefabschnitts findet, so wird man auch in 2,13 einen Neuansatz erkennen. Es trifft zwar zu, daß 2,13f an 2,12 anschließen. Die angeführten Beobachtungen am Text zeigen aber doch deutlich, daß dieser Gedanke hier bereits formuliert ist im Blick auf die nachfolgende Paränese, die mit ἄρα οὖν V.15 unmittelbar anschließt. Ich ziehe deshalb 2,13f bereits mit zu dem paränetischen Briefteil, verstehe ihn aber als einen Übergangsabschnitt <102>.

5.2.1) 2.Thessalonicher 2,13-17

Thema von **V.13f** ist der Dank für die Erwählung zur Rettung. πίστις ἀληθείας weist zurück auf die ἀπολλυμένοι V.10ff, die der Wahrheit keinen Glauben geschenkt haben. In einem Gegenbild zu ihnen ist nun von den vom Herrn Geliebten die Rede <103>. εἵλατο, ἐκάλεσεν und εἰς περιποίησιν δόξης gehören zu diesem Gegenbild. Daß der Verfasser damit gleichwohl nicht direkt an 2,10b-12 anschließt, sondern mit einer Danksagung neu einsetzt, wird verständlich, wenn man nach der Absicht der Verse fragt. Der Verfasser setzt wohl mit dem Dank ein, läßt ihn am Ende aber offen "auf den Erwerb der Herrlichkeit" hin. Erwählung und Berufung durch Gott sind ergangen, der Erwerb des Heils steht aber noch aus. Hieran schließt sich dann mit ἄρα οὖν die Mahnung in V.15 an. Das heißt: inhaltlich beziehen sich die Verse zurück auf 2,10b-12 und beschreiben im Gegensatz zu den ἀπολλυμένοι den Dank für die Berufung durch Gott. Es ist eine Berufung hin auf das Heil, das aber noch aussteht. Damit liegt der Akzent der Aussage auf der Vorbereitung für die περιποίησις δόξης und die Überleitung dient bereits dem Zweck der Paränese <104>. Formal sind V.13f eine Danksagung <105>. Sie schließen sich eng an Formulierungen aus 1Thess an. Dies gilt schon für die Doppelung der Danksagung in 2,13f; 1,3ff (vgl 1Thess 1,2f; 2,13) und das ἠγαπημένοι ὑπὸ κυρίου (vgl 1Thess 1,4f) <106>. Daneben finden sich folgende Anlehnungen:

V.13b	εἵλατο ὑμᾶς ὁ θεός	- 1Thess 1,4	τὴν ἐκλογὴν ὑμῶν
V.13b	ἐν ἁγιασμῷ πνεύματος	- 1Thess 4,3ff	ἁγιασμός, πνεῦμα
V.14	διὰ τοῦ εὐαγγελίου ἡμῶν	- 1Thess 1,5	τὸ εὐαγγέλιον ἡμῶν
V.14	ἐκάλεσεν (... εἰς περιποίησιν)	- 1Thess 2,12	τοῦ καλοῦντος ὑμᾶς
V.14	εἰς περιποίησιν δόξης	- 1Thess 5,9	εἰς περιποίησιν σωτηρίας
V.14	δόξης τοῦ κυρίου ἡμῶν κτλ	- 1Thess 5,9	διὰ τοῦ κυρίου ἡμῶν κτλ

Mit der Danksagung aus 1Thess 1,4f verbindet der Verfasser einen Anklang an den eschatologischen Ausblick 1Thess 2,12, nimmt Bezug auf die christologische Aussage von 1Thess 5,9 (die er freilich verkürzt) und fügt aus dem paränetischen Briefteil

----

<101> 2Thess, S.124f.
<102> So auch MARXSEN, 2Thess, S.90f
<103> Im Unterschied zu 1Thess 1,4 ist von der Liebe Christi die Rede, wie die doppelte Nennung von θεός im unmittelbaren Kontext zeigt.
<104> So MARXSEN, 2Thess, S.93; ähnlich TRILLING, 2Thess, S.119.
<105> So SCHUBERT, Form, S.29f; O'BRIEN, Thanksgiving, S.29f.
<106> Es ist zu beachten, daß die herzliche Anrede hier Zitat ist und nicht eigene Formulierung des Verfassers. Dies paßt zu der generell feststellbaren Armut an warmen, persönlichen Tönen im gesamten Brief (so mit TRILLING, 2Thess, S.119 gegen MARSHALL, Thess, S.206f).

1Thess 4,1ff den Begriff ἁγιασμός hinzu. Diese Zusammenstellung wesentlicher Aussagen aus 1Thess läßt ahnen, daß es dem Verfasser hier ebenfalls um Wichtiges geht. Er will zeigen, welche Konsequenzen für die Gegenwart die Christen aus der Erwartung der Teilhabe an der Herrlichkeit ziehen sollen ⟨107⟩. Zu diesem Zweck stellt er Aussagen aus 1Thess neu zusammen. Dabei verändern sie sich freilich, und der Verfasser gibt mit ihrer Hilfe seinen eigenen Gedanken Ausdruck. Dies zeigt sich, wenn man die Wendungen im einzelnen vergleicht.

Dank gesagt wird dafür, daß die Thessalonicher von Anfang an ⟨108⟩ von Gott zum Heil erwählt wurden. αἵρεσθαι steht im NT nur hier für das Erwählen der Gemeinde durch Gott. Bei Paulus ist dieser Gedanke in der Regel mit dem Verb καλέω ausgedrückt. Vermutlich ist das ungewöhnliche αἵρεσθαι hier gewählt, weil καλέω sogleich im Zusammenhang mit dem paulinischen Evangelium begegnet. Erwählt wurde die Gemeinde zur Rettung.

σωτηρία hat für Paulus zunächst futurisch-eschatologischen Klang (vgl 1Kor 5,5; 3,15; Röm 13,11 u.ö.). Die σωτηρία ist Rettung vor dem kommenden Zorn (Röm 5,9; 1Kor 3,15; 5,5; 1Thess 5,9), wird aber auch positiv mit der δόξα Gottes in Verbindung gebracht (vgl Röm 8,30). σωτηρία hängt zusammen mit dem σωθησόμεθα ἐν τῇ ζωῇ αὐτοῦ Röm 5,10 (vgl 8,29). Die Gegenwart kann deshalb schon im Licht der σωτηρία gesehen werden (2Kor 6,2). Gegenwart und Zukunft sind in Röm 8,24 τῇ γὰρ ἐλπίδι ἐσώθημεν zusammengefaßt ⟨109⟩.

Der Verfasser greift den paulinischen Sprachgebrauch hier auf, wie überhaupt σωτηρία in der späten nt.lichen Zeit zum umfassenden Ausdruck für das Heil wird ⟨110⟩. Das Nebeneinander von εἰς σωτηρίαν und εἰς περιποίησιν δόξης V.14 macht die Zukunftsdimension des Heils deutlich. Mit Hilfe zweier Wendungen wird erläutert, wie es zur σωτηρία kommt ⟨111⟩: zum einen durch die Heiligung, die der Geist bewirkt (Gen.auct). Der Verfasser nimmt das Stichwort von 1Thess 4,3ff auf, der dortige Zusammenhang spielt hier aber keine Rolle. Weiter vollzieht sich die Rettung ἐν πίστει ἀληθείας. Im Gegensatz zu 2,10b-12 meint die Wendung den Glauben an die wahre, richtige und beständige Lehre ⟨112⟩. Wohl klingt das paulinische Glaubensverständnis nach, aber die Wendung steht 1Petr 1,22; 2Petr 1,12; 2,2 näher als Paulus. Der Inhalt von πίστις verschiebt sich von dem lebendigen Wissen um das Hineingenommensein in das Heilsgeschehen zum Fürwahrhalten der christlichen Lehre ⟨113⟩. Der Glaube an die Wahrheit und damit die Rettung wird in V.14a eng an das apostolische Evangelium gekoppelt. Die Berufung erging durch das Evangelium des Paulus. Wie in 2,5 und 1,10b wird die Anfangsverkündigung des Apostels betont. Dabei ist im Vergleich mit Paulus nicht τὸ εὐαγγέλιον ἡμῶν auffällig (vgl

---

⟨107⟩ Die lehrhafte, gedrängte Form der Darstellung hat auch TRILLING, 2Thess, S.119 betont.
⟨108⟩ Ich gebe der Lesart ἀπ' ἀρχῆς den Vorzug vor ἀπαρχήν. TRILLING, 2Thess, S.120 hat diese Entscheidung mit guten Gründen untermauert. Anders METZGER, Commentary, S.636f. Die dort referierte Mehrheitsmeinung setzt die Echtheit von 2Thess voraus. Wesentlich ist die Nähe zu Eph 1,4; 2Petr 3,4.
⟨109⟩ Vgl zu σωτηρία bei Paulus insgesamt FOERSTER, Artikel σῴζω, S.992ff.
⟨110⟩ Dies gilt auch für den Titel σωτήρ, vgl FOERSTER, ebd, S.1017f; BROX, Pastoralbriefe, S.232f.
⟨111⟩ Richtig v.DOBSCHÜTZ, Thess, S.298f: "...so kann er damit weder sagen wollen, worin die σωτηρία besteht, noch worin Gott seine Erwählung vollzieht, sondern nur, wie sich die Erwählung zum Heil verwirklicht, wie es vom εἵλατο zur σωτερία kommt".
⟨112⟩ Vgl oben, S.52f.
⟨113⟩ Die Genitivverbindungen weisen trotz des Anklangs an 1Thess auf den Stil des Verfassers (vgl TRILLING, Untersuchungen, S.59).

1Thess 1,5), sondern die Zusammenstellung von "unser Evangelium" mit der Berufung. Für Paulus ist der καλῶν immer Gott und ein Zusammenhang von Berufung und (paulinischem) Evangelium findet sich bei ihm nicht. In Röm 8,29f z.B. fehlt das Stichwort Evangelium ganz. "'Berufung' steht für Paulus noch oberhalb der aktuellen Predigt des Evangeliums, ganz in der Nähe von Erwählung" <114>. Hier dagegen ergeht der Ruf Gottes durch das paulinische Evangelium. Die Terminologie ist paulinisch und ἐκάλεσεν steht für eine zentrale paulinische Aussage. Gerade in 2,13f zeigt sich, daß der Verfasser des 2Thess sich nicht nur auf Paulus beruft, um sein eigenes eschatologisches Konzept zu legitimieren, sondern daß er tatsächlich auch in paulinischer Tradition steht. So findet sich gerade hier eine der wenigen positiven Aussagen zur Gegenwart. Dann fällt aber um so mehr auf, daß in diesem Zusammenhang von Kreuz und Auferstehung Christi nicht die Rede ist. So zeigt sich in diesem Abschnitt besonders die paulinische Tradition, zugleich aber auch ihre inhaltliche Verengung und Veränderung. Durch den neuen Zusammenhang wird dem Theologumenon der Berufung das paulinische Evangelium zugeordnet. Dies deutet auf eine Zeit, in der das Evangelium zur apostolischen Tradition geworden ist. Gottes Erwählung und Berufung hin zum Heil wird in der Tradition des paulinischen Evangeliums laut.

Parallel zu εἰς σωτηρίαν V.13 folgt abschließend eine erneute Beschreibung des Ziels εἰς περιποίησιν δόξης τοῦ κυρίου ἡμῶν 'Ιησοῦ Χριστοῦ. Plerophorie und lockere Gedankenfügung treten als Stilmerkmale des Verfassers erneut zutage. Inhaltlich ist die Aussage freilich im Briefganzen verankert. In εἰς περιποίησιν tritt ohne Zweifel der Gedanke der eigenen Anstrengung des Menschen zutage <115>. Erwählung und Berufung Gottes sind durch die Verkündigung der paulinischen Botschaft geschehen. Durch sie haben die Christen eine Anwartschaft auf das Heil, dessen sie sich aber noch nicht sicher sein können. εἰς περιποίησιν δόξης interpretiert so die Wendung εἵλατο ὑμᾶς ὁ θεὸς ... εἰς σωτηρίαν. Die Rettung tritt erst ein, wenn die Gläubigen in die Herrlichkeit Jesu Christi bei der Parusie eintreten <116>.

ἄρα οὖν (vgl 1Thess 5,6 u.ö.) leitet zur Mahnung über. Es wird im Blick auf die περιποίησις δόξης argumentiert. Die Mahnung ergeht, damit die Thessalonicher bei der Parusie in die Herrlichkeit Christi eingehen. Die zeitliche Struktur entspricht 2,5ff: um in der Zukunft des Heils teilhaftig zu werden, muß die Gemeinde in der Gegenwart festhalten an dem, was ihr durch die Überlieferung zugekommen ist. στήκετε findet sich in 1Thess 3,8. Das absolute στήκετε kommt bei Paulus freilich

----

<114>   *TRILLING*, 2Thess, S.122.
<115>   Vgl *TRILLING*, 2Thess, S.123.
<116>   Die Genitivverbindung δόξης τοῦ κυρίου ἡμῶν 'Ιησοῦ Χριστοῦ ist wegen des Gedankens schwierig, daß die Christen sich Christi eigene Herrlichkeit erwerben sollen. Man kann hier einen Gen.subj., auct. oder poss. finden, behebt damit aber die Schwierigkeit nicht wirklich. *V.DOBSCHÜTZ*, Thess, S.33 vermutet, daß nach δόξης das διά von 1Thess 5,9 ausgefallen sei. In der Tat muß man die Stelle im Vergleich mit der Vorlage in 1Thess verstehen. So wie der Verfasser in V.13b εἵλατο verwendet hat, um nicht zweimal καλέω zu gebrauchen, so vermeidet er hier σωτηρία. Stattdessen benutzt er δόξα, das in 1,9f bereits in Zusammenhang mit der Parusie Christi Verwendung fand. "Auf diese Weise entsteht zwar grammatisch eine Genitivverbindung. Tatsächlich aber muß man im Sinne des Verfassers beide Begriffe nebeneinanderstellen. Was die Leser durch ihr gegenwärtiges Leben ... erwerben, ist, wenn "unser Herr Jesus Christus" zu seiner Parusie kommen wird, eben 'Herrlichkeit'"(*MARXSEN*, 2Thess, S.93).

nicht vor <117>. Es wird interpretiert durch κρατεῖτε τὰς παραδόσεις. Das Feststehen verwirklicht sich im Festhalten der Überlieferung, wie sie in Wort und Brief vorliegt <118>.

Im Vergleich mit Paulus ist wohl zu beachten, daß auch der Apostel auf seine mündliche Verkündigung hinweist (vgl Röm 6,17; 1Kor 4,17), und auch die Traditionsterminologie begegnet dort (vgl 1Kor 11,2.23; 15,3). Der Ausdruck κρατεῖτε τὰς παραδόσεις findet sich so bei Paulus freilich nicht (vgl aber Kol 2,19, Offb 2,13) und die Nennung von Wort und Brief ist im NT einzigartig. In 1Thess 4,1f als einem vergleichbaren Text ist von der paulinischen Verkündigung deutlich anders die Rede.

ἐπιστολή kann nicht 1Thess meinen <119>. An keiner Stelle läßt der Brief erkennen, daß bereits ein erster Brief an die Gemeinde geschrieben wurde. Auch 2,2 läßt sich nicht in diese Richtung auslegen <120>. Dagegen weist 3,14 deutlich auf den vorliegenden Brief und 2Thess ist auch hier gemeint. Die apostolische Paradosis ist im vorliegenden Brief enthalten. λόγος bezeichnet, wie in 2,5, die Anfangsverkündigung des Paulus in Thessalonich. Sie stimmt mit dem Brief inhaltlich überein (εἴτε-εἴτε) <121> und in beidem kommt gleichermaßen das paulinische Evangelium zur Sprache. Es ist durch das Wort und den Brief des Apostels zur lehrbaren Überlieferung geworden, wobei der Lehraspekt durch ἐδιδάχθητε noch unterstrichen wird. Des Paulus Wort und Brief bekommen damit grundlegende Bedeutung für den gegenwärtigen Glauben und das künftige Ergehen der Christen. Mit der Bitte um Gottes Hilfe für die Gemeinde schließt der Verfasser diesen Gedankengang ab (V.16f). Die volltönende Wendung ist an 1Thess 3,11 orientiert <122>. Zum Festhalten an der Überlieferung soll Gott die Herzen festigen und trösten. Gegenüber seiner Vorlage ändert der Verfasser allerdings die Stellung von Gott und Kyrios <123>.

Paulus setzt in 1Thess 3,11 mit ὁ θεὸς καὶ πατὴρ ἡμῶν ein. An den Kyrios wendet sich dann die Bitte in V.12, die mit der Wendung ἀγάπῃ εἰς ἀλλήλους καὶ εἰς πάντας aus der Heilsbeziehung Gottes zu den Menschen erwächst. Gerade in der Erfüllung dieser Liebe vollzieht sich die Heiligkeit (V.13). In 2Thess 2,16 findet sich die umgekehrte Reihenfolge. Damit schließt der nachfolgende Partizipialsatz V.16b und die Bitte V.17 auch faktisch an Gott an (Singular!), nicht an Christus <124>.

<117> Vgl 1Thess 3,8 (ebenso Phil 4,1); 1Kor 16,13; Phil 1,27.

<118> ἡμῶν bezieht sich auf beides. Nach *TRILLING*, 2Thess, S.127 ist ein engerer Kontextbezug weder für "Wort und Brief" noch für "Überlieferung" festzustellen. Dabei beachtet er aber zu wenig das "paulinische Evangelium" V.14. Das Evangelium haben die Thessalonicher gerade durch Wort und Brief des Apostels. Dies belegt zugleich die Zusammengehörigkeit von V.13f mit V.15-17.

<119> Anders *TRILLING*, 2Thess, S.128f; *v.DOBSCHÜTZ*, Thess, S.301.

<120> Vgl oben, S.6f.42f.

<121> Die kontroverstheologische Diskussion um die Bewertung von schriftlicher und mündlicher Tradition hat an 2Thess 2,15 keinen wirklichen Anhalt. Dem Verfasser geht es nicht darum, zwei verschiedene Formen von Tradition zu unterscheiden, sondern um die Übereinstimmung von mündlicher Verkündigung des Paulus und der Botschaft des Briefes. Dennoch ist später die Stelle "ein locus classicus für die Unterscheidung einer doppelten Tradition ἔγγραφως καὶ ἄγραφως" geworden (*v.DOBSCHÜTZ*, Thess, S.301, Anm 3). Zur kontroverstheologischen Diskussion vgl die knappen Anmerkungen bei *TRILLING*, 2Thess, S.130f.

<122> στηρίξαι ist aus 1Thess 3,13 übernommen. Die adjektivischen Verbindungen, ἐν παντὶ ἔργῳ καὶ λόγῳ ἀγαθῷ und die Parallelismen bezeichnen erneut den Stil des Verfassers (vgl *TRILLING*, Untersuchungen, S.59).

<123> Die Anrufung Gottes steht natürlich in Zusammenhang mit V.15, der dadurch noch unterstrichen wird (gegen *TRILLING*, 2Thess, S.131). Die Umstellung ist auch nicht lediglich durch den Partizipialstil veranlaßt (*DELLING*, Gottesbezeichnungen, S.421, Anm 29), sondern hat auch inhaltliche Gründe.

<124> *MARSHALL*, Thess, S.211 sieht dagegen im Singular Christus und Gott als ein Subjekt zusammengefaßt.

Diese Umstellung erscheint unerheblich, steht aber in Zusammenhang mit der Reduktion der Christologie im gesamten Brief, bei der von einem gegenwärtigen Wirken des Herrn nicht die Rede ist. Liebe, Trost und Stärkung werden deshalb auch von Gott ausgesagt.

Gott wird beschrieben als ὁ ἀγαπήσας ὑμᾶς. Dies wird nicht näher erläutert und darf auch nicht von 1Thess 3,11 her im Sinne des Christusereignisses interpretiert werden. "Der Verfasser verkündet nicht neu und proklamiert nicht missionarisch Gottes Heilswerk in seinem Sohn, sondern er tradiert bereits zu 'Überlieferung' Geronnenes. Und zu den Hauptstücken des christlichen Glaubens gehört, daß alles in Gottes Liebe seinen Grund und Ausgang hat" <125>. So zeigt sich in der Erwählung und Berufung der Gemeinde letztlich Gottes Liebe. Das konsekutive καί erläutert: Gott, der uns geliebt und somit ewigen Trost und gute Hoffnung gegeben hat in Gnade. Beide Aussagen sind auf das eschatologische Ziel ausgerichtet. παράκλησις meint hier Trost, der Verwirrung erträgt (2,2) und sich auch im Zusammenleben mit verkehrten und bösen Menschen bewahrheitet. Dieser Trost ist von Dauer und wird bei der Parusie Bestand haben. Dasselbe gilt auch für die "gute Hoffnung".

Diese Wendung ist singulär in NT, zugleich ist es das einzige Mal, daß ἐλπίς in 2Thess begegnet. Es ist TRILLING <126> durchaus Recht zu geben darin, daß er in der guten Hoffnung einen Ausdruck mit eigenem Reiz sieht. In der Tat ist "gute Hoffnung" zu haben für die Existenz des Christen immer wieder wichtig. Im Vergleich mit Paulus muß jedoch auffallen, wie wenig dieser Begriff hier inhaltlich gefüllt ist (vgl besonders 1Thess 1,3; 2,19; 4,13; 5,8). Die Wendungen εἰς ἐλπίδα ζῶσαν 1Petr 1,3 und τὴν μακάριαν ἐλπίδα Tit 2,13, die TRILLING vergleichend heranzieht, sind beide verbunden mit einem Hinweis auf das Christusgeschehen, wohingegen ein solcher Hinweis hier ganz fehlt. Man wird deshalb die "gute Hoffnung" am besten mit dem "ewigen Trost" auch inhaltlich parallelisieren. Die Hoffnung kommt von Gott und wird Bestand haben. Deshalb ist sie gut. Die adverbiale Schlußwendung ἐν χάριτι klingt paulinisch. Sie macht hier freilich einen formelhaften Eindruck und steigert noch die Fülle des Satzes.

Die Bitte selbst wird in V.17 mit zwei Verben angeschlossen, die vom Kontext her schon vorgegeben sind und zusammen nur noch in 1Thess 3,2b begegnen. παρακαλέσαι ὑμῶν τὰς καρδίας nimmt V.16 auf. Gott als Geber des ewigen Trostes möge diesen Trost in die Herzen der Thessalonicher geben. Und er möge sie stärken in jedem guten Werk und Wort. στηρίξαι entspricht der Mahnung στήκετε V.15. Damit ist der Abschluß des Abschnitts erreicht. Sein Zentrum ist die Mahnung in V.15. 2,13f leiten darauf hin und V.16f formulieren die Mahnung um zu einer Bitte an Gott.

5.2.2) 2.Thessalonicher 3,1-5

Der Abschnitt macht einen uneinheitlichen Eindruck. Er setzt ein mit der Bitte um das Gebet für die Missionstätigkeit des Apostels und seine Bewahrung vor bösen Menschen. Ein Hinweis auf die Treue des Herrn schließt sich an. V.4 ist ein Ausdruck des Vertrauens, daß die Gemeinde die Anordnungen des Apostels befolgen wird. Der Gedankengang wird in V.5 abgeschlossen mit einer Fürbitte für die Gemeinde.

<125> *TRILLING*, 2Thess, S.131f.
<126> 2Thess, S.132.

Daß zweimal ein Hinweis auf den Herrn zu finden ist und daß die Aussagen von V.2 und V.4 so nahe beieinander stehen, erweckt den Eindruck einer lockeren Gedankenführung. Dies bestätigt sich, wenn man auf die Abhängigkeit der Aussagen von 1Thess achtet. Von dort wird aus verschiedenen Abschnitten Material aufgenommen. τὸ λοιπόν begegnet in 1Thess 4,1, dort findet sich ebenfalls das Thema "Überlieferung". προςεύχεσθε ... περὶ ἡμῶν kommt aus 1Thess 5,25 und auf 5,24 ist angespielt in 3,3. Das Stichwort κατευθύναι in 3,5 ist übernommen aus 1Thess 3,11. Für 3,2 finden sich keine Anleihen in 1Thess. Direkte Parallelen gibt es auch nicht für V.4, aber das Thema von 1Thess 4,2 (τίνας παραγγελίας ἐδώκαμεν ὑμῖν) ist hier wieder aufgenommen.

Wie in 2,13f wählt der Verfasser auch hier aus 1Thess Abschnitte aus, die ihm für seinen Brief wesentlich erscheinen und stellt sie zu neuen Einheiten zusammen. Eigentlich liegen zwei Abschnitte vor: V.1-3 und 4f. Beide weisen im ersten Teil eine Bitte bzw. eine vertrauensvolle Ermahnung auf und im zweiten Teil eine Hinwendung zum Kyrios (V.3.5). Beide Teile gehören formal ⟨127⟩ und inhaltlich eng zusammen. Der durchgängige Gedanke steht in Verbindung mit der Mahnung in V.15, die apostolischen Überlieferungen festzuhalten. Hier nun geht es im ersten Unterabschnitt V.1-3 um die Vergewisserung des apostolischen Dienstes, im zweiten Unterabschnitt V.4f um die Vergewisserung, daß die Gemeinde der paulinischen Anordnungen folgt. Die durchgehende Linie ist demnach nicht die gegenseitige Fürbitte, sondern der Hinweis auf die apostolische Überlieferung und deren Bewahrung. Dies ist im einzelnen aufzuzeigen.

Die Bitte, für Paulus zu beten ⟨128⟩, ist aus 1Thess 5,25 übernommen. Sie wird in zwei Finalsätzen **V.1b**.2 ausgeführt. Daß das Wort des Herrn das paulinische Evangelium ist, ist von 2,14.15 her eindeutig. Es ist auch angespielt auf 1Thess 1,8, wie überhaupt der dortige Text bei δοξάζεται καθὼς καὶ πρὸς ὑμᾶς Pate zu stehen scheint ⟨129⟩. Die Wendung kommt nur hier im NT vor. Mit dem Laufen des Wortes verbunden ist sein Verherrlichtwerden, und zwar darin, daß die Thessalonicher es angenommen haben und bewahren ⟨130⟩. So wie das Wort des Herrn in Thessalonich verherrlicht wird, so soll es in der paulinischen Mission weiterlaufen und Zugang zu den Menschen finden. Hier ist das einzige Mal in 2Thess der missionarische Aspekt des Glaubens angesprochen. Er bleibt freilich auf den Apostel selbst beschränkt. Der Vergleich mit 1Thess 5,16; 4,9-12 macht den Unterschied augenfällig ⟨131⟩. In der nachpaulinischen Situation des Verfassers ist der Lauf des Wortes gekoppelt an den Lauf der apostolischen Botschaft und an deren Aufnahme bei den Menschen. Diese Botschaft hat freilich mit Widrigkeiten zu kämpfen. Hierauf geht V.2 ein.

Beten sollen die Thessalonicher für den Apostel, daß er bewahrt ⟨132⟩ werde vor

----

⟨127⟩ Vgl den Anklang von πιστός/πίστις und V.3 mit dem Vertrauen "im Herrn", daß die Thessalonicher die Überlieferung festhalten.

⟨128⟩ Es muß sich keineswegs um einen Briefschluß handeln (gegen SCHMITHALS, Gnostiker, S.96).

⟨129⟩ Daß das Wort des Herrn laufe, ist vielleicht eine at.liche Reminiszenz (Ps 147,4). Paulus verwendet das Verb τρέχω biswellen zur Beschreibung seiner missionarischen Tätigkeit, vgl Gal 2,2; Phil 2,16; auch 1Kor 9,24-27. Vgl BAUERNFEIND, Artikel τρέχω, S.270f.

⟨130⟩ Das πρὸς ὑμᾶς ist zu δοξάζεσθαι zu ziehen, so mit TRILLING, 2Thess, S.135, Anm 578 gegen v.DOBSCHÜTZ, Thess, S.306. Dies macht das eingeschobene καθώς deutlich.

⟨131⟩ Vgl hierzu und über das Auseinandertreten von Mission und Kirche in der nachpaulinischen Zeit HAHN, Verständnis, S.120ff.126.

⟨132⟩ ῥύομαι hat hier die mildere Bedeutung "bewahrt werden", vgl KASCH, Artikel ῥύομαι, S.1002f.

den verkehrten und bösen Menschen. ἄτοποι und πονεροί sind, wie aus dem Zusammenhang hervorgeht, die Menschen, die die Ausbreitung der Botschaft des Evangeliums verhindern. Der Wechsel gegenüber 3,1 fällt auf: auf der einen Seite soll das Wort des Herrn verherrlicht werden, auf der anderen Seite befindet sich der Apostel offensichtlich unter Menschen, die seine Missionsarbeit behindern ⟨133⟩. Hinzu kommt, daß die Aussage V.2 die missionarische Absicht von V.1 begrenzt. Auch wenn das Evangelium verkündet wird, so wird es doch offenbar von den bösen und verkehrten Menschen nicht angenommen. Und schließlich ist zu beachten, daß diese düstere Stimmung mit der von 1Thess nicht übereinstimmt: 1Thess ist insgesamt ein Brief der Freude und der Dankbarkeit ⟨134⟩. Erklärbar wird der Umschlag aus der nachpaulinischen Zeit. Es geht nicht um eine konkrete Situation, sondern um das Typische im Leben des Paulus. Er "wird in zwei charakteristischen Zügen erfaßt, nämlich als rastloser Verkündiger und als angefeindeter Apostel" ⟨135⟩. Wie seine Bedrängung dargestellt werden konnte, zeigt eindrücklich 2Tim 3,11; 4,9-18. Diese typischen Züge des Apostelbildes betreffen den Apostel selbst und seine Botschaft, das Evangelium, für das er steht und eintritt.

Begründend schließt sich die Aussage οὐ γὰρ πάντων ἡ πίστις an. Mit πίστις ist das Annehmen des λόγος τοῦ κυρίου V.1 gemeint. Dies ist für den Verfasser ein "Satz der Erfahrung mit dem Evangelium" ⟨136⟩, einer Erfahrung sowohl von Treue als auch von Ablehnung. Die Ablehnung kann er nicht verstehen, eröffnet sich doch für ihn in der apostolischen Botschaft gerade das zukünftige Heil. Im Blick auf die missionarische Absicht ist ein resignativer Ton nicht zu verkennen ⟨137⟩.

Trotz des Unglaubens der verkehrten Menschen erweist sich der Herr aber als treu ⟨138⟩. Er wird stärken und vor dem Bösen bewahren, und zwar nicht nur den Apostel, sondern ebenso die gegenwärtige Gemeinde. Hat schon der Satz οὐ γὰρ πάντων ἡ πίστις von dem Apostel her die Situation der Gegenwart verständlich zu machen versucht, so tut es V.3 vollends, indem er den Blick von Paulus weg auf die ὑμεῖς wendet. Der betonte Anfang (πιστός) unterstreicht dies, indem er die Treue des Herrn, die für Paulus galt, nun auch den Thessalonichern zusagt. Damit ist der erste Unterabschnitt abgeschlossen.

V.4 ist formuliert in Anlehnung an 1Thess 4,1f: ἐν κυρίῳ klingt an 4,1 an, das Verb

----

⟨133⟩ Der Artikel ἀπὸ τῶν ἀνθρώπων "erweckt den Eindruck, als stände der Apostel selbst unter permanenter Bedrohung von seiten solcher Leute (vgl anders Phil 1,24)" TRILLING, 2Thess, S.136.

⟨134⟩ Zwar schreibt Paulus in 1Thess von ἀνάγκη und θλῖψις (3,7). Die Nachrichten von Timotheus haben ihn daraus aber gerade befreit und er kann jetzt lachen (3,8). Diese Botschaft wirkte sich sogar auf die Menschen in Korinth aus und sie fangen an, von der Missionstätigkeit des Paulus in Thessalonich zu erzählen (1,9).

⟨135⟩ Vgl TRILLING, 2Thess, S.136; MARXSEN, 2Thess, S.96). Zu dessen Typisierung vgl BROX, Notizen, S.82ff.

⟨136⟩ TRILLING, 2Thess, S.136.

⟨137⟩ Gegen TRILLING, ebd; "Liberalität" eignet diesem Satz nicht. Daß er milder klingt als 2,10b-12, liegt daran, daß der Verfasser schon auf V.4 zugeht. Die Gegner des Evangeliums sind nicht das eigentliche Thema.

⟨138⟩ 2Thess meint mit Kyrios in der Regel Christus. Nach 2,16f ist das στηρίξαι von Gott ausgesagt. Andererseits können die beiden Futura στηρίξαι und φυλάξει auf die Errettung vor dem (künftigen) Bösen (bei der Parusie) hindeuten. In V.5 ist der Kyrios-Titel offenbar formelhaft gebraucht: er ist einerseits mit ἀγάπη τοῦ θεοῦ, andererseits mit ὑπομονὴ τοῦ Χριστοῦ verbunden. Auch für V.3 ist deshalb eine formelhafte Verwendung von Kyrios anzunehmen. Wichtig ist dem Verfasser die Zusage der Treue "des Herrn".

παραγγέλλομεν an das Substantiv παραγγελία in 1Thess 4,2, ποιεῖτε hat eine Entsprechung in 1Thess 4,1 καθὼς καὶ περιπατεῖτε. Der Verfasser führt freilich sein eigenes Thema von 2,15 weiter und steigert gegenüber 1Thess. Es geht um die generelle Ermahnung, sich der apostolischen Autorität unterzuordnen. Orientieren sich in 1Thess die παραγγελίαι am κύριος Ἰησοῦς und prägt von 4,3 ab das Kommen Jesu die Mahnungen auch inhaltlich, so verschiebt sich dies in 2Thess. Wohl wird auf das Wort des Herrn hingewiesen (3,1). Aber von einer inhaltlichen Orientierung der Mahnungen am Heilsgeschehen ist keine Rede, und der κύριος wird im Zusammenhang mit dem Vertrauen des Apostels erwähnt, nicht im Blick auf das Tun der Thessalonicher. Auch das ποιεῖτε καὶ ποιήσετε ist gegenüber 1Thess 4,1f verändert. Erging dort die Paränese auf der Basis der Anerkennung des bisherigen Tuns der Gemeinde, so gilt die Anordnung hier sowohl für die Gegenwart als auch für die Zukunft. Die Anerkennung rückt damit in den Hintergrund.

Mit **V.5** schließt ein Gebetswunsch den zweiten Unterabschnitt und 3,1-5 insgesamt ab. κατευθύναι ist aus 1Thess 3,11 übernommen, die dortige Situation paßt freilich nicht in den nachpaulinischen Rahmen ⟨139⟩. Im Zusammenhang mit den nachfolgenden Wendungen εἰς τὴν ἀγάπην τοῦ θεοῦ und εἰς τὴν ὑπομονὴν τοῦ Χριστοῦ klingt κύριος erneut formelhaft. Der Stil ist feierlich und durch den Parallelismus für den Verfasser charakteristisch. Der Herr soll die Gemeinde hinlenken zur Liebe zu Gott und zur Geduld auf Christus.

Die beiden Genitivverbindungen gehören zusammen und sind am ehesten als objektive Genitive zu interpretieren. Hierfür spricht, daß die Geduld Christi ⟨140⟩, etwa in seinem Leiden, im Brief sonst nicht erwähnt wird, daß aber umgekehrt die Geduld auf Christus hin im Briefganzen einen guten Sinn ergibt. Bei ἀγάπη τοῦ θεοῦ könnte man dagegen auf 2,16 verweisen und eine subjektive Deutung vertreten. Dies ist aber wegen der Parallelität beider Wendungen unwahrscheinlich. Außerdem muß man berücksichtigen, daß der Gebetswunsch einen paränetischen Abschnitt abschließt. "Die Gesamtintention ist auf das Verhalten und Tun der Adressaten gerichtet ⟨141⟩. Dies legt eine objektive Deutung nahe.

Der uneinheitliche Eindruck des Abschnitts ist in der Arbeitsweise des Verfassers begründet. Er greift verschiedene Abschnitte aus 1Thess auf, kombiniert und verändert sie. Das Thema "gegenseitige Fürbitte" wird terminologisch und stilistisch beibehalten, dient aber dem Ziel, das in 2,15 angeschlagene Thema weiter auszuführen und zu vertiefen. Der Abschnitt zeichnet dabei zunächst das Apostelbild der nachapostolischen Zeit. Paulus ist der, der das Wort des Herrn verkündet und deswegen auch Anfeindungen zu erdulden hat. Mit Hilfe dieses Rekurses auf Paulus will der Verfasser der Gemeinde helfen, ihre Gegenwart zu verstehen und mit der Tatsache fertig zu werden, daß der Glaube nicht jedermanns Sache ist. Treu dagegen ist der Herr, der die Gemeinde vor dem Bösen bewahrt. In diesem Herrn hat der Verfasser auch das Zutrauen, daß die Gemeinde seinen Anordnungen folgt. Wer dies tut, der lebt in der Liebe zu Gott und in der Geduld auf Christus hin. Zu

----

⟨139⟩ *TRILLING*, 2Thess, S.138; *MARXSEN*, 2Thess, S.96 sieht in V.4 und 2 eigenständige Formulierungen des Verfassers. Die Wendung "die Herzen hinlenken" begegnet öfter in LXX (vgl 1Chr 29,18; 2Chr 2,14; 19,3; Sir 49,3). Vom Verb abgesehen entspricht die Wendung hier genau der in 2,17.
⟨140⟩ ὁ Χριστός kommt im ganzen Brief nur hier vor. Dies könnte auf die Geduld Christi im Leiden hindeuten; aber auch wenn dies paulinischer Tradition entspricht, deutet doch nichts auf ein solches Verständnis hin.
⟨141⟩ *TRILLING*, 2Thess, S.139.

beidem möge der Herr die Gemeinde hinführen. Mit Hilfe des Rückblicks auf das Schicksal des Apostels will der Verfasser also die Gemeinde in ihren Widrigkeiten stärken und sie zum Festhalten der apostolischen Traditionen anleiten.

5.2.3) 2.Thessalonicher 3,6-12

In 3,6-12 schließt sich ein längerer, einheitlicher Abschnitt an ⟨142⟩. Er ist gerahmt von einer Mahnung an die Gemeinde, sich von den unordentlich wandelnden Brüdern fernzuhalten (3,6) und einer Anordnung an die Unordentlichen selbst (3,12). V.7-9 geben einen Rückblick auf das Verhalten des Apostels in Thessalonich und weisen hin auf die apostolische Lehre. V.11 lenkt auf die Unordentlichen zurück und leitet zur Schlußmahnung V.12 über.

Achtet man auf die immer wiederkehrenden Worte, so ergibt sich folgendes Bild:
- ἀτάκτως περιπατοῦντος V.6 entspricht τινας περιπατοῦντας ἐν ὑμῖν ἀτάκτως V.11 und οὐκ ἠτακτήσαμεν ἐν ὑμῖν V.7. Das Stichwort von den Unordentlichen begegnet also im Rahmen des Abschnitts und wird mit Hilfe des apostolischen Beispiels korrigiert.
- πῶς δεῖ μιμεῖσθαι ἡμᾶς V.7 entspricht τύπον δῶμεν ὑμῖν εἰς τὸ μιμεῖσθαι ἡμᾶς V.9. In diesem Zusammenhang ist das Verb ἐργάζω zu beachten. Es begegnet in Bezug auf den Apostel in V.8, in Bezug auf die Unordentlichen in V.11 und in der abschließenden Mahnung V.12. Die Nachahmung des Apostels wird offensichtlich am Beispiel von ἐργάζειν demonstriert.
- παραγγέλλομεν V.6 wird in V.10 aufgenommen mit dem Hinweis auf die Anfangsverkündigung τοῦτο παραγγέλλομεν ὑμῖν und abschließend in der Wendung παραγγέλλομεν καὶ παρακαλοῦμεν V.12.

Da ἀτάκτως περιπατεῖν nur im Rahmen des Abschnitts vorkommt und dabei recht unbestimmt bleibt, da es weiter als negative Folie für den Wandel des Apostels dient (V.7) und da die Anordnung und das Vorbild des Apostels den gesamten Abschnitt durchziehen, legt sich der Schluß nahe: das Gewicht des Abschnitts liegt auf dem apostolischen Vorbild und seiner Weisung ⟨143⟩. Hieran schließt sich folgende Überlegung an: es ist davon auszugehen, daß mit der eschatologischen Schwärmerei (2,1f) in der Gemeinde ein Vernachlässigen der Gegenwartspflichten einhergeht. Dies stellt den Hintergrund auch des Abschnitts 3,6ff dar. Aber auch hier wird deutlich, daß es sich nicht um eine ausgesprochene Irrlehre handelt ⟨144⟩, mit deren ethischen Konsequenzen sich der Verfasser explizit auseinandersetzt, sondern um Gemeindeglieder, die sich in die Schwärmerei verrennen, darüber ihre täglichen Aufgaben vernachlässigen und anderen damit Mühe machen. Gegenüber 1Thess 5,14; 4,11 erweckt der Abschnitt den Eindruck der Steigerung und in diesem eschatologisch-ethischen Problem liegt in der Tat der situative Kontext des Briefes. Genau besehen bleibt jedoch nicht mehr als die Tatsache übrig, daß es in der Gemeinde Menschen gibt (τινας), die ἀτάκτως wandeln. Dagegen konzentriert sich der Verfasser tatsächlich auf das Thema der apostolischen Tradition. μὴ κατὰ τὴν παράδοσιν κτλ 3,6 nimmt 2,15 auf. Und dient in 3,1-5 das Apostelbild als Verstehenshilfe für die Gegenwart, so wird dies nun in 3,6ff mit dem Hinweis auf Lehre und Leben des Apostels weitergeführt. Die Überlieferung gliedert sich also auf in

----

⟨142⟩ Er wurde als 2.Hauptabschnitt des Briefes bezeichnet (vgl v.DOBSCHÜTZ, Thess, S.309; NEIL, Thess, S.191).
⟨143⟩ Fragend TRILLING, 2Thess, S.144.
⟨144⟩ MARSHALL, Thess, S.210 zieht sogar Parallelen zur Irrlehre in Korinth. Hierfür ist kein Anhaltspunkt zu finden.

autoritative Lehre ⟨145⟩ und verpflichtendes Lebensbeispiel des Apostels. So wird die Paränese mit dem Hinweis auf den Apostel sowohl begründet als auch inhaltlich an ihm orientiert.

Der Verfasser behält das Verfahren, das bereits in 3,1–5 sichtbar wurde, bei und kombiniert verschiedene Aussagen aus 1Thess. Das Stichwort ἄτακτος gewinnt er aus 1Thess 5,14. Wesentliche Bedeutung haben aber drei andere Stellen: mit V.6 bezieht er sich offensichtlich auf 1Thess 4,1f; V.7.9 orientieren sich an 1Thess 1,6f und in V.8 wird Bezug genommen auf 1Thess 2,9. Diese Art der literarischen Abhängigkeit stützt das oben gewonnene Ergebnis: das Stichwort ἄτακτος bildet den Anknüpfungspunkt und den Rahmen des Abschnitts. Seine eigentlichen Aussagen aber formuliert der Verfasser in Anlehnung an andere Passagen aus 1Thess.

Die Autorität des Verbs παραγγέλλομεν ⟨146⟩ wird noch gesteigert durch die volle Wendung ἐν ὀνόματι τοῦ κυρίου Ἰησοῦ Χριστοῦ ⟨147⟩. Der Herr selbst legitimiert die Autorität des Apostels. Dies wird am Anfang und am Ende des Abschnitts betont. Das Stichwort vom unordentlichen Wandel wird nicht näher ausgeführt. Erst im Rückblick auf des Paulus eigenes Vorbild wird deutlich, daß es sich offenbar um Faulheit und Arbeitsscheu handelt (vgl V.11). Gemeindeglieder werden dieser Lebensweise geziehen, und die Brüder sollen sich von ihnen fernhalten. Daß den Unordentlichen die Bruderanrede zugestanden wird, sagt zunächst nicht mehr aus, als daß sie zur Gemeinde gehören. Faktisch schließen sie sich jedoch durch ihr Verhalten selbst aus der Gemeinschaft aus, indem ihr Wandel gerade nicht der Überlieferung entspricht, die sie ⟨148⟩ empfangen haben. Da der Apostel den λόγος κυρίου verkündet, gehorchen sie auch dem "Evangelium unseres Herrn Jesus" nicht (1,8). Daß das στέλλεσθαι ἀπὸ παντὸς ἀδελφοῦ κτλ gegenüber dem Vorwurf der Faulheit unverhältnismäßig hart sei ⟨149⟩, trifft deshalb die Sache nicht. Die scharfe Maßnahme ist denen gegenüber geboten, die sich nicht an die apostolische Tradition halten. Dies erklärt auch, warum der Vorwurf selbst so wenig expliziert wird. Das Gewicht liegt auf der apostolischen Tradition. Nun wissen die Gemeindeglieder, wie man Paulus nachahmen muß (V.7).

Im Vergleich mit dem μίμησις-Gedanken in 1Thess 1,6f; 2,14 ist folgendes auffällig: die für Paulus grundlegende Aussage (μιμητής) καὶ τοῦ κυρίου in 1Thess 1,6 fällt hier weg und es bleibt das πῶς δεῖ μιμεῖσθαι ἡμᾶς übrig. Weil der Verfasser außer 1Thess wohl keine anderen Paulusbriefe kennt, fällt dies im Vergleich zur indikativischen Aussage von 1Thess um so deutlicher auf. Die Nachahmung des apostolischen Vorbildes ist obligatorisch und die apostolische Lebensform ist nun ein Bestandteil der Überlieferung (V.6). Hat der μίμησις-Begriff bei Paulus letztlich hingewiesen auf die Existenz in Christus, so bezeichnet der Begriff hier die Nachahmung

---

⟨145⟩ Der "autoritativ-anordnende Charakter" ist das dominierende Merkmal des Abschnitts. "Formkritisch ist der Text keine Paränese, sondern eine apostolische Anordnung" (TRILLING, 2Thess, S.141f).

⟨146⟩ Vgl BJERKELUND, Parakalo, S.138f. Zum griechischen Sprachgebrauch und zur Verwendung des Verbs in LXX vgl SCHMITZ, Artikel παραγγέλλω, S.759f. Es überwiegt die Bedeutung vorschreiben, befehlen, häufig in militärischer Bedeutung. Paulus benutzt das Verb selten (vgl 1Kor 7,10; 11,17). Hier zieht sich der autoritäre Ton jedoch wie ein Leitfaden durch den ganzen Abschnitt. Interessant ist die Weiterentwicklung in den Pastoralbriefen. In 1Tim 6,13f wird Timotheus befohlen, τηρῆσαί σε τὴν ἐντολήν. Er soll dabei aber die Funktion des Apostels übernehmen und nun selbst das παραγγέλλειν wahrnehmen (1Tim 4,11; 5,7).

⟨147⟩ Für ἡμῶν im ursprünglichen Text treten ein RIGAUX, Thess, S.703; TRILLING, 2Thess, S.143. Die textkritische Frage ist kaum zu entscheiden. Zu ἐν ὀνόματι vgl auch 1,12.

⟨148⟩ Die Lesart παρελάβοσαν ist vorzuziehen, vgl v.DOBSCHÜTZ, Thess, S.310, Anm 5; TRILLING, 2Thess, S.144, Anm 611; MEZGER, Commentary, S.637.

⟨149⟩ TRILLING, 2Thess, S.143f.

des Apostels im Blick auf das ethische Verhalten <150>.

Daß Paulus nicht faul und arbeitsscheu war **(V.7)** stellt die Verbindung zu ἀτάκτως περιπατεῖν V.6 her. Ebenfalls noch negierend erläutert οὐδὲ δωρεὰν ἄρτον ἐφάγομεν παρά τινος **V.8** näher, was mit οὐκ ἠτακτήσαμεν gemeint ist <151>. παρά τινος zeigt die Allgemeinheit der Aussage. In V.12 wird sie direkt in eine ethische Aussage umgesetzt. Positiv wird das Verhalten des Apostels in V.8b beschrieben. Das wörtliche Zitat von 1Thess 2,9 macht die literarische Abhängigkeit mit Händen greifbar. Dennoch ist die Aussage inhaltlich verändert. In 1Thess ist das Motiv verbunden mit der Verkündigung des Evangeliums <152f>. Mühe und Arbeit des Paulus dienen ganz diesem Zweck. Im Zusammenhang von 2Thess 3,6ff geht es dagegen darum, der unordentlichen Lebensweise das apostolische Vorbild entgegenzusetzen und zur Nachahmung aufzurufen. Die trotz wörtlicher Übereinstimmung anders ausgerichtete Aussage macht den deuteropaulinischen Verfasser erkennbar.

Das Vorbild des Apostels tritt um so deutlicher hervor, als Paulus durchaus das Recht (ἐξουσία, vgl 1Kor 9,4ff) gehabt hätte, sich von der Gemeinde versorgen zu lassen **(V.9)** <153>. Wenn er dies (aus freien Stücken) nicht getan hat, so hat es den pädagogischen Grund (vgl auch ἐδιδάχθητε in 2,15), den Thessalonichern in seiner eigenen Person ein Vorbild zu geben <154>. Wiederum zeigt sich gegenüber 1Thess trotz gleicher Begriffe eine unterschiedliche Aussageintention. Wird die Gemeinde in 1Thess, indem sie sich am Apostel orientiert und gleich ihm Nachahmer wird (μιμητής), selbst für andere zum Vorbild (τύπος), so steht sie in 2Thess nur als übernehmende und nachahmende Gemeinde vor Augen. τύπος wird μιμέομαι beigeordnet. Das apostolische Vorbild entspricht dabei der apostolischen Lehre, wie V.10 erneut deutlich macht. καὶ γάρ ordnet die Aussage bei: damals, beim Gemeindeaufenthalt des Apostels hat er der Gemeinde dies auch schon befohlen. Das ὅτε ἦμεν πρὸς ὑμᾶς nimmt 1Thess 3,4 auf, ist sachlich aber wie 2,5; 3,7 orientiert. Die Gemeinde soll Lehre und Vorbild des Apostels bei seinem Aufenthalt in Thessalonich als verbindlich erinnern. Ein Lehrsatz des Paulus unterstreicht dies.

Wer nicht arbeiten will, der soll auch nicht essen **V.10**. Die Herkunft des Spruches ist nicht ganz klar. Ähnliche Formulierungen gibt es häufig <155>. Ob die Formulierung hier vom Verfasser ad hoc geschaffen oder als Sprichwort übernommen wurde, spielt deshalb keine wesentliche Rolle. Der Gehalt der Aussage ist in der Tat

----

<150> Vielleicht hängt damit zusammen, daß das Substantiv μίμησις hier dem Verb gewichen ist, das im NT nur hier im Blick auf Personen vorkommen. Zum μίμησις-Gedanken in 1Thess vgl oben, S.145f.

<151> ἄρτον φαγεῖν = von jemandem den Lebensunterhalt empfangen (vgl v.DOBSCHÜTZ, Thess, S.311f). Zu δωρεάν vgl 2Kor 11,7, dort allerdings in anderer Verwendung.

<152> Vgl besonders 1Thess 2,2.4.8.9.12. 2,13ff beschreiben dann die gute Aufnahme des Evangeliums in Thessalonich, vgl hierzu auch 1Kor 9,12.18; 2Kor 11,7ff; 12,13ff.

<153> Der Verfasser hat wohl die in 1Kor 9,4ff dargestellte Praxis, kaum aber den Wortlaut der Stelle gekannt. Die Argumentation in 1Kor 9 ist von der vorliegenden verschieden. Dort liegt ein Zwang auf Paulus, das Evangelium zu verkündigen (9,16). Dieser Verpflichtung kommt er nach, weshalb es ihm bei der Verkündigung auch nicht um Lohn gehen kann. Die Intention in 2Thess ist dagegen erzieherisch.

<154> Die Gemeindeleiter übernehmen in der späteren Entwicklung diese apostolische Funktion des τύπος: 1Tim 4,12; Tit 2,7; 1Petr 5,3 (vgl BROX, Pastoralbriefe, S.178f.295).

<155> Rabbinische Belege sind gesammelt bei STR-BILL III, S.641f (II S.10f.745f). In Gen 2,5.15 wird die Arbeit des Menschen schöpfungstheologisch begründet, vgl BERTRAM, Artikel ἔργον, S.645f. In der Spruchweisheit begegnen Aussagen, die den Hintergrund des Gedankens mitgestalten, vgl Spr 10,4. Auch im hellenistischen Bereich gibt es Zeugnisse der Wertschätzung der Arbeit (vgl HAHN, Artikel ἔργον; SCHNACKENBURG, Eph, S.212 zu Eph 4,28).

"ernüchternd hausbacken" <156> und es ist eine Diskrepanz festzustellen zwischen dieser (zu) einfachen Spruchweisheit und dem Aufwand von V.6 an, sie als aposto-lisch und verbindlich zu erweisen. Gerade die Tatsache, daß dieser Spruch als eine Art apostolischer Grundsatz hingestellt wird, zeigt die theologische Verarmung gegenüber 1Thess <157>. Und ebenso ist gegenüber 1Thess 4,11f festzustellen, daß die dort gegebene Blickrichtung πρὸς τοὺς ἔξω und damit der missionarische Aspekt im Wandel der Christen hier fehlt.

V.11 geht nun wieder auf das Stichwort ἀτάκτως περιπατεῖν (V.6) ein. Der Verfas-ser hat Nachrichten aus der Gemeinde gehört <158>. Offenbar gibt er damit den Anlaß für seine Mahnungen an. Die Nachrichten bleiben freilich blaß und geben über das bisher Gesagte hinaus keinen weiteren Aufschluß. Gesagt wird lediglich, daß einige Gemeindeglieder unordentlich leben. ἀκούομεν γὰρ τίνας περιπατοῦντας ἀτάκτως klingt deutlich milder als die Mahnung in V.6. Von V.7 und dem Stichwort ἐργάζειν her kann man die Arbeitsscheu bestätigt finden. περιεργάζω dient der rhetorischen Figur und gibt keine zusätzliche Information <159>. Unnützes treiben und unordentlich wandeln sind die negativen Gegenbilder zum Vorbild des Apostels. Dem entspricht auch, daß der Verfasser abschließend wohl die Unordentlichen selbst anspricht, aber doch unpersönlich in der 3.Person: τοῖς δὲ τοιούτοις (V.12). Neben das erneut aufgenommene παραγγέλλομεν tritt παρακαλοῦμεν. Das zweite mildert das erste Verb nicht ab, sondern gehört in einer Wendung mit ihm zusammen. Beides ist verbunden mit ἐν κυρίῳ Ἰησοῦ Χριστῷ <160>. Damit ist wie in V.6 der apostolischen Anordnung die letzte Autorität verliehen. In Aufnahme des aposto-lischen Wirkens (V.8) wird gefordert, daß die Unordentlichen arbeiten und ihren eigenen Lebensunterhalt verdienen sollen. μετὰ ἡσυχίας ist Gegenbegriff zu περιερ-γάζεσθαι <161>. Die Verpflichtung zu ruhiger Arbeit wird aus der paulinischen Tradi-tion begründet <162>. Daß die Forderung in V.12 in eine andere Richtung geht als die in V.6, sollte man nicht überbetonen (V.14 nähert sich gleich wieder an V.6 an). Der Unterschied erklärt sich aus den unterschiedlichen Adressaten beider Verse. Gemein-sam dokumentieren sie aber die herausragende Rolle der apostolischen Überlieferung.

<156> TRILLING, 2Thess, S.148.
<157> Der Vers wurde gleichwohl in der Folgezeit häufig zitiert und hat das christliche Arbeits-ethos nachhaltig geprägt, vgl hierzu TRILLING, 2Thess, S.148f.
<158> Zum perfektischen Präsens vgl BL-DEBR, § 322.
<159> Zur Figur der Paronomasie vgl BL-DEBR, § 488. Belege für diese Sprachfigur finden sich auch bei RIGAUX, Thess, S.711 (vgl ebd:"sans rien faire et toujours affaires"; MARSHALL, Thess, S. 224: "busibodies instead of busy"). Vgl bei Paulus Phil 3,2f.
<160> Gegen TRILLING, 2Thess, S.140. Richtig stellt v.DOBSCHÜTZ, 2Thess, S.314 die wuchtige Wirkung der Forderung fest. Es ist hier wohl das paulinische ἐν κυρίῳ 1Thess 4,1 beibe-halten. Drückt bei Paulus ἐν κυρίῳ aber das Hineingenommensein der Christen in das Heilswerk Christi und die Verantwortung ihm gegenüber aus, so hat die Nennung des Kyrios in den rahmenden Versen 6 und 12 die Funktion, die Anordnung des Apostels mit letzter Autorität zu versehen (gegen MARSHALL, Thess S. 225, der hier "the saving event of Jesus" angesprochen sieht).
<161> So v.DOBSCHÜTZ, Thess, S.314; TRILLING, 2Thess, S.151. ἡσυχία klingt an ἡσυχάζω 1Thess 4,11 an und ist, wie der gesamte Zusammenhang, von dort beeinflußt. Zur Rolle der ἡσυχία in der Pastoralen vgl BROX, Pastoralbriefe, S. 125f. Zur ἡσυχία der Frau vgl 1Tim 2,11f; 1Petr 3,4.
<162> TRILLING, 2Thess, S.151 meint: "Auch das Schlußwort dürfte bestätigen, daß das Thema der Anweisung VV 6-12 die Verpflichtung zur Arbeit im Rahmen einer christlich-'bürger-lichen' Lebensanschauung ist". Im Gegensatz dazu sehe ich die Betonung der apostoli-schen Überlieferung als Thema des Abschnitts, das mit Hilfe des Beispiels der Unordent-lichen entfaltet wird. Das stille, arbeitsame Leben ist angesprochen im Sinn apostolischer Norm.

5.2.4) 2.Thessalonicher 3,13-16

In der Mehrzahl der Kommentare wird entweder V.13 noch als Abschluß von 3,6-12 gesehen oder in den gesamten Abschnitt 3,6-16(15) mit einbezogen <163>. Wenn man dies tut, wird man V.14 auf die Unordentlichen beziehen und in καλοποιοῦντες V.13 einen Gegensatz sehen zu dem unordentlichen Wandel <164>. Es ist nun aber nicht nur schwierig, in ἐγκακήσατε καλοποιοῦντες einen direkten Zusammenhang mit der fleißigen und ruhigen Arbeit von V.11 zu erkennen. Es ist ebenfalls bedenklich, das allgemeine Wort καλοποιέω zu begrenzen auf das caritative Handeln auch den Faulenzern gegenüber <165>, so daß sich eine Beziehung zu V.11f nicht nahelegt. Zwei formale Beobachtungen stützen dies. Zum ersten findet sich hier erneut die Bruderanrede, die jeden Neueinsatz in 2Thess kennzeichnet. Daneben legt auch die deutliche Abgrenzung des vorangehenden Abschnittes in V.6.12 den Neueinsatz in V.13 nahe. Man wird also von V.13 an einen eigenen kleinen Abschnitt erkennen, der bis V.16 geht <166>.

Das Hauptthema wird auch hier weitergeführt. Es geht darum, eine "Verhaltensregel gegenüber denjenigen aufzustellen, die nicht nach der 'apostolischen Überlieferung' wandeln und sich so von der Gemeinde abgrenzen" <167>. Dabei sind alle im Blick, die dem λόγος ἡμῶν nicht gehorchen (**V.14**). Der kleine Abschnitt wird mit ὑμεῖς δέ, ἀδελφοί eingeleitet. Anders als in V.11f geht es nun um die Gemeinde insgesamt. Sie soll im Tun des Guten nicht nachlässig werden, und zwar des Guten im weitesten Sinn <168>. Im Zusammenhang mit V.6-12 und V.14 ist mit μὴ ἐγκακή-σατε auf die Treue zur apostolischen Weisung angespielt. Das Verhalten ihr gegen-über wird in V.14 noch einmal im Sinne einer Regel thematisiert: wenn aber je-mand <169> unserem Wort durch den Brief nicht gehorcht, den "zeichnet". λόγος ἡμῶν steht in Verbindung mit 3,1 und 1,8, ohne daß dies hier betont wäre. Deut-licher ist die Beziehung zu 2,5 und 3,10, wo auf die Anfangsverkündigung des Paulus hingewiesen wird. Gemeint ist das apostolische und damit das verbindliche Wort, und zwar nun "das Wort in dem Brief", dh. in diesem Brief, nämlich 2Thess. Die Aussa-ge ist der in 2,15 ganz ähnlich. Stehen dort mündliche und schriftliche Verkündigung des Paulus nebeneinander, so ist hier die mündliche Verkündigung in den Brief eingegangen. In beidem liegt die Grundlage christlichen Glaubens und Lebens fest. Diese Verbindung zeigt auch, daß V.14 nicht nur 3,6-12, sondern ebenso die eschato-

---

<163> Vgl BRUCE, Thess, S.207f; MARSHALL, Thess, S.225f; v.DOBSCHÜTZ, Thess, S.315ff; RIGAUX, Thess, S.712f.

<164> Vgl vor allem v.DOBSCHÜTZ, Thess, S.315, der die finanzielle Unterstützung eines durch Schwärmerei in Not geratenen Bruders mit einbezieht; so auch MARSHALL, Thess, S.226.

<165> Vgl hierzu TRILLING, Untersuchungen, S.98f. καλοποιεῖν ist Hapaxlegomenon im NT mit dem allgemeinen Sinn "Gutes tun". ἐγκακέω hat die Grundbedeutung "sich schlecht benehmen", die dann übergreift in "nachlassen, müde werden" (vgl GRUNDMANN, Artikel κακός, S.487). Es liegt also erneut ein Wortspiel vor.

<166> V.16 noch hinzuzunehmen empfiehlt sich dadurch, daß εἰρήνη Bezug nimmt auf μὴ ὡς ἐχθρὸν ἡγεῖσθε V.15; dann auch durch das wiederholt festgestellte Gliederungsprinzip im paränetischen Abschnitt von 2Thess, demzufolge eine Bitte bzw. Mahnung eine Hinwen-dung zum Herrn nach sich zieht.

<167> TRILLING, Untersuchungen, S.99.

<168> Ähnlich formuliert Paulus in Gal 6,9. Dort steht die Mahnung allerdings in eschatologi-schem Kontext, während hier die Orientierung am Beispiel des Paulus vorherrscht. Inter-essant ist auch der Vergleich mit dem ἐργαζώμεθα τὸ ἀγαθὸν πρὸς πάντας, für das eine Entsprechung hier fehlt.

<169> Zum εἰ mit Indikativ vgl BL-DEBR § 371. Das τις zeigt nicht an, daß der Verfasser Unge-horsam höchstens bei Einzelnen erwartet, sondern gehört zur Formulierung der Regel.

logische Schwärmerei im Blick hat <170>. Die Verbindungslinie geht von 2,5 über 2,15; 3,4.6.7-9.10 bis zu V.14. "Das 'Wort durch den Brief' das sind Lehre, Botschaft, Unterweisung, Ermutigung, Mahnung und Anordnung, die mit dem Schreiben vermittelt werden" <171>. Wer sich also der apostolischen Botschaft gegenüber ungehorsam erweist, den sollen die Gemeindeglieder "zeichnen, sich merken". Der Sinn des Wortes σημειοῦσθαι ist nicht ganz klar. Eine Hilfe ist aber der angeschlossene Infinitiv μὴ συναναμίγνυσθαι αὐτῷ <172>. Er meint die Einschränkung des Umgangs mit den Ungehorsamen mit dem Ziel, daß jene auf den richtigen Weg zurückfinden (ἵνα ἐντραπῇ). **V.15** fügt noch an, daß der Ungehorsame nicht als Feind, sondern als Bruder betrachtet werden soll (vgl die Bruderanrede in 3,6). Es geht nicht um Exkommunikation, sondern um Einsicht und Besserung <173>. νουθετέω ist aus 1Thess 5,12 übernommen. Man kann sich freilich des Eindrucks nicht erwehren, daß hier vage formuliert ist und daß nicht wirklich deutlich wird, wie die Gemeinde sich gegenüber den ungehorsamen Brüdern verhalten soll.

Im Vergleich mit anderen nt.lichen Texten, in denen es um disziplinarische Maßnahmen gegenüber Gemeindegliedern geht, ist folgendes anzumerken: ein ausgeprägtes Verfahren wie etwa in Mt 18, 15-17 <174> liegt hier nicht vor. Die Gegenmaßnahmen bleiben sichtlich in der Schwebe. Hinzu kommt, daß die Anweisung in 2Thess sich nicht auf Sünde allgemein bezieht (vgl ἐὰν ἁμαρτήσῃ Mt 18,15), sondern auf den, der den Mahnungen des Briefes nicht Folge leistet und die Lehre nicht annimmt. Kirchenzucht im Sinne bestimmter Konventionalstrafen bis hin zum Ausschluß aus der Gemeinde ist noch nicht ausformuliert, wenngleich das eindeutige στέλλεσθαι ἀπὸ παντὸς ἀδελφοῦ ἀτάκτως περιπατοῦντος 3,6 und das μὴ συναναμίγνυσθαι 3,14 diese Richtung andeuten. Auf der andere Seite ist die Regel auch nicht mit Paulustexten in Übereinstimmung zu bringen. In 1Kor 5 geht es um einen ganz konkreten Fall und die Absicht ἵνα τὸ πνεῦμα σωθῇ 1Kor 5,5, also die eschatologische Rettung des Sünders, fehlt hier. Im Vergleich mit Disziplinarmaßnahmen, wie sie andernorts im NT vorgenommen werden, bleibt 2Thess 3,14 also recht undeutlich. Daher ist es problematisch, die Verse einer bestimmten Stufe innerhalb der Entwicklung der Kirchenzucht zuzuordnen. Es geht dem Verfasser weniger um detaillierte disziplinarische Maßnahmen als vielmehr um die abschließende Einschärfung des Gehorsams gegenüber der apostolischen Tradition, wie sie im Brief vorliegt <175>.

3,14f bildet mit 2,15 eine Art Klammer um den paränetischen Briefteil. Mit Wort und Brief des Apostels ist das Generalthema des gesamten Abschnitts angesprochen und zusammengefaßt. Die Schlußverse dieses Briefteils in 3,13-16 runden dieses Generalthema ab, indem sie einerseits die Gemeinde zum Halten der apostolischen Überlieferung anhalten und andererseits für den Fall des Ungehorsams eine Verhaltensregel

----

<170> Gegen *MARXSEN* (2Thess,S.102), der meint, der Verfasser habe seine Gedanken erst beim Schreiben entwickelt.

<171> *TRILLING*, 2Thess, S.155.

<172> Ob textkritisch der Infinitiv oder der Imperativ (mit καὶ μή bei D*G) vorzuziehen ist, ist kaum zu entscheiden. Der Imperativ scheint als Angleichung an σημειοῦσθε eher als spätere Änderung erklärbar zu sein. Sachlich besteht kein großer Unterschied. Der Sinn von συναναμίγνυσθαι ist "sich mischen unter, verkehren mit" (*BAUER*, Wörterbuch, Sp.1553). Hinsichtlich σημειοῦν geht *DIBELIUS*, Thess, S.55 sehr weit, indem er an die öffentliche Bekanntgabe der arbeitsscheuen Personen denkt, bis hin zum Ausschluß aus der Gemeinde.

<173> Das Verb νουθετέω begegnet im NT nur bei Paulus und seinen Nachfolgern. 1Kor 4,14f macht die liebevolle und seelsorgerliche Dimension des Mahnens deutlich.

<174> Vgl Tit 3,10. Auf den Ausschluß aus der Gemeinde zielt ebenfalls Jud 22f; 2Joh 10f. Vom erfolgten Ausschluß berichtet 1Joh 2,19 (vgl 2Petr 2,20; 3,17).

<175> Ob die Regel praktiziert wurde, was *TRILLING* zunächst vermutete (Untersuchungen, S.99), jetzt aber ablehnt (2Thess, S.156), ist kaum zu entscheiden. Die Vagheit der praktischen Anwendungen spricht eher dagegen, aber die Regel weist eben doch schon voraus auf die stärker ausgeführten Maßnahmen.

formulieren, deren Ziel aber die Anerkennung der apostolischen Tradition durch die Ungehorsamen ist.

Ein Segenswunsch **V.16** schließt den Abschnitt ab. Der Verfasser nimmt dabei 1Thess 5,23 auf, ändert aber in für ihn typischer Weise ὁ θεὸς τῆς εἰρήνης in ὁ κύριος τῆς εἰρήνης. Dabei denkt er aber doch wohl eher an Gott als an Christus; denn der Friede, der erbeten wird, wird ja für die Gegenwart erbeten und von einer gegenwärtigen Wirksamkeit Christi ist im Brief nicht die Rede. Der Friede soll in der Gemeinde gelten, also auch im Blick auf die Gemeindeglieder, die bisher den Forderungen des Apostels ungehorsam waren. Hierfür ist der bestimmte Artikel ein Indiz. διὰ παντὸς ἐν παντὶ τρόπῳ schließt die Bitte volltönend ab. Die zweite Bitte ὁ κύριος μετὰ πάντων ὑμῶν schließt sich noch an ⟨176⟩. Sie fügt dem zweimaligen πᾶς in V.16a noch ein drittes hinzu und schafft den Eindruck der Überladenheit ⟨177⟩. In jedem Fall wird auch dieser Abschnitt mit einer Hinwendung zum Herrn beschlossen. Er soll der Gemeinde Frieden geben und mit ihr sein.

5.2.5) Zusammenfassung: Die Paränese im 2.Thessalonicherbrief

1) Von 2,13 an ist die Paränese durchgehend orientiert am Apostel. Wie ein roter Faden zieht sich das Festhalten an der apostolischen Überlieferung durch den gesamten Briefteil hindurch (vgl 2,15; 3,1f.4.6.7-9.10.12.14f) und wird auch in den Abschnitten behandelt, die von Form ud Inhalt her zunächst in eine andere Richtung weisen. 2,15 und 3,14 geben als Klammer zugleich den Inhalt der Paränese an. Die übrigen Aussagen (Dank in 2,13f, der Lauf des Evangeliums und seine Aufnahme 3,1ff, das Verhalten der Unordentlichen 3,6ff, die Gebetswünsche 2,16f; 3,3.5.16) sind durchgehend bezogen auf die apostolische Überlieferung.

2) Zur apostolischen Tradition gehören Ermahnung (παραγγέλλω in 3,4.6.10.12), Lehre (ἐδιδάχθητε 2,15) und das Vorbild des Apostels (3,1f.7-9). Darin kommt ein pädagogischer Grundzug zum Ausdruck, der das Paulusbild und die Paränese des Briefes prägt. Der Rückgriff auf die Verkündigung des Apostels in Thessalonich steht neben seiner Botschaft im vorliegenden Brief (2,15; 3,14). In beidem liegt die gültige apostolische Lebensanweisung vor. Der Apostel ruft zu einem christlich verantworteten Leben und gibt mit seinem eigenen Verhalten die Anleitung dafür. Demgegenüber treten Einzelmahnungen stärker in den Hintergrund. Mit dem Wort und Beispiel aus der Vergangenheit prägt der Brief die Gegenwart mit dem Ziel, das Heil zu erwerben (2,14). Diese zeitliche Struktur entspricht der in 2,5ff.

3) Die Christen sind von Gott zum Heil berufen und vom Herrn geliebt (2,13). Mit diesen Aussagen hält der Verfasser am Heilswillen Gottes für die Christen fest und kommt zu einer posititven Aussage über die Gegenwart. Diese Erwählung ist freilich auf das Heil hin offen und bedarf des Mitwirkens der Christen (περιποίησις). Über ihr Heil in der Zukunft entscheidet ihr Verhalten in der Gegenwart (vgl 2,13f und das folgende ἄρα οὖν V.15). Eine christologische Begründung der Paränese ist nicht zu erkennen. Der Kyrios-Titel ist formelhaft gebraucht und es ist nicht immer klar,

---

⟨176⟩ Bei Paulus ist μετὰ ὑμῶν in der Regel verbunden mit der Gnade, der Liebe oder der Gemeinschaft des Herrn, vgl 1Thess 5,28; 1Kor 16,23; 2Kor 13,13; Gal 6,18; Phil 4,23; Phlm 25.
⟨177⟩ Vgl *TRILLING*, Untersuchungen, S.105.

ob er sich auf Christus oder Gott bezieht (3,16f). Das Geschehen von Kreuz und Auferstehung wird nicht erwähnt und hat für die Paränese keine Bedeutung. Die Eschatologie begründet die Ethik nicht in dem Sinn, daß von ihr her das Handeln der Christen inhaltlich motiviert wird. Die Paränese ist umgekehrt eine Anweisung für die Gemeinde, damit sie im Eschaton bestehen kann <178>.

4) Sieht man auf das Material der Paränese in 2Thess, so ist das Ergebnis eindeutig: 2Thess schöpft seine Aussagen fast ausschließlich aus 1Thess. Es finden sich zahlreiche Anklänge bis hin zu wörtlichen Zitaten. Die Arbeitsweise des Verfassers, verschiedene Stellen aus 1Thess zu einer neuen Aussage zu verbinden, wird gerade im paränetischen Briefteil handgreiflich. Daß der Verfasser an dem Problem der ἄτακτοι ein besonderes Interesse und einen aktuellen Anlaß hat, wird in 3,11f und an der Länge des Abschnitt 3,6-12 deutlich. Aber auch das Stichwort der ἄτακτοι ist aus 1Thess 5,14 übernommen und es wird über 1Thess hinaus kaum eine weitergehende Information gegeben. Ein so wichtiger Vers wie 2,15 bleibt ebenfalls allgemein und gibt keine konkreten Anhaltspunkte. Die Unterscheidung von aktueller und usueller Paränese ist deshalb hier nicht hilfreich. Der paränetische Abschnitt dient ganz wesentlich dem Einschärfen und der Mahnung zum Festhalten an der apostolischen Tradition.

5.3) Die Paränese im Kolosserbrief

Neben dem 1. Hauptteil 1,9-2,23, der von den grundlegenden Aussagen des Hymnus her die Irrlehre beurteilt, steht ein zweiter, paränetischer Briefabschnitt in 3,1-4,6. Von 4,7 ab fügt der Verfasser verschiedene Notizen und Grüße als Briefschluß an. Innerhalb des paränetischen Briefteils bilden 3,1-4 einen Übergangsabschnitt. Ein zweiter Abschnitt schließt sich in 3,5-17 an <179>, wobei zunächst in V.5-8 verschiedene Laster zusammengestellt sind und ab V.12 die Tugenden. V.9 nimmt νεκρώσατε V.5 und ἀπόθεσθε V.8 auf; ἐνδυσάμενοι V.10 weist voraus auf V.12ff. Man sollte deshalb V.9-11 nicht zu V.5-8 ziehen, sondern den gesamten Abschnitt V.5-17 im Zusammenhang behandeln. Er schließt in 3,17 mit πάντα ἐν ὀνόματι κυρίου ᾽Ιησοῦ ab. Die Haustafel, die sich in 3,18-4,1 anschließt, fächert dies für den Alltag der Christen auf. In 4,2-6 schließt die Reihe der Mahnungen ab mit einer Aufforderung zu Gebet und Fürbitte für den Wandel in Weisheit.

5.3.1) Kolosser 3,5-17

3,1-4 faßt das Vorangehende zusammen <180>. Die Christen sind mit Christus auferstanden und ihre wahre Existenz liegt "oben" bereit; deshalb sollen sie ihr Leben und Handeln von dorther bestimmt sein lassen und und sich dorthin ausrichten. Diese grundlegenden paränetischen Aussagen werden im folgenden ausgelegt. **V.5** zieht offensichtlich die Konsequenz aus V.3 (οὖν). Töten sollen die Christen die "Glieder der Erde", wobei τὰ ἐπὶ τῆς γῆς die Formulierung in 3,2 wörtlich wiederholt. Genaue Bedeutung und religionsgeschichtlicher Hintergrund des Ausdrucks <181>

<178> Vgl MÜNCHOW, Ethik, S.155: es liegt eine "Ethik des Ausharrens um des künftigen Heils willen" vor.

<179> In verschiedenen Kommentaren wird unterteilt in 3,5-11 und 12-17. Die V.9-11 gehören freilich nicht nur zu V.5ff, sondern leiten von V.5-8 über zu V.12ff.

<180> Vgl oben, S.67-74.

<181> Nicht behaupten konnte sich die Interpretationen von MASSON, Kol, S.142ff, der τὰ μέλη als Vokativ auffaßt und darunter die Christen am Christusleib versteht, und von HORST (Artikel μέλος, S.570), der hier leibliche Glieder erkennt, "die die konkrete, tätige unter der Sünde stehende Leiblichkeit ausmachen".

sind schwierig zu erfassen. Die "Laster heißen die irdischen Glieder des Menschen, sie sind also nicht etwas an ihm, Eigenschaften, sondern er selbst" ⟨182⟩. Ihre Fünfzahl, die kaum zufällig ist ⟨183⟩, bestätigt dies insofern, als sie die Ganzheit des Menschen andeuten ⟨184⟩. Es handelt sich bei der Nennung der Laster also weniger um ein bestimmtes Fehlverhalten, das nun mit Hilfe eines Katalogs dargestellt wäre, sondern darum, daß der Glaubende, dessen wahre Existenz bei Gott schon verborgen ist (V.3), seinem Leben nun insgesamt eine neue Richtung gibt. Alles, was ihn daran hindern könnte, soll er "töten". Der Lasterkatalog bezeichnet deshalb nicht konkrete Mißstände, sondern die Grundübel eines Lebens ἐπὶ τῆς γῆς. Der Verfasser übernimmt den Katalog aus der Tradition. Unzucht, Habgier und Götzendienst gehören zu den Hauptvorwürfen der Juden an die Heiden ⟨185⟩. Der Katalog in Kol ist aufgeteilt in 4 + 1 Begriffe, wobei der letzte, πλεονεξία, durch καί, den Artikel sowie V.5fin besonders hervorgehoben ist. Dies deutet darauf hin, daß die vier ersten Laster in ihrer Bedeutung nicht weit auseinander liegen.

Eingeleitet wird die Reihe mit Unzucht ⟨186⟩. ἀκαθαρσία bezeichnet ebenfalls im geschlechtlichen Sinn das unsittliche Verhalten (und steht in Gal 5,29; 2Kor 12,21; Eph 5,3.5; vgl 1Thess 4,7; Röm 1,24 neben πορνεία). Auch πάθος und ἐπιθυμία, die ausdrücklich als κακή bezeichnet wird ⟨187⟩, meinen in dieser Zusammenstellung die sexuelle Ausschweifung. ἀκαθαρσία, πάθος und ἐπιθυμία κακή erläutern so den Begriff πορνεία. Die πλεονεξία (vgl 1Thess 4,6) ⟨188⟩, die neben die sexuellen

⟨182⟩ *CONZELMANN*, Kol, S.150.
⟨183⟩ Dagegen spricht schon die Pentade in V.8.12 (vgl 2,23). Anders *SCHWEIZER*, Kol, S.140.
⟨184⟩ So *LINDEMANN*, Kol, S.55f. Er führt zusammen mit *DIBELIUS*, Kol, S.41, *BORNKAMM*, Häresie, S.151; *LOHSE*, Kol, S.198f das Pentadenschema auf iranische Einflüsse zurück. Dort sind die Glieder des Menschen seine (guten oder bösen) Taten, aus denen sich sein himmlisches Selbst bildet (*REITZENSTEIN*, Erlösungsmysterium, S.265ff). Ebenfalls ist dort die Fünfzahl der Elemente belegt. Eine direkte Beeinflussung ist nicht anzunehmen, vielmehr sind Zwischenglieder erforderlich. Diese liegen mit großer Wahrscheinlichkeit im hellenistischen Synkretismus und dann im hellenistischen Judentum vor (vgl *KAMLAH*, Form, S.56.53-173). Bei Philo sind zwar Viererreihen die Regel (vgl zB rev div her 153. 282). Der Äther wird aber als 5.Element genannt in fug 110 und aet mund 102 (vgl zu Philo auch *KAMLAH*, ebd, S.104f). Nach rev dir her 282 läßt die aufsteigende Seele die Elemente hinter sich, was eine Parallele zu den στοιχεῖα τοῦ κόσμου ergibt. Die im griechischen Denken herrschende Vorstellung von dem Menschen als einem kleinen Kosmos schlägt sich ebenfalls bei Philo nieder: "Wie der göttliche Logos als Schöpfungsmittler die fünf Elemente zur Welt gestaltet, so gibt die Seele dem Leib sein Leben..."(*SCHWEIZER*, Kol, S.139). Die kosmologische Konzeption wird also anthropologisch interpretiert. Dann können aber die "Elemente des menschlichen Lebens" in Analogie zu den Elementen des Kosmos die Erlösung der Seele behindern. Die Tatsache, daß Kol sich in so starkem Maß mit der Stoicheia-Lehre auseinandersetzt, macht eine Verbindung zu dem mikrokosmischen Gedanken des menschlichen Leibes wahrscheinlich, bei dem die Seele sich von den Gliedern, die sie festhalten wollen, befreien muß (vgl *SCHWEIZER*, Kol, S.139f). Hinter dem Ausdruck τὰ μέλη τὰ ἐπὶ τῆς γῆς steht also eine Entwicklungsgeschichte, in der kosmologische Gedanken anthropologisch und soteriologisch gedeutet wurden und zu der die Vorstellung getreten ist, daß die Laster in den Körpergliedern lokalisiert sind und wirksam werden (vgl *SCHWEIZER*, Kol, S.140). Manichäische Texte (vgl dazu *KAMLAH*, ebd S 71ff.79; *SCHWEIZER*, Gottesgerechtigkeit, S.471, Anm 40f) können wegen ihrer späten Entstehung hier nicht herangezogen werden.
⟨185⟩ Vgl zur hellenistisch-jüdischen Apologetik *EASTON*, Lists, S.1-12 und Test D 5,5-7; Test Jud 18,2. Zum Zusammenhang von Laster und Götzendienst vgl Weish 14,12.22ff. Die Lasterkataloge im NT sind aufgeführt bei *SCHWEIZER*, Gottesgerechtigkeit. Zu Unzucht und Habgier vgl 1Thess 4,3ff; 1Kor 5,11; 6,9f; Gal 5,19f; Eph 5,3.5.
⟨186⟩ Gemeint ist vor allem der Geschlechtsverkehr mit Dirnen, vgl *HAUCK-SCHULZ*, Artikel πόρνη, S.580f.592f; *MALINA*, Porneia, S.17. Zu ἀκαθαρσία vgl *HAUCK*, Artikel ἀκαθαρσία, S.43.
⟨187⟩ Dies entspricht dem zunächst allgemeinen Sinn von ἐπιθυμία, vgl oben S.138.
⟨188⟩ πλεονεξία bildet sich aus πλέον ἔχειν in der Bedeutung "mehr haben wollen", vgl *DELLING*, Artikel πλεονέκτης, S.266f. Eine Abhängigkeit von Mt 6,24 legt sich nicht nahe. Die Deutung der Habgier entspricht der allgemeinen Sicht in Judentum und Christentum.

Laster das der Habsucht stellt, wird als Götzendienst bezeichnet <189>. Damit wird angedeutet, daß derjenige, der sich der Unzucht oder der Habgier hingibt, sich an Dinge hängt, die nicht von Gott sind und nicht von ihm gewollt. Wer sich ihnen verschreibt, der ist deshalb faktisch ein Götzendiener. Alle diese Laster werden im Zorngericht Gottes gerichtet V.6 <190>. Der Hinweis auf das Gericht ist traditionell (vgl 1Thess 4,6; 1Kor 5,9-13; 6,9; Gal 5,21) <191>.

In doppelter Formulierung (ἐν οἷς, ἐν τούτοις) wendet der Verfasser in **V.7** den Lasterkatalog auf die Vergangenheit der Gemeinde an: einst habt ihr in diesen Lastern gelebt und seid in ihnen gewandelt <192>. Diesem Einst steht in scharfer Antithese <193> das betonte νυνί **V.8** entgegen. In der christlichen Gemeinde ist kein Platz mehr für alle diese Laster. τὰ πάντα bezieht sich dabei ebenso zurück auf V.5 wie voraus auf die zweite Lasterreihe in V.8. Daß νυνὶ δέ nun aber nicht eine Beschreibung des Heilsindikativs folgt, sondern ein zweiter Imperativ, macht deutlich, daß das neue Leben nicht im statischen Sinn beschrieben, sondern in dynamischem Sinn gesucht und gelebt werden muß. Deshalb bedürfen auch die Christen der Mahnung, was durch das ebenfalls betonte καὶ ὑμεῖς unterstrichen wird. So ist gerade in V.7f die Spannung von Indikativ und Imperativ gewahrt.

Wiederum sind fünf Laster genannt, die die Christen ablegen sollen. Handelt es sich in V.5 um die heidnischen Grundlaster, so ist hier eher an Fehlverhalten im zwischenmenschlichen Bereich gedacht, das auch in der Gemeinde vorkommen kann.

Wie der erste Katalog stammt auch dieser aus der Tradition. ὀργή und θυμός sind praktisch gleichbedeutend. Zorn und Wut sollen im Umgang miteinander keinen Platz haben. Dasselbe gilt für jede Art von Schlechtigkeit (κακία), die die Gemeinschaft zerstört <194>. βλασφημία meint die Lästerung, die lästerlichen Reden bis hin zur Verleumdung <195>. αἰσχρολογία ist Hapaxlegomenon im NT und meint die schändliche Rede (vgl Did 5,1 und ähnlich Eph 5,4). Der Zusatz ἐκ τοῦ στόματος ὑμῶν bezieht sich wohl am ehesten auf βλασφημία und αἰσχρολογία: sie sind sicher böse Rede, während κακία sich nicht notwendig auf das gesprochene Wort beziehen muß <196>. Auf jeden Fall bezeichnen alle Begriffe ein Fehlverhalten im zwischenmensch-

----

<189> Zu Rabbinischen Belegen vgl STR-BILL II, S.606f, im NT vor allem Eph 5,5. Der Singular εἰδωλολατρία bezieht sich zunächst auf πλεονεξία (vgl Philo, Spec leg I, 23-25; rabbinische Belege bei STR.-BILL III, S.606f und sachlich Mt 6,24). Faktisch ist aber πορνεία mitgemeint (zur Verbindung von Unzucht und Götzendienst vgl Weish 14,2; Test R 4,6; Test Jud 23,1; Test B 10,10). Nach EASTON, Lists, S.6 ist εἰδωλολατρία als 6.Glied der Lasterreihe zu sehen. Dem widerspricht jedoch das dreimalige Pentadenschema in Kol.

<190> Das Präsens steht für die Gewißheit des kommenden Gerichts (vgl LIGHTFOOT, Kol, S.213). Hier ist nicht der Zorn als Affekt Gottes gemeint. Röm 1,18-32 kann insofern vergleichend herangezogen werden, als dort die Situation der gesamten Menschheit vor Gott beschrieben wird und damit auch die eigene Vergangenheit der Christen. Die Lesart ἐπὶ τοὺς υἱοὺς τῆς ἀπειθείας ist eine Angleichung an Eph 5,6.

<191> Diese Traditionsbedingtheit verwehrt es, die Stelle als Beleg für die futurische Dimension kol Eschatologie zu werten. Der Hinweis auf das Gericht gehört bereits zum Bestand des Katalogs.

<192> περιπατεῖν bezeichnet den Lebenswandel und ist in der Regel mit einer Näherbestimmung versehen wie κατά, ἐν oder ἀξίως, vgl BERTRAM/SEESEMANN, Artikel πατέω, S.944. Daß die Stelle hier im Kontext von Heil und Unheil steht, zeigt der Anklang an das Revelationsschema in 1,26.

<193> Es wird so formuliert, daß das "Jetzt" den Einsatz bildet. Vgl hierzu auch TACHAU, Einst, S.125.

<194> Vgl GRUNDMANN, Artikel κακός, S.485.

<195> Vgl BEYER, Artikel βλασφημία, S.620. Ob hier der religiöse Sinn mitklingt (vgl ebd S. 623), mag offen bleiben (vgl Eph 4,32; 1Tim 6,4; 2Tim 3,2). Besonders in Tit 3,2 ist das Verb eindeutig im Blick auf andere gebraucht.

<196> Bezieht man es auf ἀπόθεσθε, so sind alle 5 Laster mitgemeint. Allerdings stoßen sich dann die Bilder. ἀποτίθημι spielt schon auf V.9ff an.

lichen Bereich ⟨197⟩.

μὴ ψεύδεσθε εἰς ἀλλήλους **V.9** hat fast den Charakter einer Zusammenfassung des Katalogs ⟨198⟩. Die Wendung ἀπεκδυσάμενοι bestätigt dies und leitet in Verbindung mit ἐνδυσάμενοι V.10 zu V.12ff über. Die beiden Partizipien im Aorist sind mit Wahrscheinlichkeit imperativisch zu verstehen ⟨199⟩: zieht den alten Menschen aus und den neuen Menschen an. Verwandte Bilder begegnen ähnlich in Mysterientexten, in der Gnosis und auch im AT ⟨200⟩. Diese Parallelen beschreiben wohl das Umfeld des Bildes, treffen aber dessen Sinn nicht wirklich. Geprägt ist die Stellen dagegen ganz offensichtlich von der Beschreibung des Taufgeschehens bei Paulus.

In Röm 13,12 begegnen die Wendungen ἀποθώμεθα οὖν τὰ ἔργα τοῦ σκότους und ἐνδυσώμεθα δὲ ὅπλα τοῦ φωτός. In V.13 schließt ein Lasterkatalog an und in V.14 die Wendung ἀλλὰ ἐνδύσασθε τὸν κύριον Ἰησοῦν Χριστόν. In Gal 3,27 wird formuliert: ὅσοι γὰρ εἰς Χριστὸν ἐβαπτίσθητε Χριστὸν ἐνεδύσασθε und V.28 fügt den Gedanken der Einheit an. Man kann zum Vergleich auch Röm 6,6 heranziehen. Diese Stellen tragen deutlich die Zeichen der Verwandtschaft mit Kol 3,9: die Verben ἀποτίθημι V.8 und ἐνδύομαι in V.10.12; die Verbindung mit einem Lasterkatalog; die Wendung πάντα καὶ ἐν πᾶσιν Χριστός V.11 mit der vorangehenden Negation. Auch der Zusammenhang mit dem Taufgeschehen ist in Kol 3,9ff offenbar gegeben.

Der Verfasser übernimmt die paulinische Interpretation des Taufgeschehens ⟨201⟩. Dabei gerät er an die Grenze der Bildersprache. Das ἀπεκδυσάμενοι ist in Zusammenhang mit V.5 zu verstehen. Der alte Mensch ist in der Taufe schon gestorben (2,12; 3,3). Deshalb ist alles, was den alten Menschen ausmacht, abzulegen. Das Bild ist ganz auf das Ethische bezogen (vgl σὺν ταῖς πράξεσιν αὐτοῦ). πρᾶξις ist hier umfassend verwendet, hat aber durch die Auffächerung in den beiden Lasterkatalogen ein negatives Gefälle. So faßt V.9b V.5-8 bildhaft zusammen.

Die ethische Ausrichtung kommt auch in **V.10** zum Tragen. Der neue Mensch ⟨202⟩, der angezogen werden soll, wird mit τὸν ἀνακαινούμενον umschrieben: er wird

---

⟨197⟩ *ERNST*, Kol, S.226 stellt hier einen Zusammenhang mit dem Dekalog fest und sieht in den beiden Lasterkatalogen "Reststücke eines alten Katechismus", der midraschartig Dtn 5,17f erkläre (vgl *LINDEMANN*, Kol, S.57 mit dem dann eher berechtigten Hinweis auf Dtn 5,20 und Ex 20,16). Es ist zuzugestehen, daß der Dekalog ein Urbild auch der christlichen Paränese ist. Hier steht aber die Tradition der Lasterkataloge sicher im Vordergrund.

⟨198⟩ So auch *KAMLAH*, Form, S.33. ψεῦδος ist dabei in einem umfassenden Sinn zu verstehen als fehlgerichtetes Leben und Verhalten, wie der generalisierende Schluß das Katalogs zeigt, vgl auch Offb 21,8; 22,15; Eph 4,25.

⟨199⟩ Hierfür sprechen die Rahmung und die parallele Aussage in Eph 4,24 (vgl *LIGHTFOOT*, Kol, S.214f; *SCHWEIZER*, Kol, S.146; *LOHSE*, Kol, S.203f; *DAUBE*, Participle, S.476ff). Anders *MAURER*, Artikel πράσσω, S.644, Anm 5; *MARTIN*, Kol, S.106; *JERVELL*, Imago, S.236. Nach dieser Sicht beschreiben die Partizipien die Erneuerung des Menschen in der Taufe. Dieser Bezug zur Taufe ist wohl gegeben, wie der Zusamenhang mit 3,1-4 und 2,12 zeigt. Dennoch ist eher von der imperativischen Bedeutung auszugehen, vor allem wegen der zusammenfassenden Funktion von V.9-11.

⟨200⟩ Vgl die Schilderung des Apuleius über die Isisweihe, Met 11,23ff (in der Weihehandlung wird der Myste zwölfmal bekleidet und durch das Anziehen der Kleider mit göttlicher Lebenskraft erfüllt). Zu gnostischen Texten vgl *KÄSEMANN*, Leib, S.87-94 und besonders das "Perlenlied" der Thomasakten (108-113), in dem der als "ich" auftretende Erzähler durch einen Himmelsbrief sich seiner wahren Herkunft erinnert, in die Heimat zurückkehrt und sein Strahlenkleid anlegt, das sein eigentliches Wesen ist (vgl 112,76-78). Von einem Sterben (mit Christus), dem Töten des alten Menschen und der Schöpfung eines neuen kann die Gnosis freilich nicht sprechen. Im AT vgl Ps 132,9; Hi 29,14; Ps 35,26; Jes 51,9; 52,1; vgl auch die Angaben bei *SCHWEIZER*, Kol, S.146, Anm 510.

⟨201⟩ *BORNKAMM*, Taufe, S.50: "Die Taufe ist die Zueignung des neuen Lebens und das neue Leben ist die Aneignung der Taufe".

⟨202⟩ Das νέος an dieser Stelle entspricht dem καινός in Eph 4,24, vgl auch die καινὴ κτίσις 1Kor 5,17. νέος und πάλαιος stehen sich in 1Kor 5,7 gegenüber.

(immer wieder) erneuert. Es ist also nicht der alte Mensch, der erneuert würde. Das ἐνδυσάμενοι bezieht sich vielmehr auf den neugeschaffenen Menschen in der Taufe. Diese Neuschöpfung ist aber nicht Besitz, sondern vollzieht sich weiter in der Lebenspraxis. Darauf verweist auch εἰς ἐπίγνωσιν. Wie in 1,9 handelt es sich um eine Erkenntnis der Forderungen des Herrn: "Rechte Erkenntnis des göttlichen Gnadenerweises, wie er im Evangelium verkündet wird ..., ist zugleich Erkenntnis des Willens, der an Gottes Gebote bindet und den Wandel der Glaubenden leitet (vgl 3,10)" <203>. εἰς ἐπίγνωσιν dient also wie ἀνακαινόω hier der Paränese, und das Anziehen der Tugenden in V.12 ist bereits im Voraus angedeutet. Die Erneuerung geschieht κατ' εἰκόνα τοῦ κτίσαντος αὐτόν. Gen 1,26f steht im Hintergrund der Formulierung <204>. Nach 1,15 ist Christus εἰκὼν τοῦ θεοῦ τοῦ ἀοράτου. Auf Christus als εἰκών deutet auch der Schluß von V.11 hin. Mit τοκτίσαντος ist, wie praktisch überall im NT, Gott gemeint und αὐτόν kann sich nur auf den neuen Menschen beziehen. Gemeint ist also: zur Erkenntnis (des Willens) dessen, der den neuen Menschen ins Leben gerufen hat, dem Bild (des unsichtbaren Gottes, also Christus) entsprechend. Die Erneuerung der Glaubenden geschieht auf Christus hin und ihm entsprechend, weil in Christus das Bild Gottes allein vorliegt. In dem κατ' εἰκόνα ist damit eine Begründung des ἀνακαινόω durch den εἰκών Gottes angedeutet. Insgesamt freilich ist der Satz recht schwierig formuliert und man kann erkennen, "daß die gewundene Formulierung in irgendeiner Beziehung zur kol Irrlehre steht" <205>. Die Aufnahme des Stichwortes εἰκών aus dem Hymnus zeigt ja an, daß die dort zugrundegelegten Aussagen hier angewendet werden. In V.10 sind somit die grundlegenden Aussagen des ersten Briefteils in äußerst komprimierter Form aufgenommen. Hieraus erklärt sich die schwierige Formulierung.

In **V.11** greift der Verfasser erneut auf den Hymnus zurück. Dort ist davon die Rede, daß in und durch Christus τὰ πάντα geschaffen ist und seinen Bestand hat (1,15f.17). Die soteriologische Strophe spricht davon, daß er in allem der Erste wurde und daß τὰ πάντα versöhnt ist durch ihn und auf ihn hin. Diese Aussagen sind in 3,11 wieder aufgenommen. Der Rückgriff auf die christologische Basis wird sichtbar. Da, wo in der Taufe der neue Mensch angezogen wird, da sind die Unterschiede und Grenzlinien aufgehoben <206>, da ist alles aufgehoben, was das Heil angeb-

----

<203> LOHSE, Kol, S.58. Es ist nicht die Ebenbildlichkeit selbst gemeint (gegen JERVELL, Imago, S.255f).

<204> Vgl JERVELL, ebd, S.232. Ein wörtliches Zitat liegt nicht vor. 2Kor 4,4 ist vergleichend heranzuziehen. Bei εἰκών ist nicht an die Neuschöpfung in der Taufe gedacht.

<205> ERNST, Kol, S.227. SCHWEIZER, Kol, S.147f fragt im Anschluß hieran, ob die paulinische Erkenntnis, daß ethische Erneuerung nichts anderes ist als die Rückkehr in die Gerechtigkeit, "die den Glaubenden geschenkt wurde und sich in ihm durchsetzen will", hier noch durchgehalten wird. Er bejaht dies zu Recht. Gerade in V.10 kommt die Basis der Paränese durch den Anklang an den Hymnus zur Sprache (ebenso in 3,1-4). Anders gelagert ist freilich die Frage nach der christologischen Grundlegung selbst: hier benutzt Kol nicht nur eine andere Sprache (V.9f), sondern setzt auch Gedanken ein, die für Paulus so nicht denkbar sind. Ebenso ist für Paulus die Gottesebenbildlichkeit des Menschen mit der zukünftigen Totenauferstehung verbunden (1Kor 14,49; Röm 8,29), während der Mensch hier durch die Taufe dem Bild Gottes angeglichen wird.

<206> Der Zusammenhang mit dem Hymnus macht deutlich, daß hier kein soziales Programm vorliegt, sondern daß die Anweisungen für den Raum der Gemeinde gelten (vgl den Zusatz in 1,18 und 1,21-23). Weil die Gemeinde der Ort ist, an dem die Beachtung und Verehrung anderer Mächte als Christus keinen Platz mehr haben kann, deshalb kann in einer christlichen Gemeinde auch keine zwischenmenschliche Grenze und Demarkationslinie mehr gelten.

lich verhindert oder sichern soll, da gilt nur noch Christus, der alles in allem ist.

Der Satz bezieht sich auf die Unterscheidungen, die ihm vorangehen ⟨207⟩. Daß Kol eine solche Liste nennt, beruht zweifellos auf paulinischer Tradition (1Kor 12,13; Gal 3,28). Die Veränderungen gegenüber den Paulusstellen stehen in Zusammenhang mit der Auseinandersetzung mit der kol Häresie ⟨208⟩. Dies wird an den Gegensätzen deutlich, die über Gal 3,28 hinausgehen. περιτομὴ καὶ ἀκροβυστία bringt nichts über ῞Ελλην καὶ ᾽Ιουδαῖος Hinausgehendes. Wenn man aber bedenkt, daß auch der Blick auf das jüdische Gesetz den Kolossern die Heilsgewißheit rauben kann und damit auch die Beschneidung ⟨209⟩, dann bekommt die Betonung von Vorhaut und Beschneidung ihren Sinn. βάρβαρος und Σκύθης bilden keinen Gegensatz, sondern sind fortführend nebeneinandergestellt. Ob man βάρβαρος dem griechischen Verständnis entsprechend als Nichtgrieche versteht oder auch die jüdische Verwendung im Sinne nichtjüdischer Völker mit einbezieht ⟨210⟩, ist unerheblich. In jedem Fall bezeichnet βάρβαρος als "Raum-, Sprach- und Kulturbegriff" ⟨211⟩ denjenigen, der den eigenen Standards in verschiedenen Bereichen nicht entspricht. Die Skythen dienen dabei als ein Beispiel eines wegen mangelnder Bildung und Grausamkeit berüchtigten Volksstamms. Die kol Irrlehre sieht sich nun selbst zweifellos in Gegensatz zum Barbarentum ⟨212⟩. Für den Verfasser des Kol dagegen führen nicht bestimmte Erkenntnisse oder Lehren zum Heil, sondern das Evangelium von Christus und die Taufe. Und damit ist dann auch die Abgrenzung zu den Barbaren hinfällig. Wie im religiösen und kulturellen Sinn die Grenzlinien aufgehoben sind, so auch im sozialen Bereich: Sklave zu sein oder Freier ist nicht mehr entscheidend für das Heil (vgl auch 1Kor 7,22). Der neue Mensch ist kein Konfektionsanzug ⟨213⟩, bei dem alle Unterschiede nivelliert sind. Er kann Jude sein oder Grieche oder Sklave. Weil Christus alles in allem ist, gilt seine Heilstat für jeden, der sich an ihm orientiert.

Wie νεκρώσατε οὖν V.5 aus 3,1-4 die Konsequenz zog, führt ἐνδύσασθε οὖν **V.12** die bisherigen Gedanken folgernd weiter. Die Kolosser sollen den neuen Menschen anziehen, der geschaffen ist dem Bild (Gottes) entsprechend. Die Konsequenzen für den Umgang miteinander beschreibt V.12ff. Es werden Verhaltensweisen genannt, die dem Verhältnis untereinander dienen und es fördern. Die Fünfzahl der Tugenden ⟨214⟩ entspricht dem Pentadenschema der Lasterreihen. Liebevolles Erbarmen ⟨215⟩,

----

⟨207⟩ Es geht hier also nicht um Gleichsetzung Christi mit der Welt, wie sie in hellenistisch-stoischen Aussagen begegnet im Blick auf Gott (vgl *SCHWEIZER*, Artikel σῶμα, S.1036). Die Formel ist im vorliegenden Zusamenhang vielmehr der Paränese dienstbar gemacht im Blick auf die Unterscheidungen zwischen Menschen, die oft als soteriologische mißverstanden werden.

⟨208⟩ So vor allem *LIGHTFOOT*, Kol, S.217ff; *LINDEMANN*, Kol, S.58f; gegen *LOHSE*, Kol, S.207, Anm 2.

⟨209⟩ Vgl oben, S.121f. ῞Ελλην καὶ ᾽Ιουδαῖος könnte vielleicht Bezug nehmen auf den synkretistischen Charakter der Philosophie mit eventuell einander widerstreitenden Gruppierungen.

⟨210⟩ Vgl die Angaben bei *WINDISCH*, Artikel βάρβαρος, S.544f.547. STR-BILL III, S.27f.

⟨211⟩ *WINDISCH*, ebd, S.547f. Zu den Skythen vgl ebd, S.550; *LIGHTFOOT*, Kol, S.218f.

⟨212⟩ Ob es in der kol Gemeinde tatsächlich "Ausländer" gab, wie *LINDEMANN*, Kol, S.59 vermutet, muß offen bleiben, ebenso auch, ob das Fehlen des Begriffspaares männlichweiblich einen konkreten Hintergrund in der Gemeinde hat. Eine literarische Abhängigkeit von Gal 3,28 ist nicht wahrscheinlich.

⟨213⟩ *SCHWEIZER*, Kol, S.149.

⟨214⟩ Von Tugenden zu sprechen ist als Gegensatz zu den Lasterkatalogen angebracht. Es handelt sich freilich nicht um menschlich wertvolle Eigenschaften, sondern um ein Tun, das in der Berufung und der Liebe Gottes wurzelt und davon freigesetzt wird. Wer von dieser Berufung her sein Leben gestaltet, entspricht deshalb auch nicht dem Ideal des Weisen, wie es in der Stoa oder der Popularphilosophie vorliegt (vgl dazu *KAMLAH*, Form, S.143f.146), sondern er bleibt auch als neuer Mensch immer wieder darauf angewiesen, erneuert zu werden zur Erkenntnis des Bildes Gottes (V.10). Die griechischen Kardinaltugenden σωφροσύνη, φρόνησις, δικαιοσύνη, ἀνδρεία begegnen im NT in dieser Form nicht (vgl aber Weish 8,7). Zu den griechischen Tugendreihen vgl *KAMLAH*, Form, S.139ff.145ff; *BETZ*, Lukian, S.206ff.

⟨215⟩ σπλάγχνα οἰκτιρμοῦ erinnert an Phil 2,1, ohne daß deshalb literarische Abhängigkeit angenommen werden sollte (gegen *KÖSTER*, Artikel σπλάγχνον, S.557, der selbst auf σπλάγχα ἐλέους in Test Seb 7,3 hinweist). Bei Paulus "bezeichnet das Wort den ganzen Menschen, und zwar besonders, insofern er als Christ dazu fähig ist, persönliche Zuneigung und Liebe von Mensch zu Mensch zu geben und zu erfahren" (ebd, S.555).

Güte ⟨216⟩, Demut ⟨217⟩, Sanftmut ⟨218⟩ und Langmut ⟨219⟩ werden im einzelnen genannt. Alle Begriffe beschreiben den christlichen Umgang miteinander. Man wird diesen Begriffen aber nur dann gerecht, wenn man sieht, daß sie an anderen Stellen das Verhalten Gottes bzw. Christi zu den Menschen beschreiben. οἰκτιρμοί findet sich in Röm 12,1; 2Kor 1,3 als Barmherzigkeit Gottes; χρηστότης ist in Röm 2,4; 11,22; Eph 2,7; Tit 3,4 von Gott ausgesagt; in Phil 2,8 steht ταπεινοφροσύνη (2,3) in Zusammenhang mit dem ἐταπείνωσεν Christi; dessen πραΰτης ist in 2Kor 10,1 erwähnt und die μακροθυμία Gottes in Röm 2,4; 9,22. Diese Zusammenhänge machen deutlich, daß die Verhaltensweisen des neuen Menschen im Verhalten Gottes zu den Menschen wurzeln. Genau diesen Zusammenhang verdeutlicht auch die Wendung ὡς ἐκλεκτοὶ τοῦ θεοῦ ἅγιοι καὶ ἠγαπημένοι in V.12. Als solche, die von Gott auserwählt sind, sollen sich die Christen entsprechend verhalten ⟨220⟩. Als Erwählte sind sie auch Heilige und (von Gott) Geliebte. Sie haben die Zuwendung Gottes erfahren und ihr Verhalten wird deshalb davon bestimmt sein.

Die Partizipien ἀνεχόμενοι und χαριζόμενοι **V.13** gehören nicht mehr zur Tugendreihe, führen aber den Gedanken weiter ⟨221⟩. Die Mahnung bleibt allgemein. Die Gemeindeglieder sollen sich gegenseitig ertragen und einander vergeben, wenn einer dem anderen etwas vorzuwerfen hat ⟨222⟩. Damit sind die Güte, Sanftmut und Geduld des Tugendkataloges ausgeführt. Die Pronomina verweisen auf das Zusammenleben in der Gemeinde.

V.13b begründet dies. Das Handeln des Herrn gibt den Glaubenden den Grund und zugleich die Richtung für ihr Handeln. Der Zusammenhang mit V.10f.15f legt es nahe, auch hier bei Kyrios an Christus zu denken.

Daß in Eph 4,32 und Mt 6,14f von Gott her gesprochen wird, ist kein Gegenargument ⟨223⟩. Daß der Verfasser des Kol das Herrengebet gekannt hat, ist an keiner Stelle zu erkennen. In Eph stehen neben 4,32 drei ganz ähnliche καθώς-Wendungen in 5,2.25.29, die sich jeweils auf Christus beziehen. Christus als Subjekt des Vergebens in Kol 3,13 ist freilich singulär, sonst (vgl auch 2Kor 2,13) wird dies von Gott ausgesagt. An Christi Erdenwirken ist dabei nicht gedacht.

⟨216⟩ Vgl zu χρηστότης WEISS, Artikel χρηστός, S.478ff. Im Profangriechischen begegnet das Wort in Tugendkatalogen. Die LXX überträgt χρηστός und χρηστότης überwiegend auf Gott (vgl ebd, S.474f.479).

⟨217⟩ Zur ταπεινοφροσύνη vgl oben, S.152. Phil 2,3f ist ein wichtiger Kommentar zu dieser Stelle. In 2,18 bezeichnet es eine servile Demut den Stoicheia gegenüber.

⟨218⟩ πραΰτης ist bei den Griechen als soziale Tugend anerkannt (HAUCK/SCHULZ, Artikel πραΰς, S.646). Für Paulus ist πραΰτης eine Frucht des Geistes (Gal 5,23; 6,1) und hat ihren Grund in der Sanftmut Christi (2 Kor 10,1).

⟨219⟩ χρηστότης, πραΰτης und μακροθυμία begegnen mit anderen Begriffen auch in Gal 5,22f. Eine Ähnlichkeit ergibt sich auch zu 1QS 4,3.5. Tugendkataloge sind insgesamt nicht so stark durch Tradition geprägt wie Lasterkataloge (SCHWEIZER, Kol, S.154f).

⟨220⟩ ἐκλεκτός findet sich noch bei Paulus in Röm 8,33 (16,13). Im Hintergrund des Gedankens steht die Erwählung Israels durch Gott (vgl Dtn 4,37; 7,7 u.ö.). Ebenso hat sich die Gemeinde von Qumran als die auserwählte Gemeinschaft verstanden (vgl 1QpHab X 13; 1 QH XIV; 4 QpPs 37 II,5). In dieser Nachfolge sieht sich auch das Christentum. "Für den 1Petr sind solche Aussagen von vornherein auf die christliche Gemeinde hin und für niemand sonst gemacht" (BROX, 1.Petr, S.103 zu 1Petr 2,9). Bei Paulus wird wesentlich stärker differenziert, wie die Verwendung des Begriffes ἐκλογή in Röm 9,11; 11,5.7.28 zeigt.

⟨221⟩ Man kann die Partizipien imperativisch auffassen (wie ἀπεκδυσάμενοι V.9 und ἐνδυσάμενοι V.10) oder als konkrete Anwendung des Tugendkataloges sehen: indem ihr ertraget ... und vergebt. Eine Entscheidung trägt inhaltlich nicht viel aus. Für die erläuternde Deutung spricht eher, daß V.14 wieder an ἐνδύσασθε V.12 anknüpft, V.13 aber gedanklich einen Einschub darstellt.

⟨222⟩ Zu ἀνέχεσθαι vgl SCHLIER, Artikel ἀνέχω, S.360f und Eph 4,2. Zu χαρίζομαι vgl CONZELMANN, Artikel χαίρω, S.386.388. Zu dem Hapaxlegomenon μομφή = Tadel, Vorwurf, vgl CONZELMANN, Artikel μέμφομαι, S.577f.

⟨223⟩ Gegen ERNST, Kol, S.228.

Die Vergebung geht vom erhöhten Herrn aus und bezieht sich auf den einstigen Wandel der Kolosser (3,5ff). In der Verwendung von Kyrios an dieser Stelle ist das paulinische Wissen darum bewahrt, daß der erhöhte Herr die Instanz ist, vor der der Christ sein Leben und sein Verhalten verantwortet.

V.14 bezieht sich wieder zurück auf ἐνδύσασθε V.12: über alles soll die Liebe angezogen werden. Sie ist "gleichsam das Obergewand, der 'Mantel'; sie umschließt und überbietet alles andere, was die Christen bereits 'angezogen' haben" ⟨224⟩. Daß damit aber nicht einfach zu den fünf Begriffen des Kataloges noch ein sechster hinzutritt, zeigt der Zusatz ὅ ἐστιν ⟨225⟩ σύνδεσμος τῆς τελειότητος ⟨226⟩. Diese Wendung weist verschiedene Nuancen auf.

Zunächst steht der Vers ganz offensichtlich in paulinischer Tradition. In Röm 13, 8-10 ist das Liebesgebot die Überschrift für den Aufruf, die Werke der Finsternis abzulegen und die Waffen des Lichtes anzuziehen (13,12f.14); in Gal 5,22f ist die Frucht des Geistes zuallererst Liebe. In 1Kor 13,13 schließt das Lied über die Liebe ab mit μείζων δὲ τούτων ἡ ἀγάπη. Diese hervorragende Bedeutung der Liebe hat der Paulusschüler von Paulus übernommen.
Der Ausdruck σύνδεσμος τῆς τελειότητος weist aber noch andere Beziehungen auf. "σύνδεσμος bezeichnet das Mittel, durch das zwei oder mehr Sachen aneinander gebunden werden" ⟨227⟩, also das Band, die Verbindung. Plato führt das Wort in den philosophischen Sprachgebrauch ein als das Verbindende der Elemente und zur Bezeichnung der Einheit des Staates ⟨228⟩. Daß die Liebe die anderen Tugenden verbinde, ist freilich im NT nirgends gesagt. Nun ist im Kontext von V.14 die Einheit der Gemeinde angesprochen, und zwar in V.11 durch πάντα καὶ ἐν πᾶσιν Χριστός; in V.12f durch die beziehungsfördernden Verhaltensweisen; in V.15 durch ἐκλήθητε ἐν ἑνὶ ὀνόματι. V.15 weist dabei zurück auf 2,19. Wohl ist σύνδεσμος in 2,19 im physiologischen Sinn gebraucht, aber der Zusammenhang ist doch deutlich. Die Liebe wird damit zum Band, das die Gemeinde zusammenschließt und zur Einheit werden läßt. Eine weitere Nuance der Wendung legt sich durch den Begriff τελειότης nahe. Dieser Begriff stammt vermutlich aus der kol Philosophie ⟨229⟩ und beschreibt die Vollkommenheit des Weges der Heilssicherung. Demgegenüber gibt der Verfasser des Kol schon in 1,28 als Ziel der Verkündigung ἵνα παραστήσωμεν πάντα ἄνθρωπον τέλειον ἐν Χριστῷ an. Vollkommenheit ist nur in der Orientierung an Christus und der Erfüllung des Willens Gottes zu erlangen (vgl 4,12). Entsprechend erlangt man die Vollkommenheit in 3,14 auch nicht dadurch, daß man dieser oder jener religiösen Vorschrift nachkommt, sondern so, daß man sich in der Liebe zusammengeschlossen weiß zur Gemeinde.

Die hervorragende Bedeutung der Liebe, ihr einheitsstiftender Sinn und ihre Orientierung an Christus sind in der Wendung gleichermaßen angesprochen.

Mit den Begriffen εἰρήνη und σῶμα **V.15** nimmt der Verfasser erneut auf den Hymnus Bezug: das vorgängige Lob des Heilsgeschehens wird in den paränetischen Zusammenhang überführt ⟨230⟩. In den Herzen der Glaubenden soll der Friede

---

⟨224⟩ So *LINDEMANN*, Kol, S.61.
⟨225⟩ "Um Erläuterungen einzuführen, bedient sich der Kolosserbrief gelegentlich der formelhaften Wendung ὅ ἐστιν, die auch dann unverändert festgehalten wird, wenn ὅ zum Genus des Wortes, das erklärt werden soll, nicht paßt" (*LOHSE*, Kol, S.137; *BL-DEBR* § 132,2; vgl Kol 1,24; 2,10.17).
⟨226⟩ Die Lesart ἑνότητος anstelle von τελειότητος ist eine Angleichung an Eph 4,3.
⟨227⟩ So *FITZER*, Artikel σύνδεσμος, S.854; zum Folgenden vgl S.854ff.
⟨228⟩ Platon, Polit 310a.
⟨229⟩ Möglicherweise liegt eine Verbindung zu dem Mysterienterminus in 2,18 vor. Nach *DELLING*, Artikel τέλος, S.70 ist aus der gesamten Wortgruppe freilich nur τέλος und besonders τελέω deutlich auf die Mysterien bezogen.
⟨230⟩ εἰρήνη τοῦ Χριστοῦ findet sich in dieser Form sonst nicht, erklärt sich aber aus dem Kontext von V.14 und im Zusammenhang mit dem Hymnus. Der Friedenswunsch findet sich in den Paulusbriefen öfter im Briefschluß, vgl 1Thess 5,23; Gal 6,16; 2Kor 13,11 (Röm 16,20). In Phil 4,7 ist er ebenfalls weiter nach vorn gerückt.

regieren. βραβεύω ⟨231⟩ bezeichnet eigentlich die Tätigkeit des Schiedsrichters. Der direkte Zusammenhang mit V.13f macht deutlich, daß der Friede Christi das Zusammenleben der Gemeinde, ihren Umgang miteinander und ihre Entscheidungen bestimmen soll. In V.11 wird deutlich, daß es bei der Paränese um Maßstäbe und Orientierungen für das Zusammenleben der christlichen Gemeinde geht. ἐν ταῖς καρδίαις ὑμῶν ist ein hebraisierender Ausdruck für den ganzen Menschen und ist gleichbedeutend mit ἐν ὑμῖν (V.16) ⟨232⟩. Der Friede Christi ist reale Gegenwart für die, die mit Christus in der Taufe gestorben und auferstanden sind. In ihm sind die Christen berufen in einem Leib, der nach 1,18.24; 2,9 die Kirche ist.

καὶ εὐχάριστοι γίνεσθε V.15b weist schon voraus auf V.16b und bildet mit εὐχαριστοῦντες τῷ θεῷ V.17 eine Klammer um V.16f. Die Mahnungen für den Umgang innerhalb der Kirche münden ein in den Ruf zur Dankbarkeit gegenüber Gott, der in Christus den Glaubenden das Sein in der Heilsgemeinschaft gegeben hat. Der Dank ist die Lebensäußerung der Gemeinde gegenüber Gott. Seinen zentralen Ort hat er im Gottesdienst. Subjekt des Satzes ist zunächst das Wort Christi, das reichlich bei den Glaubenden wohnen, laut werden und Gehör finden und das Leben der Gemeinde prägen soll ⟨233⟩. Sachlich ist dieses Christuswort identisch mit dem λόγος τῆς ἀληθείας τοῦ εὐαγγελίου 1,5. Christus zu verkündigen ist die Aufgabe des Apostels, die in 1,28 mit νουθετέω und διδάσκω umschrieben wird. Dieselben Begriffe begegnen in **3,16**. Da mit ihnen das Subjekt des Satzes vom Christuswort übergeht auf die Glaubenden selbst, sind die Partizipien als Erläuterung des "Einwohnens" des Christuswortes in den Glaubenden zu verstehen ⟨234⟩. Das Wort ist in der Kirche lebendig, indem die Glaubenden einander belehren und ermahnen. Aufgabe und Funktion des Apostels, wie in 1,28 beschrieben, setzen sich damit in der Kirche fort, nicht nur in bestimmten Funktionsträgern. Der ganze Zusammenhang macht es wahrscheinlich, daß mit διδάσκοντες καὶ νουθετοῦντες ἑαυτοὺς auch der Raum des Gottesdienstes beschrieben wird, und zwar Verkündigung und Ermahnung in Predigt und Lehre. Dies soll ἐν πάσῃ σοφίᾳ geschehen. Der Zusammenhang mit 1,28, wo diese Wendung ebenfalls begegnet, betont die Verbindung mit den Partizipien. Erneut ist auf die Philosophie angespielt: Leben und Predigt sollen den verkündigen, in dem alle Schätze der Weisheit und der Erkenntnis verborgen sind.

Auch ᾄδοντες bezieht sich auf V.16a. Das Christuswort ist in der Kirche auch darin in reichem Maß lebendig, daß Psalmen, Lieder und Hymnen im Gottesdienst erklingen. Das allgemeine πνευματικαῖς zieht man am besten zu allen drei Worten. Sie gegeneinander abzugrenzen, wird kaum gelingen. Die starke Betonung durch die Häufung der Bezeichnungen für die Lieder erklärt sich ganz naheliegend dadurch, daß der Verfasser einen Hymnus, der in der Gemeinde gesungen wurde, zur Grundlage

----

⟨231⟩ Vgl *STAUFFER*, Artikel βραβεύω, S.636f. καταβραβεύω findet sich nur in Kol 2,18. 3,15 ist ein Gegenbild dazu. Zu βραβεῖον (vgl 1Kor 9,24ff; Phil 3,13f) vgl *STAUFFER*, ebd, S.637.

⟨232⟩ *BEHM*, Artikel καρδία, S.614-616 hat die καρδία-Stellen im NT systematisiert; vgl auch *LOHSE*, Kol, S.215.

⟨233⟩ Zu πλουσίως vgl *HAUCK/KASCH*, Artikel πλοῦτος, S.327: "Paulus greift auf die ursprüngliche Wortbedeutung 'Fülle an Lebensgütern' zurück ... Reichtum wird für ihn ein Ausdruck zur Kennzeichnung des Seins Christi, des Wirkens Gottes in Christus und der eschatologischen Situation seiner Gemeinde".

⟨234⟩ Mit *LINDEMANN*, Kol, S.62 gegen *LOHSE*, Kol, S.216. Zur imperativischen Deutung vgl *DAUBE*, Participle, S.481f.

seiner Ausführungen macht. Die Auseinandersetzung mit der Irrlehre geht ebenso von diesem Lied aus wie die Paränese sich davon bestimmen läßt. Deshalb hat das Singen neben dem Lehren und Mahnen im Gottesdienst eine zentrale Rolle.

ἐν τῇ χάριτι könnte die Haltung des Dankens wiedergeben, in der die Glaubenden ihre Lieder singen. Dann ergäbe sich eine Reihe von εὐχάριστοι γίνεσθε über ἐν τῇ χάριτι zu εὐχαριστοῦντες. LOHSE und andere sehen diese Deutung in Frage gestellt durch den Artikel, der die χάρις als Gottes Gnadenerweis bestimmt. Dann legt sich die Übersetzung "in der Gnade" nahe <235>, wobei freilich der nähere Bezug offen bleibt. Schließlich kann man auch auf Kol 4,6 hinweisen und mit "Anmut" übersetzen <236>. Daß χάρις in Kol in 1,2; 4,18 in Segenswünschen, in 1,6 zur Umschreibung des Heilsereignisses verwendet und in 4,6 als Anmut oder Anreiz gefaßt werden kann, legt es nahe, das Wort in 3,16 nicht zu eng zu verstehen. Die verschiedenen Bedeutungen umschreiben insgesamt den Verständnishorizont des Verfassers. Im Zusammenhang der V.15b-17 gilt dies trotz des Artikels auch für die Dankbarkeit. Als Übersetzung ist deshalb am angemessensten: indem ihr Psalmen und Hymnen, geistliche Lieder dankbar und in Gnaden singt.

Der umfassende Gebrauch von χάρις entspricht dem erneut umfassenden Gebrauch von καρδία: der Hymnus soll die gesamte Person des Singenden erfassen <237>. Das, was im Hymnus preisend besungen wird, betrifft die gesamte Existenz der Glaubenden.

V.17 faßt alles Bisherige zusammen: den Wandel der Christen und ihr Umgang miteinander ebenso wie den Gottesdienst. Es gibt keinen Bereich der christlichen Existenz, der nicht vom Heilsgeschehen erfaßt wäre. Dies kommt auch in der Näherbestimmung ἐν λόγῳ ἢ ἐν ἔργῳ zum Ausdruck. Ob man λόγος und ἔργον allgemein auffassen oder auf den Gottesdienst einerseits und auf Verhalten und Tun andererseits beziehen will, mag dahingestellt bleiben. Der Sinn verändert sich dadurch nicht. Eine Beschränkung auf gottesdienstliches und liturgisches Handeln allein <238> ist aber sicher nicht gegeben. Es geht vielmehr darum, das alles im Leben der Christen im Gehorsam gegenüber dem Herrn Christus geschehen soll. Die Wendung ἐν (τῷ) ὀνόματι beschreibt im Zusammenhang des ganzen Abschnittes noch einmal den Herrschaftswechsel, der in der Taufe stattgefunden hat und der vom Stichwort ἐνδύσασθε V.12 an aufgefächert wurde. So verstanden ist das Leben der Christen in allem, was sie tun, Dank an Gott <239> durch Christus.

5.3.2) Kolosser 3,18 - 4,1: Die Haustafel

In 3,18 - 4,1 schließt sich ein Abschnitt an, der schon durch seine äußere Form aus

----

<235> So *LOHSE*, Kol, S.217f. Es wird noch weiter differenziert: *LOHSE*, Kol, S.197 übersetzt die Wendung praktisch als Einschub - die ihr in Gnaden seid -; *SCHWEIZER*, Kol, S.153 bezieht die Worte auf die Lieder selbst: Hymnen und Lieder(n) (voll) der Gnade. Der Artikel ist in jedem Fall als ursprünglich anzusehen.

<236> So *CONZELMANN*, Artikel χάρις, S.387.

<237> An ekstatische Erscheinungen zu denken (*LINDEMANN*, Kol, S.63), legt sich nicht nahe. Die Wendung entspricht ja der in V.15. Dort wie hier geht es darum, daß das Christusgeschehen das ganze Leben umfaßt. Adressat der Lieder ist Gott, obwohl 1,15ff tatsächlich an den erhöhten Herrn gerichtet sind (vgl auch Offb 5,9f). Ignatius, Eph 4,1 ('Ιησοῦς Χριστὸς ᾄδεται) ist hier bereits angelegt.

<238> *BOUSSET*, Kyrios, S.102f. *SCHLIER*, Eph, S.249 bezieht λόγος und ἔργον auf "alles kultische Wort und alles kultische 'Werk'" und sieht den Abendmahlsvollzug angesprochen. Nun kann die Wendung ἐν τῷ ὀνόματι zwar in Zusammenhang mit einer gottesdienstlichen Versammlung (1Kor 5,4) oder mit der Taufe (1Kor 6,11) verwendet werden. Es geht aber nicht an, hier den Wandel, der im Kontext deutlich angesprochen ist, auszublenden. Es liegt auch kein mystisches Verständnis vor (vgl *DIBELIUS-GREEVEN*, Kol, S.45).

<239> Die Wendung θεὸς πατήρ wird besonders in liturgischen Zusammenhängen gebraucht (vgl Kol 1,2f.12).

dem bisherigen Rahmen herausfällt. In formal gleich aufgebauten Mahnungen (von der Sklavenregel abgesehen) werden Frauen und Männer, Kinder und Eltern, Sklaven und Herren angesprochen. Vergleicht man die Form des Abschnitts mit ähnlichen Texten des NT (Eph 5,22-6,9; 1Tim 2,8-15; Tit 2,1-10; 1Petr 2,13-3,17) und der apostolischen Väter (Did 4,9-11; Barn 19,5-7; 1Clem 21,6-9; Pol 4,2-6,3), so fällt auf, daß es sich offenbar um ein Schema handelt, das im einzelnen variiert werden kann. Die größte Nähe weist Kol zu Eph 5,22ff auf. Da mit diesem Schema die Pflichten einzelner Gruppen innerhalb einer (Haus-)Gemeinschaft abgesteckt werden, bezeichnet man es als Haustafel.

Religionsgeschichtliche Parallelen gibt es im hellenistischen und im jüdisch-hellenistischen Bereich. Auf die Parallelen aus der Morallehre der Stoa hat besonders *DIBELIUS* aufmerksam gemacht: so will der ideale Schüler nach Epiktet, Diss II 17,31 wissen τί μοι πρὸς θεοῦς ἐστι καθῆκον, τὶ πρὸς γονεῖς, τὶ πρὸς ἀδελφούς, τὶ πρὸς τὴν πατρίδα, τὶ πρὸς ξένον <240>. In der popularphilosophischen Unterweisung gibt Stobaeus einen Katalog der Belehrung einzelner Gruppen im Schema der Haustafel, wobei das Verhalten gegenüber den Göttern, dem Vaterland, den Eltern, den Brüdern, den Verwandten, der Arbeit, der Ehe und den Kindern angesprochen wird <241>. Vergleichbare Texte finden sich auch im hellenistischen Judentum (etwa Philo, Josephus) <242>. Diese Parallelen sind so naheliegend, daß man eine direkte Beeinflussung des Schemas von hellenistischen und hellenistisch-jüdischen Texten angenommen hat. Der Kol-Text als älteste christliche Haustafel sei dabei noch "auffallend arm an original-christlichem Gut" <243>. Bei dieser Deutung hat man freilich zu wenig die Unterschiede zu den hellenistischen Texten berücksichtigt. Sie beziehen sich auf den Stil und den Inhalt der Ermahnungen <244>. Dies gilt schon für den Übergang zum hellenistischen Judentum. Eine Mahnreihe für die Gemeinschaft war hier wegen der Geltung des Gesetzes nicht eigentlich notwendig. Deshalb bleibt die übernommene Tradition als solche erkennbar. Bei Philo und Josephus wird zwar die Reihe mit Gott und Vaterland eröffnet und Freunde und Verwandte werden eingefügt. Stärker als in den hellenistischen Vorbildern treten jetzt aber die Beziehung zwischen Mann und Frau, Kindern und Eltern, Herren und Sklaven hervor <245>. Dadurch kommt es jetzt auch zur paarweisen Anordnung und das Moment der Unterordnung wird betont <246>. Der Stil der Diatribe in den Tafeln der Stoa, der "den Leser mit Hinweisen auf die Vernünftigkeit dieser Ordnung überzeugen will" <247>, fehlt bereits in den jüdisch-hellenistischen Texten und vollends in Kol. Hier werden die Mahnungen begründet mit dem Willen des Herrn, wodurch sich der Begründungszusammenhang insgesamt verändert: die Wendungen ὡς ἀνῆκεν (3,18), εὐάρεστον ἐστίν (3,20), τὸ δίκαιον καὶ τὴν ἰσότητα (4,1) entsprechen der übernommenen hellenistischen Morallehre, alle drei Wendungen sind aber mit Kyrios-Formeln versehen (3,18.20; 4,1; auch 3,22f). In diesem Zusammenhang ist auch zu erwähnen, daß der direkt voranstehende Vers 3,17 mit πάντα ἐν ὀνόματι κυρίου Ἰησοῦ eine Art Überschrift über die Haustafel gibt und das Handeln ἐν ὀνόματι κυρίου sich durch die ganze Tafel wie ein roter Faden hindurchzieht. Daraus ergibt sich ein weiterer Unterschied zu hellenistischen Vorlagen in Bezug auf die Adressaten. Dort wird "fast immer nur der männliche, erwachsene und freie Leser angesprochen und ihm dargelegt, wie er sich Frauen, Kindern und Sklaven gegenüber

----

<240> Vgl Diss II 14,8; Seneca, Epist 94,1 und *DIBELIUS-GREEVEN*, Kol, S.48; *WEIDINGER*, Haustafeln, passim; *LOHSE*, Kol, S.220ff. Zur Kritik an *WEIDINGER* vgl *CROUCH*, Origin, S.147f.

<241> Angaben bei *WEIDINGER*, ebd, S.27-33.

<242> Vgl Philo: vit Mos II 198; mut nom 40; deus imm 17-19; plant 146; Josephus, Ap II 199-209, und besonders die Spruchsammlung des Pseudo-Phokylides, § 153ff (vgl hierzu die Angaben bei *GOPPELT*, 1Petr, S.167f.171).

<243> *DIBELIUS-GREEVEN*, Kol, S.49. Ebenso *WEIDINGER*, ebd, S.51. *LOHSE*, Kol, S.222f übernimmt die Herleitung der Texte aus dem Hellenismus, hebt aber hervor, daß hier nicht lediglich eine formale Verchristlichung vorliegt, sondern eine tiefgreifende Veränderung, indem das Leben dem Kyrios unterstellt wird.

<244> Vgl *RENGSTORF*, Mann, S.25; *SCHROEDER*, Haustafeln, passim; *GOPPELT*, 1Petr, S.171f.

<245> Das Elterngebot wurde auf die beiden anderen Fälle ausgeweitet, vgl *CROUCH*, Origin, S.84-101.106f.

<246> Vgl Philo, decal 165-167; spec leg II 226f und *SCHWEIZER*, Kol, S.160.

<247> *SCHWEIZER*, Kol, S.161; *SCHROEDER*, ebd, S.39-41.

verhalten soll <248>. In Kol jedoch sind die Frauen, Kinder und Sklaven nicht mehr Objekt ethischen Handelns, sondern werden als Handelnde selber angesprochen (vgl 3,11). Und während im Hellenismus das geforderte Verhalten begründet ist mit dessen Einfügung in die kosmische Ordnung <249>, fehlt dies gerade in Kol, obwohl der Autor an anderer Stelle durchaus in kosmologischen Kategorien denkt. In Bezug auf das ethische Handeln ist für Kol das πάντα ἐν ὀνόματι κυρίου wesentlich.

Trotz der Anlehnung an ein aus dem Hellenismus übernommenes Schema unterscheidet sich die Tafel in Kol hiervon sowohl stilistisch als auch inhaltlich. Hinter dieser Veränderung steht die christliche Überzeugung, daß der Glaube an den Herrn Jesus alle Bereiche des Lebens anspricht und verändert <250>.

Die Haustafel in Kol ist so aufgebaut, daß in 3 Paaren jeweils Männer und Frauen, Kinder und Eltern, Sklaven und Herren angesprochen werden. Die angeredeten Personen sind im Vokativ vorangestellt, dann folgt die Mahnung im Imperativ, daran schließt sich eine Begründung an. Im ersten Teil der drei Paare erfolgt die Begründung jeweils durch einen Hinweis auf den Herrn. Dies ist im zweiten Teil nur bei der Mahnung an die Herren der Fall. Bei den Männern folgt ein zweiter Imperativ, bei den Eltern wird die Mahnung mit einer negativen Folge begründet. Die beiden ersten Paare sind knapp formuliert, die Mahnung an die Sklaven ist breiter ausgeführt.

In **V.18f** geht es um das Verhältnis von Mann und Frau in der Ehe. Die Unterordnung der Frauen entspricht der allgemein gültigen Ordnung <251>. Das Verb "kennzeichnet zunächst einfach den Status der Frau als solcher"<252> und ist keine spezifisch christliche Forderung. ὡς ἀνῆκεν bezeichnet das, was sich gehört und ziemt und allgemeine anerkannte Sitte ist <253>. Dies wird nun aber durch ἐν κυρίῳ ergänzt und näher bestimmt: zunächst dadurch, daß die Unterordnung der Frau nicht in der Naturordnung gegeben ist, sondern durch den Willen des Herrn. Dann dadurch, daß für den Raum der christlichen Gemeinde die Aussage in V.11 gilt und

----

<248> SCHWEIZER, Kol, S.159; CROUCH, ebd, S.116f. Vgl auch Epiktet Diss II, 10,3.7.

<249> Vgl SCHROEDER, ebd, S.55-67; SCHWEIZER, Kol, S.160: "Als Weltbürger ... fügt sich der freie Mann in das geordnete Leben des Universums ein". Zu Kol vgl SCHRAGE, Ethik, S.236.

<250> GOPPELT (1Petr, S.173f; ders.: Theologie 2, S.499; ders.: Haustafeltradition, S.93ff) betont zu Recht, daß sich das frühe Christentum von Anfang an mit ethischen Fragen beschäftigt. Er weist darauf hin, daß die eschatologische Ausrichtung des Lebens der sozialethischen Weisung eine neue Gestalt gibt und zeigt von hier aus strukturelle Übereinstimmungen der Ethik Jesu, des Paulus und des Kol auf. Die Ethik wird unmittelbar am Willen des Schöpfers bzw. des Herrn orientiert. Insofern ist die Haustafel, zumindest in ihrer frühen, in Kol hervortretenden Form, Ausdruck des vom Glauben an den Herrn bestimmten eschatologischen Selbstverständnisses der Gemeinde. Die weitere Entwicklung des Schemas ist bei SCHWEIZER, Kol, S.162ff skizziert. Sie ist zugleich mit den Stichworten Christianisierung und Paganisierung zu umschreiben, dh. die christologischen Begründungen werden gegenüber Kol ausgebaut, gleichzeitig dringen aber die Vorstellungen einer geregelten Weltordnung wieder vor, in die sich hineinzuschicken weise (und christlich) ist (vgl z.B. 1Clem 21,6-9, wo die Haustafel ihren Ort innerhalb einer Beschreibung der kosmischen Ordnung hat). Auch stilistisch wird die Haustafel wieder stärker an die hellenistischen Vorbilder angeglichen. Gerade von hier aus muß man die angeblich nur oberflächliche Verchristlichung der Haustafel in Kol beurteilen. Die Relativierung der weltlichen Ordnung gegenüber dem Gehorsam zum Herrn prägt den Text in Kol und verleiht ihm, auch bei sparsamer Verwendung christlicher Formeln, doch eine Haltung der Welt gegenüber, die sich an dem Herrn orientiert, der die Welt überwunden hat. GOPPELT, 1Petr, S.166 schlägt, da die Haustafeln "grundsätzlich nicht auf das christliche Haus beschränkt sind", den Begriff "Ständetafel" vor, weist aber zugleich auf die Mißverständlichkeit dieses Begriffes hin.

<251> Vgl Plutarch, praec coniug 33 (p.142d). Nach Aristoteles verhält der Mann sich zur Frau wie das Bessere zum weniger Guten und deshalb sei der Mann zum Herrschen und die Frau zum Beherrscht-Werden bestimmt (Pol I 5,7; 12,1ff). Zur Inferiorität der Frau im Judentum vgl RENGSTORF, Mann, S.12f.

<252> DELLING, Artikel τάσσω, S.44. Anders RENGSTORF, Mann, S.23.

<253> Vgl SCHLIER, Artikel ἀνῆκει, S.361 (vgl das absolute τὸ ἀνῆκον in Phlm 8).

nach 3,17 alles im Namen des Herrn geschehen soll. So wird die Frau selbst als ethisch Handelnde angesprochen. Zugleich ist das ἐν κυρίῳ das Kriterium dafür, was an außerbiblischen ethischen Vorstellungen für das Christentum akzeptabel ist. Von den Männern wird im Gegenzug nicht Überordnung, sondern Liebe gefordert. Dabei ist nicht zu übersehen, daß die Liebe in V.14 der Zielpunkt des Tugendkatalogs und der Inbegriff des Handelns des neuen Menschen war. Im liebenden Verhalten wird damit das Tun des neuen, Christus zugehörenden Menschen erkennbar und insofern gehört das ἐν κυρίῳ auch zur Mahnung an die Männer ⟨254⟩. καὶ μὴ πικραίνεσθε πρὸς αὐτάς ist deshalb Ausdruck und Erläuterung des Gebotes zur Liebe. Von der Liebe als Inbegriff der Tugendreihe her (V.14, zu der πραΰτης und ταπεινοφροσύνη gehören) sieht man, wie das Liebesgebot die strenge Unterordnung der Frau verwandelt. Das Verhalten der Frauen und der Männer orientiert sich an dem grundlegenden Heilsereignis in Christus.

In **V.20f** sind zunächst die Kinder, dann die Väter angesprochen. Wiederum ist bemerkenswert, daß auch hier die Kinder als Handelnde in den Blick genommen sind ⟨255⟩. Daß sie in allen Dingen den Eltern untertan sein sollen ⟨256⟩, entspricht erneut dem anerkannten Grundsatz. Daß mit εὐαρεστόν ἐστιν ἐν κυρίῳ begründet wird (nicht τῷ κυρίῳ), zeigt einerseits, daß hier die christliche Formel angehängt wurde ⟨257⟩, andererseits aber, daß auch die Kinder ἐν κυρίῳ leben und sich verhalten können. Die Väter ⟨258⟩ werden gemahnt, die Kinder nicht zu reizen oder zu verbittern, damit sie nicht den Mut verlieren ⟨259⟩. Wesentlich ist, daß innerhalb der christlichen Hausgemeinschaft Kinder und Eltern gegenseitige Pflichten haben, daß also auch der Bereich der Erziehung dem Herrn untersteht.

Die Paränese für die Sklaven ist breiter ausgeführt als die bisherigen Aussagen.

Dies hat folgende Gründe: offenbar gab es in den urchristlichen Gemeinden viele Angehörige der Unterschicht und sicher nicht wenige Sklaven. In den Gemeinden mußte deshalb das Verhältnis der Sklaven zu den Herren und die Stellung der

---

⟨254⟩ Eph 5,25ff hat dies aufgenommen und der Forderung eine breite christologische Basis gegeben. Zur Gattenliebe in hellenistischen Texten vgl *SCHWEIZER*, Kol, S.165, Anm 607.

⟨255⟩ Für das antike Denken sind Kinder etwas Unfertiges. Sie bedürfen erst der Hinführung zum eigentlichen Menschsein. Die Kindheit "sinkt zur biographischen 'Station' herab. Das Kind gilt als νήπιος, d.h. als kraft- und bedeutungslos" (*OEPKE*, Artikel παῖς, S.639). Der Hellenismus beurteilt das Kind zwar insgesamt positiver (vgl ebd, S.639f). Dennoch gilt generell die Sicht des Kindes als etwas Unfertigem, wie besonders das Stichwort erudire (Plutarch, lib educ 1-14) zeigt. Zur überwiegend negativen Einstellung zum Kind in AT und Judentum vgl *OEPKE*, ebd, S.644f.

⟨256⟩ Zum Gehorsam der Kinder vgl Plutarch lib educ 10 und besonders die Ableitung vom Elterngebot im Judentum (vgl Philo decal 165-167; mut nom 40 u.ö.). ὑπακούειν ist dabei enger gefaßt als das ὑποτάσσεσθε bei den Frauen.

⟨257⟩ τῷ κυρίῳ bieten Bl al Cl; vgl Röm 12,1f; 14,18; 2Kor 5,9. Zu εὐάρεστος vgl *FOERSTER*, Artikel ἀρέσκω, S.456. Bei Paulus stellt das Wort weniger einen fixierten gesellschaftlichen Wert dar (vgl *DIBELIUS-GREEVEN*, Kol, S.46), sondern ein Wohlgefällig-Sein vor Gott. Darin, daß hier die ἐν κυρίῳ-Formel angehängt ist, klingt das paulinische Verständnis noch nach. Im Unterschied zu Paulus wird freilich das Verb ὑπακούω auf menschliche Autoritäten bezogen, während es bei Paulus selbst nur die Haltung gegenüber Christus, dem Evangelium bzw. dem Apostel gegenüber, der das Evangelium verkündet, bezeichnet.

⟨258⟩ οἱ πατέρες wird bisweilen auch für Eltern gebraucht, vgl Philo, leg VI 772e. 773a und im NT Hebr 11,23.

⟨259⟩ Vgl Plutarch, lib educ 12.13a. ἐρεθίζειν begegnet im NT nur noch in 2Kor 9,2, dort im positiven Sinn von ansporten, ermuntern. Verschiedene Handschriften bieten das παροργίζεσθε von Eph 6,4. ἀθυμεῖν ist Hapaxlegomenon (vgl *BAUER*, Wörterbuch, Sp.42).

Sklaven überhaupt thematisiert werden (vgl 3,11) <260>. Da der Adressat der Ethik bei den Griechen der über sich selbst verfügende Freie ist, gibt es für die Sklavenparänese kaum außerchristliche Parallelen <261>. Hier mußte das junge Christentum zu einer eigenen Aussage finden. Man kann auch auf den Namen Onesimus verweisen, der in 4,9 begegnet, und auf die Nähe zum Philemonbrief. Allerdings sind hier über Onesimus keine weiteren Angaben gemacht, so daß eine unmittelbare Beziehung nicht zu beweisen ist. Die Sklavenfrage ist aber für den Verfasser ein konkretes Problem, das sich für ihn vermutlich auch mit den Namen konkreter Gemeindeglieder verbindet.

Wie ein roter Faden zieht sich durch **V.22-25** die Spannung zwischen dem Herrn (vgl V.22fin.23.24) und den Herren. Sie sind als die κατὰ σάρκα κύριοι angeredet, dh. als die leiblichen, irdischen Herren. Sie sollen sich dessen bewußt sein, daß sie selbst einen Herrn haben (4,1). Dies hebt ihr Herr-Sein nicht auf, schränkt es aber ein. Im Blick auf den himmlischen Herrn haben die irdischen Unterschiede keine Heilsfunktion. Gerade deshalb wird nun die Sklavenparänese wichtig: wie sollen Sklaven und Herren, wenn sie Christen sind, miteinander umgehen? Zunächst ist die Mahnung an die Sklaven der an die Kinder gleich. In allem sollen sie ihren irdischen Herren gehorsam sein. Dies wird in V.22b zunächst negativ, dann positiv ausgeführt. Gehorchen sollen sie nicht nur dem äußeren Schein nach, um Menschen zu gefallen <262>, sondern ἐν ἁπλότητι καρδίας. ἁπλότης bedeutet hier Schlichtheit und Lauterkeit <263> und ist der Gegenbegriff zu ὀφθαλμοδουλία wie φοβούμενοι τὸν κύριον zu "den Menschen gefallen" <264>. Damit ist nichts anderes gesagt als was die Wendung ἐν κυρίῳ umschreibt: es ist die Lebenshaltung des Christen, der sein ganzen Leben im Licht dieses Herrn versteht und führt. V.23 bekräftigt. Daß ὡς τῷ κυρίῳ dabei den Dienst an den irdischen Herren nicht mit dem Dienst an Christus gleichsetzt, zeigt das folgende οὐκ ἀνθρώποις. Jedes Handeln des Christen ist, wenn es aus der Furcht des Herrn geschieht, ein Handeln für Christus. Damit wird die Autorität der irdischen Herren relativiert <265>. V.24 fügt erläuternd hinzu, daß den christlichen Sklaven ihr Tun von ihrem Herrn vergolten wird durch die Gewährung des "Erbes". κληρονομία ist zu verstehen in Zusammenhang mit κλῆρος in 1,12 <266>, und ἀνταπόδοσις meint entsprechend die Vergeltung im positiven Sinn. Ihr Tun sollen die Sklaven am Herrn orientieren, weil ihr Heil von ihm geschaffen ist

----

<260> Zum Problem der Sklaverei bei den Griechen vgl *RENGSTORF*, Artikel δοῦλος, S.264ff; *STUHLMACHER, Philemon*, passim, besonders S.42-48. Eindrücklich ist der Satz von Aristoteles Eth Nic VIII 13p 1161b,1ff: ὁ γὰρ δοῦλος ἔμψυχον ὄργανον, τὸ δ' ὄργανον ἄψυχος δοῦλος. "Im δοῦλος hat darum das freie Griechentum von jeher seinen eigenen Antitypus gefunden" (*RENGSTORF*, ebd, S.265).

<261> Vgl *SCHWEIZER*, Kol, S.167 mit Anm 619. *CROUCH*, Origin, S.150, weist darauf hin, daß die Sklaverei "not as selfevident as the other relationships of the Haustafel" ist (da zB. Mann-Frau und Kinder-Eltern als Teil einer Schöpfungsordnung angesehen werden). "It demands a more thorough justification". ... "It is probable therefore, that the expanded exhortation to the slaves reflects the actual concern of the framers of the Haustafel. The slave problem was prominent".

<262> Vor dem NT ist das Wort ὀφθαλμοδουλία nicht bezeugt. In Eph 6,6 begegnet es im Singular, dort ist auch ἀνθρωπάρεσκος aufgenommen. "Die ἀνθρωπάρεσκοι ... rechnen nur mit den Menschen, nicht jedoch mit Gott" (*LOHSE*, Kol, S.228).

<263> Es hat auch die Bedeutung Opferbereitschaft, Güte (vgl *BAUERNFEIND*, Artikel ἁπλότης, S.386).

<264> Vgl die at.liche Wendung φοβεῖσθαι τὸν θεόν Ex 1,17.21; Lev 9,14.32; 25,17; 54,20 uö. φοβούμενον τὸν κύριον im AT zB. in Lev 14,31; 19,14; 21,24. In Kol 3,18.20 bezieht sich Kyrios auf Christus.

<265> Die Ineinssetzung der Autorität der δεσπόται mit der des Herrn wird bereits in Tit 2,9 greifbar, vgl Did 4,11; Barn 19,7. ἐκ ψυχῆς entspricht ἐκ καρδίας.

<266> Vgl oben, S.70f zu dem Begriff ἐλπίς.

und im Himmel bereitliegt (vgl 1,5; 3,1-4). V.24b faßt die Sklavenparänese zusammen in der Mahnung τῷ κυρίῳ Χριστῷ δουλεύετε. Sie steht dem ὑπακούετε τοῖς κατὰ σάρκα κυρίοις V.22 gegenüber und macht deutlich, daß über den Dienst am irdischen Herrn hinaus das Tun des Sklaven ein Dienst am Herrn Christus ist ⟨267⟩. Durch das Verb δουλεύετε wird dies noch unterstrichen. Trotz der allgemein klingenden Formulierung gilt die Mahnung hier nur den Sklaven (vgl Röm 12,11). Auch V.25 ist offensichtlich an sie gerichtet. Gerade als christliche Sklaven sind sie für ihr Tun verantwortlich, da sie wissen, daß ihr Handeln im letzten Grund ein Dienst an Christus ist. Ein Dienst an diesem Herrn verträgt sich nicht mit Unrecht den irdischen Herren gegenüber ⟨268⟩. Darin gibt es kein Ansehen der Person ⟨269⟩ im Gericht.

Nun wendet sich der Verfasser mit einer knappen Mahnung an die Herren (**4,1**). Dies entspricht den kürzeren Mahnungen an die Männer und Eltern. Das Verhältnis der Sklaven zu den Herren und umgekehrt ist ihm aber so wichtig, daß er anders als dort bei den Herren ebenfalls eine christologische Begründung anfügt. Die Herren werden nicht zu Barmherzigkeit aufgefordert, sondern zu einem Verhalten, das dem Sklaven sein Recht beläßt und den Herrn an seine Pflicht erinnert. τὸ δίκαιον bezeichnet das, was recht ist ⟨270⟩. ἰσότης ist öfter in synonymer Bedeutung gebraucht ⟨271⟩. Das Wort kann auch im Sinn von Gleichheit verwendet werden (vgl 2Kor 8,13f), meint hier freilich nicht soziale Gleichheit. "Wohl aber ist damit gesagt, daß die grundsätzliche Gleichheit vor Gott, die 3,11 als Grundlage aller Mahnungen zur Sprache kam, zu einem Handeln führen muß, in dem der Stärkere sich nicht sein Recht nimmt, sondern im Gegenteil das Recht des Schwächeren schützt ⟨272⟩. Die Begründung wird wie in V.24 mit εἰδότες eingeleitet: auch die Herren haben einen Herrn im Himmel, dem sie für ihr Verhalten Rechenschaft abzulegen haben. Die Relativierung ihrer Macht ist deutlich. τῷ κυρίῳ δουλεύετε V.25 gilt deshalb implizit auch für sie. Im Verhältnis von Sklaven und Herren geht es nicht mehr um unumstößliche Gesetze von Über- und Unterordnung. Es geht um weltliche Ordnun-

----

⟨267⟩ Die Verbindung von κύριος und Χριστός begegnet bei Paulus nicht (vgl *KRAMER*, Christos, S.213f). *LINDEMANN*, Kol, S.67. *LIGHTFOOT*, Kol, S.299 fassen den Satz indikativisch auf. Von V.22-V.24b ist aber der Gedanke stetig entwickelt: den Herrn fürchten - dem *Herrn* dienen, nicht den irdischen Herren - dem Herrn, der das Erbe gewährt. Am Ende der Reihe kann der Verfasser abgekürzt formulieren: dem Herrn Christus dienen.

⟨268⟩ ἀδικέω bezeichnet hier "Unrecht tun im Sinne eines rechtswidrigen Handelns" (*SCHRENK*, Artikel ἄδικος, S.157. Die bei manchen Kommentatoren festzustellende Unsicherheit hinsichtlich der Adressaten des Verses (vgl *SCHWEIZER*, Kol, S.168; *LIGHTFOOT*, Kol, S.229) rührt mit von dem neuzeitlichen Unbehagen her, daß dieser Vers die Sklaven trotz V.24b eben als Sklaven anredet. Dennoch gilt, "daß das Urchristentum mit seinem Gedanken der religiösen Bruderschaft aller Glaubenden wesentlich weiter gegangen ist als die paganen Kulte der alten Zeit" (*STUHLMACHER*, Philemon, S.46). Die Veränderungen, die Eph 6,8 anbringt (ὁ ἀδικῶν wird positiv gewendet und auf Sklaven und Freie bezogen. προσωπολημψία begegnet in der Mahnung an die Herren), berühren Kol 3,25 nicht.

⟨269⟩ Vgl hierzu *LOHSE*, Artikel πρόσωπον, S.780f. Obwohl das Wort erst im NT begegnet (vgl Röm 2,11; Eph 6,9; Jak 2,1 und πρόσωπον λαμβάνειν Gal 2,6), war es vielleicht doch schon im hellenistischen Judentum gebräuchlich (vgl *LOHSE*, ebd).

⟨270⟩ Vgl SCHRENK, Artikel δίκαιος, S.189. Das Wort ist im Sinne der Konvention gebraucht und schließt das mit ein, was rechtlich vorgeschrieben ist (also zB. Nahrung, Kleidung, Wohnung, vgl *LINDEMANN*, Kol, S.67).

⟨271⟩ *STÄHLIN*, Artikel ἰσότης, S.355f. Philo, spec leg IV,231 nennt die ἰσότης ... μήτηρ δικαιοσύνης. Das Verhältnis beider Begriffe ist im Griechentum häufig bedacht worden (vgl etwa Plutarch, quaest conv VIII 2,2).

⟨272⟩ *SCHWEIZER*, Kol, S.169.

gen, die keine Heilsbedeutung haben, in denen sich der Christ aber als δοῦλος κυρίου Χριστοῦ zu bewähren hat.

Mit dieser Mahnung ist die Haustafel abgeschlossen. Sie ist insgesamt zu verstehen als Auslegung des Grundsatzes von 3,17: tut alles im Namen des Herrn, im Gottesdienst (3,16) ebenso wie im alltäglichen Leben (3,18ff). Auch von 3,11 her ist die Haustafel geprägt. Wohl bewegt sie sich im Rahmen der vorhandenen sozialen Ordnung. Aber 3,11.17 legen doch den Grund dafür, daß die weltlichen Verhältnisse von innen heraus verwandelt werden können. Im Gegenzug zur kol Häresie mit ihren Forderungen und Tabuisierungen zeigt die Haustafel, daß das Leben der Christen von Christus als dem Herrn bestimmt wird, der alle anderen Mächte entthront hat. Damit ist der Kosmos entdämonisiert und verliert seine Heilsbedeutung. Kosmische, naturrechtliche oder überlieferte Herrschaftsverhältnisse haben deshalb keine Heilsfunktion mehr. So ist die Ethik der Haustafel in Kol mit ihrer Unterstellung des Alltags unter Christus zu verstehen aus dem Zusammenhang mit der theologischen Grundlegung des Briefes und ihrerseits in Antithese zur Philosophie ⟨273⟩.

5.3.3) Kolosser 4,2-6

In 4,2-6 ist in lockerer Folge eine letzte Reihe von Mahnungen angefügt. εὐχαριστία V.2 verbindet den Abschnitt mit 3,15ff. In V.3 schließt eine Bitte um Fürbitte für den Apostel und seine missionarische Arbeit an. V.5f mahnen zur Weisheit im Umgang mit Außenstehenden. Formal handelt es sich um zwei Imperative in V.2.5, die jeweils mit Partizipien aufgeschlüsselt werden. Nach der stärker traditionellen Sprache der Haustafel treten hier die typischen Stilmerkmale des Verfassers wieder in den Vordergrund (Partizipien, angehängte Relativsätze). Deutlich zu erkennen ist der Zusammenhang mit dem Revelationsschema 1,26f. Die Wirksamkeit des Apostels steht im Zentrum des kleinen Abschnitts.

Die Dankbarkeit ist ein durchgängiges Motiv in Kol (1,3.12; 2,7; 3,15.17). Dank ist ein umfassender Ausdruck für das christliche Leben ⟨274⟩. So wird nun **V.2** gemahnt, am Gebet festzuhalten ⟨275⟩ und dabei im Dank wachsam zu sein. Nah verwandt ist Röm 12,12 (vgl 1Thess 5,17f) ⟨276⟩. Dies gilt in gleicher Weise für γρηγοροῦντες. Anders als in 1Thess 5,6 ⟨277⟩ fehlt hier aber der Hinweis auf die Parusie Christi. Der Zusammenhang mit der eschatologischen Existenz ist freilich vorhanden: Dank, Gebet und Wachsamkeit sind Ausdruck dieser Existenz, die das gegenwärtige Leben der Christen umschließt.

Zu Gebet und Dank gehört auch die Fürbitte, und der Verfasser hält die Kolosser in V.3f an, für Paulus zu beten.

περὶ ἡμῶν kann neben Paulus auch seine Mitarbeiter meinen (besonders Timotheus und die sonst im Brief Genannten), dies freilich nicht direkt. Es geht explizit zu-

---

⟨273⟩ Vgl CROUCH, Origin, S.147.151; SCHRAGE, Ethik, S.239.
⟨274⟩ ἐν αὐτῷ περιπατεῖτε und περισσεύοντες ἐν εὐχαριστίᾳ werfen ein Licht auf den Zusammenhang der Haustafel mit den rahmenden Hinweisen auf den Dank in 3,15.17 und 4,2ff. Der Dank an Gott vollzieht sich nicht nur im Gottesdienst, sondern im ganzen Leben.
⟨275⟩ In προσκαρτερεῖν (vgl GRUNDMANN, Artikel καρτερέω, S.622) werden Züge des Gemeindelebens beschrieben, in denen "ein Stück urchristlicher Kraft und Lebendigkeit zum Ausdruck" kommt.
⟨276⟩ Vgl Apg 1,14; 2,42.46; 6,4 u.ö.; Eph 6,18.
⟨277⟩ Vgl Mk 13,35.37; Mt 25,13; Offb 16,15. Im Zusammenhang mit anderen Stellen (vgl Lk 12,36ff mit 21,34ff; Mt 13,34; Mt 24,48 mit 25,1ff) wird aber deutlich, wie sich der Sinn des Wachens verschiebt "von einem dauernden Ausgerichtetsein auf das jederzeit mögliche Kommen des Herrentages zu einer verantwortlichen Bewältigung der Zwischenzeit im Blick auf den Herrentag, wann immer dieser kommen mag" (SCHWEIZER, Kol, S.172).

nächst um die missionarische Aufgabe des Apostels. Mit δέδεμαι, ὡς δεῖ με λαλῆσαι und ἵνα φανερώσω ist Paulus direkt angesprochen. Die Mitarbeiter sind insofern mit einbezogen, als das Wort (des Evangeliums) in der Gegenwart ja gerade durch sie weitergegeben wird und durch einen Mitarbeiter nach Kolossae gelangt ist (1,7f). Dies steht hier aber nur im Hintergrund.

Daß Gott dem Wort eine Tür öffnen möge **V.3**, ist doppelsinnig gebraucht. Zum einen entspricht die Wendung der auch bei Paulus zu findenden Aussage (1Kor 16,9; 2Kor 2,12; vgl Offb 3,8), daß Gott dem Apostel oder der Gemeinde die Möglichkeit der Verkündigung ⟨278⟩ und ihrem Wort Wirksamkeit gibt. Zum anderen ist auf die Gefangenschaft angespielt (δέδεμαι): Gott möge dem Apostel und dem Wort die Gefängnistür öffnen. λόγος ist mit λαλῆσαι τὸ μυστήριον τοῦ Χριστοῦ ausgeführt. μυστήριον weist auf 1,26; 2,2 zurück. Es ist dort als Χριστὸς ἐν ὑμῖν (1,27) charakterisiert ⟨279⟩. Ebenso ist dort der Zusammenhang von λόγος τοῦ θεοῦ, μυστήριον und mit φανεροῦν gegeben. Dieses nun den Heiligen geoffenbarte Geheimnis verkündet der Apostel (1,28). Ganz entsprechend ist hier das Öffnen der Tür für das Wort durch λαλῆσαι aufgegriffen. Paulus selbst ist um der Botschaft willen gefangen. Daß das Leiden zur Verkündigung der Botschaft hinzugehört, ist bereits in 1,24 gesagt, was den Zusammenhang mit dem Abschnitt 1,24ff noch bestätigt. Aber auch die Gefangenschaft hindert nicht, daß er das Geheimnis Christi offenbart (V.4).

Paulus selbst spricht vom καταγγέλλειν (1Kor 2,1), vom λαλεῖν (1Kor 2,7; vgl 4,1), vom εὐαγγελίζεσθαι (Röm 15,20; Gal 1,8), vom ἱερουργεῖν (Röm 15,16), vom πληροῦν (Röm 15,19). Spricht Paulus vom φανεροῦν, so ist der Offenbarende Gott selbst durch den Apostel (2Kor 4,14). In Kol 4,4 ist es dagegen der Apostel selbst, der durch die Verkündigung des Wortes das Geheimnis Christi offenbart.

Deutlich steht der Gedanke von 1,26-28 im Hintergrund: Gott hat das Geheimnis offenbart und der Apostel verkündigt es. Sicherlich tritt damit der Apostel nicht an die Stelle Gottes. Er handelt ja im Auftrag und muß das Wort verkündigen ⟨280⟩. Dennoch ist ἵνα φανερώσω αὐτό eine starke Hervorhebung der apostolischen Predigt. "Durch sein Leiden und durch seinen Dienst am Wort wirkt der Apostel für die ganze Kirche" ⟨281⟩. Die Gemeinde ist aber insofern beteiligt, als sie mit ihrem Gebet den Dienst des Apostels begleitet. Leiden und Gefangenschaft ⟨282⟩ des Apostels und die Bedeutung seiner Botschaft als Offenbarung des Geheimnisses Christi sind dem Verfasser in seiner Situation besonders wichtig. Die Gefangenschaft zeigt an, daß Paulus nicht selbst in Kolossae sein kann. Trotz dieser Abwesenheit hat Gott tatsächlich eine Tür aufgetan und führt die Gemeinde durch die

----

⟨278⟩ "Die Tür öffnen" ist im Hellenismus öfter gebraucht im Sinne offenstehender Lebensmöglichkeiten oder des literarischen Schaffens (vgl *JEREMIAS*, Artikel θύρα, S.174). Hier ist das Bild aber stärker geprägt von der jüdischen Verwendung (vgl *STR-BILL* I, S.448; II, S.728; III, S.484f.631). Gott öffnet dem Bußfertigen die Tür (vgl auch Offb 3,20) oder er öffnet die Tür für die Annahme des Wortes (vgl Apg 14,27). Zum Bild des Schließens der Tür vgl *JEREMIAS*, ebd, S.174f.

⟨279⟩ Vgl hierzu ausführlich unten, S.229ff. Der Gebrauch in Kol 4,3 ist bereits formelhaft (vgl weiter Eph 6,19; 1Tim 3,9.16). Das Wort wird zum terminus technicus für die christliche Heilsbotschaft (vgl *LOHSE*, Kol, S.234).

⟨280⟩ Man kann den Akzent auf ὡς oder auf δεῖ legen; im ersten Fall wird betont, daß Gott dem Apostel die rechte Weise der Verkündigung verleihen soll, im zweiten Fall ist hervorgehoben, daß die Verkündigung ein bindender Auftrag Gottes ist.

⟨281⟩ *LOHSE*, Kol, S.234.

⟨282⟩ Die Gefangenschaft des Paulus ist in 4,3.10.18 erwähnt, eine nähere Erläuterung fehlt aber. Die Situation des Apostels bleibt undeutlich. Es liegt das Apostelbild der nachpaulinischen Zeit vor (vgl *LOHSE*, Kol, S.236).

Verkündigung des Mitarbeiters zur Erkenntnis des Geheimnisses Gottes (2,2). Hierin und nicht in der kol Heilsphilosophie sind alle Schätze der Weisheit und Erkenntis verborgen (2,3). Indem die beiden Verse in Anklang an 1,26f den Auftrag des Apostels beschreiben, sichern sie in der Situation des Verfassers die herausragende Bedeutung der apostolischen Botschaft.

V.5 wendet sich nun wieder an die Gemeinde, steht aber noch in Beziehung zu dem bisher Gesagten. ἐν σοφίᾳ περιπατεῖτε faßt 1,9f.28; 2,3 und 3,16 paränetisch zusammen. Es bedeutet, im Reden und Handeln Zeugnis abzulegen von Christus, und zwar πρὸς τοὺς ἔξω ⟨283⟩. Die Wendung entspricht paulinischer Diktion (vgl 1Thess 4,12; 1Kor 5,12). Inhaltlich besteht hier eine Nähe zum Revelationsschema 1,26f und zu Mk 4,11f. Die missionarische Arbeit des Paulus (V.3) setzt sich im Wandel der Gemeinde fort.

Der kleine Satz τὸν καιρὸν ἐξαγοραζόμενοι hat verschiedene Auslegungen erfahren ⟨284⟩. Daß auf die Kürze der noch zur Verfügung stehenden Zeit hingewiesen sei, ist im gesamten Briefkontext unwahrscheinlich (vgl dagegen 1Kor 7,29). Auch sollte man nicht die Interpretation, die Eph 5,16 der Wendung gibt, hier eintragen. Der Satz steht in Zusammenhang mit der missionarischen Aufgabe der Gemeinde (vgl V.5a.6) und ist ebenfalls in dieser Richtung zu verstehen: wandelt in Weisheit den Nichtchristen gegenüber, nützt eure Zeit gut. In diesem Sinn ist der Kairos natürlich eschatologische Zeit, nicht im Sinne einer Naherwartung, sondern als Zeit derer, die zur Erkenntnis Christi gekommen sind. Die Wendung ist hier aber ins Ethische übertragen.

Im Blick auf die Außenstehenden ist auch **4,6** formuliert. Im Hintergrund steht eine Redewendung ⟨285⟩. Das Wort der Christen soll lieblich sein ⟨286⟩ und mit Salz gewürzt. Es steht nicht der rhetorische Aspekt im Vordergrund, sondern der missionarische, wie der Zusammenhang nahelegt. Das Wort der Christen (vgl V.3) soll freundlich und einladend Anreiz geben wie gut gewürzte Speise. Auch soll der λόγος der σοφία entsprechen. Dies alles gilt für den Kontakt der Gemeindeglieder mit den Nichtchristen ⟨287⟩.

Damit ist die Paränese des Kol abgeschlossen. 3,17 hat alles Tun der Christen unter den Namen des Herrn gestellt. Die Haustafel hat dies für den Alltag erläutert. 4,2-6 hat nun noch den Blick über die Gemeinde hinaus gerichtet in Verantwortung für die Nichtchristen.

⟨283⟩ Rabbinische Belege bei *STR-BILL* III, S.362; vgl *BEHM*, Artikel ἔξω, S.572 und *UNNIK*, Rücksicht, S.227ff.

⟨284⟩ Es wurden vertreten: a) Das Ausnutzen aller sich bietenden Möglichkeiten (*BÜCHSEL*, Artikel ἀγοράζω, S.128); b) "jeden Tag, den Gott schenkt, dankbar und fröhlich hinzunehmen und die Zeit, die einem gegeben ist, nicht leer verstreichen zu lassen" (*LOHSE*, Kol, S.237f); c) "retten, freikaufen" (*BAUER*, Wörterbuch, Sp .537); d) mit der bis zur Parusie verbleibenden Zeit sorgsam umgehen (*LOHMEYER*, Kol, S.163; *ERNST*, Kol, S.240). Die Wendung καιρὸν ὑμεῖς ἐξαγοράζετε in Dan 2,8 ist anders gemeint: ihr sucht Zeit zu gewinnen.

⟨285⟩ Vgl Plutarch, quaest conv V 10,2. Rabbinische Belege bei *STR-BILL* I, S.232ff. Im NT ist Lk 4,22 vegleichbar.

⟨286⟩ Ein Wort der Gnade Gottes ist nicht gemeint. Dies ergibt sich aus dem Zusammenhang mit ἅλατι ἠρτυμένος und aus dem Fehlen des Artikels (vgl dagegen Apg 14,3; 20,24). An eine spezifische Verfolgungssituation zu denken legt der Text nicht nahe.

⟨287⟩ Ähnlich argumentiert 1Petr 3,15. *BROX*, Pastoralbriefe, S.159f weist auf das Befragen der Christen auf Grund ihres abweichenden Verhaltens als relativ regelmäßige Situation hin.

5.3.4) Zusammenfassung: Die Paränese im Kolosserbrief

1) Die christologische Begründung der Paränese ist mit Händen zu greifen. Grundlegend ist das Auferweckt-Sein der Christen mit Christus, wie 3,1 in Aufnahme von 2,12 zeigt. Die leitenden Begriffe νεκρώσατε, ἀπόθεσθε 3,5.8, ἀπεκδυσάμενοι V.9 und ἐνδυσάμενοι V.9.12 sind in Anlehnung an das Taufgeschehen gewählt. Sie strukturieren den gesamten Abschnitt. 3,10f nehmen den Hymnus auf und stellen seine begründende Funktion für die Paränese heraus. Die Begriffe des Tugendkataloges 3,12 sind nur ganz zu verstehen von dem analog beschriebenen Verhalten Gottes und Christi zu den Menschen her. Folgerichtig gibt V.13b das Handeln des Herrn nicht nur als Grund, sondern auch als inhaltliche Bestimmung für das Handeln der Glaubenden an. Im gleichen Zusammenhang steht das Liebesgebot V.14. 3,17 faßt konsequent zusammen und ist selbst Überschrift für die Haustafel. In diesem Schema ist der Herr das Kriterium dafür, wie weit die allgemeine Moral für das Leben der Christen Geltung hat. 4,2ff schließlich stellt die Verbindung zur Verkündigung her und der Bezug zur Christologie wird in Aufnahme von 1,24ff deutlich. So ist das Christusgeschehen die prägende Basis für die gesamte Paränese des Kol. Was im Hymnus preisend besungen wird, wird in der Paränese mahnend für das Leben der Gemeinde umgesetzt. Der Indikativ begründet den Imperativ.

2) Der Ort der Christen ist noch nicht oben, beim Herrn, sondern unten auf der Erde. Deshalb ist die Paränese für die Christen unaufgebbar. Das Heil ist geschaffen und liegt im Himmel für sie bereit (1,5.20). Die Christen sind Teilhaber am Indikativ des Heils. Das wahre Leben ist aber noch nicht offenbar (3,4). Deshalb brauchen sie den Imperativ – genau genommen ist er nur für sie sinnvoll, denn nur sie haben ja die Gewißheit und das Ziel des Heils. Die wenigen futurischen Aussagen des Kol finden sich im paränetischen Abschnitt (3,4.24). 3,24 zeigt mit dem Begriff ἀνταπόδοσις, daß der Gedanke des eschatologischen Gerichts zurücktritt. κληρονομία ist von κλῆρος 1,12 her zu verstehen. Und der Satz 3,6 gehört bereits traditionell zum Lasterkatalog hinzu. γρηγορεῖν (4,2) trägt keinen futurischen Akzent, ist aber Ausdruck einer Existenz, die sich "nach oben" orientiert. Die Paränese kommt von dem Christusgeschehen her und richtet sich aus auf das Offenbar-Werden des Heils.

3) Die usuelle Paränese herrscht vor. Dies gilt für die Kataloge, für ἐάν τις πρός τινα μομφὴν ἔχῃ V.13, für den Schlußabschnitt 4,2.6, für die Haustafel. Die Ausführlichkeit der Sklavenparänese zeigt aber das besondere Interesse des Verfassers. Zwar ist kein konkreter Fall erkennbar, aber doch eine Gemeindesituation. In 3,15f rührt die Betonung des Singens daher, daß der Verfasser ein Gemeindelied aufnimmt und zur Grundlage seines Briefes macht. So wird die konkrete Situation hinter dem Brief an einigen Punkten greifbar. Daß im Gegensatz zur Philosophie gesprochen wird, wird in 3,11 erkennbar, ebenso in σύνδεσμος τῆς τελειότητος als Zusammenfassung der Liebe in 3,14. Die konkrete Auseinandersetzung mit der Irrlehre wirkt sich bis in die Paränese hinein aus. Die usuelle Paränese wird im Blick auf die Situation der Gemeinde gesprochen.

4) An zentralen Stellen des paränetischen Briefteils stehen Gedanken und Terminologie des Paulus im Hintergrund. In 3,5ff wirken Röm 13,12ff; 6,6 und Gal 3,27 nach.

In 3,11 ist ähnlich wie in Gal 3,28 formuliert. Die Begriffe des Tugendkataloges sind vom paulinischen Denken geprägt, und das Liebesgebot V.14 steht offenbar in der Tradition des Apostels (vgl Röm 13,8ff.12f; Gal 5,22f). Viele Einzelmotive sind von Paulus beeinflußt. Der paränetische Abschnitt insgesamt zeigt den Paulusschüler. Dies wird auch deutlich in der Art, wie er mit traditionellem Material anderer Herkunft umgeht. Die Haustafel wird in den christlichen Zusammenhang eingefügt. Das geschieht bei Frauen und Kindern knapp, bei Sklaven und Herren der besonderen Wichtigkeit wegen ausführlicher. Insgesamt muß die Tafel von 3,11.17 her verstanden werden. Diese Kernsätze legt sie für den Alltag aus. "Im Herrn" wird zum Kriterium dafür, was von der hellenistischen Ethik in das christliche Denken integriert werden kann. Daß der Verfasser insgesamt in einer kosmologischen Denktradition steht, die hellenistisch-jüdisch geprägt ist, wird freilich auch in der Paränese klar erkennbar. Hierauf weisen neben der Bedeutung des Hymnus für die Paränese auch die Kataloge und das Schema der Haustafel. At.lich-jüdisches Material, wie Paulus es an verschiedenen Stellen aufgreift, begegnet dagegen nur in ganz geringem Maß <288>. Daß der Verfasser sich auch in der Paränese zT. direkt mit der Irrlehre auseinandersetzt, belegt ebenfalls seine grundlegende Beziehung zum kosmologischen Denken.

5) Die Rolle des Apostels wird in 4,2-6 beschrieben. Ihm kommt die Offenbarung des Geheimnisses Christi zu. Damit ist die apostolische Predigt stark betont und sein Dienst für die ganze Kirche (vgl 1,24ff). Durch sein Wort kommt die Gemeinde zur Erkenntnis des Geheimnisses Christi (2,2). So schließt die Aufgabe des Apostels, die in 1,28 als Ermahnen und Belehren jedes Menschen in aller Weisheit umschrieben wird, die Paränese mit ein.

5.4) Ergebnis
5.4.1) Die Struktur des ethischen Denkens

Für Paulus ist der Ausgangspunkt des theologischen Denkens überhaupt das Kreuz und die Auferstehung Christi. Dies gilt auch für die Paränese. Sie bekommt von diesem Heilsgeschehen ihren Ort. Sie ergeht an die, die durch Taufe und Glauben in dieses Geschehen hinein genommen sind. Durch die Taufe sind sie von der Sünde frei und können ihr deshalb nicht mehr dienen (Röm 6,2.12ff). Im Glauben sind sie gerechtfertigt und deshalb frei zu einem Leben aus Gnade. Wer sein Leben so dem Herrn unterstellt, der handelt ἐν κυρίῳ <289>. Die Paränese ergeht zugleich an die, die auf das Kommen des Herrn warten. Deshalb kann neben der Begründung im geschehenen Heil auch die eschatologische Erwartung der Ethik ihren Grund geben (vgl 1Thess 4,6.13ff uö.). So begründet das Heilsgeschehen in Vergangenheit, Gegenwart (vgl 1Thess 4,8) und Zukunft die Paränese und prägt sie auch inhaltlich. Weil die Liebe Gottes dem Christusereignis Gestalt gibt, wird das Liebesgebot zur zentralen Forderung für die Christen (vgl zB. die Begriffe πραΰτης, ταπεινοφροσύνη).

<288> Dies gilt erstaunlicherweise gerade auch da, wo gegenüber den Irrlehrern und ihrer kosmologischen Konzeption ein Hinweis auf den at.lichen Schöpfungsgedanken nahegelegen hätte (vgl SCHRAGE, Ethik, S.234f).
<289> Vgl hierzu oben, S.148ff.

Kreuz und Auferstehung geben den Grund und die inhaltliche Leitlinie für die Paräne-se an. Wer von dort her auf den kommenden Herrn hin lebt, der orientiert dieses Leben an dem gegenwärtigen Kyrios.

Ein ähnlicher Sachverhalt ist für Kol festzustellen. Der Hymnus ist der grundle-gende Text auch für die Paränese. Das darin besungene Heil begründet die Ethik und prägt ihren Inhalt (3,12ff). Dies entspricht der ethischen Struktur bei Paulus. Unterschiede ergeben sich weniger hieraus als aus einem anderen Verständnis des Indikativs selbst. Kol betont das Vorhandensein des Heils in der Transzendenz, und Zukunftsaussagen treten in den Hintergrund. Dementsprechend ist eine Begründung der Ethik von dem zukünftigen Kommen des Herrn her allenfalls rudimentär vorhan-den (vgl 3,4.24). Das Zurücktreten des Geistbegriffes bewirkt, daß der pneumatolo-gische Aspekt des christlichen Wandels (vgl Gal 5,25) hier fehlt. Dagegen rückt durch ihre Verbindung mit der Auferstehung (2,12; 3,1) die Taufe als Begründung der Paränese in den Mittelpunkt. Terminologisch ist der Bezug auf die Taufe in 3,5ff.10.12 gegeben. In einem ethisch verantworteten Leben hält der Christ deshalb die Taufgnade fest. Den Zielpunkt des Handelns sieht Kol seinem kosmologischen Verständnis entsprechend in der Transzendenz (τὰ ἄνω ζητεῖτε 3,1). So verändert sich in Kol gegenüber Paulus zwar nicht die Begründung und inhaltliche Orientierung der Ethik, die Paränese wird aber in Begründung und Ausrichtung an den veränder-ten Indikativ angeglichen. Beiden Entwürfen steht 2Thess gegenüber, der keine christologische Begründung der Paränese kennt. Der Verfasser hält wohl an dem Heilswillen Gottes für die Menschen fest; wenn sie diesen Willen tun, indem sie sich an die apostolische Botschaft halten, wird Gott ihrem Verhalten im Gericht entspre-chen (1,7.10). Ob aber die Erwählung (2,13) im Gericht Bestätigung findet, ist noch offen. Heil und Unheil werden sich beim Kommen Christi entscheiden (1,7bf; 2,8). Dies ist keine eschatologische Begründung in dem Sinn, daß die Christen vom kom-menden Herrn her ihr Leben gestalten; vielmehr dient die Paränese dazu, daß sie beim Kommen des Herrn vor ihm bestehen können. Sie sind noch keine eschato-logischen Personen, sondern sollen sich durch ihr Verhalten für das Eschaton quali-fizieren. Dementsprechend tritt in περιποίησις δόξης 2,14 das eigene Tun der Christen stärker hervor. Die Ethik erwächst nicht aus dem Heil, sondern führt den Menschen zum Heil.

5.4.2) Die Bedeutung des Apostels für die Paränese

Der Apostel nimmt im ethischen Denken des 2Thess die Stelle ein, die bei Paulus der Christologie zukommt. Seine Verkündigung in der Vergangenheit hilft der Ge-meinde zum Verständnis von Gegenwart und Zukunft (2,5ff.14). Durch sein Evange-lium hat Gott die Thessalonicher berufen und das eschatologische Heil wird denen zuteil, die daran festhalten. Diese Botschaft ist aufgeschlüsselt in Verkündigung und Lehre wie in das Lebensbeispiel des Paulus (vgl 2,15; 3,1f.7ff). Dadurch kommt ein pädagogischer Charakter in die Ethik hinein. Insgesamt bezieht sich der paränetische Abschnitt des Briefes weniger auf ein bestimmtes Verhalten (selbst die Anweisungen in 3,6ff sind nur wenig konkret) als auf das Festhalten der apostolischen Überliefe-rung. Diese Mahnung durchzieht den gesamten Briefteil wie ein roter Faden und rahmt ihn zugleich ein (2,15; 3,14). Das πῶς δεῖ μιμεῖσθαι ἡμᾶς 3,7 bringt dies prägnant zur Sprache und zeigt zugleich den Unterschied zu Paulus. In 1Thess 1,6 ist in ähnlicher Formulierung von Nachahmen die Rede, dies aber so, daß das μιμη- τής -Sein über den Apostel hinausgreift auf Christus. Der indikativische Gebrauch des Nachahmungs-Gedankens zeigt, daß es um die Hineinnahme des Glaubenden in das Heilsgeschehen geht. Indem die Thessalonicher Leiden ertragen (2,14f), bekom- men sie als Nachahmer Christi Anteil an der Bewegung des Leidens, das Hoffnung weckt und können ihrerseits τύπος werden (1,7). Paulus mahnt und tröstet und belehrt mit der Autorität des Apostels. Diese Autorität ist aber transparent auf den hin, von dem sie kommt, Christus.

In Kol verbindet der kleine Abschnitt 4,2-6 den Verkündigungsauftrag des Paulus mit der Paränese. Durch das Revelationsschema (1,26f, vgl 4,3f) wird der Verkündi- gungsauftrag stark herausgehoben. Des Paulus Auftrag ist es, alle Menschen in aller Weisheit zu ermahnen und zu belehren (1,28). Das Sichwort Weisheit in 4,5 bezieht die Paränese in diesen Auftrag des Paulus mit ein. Die Schätze der Weisheit, die in Christus verborgen sind (2,3), werden in der universalen paulinischen Verkündigung auch für die Ethik erschlossen.

5.4.3) Die paränetischen Traditionen

Paulus greift auf unterschiedliches Material zurück. At.lich-jüdische Aussagen spielen verschiedentlich eine Rolle (Röm 12,16ff; 1Kor 7,19; 10,26 uö.) <290>. Daneben sind wiederholt Elemente antiker Ethik festzustellen (1Kor 9,24f; 15,28; 2Kor 10,3ff uö.), wie auch der Stil der Diatribe. Paulus greift auch auf einen bereits zusammengefüg- ten Grundbestand christlicher Paränese zurück, zu dem auch Jesusworte gehören (1Thess 5,15). Wesentlich ist die Frage nach dem Umgang des Apostels mit diesen Traditionen. Sie ist mit den Begriffen Selektion und Interpretation zu kennzeichnen. Daß Paulus die Grundbegriffe antiker Ethik kennt, belegt Phil 4,8. Das Fehlen etwa der griechischen Kardinaltugenden oder des Begriffes ὕβρις zeigt aber die Selektion in diesem Bereich. Aus der at.lich-jüdischen Tradition fehlen alle kultisch-rituellen Gebote. Was Paulus aber übernimmt, ordnet er in seinen Zusammenhang ein und gibt ihm eine Interpretation. Phil 4,8 ist eingebunden in verschiedene Hinweise auf das Christusgeschehen (4,4f.7.9). Anders als im griechischen Denken spielt der Begriff ταπεινοφροσύνη bei ihm von der Erniedrigung Christi her eine wichtige Rolle (Phil 2,3). Die at.lichen Beispiele zur Begründung des Rechtes auf Unterhalt (1Kor 9,7ff) werden mit einer Verordnung des Herrn selbst überboten (V.14). So gelten die Mahnungen der Paränese für die, die im Herrn leben. Von ihm her werden Selektion und Interpretation des Traditionsmaterials gleichermaßen bestimmt.

Die Aufnahme von Tradition in Kol zeichnet sich gegenüber diesem Befund durch Nähe und Differenz aus. Die Nähe zeigt sich in der Aufnahme paulinischer Aussagen selbst (vgl 3,5ff.11.14). Neben 2,12f wird die Beeinflussung des Kol durch paulinische Gedanken in die Paränese besonders deutlich. Dies gilt auch für die Einordnung der Haustafel 3,18-4,1 in den Kontext. Der Verfasser hat nicht nur an verschiedenen Stellen Hinweise auf den Herrn in das traditionelle Schema eingefügt, sondern ihm in

----
<290> Vgl hierzu oben, S.151f.

3,17 eine Überschrift gegeben, die das ganze Leben dem Herrn Jesus unterstellt. Zugleich gibt 3,11 den Mahnungen ein inhaltliches Vorzeichen. So wird die Haustafel nicht nur oberflächlich christianisiert, sondern formal und sachlich in das Auferstehungsleben auf Grund der Taufe eingeordnet. Das von Paulus verschiedene Verständnis der Taufe ist freilich vorausgesetzt. Zugleich entspricht die Haustafel selbst dem kosmologischen Grundverständnis des Verfassers und wird deshalb nicht zufällig in diesem Brief aufgenommen. At.lich-jüdisches Material tritt demgegenüber in den Hintergrund. Das Selektionsprinzip für die paränetische Tradition ist das kosmologisch interpretierte Heil in Christus.

Während 2Thess in den eschatologischen Passagen seine eigenen Aussagen entfaltet, lehnt er sich in der Paränese besonders eng an 1Thess an. Die grundlegenden Stichworte ἄτακτος, μιμέομαι, ἐργάζομαι, στήκετε etc. sind von dort - zT. wörtlich (3,8) - übernommen. Die Arbeitsweise des Verfassers macht jedoch auf seine Interpretation aufmerksam: er stellt verschiedene Passagen aus 1Thess neu zusammen (vgl 2,13f; 3,1ff.7f uö.) und konzentriert sie durchgehend auf den Apostel, der als Garant der Tradition das zukünftige Heil eröffnet. Der bei Paulus mit dem μίμησις-Gedanken verbundene Hinweis auf Christus und die Verbindung von κόπος und ἐργάζω mit der Verkündigung des Evangeliums (1Thes 1,6f; 2,9) fallen deshalb weg. Gerade das Fehlen dieser Zusammenhänge bewirkt den pädagogischen Grundzug der Paränese. Er entspricht der Struktur der Paränese, die auf die Eschatologie vorbereitet. Andere Traditionen kommen nicht in den Blick.

5.4.4) Die Bedeutung der Adressaten

Für Paulus ist das Nebeneinander von aktueller und usueller Paränese charakteristisch (vgl die Rahmung der Abschnitte 1Thess 4,13ff; 5,1ff durch 4,1-12 und 5,12-24). Daß das Christusgeschehen das Handeln des Glaubenden insgesamt bestimmt, beschreibt die usuelle Paränese. Sie nimmt zu konkreten Fragen Stellung, ohne deshalb notwendig auf eine aktuelle Situation einzugehen <291>. Dieser umfassende Aspekt der Ethik muß aber in bestimmte Situationen hinein aktualisiert werden. Insofern bestimmt die Empfängersituation die Paränese mit. Sowohl die Konkretheit als auch die Gesamtheit der ethischen Aussagen sind bei Paulus Ausdruck der Zugehörigkeit der Christen zum Herrn.

Ein ähnliches Verhältnis von aktueller und usueller Paränese findet sich in Kol. Die traditionellen Formen der katalogischen Paränese und der Haustafel belegen den umfassenden und usuellen Charakter der Ethik. Gleichwohl wurzeln diese Aussagen in der Gemeinde und haben die gegnerische Häresie im Blick. Dies zeigt sich an der Betonung des Gesangs (3,16), an der Bezeichnung der Liebe als Band der Vollkommenheit (3,14) und an der engen Beziehung von 3,10 zum Hymnus. Die Haustafel belegt die Nähe zum kosmologischen Grundansatz. So ist die Paränese des Kol von der aktuellen Gemeindesituation wesentlich beeinflußt.

Die Unterscheidung von usueller und aktueller Paränese trifft die Ethik des 2Thess nicht. Die Mahnungen bleiben insgesamt blaß und allgemein, selbst da, wo der Ver-

---

<291> Vgl hierzu oben, S.135, Anm.4.

fasser offenbar eine konkrete Situation vor Augen hat (3,6ff). Die einzelnen Mahnungen sind aber weniger ihres usuellen Charakters wegen blaß, sondern weil es
in ihnen um die grundlegende Aussage geht, die apostolische Überlieferung festzuhalten. Diese Mahnung wird breit aufgefächert und begründet.

Die grundlegenden Veränderungen in den ethischen Aussagen beider Briefe gegenüber
Paulus liegen nicht in erster Linie in der Struktur begründet, sondern in dem veränderten Verständnis des Imperativs. Die Akzentuierung des Heilsgeschehens im Sinne
einer kosmischen Soteriologie führt in Kol zur Betonung der Taufgnade, an der die
Christen durch ihren Wandel festhalten. Die Akzentuierung von Christologie und
Soteriologie bewirkt auch eine entsprechende Verengung der paränetischen Traditi-
onsbasis. Die Reduktion der Christologie auf ein apokalyptisches Ereignis in 2Thess
bewirkt, daß die Christologie als Grundlegung der Ethik nicht dienen kann. Da aber
auch für 2Thess die Paränese einen Haftpunkt braucht, tritt an die Stelle des
Christusgeschehens die apostolische Verkündigung und die Ethik dient der Einschärfung der Mahnungen, der Lehre und der Lebensweise des Apostels.

6) Das Apostelverständnis

Die bisherigen Ergebnisse führen zu zwei weiteren Fragestellungen. Im Zusammenhang der ethischen Entwürfe ist in 2Thess und Kol in jeweils spezifischer Weise von
Paulus als Apostel die Rede. Für 2Thess ist die apostolische Anordnung der grundlegende Zug des paränetischen Briefteils (vgl 2,15; 3,7ff.14). Nach Kol 4,2ff ist die
Paränese Teil des umfassenden Auftrags des Paulus, das Geheimnis Christi zu
offenbaren. Nun bezeichnet sich Paulus selbst bereits in den Präskripten verschiedener Briefe als Apostel (Röm, 1.2Kor, Gal). Er hat seinen Auftrag nicht von Menschen, sondern διὰ 'Ιησοῦ Χριστοῦ καὶ θεοῦ πατρός (Gal 1,1). Als Apostel dieses
Jesus Christus ist Paulus unterwegs, ihn verkündigt er als Herrn, von ihm weiß er
sich beauftragt zur Mission an den Heiden (Gal 1,16). Ein Überblick über die ἀπόστο-
λος-Stellen bei Paulus zeigt freilich sehr schnell den unterschiedlichen Gebrauch des
Wortes. Während seine Gegner ihm die Zeichen der Apostolizität absprechen (2Kor
12,11f), verweigert er umgekehrt ihnen die Bezeichnung Apostel (2Kor 11,12ff). Auf
der anderen Seite erkennt Paulus an, daß bereits vor ihm Männer sich mit Fug und
Recht Apostel nennen konnten (1Kor 15,1ff; Gal 1,15ff), und weiß bei ihnen von einer
Erscheinung des Auferstandenen. Dies scheidet für die Wendung ἀπόστολοι ἐκκλησιῶν 2Kor 8,23 aber offenbar aus. So deuten sich bei Paulus unterschiedliche
Verwendungen des Begriffs an <1>. Es geht deshalb im folgenden um die Fragen,
wie Paulus seinen Apostolat versteht, welches Apostelverständnis in 2Thess und Kol
vorliegt und was zwischen Paulus und diesen Briefen an Übereinstimmung und Veränderungen festzustellen ist. Die Bedeutung dieser Fragen für das Thema des Übergangs von Paulus zur Paulusschule wird schon deutlich, wenn man die "schöne
Ordnung" von Aposteln, Episkopen und Diakonen in 1Clem 42,1-3 als einen vorläufigen Schlußpunkt der Entwicklung im Urchristentum neben die mehrschichtige Verwendung des Apostelbegriffs bei Paulus stellt. Da in 1Thess 2,1-12 ausführlich auf
das Leben und Wirken des Paulus eingegangen wird und in 2,7 ἀπόστολος begegnet,
empfiehlt es sich erneut, mit einem Text aus 1Thess einzusetzen. Neben diesem
Thema ergibt sich als zweite Fragestellung das Problem der Tradition. Bei der
Behandlung der Eschatologie, der Taufe und Kosmologie und der Ethik hat sich
gezeigt, daß die Veränderungen gegenüber Paulus sowohl von unterschiedlicher
Tradition als auch von einem zT. unterschiedlichen Modus der Traditionsaufnahme
herrühren. Zugleich wurde besonders in 2Thess die Tradition ausdrücklich als apostolische eingeführt. Damit ergibt sich ein enger Zusammenhang von Apostelverständnis und Traditionsverständnis. Im Anschluß an dieses Kapitel ist deshalb das Thema
der Tradition zu behandeln.

<1> Vom Apostelamt des Paulus zu sprechen, empfiehlt sich nicht. Der Begriff suggeriert für
Paulus ein Apostelverständnis mit amtlichem Charakter im Sinne kirchlicher Ämter. Dies
trifft wohl für die nachpaulinischen Briefe, besonders für Past, zu, ist aber bei Paulus so
noch nicht zu erkennen (vgl *CAMPENHAUSEN*, Amt, S.29f; *HAHN*, Apostolat, S.56, Anm
11) und man sollte nicht von einem Begriff ausgehen, der in die nachpaulinische Zeit weist.
Im folgenden ist vom Apostolat bzw. dem Apostelverständnis des Paulus die Rede.

6.1) Das Apostelverständnis bei Paulus
6.1.1) 1.Thessalonicher 2,1-12

Das Leitmotiv des Abschnitts ist in **V.1f** dargelegt. Es wird positiv entfaltet in den Wendungen ἐπαρρησιασάμεθα ἐν τῷ θεῷ ἡμῶν und λαλῆσαι πρὸς ὑμᾶς τὸ εὐαγγέλιον τοῦ θεοῦ. λαλῆσαι κτλ ist die grundlegende Charakterisierung dessen, was Paulus in Thessalonich tat (vgl V.4.8.9): er hat das Evangelium verkündigt ⟨2⟩. In ἐππαρησιασάμεθα klingt der Hintergrund des Motivs an ⟨3⟩. Paulus hat mit freiem Mut das Evangelium verkündet. Freimut und Unerschrockenheit sind dabei die Außenseite seines Verhaltens, wie die Zufügung ἐν τῷ θεῷ zeigt. Denn daß Paulus trotz der vorangegangen Ereignisse in Philippi in Thessalonich das Evangelium verkündigen konnte, ist für ihn nur ἐν τῷ θεῷ zu verstehen. Diese Ereignisse wären durchaus in der Lage gewesen, die Bereitschaft des Paulus zur öffentlichen Verkündigung zu dämpfen. Mit προπαθόντες und ὑβρισθέντες werden sie als Leiden und Demütigung beschrieben (vgl Phil 1,30, Apg 16,16ff) ⟨4⟩, die Paulus als Verkündiger der Christusbotschaft zu ertragen hat (Phil 1,29). Dennoch war sein Wirken in Thessalonich nicht leer und kraftlos, sondern geschah in Offenheit und Freiheit ⟨5⟩.

Die Wendung ἐν πολλῷ ἀγῶνι wurde im Gegensatz zu den Leiden in Philippi als Sorge und Mühe des Apostels ⟨6⟩ oder als innerer Wetteifer des Apostels interpretiert, der seine Freudigkeit zur Verkündigung unterstreiche ⟨7⟩. Nun bezeichnet ἀγών von der ursprünglichen Bedeutung her in der Tat den Wettkampf ⟨8⟩ und Paulus bedient sich auch dieses Bildes (1Kor 9,24ff; Phil 3,12ff und 1Tim 4,3ff; 2Tim 4,8; 1Petr 5,4; Jak 1,12). In Phil 1,27-30 ist das Bild jedoch ohne Zweifel auf äußere Konfrontation bezogen. Nimmt man in 1Thess 2,1ff den Kontext von V.3 an hinzu, so wird deutlich, daß es sich auch hier um Auseinandersetzungen handelt, die Paulus durchzustehen hat und die auch der Gemeinde nicht fremd sind.

Das Thema des Abschnitts ist also die Verkündigung des Apostels, wie sie sich in allem Leid und entgegen allen Anfeindungen bewährt. Von einer Apologie des paulinischen Apostolates sollte man nicht sprechen ⟨9⟩. Anders als in 1.2Kor ist hier von innergemeindlichen Auseinandersetzungen und einer Anfeindung des Paulus nicht die Rede. Es geht dem Apostel darum, im Rückblick auf die Erfahrungen mit dem Evangelium der Gemeinde die Tragkraft des Evangeliums vor Augen zu stellen. Dabei knüpft Paulus mit dem zweimaligen οἴδατε an das Wissen der Thessalonicher an (vgl V.5.9.10f). Daß die Verkündigung der Christusbotschaft zusammengehört mit der

---

⟨2⟩ λαλῆσαι πρὸς ὑμᾶς ist in Anlehnung an τὴν εἴσοδον ... τὴν πρὸς ὑμᾶς formuliert.

⟨3⟩ παρρησία gehört zunächst in den Bereich des Politischen und bezeichnet das Recht des Vollbürgers zur freien Meinungsäußerung. Im privaten Bereich meint das Wort die Freimütigkeit, mit der man einem Freund begegnet. In LXX wird παρρησία auf Gott (vgl Ps 94,1; Spr 1,20f) und auf den Menschen in seiner Haltung gegenüber Gott übertragen (vgl Hi 27,9ff; 22,26). Vgl hierzu SCHLIER, Artikel παρρησία, S.869ff; RIGAUX, Thess, S.402f.

⟨4⟩ Die Vorsilbe προ- kennzeichnet das Geschehen im chronologisch früheren Sinn. Zu ὑβρίζω im Sinn von "einer entehrenden Strafe unterziehen" vgl BERTRAM, Artikel ὕβρις κτλ, S.305f.

⟨5⟩ οὐ κενὴ γέγονεν nimmt 1,5 auf. Es hat dabei stärker den Sinn von leer, kraftlos als von erfolglos (so in 3,5; vgl Gal 2,2; Phil 2,16).

⟨6⟩ So DIBELIUS, Thess, S.7.

⟨7⟩ V.DOBSCHÜTZ, Thess, S.85.

⟨8⟩ Vgl STAUFFER, Artikel ἀγών, S.135f. Eine Konkurrenz im Sinne des Wettkampfs ist hier nicht gemeint, auch wenn V.3ff die Mission des Paulus von der Praxis anderer Missionare abgrenzt. Der Gedanke des Ziels ist bei ἀγών stets mitgedacht (vgl STAUFFER, ebd, S.137 und 1Kor 9,25; Phil 3,14). Vgl ferner PFITZNER, Paul, S.112f.

⟨9⟩ Vgl BRUCE, Thess, S.23ff; NEIL, Thess, S.39; LAUB, Verkündigung, S.133ff; SCHMIT-HALS, Paulus, S.103.109. Bei SCHMITHALS ist die Interpretation von 1.2Kor und Gal her besonders ausgeprägt.

Auseinandersetzung um diese Botschaft und dem Leiden für sie, haben die Thessalonicher von Anfang an an Paulus gesehen (2,1f) und selbst erfahren (1,6). Die Anfeindungen, die die Gemeinde erlebt (vgl 2,14ff), sind deshalb nicht unerklärliches Geschick, sondern begreifbar für die, die das Apostelwort als Wort Gottes angenommen haben.

Von hier aus wird der Aufbau von 1,2-2,16 verständlich. Die Annahme, daß 2,13-16 ein späterer Einschub sei <10>, erübrigt sich ebenso wie die Teilungshypothese von SCHMITHALS <11>. Die beiden Danksagungen (1,2-10; 2,13ff) rahmen den Rückblick auf das Wirken des Apostels in der Gemeinde ein, wie der Rückgriff des αὐτοὶ γὰρ οἴδατε 2,1 auf 1,5.9 und die Beziehung der Leiden des Apostels (2,1f) auf das Leiden der Gemeinde (1,6; 2,13-16) zeigen. Die Rückbesinnung auf den Anfang der Missionsarbeit veranlaßt den Apostel erneut zum Dank und macht zugleich der Gemeinde deutlich, daß die Anfechtung des Glaubens zu ihrem Weg gehört und sie so mit dem Apostel vereint <12>. Diese Zusammengehörigkeit von Apostel und Gemeinde wird dann in 2,17-3,13 weiter ausgeführt. Der gesamte erste Briefteil ist eine Vergegenwärtigung des bisherigen Weges der Gemeinde mit Paulus.
2,3ff weisen folgenden Aufbau auf: in V.3-7 werden in mehreren οὐ–ἀλλά–Konstruktionen das Wirken des Paulus und anderer Missionare gegenübergestellt. V.8 faßt zusammen und führt weiter zu V.9-12, die ihrerseits V.8 näher auslegen. Daß die Abgrenzung nach V.7 keine scharfe Zäsur ist, zeigen die verwandten Bilder von Mutter (V.7) und Vater (V.11) im Verhältnis zu den Kindern. Zum Wirken des Apostels gehört die Art seiner Zuwendung zur Gemeinde hinzu. In dieser Zuwendung wurde der Ruf Gottes an die Thessalonicher laut und so schließt V.12 mit ἀξίως τοῦ θεοῦ τοῦ καλοῦντος ὑμᾶς κτλ ab. Hieran fügt sich als neuer Abschnitt, aber den Gedanken weiterführend, die zweite Danksagung V.13-16 an <13>.

In einer Reihe von Gegensätzen stellt Paulus von V.3 an seine Wirksamkeit in der Gemeinde dem Wirken anderer gegenüber. Die Frage nach den Motiven für eine solche Rechtfertigung seines Wirkens und seiner Botschaft hat die Exegese immer wieder beschäftigt <14>.

Es ist keine innergemeindliche Agitation anzunehmen (wie etwa in Korinth). 1Thess 3,6 widerspricht dem eindeutig. Äußere Anfechtungen hat es dagegen in der Tat gegeben, wie schon aus 1,6; 2,12-14 erkennbar wurde. Als Gemeinde, die sich an der apostolischen Botschaft orientiert, müssen die Thessalonicher von ihren eigenen Landsleuten Leid erdulden. Da taucht die Frage auf, ob die paulinische Botschaft solches Leiden auch "wert" ist. Rechtfertigt die Botschaft auch Leiden, wenn es sein muß, oder ist sie leer und ohne tragenden Grund (vgl V.1 οὐ κενὴ γέγονεν), was sich gerade im Leiden zeigt? Mit der Botschaft steht und fällt zugleich die Wirksamkeit des Apostels, der im zweiten Fall die Gemeinde getäuscht hätte, vielleicht aus unlauteren Motiven. Hier kann man nun zum Vergleich die manchmal zwielichtigen Praktiken zeitgenössischer Wanderprediger heranziehen, deren Wirksamkeit nicht selten belegt ist <15>.

Es geht nicht in erster Linie um die Auseinandersetzung mit konkreten Angriffen auf die Person des Paulus. Sein Thema ist die Rechtfertigung seiner Botschaft. Seine

---

<10> So PEARSON, 1Thessalonians 2,13-16, S.79-94 und ECKART, Brief, S.30ff und die Zusammenstellung der Argumente bei DAVIES, Paul, S.6. Zur Kritik vgl MARSHALL, Thess, S.11f.
<11> Paulus, S.89-157. Zur Kritik vgl MARSHALL, Thess, S.15f.
<12> So auch MARXSEN, 1Thess, S.26-29. Auch MORRIS, Thess, S.31 stellt 2,1-16 zusammen.
<13> Diese Aufteilung legt sich aus dem Text zwanglos nahe, ohne daß man die Zäsuren zu stark betonen sollte.
<14> Vgl hierzu den Exkurs "Die Motive der Apologie" bei v.DOBSCHÜTZ, Thess, S.106f.
<15> Einen ausführlichen Vergleich mit den Praktiken kynischer Wanderphilosophen hat MALHERBE, Nurse, S.203ff vorgelegt. Im Vergleich von Dio Chrysosthomos und 1Thess 2,1ff zeigt er Übereinstimmungen hinsichtlich der Terminologie (πλάνη, δόξα, κολακεία, βάρος, παρρησία, etc, vgl besonders S.214ff) und der antithetischen Formulierung. Weitere Belege bei DIBELIUS, Thess, S.8. Die Rechtfertigung der paulinischen Botschaft findet hier aber statt auf dem Hintergrund des bisherigen Wandels der Gemeinde, der auch Verfolgung einschloß. So handelt es sich wohl um "Standardpolemik" und "Standardapologetik" (so KUSS, Paulus, S.88, Anm.5). Dennoch hat die Auseinandersetzung ihren konkreten Anhalt an der bisherigen Erfahrung der Gemeinde mit dem Evangelium.

eigene Wirksamkeit bezieht er auf den bisherigen Weg der Gemeinde mit der Botschaft. Gerade weil dieser Weg nicht ohne Leiden war, stellt sich die Frage nach dem tragenden Grund und nach der Wirksamkeit des Apostels als dem Verkündiger der Botschaft.

παράκλησις **V.3** nimmt εὐαγγέλιον V.2 auf ⟨16⟩. Dreifach wird der Zuspruch des Evangeliums abgegrenzt gegen den Irrtum und Irrwahn ⟨17⟩, gegen jedes unlautere Motiv ⟨18⟩ und jede Art von Tricks, die Eindruck machen, aber nicht halten, was sie versprechen ⟨19⟩. Alles dies würde ja darauf zielen, Menschen zu imponieren (**V.4**). Paulus ist aber nicht als imponierender Missionar in die Gemeinde gekommen, sondern redet als einer, der von Gott für tauglich befunden und mit dem Evangelium betraut worden ist. Der Gedanke der Prüfung bezieht sich dabei weder auf seine frühere Tätigkeit als Verfolger der Gemeinde (vgl 1Kor 15,8ff; Gal 1,13ff) noch auf irgendwelche Verdienste des Paulus (vgl Phil 3,6), sondern verbindet im Sinne von 1Kor 15,10 die Tätigkeit des Paulus allein mit Gott, der ihn damit betraute ⟨20⟩. Deshalb ist er auch keinem Menschen verantwortlich, sondern allein Gott ⟨21⟩.

Weitere negative Abgrenzungen schließen sich in **V.5f** an. Die Thessalonicher wissen, daß Paulus zu keiner Zeit die Gemeinde mit Schmeicheleien zu gewinnen suchte ⟨22⟩, und Gott selbst ist Zeuge dafür, daß er sich nicht unter einem Vorwand bereicherte ⟨23⟩. Bei keinem Menschen hat er Ehre gesucht (V.6) ⟨24⟩. Finanzielle Überlegungen oder Prestigedenken haben also den Apostel bei seiner Mission zu keiner Zeit geleitet. Das Recht dazu hätte Paulus als Apostel Christi freilich gehabt (**V.7a**). Denn es wäre ihm zugekommen, als Mann von Gewicht zu gelten und mit einer Autorität aufzutreten, die Forderungen stellen kann ⟨25⟩. Das Gewicht, das Paulus zukommt, kommt ihm aber als Apostel Christi zu, nicht auf Grund eigener

----

⟨16⟩ παράκλησις hat hier die Bedeutung von Zuspruch. Er kann ermunternd, aber auch ermahnend oder tröstend sein (vgl 2,12; 4,18; 5,12.14).

⟨17⟩ πλάνη bezeichnet hier nicht Schwindel oder Betrug (vgl hierzu *BRAUN*, Artikel πλανάω, S.234.251), sondern das Irren, den Irrtum. Vgl auch *v.DOBSCHÜTZ*, Thess, S.87f; *RIGAUX*, Thess, S.406f.

⟨18⟩ ἀκαθαρσία bedeutet Unreinheit im umfassenden Sinn. Vgl hierzu oben, S.139.

⟨19⟩ Vgl *MARSHALL*, Thess, S.65. δόλος bedeutet Betrug, List (vgl *BAUER*, Wörterbuch, Sp.402f). Daß wie in 2Kor 12,16 eine finanzielle Übervorteilung gemeint sei (so *SCHMITHALS*, Paulus, S.103f) ist trotz V.9 unwahrscheinlich.

⟨20⟩ Vgl *v. DOBSCHÜTZ*, Thess, S.89. Zu πιστεύειν im Sinne von anvertrauen vgl im NT Gal 2,7; Röm 3,2; 1Kor 9,7 uö.

⟨21⟩ Daß Gott die Herzen prüft, ist at.liche Auffassung und hat sich besonders bei Jer niedergeschlagen (11,20; 9,6; 6,27ff). Die Frommen im AT wissen sich von Gott geprüft (Ps 16,3; 65,10; 138,1). An diesen at.lichen Sprachgebrauch knüpft Paulus hier an.

⟨22⟩ κολακεία ist Hapaxlegomenon im NT. Es kann Schmeichelei oder Übervorteilung durch Schmeichelei bedeuten (vgl *SCHNEIDER*, Artikel κολακία; *BRUCE*, Thess, S.29).

⟨23⟩ Paulus ruft wiederholt Gott zum Zeugen an (vgl außer hier und 2,10 noch Röm 1,9; 2Kor 1,23; Phil 1,8) und nimmt damit eine jüdische Tradition auf (vgl 1Sam 12,5; Hiob 16,9 und *STRATHMANN*, Artikel μάρτυς, S.494)

⟨24⟩ ἀπ' ἄλλων wird man am besten weit fassen: Nichtchristen in Thessalonich ebenso wie Gemeindeglieder aus anderen Gemeinden, eben von niemandem. Der Wechsel von ἐξ und ἀπό hat keine tiefere Bedeutung.

⟨25⟩ ἐν βάρει εἶναι bedeutet "in Gewicht, in Ansehen sein" (vgl *v.DOBSCHÜTZ*, Thess, S.92) und schließt das Recht zu finanziellen Forderungen ein. Gleichwohl ist die Beziehung zu πρὸς τὸ μὴ ἐπιβαρῆσαί τινα ὑμῶν V.9 hier nur ein Nebenaspekt. Gemeint ist das persönliche Gewicht und die Autorität im Zusammenhang mit der vorangehenden δόξα von Menschen. Zu 1Kor 9; Phil 4,10ff vgl unten S.209f; vgl auch Mt 20,10.

Bedeutung. Als Diener Christi hat er aber in der Tat Gewicht ⟨26⟩.

Dies ist die einzige Stelle in 1Thess. in der ἀπόστολος vorkommt. Dabei ist der Plural ὡς Χριστοῦ ἀπόστολοι zu beachten. Von V.2 an hat Paulus in der Mehrzahl gesprochen, wie überhaupt die 1.Pers.Sing nur in 2,18; 3,5 und 5,27 begegnet. Der Plural könnte Silvanus und Timotheus, die im Präskript als Mitabsender genannt sind, mit einschließen. Zieht man 1Kor 1,19 zum Vergleich heran, so wird dort δι' ἡμῶν κηρυχθείς ausdrücklich ausgelegt durch δι' ἐμοῦ καὶ Σιλουανοῦ καὶ Τιμοθέου. Allerdings kommt dort der Begriff ἀπόστολος nicht vor. Und wenn Paulus an anderen Stellen deutlich macht, daß sein Apostolat in der Begegnung mit dem Auferstandenen begründet liegt (vgl 1Kor 9,1f; 15,8ff; Gal 1,15ff), dann kann man eine solche Begegnung zwar für Silvanus nicht eindeutig, sicher aber für Timotheus ausschließen ⟨27⟩. Auch in 2Kor 1,1; Phil 1,1 wird Timotheus nicht Apostel genannt. Es ist zu beachten, daß in 3,1 Timotheus nicht gleichzeitig Subjekt und Objekt sein kann; der Plural würde hier also nur Paulus und Silvanus umfassen, wofür sich aber keinerlei Hinweis ergibt. Es ist weiter auf den persönlichen Ton in 2,1ff.17ff zu achten, der durch die Bilder von τροφός und πατήρ bestätigt wird, die nicht zu einer Gruppe passen. Alle diese Beobachtungen sprechen dafür, daß der Plural sich nur auf Paulus bezieht. Es werden aber noch andere Erklärungsversuche vertreten. BEST ⟨28⟩ nimmt innerhalb der Paulinen eine Entwicklung an in Bezug auf den Aposteltitel. Diese Theorie bewertet zwar die nicht sehr lange Zeitspanne bis zur Korintherkorrespondenz zu stark, hat aber für sich, daß Paulus sich in 1Thess nicht in einer innergemeindlichen Auseinandersetzung befindet und deshalb möglicherweise unbefangen spricht. SCHNACKENBURG ⟨29⟩ vermutet, daß Paulus den Apostelbegriff als Bezeichnung eines urchristlichen Missionars und Verkündigers bereits vorfand und ihn sich erst dann selbst betont beilegte, als ihm sein Apostolat von verschiedenen Seiten aus streitig gemacht wurde. Eine Unbefangenheit im Gebrauch des Apostelbegriffes kann man in 1Thess 2,7 in der Tat feststellen. So deuten zwar die Beobachtungen am Text eher darauf hin, daß Paulus mit dem Plural sich selbst bezeichnet; die Unbefangenheit in der Verwendung des Begriffs führt aber dazu, die Frage weiter im Auge zu behalten und später mit anderen Aussagen zu vergleichen. Da es im vorliegenden Textabschnitt aber im wesentlichen um das Leben und Wirken des Paulus und die Tragfähigkeit seiner Botschaft geht, beschränke ich den Plural zunächst auf Paulus.

Freilich nimmt Paulus das ἐν βάρει εἶναι in gebrochener Weise in Anspruch, indem er zwar darauf hinweist, aber doch persönliche Vorteile daraus ablehnt. Ohne die Beziehung zu Christus käme auch dem Apostel kein Gewicht zu. Weil diese Beziehung ihm aber Gewicht verleiht und seinen Auftrag legitimiert, ist für ihn das Suchen nach eigener Ehre oder eigenem Vorteil ausgeschlossen. Paulus ist vielmehr gütig und liebreich in der Gemeinde aufgetreten ⟨30⟩, wobei das ἐν μέσῳ ὑμῶν das ἤπιος unterstützt. Dies führt Paulus mit dem folgenden ὡς - οὕτως - Satz näher aus

----

⟨26⟩ MARXSEN, 1Thess, S.45: "Es kommt nicht auf den Apostel P a u l u s an, sondern auf den A p o s t e l Paulus". δυνάμενοι bezieht sich grundsätzlich auf das damalige wie auf das jetzige Wirken.

⟨27⟩ Daß Silvanus Judenchrist war, geht aus der wahrscheinlichen Identifizierung mit dem Silas der Apg hervor. Silas ist dort als Missionsgefährte des Paulus auf der zweiten Missionsreise bis nach Korinth dargestellt, was sich mit den paulinischen Angaben zu Silvanus in 1Thess 1,1 und 2Kor 1,19 deckt (vgl Apg 18,5). Ob die Apg freilich im Recht ist, wenn sie in 15,22 Silas als führenden Mann der Urgemeinde bezeichnet, ist fraglich (vgl OLLROG, Paulus, S.18f). Eine Erscheinung des Auferstandenen ist weder zu beweisen noch zu widerlegen. Zu Timotheus vgl OLLROG, ebd, S.20ff und unten S.289f.

⟨28⟩ Thess, S.100; vgl auch MERKLEIN, Amt, S.293; er spricht von einem Denkprozeß.

⟨29⟩ Apostel, S.347f.

⟨30⟩ ἤπιος bedeutet mild, sanft. Es ist der Lesart νήπιος trotz deren besserer Bezeugung vorzuziehen (gegen METZGER, Commentary, S.629f). ἤπιος ist der Gegensatz zu ἐν βάρει εἶναι, während im andern Fall νήπιος zum Bild der Mutter überhaupt nicht paßte. Auch ist ἤπιος das seltenere Wort (im NT nur noch in 2Tim 2,24, ebenfalls mit νήπιος als varia lectio), während νήπιος bei Paulus mehrfach begegnet (vgl Röm 2,20; 1Kor 13,11; Gal 4,1). Hier ist das ungewöhnliche durch das gebräuchlichere Wort ersetzt worden. Was die Verseinteilung angeht, so empfiehlt es sich, den ἀλλά - Satz V.7b zum Vorangehenden zu ziehen und V.7c.8a zusammenzunehmen (vgl v.DOBSCHÜTZ, Thess, S.70; MARSHALL, Thess, S.70; anders MARXSEN, 1Thess in der Übersetzung S.42).

(V.7f). τροφός bedeutet Amme, kann aber auch Mutter heißen ⟨31⟩. Diese zweite Bedeutung ist hier wegen der Wendung τὰ ἑαυτῆς τέκνα und der besonderen persönlichen Beziehung zwischen Mutter und Kindern vorzuziehen. θάλπω meint die liebevolle und fürsorgliche Zuwendung ⟨32⟩. Wie dies für eine Mutter gilt, so ist es auch im Verhältnis des Apostels zur Gemeinde. Das seltene Verb ὁμείρομαι ⟨33⟩ bezeichnet die besonders enge Zuneigung zur Gemeinde. Aus dieser Zuneigung hat Paulus ihr nicht nur das Evangelium verkündet ⟨34⟩, sondern ihr auch τὰς ἑαυτῶν ψυχάς mitgeteilt, also sich selbst, das, was sein Leben ausmacht, seine Gedanken und Gefühle, seine Zeit, Kraft und Gesundheit ⟨35⟩. διότι ἀγαπητοὶ ἡμῖν ἐγενήθητε gibt den Grund an, der nicht erklärt zu werden braucht.

V.9 führt näher aus ⟨36⟩. κόπος und μόχθος dienen Paulus öfter zur Beschreibung seiner Tätigkeit (2Kor 11,23ff und 1Kor 15,58; 2Kor 6,5) und haben das Mühevolle und Anstrengende der Arbeit im Blick ⟨37⟩. Den gleichen Sinn hat auch die Wendung νυκτὸς καὶ ἡμέρας ἐργαζόμενοι: durch eigene, andauernde Arbeit hat er sich seinen Lebensunterhalt verdient ⟨38⟩. Die Absicht πρὸς τὸ μὴ ἐπιβαρῆσαι spielt an auf ἐν βάρει εἶναι. In seiner herzlichen Beziehung zu den Thessalonichern will Paulus sie nicht durch die eigene Autorität und finanzielle Forderungen belasten. Es geht ihm ja darum, der Gemeinde das Evangelium zu verkündigen. Diesem Ziel will er auch mit seiner Hände Arbeit dienen ⟨39⟩. Mit ἐκηρύξαμεν ist λαλῆσαι τὸ εὐαγγέλιον V.2 aufgenommen ⟨40⟩: es wird deutlich, daß Arbeit und Fürsorge des

----

⟨31⟩ Vgl BAUER, Wörterbuch, Sp.1638 und v.DOBSCHÜTZ, Thess, S.94.

⟨32⟩ Das Bild von der Mutter als Ausdruck der Beziehung des Apostels zur Gemeinde (vgl noch Gal 4,19) ist nicht so häufig wie das von der Vaterschaft (vgl V.11).

⟨33⟩ Vgl HEIDLAND, Artikel ὁμείρομαι, S.176. Zur Textkritik vgl v.DOBSCHÜTZ, Thess, S.95, Anm.2.

⟨34⟩ Wörtlich: Anteil geben am Evanglium Gottes. ηὐδόκησεν μεταδοῦναι ὑμῖν steht für die Anfangswirksamkeit des Apostels in der Gemeinde wie für die dauernde Verpflichtung ihr gegenüber.

⟨35⟩ So SCHWEIZER, Artikel ψυχή, S.648 (vgl auch Röm 16,4; 2Kor 12,15). In Phil 2,30 ist dagegen an die Hingabe des eigenen Lebens gedacht.

⟨36⟩ Das erneute γάρ und die Anrede ἀδελφοί zeigen den weiterführenden Gedanken an.

⟨37⟩ Zu κόπος und μόχθος vgl HAUCK, Artikel κόπος, S.828f; BAUER, Wörterbuch, Sp.1045. κόπος ist zunächst die schwere Handarbeit des Paulus (1Kor 15,10; 4,12) und gewinnt dann den Sinn von Mühe, die er in der Missionsarbeit auf sich nimmt.

⟨38⟩ Vgl v.DOBSCHÜTZ, Thess, S.97 zur Voranstellung von νύξ. In 4,11 ist die Arbeit mit den eigenen Händen betont. Über die Art der Arbeit ist nichts gesagt. Nach Apg 18,3 denkt man an den Beruf des Zeltmachers; vgl HOCK, Tentmaking, S.555f.

⟨39⟩ Dies geht schon aus der Satzstruktur hervor: das Partizip ἐργαζόμενοι weist auf ἐκηρύξαμεν voraus.

⟨40⟩ Das Verb εὐαγγελίζομαι dient Paulus zur umfassenden Beschreibung seines Auftrages. Die übrigen Verben der Verkündigung (vgl λέγω, ἀγγέλλω, μαρτυρέω, γνωρίζω) nehmen diesen Auftrag auf. Zu κηρύσσειν ist bemerkenswert, daß das Substantiv κῆρυξ im NT nur dreimal vorkommt (1Tim 2,7; 2Tim 1,11; 2Petr 2,5), während der κῆρυξ in der griechischen Umwelt eine herausragende Rolle spielt (vgl FRIEDRICH, Artikel κῆρυξ, S.683ff; COENEN, Artikel κηρύσσω, S.1276ff): er ist der Botschafter seines Herrn und handelt in dessen Autorität und Vollmacht, wobei das Verb hinter das Substantiv zurücktritt. Dieser Sachverhalt macht deutlich, "daß die Zeugen des NT ebenso wie das Judentum" (zur LXX und zum außerbiblischen Schrifttum vgl COENEN, ebd, S.1278) "wohl bewußt darauf verzichteten, sich selbst bzw. die Boten Jesu in eine Reihe mit der inzwischen so vielfältiger Qualifikation offenen griech. Institution des κῆρυξ ... einzugliedern ... Nicht die Institution oder gar die Person hatte Gewicht, sondern allein das wirksame Geschehen der Verkündigung" (COENEN, ebd, S.1279). Spuren des antiken Heroldsbildes finden sich in Offb 5,2; 1Petr 3,9, andeutungsweise auch bei Paulus (Röm 2,21; 1Kor 9,27). In 1Tim 2,7; 2Tim 1,11 steht κῆρυξ neben ἀπόστολος und διδάσκαλος und weist hin auf das stärker zum Institutionellen tendierende Denken der Past.

Apostels der Verkündigung des Evangeliums dient und nicht umgekehrt das Evangelium dem Apostel ⟨41⟩.

Mit der feierlichen Erklärung ὑμεῖς μάρτυρες καὶ ὁ θεός **V.10** setzt ein weiterer
Gedanke ein, der bis V.12 reicht. Dennoch handelt es sich nicht um einen eigenen
Abschnitt. Auch in 2,10ff geht es um das Wirken des Paulus in Thessalonich (vgl
ἐγενήθημεν V.10 mit V.5.7.8). Daß Paulus die Thessalonicher und Gott zum Zeugen
anruft, ist von V.5 her vorgegeben. Wiederum geht es um das Verhältnis des Apostels zur Gemeinde ⟨42⟩. Hat Paulus sein Wirken in V.3.5f vom Wirken anderer
Prediger abgegrenzt, so beschreibt er es nun positiv. Die drei Adverbien stehen
inhaltlich eng zusammen. Die Verbindung von ὁσίως und δικαίως ist in der griechischen Literatur geläufig. Beide Begriffe bezeichnen das, was "vor Gott und den
Menschen recht und gut ist" ⟨43⟩. Zusammen mit ἀμέμπτως beschreiben sie das
offene, von Lauterkeit geprägte Verhalten des Paulus gegenüber denen, denen er
das Evangelium verkündete ⟨44⟩. Er ist zu ihnen gekommen wie ein Vater zu
seinen Kindern **V.11.** Standen beim Bild der Mutter V.7 Liebe und Fürsorge im Vordergrund, so ist beim Vater neben der Liebe auch das Leiten und Mahnen betont ⟨45⟩, wie die nachfolgenden Partizipien zeigen. Auch sie liegen in ihrer Bedeutung dicht beieinander. παρακαλέω und παραμυθέομαι (vgl noch 3,2.7; 4,1.10.18;
5,11.14) können tröstendes und mahnendes Zureden bedeuten, wobei der Kontext
über die jeweilige Akzentuierung mit entscheidet. Hier ist von dem Doppelsinn von
ermahnen und ermuntern auszugehen. Das dritte Partizip μαρτυρόμενοι bezeichnet
die nachdrückliche Ermahnung und Aufforderung ⟨46⟩. εἰς τὸ περιπατεῖν gibt das
Ziel des Zuspruchs an. An den meisten Stellen bei Paulus ist περιπατεῖν mit einer
Näherbestimmung verbunden, wie hier mit ἀξίως τοῦ θεοῦ. Wer von Gott berufen
ist, der führt ein Leben, das Gott gefällt und das sich so der Berufung als angemessen erweist (vgl 4,1). καλεω ⟨47⟩ ist Ausdruck für das Heilsgeschehen: Gott
ist es, der beruft in sein Reich und seine Herrlichkeit. Der Ausdruck βασιλεία τοῦ

⟨41⟩ In der Stoa wird der Philosoph als der eigentliche κῆρυξ gesehen, der als Götterbote zu
den Menschen kommt (vgl FRIEDRICH, ebd, S.691ff). Nach Epictet, Diss III 22,69 ist der
Philosoph ἄγγελος καὶ κατάσκοπος καὶ κῆρυξ τῶν θεῶν. Auf dem Hintergrund von 2,1ff
wird auch das κηρύσσειν als Gegensatz zu philosophischen Wanderpredigern zu verstehen
sein.

⟨42⟩ Anders v.DOBSCHÜTZ, Thess, S.98; vgl RIGAUX, Thess, S.425.

⟨43⟩ Vgl HAUCK, Artikel ὅσιος , S.488f. Im NT sind von 8 Stellen 5 at.liche Zitate (die LXX
verwendet ὅσιος als Übersetzung für chasid als Bezeichnung für den, der den Bundesver-
pflichtungen nachkommt; vgl HAUCK, ebd, S.489f). ὅσιος steht in Tit 1,8 neben δίκαιος .
An einigen Stellen berührt sich δίκαιος mit dem Gebrauch des Wortes in der hellenistischen Tugendlehre (vgl Phil 4,8;1,7).

⟨44⟩ Der Satz ist ein Anakoluth. Die Partizipien versteht man am besten als Ersatz für verba
finita. καθάπερ οἴδατε nimmt ὑμεῖς μάρτυρες auf im Sinne von: "ihr wißt ja auch" (vgl
v.DOBSCHÜTZ, Thess, S.100).

⟨45⟩ Von der Vaterschaft des Paulus ist die Rede in 1Kor 4,14f.17; 2Kor 6,13; 12,14; Gal 4,19;
Phil 2,22; Phlm 10 (vgl Eph 5,1; 1Tim 1,2.18; 2Tim 1,2;2,1, Tit 1,4). Es handelt sich nicht um
ein bloßes Bild, da ja Gemeinden oder Mitarbeiter tatsächlich durch Paulus zum Glauben
gekommen sind (vgl ROLOFF, Apostolat, S.116; CONZELMANN, 1Kor, S.110f). Paulus kann
damit auch seine Rolle als Erzieher der Gemeinde (gegenüber anderen Erziehern, vgl 1Kor
4,15) hervorheben. Vgl insgesamt OLLROG, Paulus, S.178-182.

⟨46⟩ In diesem Sinn auch in Eph 4,17. In Apg 20,26; 26,22 und Gal 5,3 steht es für eine nachdrückliche Versicherung, vgl STRATHMANN, Artikel μάρτυς , S.517.

⟨47⟩ καλέω findet sich bei Paulus in der Vergangenheitsform im Blick auf die Berufung, die von
Gott erging (vgl 4,7; Röm 8,30; 1Kor 1,9; 7,15.17ff). In 5,24 findet sich aber auch das
Präsens (vgl Gal 5,8). Dort und hier ist aber nicht an einen ständig ergehenden Heilsruf
gedacht.

θεοῦ ist bei Paulus selten (Röm 4,17; 1Kor 4,20; 6,9f; 15,24; Gal 5,21) und ist genauso wie δόξα Hinweis auf die eschatologische Vollendung der Glaubenden. Mit diesem eschatologischen Ausblick in V.12 ist Paulus zu einem vorläufigen Abschluß seines Rückblicks auf die Anfangswirksamkeit in Thessalonich gekommen.

V.13-16 schließen freilich direkt an, indem sie diese Gedanken nun auf die Situation in Thessalonich anwenden. Hierzu faßt V.13 das bisher Gesagte noch einmal zusammen <48>. καὶ διὰ τοῦτο καὶ ἡμεῖς εὐχαριστοῦμεν ist etwas undeutlich formuliert. Wichtig ist der zusammenfassende Charakter von V.13. Folglich bezieht sich das τοῦτο zunächst einmal auf das Gesagte zurück, dann aber auch auf den ὅτι-Satz. Dasselbe gilt im wesentlichen für das zweite καί. Da sich aus dem Briefkontext weder ein deutlicher Gegensatz zu ἡμεῖς noch in irgendeiner Weise zu εὐχαριστοῦμεν ergibt, darf man dieses καί nicht überbetonen. Inhaltlich kann man argumentieren, daß Paulus als Konsequenz von V.1-12 und der in V.12 betonten Berufung her den Dank der Thessalonicher voraussetzt, in den er nun auch selbst in V.13 einstimmt <49>.

Paulus dankt dafür, daß die Thessalonicher in der apostolischen Predigt das Wort Gottes gehört und angenommen haben. παραλαβόντες λόγον ἀκοῆς παρ᾽ ἡμῶν τοῦ θεοῦ ἐδέξασθε ist abgekürzt formuliert: ἀκοῆς gehört zu λόγον; παρ᾽ ἡμῶν τοῦ θεοῦ ebenfalls noch hierzu zu nehmen <50>, legt sich durch den weiten Abstand nicht nahe. Liest man den Satz laut, ergibt sich der Zusammenhang von τοῦ θεοῦ mit ἐδέξασθε ganz zwanglos. Zu übersetzen ist: "indem ihr das Wort als Gehörtes von uns annahmt, habt ihr es als von Gott angenommen". λόγον ἀκοῆς hat hier wie in Hebr 4,2 fast technische Bedeutung im Sinne der Predigt <51>. παραλαβόντες und ἐδέξασθε liegen inhaltlich zusammen. λόγον δέχεσθαι ist im NT Ausdruck für das gläubige Annehmen des Evangeliums (vgl 1,6; Lk 8,13; Apg 8,14; 11,1; 17,11). παραλαμβάνω gehört in die Traditionsterminologie. Indem die Thessalonicher die paulinische Predigt angenommen haben, haben sie sie als Gottes Wort angenommen. καθὼς ἀληθῶς ἐστιν bestätigt, ebenso der folgende Relativsatz: die Wirksamkeit des Wortes zeigt, daß es Gottes Wort ist.

Mit dieser Zusammenfassung leitet Paulus über zu **V.14-16**. τοῖς πιστεύουσιν steht in V.13 betont am Schluß und zeigt, daß die Verfolgung durch die eigenen Landsleute den Thessalonichern gerade als Glaubenden widerfährt. Darin machen sie dieselben Erfahrungen wie die Gemeinden in Judäa. Von hier aus kann man auch den Bogen zurückschlagen zu 2,1f und der Verkündigung des Apostels in Leiden und Demütigung. Was aber den Thessalonichern geschieht, können sie im Glauben verstehen und annehmen. Bei der sogenannten "Judenpolemik" in V.15f geht es nicht um das Verhalten der Juden insgesamt, sondern derjenigen, die die Gemeinden in Judäa verfolgten. Die Absicht der Aussage ist, den Thessalonichern zu zeigen, "wie sie die Verfolgung durch ihre Landsleute theologisch 'einordnen' können und also verstehen sollen". <52>. Die Parole πᾶσιν ἀνθρώποις ἐναντίων, die aus der zeitgenössischen Judenpolemik stammt <53>, wird von Paulus nicht pauschal übernommen, sondern verbunden mit der Ablehnung der Christusbotschaft. Weil sie diese behindern, stehen sie allen Menschen entgegen, da in ihr ja das Heil verkündet wird. Es handelt sich also nicht um pauschale Polemik, die man als einseitig entschuldigen, mit Röm 9-11 ausgleichen oder überhaupt als unpaulinisch abtun müßte. Es liegt ein Urteil über diejenigen Juden vor, die sich der Christusbotschaft entgegenstellen.

6.1.2) Zusammenfassung

1) Die zentrale Aufgabe des Apostels ist es, das Evangelium Gottes zu verkündigen.

<48> Zu den literarkritischen Theorien vgl oben, S.21, Anm 4 und *MARXSEN*, 1Thess, S.47.
<49> Es ergibt sich für einen Kontrast zwischen Paulus und anderen Gruppen (vgl *MARXSEN*, 1Thess, S.47) oder für einen Brief, in dem die Thessalonicher ihren Dank ausdrücken (*FRAME*, Thess, S.106) kein wirklicher Anhaltspunkt. Vgl die Zusammenfassung der Probleme bei *MARSHALL*, Thess, S.76f.
<50> So übersetzt *MARXSEN*, 1Thess, S.42, vgl *DIBELIUS*, Thess, S.10f.
<51> Vgl *KITTEL*, Artikel ἀκούω, S.222. Paulus kann den Sachverhalt, daß Menschen im apostolischen Wort das Wort Gottes hören und glauben, mit ἀκοὴ πίστεως ausdrücken (Gal 3,2.5). Vgl *SCHLIER*, Gal, S.122: "Die πίστις entsteht mit bzw aus der ἀκοή, die ἀκοή aber wird dann nachträglich durch die πίστις charakterisiert".
<52> *MARXSEN*, 1Thess, S.49; vgl auch *DAVIES*, Paul, S.8.
<53> Vgl Tacitus, Hist, 5,5,2 (adversus omnes alios hostile odium); Josephus, Ap 2,121 und die Beilagen bei *DIBELIUS*, Thess, S.34ff.

Dies zeigt die Vielzahl der Ausdrücke, die alle denselben Inhalt haben (λαλῆσαι ... τὸ εὐαγγέλιον V.2; vgl V.4; μεταδοῦναι V.8; κηρύσσω V.9; παρρησιάζομαι V.2 und auf der Seite der Gemeinde παραλαβόντες und ἐδέξασθε V.13). Der paulinische Apostolat ist in keiner menschlichen Autorität oder Machtfülle begründet, sondern darin, daß Gott Paulus mit der Verkündigung betraut hat (V.4). Das Auftreten des Paulus ist deshalb nicht in einem äußerlichen Sinn imponierend. Daß aber gerade der verfolgte Apostel das Wort frei ausrichten kann und Menschen sich davon überzeugen lassen, belegt die Beauftragung des Apostels durch Gott und zeigt, daß in der Botschaft des Paulus das Evangelium Gottes laut wird (V.13).

2) Beansprucht Paulus für sich als Person auch keine Vorrangstellung, so kommt ihm als Apostel Christi doch Autorität zu (V.7). Diese Beziehung des Apostolates zu Christus ist für Paulus grundlegend. Nur von ihr aus kann er sein Wirken überhaupt begründen und legitimieren. Ist er aber Apostel Christi und mit dem Evangelium beauftragt, so muß sich sein Wirken an diesem Auftrag messen lassen. Das schließt aus, daß er daraus persönlichen Nutzen zieht. Man kann (wie in Korinth) diese Anspruchslosigkeit als mangelnde Autorität interpretieren. Ihrem Wesen nach erwächst sie aber aus dem Auftrag des Apostels.

3) Es geht Paulus nicht zuerst um eine Apologie seiner Person oder seines Wirkens, sondern darum, die Wahrheit und Kraft seines Evangeliums herauszustellen, dessen Bote er freilich ist. Da es aber viele Prediger gibt, die durch imponierendes Gebaren Wahrheit und Nutzen für sich beanspruchen, muß Paulus sein Evangelium verteidigen. Mit dem Evangelium steht und fällt freilich auch seine eigene Arbeit. Umgekehrt beschreibt er seine Wirksamkeit positiv mit Bildern, die Beziehungen ausdrücken. Die Bilder von Mutter und Vater lassen Liebe und Zuwendung ebenso wie Leitung und Führung als wesentliche Elemente seines Verhältnisses zur Gemeinde erkennen. Sie zeigen zugleich, daß Paulus mit seiner ganzen Existenz Apostel für die Gemeinde ist. Er bringt sich selbst in seine Botschaft ein. Das ist der wesentliche Gehalt der Beziehungsausdrücke.

4) Offen bleiben muß vorerst in V.7 die Frage, ob Paulus den Begriff des Apostels nur auf sich bezieht oder andere Missionare mit einschließt, und weiter, ob er den Begriff Apostel in der weiteren Fassung schon vorfindet oder selbst prägt. Diese Fragen können aus 1Thess allein nicht beantwortet werden. Es ist deshalb im folgenden mit Hilfe weiterer Texte das Apostelverständnis des Paulus zu erarbeiten.

6.1.3) Paulus als Apostel Jesu Christi ⟨54⟩
6.1.3.1) Der Auftrag und die Beauftragung

In verschiedenen Wendungen ist in 1Thess 2,1ff die Verkündigung des Evangeliums als zentrale Aufgabe des Apostels formuliert. Auch in anderen Paulusbriefen dienen

---

⟨54⟩ Zur älteren Literatur vgl RENGSTORF, Artikel ἀποστέλλω, S.406. Weiter sind heranzuziehen: CAMPENHAUSEN, Apostelbegriff, S.96ff; ders., Amt, S.13ff; KLEIN, Apostel; SCHMITHALS, Apostelamt; ROLOFF, Apostolat. In den letzten 20 Jahren sind vor allem kleinere Arbeiten und Aufsätze erschienen, vgl besonders GERHARDSSON, Boten, S.89ff; SCHNACKENBURG; Apostel, S.338ff; KERTELGE, Apostelamt, S.161f; KASTING, Anfänge, S.61ff; BROCKHAUS, Charisma, S.112ff; HAHN, Apostolat, S.54ff; KIRK, Apostleship, S.249ff.

diese Begriffe zur Umschreibung des apostolischen Auftrags. Dies gilt besonders für κηρύσσω.

Nach 2Kor 1,19 ist Christus ὁ ἐν ὑμῖν δι᾽ ἡμῶν κηρυχθείς. Der so verkündete Christus ist der Gekreuzigte (1Kor 1,18.21). Der Anstoß, den diese Botschaft Juden und Heiden gibt, zeigt, daß in ihr wirklich Christus zu Wort kommt. Der Gekreuzigte ist freilich auch der Auferstandene (1Kor 15,11). Diesen Jesus Christus verkündet Paulus als den Herrn (2Kor 5,4). Und wenn er in Gal 2,2 vom Evangelium spricht, ὁ κηρύσσω ἐν τοῖς ἔθνεσιν, so ist dort Christus als die den Menschen befreiende Mitte der Botschaft ebenfalls vorausgesetzt <55>.

λαλεῖν τὸν λόγον τοῦ θεοῦ wird in Phil 1,14 von den Christen ausgesagt, die gerade die Gefangenschaft des Paulus zur furchtlosen Verkündigung führt <56>.

Wie in Apg 4,29.31; 8,25; 11,19; 13,46; 14,25; 16,6.23 wird λαλεῖν τὸν λόγον als Ausdruck für die Missionspredigt verwendet (vgl 1Thess 2,16) <57>. In 2Kor 2,17 steht λαλοῦσιν in gleicher Bedeutung im Gegensatz zu den πολλοὶ καπηλεύοντες τὸν λόγον τοῦ θεοῦ. κατέναντι θεοῦ ἐν Χριστῷ λαλοῦμεν begegnet hier wie in 12,19. An beiden Stellen wird deutlich, daß die Instanz, vor der sich das λαλεῖν des Paulus verantworten muß, Gott selbst ist.

Neben κηρύσσειν und λαλεῖν tritt bei Paulus ein weiterer Begriff, der seinen Auftrag umschreibt. Nach Röm 1,1 ist Paulus ἀφορισμένος εἰς εὐαγγέλιον θεοῦ, wobei schon durch ἀφορισμένος ein Handeln Gottes angezeigt ist (Gal 1,15) <58>. Gott steht am Anfang des apostolischen Wirkens und sein Evangelium ist zugleich Mitte und Ziel dieser Wirksamkeit. Von hier aus wird das Verb εὐαγγελίζεσθαι zur umfassenden Umschreibung der Aufgabe des Paulus.

Nach 1Kor 1,17 ist er von Christus ausgesandt, um das Evangelium zu verkündigen <59>. Er hat sich diesen Auftrag nicht gewählt, sondern ist von Gott dazu bestimmt und kann sich ihm nicht entziehen (1Kor 9,16). Das Evangelium ist ihm zugekommen δι᾽ ἀποκαλύψεως Ἰησοῦ Χριστοῦ (Gal 1,11ff) und der Zweck der Offenbarung ist ἵνα εὐαγγελίζωμαι αὐτὸν ἐν τοῖς ἔθνεσιν (V.16). "Das Gesandtsein zu den Heiden ist tragendes Element der ganzen christlichen Existenz des Paulus" <60>. In diesem Sinn ist er ein Schuldner der Völker (Röm 1,14f) und verkündet deshalb auch der ihm unbekannten Gemeinde in Rom die Botschaft.

So zeigt sich, daß εὐαγγελίζεσθαι dem κηρύσσειν und λαλεῖν eng verwandt und mit diesen Begriffen weitgehend austauschbar ist <61>. Alle beschreiben sie die Verkündigung der Christusbotschaft als die zentrale Aufgabe des Apostels <62>. In Röm 10,14 verbindet Paulus nun in einem Kettenschluß diesen Auftrag mit seiner Beauftra-

----

<55> Zu dem "zeitlosen Präsens" vgl *MUSSNER*, Gal, S.102.
<56> Der Sache nach ist hier von παρρησία im Sinne von 1Thess 2,1 die Rede (vgl Phil 1,20, Phlm 8).
<57> In diesem Sinn ist der Ausdruck terminus technicus der frühchristlichen Missionssprache. Es ist aber nicht zu erkennen, "daß der Apostel nur vom amtlich bestellten 'Männern des Wortes' spricht" (gegen *ERNST*, Phil, S.46).
<58> "Das Wort scheint im Zusammenhang feierlicher Aussendung von Missionaren typisch gewesen zu sein" (*WILCKENS*, Röm I, S.63). Zu τὸ εὐαγγέλιον τοῦ θεοῦ vgl *KRAMER*, Christos, S.46ff. Der Ausdruck ist schon in vorpaulinischer Zeit feststehender Ausdruck der Missionssprache.
<59> V.17a wertet nicht die Taufe ab, sondern umschreibt den Auftrag des Apostels (vgl *CONZELMANN*, 1Kor, S.51). εὐαγγελίζεσθαι heißt im NT zunächst nur verkündigen und kann auch verwendet werden, wo es nicht um die Christusbotschaft geht (vgl Lk 3,18). Daß ein geprägter Sprachgebrauch vorliegt, wird da am deutlichsten, wo εὐαγγέλιον bzw. εὐαγγελίζεσθαι absolut gebraucht wird und die christliche Botschaft nach ihrem Inhalt oder dem Akt des Verkündigens bezeichnet (*BULTMANN*, Theologie, S.89f).
<60> *MERKLEIN*, Amt, S.290.
<61> Dasselbe gilt für καταγγέλλω in 1Kor 2,1; 14,11.26; Phil 1,17f; Kol 1,28. Es kann feierlichen, liturgischen Charakter haben (vgl 1Kor 11,26).
<62> Das Evangelium ist die Botschaft von Christus und des Paulus Auftrag ist es, diese Botschaft auszurichten. εὐαγγελίζεσθαι bezieht sich deshalb sowohl auf das Verkündigen als auch auf den Inhalt der Verkündigung. Beides läßt sich nicht voneinander trennen.

gung <63>. In der Beauftragung und Sendung liegt die Pointe des Schlusses, die mit dem Schriftzitat bestätigt wird. In V.17 nimmt Paulus den Kettenschluß zusammenfassend auf und führt die Sendung auf den erhöhten Herrn zurück <64>. Das κηρύσσειν bzw. das εὐαγγελίζεσθαι im Zitat geht damit zurück auf die Sendung durch den erhöhten Herrn. In diesem Zusammenhang steht das Wort ἀποστέλλω. Verkündigen kann nur der, der dazu gesandt ist. Sind hier ἀποστέλλω und κηρύσσω verbunden, so in 1Kor 1,17 ἀποστέλλω und εὐαγγελίζεσθαι <65>. Neben dieser Verwendung des Verbs findet sich häufig das Substantiv ἀπόστολος. In vier Briefen begegnet es bereits im Präskript (Röm, 1.2Kor, Gal).

In Röm 1,1 ist die Aussonderung zum Evangelium Gottes mit dem Apostelbegriff verbunden, und in 1,5 ist die Verkündigung unter den Völkern als ἀποστολή bezeichnet <66>. Der Apostolat ist die dem Paulus gewährte Gnade <67> und sein Inhalt ist, die Christusbotschaft den Völkern zu verkündigen und Glaubensgehorsam zu wecken (Röm 1,5). Die Näherbestimmung κλητός unterstreicht dies. Mit dem Begriff des Apostels ist somit zugleich seine Beauftragung ausgesagt (vgl 1Kor 1,1; 2Kor 1,1). Im Präskript des Gal grenzt Paulus diese Berufung von einer irgendwie menschlich gearteten ab <68>. Er ist Apostel διὰ Ἰησοῦ Χριστοῦ καὶ θεοῦ πατρός, wobei θεοῦ πατρός an zweiter Stelle steht, weil hieran die Auferweckungsaussage angeschlossen ist. Er ist also durch Jesus berufen, hinter dem Gott selbst steht. Zugleich wird mit dem Hinweis auf die Auferweckung auch der wesentliche Gehalt der apostolischen Botschaft angesprochen (vgl V.4). Derselbe Sachverhalt kommt in den Wendungen ἀπόστολος Χριστοῦ (1Thess 2,7; 2Kor 11,13), Ἰησοῦ Χριστοῦ (1Kor 1,1, vgl Tit 1,1; 1Petr 1,1; 2Petr 1,1) und Χριστοῦ Ἰησοῦ (2Kor 1,1; Eph 1,1; Kol 1,1; 1Tim 1,1; 2Tim 1,1) zum Ausdruck. In diesen Genitiven ist beides enthalten: der apostolische Auftrag ergeht an Paulus durch Christus und zugleich ist Christus die Mitte der Botschaft.

Wenn Paulus nun in mehreren Briefpräskripten den Apostelbegriff betont verwendet; wenn er in 1Kor 9,1 rhetorisch fragt οὐκ εἰμὶ ἀπόστολος; wenn er in Gal 1 seinen Apostolat verteidigt und nachweist, daß er nicht menschlichen, sondern göttlichen Ursprungs ist; wenn er immer wieder den Inhalt seiner Botschaft und seine Beauftragung in Zusammenhang bringt mit dem Titel ἀπόστολος; wenn er weiterhin in 1Kor 15,7 von allen Aposteln ohne Näherbestimmung spricht oder wie in 1Thess 2,7 eine offenbar den Thessalonichern geläufige Wendung aufgreift, so wird aus alledem deutlich, daß Paulus das Wort ἀπόστολος als Titel verwendet. Dieser titulare Gebrauch umschließt den Auftrag zur Mission und die dazu vom Herrn selbst ergangene Beauftragung. Wenn man Gal 1,15f 1Kor 9,1 und 15,8 vergleichend heranzieht, so gehört die Erscheinung des auferstandenen Herrn begründend zum Apostolat hinzu. Auf diese Stellen ist im folgenden einzugehen.

<63> Vgl im Einzelnen die Auslegung KÄSEMANNs, Röm, S.283ff; vgl WILCKENS, Röm II, S.228f; KERTELGE, Apostelamt, S.170. Die Probleme des Abschnitts und besonders des Zitates können hier nicht dargestellt werden. Die Forschungsergebnisse sind bei KÄSEMANN, ebd, zutreffend dargestellt.

<64> Zur Frage, ob in Röm 10,17 eine Glosse vorliegt, vgl KÄSEMANN, Röm, S.283f.

<65> Das Verb begegnet noch in 2Kor 12,17, ist dort aber von Paulus ausgesagt, der seinerseits Boten zu den Korinthern geschickt hat. V.18 präzisiert den in V.17 angedeuteten Vorwurf.

<66> Hiermit ist sowohl der Auftrag als auch die Autorität des Paulus gemeint, vgl WILCKENS, Röm I, S.66.

<67> Nach SATAKE, Apostolat, S.101 entspricht der Gebrauch von χάρις dem von καλέω/κλητός. Paulus begreift seinen Dienst konsequent als Gnade. Vgl auch KÄSEMANN, Röm, S.12 und Röm 12,3; 15,15; 1Kor 3,10; Gal 2,9.

<68> Zum Wechsel von ἀπό und διά in Gal 1,1 vgl MUSSNER, Gal, S.45. Der ganze erste Vers ist als Parenthese und Erläuterung zu Παῦλος ἀπόστολος zu verstehen.

6.1.3.2) Die Begegnung des Paulus mit dem auferstandenen Herrn
6.1.3.2.1) Galater 1,15ff

In Gal 1,15ff kommt Paulus auf seine Berufung zu sprechen. Der gesamte Zusammenhang ist geprägt durch den Nachweis der Gleichrangigkeit des paulinischen Apostolates mit den Jerusalemer Aposteln (V.17). Ihm dienen die biographischen Notizen in V.13f.16bff. Der Hinweis auf den Wandel als Jude betont das Plötzliche und Hereinbrechende der Jesusoffenbarung. Daß es sich um einen Akt des Willens und der freien Gnade Gottes handelt, macht V.15 deutlich. εὐδοκεῖν bezeichnet den "göttliche(n) Gnadenratschluß, frei und unabhängig von allem menschlichen Einfluß" ⟨69⟩. Das hinter dem εὐδοκεῖν stehende Subjekt wird mit ὁ ἀφορίσας ... καὶ καλέσας κτλ umschrieben und damit tritt neben den freien Willen Gottes seine Gnade. In ihr hat Gott Paulus von Anfang an zu seinem Dienst ersehen. So liegt im Ruf Gottes für Paulus die Berufung zum Glauben und zum Apostel zusammen. Das Ergebnis selbst wird in V.16a nur knapp angedeutet (vgl 1Kor 9,1; 15,8). Im Begriff ἀποκαλύπτω geht es nicht um die Art der Offenbarung, sondern um das Offenbarwerden als ein von außen an Paulus herankommendes Ereignis ⟨70⟩. Wie ἀποκάλυψις in V.12 betont das Verb die völlige Unabhängigkeit, in der Gott seinen Sohn kundgetan hat ⟨71⟩. Zugleich kommt in dem Begriff ἀποκαλύπτω der eschatologische Charakter dieser Offenbarung zum Ausdruck. In Röm 1,5 leitet Paulus seinen Apostolat vom Kyrios Jesus Christus ab, der von den Toten auferstanden ist (V.4). An allen diesen Stellen ist deutlich, daß die Berufung des Paulus und die Beauftragung zum Apostel im gleichen Geschehen zusammenliegen und daß der erhöhte Herr als Beauftragender zugleich die Mitte des Auftrags ist.

Vom Selbstverständnis des Paulus her gibt es verschiedene Anknüpfungspunkte bei den Berufungserzählungen der Propheten. Dies ist einmal die Sendung zu den Heiden (vgl Jer 1,5; Jes 49,1.6). Wie der Prophet weiß Paulus sich beauftragt und zu den Völkern gesandt. Weil er seine ganze Existenz unter diesem Auftrag sieht, wird die Berufung vom Mutterleib aus zu einem weiteren Anknüpfungspunkt (Jer 1,5 und Jes 49,5). Von Gal 1,13f her ist dies freilich als retrospektive Erkenntnis zu beurteilen. Paulus beschreibt seine Berufung nicht in Parallele zur Berufung eines bestimmten Propheten ⟨72⟩; in den Prophetenberufungen wie in seiner eigenen wirkt sich aber das gleiche erwählende Handeln Gottes aus ⟨73⟩. In diesem Zugriff Gottes liegt der eigentliche Vergleichspunkt. So erklärt es sich, daß Paulus einerseits die Sprache der Propheten aufgreift, andererseits aber weder direkt zitiert noch ein Sendewort anfügt (vgl Jer 1,10; man kann bei Paulus also nicht Berufung und Sendung unterscheiden), noch sich selbst Prophet nennt. Von den Propheten ist er grundsätzlich geschieden "durch seinen heilsgeschichtlichen Ort sowie den Inhalt seines Auftrages. Denn dieser Auftrag ist das Evangelium des erhöhten Jesus Christus" ⟨74⟩.

⟨69⟩ So SCHRENK, Artikel εὐδοκέω, S.739.
⟨70⟩ ROLOFF, Apostolat, S.44: "Paulus ist hier – das bedeutet das im dativischen Sinne gebrauchte ἐν ἐμοί – zum persönlichen Objekt eines von Gott ausgehenden Geschehens gemacht". Zu den verschiedenen Deutungen des ἐν ἐμοί vgl SCHLIER, Gal, S.55.
⟨71⟩ ὤφθη aus 1Kor 15 ist vergleichend heranzuziehen. Auch wenn man von der Bedeutung "erschien" ausgeht, wird man doch nicht sagen können, wie diese Erscheinung beschaffen war. Wesentlich ist aber, daß der Erscheinende selbst Subjekt ist und die Initiative ergreift (MICHAELIS, Artikel ὁράω, S.359). Insofern gilt auch für das ὤφθη, daß es den Charakter der Offenbarung besitzt. Es gehört somit zu der ἀποκάλυψις von Gal 1 hinzu, ohne daß damit das freie Handeln Gottes definiert oder gar eingeschränkt wird.
⟨72⟩ Anders RENGSTORF, Artikel ἀποστέλλω, S.440. HOLTZ, Selbstverständnis, S.329 sieht eine Entsprechung zwischen dem Selbstverständnis des Deuterojesaja und Paulus. Die Einschränkung hierzu von HAHN, Apostolat, S.68, Anm.61 ist zutreffend.
⟨73⟩ ROLOFF, ebd; EICHHOLZ, Paulus, S.19
⟨74⟩ ROLOFF, ebd, S.44.

In Gal 1,17.19 spricht Paulus nun von denen, die schon vor ihm Apostel waren. Daß er nach seiner Berufung nicht nach Jerusalem πρὸς τοὺς πρὸ ἐμοῦ ἀποστόλους gegangen ist, spricht diesen Aposteln keineswegs ihre Bedeutung ab, sondern stellt durch die Hinweise auf seinen Aufenthalt in der Arabia und die Kürze seines Aufenthalts in Jerusalem heraus, daß seine Beauftragung nicht von ihnen herkommt. Paulus beruft sich im Gegenteil auf eine unmittelbare Christusbeauftragung. Auf der anderen Seite machen die Wendung οἱ πρὸ ἐμοῦ ἀπόστολοι und der Zusammenhang von Kap.1 und 2,8 deutlich, daß die Apostel in Jerusalem offenbar wie Paulus selbst sich mit Recht Apostel nennen können. Die mehrfache Erwähnung von Jerusalem zeigt, daß dort das Zentrum des Apostelkreises war (1,17f; 2,1). Daß Paulus bei seinem Aufenthalt dort außer Petrus (und eventuell Jakobus) keinen anderen Apostel trifft, findet seine naheliegende Erklärung in deren Missionstätigkeit <75>.

Größe und Zusammensetzung des Apostelkreises sind nicht genau auszumachen. Während *SCHMITHALS* <76> die "Zwölf" aus diesem Kreis ausklammert und meint, daß der Zwölferkreis während der Jerusalemreise des Paulus gar nicht mehr bestanden habe, rechnet *ROLOFF* die "Zwölf" "fraglos unter die Apostel" <77>. An der Person des Petrus wird deutlich, daß es zwischen den Zwölfen dem Kreis der Apostel Überschneidungen gegeben haben muß (vgl Gal 1,19a und 2,8), ohne daß man deshalb die Zwölf als festen Kreis zu den Aposteln zählen kann <78>. *SCHWEI-ZER* <79> macht darauf aufmerksam, daß die Nichterwähnung der Zwölf in Gal 1,17 schwer begreiflich wäre, wenn sie nicht zu den Aposteln gehörten. *MUSSNER* <80> geht von 1Kor 15,5 aus, wo im Zusammenhang von V.7.9 deutlich werde, daß die δώδεκα auch ἀπόστολοι seien. Dies ist aber so klar nicht. Sicher ist jedoch, daß man nicht "alle Apostel" in V.7 mit dem Kreis der Zwölf identifizieren kann <81>. Mehr als daß beide Gruppen sich teilweise überschnitten, kann man auch aus 1Kor 15 nicht herausarbeiten. Ebensowenig ist der Kreis der Apostel mit den in 15,6 genannten 500 Brüdern identisch. Die Zugehörigkeit des Jakobus zum Kreis der Apostel ist nicht eindeutig zu klären. Sie ist nach 1Kor 15,7 (in Parallele mit V.5) wahrscheinlich, nach Gal 1,19b aber zumindest fraglich <82>. Die Zugehörigkeit des Barnabas kann nach 1Kor 9,5f als wahrscheinlich gelten <83>.

6.1.3.2.2) 1.Korinther 15,1-11 und 9,1ff

Die Erwähnung von Männern, die bereits vor Paulus Apostel waren, führt zu **1Kor 15**. Es ist unmöglich, hier auf die vielfältigen Probleme einzugehen, die dieser Abschnitt bietet <84>. Für die Frage nach der Bedeutung des paulinischen Apostolates sind folgende Beobachtungen wichtig:

Offensichtlich wird eine chronologische Abfolge von Erscheinungen beschrieben: Petrus wurde als erstem Zeugen die Erscheinung des Auferstandenen zuteil, Paulus als

---

<75> So *HAHN*, Apostolat, S.58, Anm.23 gegen *KLEIN*, Apostel, S.45f, der von einer "einigermaßen ortsfeste(n) Institution" ausgeht.
<76> Apostelamt, S.72, ebenso *KLEIN*, Apostel, S.44ff.
<77> Apostolat, S.59
<78> So auch *HAHN*, ebd, S.57, Anm.18, der darauf hinweist, "daß sich die spätere Vorstellung von den Zwölf Aposteln leichter erklären würde, wenn die Zwölf bereits vorher zu den Aposteln gehörten".
<79> Rezension zu *SCHMITHALS*, Sp.839f.
<80> Gal, S.91, Anm.64
<81> Vgl *KREMER*, Zeugnis, S.76; *WILCKENS*, Ursprung, S.66. Gegen *BAMMEL*, Herkunft, S.407f, der für Petrus ein Sonderamt erkennt.
<82> Vgl hierzu *SCHLIER*, Gal, S.60f. Nach *SCHMITHALS*, Apostelamt, S.54f will Paulus die Aussage bewußt in der Schwebe halten. Man könne Jakobus zwar zu den Aposteln rechnen, er selbst tue dies jedoch nicht. Das ist bedenkenswert.
<83> Zu Junia und Andronikus (Röm 16,7) vgl unten, S.207 und *OLLROG*, Paulus, S.51f.
<84> Vgl die Auslegung *CONZELMANN*s, 1Kor, S.291ff und die S.300 genannte Literatur.

letztem, dazwischen liegen, jeweils mit εἶτα - ἔπειτα verbunden, die übrigen Zeugen. Eigentlich gehört Paulus schon nicht mehr in die Reihe dieser Zeugen (ὡσπερεὶ τῷ ἐκτρώματι) ⟨85⟩. Damit bestätigt er, daß es offenbar eine als feststehend geltende Zahl von Auferstehungszeugen gibt und daß "alle Apostel" hierzu zu rechnen sind ⟨86⟩. Sie sind weder mit den Zwölfen noch mit den übrigen Auferstehungszeugen identisch. Eine Minderung seines Apostolats sieht Paulus durch seine Stellung am Ende der Zeugenreihe keineswegs. Er versteht seinen Status ganz offensichtlich in Analogie zu dem der übrigen Apostel (V.8). Die Erscheinung, die ihm zuteil wurde, steht für ihn auf derselben Ebene wie ihre Ostererscheinungen. Wenn er so als letzter aller Auferstehungszeugen und als ehemaliger Verfolger der Christen auch der geringste der Apostel ist, so wird in dieser Zusammenstellung doch die konstitutive Bedeutung der Erscheinung des auferstandenen Herrn für den Apostel erkennbar. Andererseits ist aber nicht jeder, dem eine solche Erscheinung zuteil wurde, ein Apostel, wie der Kreis der Zwölf und die 500 Brüder zeigen. Zu der Erscheinung des Auferstandenen muß also noch eine besondere Beauftragung durch den Erhöhten hinzukommen (Gal 1,15). Im Vergleich von Gal 1,17 mit 1Kor 15 wird deutlich, daß Paulus den Apostolat der Jerusalemer anerkennt, da sie, wie er selbst, dem Auferstandenen begegnet sind und von ihm ausgesandt wurden.

Im Rahmen einer Apologie seines Apostolates bestätigt Paulus dies in **1Kor 9,1ff.** οὐχὶ Ἰησοῦν τὸν κύριον ἑόρακα zeigt, daß die Begegnung mit dem Auferstandenen Kriterium für den Apostolat ist. Es sind damit bestimmte Rechte verbunden, was auch von den Korinthern nicht bestritten wird, so die ἐξουσία φαγεῖν καὶ πεῖν V.4 ⟨87⟩, die ἐξουσία ἀδελφὴν γυναῖκα περιάγειν V.5 und die ἐξουσία μὴ ἐργάζεσθαι V.6. Daß Paulus auf solche Rechte verzichtet, kann deshalb auch als Argument gegen ihn verwandt werden (vgl 1Thess 2,5ff). Für Paulus ist aber umgekehrt gerade der Verzicht eine Bestätigung seines Apostolates, weil sein Verhalten letztlich seinem Auftrag und dem Inhalt seiner Botschaft gemäß ist (9,12).

In V.5 erwähnt Paulus auch die λοιποὶ ἀπόστολοι καὶ ἀδελφοὶ καὶ **Κηφᾶς**, in V.6 auch noch Barnabas. Wenn er in 9,1 οὐκ εἰμὶ ἀπόστολος und οὐχὶ Ἰησοῦν τὸν κύριον ἑόρακα direkt nebeneinander stellt und kurz darauf die λοιποὶ ἀπόστολοι erwähnt, so wird man hier kaum einen offenen Kreis annehmen können, für den das Kriterium von V.1 nicht gelte ⟨88⟩. Die übrigen Apostel werden deshalb mit den in 15,7 genannten identisch sein. Wie dort werden auch hier neben den Aposteln noch

----

⟨85⟩ Zu ἔκτρωμα vgl KREMER, Zeugnis, S.78f und das Nebeneinander von dem geringsten der Apostel und dem letzten der Zeugen in V.8f. Nach GÜTTGEMANNS, Apostel, S.89f nimmt Paulus hier ein Schimpfwort der Gegner auf, das die Außenseiterrolle des Paulus in der Auferstehungsfrage kennzeichnen soll.

⟨86⟩ Es ist dabei für die Interpretation der Stelle unerheblich, ob V.7 zum ursprünglichen Bestand der Formel V.3ff gehörte oder später (aber schon vor Paulus) hinzugewachsen ist (vgl HAHN, Hoheitstitel, S.197ff; ders., Apostolat, S.56, Anm.16). OSTEN-SACKEN, Apologie, S.257f meint dagegen, daß V.7 in seiner Sprachgestalt von Paulus her erklärt werden müsse. WILCKENS, Ursprung, S.70f.80f sieht in V.5 und 7 Konkurrenzformeln.

⟨87⟩ Ob das Recht zu essen und zu trinken hier von V.6 aus als Recht auf Unterhalt oder im Sinne der christlichen Freiheit überhaupt zu fassen ist (vgl CONZELMANN, 1Kor, S.180f mit Anm.15), kann hier offen bleiben. Sicher ist in V.6 das Recht auf Unterhalt noch einmal angesprochen.

⟨88⟩ LOHSE, Ursprung, S.267 sieht hier den offenen Kreis der Missionare überhaupt; vgl dagegen HAHN, Apostolat, S.58.

andere erwähnt: die Brüder Jesu <89> und Kephas (Paulus schreibt nur in Gal 2,7f Petrus). Daß dieser eigens genannt wird, deckt sich ebenfalls mit 15,5 <90>. In V.1d und 2 führt Paulus noch ein weiteres Argument für seinen Apostolat an. Die Korinther sind sein Werk im Herrn und selbst wenn er für andere nicht als Apostel gelten mag, so ist er es doch gewiß für sie. Sie beglaubigen geradezu seinen Apostolat (ὑμεῖς ἐστε σφαγίς μου τῆς ἀποστολῆς) <91>: "Hier bin ich unbestreitbar Apostel, also bin ich Apostel. Eure Existenz ist der Beweis" <92>. Der paulinische Apostolat ist also in der Begegnung mit dem Auferstandenen begründet, die zugleich seine Beauftragung darstellt. Darin kann er sich mit denen vergleichen, die schon vor ihm Apostel waren. Darüber hinaus können die Korinther an ihrer eigenen Existenz die Legitimität des paulinischen Apostolats erkennen: daß sie zum lebendigen Glauben gekommen sind, belegt aus ihrer eigenen Erfahrung den Anspruch des Paulus.

Eine andere Stelle kann man in diesem Zusammenhang möglicherweise noch heranziehen. Von Andronikus und Junia <93> sagt Paulus in Röm 16,7, daß auch sie vor ihm bereits Christen waren. Sie werden mit den Begriffen συγγενής und συναιχμαλωτός bezeichnet und sind schließlich ἐπίσημοι <94> ἐν τοῖς ἀποστόλοις. Mit großer Wahrscheinlichkeit gehören sie zum Kreis der Apostel. Die Benennung συγγενής und ihre nichtjüdischen Namen können darauf deuten, daß es sich um hellenistische Judenchristen handelt <95>. Ob beide in Jerusalem anzusiedeln und also den in 1Kor 15,7 genannten πάντες ἀπόστολοι <96> oder dem Kreis der Hellenisten zuzurechnen sind <97>, ist schwer zu entscheiden. Der ausdrückliche Hinweis des Paulus, daß sie bereits vor ihm Christen wurden <98> und die damit gegebene Nähe von ἀπόστολοι zu γέγοναν ἐν Χριστῷ weist eher auf 1Kor 15,7 und die dort genannten Apostel. Entscheidet man anders, so muß offen bleiben, ob die Erscheinung des Auferstandenen auf Andronikus und Junia zutrifft. In diesem Fall hätten wir es mit einem Apostelbegriff zu tun, der die Augenzeugenschaft nicht voraussetzt. Auch wenn man Andronikus und Junia wegen der Formulierung in Röm 16,7 doch eher zum Kreis der Apostel hinzuzählt, muß man das angezeigte Problem im Auge behalten. Es ist später darauf zurückzukommen.

<89> *BLINZLER*, Brüder, S.92 stellt zu Recht fest, daß 1Kor 9,5 ohne Spitze gegen die Herrenbrüder formuliert ist und daß sie offenbar in der Gemeinde bekannt waren. Ob die Brüder und Schwestern Jesu allerdings Vettern und Basen waren, wie *BLINZLER* meint (S. 145), kann auf sich beruhen. Vgl auch *CONZELMANN*, 1Kor, S.181 mit Anm 23.

<90> Möglicherweise wird Petrus gerade deshalb an beiden Stellen eigens genannt, weil er sowohl dem Kreis der Apostel als auch dem der Zwölf angehört. Daß er hier als letzter genannt wird, ist nicht als Geringschätzung oder Ablehnung seines Apostolates zu interpretieren.

<91> In V.2 ist angedeutet, daß es offenbar ἄλλοι gibt, die den Apostolat des Paulus bezweifeln. In εἰ ist die "Wirklichkeit des Angenommenen mitgesetzt" (*CONZELMANN*, 1Kor, S.180). μου ist besser zu ἀποστολή zu ziehen als zu σφαγίς.

<92> *CONZELMANN*, ebd.

<93> Die These, daß Junia die Frau des Andronikus sei, wird neuerdings wieder vertreten und hat viel für sich (vgl *WILCKENS*, Röm III, S.135 mit Anm.647).

<94> ἐπίσημοι ist mit "bedeutend im Kreis der Apostel" zu übersetzen. Die andere Möglichkeit "angesehen von den Aposteln" besteht zwar, bleibt hier aber doch zu blaß. Vgl *RENGSTORF*, Artikel σημεῖον, S.267; *KÄSEMANN*, Röm, S.398; *SCHNACKENBURG*, Apostel, S.346 ua.

<95> *OLLROG*, Paulus, S.77, *SCHMITHALS*, Apostelamt, S.51; vgl aber *KÄSEMANN*, Röm, S.398.

<96> So *ROLOFF*, Apostolat, S.60f; *HAHN*, Apostolat, S.58

<97> So *SCHNACKENBURG*, Apostel, S.346f. *KÄSEMANN*, Röm, S.398 hält es für wahrscheinlicher, sie den Delegaten Antiochiens zuzurechnen (vgl Apg 14,4.14). Nach *SCHLATTER*, Gerechtigkeit, S.399f haben beide zur Urgemeinde nach Jerusalem gehört. Das gemeinsame Wirken mit Paulus bezieht er auf Antiochien. Nach *LOHSE*, Ursprung, S.267, sind sie Abgesandte der Urgemeinde, wofür allerdings die Wendung ἐπίσημοι ἐν τοῖς ἀποστόλοις keinen Hinweis gibt.

<98> *ROLOFF*, Apostolat, S.60: "Sie sind angesehen unter den Aposteln, w e i l sie schon vor Paulus Christen waren". Eine solche begründende Funktion hat V.7c jedoch nicht.

6.1.3.3) Leben und Wirken des Apostels in Analogie zur Christusbotschaft

Den Gegnern in 2Kor dienen Zeichen, Wunder und Krafttaten als Ausweis ihres Apostolats (12,12). Ihre Kritik muß gelautet haben, daß Paulus "sich durch den Mangel an feststellbaren Wundern den anderen Aposteln gegenüber als unterlegen" erweise ⟨99⟩. Im Gegenzug dazu erinnert Paulus die Korinther daran, daß bei ihnen die Zeichen des Apostels gewirkt worden sind und daß sie in nichts einen Nachteil gegenüber anderen Gemeinden hatten. Auch auf dem Gebiet von Visionen und ekstatischen Erlebnissen erweist Paulus sich den Gegnern als ebenbürtig (12,1-5). Wesentlich zum Verständnis der apostolischen Zeichen ist für Paulus aber das Vorzeichen ἐν πάσῃ ὑπομονῇ (12,12). Dies bedeutet keineswegs, daß sie "unter schwierigen Verhältnissen" gewirkt worden seien ⟨100⟩. ὑπομονή ist vielmehr gebraucht im Sinne des bewußten und geduldigen Auf-Sich-Nehmens von Mühe, Leid und Verfolgung um der Verkündigung der Christusbotschaft willen (vgl 2Kor 6,4).

Auch im Peristasenkatalog in 11,23ff hat ὑπομονή diesen Sinn. Damit bekommen die Apostelzeichen für Paulus einen grundlegend anderen Stellenwert als für seine Gegner. Sind sie für jene als Mirakel Nachweis ihres Anspruchs, so stehen sie für Paulus unter dem Vorzeichen der ὑπομονή und er kommt auf sie nur zu sprechen auf gegnerisches Drängen hin. In gleicher Weise beschreibt er seine Entrückung in den dritten Himmel (2Kor 12,1-5) unter dem Vorzeichen von καυχᾶσθαι δεῖ; οὐ συμφέρον μέν. Sowohl diese Formulierung als auch der zweifache Vorbehalt εἴτε ἐν σώματι κτλ in V.2f zeigen, daß Paulus diese Entrückung nur als ein Geschehen an ihm begreifen kann, das von Gott herkam und dessen er sich folglich nicht rühmen kann. Eigenen Ruhm kann er nur vorweisen ἐν ταῖς ἀσθενείαις (V.5).

Auch für den vorausgehenden Peristasenkatalog (11,23ff) sind die Stichworte καυχάομαι und ἀσθένεια konstitutiv. Die Aufzählung widriger Lebensumstände und Schicksalsfügungen diente den religiösen und popularphilosophischen Wanderpredigern der Zeit als dunkler Hintergrund, von dem sich die eigene Überlegenheit abhob, oder von dem sie sich als wahrhaft Weise zurückzogen ⟨101⟩. Einer solchen Aufzählung sieht Paulus sich in 2Kor gegenüber. Ihr stellt er eine eigene Aufzählung entgegen, die paradoxerweise seine Leiden und Schwachheiten als Ausweis seines apostolischen Wirkens nennt. τὰ τῆς ἀσθενείας καυχάομαι stellt die gesamte Aufzählung der Leidenserfahrungen von V.23 an unter den Oberbegriff der ἀσθένεια. In gleicher Weise macht das ὑπὲρ ἐγώ in V.23 die Paradoxie des nachfolgenden Katalogs unübersehbar: mehr als die Gegner kann Paulus sich rühmen, ein Diener Christi zu sein, aber dies gerade in Verfolgung und Leid von mancherlei Art. Er kann sogar sagen εὐδοκῶ ἐν ἀσθενείαις (12,10), aber nicht der Schwachheiten wegen, sondern ἵνα ἐπισκηνώσῃ ἐπ' ἐμὲ ἡ δύναμις τοῦ Χριστοῦ (V.9).

Wenn Paulus bis in den Stil hinein die Selbstempfehlungen der Gegner aufnimmt und ihnen in überspitzter Form eine Kette eigener Schwachheiten gegenüberstellt, so tut er dies, weil für ihn gerade sein Leiden die Sendung durch Christus verbürgt. Schon in 12,1 ist dies angedeutet. Deutlicher tritt dieser Zusammenhang am Ende des Tränenbriefes in 13,4 zutage. Dort ist ἡμεῖς ἀσθενοῦμεν verbunden mit (Χριστὸς)

⟨99⟩ KÄSEMANN, Legitimität, S.62; FRIEDRICH, Gegner, S.183. SCHMITHALS, Apostelamt, S.27 denkt hier an die "Wunderwirkung des Wortes..., aber es muß die Möglichkeit offen bleiben, daß er (sc.Paulus) ganz auf die Mühe verzichtet, die überlieferte Form der verbreiteten Formel mit konkretem Inhalt zu füllen." Daß Paulus sich hier aber der Vorstellung von Zeichen des Apostels gerade nicht entzieht, sondern für sich selbst in gleicher Weise in Anspruch nimmt, ist deutlich, wenngleich auch erkennbar ist, daß er dies nur auf Drängen der Gegner hin tut. Röm 15,18f zeigt, daß Paulus die Vorstellung von der Wunderwirkungen nicht fremd ist, wobei dort freilich λόγος und ἔργον gewirkt sind von Christus durch den Apostel.

⟨100⟩ LIETZMANN, 1.2Kor, S.158

⟨101⟩ Vgl BULTMANN, Stil, S.19 und GEORGI, Gegner, S.194. Bei Paulus finden sich Peristasenkataloge in 2Kor 4,8ff; 6,4-6; 11,23ff; 12,10; 1Kor 4,9ff.

ἐσταυρώθη ἐξ ἀσθενείας <102>. Derselbe Zusammenhang ist auch an anderen Stellen bei Paulus zu finden.

In Phil 3.4b-6 nennt Paulus seine Vorzüge als untadeliger Jude, streicht sie aber sofort wieder durch (V. 7). Denn der Ruhm mit eigener Leistung führt nicht zu Christus. Paulus ist vielmehr Christi Tod gleichgestaltet und er erfährt die κοινωνία τῶν παθημάτων αὐτοῦ (V.10). Auch im Postskript des Gal spielt das Thema des Rühmens eine Rolle. Es ist für Paulus ganz ausgeschlossen (ἐμοὶ δὲ μὴ γένοιτο), sich zu rühmen, außer im dem Kreuz des Herrn Jesus Christus (V.14). Die Aussage V.17 ἐγὼ γὰρ τὰ στίγματα τοῦ Ἰησοῦ ἐν τῷ σώματί μου βαστάζω hat die unterschiedlichsten Auslegungen erfahren <103>, wobei sich als theologische Aussage aber doch recht eindeutig herausschält: "Die Narben am Leibe Pauli sind als Zeichen der Leidensgemeinschaft mit dem gekreuzigten Jesus zu bewerten" <104>. Sie sind στίγματα τοῦ Ἰησοῦ, weil Paulus um Jesu willen die Wunden empfangen hat und trägt <105>. Die νέκρωσις τοῦ Ἰησοῦ in 2Kor 4,10 zeigt sich gerade in der Verfolgung und den Leiden des Apostels <106>. Hier wie in 2Kor 13,4 ist die ζωὴ τοῦ Ἰησου. das ζήσομεν σὺν αὐτῷ als Ziel angegeben, in dem die δύναμις Gottes sich auswirkt. Aber dieses Leben gibt es nicht am Tod Jesu vorbei, sondern nur durch diesen Tod hindurch. Dies wird in Röm 6,3ff sakramental ausgesagt im Blick auf die Taufe. Aber es gilt auch in dem Sinn, daß das Leiden der Christen ein Widerfahrnis ist, das ihnen als Glaubenden zukommt (vgl 1Thess 1,6; 2,13ff), wie ja auch die ταπεινοφροσύνη in Phil 2,3 den Glaubenden mahnend vor Augen gestellt wird, weil Christus ἐταπείνωσεν ἑαυτόν (2,8). Diese Konformität mit dem Leiden Christi ist ein Kennzeichen der Christen schlechthin. In besonderem Maß gilt sie freilich für den Apostel.

Die Botschaft, die Paulus verkündigt, ist die vom Gekreuzigten, wie gerade der Zusatz θανάτου δὲ σταυροῦ im Philipperhymnus zeigt (vgl 1Kor 1,18.23). In gleicher Weise umschreibt er sein Wirken im Blick auf die Galater: οἷς κατ' ὀφθαλμοὺς Ἰησοῦς Χριστὸς προεγράφη ἐσταυρωμένος (3,1) <107>. Christliche Existenz und in besonderem Maße seine eigene als Apostel Jesu Christi ist somit "Existenz im Schatten des Kreuzes" <108>. Folglich kann sich in seinen Augen ein Apostel Christi nicht ausweisen durch besondere Fähigkeiten und Krafttaten oder durch seine Herkunft. Seine Legitimität erweist sich gerade darin, daß die Kraft Gottes, die in der Auferweckung des Gekreuzigten sich als wirksam erwies, nun auch wirksam ist in dem leidenden und verfolgten Apostel (2Kor 12,9f). So entspricht das Leben und Wirken des Apostels seiner Botschaft. Dies ist seine eigentliche Legitimation.

Daß Paulus den Ausdruck κόπος zur Beschreibung seiner Missionstätigkeit benutzt, zeigt, daß er die Mission als schwere Arbeit betrachtet, die seine ganze Existenz in Anspruch nimmt <109>. In 2Kor 6,5 und 11,23.27 taucht das Wort bezeichnenderweise in Peristasenkatalogen auf (vgl auch 1Kor 4,12). In diesen Zusammenhang gehört auch die Arbeit zum Verdienst des eigenen Lebensunterhaltes (2Kor 11,7-10; 12,13-18). Wie aus 11,8; 12,13 und Phil 4,10ff hervorgeht, hat Paulus nicht aus einem

----

<102> ἐξ ἀσθενείας ist nicht kausal verstanden, da die Kreuzigung selbst ja den Tiefpunkt der Schwachheit darstellt. "Es bedeutet nur 'als Schwacher', und das ἐξ wird nur um der rhetorischen Entsprechung zu ἐκ δυνάμεως θεοῦ willen gewählt sein" (BULTMANN, 2Kor, S.245).

<103> Vgl den Überblick bei MUSSNER, Gal, S.418-420

<104> MUSSNER, Gal, S.419 mit Hinweis auf BORSE, Wundmale, S.93. Ähnlich auch GÜTTGEMANNS, Apostel, S.134

<105> In V.17a bringt Paulus die στίγματα ausdrücklich mit seinen apostolischen κόποι in Verbindung. βαστάζειν wird meist im Sinne des Tragens einer Last verwendet (auch im übertragenen Sinn), vgl GÜTTGEMANNS, Apostel, S.130, Anm.26.

<106> Es ist dabei nicht an mystische Kontemplation oder Vereinigung gedacht, sondern an die im Leben des Apostels sichtbaren Ereignisse (vgl BULTMANN, 2Kor, S.118).

<107> προεγράφη bezieht sich nicht auf eine Darstellung der Passionsgeschichte, sondern bezeichnet das öffentliche Proklamieren und also das εὐαγγελίζεσθαι des Paulus (vgl MUSSNER, Gal, S.107 und SCHLIER, Gal, S.120).

<108> EICHHOLZ, Paulus, S.36f

<109> Vgl HAUCK, Artikel κόπος, S.828f.

Selbstversorgungsgrundsatz heraus jegliche Unterstützung abgelehnt <110>. In 1Kor 9,18 kann er die Versorgung durch die Gemeinde sogar ausdrücklich als ἐξουσία μου ἐν τῷ εὐαγγελίῳ bezeichnen. Die Verkündigung soll aber nicht behindert werden durch einen Anspruch an die Gemeinde. So kann Paulus sich freimachen von einem Recht, das ihm zukommt, wie denn 1Kor 8-10 insgesamt unter dem Oberbegriff der Freiheit steht. Für Paulus ist die Christusverkündigung keine Aufgabe, die er sich gestellt hat und für die er bezahlt wird. Sie liegt als ἀνάγκη auf ihm <111>, der gegenüber es nicht um Lohn und Verdienst gehen kann. So ist in paradoxer Weise sein Ruhm und Lohn gerade der, daß er das Evangelium ohne Lohn verkündet. Indem er sich dem Gotteswillen entsprechend verhält, ist er frei im Umgang mit der Gemeinde <112>.

So zeigt sich an verschiedenen Punkten, auch an der handgreiflich finanziellen Frage des Unterhalts, daß für Paulus Apostel-Sein heißt: Christus verkündigen und mit dem eigenen Leben und Wirken dieser Botschaft entsprechen. Besondere Zeichen und Machterweise, oder Versorgungsansprüche an die Gemeinde könnte er wohl geltend machen, und er deutet dies an, wenn die Auseinandersetzung mit Gegnern ihn dazu nötigt. Weil er aber erkennt, daß eigener Ruhm seinem Auftrag widerspricht, biegt er das Rühmen paradox um in das Rühmen der Schwachheiten. Daß er Apostel Jesu Christi ist, zeigt sich gerade darin, daß sein Leben und Wirken der Botschaft vom Gekreuzigten entspricht. Darin liegt der eigentliche Nachweis seiner Apostolizität.

6.1.3.4) Der Apostel und die Gemeinde

An einigen Punkten ist das Verhältnis des Paulus zu den Gemeinden bereits angeklungen. Er bürdet ihnen keine finanziellen Verpflichtungen auf und will ihnen nicht durch eigene Fähigkeiten und Weisheit imponieren. Das bedeutet freilich nicht, daß er sich nicht in besonderer Weise verantwortlich weiß für seine Gemeinden.

6.1.3.4.1) Der Apostel als Vater oder Mutter der Gemeinde

Die Bilder von 1Thess 2,7.11 benutzt Paulus auch sonst. Er ermahnt die Korinther ὡς τέκνα μου ἀγαπητά 1Kor 4,14ff. Es mag zwar viele παιδαγωγοὶ ἐν Χριστῷ <113> geben, aber es gibt doch nur einen Vater <114>, der sie ἐν Χριστῷ Ἰησοῦ διὰ τοῦ

<110> Das αὐτάρκης εἶναι von Phil 4,11 entwertet nicht die Gabe der Philipper. Das Stichwort gehört in den gesamten Zusammenhang bis V.20 hinein, in dem es Paulus darum geht, die Unterstützung der Philipper in Zusammenhang zu bringen mit ihrem Christsein. So kann er sie als Frucht und Gott wohlgefälliges Opfer bezeichnen (V.17f) und das Thema der κοινωνία (ἐκοινώνησεν V.15) ansprechen.

<111> KÄSEMANN, Variation, S.234 hat herausgearbeitet, daß es in 1Kor 9,16 nicht um Auseinandersetzung geht, sondern daß Paulus sich hier selbst Rechenschaft gibt über die Wahrheit seines apostolischen Dienstes (S.235).

<112> Die ausführliche Erörterung über das Recht auf Unterhalt, die in 1Kor 9,4ff mit alltäglicher Erfahrungen, mit Hilfe des AT und mit einer Verordnung des Herrn (V.14) begründet wird zeigt aber, daß Paulus den Versorgungsgrundsatz für die Apostel durchaus anerkennt (vgl auch Gal 3,6 und die Erläuterungen hierzu bei SCHLIER, Gal, S.275f), ihn für seiner eigenen Verkündigungsauftrag jedoch anders beurteilt.

<113> Neben dem διδάσκαλος ist die Aufgabe des παιδάγωγος stärker die praktische Führung und Leitung (vgl BERTRAM, Artikel παιδεύω, S.618). Im Duktus der Verse bezieht sich οὐκ ἐντρέπων auf den ersten Hauptteil des Briefes über die Spaltungen in der Gemeinde vor 1,10 an. Mit seiner Kritik (vgl 3,18-20) will Paulus jedoch nicht beschämen, sondern wie ein Vater ermahnen und zum Guten führen.

<114> Vgl CONZELMANN, 1Kor, S.110f. Die Vorstellung von der Vaterschaft ist im Judentum verbreitet (STR-BILL III, S.340f), findet sich aber auch im hellenistischen Denken (vgl SCHRENK, Artikel πατήρ, S.949f.952ff), ohne daß Paulus hier auf eine feste Tradition zurückgreift. Im rabbinischen Sprachgebrauch von Vater und Sohn für das Verhältnis von Lehrer und Schüler kann man eine formale Nähe finden (ROLOFF, Apostolat, S.116).

εὐαγγελίου gezeugt hat. Durch die Verkündigung des Paulus ist die Gemeinde zum Glauben an Christus gekommen. Auch die in V.16 damit verbundene Mahnung μιμηταί μου γίνεσθε ergeht unter der Voraussetzung des ἐν Χριστῷ ’Ιησοῦ. Die Beziehung des Paulus zur Gemeinde ist also einzigartig und nicht mit der anderer Lehrer oder Autoritäten zu vergleichen. Die Vaterschaft ermöglicht dem Apostel die Autorität des νουθετεῖν (V.14). Es geht dabei aber nicht um Herrschaft, sondern um Liebe (V.14. 21) ⟨115⟩. In Gal 4,19 bezeichnet Paulus sich als Mutter der Gemeinde, für die er zum zweiten Mal Geburtswehen erleidet. Dies ist gesagt auf dem Hintergrund des drohenden Abfalls der Galater vom paulinischen Evangelium (4,8ff). Wie eine Mutter ihr Kind gebiert und dabei Wehen erleidet ⟨116⟩, so bringt der Apostel durch das Evangelium die Gemeinde zur Existenz und setzt sich dabei der Mühe und Anstrengung bis hin zum Leiden aus. Vom Verhältnis des Vaters und der Mutter zu den Kindern gilt gleichermaßen: ἡ καρδία ἡμῶν πεπλάτυνται (2Kor 6,11). So haben auch die Korinther weiten Raum im Herzen des Apostels (V.13). In 2Kor 12,14 legt Paulus mit Hilfe einer allgemeinen Wahrheit (οἱ γονεῖς τοῖς τέκνοις θησαυρίζειν) den vorangehenden Satz οὐ γὰρ ζητῶ τὰ ὑμῶν ἀλλὰ ὑμᾶς aus. Im Zusammenhang mit 1Thess 2,7.11 wird deutlich: die Bezeichnung als Vater bzw. Mutter bringt die einzigartige Beziehung des Paulus zur Gemeinde zum Ausdruck. Es ist eine Beziehung des Liebens und Leidens, des Mahnens und Führens. Sie ist einzigartig, weil durch die Verkündigung des Paulus sich die Christusbeziehung der Gemeinde konstituiert hat.

6.1.3.4.2) Der Apostel als Baumeister und Pflanzer

Der Abschnitt 1Kor 3,5-17 steht innerhalb der großen Auseinandersetzung über Parteisucht und falsche Weisheit in 1Kor 1,10-4,21. Verschiedene Bilder sind aufeinander bezogen: die Pflanzung V.6-8; Bau und Baumeister V.10f; die Baumaterialien und das eschatologische Ergehen derer, die sie benutzen V.12-15; in V.16 schließlich findet sich der Gedanke von der Gemeinde als Tempel Gottes. Paulus hat als σοφὸς ἀρχιτέκτων das Fundament für den Bau der Gemeinde gelegt (V.10), auf dem alles weitere erst aufgebaut worden ist. Sein Dienst ist allen anderen Diensten in der Gemeinde zeitlich und sachlich vorgeordnet. Grundstein ist aber nicht der Apostel, sondern Jesus Christus ⟨117⟩. Wohl hat der Apostel den Grundstein gelegt, aber dieser Stein ist zugleich die Norm für das apostolische Wirken. Von ihm aus erfahren alle Dienste in der Gemeinde ihre Begrenzung und auch der Dienst des Apostels ist verliehen von Gott (V.5.10). Die Gemeinde als οἰκοδομή Gottes (V.9) ist deshalb nicht von Menschen abhängig. Vielmehr gilt: ὑμεῖς δὲ Χριστοῦ, Χριστὸς δὲ θεοῦ. Die Autorität des Apostels ist somit paradox: sie ist höchste Autorität, insofern er eine einmalige und unwiederholbare Bedeutung als Gründer und Leiter der Gemeinde hat. Sie kommt ihm aber nur zu κατὰ τὴν χάριν τοῦ θεοῦ (V.10) und auch als Baumeister muß er sich messen lassen an Christus als dem Grund-

----

⟨115⟩ Was für die Gemeinde gilt, gilt in gleicher Weise für Timotheus, der ebenfalls von Paulus bekehrt wurde (vgl Phil 2,22). Zu τέκνον vgl 2Kor 12,14; Gal 4,19; 1Thess 2,7.11; Phlm 10).
⟨116⟩ Vgl BERTRAM, Artikel ὠδίν, S.674, auch zur Wortgruppe überhaupt.
⟨117⟩ ὁ θεμέλιος bzw. τὸ θεμέλιον begegnet als Bezeichnung für Grundstein, Fundament sowohl im wörtlichen (Lk 6,48f; 14,29; Apg 16,26; Hebr 11,10; Offb 21,14.19) wie im übertragenen Sinn (Röm 15,20; 1Kor 3,10ff; Eph 2,20; 2Tim 2,19 in christologischer Zuspitzung).

stein ⟨118⟩. Das οἰκοδομεῖν ist zugleich die bleibende Aufgabe des Apostels. Seine ἐξουσία ist eine εἰς οἰκοδομεῖν καὶ οὐκ εἰς καθαίρησιν (2Kor 10,8; 13,10). ὑπὲρ τῆς ὑμῶν οἰκοδομῆς verfaßt Paulus den mahnenden, teils auch bitteren Brief in 2Kor 10-13. Von Christus als Grundstein her ist das οἰκοδομεῖν auch Kriterium für den Umgang miteinander in der Gemeinde. ἐκκλησίαν οἰκοδομεῖν ist die kritische Linie, an der das Zungenreden gemessen wird (1Kor 14,4). Der gegenseitige Aufbau ist das Maß, an der Umgang der im Glauben Starken mit den Schwachen sich orientieren soll (Röm 14,19; 15,2). Auch Trost und Lehre umfaßt das οἰκοδομεῖν (1Thess 5,11). So geht es bei diesen Begriffen um den – in christologischer Zentrierung – einmaligen Dienst des Apostels an der Gemeinde und ebenso weist das christologische Fundament das οἰκοδομεῖν als Aufgabe jedes Christen aus.

Das Bild von der Pflanzung, das in 1Kor 3,5ff mit dem des Bauens verbunden ist ⟨119⟩, hat eine ganz ähnliche Ausrichtung. Paulus kommt als dem Gründer der Gemeinde die sachliche und zeitliche Priorität zu (3,6). Aber sowohl sein φυτεύειν als auch das ποτίζειν des Apollos haben ihren gemeinsamen Grund: ὁ θεὸς ηὔξανεν. So haben Paulus und Apollos zwar unterschiedliche Funktionen mit verschiedener Bedeutung für die Gemeinde. Daß sie aber beide συνεργοὶ θεοῦ sind (V.9), korrigiert jedweden Autoritätsanspruch ⟨120⟩ .

6.1.3.4.3) Der Apostel als Diener Christi und der Gemeinde

Dieselbe Beziehung zum christologischen Fundament spiegelt sich auch in dem Begriff διάκονος. Paulus greift hier einen Titel auf, den auch seine Gegner verwendet haben (2Kor 11,23) ⟨121⟩. Sie verstehen διάκονος als Ehrentitel, in dem sich das Vertrauensverhältnis zum Beauftragenden und eine besondere Veranwortung niederschlagen ⟨122⟩. διάκονος Christi zu sein, ist für die Gegner gleichbedeutend mit ihrem Apostelanspruch, und sie betonen den Diakonentitel offenbar ähnlich selbstbewußt wie ihre anderen Vorzüge. Für Paulus kann die inhaltliche Füllung des Titels wiederum nur in Bezug auf das christologische Fundament erfolgen. In 2Kor 4,1-6 zielt die Argumentation auf V.5 κηρύσσομεν Χριστὸν Ἰησοῦν κύριον, ἑαυτοὺς δὲ

⟨118⟩ Für die bildliche Verwendung von οἰκοδομεῖν gibt es im griechischen Bereich wie im Judentum vielfältige Belege (vgl *MICHEL*, Artikel οἰκοδομέω, S.139ff.142f). Auch die Verbindung von pflanzen und bauen findet sich häufig. Zum rabbinischen Vergleichsmaterial vgl *STR-BILL* I, S.732ff.469f. Ähnliche Aussagen finden sich auch in Qumran (1QH VI,25ff; 1QS VII,8; VIII,8 und die Zusammenstellung und Beurteilung bei *ROLOFF*, Apostolat, S.107f). Daß innerhalb der urchristlichen Gemeinde Jes 28,16 ekklesiologisch und vor allem Ps 118,22 christologisch gedeutet wurde, ist ebenfalls zu berücksichtigen. Nach Apg 4,11 gehört die Rede von Christus als dem Eckstein bereits zur frühesten christlichen Predigt.

⟨119⟩ Auch dieses Bild hat eine lange at.lich-jüdische Vorgeschichte (vgl Jes 5,1-7;61,3; äth Hen 62,8; Ps Sal 14,3ff; Jub 1,16.21.24.36) und ist bereits in Qumran mit dem Bild des Bauens verbunden worden (vgl 1QH VI,15; VIII,5).

⟨120⟩ Wenn Paulus sich in 1Kor 4,1 als οἰκονόμος μυστηρίων θεοῦ bezeichnet, so sind damit nicht besondere Offenbarungen gemeint, sondern das geoffenbarte Evangelium. Besteht die Autorität des Apostels auch darin, daß er die μυστήρια θεοῦ verwaltet, so hat diese Autorität ihren Grund doch nicht in seiner Person, sondern in Christus als dem Sendenden (4,2); vgl *CONZELMANN*, 1Kor, S.102; *ROLOFF*, Apostolat, S.99f.113.

⟨121⟩ *GEORGI*, Gegner, S.31ff; *ROLOFF*, Apostolat, S.121f.

⟨122⟩ Vielfältige Belege aus stoischen Quellen finden sich bei *GEORGI*, ebd, S.32ff; vgl *GNILKA*, Phil, S.39; *MERKLEIN*, Amt, S.337. Paulus verwendet die Wortgruppe in verschiedener Bedeutung (aber nur andeutungsweise im Sinn eines caritativen Dienstes, vgl Röm 12,7; 1Kor 12,5). "An den meisten Stellen bei Paulus ist ... an die missionarische Verkündigungstätigkeit im weitesten Sinn gedacht, wobei speziell der Gedanke der Beauftragung und Repräsentation mitschwingt" (*OLLROG*, Paulus, S.73f).

δούλους ὑμῶν διὰ Ἰησοῦ. "Demnach ist nicht nur Christus Inhalt der Verkündigung des Apostels, sondern durch diese Verkündigung ist auch der Status des Verkündigers definiert als der eines Knechtes der Gemeinde im Auftrag Christi" ⟨123⟩. Die Botschaft prägt dem Leben des Verkündigers ihren Stempel auf. Die grundlegende Beziehung zeigt sich auch in 2Kor 5,18-21: da Gott der ist, der die Menschen durch Christus mit sich selbst versöhnt hat, ist der Dienst des Apostels die διακονία τῆς καταλλαγῆς (V.18). Wie ὑπὲρ Χριστοῦ V.20 zeigt, ist der Dienst des Paulus Stellvertretung: er ist Bote an Christi Statt und mehr als seine Gegner ist er διάκονος Χριστοῦ (11,23), aber dies gerade in mehr Einsatz, mehr Leid und weniger Geltungsanspruch ⟨124⟩. διάκονος trifft als Ehrentitel für Paulus deshalb zu, weil die Verkündigung und das Wirken des Apostels in Einklang steht mit der Botschaft vom gekreuzigten und auferstandenen Christus.

In Röm 15,16 bezeichnet Paulus sich als λειτουργὸς Χριστοῦ Ἰησοῦ εἰς τὰ ἔθνη. λειτουργός benennt zunächst allgemein den Diener, der im Auftrag eines Übergeordneten handelt ⟨125⟩. Das folgende ἱερουργεῖν interpretiert im kultischen Sinn ⟨126⟩. Dennoch ist Paulus hier weniger "an der kultischen Dimension als solcher" interessiert und er betrachtet "das Evangelium nicht als kultische Einrichtung" und "vermeidet darum im allgemeinen das sakramentale Verständnis seines Dienstes" ⟨127⟩. Die einleitende Wendung διὰ τὴν χάριν τὴν δοθεῖσάν μοι ἀπὸ τοῦ θεοῦ zeigt, daß es an dieser Stelle "um das delegierte, autorisierte und legitimierte Mandat des Heidenapostels" geht ⟨128⟩. Die Völker zum Gehorsam zu bringen (V.18) ist die Aufgabe des Apostels, und indem er dies tut, ist er Diener Christi für die Völker. Sowohl in λειτουργός selbst als auch in ἐν Χριστῷ Ἰησοῦ V.17 wird deutlich, daß Paulus sein Mandat nur in der engen Beziehung zu Christus ausüben kann, der in ihm wirkt. Ein bezeichnendes Licht auf die Autorität des Paulus wirft auch Gal 1,8f. Gesetzt den Fall ⟨129⟩, daß er selbst oder ein himmlischer Bote eine andere Botschaft verkündigte, als sie verkündigt worden ist, so sei er verflucht. Sicher sind beide Fälle ganz unwahrscheinlich. Der extreme Eventualis macht aber deutlich, daß der Apostel selbst unter dem Evangelium steht und seine Verkündigung nicht nach eigenem Gutdünken verändern kann. Ein "anderes Evangelium" wäre in Wirklichkeit keines mehr (V.6). Daß das Anathema auch für den Realis gilt ⟨130⟩, zeigt der folgende V.9. Mit ihm belegt Paulus seine Vollmacht, als Apostel Jesu Christi "das Gericht Gottes nicht nur zu verkündigen, sondern auch zu verhängen" ⟨131⟩. Die Vollmacht liegt aber nicht in seiner Person, sondern in seiner Botschaft (vgl Röm 15,18; 2Kor 2,17; 3,5; 4,2).

6.1.3.4.4) Die Christusunmittelbarkeit der Gemeinde

Paulus verkündigt also Christus und nicht sich selbst (vgl 2Kor 1,13). Da Christus der Herr ist, kann nicht Paulus Herr sein über die Gemeinde. Dies bringt 2Kor 1,24

⟨123⟩ ROLOFF, Apostolat, S.122.
⟨124⟩ ROLOFF, ebd, insistiert mit Recht darauf, daß hinter solchen Texten die Erinnerung und Überlieferung vom irdischen Jesus steht, dessen eigenes Dienen sich in Worten wie Mk 10,45; Lk 22,27 niederschlägt. Der Gegensatz zu den Gegnern besteht darin, daß diese sich selbst als Repräsentanten Christi und ἀπόστολος und διάκονος als Ehrentitel gesehen haben, ohne darin Leiden und Sterben und das Sich-Einsetzen Jesu zu berücksichtigen.
⟨125⟩ Vgl die Belege bei WILCKENS, Röm III, S.118, Anm 570.
⟨126⟩ Vgl hierzu SCHRENK, Artikel ἱερός, S.251f.
⟨127⟩ KÄSEMANN, Röm. S.378.
⟨128⟩ KÄSEMANN, ebd.
⟨129⟩ ἐάν mit Konjunktiv beschreibt den Eventualis; vgl MUSSNER, Gal, S.59; SCHLIER, Gal, S.39.
⟨130⟩ In V.9 findet sich εἰ mit Indikativ. προειρήκαμεν κτλ mag sich auf V.8 oder eine frühere Aussage beziehen. Es hat hier auf jeden Fall verstärkende Funktion.
⟨131⟩ SCHLIER, Gal, S.41.

prägnant zum Ausdruck. Die Korinther sind "selbständige Christen" ⟨132⟩. Hinter dieser Aussage wird durchaus der gegnerische Vorwurf der Herrschsüchtigkeit stehen, der sich möglicherweise auf die "mutigen" Briefe des Apostels bezieht (2Kor 10,1). οὐ κυριεύομεν hat aber die weitergehende und generelle Bedeutung, daß Paulus als Apostel nicht zwischen Gemeinde und Christus steht, sondern daß die Gemeinde ein unmittelbares Verhältnis zu Christus hat ⟨133⟩. Deshalb gibt es in ihr keine unhinterfragbaren menschlichen Autoritäten, sondern nur συνεργοὶ θεοῦ (1Kor 3,9; vgl 2Kor 1,24). In Röm 1,11f nennt Paulus als Besuchsabsicht ἵνα τι μεταδῶ χάρισμα ὑμῖν πνευματικὸν εἰς τὸ στηριχθῆναι ὑμᾶς, legt dies aber sogleich aus mit συμπαρακληθῆναι ἐν ὑμῖν ⟨134⟩. Das unmittelbare Christusverhältnis der Gemeinde hebt die apostolische Leitung und Mahnung nicht auf, beschreibt sie aber als Funktion des Dienstes für die Gemeinde und nicht als Herrschaft über sie. Die verschiedenen σύν–Wendungen ⟨135⟩ weisen überdies darauf hin, daß das Kämpfen, Beten, Trösten und Mahnen in gleicher Weise Aufgabe auch der ganzen Gemeinde ist. Die Gemeinde ist "nicht einfach an Paulus, sondern immer nur durch ihn an Christus gebunden, in dem sie frei wird und frei bleiben soll und der sie aus Gnaden in Gnaden beruft" ⟨136⟩.

6.1.3.4.5) Das Verhältnis des Paulus zu seinen Mitarbeitern

Daß der Apostolat keinen Herrschaftsanspruch begründet, zeigt sich ebenso im Verhältnis zu den Mitarbeitern. Auch hier spielen die Komposita mit σύν eine wichtige Rolle. Der Ausdruck συνεργός bezeichnet den, der "mit Paulus zusammen als Beauftragter Gottes am gemeinsamen Werk der Missionsverkündigung arbeitet" ⟨137⟩. Die zentrale Stelle 1Kor 3,9 faßt zusammen, daß Paulus und Apollos Mitarbeiter sind am gleichen Werk (vgl 2Kor 1,24; 6,1, wo Paulus sich selbst als Mitarbeiter bezeichnet). So ist der Mitarbeiter nicht in erster Linie dadurch definiert, daß er mit *Paulus* zusammen arbeitet, sondern daß er *am gleichen Werk* (σὺν-ἔργον) arbeitet und dazu berufen ist. Die anderen Bezeichnungen συστρατιώτης und συναιχμάλωτος bringen in gleicher Weise die Christusunmittelbarkeit der Mitarbeiter zum Ausdruck, die natürlich auf menschlicher Ebene Kooperation nicht ausschließt, sondern geradezu fördert. Die Mündigkeit der Mitarbeiter hat Paulus an verschiedenen Stellen betont (vgl 1Kor 4,17; 16,10; Phil 2,19ff; 1Thess 3,2 zu Timotheus; 2Kor 8,16f zu Titus; 1Kor 3,5ff zu Apollos; vgl 1Kor 16,3.15; 2Kor 8,18ff; Phil 4,3). Die Mitarbeiter arbeiten auf demselben Fundament wie Paulus. Gemäß ihrem

----

⟨132⟩ *BULTMANN*, 2Kor, S.48.

⟨133⟩ *CAMPENHAUSEN*, Amt, S.51: "Für Christus, aber nicht vor Christus steht der Apostel in seiner Gemeinde". *MERKLEIN*, Amt, S.303 wendet dagegen ein, es sei nicht legitim, die Geltung des Apostels an der Freiheit der Gemeinde abzugrenzen. Tatsächlich geht es aber *CAMPENHAUSEN* zu Recht darum, die Christusunmittelbarkeit der Gemeinde herauszustellen. In dieser Hinsicht steht sie mit dem Apostel auf der gleichen Ebene.

⟨134⟩ *EICHHOLZ*, Paulus, S.35 spricht von einer "Formel der Brüderlichkeit". Sicher spielt Paulus hier im Blick auf die unbekannte Gemeinde seinen Autoritätsanspruch herunter. Aber er respektiert eben doch auch die Selbständigkeit der Gemeinde.

⟨135⟩ συνεργέω in 2Kor 6,1; συναθλέω in Phil 4,3; συνυπουργέω in 2Kor 1,11; συναγωνίζομαι in Röm 15,30; συναναπαύω in Röm 15,32; συμπαρακληθῆναι in Röm 1,12 ua. Zu den Komposita, die das σὺν Χριστῷ auslegen, vgl *GRUNDMANN*, Artikel σύν, S.786f.

⟨136⟩ *CAMPENHAUSEN*, Amt, S.56f.

⟨137⟩ *OLLROG*, Paulus, S.67.68ff.

Auftrag verrichten sie ein ἴδιον κόπον (1Kor 3,8). Apollos hat seine Bedeutung für die Korinther nicht dadurch, daß er die Arbeit des Paulus fortführt, sondern daß er – ὡς ὁ κύριος ἔδωκεν – seinen Dienst in der Gemeinde versieht (3,5). Wohl beansprucht Paulus Gehorsam, aber nicht sich selbst, sondern dem Evangelium gegenüber. Wo er sich aber mit seinen Gemeinden oder Mitarbeitern gemeinsam auf dieser Basis weiß, beansprucht er keinerlei Vorrecht aus seinem Apostolat ⟨138⟩.

6.1.3.4.6) Die Nachahmung des Apostels

Die verschiedenen Komposita mit σύν wenden schließlich den Blick auf eine charakteristische Aussage in Phil 3,17: συμμιμηταί μου γίνεσθε (vgl Gal 4,12; 1Kor 4,16; 1Thess 1,6f; 2,14). Daß damit nicht einfach ein moralischer Anspruch gesetzt wird, zeigt der Zusammenhang. 3,17 bezieht sich zurück auf 3,1-14 mit der Absage an das eigene Vertrauen und der Zielaussage in V.13. In der auf Hoffnung ausgerichteten Existenz der Glaubenden sollen die Philipper das Beispiel des Apostels nachahmen. In Gal 4,12 bezieht sich das γίνεσθε ὡς ἐγώ zurück auf 4,1ff mit der Zusammenfassung in V.7: in der Freiheit sollen die Galater Paulus gleich werden ⟨139⟩. In 1Kor 4,16 nimmt die Mahnung μιμηταί μου γίνεσθε den Peristasenkatalog in 4,1ff auf. "Paulus bietet sich nicht als christliche Persönlichkeit an", sondern ist Vorbild darin, daß er mit seinem Leben und auch mit seinem Leiden für seine Botschaft einsteht ⟨140⟩. Die μίμησις ist also nicht auf seine Person bezogen, sondern auf τὰς ὁδούς μου τὰς ἐν Χριστῷ (4,17). Dies führt zu der in diesem Zusammenhang zentralen Stelle 1Kor 11,1. Paulus soll nachgeahmt werden, weil er Christus nachahmt ⟨141⟩, und dies nicht in moralischem oder autoritativem Sinn, sondern in dem Sinn des πάντα εἰς δόξαν θεοῦ ποιεῖν 10,31. Die Argumentationsrichtung in 10,23ff geht ja nicht auf eine inhaltliche Verhaltensnorm hinaus, sondern auf das Leben und Verhalten zur Ehre Gottes ⟨142⟩. Wer also Paulus nachahmt, der ahmt Christus nach und lebt damit Gott zu Gefallen. In 1Thess 1,6f ist mit dem Paradox von θλῖψις und χαρά die christliche Existenz insgesamt umschrieben und das καὶ τοῦ κυρίου gehört wesentlich zur Aussage hinzu ⟨143⟩. Auch in dem Mimesis-Gedanken geht es also darum, daß die Gemeinde in Christus lebt. Zu diesem Zweck verkündigt, mahnt und tröstet der Apostel.

⟨138⟩ Vgl hierzu ausführlicher unten, S.289ff.
⟨139⟩ Der Nachsatz ὅτι κἀγὼ ὡς ὑμεῖς begründet, indem er darauf hinweist, daß Paulus den Galatern selbst ein ἄνομος geworden ist, freilich als ἔννομος Χριστοῦ (1Kor 9,21); vgl *SCHLIER*, Gal, S.208.
⟨140⟩ *CONZELMANN*, 1Kor, S.111.
⟨141⟩ Ausscheiden kann die Nachahmung der Lebensführung des irdischen Jesus (*CONZELMANN*, 1Kor, S.212; *MICHAELIS*, Artikel μιμέομαι, S.673). *MICHAELIS* betont insgesamt den Aspekt des Gehorsams zu sehr (S.669f). Der Gehorsam dem Apostel gegenüber ist nur mitgemeint, insofern dieser Christus gehorsam ist. In 1Kor 11,1 geht es deshalb nicht um "die erstmalige Beugung unter die Autorität des apostolischen Wortes" (S.673).
⟨142⟩ Das Thema "allen alles werden", das in 1Kor 9,19ff ausgeführt ist, klingt in 10,32 an, ebenso in Röm 15,1-3. Indem der Apostel allen alles wird, ahmt er Christus nach, der Mensch geworden ist. Der Hinweis auf Christus dient dabei nicht als Verhaltensbeispiel. Vielmehr findet seine Heilstat, seine Erniedrigung, seine Selbstentäußerung ihren Niederschlag im Leben des Apostels. "Die Nachahmung ist also nicht Weg zum Heil durch fromme Leistung, sondern ein Verhalten aus Dank, wie es dem uns geschenkten Heil entspricht" (*CONZELMANN*, Eph, S.83 zu Eph 5,1; vgl auch *SCHULZ*, Nachfolge, S.285f).
⟨143⟩ Vgl oben, S.145.

6.1.4) Weitere Verwendungen des Apostelbegriffes

Paulus ist Apostel Jesu Christi. An der überwiegenden Mehrzahl aller Stellen, an denen ἀπόστολος bei Paulus vorkommt, ist der Begriff in diesem Sinn verwendet. An einigen Stellen zeigt sich freilich ein hiervon abweichender Gebrauch. Es sind dann charismatische Apostel und Gemeindegesandte angesprochen.

6.1.4.1) Die charismatischen Apostel

Daß Paulus sich in 2Kor 10ff mit innergemeindlichen Gegnern auseinandersetzt, ist bereits mehrfach angesprochen worden. Er nennt sie ὑπερλίαν ἀπόστολοι (11,5; 12,11). Sie verkleiden sich lediglich als Apostel Christi (11,13). Die Gegner erheben offenbar den Anspruch, Apostel Christi zu sein (vgl 10,7). Da Paulus in Gal 1,15ff und 1Kor 15,1ff die Jerusalemer Apostel ausdrücklich anerkennt, kann es sich bei den Überaposteln nicht um sie handeln. Er setzt sich vielmehr mit den Gegnern selbst auseinander, die als angebliche Apostel die Gemeinde von der Christusbotschaft abbringen ⟨144⟩. In 2Kor 10-13 geht aus einer Reihe von Bezugnahmen hervor, wie sie ihre Verkündigung gestalten und ihren Apostolat begründen.

Die Überapostel lassen sich von der Gemeinde unterhalten (vgl 11,7ff; 12,13). Sie treten auf mit großer Rhetorik (11,6) und werfen Paulus sein schwächliches und kraftloses Auftreten in der Gemeinde vor, das im Gegensatz stehe zu seinen Worten, solange er abwesend sei (10,1.10). Mit ihrem ausgeprägten Autoritätsgebaren machen sie die Gemeinde von sich selbst abhängig (11,20). Von diesem imponierenden Verhalten sind die Korinther beeindruckt. Dem allem gibt Paulus durch die Formulierung ὑπερλίαν ἀπόστολοι einen prägnanten Ausdruck ⟨145⟩. Die Gegner legitimieren ihren Anspruch mit der Berufung auf ihre Herkunft aus dem palästinischen Judentum ⟨146⟩. Von einer Erscheinung des Auferstandenen ist in diesem Zusammenhang aber nicht die Rede und sie scheint auch nicht zum Apostelbegriff der Gegner gehört zu haben. Dagegen haben visionäre Erlebnisse und spezielle Offenbarungen bei ihnen eine Rolle gespielt. Die Nennung der ὀπτασίαι καὶ ἀποκαλύψεις in 12,1 ist zweifellos dadurch motiviert, daß Paulus sich den Gegnern auch auf diesem Gebiet als gewachsen zeigt. In die Reihe der Nachweise ihrer Apostolizität gehört weiter eine geistgefüllte, kraftvolle Rede (vgl 10,10; 11,6; auch 1Kor 2,4), die aus hohen Gedanken quillt (10,4f; vgl 11,6). Auch die σημεῖα τοῦ ἀποστόλου gehören in diesen Zusammenhang. Es liegt wahrscheinlich ein Schlagwort der Gegner vor, die darunter bestimmte Zeichen, Wunder und Krafttaten verstehen. Die in 2Kor 10ff bekämpften Gegner waren Anhänger eines geistgewirkten, durch Zeichen und

---

⟨144⟩ Anders noch KÄSEMANN, Legitimität, S.41ff, der eine Beauftragung durch Kreise, die den Jerusalemer Autoritäten nahestehen, annimmt (S.45-48; S.52. Vgl zur Kritik KLEIN, Apostel, S.58 Anm 248).

⟨145⟩ Dieser ironische Ausdruck ist ebenso wie ψευδαπόστολοι von Paulus geprägt.

⟨146⟩ Daß es sich nicht um bloß biographische Auskünfte handelt, wird schon daran deutlich, daß die Herkunftsbezeichnung einmündet in den Titel διάκονοι Χριστοῦ (GEORGI, Gegner, S.51). Die Herkunft soll gleichzeitig eine Autorisierung bedeuten. GUTBROD, Artikel Ἰσραήλ, S.393f stellt ein Fortschreiten der Reihe fest, die von der Herkunft aus Palästina über die Zugehörigkeit zum Gottesvolk auf das Erbe der Abrahamsverheißung weist und in διάκονοι Χριστοῦ gipfelt. Hierauf ein regelrechtes Sukzessionsprinzip aufzubauen (so ROLOFF, Apostolat, S.77f) ist nicht angebracht, da ja die charismatische Legitimation der Gegner dem gerade widerspricht.

Krafttaten begleiteten und begründeten charismatischen Apostolats. Sie sprechen Paulus gerade diese charismatische Legitimation ab.

Bei der Frage, wie man die charismatischen Apostel geschichtlich einordnen soll, ist folgendes zu beachten: trotz der betonten Herkunft aus Palästina handelt es sich nicht um Vertreter eines ausgeprägten Judenchristentums <147>. Die Augenzeugenschaft der Auferstehung oder das Kennen des irdischen Jesus spielen keine Rolle. Ebensowenig können die Gegner des 2Kor einfach mit den gnostischen Gegnern des 1Kor identifiziert werden <148>, da sich die Gemeindesituation von 1Kor zu 2Kor offenbar verändert hat. Vielmehr ist für die Gegner charakteristisch, daß sie ihre Herkunft aus Palästina, die in der jüdischen Apologetik eine beachtliche Rolle spielte <149>, verbinden mit Motiven des hellenistischen ϑεῖος ἀνήρ <150>. Es handelt sich um charismatische Wanderapostel, die sich nach Art der hellenistischen Wanderprediger legitimieren, die aber auch ihre Herkunft aus Palästina und dem Judentum für sich in die Waagschale werfen. Sie missionieren neben (und gegen) Paulus und noch in Offb 2,2 und Did 11 werden in gleicher Weise charismatische Wanderapostel erwähnt.

Dies alles deutet darauf hin, daß es zur Zeit des Paulus ein offenbar von seiner Interpretation verschiedenes Verständnis des Apostelbegriffs gegeben hat, gegen das er sich abgrenzt <151>. Dabei reagiert er deshalb so scharf, weil die Gegner offenbar den Apostel-Titel für sich reklamieren und mit charismatischen Erscheinungen untermauern. Es wird also deutlich, daß es zur Zeit des Paulus nicht ein einziges, allgemein anerkanntes Apostelverständnis gegeben hat, sondern daß die Füllung dieses Begriffs umstritten war.

6.1.4.2) Die Gemeindegesandten

Die Verwendung von ἀπόστολος in 2Kor 8,23 und Phil 2,25 ist sowohl von dem Christusapostolat als auch von dem charismatischen Apostolat zu unterscheiden.

In **2Kor 8,16ff** empfiehlt Paulus im Rahmen des Kollektenbriefes den zum Zweck der Kollekte nach Korinth zurückgesandten Titus und zwei nicht namentlich genannte Brüder <152>. Die mit der Kollekte Beauftragten bürgen durch ihre Lauterkeit, ihre Erprobtheit und ihren Ruf für deren ordnungsgemäße Durchführung (wobei in 8,20 der geäußerte Vorwurf der Unregelmäßigkeit anklingt).

Die Brüder werden nun in 8,23 als ἀπόστολοι ἐκκλησιῶν bezeichnet. Die Zusammenstellung mit Titus und dessen Bezeichnungen κοινωνός und συνεργός zeigen

---

<147> Gegen *BAUR*, Paulus, S.38 (für ihn sind die ὑπερλίαν ἀπόστολοι die Jerusalemer Apostel selbst); *WINDISCH*, 2Kor, S.23ff; modifiziert bei *KÄSEMANN*, Legitimität. Strenge judaistische Forderungen finden sich in 2Kor nicht, und Paulus selbst betont nicht das Thema der Rechtfertigung aus Glauben (vgl hierzu auch *GEORGI*, Gegner, S.51ff; *FRIEDRICH*, Gegner, S.192).

<148> So bei *BULTMANN*, 2Kor, S.205ff.216; *SCHMITHALS*, Gnosis, S.45ff.239ff. Bereits *KÄSEMANN*, ebd, S.40f hat hiergegen mit Recht eingewandt, daß die Gnostikerthese der veränderten Situation des 2Kor nicht gerecht wird.

<149> Vgl die Angaben bei *GEORGI*, Gegner, S.51ff.59ff.

<150> Vgl hierzu *FRIEDRICH*, Gegner, S.210ff (und die Stichworte ϑαρρέω und παρρησιάζεσϑαι). Er versucht, die Nähe der Gegner zu dem Kreis der Hellenisten um Stephanus (Apg 6f) nachzuweisen. Fraglich ist aber, ob das Stichwort 'Εβραῖοι in 11,23, das auch die dem palästinischen Juden eigentümliche Sprache und Schrift umfaßt und überhaupt für die Besonderheit der jüdischen Sprache, Kultur und Religion verwendet wird (*GEORGI*, Gegner, S.53f), auf den Kreis der Hellenisten paßt (vgl auch *HAENCHEN*, Apg, S.219f).

<151> *KERTELGE*, Amt, S.174 ist der Meinung, daß der Gegensatz zwischen Paulus und den anderen erst da so deutlich hervortrete, wo Paulus sich in die Enge getrieben fühle und sich verteidigen müsse. Diese These berücksichtigt aber die grundlegenden Unterschiede zwischen beiden Apostelauffassungen nicht genügend.

<152> Man kann vermuten, daß deren Namen möglicherweise im Zusammenhang mit der Verbindung der beiden Kollektenschreiben in Kap 8 und 9 getilgt wurden.

bereits, daß die Wendung eine offizielle und titulare Bedeutung hat <153>. Sie ist bezogen auf eine bestimmte Funktion, die offenbar aufgrund eines Wahlaktes übertragen wurde <154>. Der Genitiv ἐκκλησιῶν zeigt, daß es sich um offizielle Gemeindebeauftragte handelt. Paulus hat auf diese Wahl keinen Einfluß genommen, wie einerseits aus V.19, andererseits aus der Gegenüberstellung von Titus und den Gemeindebeauftragten in V.23 hervorgeht. Ihr Kollektenauftrag ist eine zeitlich befristete und inhaltlich bestimmte Aufgabe. Daß die Brüder mit δόξα Χριστοῦ bezeichnet werden, kann nicht im Sinne einer Beauftragung durch Christus verstanden werden <155>, sondern im Sinne von 3,18 (als Beauftragte der Gemeinde spiegeln sie die Herrlichkeit Christi wider) als Ehrenbezeichnung und im Sinne von 8,9 als Übereinstimmung ihres Kollektenauftrages mit der Christusbotschaft. Von diesem Verständnis her kann ihr Auftrag als eine χάρις bezeichnet werden πρὸς τὴν αὐτοῦ τοῦ κυρίου δόξαν (8,19).

In **Phil 2,19ff** geht Paulus auf Timotheus (2,19-24) und Epaphroditus (2,25-30) ein, die er nach Philippi senden will. Epaphroditus hat Paulus eine Unterstützung der Gemeinde in Philippi überbracht, deren Empfang der Apostel in 4,18 bestätigt. Die Wendung λειτουργὸς τῆς χρείας μου in 2,25 bezieht sich auf diesen Sachverhalt <156>. Epaphroditus wird auch ὑμῶν ἀπόστολος genannt, also ἀπόστολος der Gemeinde in Philippi. In gleicher Weise wie in 2Kor 8,23 handelt es sich um einen Beauftragten der Gemeinde. Nun war Epaphroditus sicher dazu gesandt, dem Apostel die Gabe der Gemeinde zu überbringen. Es gibt aber Hinweise darauf, daß sich ὑμῶν δὲ ἀπόστολος nicht in erster Linie auf diese Funktion bezieht oder sich gar darauf beschränkt. Sie wäre ja bereits durch die Wendung λειτουργὸς τῆς χρείας μου abgedeckt. Epaphroditus wird in V.25a ἀδελφός, συνεργός und συστρατιώτης genannt. Wie συνεργός ist dabei συστρατιώτης ein Ausdruck für den Mitarbeiter in der Mission <157>. Auch die Aussage in V.30 διὰ τὸ ἔργον Χριστοῦ μέχρι θανάτου ἤγγισεν weist auf eine Missionstätigkeit des Epaphroditus hin. Und schließlich zeigt V.30b ἵνα ἀναπληρώσῃ τὸ ὑμῶν ὑστέρημα τῆς πρός με λειτουργίας in diese Richtung: bei dem Mangel handelt es sich ja nicht um eine Bedürftigkeit des Paulus, sondern um einen Mangel der Gemeinde. Epaphroditus ist auch nicht als persönlicher Gehilfe des Paulus geschickt worden <158>. Das direkte Nebeneinander von συνεργὸν καὶ συστρατιώτην μου, ὑμῶν δὲ ἀπόστολον zeigt vielmehr, daß er als Gesandter <159>

<155> Anders *KERTELGE*, Amt, S.163, Anm.10
<154> Vgl ähnlich 1Kor 16,3. χειροτενεῖν bezeichnet die Wahl durch die Gemeinde, ohne daß dabei auf eine bestimmte Art des Wahlvorganges geschlossen werden kann (vgl *OLLROG*, Paulus, S.80). In Apg 14,23 wird das Verb nicht im Sinne einer Gemeindewahl benutzt, sondern von der Erwählung durch Paulus und Barnabas.
<155> Vgl *GEORGI*, Kollekte, S.55.
<156> Zu λειτουργός oben, S.213. In Phil 2,25 ist zu beachten, daß Paulus die Gabe der Philipper nicht als einen an ihm geleisteten Dienst sieht, sondern letztlich als einen Dienst am Evangelium (4,10ff).
<157> Vgl *OLLROG*, Paulus, S.77. ἀδελφός ist demgegenüber die umfassende Bezeichnung, freilich in einem ebenfalls gefüllten Sinn: "Wen Paulus als Bruder bezeichnet, dem weiß er sich in Christus verbunden und den kann er darum auf seine Verantwortung auf Gott verpflichten" (*OLLROG*, ebd, S.78).
<158> So *LOHMEYER*, Phil, S.119
<159> *OLLROG*, Paulus, S.98f macht zu Recht auf die Parallele zu 1Kor 16,17 aufmerksam. In beiden Fällen gleichen die Beauftragten einen Mangel der Gemeinde aus. Auch die Mahnung, solche Leute in Ehren zu halten, findet sich hier und dort. In Phil kann man möglicherweise der Formulierung entnehmen, daß Epaphroditus nicht der Einzige war, den man mit einer solchen Aufgabe betraute.

der Gemeinde und in ihrem Auftrag mit Paulus Missionsarbeit leistet und so das auffüllt, was der Gemeinde noch fehlt.

In beiden Fällen wird ἀπόστολος also mit einer bestimmten Funktion verbunden, zu der eine Gemeinde Mitglieder auswählt und sendet. Daß die Funktionen in 2Kor 8,23 und Phil 2,25 unterschiedlich sind, zeigt an, daß der Titel in dieser Verwendung nicht auf eine bestimmte Aufgabe eingegrenzt war. Konstitutiv ist dagegen, daß zu dem Titel eine im Genitiv stehende Gemeinde als sendende und autorisierende Instanz gehört. Indem Epaphroditus den Mangel der Gemeinde auffüllt (Phil 2,30), wird deutlich, daß er an Stelle der Gemeinde handelt (vgl auch 1Kor 16,17). Wenn auch die Gemeindegesandten <160> Missionsaufgaben übernehmen können, so liegt der Unterschied zum einen in der Begrenztheit ihrer Aufgaben, zum anderen in der Beauftragung durch eine Gemeinde. Wenn dabei in 2Kor 8,23 die Brüder als δόξα Χριστοῦ bezeichnet werden, so zeigt dies wohl an, daß ihr Auftrag ein Auftrag der Gemeinde Christi ist und letztlich der Ehre des Herrn dient. Paulus führt dagegen seine und der Urapostel Beauftragung auf die Begegnung mit dem Auferstandenen selbst zurück. Dies impliziert die dauernde und umfassende Sendung zu den Menschen. Ihr Auftrag weist sie aus als ἀπόστολοι Χριστοῦ.

Es ist nun noch einmal auf ὡς Χριστοῦ ἀπόστολοι 1Thess 2,7 einzugehen <161>. Daß die Wendung dort im Plural steht, läßt die Möglichkeit offen, daß Paulus auch Silvanus und Timotheus mit in den Titel einschließt. Nun haben sich aber aus dem Text einige Hinweise ergeben, die die Beziehung allein auf Paulus wahrscheinlich machen. Im vorliegenden Zusammenhang zeigt sich, daß Paulus an den Stellen, an denen er mit dem Begriff ἀπόστολος Gemeindegesandte meint, die sendende Gemeinde jeweils auch terminologisch mit ins Spiel bringt. Die Wendung Χριστοῦ ἀπόστολοι ist dagegen im Sinne der Beauftragung durch den Auferstandenen verwendet. In 1Thess 2,1ff beschreibt Paulus seine Mission auf dem Hintergrund der Wirksamkeit anderer Verkündiger, die dem Anspruch eines Apostels Christi gerade nicht gerecht werden. So ist nun in der Tat davon auszugehen, daß ὡς Χριστοῦ ἀπόστολοι im Sinn des Christusapostolats gemeint ist und sich auf Paulus selbst bezieht. Deutlich ist aber auch, daß Paulus diese Wendung offenbar nicht nach allen Seiten hin absichert, da hierzu in der Gemeinde kein Grund vorhanden ist. In 2Kor 10ff kann man sich eine so offene und verschieden ausdeutbare Formulierung kaum vorstellen. Daß aber Paulus verschiedene Interpretationen des Apostelbegriffs kennt und verwendet, zeigt sich gerade in 2Kor 8,23 und Phil 2,19ff.

Paulus kennt verschiedene Interpretationen des Apostel-Titels. Von dem charismatischen Apostolat und dessen Legitimierungsdrang grenzt er sich scharf ab, weil diesem die Beauftragung durch den Auferstandenen fehlt und weil seine Erscheinungsform nicht mit der Christusbotschaft in Einklang steht. Die Verwendung von ἀπόστολος im Sinne des Gemeindegesandten erkennt Paulus dagegen ausdrücklich an. Ganz offensichtlich hat es zur Zeit des Paulus verschiedene Apostelauffassungen nebeneinander gegeben, die sich in Begründung und Erscheinungsformen deutlich unterschieden. Aus Gal 1,15ff und 1Kor 15,7 geht weiter hervor, daß Paulus den Christusapostolat selbst bereits vorfindet und für die Jerusalemer Apostel anerkennt. Er ist also nicht selbst der Schöpfer des Aposteltitels. Damit ist die Frage nach der Herkunft des Titels gestellt.

<160> Es empfiehlt sich nicht, als Bezeichnung für sie ebenfalls das Wort Apostel zu benutzen. Die könnte zu einer unzulässigen Nivellierung führen.
<161> Vgl oben S.197.

6.1.5) Die Herkunft des Aposteltitels

Diese Fragestellung berührt die hier verfolgte Thematik des Übergangs von Paulus zu seinen Schülern nicht unmittelbar. Sie ist jedoch für das Apostelverständnis des Paulus selbst von Bedeutung und indirekt auch für die weitere Entwicklung. Sie wird deshalb hier zumindest als Exkurs dargestellt.

1) Daß der Titel ἀπόστολος bis in die früheste palästinische Gemeinde zurückreicht, geht aus der Tatsache hervor, daß Paulus sowohl in 1Kor 15,7 als auch in Gal 1,17 für einen führenden Kreis von Männern in Jerusalem diesen Titel benutzt, und zwar in deutlicher zeitlicher Vorrangstellung vor sich selbst. Nach 1Kor 15 deutet der Begriff auf die Auferstehungszeugen hin. Diese Nähe zur ältesten palästinischen Gemeinde <162> rechtfertigt die Rückfrage nach der jüdischen Tradition <163>.
RENGSTORF <164> hat seinerzeit auf die Nähe des ἀπόστολος zur jüdischen Schaliach-Vorstellung hingewiesen und den christlichen Titel von dort abgeleitet. Eine direkte Verbindung ist aber schon dadurch verwehrt, daß das sogenannte שָׁלִיחַ - Institut seine spezifische Ausprägung erst nach 70 n.Chr. gefunden hat <165>. Es ist allerdings zu erkennen, daß dieses Institut selbst eine lange Vorgeschichte hat, die freilich gerade nicht im institutionalisierten Sinn faßbar ist <166>, sondern verschiedene Belege für einen offensichtlich verbreiteten Rechtsbrauch liefert.
Nach Ber 5,5 ist der Abgesandte eines Menschen wie dieser selbst <167>. Es handelt sich dabei um einen Rechtsgrundsatz, der sich auf die formale Struktur einer Bevollmächtigung bezieht. Ein solcher Grundsatz stand bereits in at.licher Geltung (1Sam 25,40f; 2Sam 10,1ff). Er konnte bezogen sein auf öffentliche und privatrechtliche Angelegenheiten <168>. Ber 5,5 ist somit als Bestätigung eines älteren Rechtsbrauches anzusehen. In diesem Sinn bezeichnet שָׁלִיחַ in der rabbinischen Literatur den Beauftragten und Bevollmächtigten, wobei die Vollmacht zeitlich und inhaltlich begrenzt ist. Sie bezieht sich in der Regel auf die Erfüllung praktischer Aufgaben.

<162> Die These von SCHMITHALS (Apostelamt, S.185ff), den Titel aus der gnostischen Konzeption des himmlischen Gesandten herzuleiten, hat sich nicht durchsetzen können. Grundgedanken des paulinischen Apostolates lassen sich aus der Gnosis nicht erklären: die Sendung zur Völkermission (vgl SCHWEIZER, Rezension zu SCHMITHALS, Apostelamt, Sp.837ff) und der eschatologische Aspekt der Mission (GEORGI, Gegner, S.42). Wenn man von der Identität von gnostischem und apostolischem Selbstverständnis ausgeht, ließe sich ein besonderer apostolischer Anspruch nicht entwickeln (GEORGI, ebd; KLEIN, Apostel, S.63, Anm 273) und es wäre nicht verständlich, warum die Gegner zwar den paulinischen Apostelanspruch, nicht aber sein christliches Selbstverständnis überhaupt zum Streitgegenstand machten.

<163> Den Begriff aus hellenistischer Tradition herzuleiten, ist verwehrt durch die spezifische Bedeutung von ἀπόστολος im Griechischen. Das Wort bezeichnet die Aussendung einer Flottenexpedition (vgl RENGSTORF, Artikel ἀποστέλλω, S.460f). ἀπόστολος als Gesandter kommt lediglich bei Herodot I 21; V,38 vor und dort fehlt das Element der Vollmacht. Verschiedentlich wurde die Entstehung des Aposteltitels in Antiochien vertreten (vgl MOSBECH, Apostolos, S.188; LOHSE, Ursprung, S.267 uö.) und mit der Aussendung von Barnabas und Paulus in Apg 13,1ff verbunden (vgl MERKLEIN, Amt, S.291). Für das Apostelverständnis des Paulus selbst hat diese Begebenheit aber keinerlei begründende Funktion (allerdings scheint sich in antiochenischer Zeit das Verständnis des Paulus für die Mitarbeiter in der Mission zu prägen, vgl OLLROG, Paulus, S.43). Der von Paulus ohne Zweifel anerkannte Apostolat der Jerusalemer Autoritäten legt es dagegen nahe, auch an Jerusalem als Ursprungsort des Gebrauchs von ἀπόστολος für den urchristlichen Missionar zu denken. KIRK, Apostleship, S.259 sieht die Wurzel des Begriffs in der ersten Mission der Zwölf.

<164> Artikel ἀποστέλλω, S.406.413ff ; LOHSE, Ursprung, S.200, Anm 7. RENGSTORF sieht als zentralen Inhalt des Apostolates das Moment der Bevollmächtigung und Autorisation. Zur Entfaltung der שָׁלִיחַ - Vorstellung vgl ebd., S.415ff und die Zusammenfassung bei ROLOFF, Apostolat, S.10ff. Gegen die Herleitung aus der Schaliach-Vorstellung sprechen sich besonders SCHMITHALS, Apostelamt, S.87-89 und KLEIN, Apostel, S.26ff aus.

<165> Vgl die Zusammenfassung bei ROLOFF, ebd, S.12. HAHN, Apostolat, S.62; SCHMITHALS, ebd, S.87ff

<166> So HAHN, ebd, S.63

<167> Weitere Angaben bei STR-BILL, III, S.2ff

<168> RENGSTORF, ebd, S.414ff

In Joh 13,16 liegt in der Form eines Rechtssatzes eine vergleichbare Aussage vor, und Mt 10,40; Lk 10,16; Joh 13,20 bringen in anderer Terminologie den gleichen Sachverhalt zum Ausdruck. Paulus benutzt im Rahmen des Gedankens der διακονία die Wendung ὑπὲρ Χριστοῦ οὖν πρεσβεύομεν (2Kor 5,20), die ebenfalls den Stellvertretungsgedanken aufgreift. Der Rechtsbrauch der stellvertretenden Bevollmächtigung findet also verschiedentlich auch im NT seinen Niederschlag. Eine feste Terminologie hierfür ist allerdings nicht festzustellen. Immerhin findet sich aber in 3Kön 14,6 LXX das Partizip שָׁלוּחַ im Sinne der Bevollmächtigung und die Übersetzung dieser Stelle in LXX (ἐγώ εἰμι ἀπόστολος πρός σε σκληρός) <169> zeigt, daß sich hier eine terminologische Entwicklung anbahnt, die in der rabbinischen Literatur hinführt zur festen nominalen und partizipialen Verwendung von שׁלוּח als Bezeichnung und Funktionsbeschreibung, während sich in der ersten christlichen Gemeinde der Begriff ἀπόστολος für die stellvertretende Bevollmächtigung durchsetzt. Man wird also von einer gleichzeitigen Entwicklung auszugehen haben, die auf demselben jüdischen Rechtsbrauch fußt <170>. Aus dieser analogen Entwicklung von שָׁלִיחַ und ἀπόστολος ergeben sich Parallelen zum Apostelverständnis, wie es bei Paulus faßbar ist. In beiden Fällen begegnet eine Delegation zur Erfüllung bestimmter und begrenzter Aufgaben und eine Bevollmächtigung durch eine beauftragende Instanz. Diese Übereinstimmungen belegt die Parallelität des jüdischen Rechtsbrauchs und der Gemeindegesandten im Sinne von 2Kor 8,23 und Phil 2,25 <171>. Das Verständnis dieser Gesandten und das spätere Schaliach-Institut gehen auf denselben jüdischen Rechtsbrauch zurück. Diese Parallelität macht allerdings den Christusapostolat mit seinen Merkmalen der dauernden und umfassenden Beauftragung des Apostels, dem Missionsauftrag und der Sendung durch den Auferstandenen noch nicht hinreichend verständlich.
2) Das paulinische Selbstverständnis als Apostel weist eine Reihe von Berührungspunkten mit den at.lichen Propheten auf (vgl Gal 1,15ff). Zwar werden im AT Propheten und Missionare nicht als Schaliach bezeichnet, aber das Verb שׁלח begegnet in den Berufungserzählungen öfters (Jes 6,8; Jer 1,7; Hes 2,3; vgl auch Jer 7,25) <172>. In Ex 3,10ff wird das Verb mehrfach bei der Berufung des Mose verwendet. Die Sendungen gehen von Gott aus und die Beauftragung ist eine dauernde <173>. Diese Verwendung von שׁלח ist für den Vergleich mit Paulus aufschlußreich. In Gal 1,15f greift der Apostel zur Beschreibung seines Auftrags auf at.liche Berufungserzählungen zurück. Wie in Gal 1,1 führt er seine Berufung auf Gott selbst zurück. Ohne daß in 1,15 der Aposteltitel begegnet, wird doch dieser Anspruch verhandelt. Die Begegnung mit dem Auferstandenen (V.16.12) und die Beauftragung (V.16b) sind für sein Apostelverständnis konstitutiv und gerade sie werden mit Hilfe der Prophetenberufung beschrieben. Die Christusbegegnung und die Beauftragung entsprechen der Theophanie und der Sendung der Propheten. Diese Sendung wird im AT aber an wesentlichen Stellen durch שׁלח beschrieben <174>, wobei in der Sendung die Beauftragung durch Gott und darin die Vollmacht des Propheten zum Ausdruck kommt <175>.
Die prophetische Tradition ist in einer weiteren Hinsicht für das Verständnis des paulinischen Apostolats von Bedeutung. In Jes 61,1 findet sich ein enger Zusammenhang der Sendung des Propheten mit der Verkündigung froher Botschaft, wobei LXX

<169> Der Abschnitt 3Kön 14,1-20 LXX wird in der Regel nach dem Codex Alexandrinus gelesen (5.Jahrhundert), da er im Vaticanus fehlt. Vgl ausführlich hierzu RENGSTORF, ebd, S.413.
<170> Vgl HAHN, ebd, S.63. MOSBECH, Apostolos, S.168 sieht die Tatsache, daß die christlichen Missionare genannt wurden, verursacht durch "a more accidental circumstance". Ein Zufall wird der gemeinsamen Geschichte, die beide Begriffe haben, jedoch nicht gerecht.
<171> Die Beziehung der Schaliach-Vorstellung zu den Gemeindedelegierten ist oft festgestellt worden, vgl RENGSTORF, ebd, S.422; CAMPENHAUSEN, Apostelbegriff, S.102; ROLOFF, ebd, S.373; SCHNACKENBURG, Apostel, S.347; OLLROG, Paulus, S.81 (anders KLEIN, Apostel, S.55f).
<172> Vgl weiter 2Kön 2,4; 4,6; Jer 26,2.15; Sach 2,11; 4,9.
<173> Vgl hierzu ausführlich GERHARDSSON, Boten, S.110f
<174> Dieser verbale Sprachgebrauch wirkt sich ins NT hinein aus (ἀποστέλλειν, πέμπειν, vgl Mt 23,34f; Lk 11,49; 4,26; Mk 12,2ff; vgl auch Mk 1,2; Mt 11,10, wo im Blick auf die Beauftragung des Täufers auf Mal 3,1 zurückgegriffen wird; Joh 1,6.33; 3,28). Zur Berufung der Propheten vgl v.RAD, Theologie II, S.65. Sie war in der Regel mit einer Vision verbunden und der Empfang der Offenbarung hat die Propheten bis ins Leibliche hinein erschüttert (S.67f, vgl insgesamt S.61ff).
<175> Die Verwendung des Verbs und die spätere titulare Verwendung von שׁלח stimmen darin überein, daß der Gesandte anstelle des Sendenden und in seiner Vollmacht handelt. Hierin liegt die gemeinsame Wurzel der prophetischen Sendung und der Aufgabe des Schaliach.

קָרָא mit εὐαγγελίζεσθαι wiedergibt <176>. Zu Jes 52,7 besteht ein enger Überlieferungszusammenhang. Die Sendung des Propheten geschieht unmittelbar zur Verkündigung <177>. Diese Stelle wirkt in verschiedener Weise im NT nach. Lk zitiert im Zusammenhang mit Jesu erster Predigt den Prophetentext (Lk 4,16ff). Christologisch ist er auch in Mt 11,5 par verwendet, in Lk 6,20a ist darauf angespielt. Daneben ergibt sich auch ein Bezug zum Apostolat. In Röm 10,14f mündet die Fragenkette ein in πῶς δὲ κηρύξωσιν ἐὰν μὴ ἀποσταλῶσιν, und dies wird mit einem Zitat aus Jes 52,7 bestätigt. Auch die Zusammengehörigkeit von Sendung und Verkündigung in Gal 1,15 kann mit dieser Tradition in Verbindung gebracht werden.

Das prophetische Selbstverständnis stimmt noch in einer dritten Hinsicht mit dem paulinischen Apostolat überein. "Prophet sein war ein Zustand, der auch in die äußeren Lebensverhältnisse eingriff ... nicht nur der Mund, sondern das Leben dieser Menschen" war "von einem besonderen Dienst in Anspruch genommen" <178>. Die Ehe des Hosea ist als Zeichenhandlung Teil seiner Verkündigung <179>. In Jer 19,1-20,6 vergleicht der Prophet das Ergehen von Stadt und Volk mit einer Flasche, die er zerschmettert. Für diese Zeichenhandlung wird er geschlagen und in den Stock gelegt. Kapitel 37-45 gehen ausführlich auf die Lebensumstände des Propheten ein <180>. Im Ergehen des Volkes vollzieht sich ein göttliches Wollen, das von Trauer geprägt und in das der Prophet auf einzigartige Weise mit hineingezogen ist (45,3-5). Die Auseinandersetzung mit anderen Propheten (23,9ff; 28) gehört zu den schwersten Erfahrungen Jeremias. Auch bei Hesekiel sind Botschaft und Leben auf das Engste verbunden (Ez 21,11; 12,6; 4,4-8). Nach 13,5 ist es seine Aufgabe, "sich an vorderster Stelle Jahwe auszusetzen, um mit seinem Leben das Volk zu decken" <181>. Die Propheten sind mit ihrer eigenen Existenz in ihre Botschaft hinein verwoben. In gleicher Weise sieht Paulus sein persönliches Ergehen in Verbindung mit seiner Botschaft. Zwar nimmt er in den Peristasenkatalogen die Form kynischer Kataloge auf. Sie dienen ihm aber nicht lediglich als dunkler Hintergrund, sondern die Nöte und Gefahren sind Bestandteil seiner apostolischen Existenz. Daß er sich dem Wort und Anruf Gottes ganz aussetzt und dafür auch leidet, stellt ihn an die Seite der Propheten.

3) Seine Berufung und Sendung zur Verkündigung des Evangeliums, ihren zeitlich nicht begrenzten Auftrag <182> und die Verknüpfung von Botschaft und persönlichem Geschick beschreibt Paulus in Analogie zur prophetischen Tradition. In dem Verb שׁלח liegt die gemeinsame terminologische Wurzel der prophetischen Sendung und der späteren Aussendung eines Schaliach. Von der dazu gehörenden Vorstellung einer bevollmächtigten Stellvertretung her hat das griechische Wort ἀπόστολος im Urchristentum seine Bedeutung erlangt. Schon in vorpaulinischer Zeit waren die ἀπόστολοι bevollmächtigte Stellvertreter Christi. Vollmacht und Auftrag wurden ihnen in der Begegnung mit dem Auferstandenen übertragen <183>. Das Wesen von ἀπόστολος als bevollmächtigtem Vertreter machte das Wort aber auch für die zu bestimmten Aufgaben ausgewählten Gemeindevertreter geeignet, und die Verwendung

----

<176> Vgl hierzu HAHN, Apostolat, S.70ff und besonders STUHLMACHER, Evangelium I, S.122. Zur Interpretation von Jes 61,1 und 52,7 vgl STUHLMACHER, ebd, S.114ff.117ff.

<177> Vgl zum Zusammenhang beider Stellen WESTERMANN, Jes, S.291f. HAHN, ebd, weist auf Lk 1,19 hin, wo ebenfalls eine Sendung von Gott zur Ausrichtung einer frohen Botschaft vorliegt. Es handelt sich um eine vorchristliche Täuferüberlieferung (vgl DIBELIUS, Jungfrauensohn, S.3-9), so daß sich die Verbindung von göttlicher Sendung und der Verkündigung von Frohbotschaft auch in einem unmittelbar vorchristlichen Text nachweisen läßt.

<178> vRAD, Theologie II, S.65.

<179> Vgl ebd, S.147f.

<180> Dieser Abschnitt wird "weithin als Leidensgeschichte Jeremias bezeichnet und seinem vermeintlichen Sekretär und Schüler Baruch b.Neria zugeschrieben" (KAISER, Einleitung, S.186). Beziehen sich diese Kapitel auf das äußere Ergehen des Propheten, so legen die sogenannten Konfessionen Jeremias (vgl vRAD, ebd, S.209ff) Zeugnis ab von seinen inneren Anfechtungen.

<181> vRAD, ebd, S.243

<182> vRAD, ebd, S.65

<183> Das ὤφθη 1Kor 15,5ff hat den Charakter der Epiphanie. Charakteristisch ist, daß die Erscheinung den Betroffenen zum Zeugen macht und in die Verkündigung treibt. BROCKHAUS, Charisma, S.112-123, versucht, einen "geschlossenen Erscheinungsapostolat" und einen "offenen Sendungsapostolat" herauszuarbeiten (vgl S.116), die unabhängig voneinander entstanden seien. Aber auch der Erscheinungsapostolat ist faktisch ein Sendungsapostolat. Außerdem rückt BROCKHAUS die Gemeindegesandten und die charismatischen Apostel in zu große Nähe (S.115) und betont die Sendung des Paulus durch Antiochien zu stark (S.122). Bei Paulus selbst findet sich kein Hinweis auf diese Sendung und sie ist auch kein Argument seiner Gegner.

des Begriffes ist ebenfalls schon für die vorpaulinische Zeit anzunehmen <184>. Gemeindedelegation und Christusapostolat kommen also vom gleichen Gedanken der stellvertretenden Vollmacht her <185>. Der primäre Gebrauch des Begriffs ist aber im Zusammenhang mit der Erscheinung des Auferstandenen zu suchen. Sie ist das Urerlebnis der Auferstehungszeugen und die Vollmacht und Beauftragung, die sie darin erfahren haben, wurde bald darauf mit dem Wort ἀπόστολος zum Ausdruck gebracht <186>.

Paulus nimmt den Begriff in beiderlei Verwendung auf, benutzt ihn für die Gemeindedelegation aber nur am Rande und legt von Anfang an das Hauptgewicht auf den Christusapostolat. Sein eigenes Verständnis formt er dabei aus in Analogie zum prophetischen Selbstverständnis. Damit tritt zu der Christuserscheinung und der darin begründeten Beauftragung und Bevollmächtigung nun die Berufung von Mutterleib an, die Sendung zur Verkündigung bei den Heiden und der Zusammenhang von Botschaft und eigenem Ergehen hinzu.

4) Paulus setzt sich mit einer weiteren Konzeption von ἀπόστολος auseinander, dem charismatischen Apostelverständnis. Die Charismatiker können sich nicht auf eine Begegnung mit dem Auferstandenen berufen. Paulus läßt dieses Argument in der Auseinandersetzung aber unberücksichtigt, denn dies gilt ja ebenso für die Gemeindegesandten, denen er den Titel durchaus zugesteht. Was er den Charismatikern allerdings bestreitet, ist ihre Bevollmächtigung durch Christus (vgl 2Kor 11,23f). Der Peristasenkatalog macht den Unterschied deutlich: würden sie in der Vollmacht Christi handeln, so könnten sie nicht ihr eigenes Renommée suchen und bräuchten sich dies erst recht nicht durch Gemeindebriefe bestätigen zu lassen. Nun weist freilich der charismatische Apostolat Verwandtschaft auf sowohl zu dem Christusapostolat, als auch zu der Gemeindedelegation. Ohne eine Christusbegegnung behaupten die Gegner dennoch διάκονοι und ἀπόστολοι Χριστοῦ zu sein (2Kor 11,13.23). Diesen Anspruch sollen ihre Krafttaten untermauern (2Kor 12,12). Möglicherweise steht auch die Designation durch einen Propheten im Hintergrund (vgl δι' ἀνθρώπου Gal 1,1) <187>. Wie der Christusapostolat und die Gemeindedelegation geht also auch diese Konzeption vom grundlegenden Gedanken der Vertretung und Bevollmächtigung aus. Da die Begegnung mit dem Auferstandenen aber bereits für einen begrenzten Kreis von Aposteln festliegt, ersetzen sie diese Begegnung durch charismatische Erlebnisse und Fähigkeiten oder durch prophetische Beauftragung. So dienen die erwähnten Beglaubigungsschreiben weniger in direkter Weise der Legitimation durch die Gemeinde, sondern indirekt dadurch, daß sie die Krafttaten der Apostel beglaubigen. Immerhin ergibt sich dadurch aber eine gewisse Nähe zur Gemeindedelegation. Das charismatische Apostelverständnis erweist sich somit als vom Christusapostolat und von der Gemeindedelegation gemeinsam beeinflußt und ist als sekundäre Entwicklung anzusehen <188>, während das vorpaulinische Verständnis des Christusapostolats und das Verständnis vom Apostel als Gemeindegesandten sich offenbar nebeneinander aus dem gleichen Gedanken der bevollmächtigten Stellvertretung heraus entwickelt haben.

6.1.6) Zusammenfassung: Die Grundlinien des Apostelverständnisses bei Paulus

1) Der Gedanke der stellvertretenden Vollmacht ist in vielen Nuancen faßbar. Paulus ist als διάκονος Χριστοῦ Bote an Christi statt und sein Dienst ist die διακονία τῆς

<184> KASTING, Anfänge, S.76 macht zu Recht darauf aufmerksam, daß das Phänomen der Berufung und Sendung durch den Auferstandenen älter ist als der christliche Titel und es ist nicht so "als ob 'den Aposteln' durch den erscheinenden Herrn ein Titel verliehen worden wäre". Der Gedanke der Stellvertretung muß aber schon sehr früh gerade den Begriff ἀπόστολος dazu geeignet gemacht haben, mit ihm die besondere Beziehung der Apostel zum auferstandenen Herrn aufzuzeigen.

<185> OLLROG, Paulus, S.83 sieht in der Gemeindedelegation dagegen eine ganz andere Form der Beauftragung, da sie von einer Gemeinde ausgeht.

<186> Vgl hierzu HAHN, Apostolat, S.74; OLLROG, ebd, S.82. Anders SCHILLE, Kollegialmission, S.17. Er nimmt an, "daß ein ursprünglich für alle möglichen Auftragsformen und -gehalte gebräuchlicher Funktionsbegriff allmählich auf die Verkündigungsarbeit beschränkt wurde und in einem etwas späteren Stadium der Begriffsgeschichte zum Titel aufstieg". Die Tatsache, daß die titulare Verwendung aber schon in die früheste Gemeinde weist, widerlegt diese These.

<187> Vgl HAHN, ebd, S.59.74.

<188> HAHN, ebd, S.74: Formal geurteilt liegt hier "das Resultat einer Ablösung von der Christophanie und einer gleichzeitigen Kombination mit der Sendung durch die Gemeinde" vor.

καταλλαγῆς (2Kor 5,18-21). In die gleiche Richtung weist der Ausdruck λειτουργὸς Χριστοῦ εἰς τὰ ἔθνη (Röm 15,16). Seine Vollmacht liegt nicht in seiner eigenen Person, sondern kommt ihm von dem her zu, den er verkündigt. Die Vergleiche des Baumeisters (1Kor 3,5ff) oder des Vaters für die Glaubenden (1Kor 4,14ff uö.) sind nur von der Christusbeauftragung her zu verstehen. So wie er sich an Christus orientiert, soll die Gemeinde sich an ihm orientieren. Auch wenn die Stellvertretung an diesen Stellen nicht immer terminologisch faßbar ist, so ist sie als Grundgedanke doch unzweifelhaft. An der Stelle Christi kommt der Apostel auf die Gemeinde zu und auch in dessen Vollmacht, nicht in seiner eigenen.

Strukturell liegt der gleiche Gedanke auch bei den Gemeindegesandten vor. Auch sie handeln nicht in eigenem Auftrag, sondern sind von einer Gemeinde gewählt und mit einer bestimmten Aufgabe betraut. In ihrem Auftrag sind sie Missionsgenossen des Paulus oder übernehmen anderen Aufgaben (vgl Phil 2,25; 2Kor 8,23). Die Wendung δόξα Χριστοῦ in 2Kor 8,23 zeigt, daß auch ihre Tätigkeit letztlich der Ehre Christi dient. Eine Beauftragung durch Christus liegt bei ihnen allerdings nicht vor und im Gegensatz zur Tätigkeit des Paulus ist ihre Aufgabe zeitlich und inhaltlich begrenzt.

2) Die Begegnung des Paulus mit dem Auferstandenen ist als Urerfahrung für seinen Apostolat unaufgebbar (1Kor 15,5ff; Gal 1,15ff). Daß hinter Christus Gott selbst steht, der ihn von den Toten auferweckt hat, macht besonders Gal 1,1 deutlich. Gal 1,15 stellt heraus, daß Gott es ist, der Paulus von Mutterleib an ausersehen hat, der ihn berufen hat und ihm seinen Sohn offenbarte. Paulus ist Apostel Jesu Christi διὰ θελήματος θεοῦ (1.Kor 1,1; 2Kor 1,1). κλητὸς ἀπόστολος (Röm 1,1) drückt denselben Sachverhalt aus. Der Apostel vertritt Christus. Dazu ist er berufen und mit Vollmacht ausgestattet. Die ἀποστολή ist die ihm gewährte χάρις (Röm 1,5). Dieselbe Begründung setzt Paulus auch für die voraus, die bereits vor ihm Apostel waren und denen er diesen Titel zugesteht (Gal 1,17; 1Kor 15,5ff). Wie Gal 2,7 zeigt, liegt bei ihnen und bei Paulus derselbe Auftrag vor, der sich lediglich durch die Adressaten unterscheidet.

3) Auch bei der Sendung gibt es zwischen dem Christusapostolat des Paulus und den Gemeindegesandten eine strukturelle Nähe. Beide sind mit einer Aufgabe beauftragt und werden dazu ausgesandt. Die Aufgaben der Gemeindegesandten sind dabei nicht prinzipiell unterschieden von denen des Paulus. Auch sie sind zum Teil Mitarbeiter in der Mission. Aber ihr Auftrag ist inhaltlich begrenzt und zeitlich befristet. Der Auftrag des Paulus dagegen ist inhaltlich und zeitlich umfassend. Er ist dazu gesandt, den Heiden das Evangelium zu verkündigen (Gal 1,16; vgl Röm 1,14f). Dies ist seine Sendung bis an die Grenzen der damals bewohnten Welt (vgl Röm 15,22ff und auch 15,7.13). Dieser Auftrag ist für ihn Verpflichtung (1Kor 9,16), die seine ganze Wirksamkeit, sein Leben überhaupt umfaßt.

4) Der Gedanke der Entsprechung von Auftrag und Leben ist einer der zentralen Punkte, an denen Paulus sich mit seinen Gegnern auseinandersetzt. Der Ausdruck ἀπόστολος Χριστοῦ beschreibt für Paulus nicht nur die Vollmacht dessen, der an Christi statt und in seinem Auftrag handelt und spricht. Er ist zugleich auch die inhaltliche Leitlinie für dieses Sprechen und Handeln. Als Apostel des Gekreuzigten liegen Leid und Verfolgung in der Konsequenz des Auftrags selbst. Als Verkündiger des Auferstandenen erfährt er gerade in solcher Schwachheit die δύναμις Χριστοῦ

(2Kor 12,9ff).

Für die ἀπόστολοι ἐκκλησιῶν ist ein solcher Zusammenhang wegen der geringen Textbasis nicht festzustellen. Daß sie aber in 2Kor 8,23 als δόξα Χριστοῦ bezeichnet werden, weist auch für sie die Beziehung zu Christus auf. Wenn man daneben berücksichtigt, was Paulus etwa in 1Thess 2,13-16 zur Analogie des Ergehens der Gemeinde zum Ergehen Christi sagt und wenn man weiter an Begriffe wie συστρατιώτης oder συναιχμάλωτος denkt, wird deutlich, daß die Entsprechung von Auftrag und Wirken letztlich auch für die Gemeindegesandten gilt.

6.2) Das Apostelverständnis im 2.Thessalonicherbrief

Die Aussagen über den Apostolat sind in 2Thess eingeordnet in zwei Themenbereiche: die apokalyptischen Ausführungen in 2,1-12 (vgl den Einschub in 2,5ff) und die ethischen Aussagen in 2,13ff; 3.1ff. Hier kommt der Verfasser wiederholt auf Paulus und die apostolische Tradition zu sprechen. Die Verzahnung von Lehre und Ethik mit dem paulinischen Apostolat ist für den Brief insgesamt kennzeichnend. Die apostolische Paradosis ist die tragende Schicht des Schreibens. Dies ist zugleich die grundlegende Erkenntnis im Blick auf das Apostelverständnis des 2Thess ⟨189⟩.

1) Daß Gott es ist, der zum Glauben ruft, ist für Paulus eine grundlegende Erkenntnis. Die Berufung ist dabei der jeweiligen Verkündigung noch deutlich übergeordnet (vgl Röm 8,29f). Anders als Paulus verbindet 2Thess die Berufung direkt mit dem paulinischen Evangelium (2,14). Gottes Ruf ergeht durch dieses Evangelium und die angemessene Reaktion darauf ist der Glaube an die darin mitgeteilte Wahrheit (V.13). Die Wendung πίστις ἀληθείας bezeichnet im Gegensatz zu dem in 2,10b-12 dargestellten Unglauben den Glauben an die richtige und beständige Lehre, wie Paulus sie bereits bei seiner Anfangsverkündigung in Thessalonich mitgeteilt hat (vgl 2,5). Beides, der Glaube an die Wahrheit und die Berufung durch das paulinische Evangelium, sind hingeordnet zur περιποίησις δόξης. Damit wird das Festhalten am paulinischen Evangelium zur Voraussetzung für das eschatologische Heil ⟨190⟩.

2) Das Festhalten der Überlieferung bedeutet zunächst das Festhalten der apostolischen Lehre. Dies wird in 2,5f deutlich. Die apokalyptische Belehrung des Abschnitts ruft die verbürgte Verkündigung des Apostels bei seiner Anwesenheit in der Gemeinde in Erinnerung. Er hat ihr das Verständnis der Endzeitereignisse vermittelt, damit sie sich jetzt schon entsprechend verhalten und die Zeichen der insgeheim schon wirkenden widergöttlichen Macht erkennen kann. Dieser Bezug der Endereignisse auf die Gegenwart ist aus καὶ νῦν und der ganzen zeitlichen Strukturierung 2,5ff ersichtlich. Zur apostolischen Paradosis gehört neben der Lehre auch das Schicksal und die Lebensführung des Apostels selbst. Dies heben die ethischen Ausführungen des Briefes hervor. Es handelt sich hierbei um mehrere, locker anein-

----

⟨189⟩ Da die in Frage kommenden Stellen bereits im Zusammenhang von Eschatologie und Ethik behandelt worden sind (vgl oben, S.47f.51.158ff), kann hier auf die dort gewonnenen Ergebnisse zurückgegriffen werden.

⟨190⟩ Wie in 2,5f findet sich sowohl in 2,13f als auch in 2,15f eine zeitliche Struktur, derzufolge die Gemeinde in der Gegenwart festhalten muß, was ihr durch die paulinische Überlieferung zugekommen ist, damit sie des Heils in der Zukunft teilhaftig wird.

ander gereihte Abschnitte. Der konkrete Anlaß für die Mahnungen findet sich in 3,6-12, wobei das unverantwortliche Verhalten mit der eschatologischen Schwärmerei in Zusammenhang zu sehen ist. Wesentlich ist, daß alle ethischen Aussagen bezogen sind auf die Person und die Lehre des Paulus. Von 2,15 an zieht sich das Festhalten an der apostolischen Paradosis wie ein roter Faden durch die ethischen Anweisungen hindurch (vgl 3,1f.4.6.7-9.10.12.14f). 2,15 und 3,14 wirken dabei wie eine Klammer, die den Aussagen das Vorzeichen gibt.

3) Im einzelnen ergeben sich folgende Beobachtungen:

- nach 3,8 hat Paulus sich nicht von der Gemeinde versorgen lassen, sondern hat mit eigener Arbeit seinen Lebensunterhalt verdient. Um die Gemeinde nicht zu belasten, hat er Tag und Nacht Arbeit und Last auf sich genommen, obwohl er das Recht auf Versorgung hätte. Er liegt aber nicht nur der Gemeinde nicht auf der Tasche, sondern müht sich umgekehrt ständig für sie (vgl πάντοτε 1,3.11; 2,13) und tritt für sie ein ⟨191⟩.

- Der Hinweis auf den enormen Einsatz des Apostels ist umrahmt von dem Mimesis-Gedanken in V.7.9. Im Gegensatz zu 1Thess 1,6 ist dieser Gedanke imperativisch formuliert und kommt ohne einen Hinweis auf den Herrn aus: es geht also nicht, wie in 1Thess, um ein Handeln, das sich letztlich am Herrn orientiert, sondern es geht um die Orientierung am Beispiel des Apostels. Zugleich ist damit ein inhaltlicher Begründungszusammenhang für die ethische Anweisung gegeben: der Apostel ist τύπος (V.9) für die Ethik ⟨192⟩. Damit bekommt die Ethik einen starken pädagogischen Akzent. Umgekehrt ist eine christologische Begründung der Paränese in 2Thess nicht zu erkennen. Die apostolische Lebensform wird grundlegend für die Ethik des 2Thess.

- Der Apostel sieht sich bösen und verkehrten Menschen gegenüber (3,2), die die Ausbreitung des Evangeliums zu behindern suchen. Die Widrigkeiten, mit denen Paulus sich auseinanderzusetzen hat, zeigen hier, daß der Glaube offenbar nicht jedermanns Sache ist. In diesem kleinen Satz kommt das Unverständnis über die Menschen zum Ausdruck, die das apostolische Evangelium ablehnen. Da dies nicht nur die Lehre, sondern auch die verpflichtende Lebensform des Apostels betrifft, erscheinen sie als ἄτοποι und πονεροί. Dieser resignative Zug dämpft die missionarische Absicht, wie überhaupt das Thema Mission nur ganz am Rande in 3,1 begegnet. Wohl ist Paulus als Verkündiger des Evangeliums und als Gründer der Gemeinde angesprochen. Eine darüber hinausgehende missionarische Absicht ist aber nicht festzustellen. In diesem Zusammenhang ist auch zu erwähnen, daß die im Präskript genannten Mitarbeiter im Brief selbst nicht mehr vorkommen. Sie begegnen nicht als Träger der Mission. So soll zwar das Wort des Herrn laufen und verherrlicht werden (3,1), aber der resignative Ton im Blick auf die Annahme des Evangeliums ist

----

⟨191⟩ κόπος und μόχθος begegnen hier lediglich im Zusammenhang mit dem Unterhalt des Apostels durch die Gemeinde. Paulus verwendet zwar die Worte in gleichem Sinn, darüber hinausgehend aber für die Missionsarbeit überhaupt und bringt damit zum Ausdruck, daß diese Arbeit die gesamte Existenz des Apostels umfaßt (vgl 1Thess 2,9). Dieser umfassende Akzent ist hier nicht zu spüren.

⟨192⟩ Auch dieser Begriff begegnet in 1Thess 1,7. Vorbild sind die Thessalonicher dort aber dadurch, daß sie als μιμηταί das Wort in vielerlei Leid dennoch mit der Freude angenommen haben, die der Geist bewirkt. In 2Thess ist dagegen weder von der χαρά die Rede noch davon, daß die Gemeinde selbst zum τύπος wird.

nicht zu verkennen.

4) Dieses Verständnis des Apostels soll der Gemeinde helfen, sich in ihrer Gegenwart für die Zukunft zu orientieren. Dazu vermittelt die apostolische Tradition die wahre Lehre und das verpflichtende Lebensbeispiel des Paulus. Daß an verschiedenen Stellen auf Wort und Brief des Apostels hingewiesen wird (2,2.15; 3,14), zeigt zum einen, daß die ursprüngliche Verkündigung des Apostels in der Gemeinde und seine briefliche Botschaft übereinstimmen. Zum anderen wird deutlich, daß die Gemeinde sich jetzt, da der Apostel nicht mehr bei ihr ist (vgl 2,5), sich an seine im Brief niedergelegte Botschaft halten soll. Der Brief stellt nun das Bindeglied zwischen Apostel und Gemeinde dar.

6.3) Das Apostelverständnis im Kolosserbrief

In dem paränetischen Abschnitt 4,2-6 steht der Apostel im Zentrum ⟨193⟩. Leiden und Gefangenschaft und die paulinische Botschaft als Offenbarung des Geheimnisses Gottes (vgl 1,26f) sind die herausragenden Züge. Trotz der Gefangenschaft möge Gott eine Tür für das Wort auftun (4,3), und er hat sie schon aufgetan und die Kolosser zur Erkenntnis des Geheimnisses Gottes geführt (2,2). So erklärt sich die Dankbarkeit als ein durchgehendes Motiv des Briefes.

In 4,10.18 ist ebenfalls von der Gefangenschaft die Rede. In 4,10 ist συναιχμάλωτος vermutlich im eigentlichen Sinn verwendet ⟨194⟩. Die knappe Notiz in 4,18 darf nicht überbetont werden, hebt aber doch am Ende des Briefes im Verein mit 4,2-6.10 die Bedeutung der Gefangenschaft hervor. Sogar in der Gefangenschaft bemüht sich der Apostel um die Gemeinde. In seiner Abwesenheit wird in einer ihm selbst unbekannten Gemeinde die apostolische Botschaft laut (1,4.9; 2,1). Dies zeigt seine Verantwortung auch für diese Gemeinde und ihre Bindung an das apostolische Wort.

Im folgenden ist nun auf 1,24-29; 2,1-5 einzugehen. Dort wird das Apostelbild des Kol am deutlichsten erkennbar.

6.3.1) Kolosser 1,24-29

1,24-29 und 2,1-5 gehören zusammen. Sie wirken zunächst wie ein langer Einschub (2,6 schließt an 1,23 an) und fallen durch die 1.Person Singular im Kontext auf, haben aber gerade an dieser Stelle eine wichtige Funktion ⟨195⟩. Ihr Leitgedanke ist der umfassende Auftrag des Apostels für die Kirche (vgl 1,24b) und damit auch konkret für die Gemeinde in Kolossae, die Paulus nicht persönlich kennt (2,1). In den ὑπέρ-, ἵνα- und εἰς-Formulierungen wird dies offenkundig (vgl 1,24b.25. 28.29; 2,1.2.4). Dabei geht es nicht lediglich um Zuständigkeit, sondern um das andauernde und intensive Bemühen des Apostels um die Gemeinde. Diese Beschreibung und Anwendung des apostolischen Auftrages ist ein eigenes Thema, das aber auch konzipiert ist im Blick auf die nachfolgende Auseinandersetzung mit der Irrlehre.

Das Thema Freude in Leid und Verfolgung **V.24** begegnet auch bei Paulus. Er versteht seine Leiden als Bestandteil seiner apostolischen Wirksamkeit (Röm 8,35f;

⟨193⟩ Vgl hierzu oben S.184ff.
⟨194⟩ So *LOHSE*, Kol, S.242; *SCHWEIZER*, Kol, S.177. Daß in Phlm 23 nicht Aristarchus, sondern Epaphras als Mitgefangener bezeichnet wird, kann hier außer Acht bleiben.
⟨195⟩ Dies hat besonders *LÄHNEMANN*, Kolosserbrief, S.44f herausgearbeitet; vgl auch *OLLROG*, Paulus, S.222f.

1Kor 4,9-13; 2Kor 11,23-33; 12,9f; 13,4; Gal 6,17 u.ö.). 2Kor 1,3f macht das Verständnis des Paulus exemplarisch deutlich: Gott selbst ist es, der als Vater des Erbarmens dem Apostel Trost gewährt. Dies führt zum Trost für andere. Das Leiden hilft zum Vertrauen, nicht auf sich selbst, sondern auf Gott, der von den Toten auferweckt, und führt insofern zur Gemeinschaft in Gebet und Dank <196>. Auch das ὑπὲρ ὑμῶν erinnert an Paulus (vgl 1Kor 11,24; Röm 5,8; 8,32). Während es dort aber in Zusammenhang mit Christus-Aussagen begegnet, ist es hier auf die Leiden des Apostels bezogen. Dieser Eindruck verstärkt sich noch, wenn man die Nähe von V.24 zu V.22 berücksichtigt. Rückt hier der Apostel mit seinem Leiden an die Stelle Christi?

Die Stelle wird auf unterschiedlichste Weise gedeutet <197>. Man hat unterschieden zwischen dem die Versöhnung wirkenden Leiden Christi und dem noch mangelnden Leid im Zusammenhang mit der Verkündigung <198> oder umgekehrt das Leiden des Apostels als Leiden Christi verstanden, das er nur nicht mehr selbst auf sich nehmen kann <199>. Man hat die Stelle apokalyptisch gedeutet im Blick auf ein noch zu erfüllendes Maß von Trübsal <200>. Auch kann man das erfahrende Leid als Bestätigung der apostolischen Botschaft auffassen <201>.
Einige Beobachtungen am Text helfen weiter. Während in Phil 3,10; 2Kor 1,5 πάθημα mit Christus verbunden ist, findet sich θλῖψις im NT sonst nirgends in Zusammenhang mit Christi Leiden, sondern ist bezogen auf die Trübsale der Christen (Röm 5,3; 2Kor 1,4.8; Joh 16,33) oder auf die eschatologische Drangsal (Mk 13,19.24; Mt 24,9.21.29) <202>. Der übliche Sprachgebrauch weist also nicht auf die Passion, sondern auf die Leiden der Christen um Christi willen (vgl 2Kor 1,4-7). Dem Abschnitt voran geht der Hymnus und dessen Interpretation V.21-23. Die soteriologische Strophe des Hymnus hebt wie der Zusatz in V.20 und die Interpretation in V.22 die Endgültigkeit und Vollständigkeit des Heils in Christus hervor. Der Mangel (1,24) kann sich deshalb nicht auf eine noch zu erwirkende Heilsnotwendigkeit beziehen. Die Wendungen ἐν τοῖς παθήμασιν ὑπὲρ ὑμῶν und ἐν τῇ σαρκί μου beschreiben offensichtlich das Leiden des Apostels. ἀνταναπληροῦν τὰ ὑστερήματά τινος ist eine feststehende Wendung und meint "jemandes Mangel auffüllen" <203>. Die Vorsilbe ἀντ- hat eine Beziehung zu ὑπέρ (vgl Mk 10,45) und zu dem voranstehenden ὑπὲρ ὑμῶν. Darin kommt die "Zweckgebundenheit" des Abschnitts zum Ausdruck <204>: Paulus ist Apostel für die Kirche und damit konkret für die Gemeinde in Kolossae. Mit dem Genetiv ὑστερήματα τοῦ Χριστοῦ kann deshalb nicht die Person gemeint sein, die Mangel leidet (also Christus). Es handelt sich um die Leiden, die sich auf Christus beziehen (also Leiden um Christi willen).

Der Verfasser des Kol weiß, daß Leiden ein Kennzeichen christlicher Verkündiger und Gemeinden ist (2Kor 1,3f; 4,7-15). Die christliche Gemeinde nimmt um Christi willen Bedrängnisse auf sich. In diesem Sinn gibt es immer wieder einen "Mangel" an Bedrängnissen Christi. Auf den Apostel gewendet heißt dies: indem er in beson-

---

<196> Vgl BULTMANN, 2Kor, S.25ff. SCHWEIZER, Kol, S.82 erinnert in diesem Zusammenhang an die "Doppelschichtigkeit" des Menschen, der selbst in Leid Geborgenheit und Trost erfahren kann.
<197> Vgl hierzu ausführlich KREMER, Leiden.
<198> So BULTMANN, Theologie, S.303; ähnlich PERCY, Probleme, S.132f.
<199> So KREMER, ebd, S.189-191. Ähnlich ERNST, Kol, S.186, der einen Zusammenhang der Leib-Christi-Vorstellung mit der Christusmystik erkennt.
<200> So DIBELIUS-GREEVEN, Kol, S.22f; LOHSE, Kol, S.112ff; OLLROG, Paulus, S.223. Dagegen mit einleuchtenden Argumenten ERNST, Kol, S.184f; KREMER, ebd, S.198f.
<201> So SCHWEIZER, Kol, S.84ff; LINDEMANN, Kol, S.33f.
<202> Eine Zusammenfassung dieser Stellen findet sich bei SCHLIER, Artikel θλίβω, S.142ff.
<203> WILCKENS, Artikel ὕστερος, S.591.
<204> LÄHNEMANN, Kolosserbrief, S.45.

derem Maß Leiden um Christi willen auf sich nimmt, ist er in besonderem Maß Botschafter Christi und leidet insofern auch für die Gemeinde, der ja die Botschaft gilt. Zugleich gewinnt in diesem Leid seine Botschaft Glaubwürdigkeit und in "seinem Fleisch", dem konkreten Lebensalltag, nimmt die Christusbotschaft Gestalt an. Nun weist diese Beschreibung des Apostels allerdings "eine erstaunliche Parallelität zum Wirken Christi" ⟨205⟩ auf, wie ein Vergleich von V.24f mit V.22 deutlich belegt. Der Apostel leidet für die Gemeinde und das Ziel seines Wirkens wird in Analogie zu Christus beschrieben. Die Relation "in meinem Fleisch – für seinen Leib" zeigt dabei die Bedeutung des Apostels für die Kirche insgesamt ⟨206⟩. In V.24 liegt eine deutliche Weiterentwicklung gegenüber den paulinischen Aussagen vor.

Dies trifft auch für den Ausdruck "Diener der Kirche" zu. διάκονος ist für Paulus, besonders in der Auseinandersetzung mit den Gegnern in Korinth, eine wichtige Selbstbezeichnung ⟨207⟩. Diener des Evangeliums (1,23) nennt er sich gleichwohl nicht. Zu dieser Wendung tritt in 1,24f noch die Bezeichnung Diener der Kirche hinzu und gewinnt in dieser Doppelung eine titulare Bedeutung. Als Diener des Evangeliums ist Paulus Diener der Kirche, wobei σῶμα αὐτοῦ über die Einzelgemeinde hinausweist auf die Gesamtkirche.

Diesen Auftrag hat der Apostel gemäß der οἰκονομία Gottes **V.25** ⟨208⟩. οἰκονομία weist schon voraus auf das Revelationsschema in V.26f. Innerhalb des darin angesprochenen Heilsplanes Gottes kommt dem Apostel der Verkündigungsauftrag zu ⟨209⟩. Auch damit ist die Bedeutung des apostolischen Dienstes für die Kirche stark unterstrichen. εἰς ὑμᾶς bezieht sich sowohl auf die Christen in Kolossae (Laodizea und Hierapolis) als auch, diese in einen Gesamtzusammenhang stellend, auf die Kirche überhaupt (vgl V.26f.28). Auch πληρῶσαι τὸν λόγον τοῦ θεοῦ (vgl Röm 15,19) ist im Zusammenhang mit dem Revelationsschema einerseits und V.28 andererseits zu verstehen. Der λόγος τοῦ θεοῦ ist die Botschaft von Christus und πληρῶσαι das Verkündigungsgeschehen. Es geht also nicht darum, daß dieses Wort inhaltlich noch in irgendeiner Weise ergänzt werden müßte. Indem das apostolische Wort die Kolosser erreicht, kommt das Gotteswort unter ihnen zur Fülle ⟨210⟩.

In **V.26f** bedient sich der Verfasser eines Schemas, das als Revelationsschema bekannt ist ⟨211⟩ (vgl Eph 3,4f.9f; Röm 16,25f). Es geht dabei um das Geheimnis, von dem in einem antithetischen Parallelismus die einstige Verborgenheit und das Offenbarsein des Heils in der Gegenwart ausgesagt wird. Das betonte νῦν scheidet beide Aussagen und ist unbedingt zeitlich zu verstehen. Der Begriff des μυστήριον

⟨205⟩ LÄHNEMANN, ebd. Vielleicht spielt ἀνταναπληροῦν an auf die kol Idee der Fülle (so KREMER, ebd, S.162; dagegen LOHSE, Kol, S.115f, Anm.7).

⟨206⟩ Vgl hierzu LINDEMANN, Kol, S.34.

⟨207⟩ Vgl oben, S.212f.

⟨208⟩ 1Kor 9,17; 4,1 sind nah verwandt. Dennoch spricht Paulus weit häufiger von der ihm gegebenen Gnade (vgl Röm 1,5; 12,3.6; 15,15; 1Kor 3,10; 15,10; Gal 2,9).

⟨209⟩ Deutlich ausgeführt ist dieser Gedanke dann in Eph 3,2 (vgl hierzu SCHNACKENBURG, Eph, S.132) und 1,10; 3,9.

⟨210⟩ DELLING, Artikel πληρόω, S.295f hat darauf hingewiesen, daß bei dem Verb fast durchgängig der Auftrag Gottes entscheidend ist. Somit ist auch hier eine Beziehung zur οἰκονομία Gottes gegeben.

⟨211⟩ Vgl hierzu DAHL, Beobachtungen, S.4ff; LÜHRMANN, Offenbarungsverständnis, S.124ff. Es begegnet ansatzweise in 1Kor 2,7ff, ist aber erst nach Paulus fest entwickelt. In der Regel steht es in Verbindung mit Aussagen zum Apostelamt oder der Verkündigung.

ist für das Schema zentral. Das Schema steht in apokalyptischer Tradition ⟨212⟩.

Das Schema ist in V.25 und 28 eingerahmt von Hinweisen auf die Verkündigung des Apostels. μυστήριον schließt sich direkt als Explikation an das Wort Gottes an, und die gleiche Verbindung findet sich beim Übergang von V.27 zu V.28. Dies ist dadurch noch betont, daß der Inhalt des Geheimnisses - "Christus in euch" - erst am Ende des Schemas genannt und daß von dort direkt übergeleitet wird zur Verkündigung des Apostels. Das zeitliche νῦν verwehrt ein Verständnis von ἀπὸ τῶν αἰώνων als Engelmächte, vor denen das Geheimnis verborgen war ⟨213⟩.
Die ἅγιοι sind weder Engel noch ein besonderer Kreis von Charismatikern ⟨214⟩, sondern die Christen, die in 1,2.4; 3,12 so genannt werden. Der Inhalt des Geheimnisses ist nicht lediglich Christus, sondern Χριστὸς ἐν ὑμῖν. Wenn man die Beziehung des ἐν ὑμῖν zu dem εἰς ὑμᾶς V.25 berücksichtigt und ebenso die Beziehung von τοῖς ἔθνεσιν zu πάντα ἄνθρωπον V.28, wird deutlich, daß die Verkündigung zu dem Geheimnis hinzugehört.

Das μυστήριον ist der unter den Völkern bekanntgemachte Christus ⟨215⟩. Die Mission unter den Völkern gehört damit zum Heilsgeschehen wesentlich hinzu ⟨216⟩. Zu ergänzen ist, daß es sich dabei um die Mission des Apostels handelt, selbst wenn die Ausrichtung der Botschaft durch Mitarbeiter wie Epaphras an eine dem Paulus selbst unbekannte Gemeinde erfolgt. Die Verkündigung des Paulus gehört mit zu dem μυστήριον θεοῦ. Das Geheimnis wird mit Wendungen umschrieben, die dessen Größe und Reichtum andeuten (πλοῦτος τῆς δόξης und ἐλπὶς τῆς δόξης V.27). Sachlich und sprachlich kommen beide Wendungen von 1,19 her und weisen voraus auf 2,2f. Sie sind zu verstehen auf dem Hintergrund der kol Häresie, die das Christusgeschehen allein nicht für heilsmächtig hält. In Christus liegen aber alle Schätze der Weisheit und der Erkenntnis verborgen.

Das Revelationsschema ist in den von Paulus beeinflußten Schriften beheimatet. Es steht in deutlicher Beziehung zur Verkündigung: in Röm 16,25f geht es um das Evangelium des Paulus, dessen Ziel der Glaubensgehorsam der Völker ist. In Eph 3,5 werden als Offenbarungsempfänger die "heiligen Apostel und Propheten im Geist" genannt. Diese auffällige Wendung hängt sicher mit der Nennung der Apostel und Propheten als Fundament zusammen (2,20) ⟨217⟩. Ihre Verkündigung führt auch die Heiden in das Erbe der Verheißung (3,6.12). Daß die apostolische und kirchliche Predigt in die Gegenwart des Retters Jesus Christus hineinstellt, betont 2Tim 2,9-11 ⟨218⟩ und Tit 1,2f sagt ausdrücklich, daß das Offenbaren des Wortes in der Verkündigung geschieht, die wiederum an Paulus als den ersten Verkündiger gebunden wird. Diese vielfältigen Beziehungen des Revelationsschemas zur Verkündigung legen als Sitz im Leben die Predigt nahe ⟨219⟩.

V.28 schließt relativisch an. καταγγέλλω ist terminus technicus der Missionssprache und meint die Verkündigung eines Geschehens ⟨220⟩. In V.24f.29 ist von der Verkündigung des Paulus im Singular die Rede. Durch die Ausweitung der Verkündigung auf die Völker (V.27) und alle Menschen (V.28) gerät auch die Verkündigung der Mitarbeiter in den Blick (vgl 1,7f; 4,7f.12f); sie sind in Parallele zu der Aufgabe

----

⟨212⟩ Vgl hierzu die Angaben bei LÜHRMANN, ebd, S.99ff. Bereits der Singular und die jeweilige Bestimmung des νῦν weisen aber schon auf andere Einflüsse hin.

⟨213⟩ So DIBELIUS-GREEVEN, Kol, S.24; LINDEMANN, Kol, S.34.

⟨214⟩ Vgl LOHMEYER, Kol, S.82f; KÄSEMANN, Leib, S.146, interpretiert von Eph 3,5 her.

⟨215⟩ Vgl hierzu SCHWEIZER, Kol, S.88f; LOHSE, Kol, S.121f; GNILKA, Kol, S.102. MERKLEIN, Theologie, S.29 arbeitet heraus, daß Kol in diesen Begriffen den ganzen Vorgang Christus-Evangelium-Paulus-Welt zusammenfaßt.

⟨216⟩ Sachlich ist damit Bezug genommen auf den Hymnus, der Schöpfung und Versöhnung des gesamten Kosmos beschreibt. Entsprechend interpretiert 1,23.

⟨217⟩ Vgl hierzu SCHNACKENBURG, Eph, S.134.

⟨218⟩ BROX, Past, S.231. Zu Tit 1,2f vgl ebd, S.280f. Zu 1Petr 1,20 vgl ders., 1Petr, S.83f.

⟨219⟩ Vgl DAHL, Bemerkungen, S.4f; LÜHRMANN, Offenbarungsverständnis, S.125 u.a.

⟨220⟩ Vgl hierzu SCHNIEWIND, Artikel ἀγγελία, S.68-71, LOHSE, Kol, S.122f; SCHWEIZER, Kol, S.89. Bei Paulus sind vor allem 1Kor 2,1; 9,14; Phil 1,17f heranzuziehen (vgl auch Apg 13,5;15,36).

des Paulus formuliert. So sind die von Paulus Beauftragten (1,7) in das καταγγέλλειν mit eingeschlossen, aber so, daß sich ihr Auftrag von der Autorität des
Apostels herleitet. Entsprechend geht der Plural in V.29 sogleich wieder in den
Singular über ⟨221⟩. νουθετοῦντες und διδάσκοντες schlüsseln die Verkündigung
weiter auf. Bei Paulus kommt νουθετέω nur in paränetischen Zusammenhängen vor
(vgl Röm 15,14; 1Kor 4,14; 1Thess 5,12.14), nicht aber mit Verben der Verkündigung ⟨222⟩. Damit rückt an der Kol-Stelle stärker der Aspekt des Mahnens und
Lehrens in den Vordergrund. Das zweite Partizip unterstreicht dies noch, wie der
Zusammenhang 2,6f zeigt ⟨223⟩. Mahnung und Lehre sollen ἐν πάσῃ σοφίᾳ geschehen. Wie in 1,9f geht es hier um das Nebeneinander von Weisheit und rechtem
Wandel (vgl 3,16; 4,5). Zur Erkenntnis des Willens Gottes gehört der würdige
Wandel konstitutiv hinzu. Zieht man weiter noch 2,3.23 heran, so erkennt man, daß
diese Hinweise auf die Weisheit in Christus und den Wandel der Christen der Philo-
sophie der Irrlehrer gegenübergestellt werden. Hierauf weist auch τέλειος in dem
folgenden ἵνα-Satz ⟨224⟩. Wer sich der Heilstat Christi überläßt, der hat die
Vollkommenheit erreicht und ist auf keine sonstigen Heilsvorschriften mehr angewie-
sen. Die Parallelaussage in 4,12 zeigt dabei, daß diese Bedeutung der apostolischen
Predigt vom Apostel selbst auf seine Beauftragten übergeht. Mit V.29 kehrt der
Verfasser zum Singular des Paulus und damit zu V.24 zurück.

Hier wird der Aufbau des Abschnitts deutlich erkennbar. Daß Paulus Diener der
Kirche ist gemäß dem Auftrag Gottes und als solcher für die Kirche kämpft und
leidet, wird nun mit den Stichworten κοπιῶ ἀγωνιζόμενος **V.29** aufgenommen. Der
Rahmen des Abschnitts beschreibt Paulus als Verkündiger, der für seinen Auftrag
Mühsal und Leid auf sich nimmt. Eingefügt ist mit Hilfe des Revelationsschemas als
Inhalt der Verkündigung Χριστὸς ἐν ὑμῖν und ebenfalls Hinweise auf die Ausweitung
der Verkündigung auf alle Menschen, für die die Kolosser konkretes Beispiel sind.
Schließlich sind durch den Plural in V.28 die Beauftragten des Apostels in dessen
Verkündigungsdienst mit hineingenommen. Ihr Dienst versteht sich recht vom Dienst
des Apostels her. Von daher rahmt die Verkündigung des Paulus den Abschnitt ein.

κοπιᾶν bezeichnet hier die Mühe, die der Apostel bei der Verkündigung auf sich
nimmt. ἀγωνιζόμενος tritt verstärkend hinzu ⟨225⟩. Wichtig ist erneut der Hinweis
auf 4,12, wo Epaphras in gleicher Weise beschrieben und damit von Paulus her
gesehen wird. Die Quelle für alle Mühe und Anstrengung des Apostels liegt freilich

----

⟨221⟩ *LUDWIG*, Verfassers, S.88 meint, daß der Apostel hier nicht mehr den Mitarbeitern
über-, sondern nebengeordnet werde. Nun weiß sich freilich Paulus selbst mit seinen
Mitarbeitern auf der gleichen Basis arbeitend und er betont ihre Christus-Unmittelbarkeit.
Der Unterschied zu Paulus liegt deshalb nicht in der Nebenordnung, sondern in der gesteigerten Bedeutung, die dem Apostel selbst zukommt. Daß die Funktion der Mitarbeiter ganz
parallel zu Paulus beschrieben wird, belegt nicht ihre Gleichrangigkeit, sondern ihre
Autorisierung.

⟨222⟩ Vgl hierzu *BEHM*, Artikel νουθετέω, S.1013-1016. Das Verb bezieht sich auf Mahnung und
Zuspruch.

⟨223⟩ Zu Kol 2,6f vgl unten, S. 264f. Paulus spricht gelegentlich davon, daß er die Gemeinden
lehrt (1Kor 4,17; vgl Röm 12,7). Dagegen stellen die Past die gesunde Lehre der falschen
gegenüber (vgl 1Tim 1,10; 2Tim 4,3; Tit 1,9; 2,1) und betonen in diesem Zusammenhang die
Bedeutung des Lehrens (vgl 1Tim 2,12; 4,11; 2Tim 2,2; Tit 1,11). Kol steht in der Verwendung dieses Wortes schon in deutlicher Nähe zu Past.

⟨224⟩ Ob τέλειος in der fraglichen Zeit als Terminus der Mysteriensprache gelten kann (so
SCHWEIZER, Kol, S.90; *DELLING*, Artikel τέλειος, S.70; anders *LOHSE*, Kol, S.124), ist
nicht ganz sicher. Aber die Beziehung zur Irrlehre hängt nicht nur an diesem Begriff:
Vollkommenheit zu erreichen durch die Beachtung der unterschiedlichen Vorschriften ist
ja überhaupt das Ziel der Häresie.

⟨225⟩ Zu κόπος vgl oben, S.198. *STAUFFER*, Artikel ἀγών, S.138f denkt nicht an Anstrengung,
sondern an Kampf.

nicht in ihm selbst, sondern in der Kraft Christi, die in ihm wirksam wird ⟨226⟩. Mit diesem Hinweis auf den im Apostel selbst wirkenden Christus ist der Abschnitt abgeschlossen.

6.3.2) Kolosser 2,1-5

Was 1,24-29 allgemein über den apostolischen Dienst εἰς ὑμᾶς sagte - bis hin zur Völkermission, das findet jetzt seine konkrete Anwendung auf die Kolosser (ὑπὲρ ὑμῶν) V.1 ⟨227⟩. Zu ὑπὲρ ὑμῶν treten noch zwei weitere Bestimmungen hinzu, mit denen deutlich wird, daß sich der apostolische Dienst für die Kirche an alle Menschen richtet.

In gleicher Weise wie für die Kolosser setzt Paulus sich ein für die in Laodizea ⟨228⟩. Laodizea ist die Nachbargemeinde von Kolossae. Von einem Brief an diese Gemeinde ist in 4,16 die Rede. Da in 2,4 mit dem Stichwort πιθανολογία andeutungsweise bereits die Irrlehre in den Blick kommt, muß man davon ausgehen, daß sich die Gemeinde in Laodizea in einer ähnlichen Situation befindet wie die in Kolossae. Es scheint sich bei der Irrlehre also um ein regionales Problem zu handeln. Aber den Christen in der Region gilt die Sorge des Apostels, auch wenn sie ihn persönlich noch nicht kennengelernt haben ⟨229⟩.

Der Einsatz des Apostels dient der Mahnung und Tröstung der Gemeindeglieder V.2 ⟨230⟩. Ihre Herzen sollen zusammengehalten werden ⟨231⟩ in der Liebe, die das Band der Einheit und Vollkommenheit ist (vgl 3,14). Dies führt zur Fülle der Einsicht ⟨232⟩, eine im buchstäblichen Sinne plerophore Redeweise: die Fülle der Erkenntnis soll mit der Fülle des Ausdrucks zur Sprache gebracht werden ⟨233⟩. Neu gegenüber Paulus ist die Verknüpfung der Einsicht mit dem Geheimnis Gottes ⟨234⟩: εἰς ἐπίγνωσιν κτλ fügt sich parallel und erläuternd an (vgl auch 1,9). Der Vergleich mit 1,27 liegt auf der Hand, wobei die ἐπίγνωσις dem γνωρίσαι entspricht. Als Inhalt der Erkenntnis ist wieder das Geheimnis Gottes genannt, nämlich Christus ⟨235⟩. Eine Näherbestimmung im Sinne des ἐν ὑμῖν fehlt hier, ist

---

⟨226⟩ Vgl hierzu bei Paulus ähnlich 1Kor 15,10; Phil 4,13;2,13. Das Substantiv ἐνέργεια kommt außer in Phil 3,21 nur in den Deuteropaulinen vor.
⟨227⟩ Von der Stichwortverbindung her ist ἀγών auch hier als Mühe und Einsatz des Apostels zu verstehen. Die Eingangswendung θέλω γὰρ ὑμᾶς εἰδέναι zeigt die Vertrautheit mit paulinischer Sprache, vgl wörtlich in 1Kor 11,3 und ähnlich in Röm 1,13; 11,25; 1Kor 1o,1; 12,1; 2Kor 1,8; 1Thess 4,13.
⟨228⟩ Zu Laodizea und Hierapolis vgl LOHSE, Kol, S.56ff.
⟨229⟩ πρόσωπον kann die persönliche Gegenwart bedeuten vgl LOHSE, Artikel πρόσωπον, S.777. καὶ ὅσοι rundet die Aufzählung ab und schließt die Christen in Kolossae und Laodizea mit ein.
⟨230⟩ Vgl SCHMITZ, Artikel παρακαλέω, S.790ff. Das deutsche Wort Zuspruch umfaßt in ähnlicher Weise beides. αἱ καρδίαι αὐτῶν ist alttestamentliche Redeweise für das Innere, das Ich des Menschen (vgl BEHM, Artikel καρδία, S.612ff). Anstelle von αὐτῶν wäre eigentlich ὑμῶν zu erwarten. Es bezieht sich auf ὅσοι οὐκ ἑόρακεν und bestätigt, daß die Gemeinden in Kolossae und Hierapolis Paulus nicht selbst kennengelernt haben.
⟨231⟩ Diese Deutung legt sich vor allem von 2,19 und 3,14 her nahe (anders DIBELIUS-GREEVEN, Kol, S.25f, die συμβιβάζω als darlegen, belehren auffassen).
⟨232⟩ Vgl hierzu 1,9. Zur Häufung von Synonymen als Stilmerkmal des Kol vgl BUJARD, Untersuchungen, S.147ff.
⟨233⟩ SCHWEIZER, Kol, S.94 hat anhand von 1Kor 2,6-16 darauf aufmerksam gemacht, daß Paulus in diesem Zusammenhang vom Ereignis des Geistes spräche, da das menschliche Erkennen dauernd auf das Handeln Gottes angewiesen bleibt. Dieser Hinweis auf den Geist genügt in Kol allein nicht mehr. σύνεσις begegnet bei Paulus nur im Zitat in 1Kor 1,19.
⟨234⟩ Vgl Eph 3,4 und CONZELMANN, Artikel συνίημι, S.893f.
⟨235⟩ Die verschiedenen erläuternden Lesarten sind allesamt sekundär, vgl LOHSE, Kol, S.129.

aber sinngemäß gemeint, da der ganze Vers auf die apostolische Verkündigung und den Dienst für die Kolosser abzielt. Das betonte ἐν ᾧ im folgenden **V.3** zeigt ebenso wie πάντες an, daß alle Weisheit und Erkenntnis in Christus verborgen sind und nirgendwo sonst. Dies zeigt ebenso die Satzstruktur von V.2f: Christus ist auch syntaktisch das Zentrum, das mit einer Fülle von Begriffen als Quelle und Ziel aller Erkenntnis beschrieben wird.

Die Sprache ist alttestamentlich (vgl Spr 2,3-6; Sir 1,25; Jes 45,3), ohne daß ein direktes Zitat vorliegt ⟨236⟩. γνῶσις weist auf ἐπίγνωσις in V.2, σοφία auf ἐν πάσῃ σοφίᾳ in 1,28, der gemeinsame Artikel bindet Weisheit und Erkenntnis zusammen ⟨237⟩. Daß alle Weisheit und Erkenntnis freilich auch "verborgen" ist, wird sogleich angefügt. Dies ist in zweifacher Weise zu verstehen: auch wenn das Geheimnis Gottes durch die apostolische Verkündigung den Heiligen offenbart wird, so übersteigt es als Geheimnis doch das menschliche Verstehen; man kann es nicht einfach in Besitz nehmen und verwalten, sondern nur als Geschenk annehmen. Wenn man weiter an 1,5 und 3,4 erinnert, wird deutlich, daß das Heil in Christus geschaffen ist und bereitliegt, und zwar oben, im Himmel. Der Glaubende lebt von diesem Heilsgut her und darauf hin, aber doch "unten". So bleibt das Geheimnis Gottes dem endgültigen menschlichen Zugriff entnommen. Es erschließt sich freilich dem, der der Verkündigung Christi in der apostolischen Predigt Glauben schenkt und sich ihr öffnet (1,27).

Wer in Christus alle Schätze von Weisheit und Erkenntnis findet, erkennt damit zugleich die Nichtigkeit alles dessen, was sonst noch Heilsnotwendigkeit beanspruchen mag. So bereitet dieser Hinweis auf die Fülle in Christus die Auseinandersetzung mit der Irrlehre vor. Dies wird ganz deutlich in **V.4**. Denn was bisher gesagt ist, soll den Kolossern helfen, sich von niemandem betrügen und überreden zu lassen ⟨238⟩. Hier deutet der Verfasser zum ersten Mal die Gefährdung der Gemeinde an und es zeigt sich schon, daß sie sich auf die Erkenntnis Christi und die Zentrierung auf ihn bezieht. **V.5** schließt mit εἰ γάρ begründend an. Paulus ist zwar körperlich abwesend, geistig jedoch bei der Gemeinde und führt sie zu Festigkeit und Ordnung.

Während in der Parallelstelle 1Kor 5,3 σῶμα und πνεῦμα gegenübergestellt werden, finden sich hier σάρξ und πνεῦμα. Diese terminologische Veränderung zeigt eine sachliche Akzentverschiebung an. In 1Kor 5,3 geht es um einen konkreten Fall in der Gemeinde. Bei dem Urteilsakt ist der Geist des Paulus mit der Gemeinde zusammengeschlossen in der Kraft des Herrn. Nun ist in Kol πνεῦμα im Sinne von Geist Gottes an keiner Stelle betont ⟨239⟩. Bei Paulus sind zudem Fleisch und Geist entweder beide im theologischen Sinn verwendet oder beide als anthropolgische Begriffe, nicht aber unterschiedlich im gleichen Textzusammenhang. Es ist deshalb hier anders als in 1Kor 5,3 von der geistigen Präsenz des Apostels die Rede. Indem die Botschaft des Apostels in der Gemeinde laut wird, ist er präsent; in der Botschaft an die ihm persönlich unbekannte Gemeinde zeigt sich seine Verantwortung, seine geistige Vaterschaft und Leitung auch dieser Gemeinde.

χαίρων καὶ βλέπων zeigt die dauernde Teilnahme des Apostels am Geschick der Gemeinde. Standhaftigkeit und Festigkeit der Gemeinde werden betont. Dies ist die

----

⟨236⟩ Die Zusammenstellung der Begriffe begegnet auch in Röm 11,33f und *LUDWIG*, Verfasser, S.89 vermutet, daß Kol von dieser Paulusstelle her formuliert. Paulus selbst kommt hier freilich von Weisheitstexten des AT her (vgl *WILCKENS*, Röm II, S.270f), die die Unerforschlichkeit Gottes beschreiben. Hinzu kommt, daß die Römerstelle diese Unerforschlichkeit im Blick auf Israel darlegt, während in Kol eine Abgrenzung Christi als alleiniger Quelle der Erkenntnis im Gegensatz zu angeblichen anderen Quellen vorliegt.

⟨237⟩ Zu θησαυρός vgl *HAUCK*, Artikel θησαυρός, S.137f.

⟨238⟩ παραλογίζομαι steht im NT nur noch in Jak 1,22 und bedeutet mit dem Akk. der Person "täuschen, betrügen" (vgl *BAUER*, Wörterbuch, Sp.1230). πιθανολογία ist Hapaxlegomenon im NT und bedeutet die Überredungskunst (vgl *BAUER*, ebd, Sp.1303; *LIGHTFOOT*, Kol, S.135). Der Sache nach kann man 1Kor 2,4 vergleichen.

⟨239⟩ Vgl 1,8f; 3,16 neben Röm 14,17; 15,30 und *SCHWEIZER*, Kol, S.38f.

einzige Stelle im NT, an der τάξις ⟨240⟩ und στερέωμα mit πίστις verbunden sind. Die Verbindung mit νουθετεῖν und διδάσκειν in 1,28 und mit παρακαλέω und συμβιβάζω in 2,2 zeigt, daß es bei dieser Festigkeit um das Bleiben bei der apostolischen Botschaft geht. So bindet der Verfasser, bevor er ab 2,6 in die Auseinandersetzung mit der Irrlehre eintritt, die Gemeinde noch einmal an das Heilsgeschehen in Christus, wie es in der apostolischen Botschaft laut wird.

Das Apostelbild des Kol weist zwei Hauptlinien auf. Zunächst ist Paulus Verkündiger des Geheimnisses Gottes. Seine Verkündigung ist im Auftrag und Plan Gottes begründet (οἰκονομία) und gehört selbst in den Vorgang der Offenbarung mit hinein. Von hier aus ist sie nicht beschränkt auf die Gemeinden, die er selbst gegründet hat, sondern ist universal ausgerichtet und überwindet die Schranken körperlicher Abwesenheit oder persönlicher Unbekanntheit. Dieser Aspekt des Paulusbildes in Kol ist offen für die Beurteilung des Briefes als apostolisches Schreiben und für die Arbeit der Mitarbeiter des Paulus, die in seinem Auftrag die apostolische Botschaft wei- tertragen. In einem umfassenden Sinn ist Paulus damit der Diener der Kirche. Exemplarisch und konkret zeigt sich dies an seinem Dienst für die Gemeinde in Kolossae. Die zweite Hauptlinie kennzeichnet Paulus als den, der sich unermüdlich einsetzt und hart arbeitet in seinem Dienst für die Kirche, der Leiden und Gefangenschaft auf sich nimmt. Das Leiden kennzeichnet den Apostel. Er verkündigt die Botschaft von Christus, der durch sein Kreuzesblut Frieden geschaffen hat (1,20). Insofern bestätigt das Leiden des Apostels seine Botschaft (vgl 4,3). Aber Gott selbst öffnet der Botschaft die Tür, so daß auch die Gefangenschaft des Paulus seine Botschaft nicht behindern kann. Auch dies wird wiederum am Beispiel der Kolosser deutlich. In beidem, in universaler Verkündigung und im Leiden ist der Dienst des Apostels bezogen auf die Kirche.

6.4) Ergebnis
6.4.1) Die wesentlichen Züge des nachpaulinischen Apostelbildes

Kol und 2Thess weisen eine Reihe von Übereinstimmungen in ihren Darstellungen von Paulus auf. Für beide ist Paulus *der* Verkündiger des Evangeliums. Sein persönlicher Einsatz wird in beiden Briefen als außerordentlich beschrieben. Sie sehen Paulus als leidenden Apostel, der im Dienst der Verkündigung Leiden auf sich nimmt. Dies sind die grundlegenden Zügen des nachpaulinischen Paulusbildes ⟨241⟩.

⟨240⟩ Vgl hierzu *BAUER*, ebd, Sp. 1590. Es handelt sich eigentlich um einen militärischen Ausdruck. *LOHMEYER*, Kol, S.95 deutet beide Begriffe im militärischen Sinn als kriegerische Ordnung. Die Begriffe haben aber nicht ausschließlich militärische Bedeutung, sondern gewinnen diese aus dem Kontext. Zu στερέωμα vgl *BERTRAM*, Artikel στέρεος, S.614.

⟨241⟩ Anstelle des Begriffes Apostelverständnis kann auch Apostelbild verwendet werden. Der erste Begriff akzentuiert die apostolische Wirksamkeit, der andere stärker die Persönlichkeit und das Geschick des Apostels. Beide sind aber offen für den jeweils anderen Aspekt. Begriffe wie Paulus-Sage, Paulus-Fama, Paulus-Legende (vgl *SCHENKE-FISCHER*, Einleitung, S.239) sind weniger geeignet, da sie die Übereinstimmung der wesentlichen Züge des Paulusbildes mit dem Leben des Paulus nicht genügend berücksichtigen und das Paulusbild einengen auf Persönlichkeit und Geschick des Apostels. Selbst die Paulus stärker mit legendenhaften Zügen ausstattende Apg kennt ihn ja auch als Theologen, wenn auch mit einer von den Paulinen deutlich verschiedenen Theologie. In den Paulusakten ist das Paulusbild dann stark legendenhaft ausgeschmückt (vgl *HENNECKE-SCHNEEMELCHER* II, S.221ff; *LINDEMANN*, Paulus, S.371ff).

Sie finden sich mehr oder weniger auch in anderen Schriften des NT und der apostolischen Väter. Für die Apg <242> ist Paulus nicht Apostel, aber *der* Heidenmissionar und dazu von Christus selbst beauftragt. Daß die paulinische Verkündigung mit der der Urkirche in Jerusalem übereinstimmt, ist eine für Apg grundlegende Aussage (vgl 10,1-11,18; 13,16-41; 15,1-35; 17,3). Im Vergleich mit den Paulusbriefen wird deutlich, daß das Recht der Heidenmission für Lukas längst feststeht. Paulus wird wie Petrus als großer Redner geschildert (vgl 21,40; 21,1ff; die jüdischen Ankläger in 24,1ff bringen dagegen eigens einen Rhetor mit), er verfügt über Wunderkraft (20,6ff), die sogar bei indirekter Berührung wirksam ist (19,12; zu Petrus vgl 9,36ff; 5,15). So ist er in Worten und Taten der vollmächtige Verkündiger Christi. Bei seiner Wirksamkeit gerät er wiederholt in Bedrängnisse, muß öfters fliehen (13,50f; 17,10), kommt ins Gefängnis, wird geschlagen (16,16ff; 21,27ff u.ö.) und schließlich als Gefangener nach Rom gebracht (27f). All diese Bedrängnisse können die Verkündigung der Gottesherrschaft aber nicht hindern (28,31). Die Apg umgibt Paulus mit Mitarbeitern (20,4) und bei seinen Missionsreisen hat er Begleiter (Barnabas, Silas, Timotheus). Vor allem der rastlose Einsatz des Paulus trotz mannigfacher Bedrängnisse und seine Rolle als herausragender Heidenmissionar passen mit dem Bild aus Kol und 2Thess zusammen <243>.

Im Gegensatz zu Apg erwähnt 2Petr ausdrücklich "alle Briefe" des Paulus (3,15f). Spuren der Benutzung von Paulusbriefen finden sich freilich nicht <244>. Auch das theologische Denken des Briefes ist von Paulus unbeeinflußt. 3,15f ist jedoch zweifellos positiv zu verstehen. Die Weisheit des Paulus meint seine apostolische Theologie <245>. Seine schwere Verständlichkeit bezieht sich in erster Linie auf die Unwissenden, die die Briefe des Paulus und die übrigen Schriften verdrehen <246>. In Wirklichkeit ist Paulus aber geradezu ein Kronzeuge für die rechtgläubige Eschatologie und "Petrus" kann sich in der Auseinandersetzung mit den Häretikern auf ihn stützen. Der "geliebte Bruder Paulus" ist somit als apostolische Autorität anerkannt und stützt die Botschaft des Briefes.

1Klem hat den 1Kor gekannt und benutzt, wenn auch nicht wörtlich zitiert, und die Kenntnis des Röm ist wahrscheinlich <247>. Für das Paulusbild des Briefes ist der Abschnitt 5,5-7 instruktiv. Das Leiden des Apostels und seine universale Predigttätigkeit gehören wesentlich hinzu. Daneben charakterisieren die Begriffe πίστις und δικαιοσύνη Leben und Botschaft des Paulus, haben aber hier nicht die theologische Bedeutung wie in den Paulinen. Nach 47,1-4 ist Paulus Organisator der Kirche. Er hat Bedeutung nicht nur in Bezug auf Korinth, sondern hat Autorität über den lokalen Bereich hinaus. Auch für Ignatius hat Paulus unantastbare Autorität, wie die Begriffe ἡγιασμένος, ἀξιομακάριος und μεμαρτυρημένος Eph 12,2 belegen. Die Zugehörigkeit des Paulus zum Kreis der Apostel setzt Ignatius voraus. Trotz der hervorhebenden Begriffe vermittelt Ignatius jedoch kaum individuelle Züge des Apostels<248>. Polykarp hat nach allgemeiner Auffassung einen Großteil der Schriften des Corpus Paulinum gekannt <249>. In 2Phil 1,3 führt er eine charakteristisch

----

<249> Vgl hierzu *SCHILLE*, Apg, S.48ff.229-233; *LINDEMANN*, Paulus, S.49-68; *BURCHARD*, Zeuge, S.155ff.

<243> Ob Apg Paulusbriefe gekannt und benutzt hat, wird verschieden beantwortet (vgl *LINDEMANN*, Paulus, S.171, der die Frage mit einem vorsichtigen Ja beantwortet, gegen *KÜMMEL*, Einleitung, S.153f; *SCHMITHALS*, Apostelamt, S.250.269; *KLEIN*, Apostel, S.189ff; *BURCHARD*, Zeuge, S.155-158 gehen mit verschiedenen Akzenten davon aus, daß Apg die Paulusbriefe zwar kennt, aber nicht benutzt). Die Anklänge an Paulusbriefe sind insgesamt unsicher (vgl den Überblick bei *LINDEMANN*, S.165ff) und reichen zu einem positiven Nachweis nicht aus. Umgekehrt sprechen die Nichtanwendung des Aposteltitels und die Beschreibung des Paulus mit Mitteln der θεῖος-ἀνήρ-Vorstellung eher gegen die Kenntnis. Offenbar spielt für Apg die Brieflichkeit der Paulustradition keine Rolle. Sie benutzt für die literarische Komposition dagegen das Element der Rede.

<244> Vgl hierzu *LINDEMANN*, Paulus, S.261.

<245> So *SCHRAGE*, 2Petr, S.148.

<246> Daß die Paulusbriefe für die Unwissenden auf den Index gesetzt worden seien, wie *KLEIN*, Apostel, S.104 meint, geht über das im Text Erkennbare hinaus.

<247> *LINDEMANN*, ebd, S.191; *FISCHER*, Väter, S.7f. Zum Paulinismus des 1Klem vgl *LINDEMANN*, ebd, S.198f.

<248> Zu den Ignatianen vgl den Überblick bei *VIELHAUER*, Geschichte, S.543ff. In Ign Eph 12,2 werden Paulusbriefe erwähnt. Direkte Pauluszitate finden sich nicht, Ign Eph 16,1; 18,1 weisen aber deutlich auf 1Kor hin (vgl zu weiteren Stellen *LINDEMANN*, Paulus, S.202ff). Die Kenntnis von Röm, Gal und Eph setzt *FISCHER*, Väter, S.122 voraus und vermutet die von den Past und Phlm.

<249> Vgl *LINDEMANN*, Paulus, S.221; *FISCHER*, Väter, S.239. Zur Datierung der Polykarp-Briefe vgl *VIELHAUER*, Geschichte, S.558ff.

paulinische Aussage an und deutet damit auf seine paulinische Tradition hin. Nach 2Phil 3,2 hat Paulus das Wort der Wahrheit gelehrt und seine Briefe dienen in der Gegenwart der Erbauung und dem Glauben. Die Lehre von der Wahrheit ist in der Brieflichkeit der apostolischen Tradition gesichert. So werden denn die Philipper zur Lektüre der Paulusbriefe aufgefordert <250>. In seinen Briefen liegt der λόγος ἀληθείας vor. Unter den Gestalten des Urchristentums ist Paulus als einziger namentlich genannt. Ihm kommt unbestrittene Autorität zu.

Trotz mancher Unterschiede im einzelnen ist in den späteren Schriften des NT und bei den apostolischen Vätern ein relativ festes Paulusbild zu erkennen, zu dem besonders sein unermüdlicher apostolischer Dienst, sein Auftrag für die Kirche und sein Leiden gehören. Die Hochschätzung des Paulus ist unabhängig von der Kenntnis seiner Briefe und geht nicht notwendig zusammen mit der Übereinstimmung mit seiner Theologie. Ohnehin ist Paulus in den genannten Schriften nicht primär als Theologe gezeichnet. Konstitutiv für das Paulusbild ist dagegen seine Rolle als Verkündiger des Evangeliums, als Organisator der Kirche, als Motor der Heidenmission und als Gegner aller Häresie <251>.

6.4.2) Die inhaltlichen Veränderungen gegenüber Paulus

Gegenüber Paulus weist das Apostelverständnis beider Briefe erhebliche Veränderungen auf. Wie Paulus selbst tritt auch in 2Thess der Apostel mit seiner ganzen Existenz für die Gemeinde ein. Eine apostolische Tätigkeit über die Gemeinde in Thessalonich hinaus ist freilich nicht zu erkennen. Der missionarische Aspekt tritt in den Hintergrund. Von einer Sendung zu den Völkern (Gal 1,16) ist keine Rede. Neben das Schweigen über eine weitergehende missionarische Aufgabe tritt das Schweigen über Kreuz und Auferstehung Jesu. Während sich bei Paulus die Existenz des Apostels immer von diesem Geschehen her begründet und inhaltlich aufschlüsselt, mißt sich der Apostolat in 2Thess nicht an Christus. Die Autorität des Apostels wird nicht begründet. Sie steht auf derselben Stufe wie die Erwählung Gottes, die durch das paulinische Evangelium ergeht (2,14). Dem entspricht, daß in der Paränese der Apostel selbst Vorbild und Typos christlichen Lebens ist. In seiner Verkündigung "läuft" das Wort Gottes (3,1f).

Nach Kol geschieht die paulinische Mission auf Grund des Heilsplanes Gottes (1,25) Er findet im Revelationsschema seinen Ausdruck (1,26f). Die apostolische Verkündigung ist selbst Teil des Offenbarungsgeschehens. Dem entspricht eine starke Angleichung der paulinischen Wirksamkeit an das Wirken Christi (1,22.24). Zwar ist in 1,24 kein satisfaktorisches Leiden gemeint. Die Beziehung von "in meinem Fleisch - für seinen Leib" stellt aber die Einzigartigkeit des Apostels heraus, ebenso seine Funktion für die ganze Kirche und damit auch für eine Gemeinde, die er persönlich nicht kennt (2,1). Gerade im Blick auf die Wirksamkeit des Apostels für die Kolosser wird deutlich, daß Leiden und Gefangenschaft die Offenbarung des Geheimnisses Gottes nicht behindern können. Das Leiden bestätigt die Legitimität des Apostels und ist zugleich eingebunden in seinen Dienst für die Kirche. διάκονος τοῦ εὐαγγελίου und διάκονος τῆς ἐκκλησίας werden so zu den zentralen Begriffen für das Apostelverständnis des Briefes. Für die weltweite Kirche hat der Apostel eine zentrale Bedeutung.

<250> Der Text ist von 3,1 an ein Exkurs über die Gerechtigkeit, die freilich nicht im paulinischen Sinn, sondern moralisch verstanden wird. Zur Frage, ob Polykarp mehrere Philipperbriefe des Paulus kennt, vgl LINDEMANN, Paulus, S.88f.

<251> So LINDEMANN, ebd, S.112.

6.4.3) Das Apostelverständnis im Gesamtzusammenhang der Briefe

Das Apostelverständnis steht in beiden Briefen in Zusammenhang mit ihrer jeweiligen Theologie. Der Dienst des Apostels ist in Kol eingeordnet in ein Revelationsschema, dessen universale Orientierung (vgl 1,28) dem kosmischen Heilsgeschehen korrespondiert. Die Ausweitung der paulinischen Verkündigung und sein Leiden als Dienst für die Kirche sind nur möglich auf dem Hintergrund des bereits geschehenen und vorhandenen Heils. Dem steht in 2Thess ein apokalyptisches Schema gegenüber, das von der Anfangsverkündigung des Apostels in der Vergangenheit her die Gegenwart versteht und auf das zukünftige Heil vorbereitet. Indem die Erwählung Gottes durch das apostolische Evangelium ergeht und diese Botschaft nun das Heil möglich macht, entscheidet sich alles an der Kenntnis und dem Festhalten der ursprünglichen Botschaft. Die Retrospektive auf die apostolische Grundlage wird bestimmend. Zugleich erschwert das apokalyptische Schema mit seinem Ablauf der Endereignisse eine Missionsperspektive. Dies bestätigt sich im Blick auf das Leiden des Apostels. In Kol wird es perspektivisch als Dienst für die Kirche und die Mission gesehen. In 2Thess steht es unter dem Aspekt der Annahme oder Ablehnung der paulinischen Botschaft (3,1f). Entsprechend bekommt der persönliche Einsatz des Paulus nun begründende Funktion für die Paränese. Die Gemeinde kann sich so verhalten, daß sie zur περι- ποίησις δόξης kommt.

6.4.4) Die Rolle der Mitarbeiter

Auch im Blick auf die Bedeutung der Mitarbeiter unterscheiden sich 2Thess und Kol von Paulus und untereinander. In den Paulinen ist die Funktion des Apostels zeitlich und sachlich den Aufgaben der Mitarbeiter vorgeordnet. Wenn er sich mit ihnen auf der gemeinsamen Basis des Bekenntnisses zum Gekreuzigten und Auferstandenen weiß, erkennt er ihre Missionsarbeit aber als der seinen gleichberechtigt an und schließt sich mit ihnen unter dem Titel συνεργοὶ θεοῦ zusammen (1Kor 3,9). In 2Thess sind außer den im Präskript Genannten keine Mitarbeiter genannt und diese spielen keine Rolle. Der Mitarbeiteraspekt des paulinischen Apostolates tritt völlig in den Hintergrund. Dagegen ist in Kol die Mission des Epaphras in 1,7f; 4,12f terminologisch und sachlich eng an den Abschnitt über den paulinischen Apostolat (1,24ff; 2,1ff) herangeführt. Das apostolische Evangelium ist in der Verkündigung des Epaphras nach Kolossae gekommen. Die Beschreibung des Paulus als Diener der Kirche öffnet sich zu den Mitarbeitern hin, die die apostolische Mission weitertreiben ‹252›.

‹252› Vgl hierzu unten, S.293ff.

7) Das Traditionsverständnis

Eng mit dem Verständnis des Apostolats ist das der Tradition verbunden. Dies ist bereits verschiedentlich angeklungen. Obwohl 2Thess in seinen eschatologischen Passagen sich nicht auf 1Thess bezieht, ist er doch bemüht, seine Ausführungen als paulinisch und damit apostolisch zu erweisen (vgl 2,5f). Kol stellt seine Botschaft in den umfassenden Verkündigungsauftrag des Apostels (vgl 1,2f). Beide Briefe nehmen aber nicht nur paulinische Aussagen auf, sondern sind in starkem Maße von anderen und jeweils eigenen Traditionen geprägt. Dies hat besonders die Beschäftigung mit Eschatologie, Kosmologie und Ethik ergeben.

Diese bereits gewonnenen Ergebnisse rechtfertigen in der vorliegenden Arbeit ein eigenes Kapitel zur Traditionsfrage. Es sind dabei in den Paulusbriefen die Stellen heranzuziehen, die sich explizit mit der Bedeutung von Tradition befassen. Hierzu gehören unter diesem Aspekt wiederum Gal 1 und 1Kor 15,1ff. Auch einige Herrenworte bezeichnet Paulus ausdrücklich als Tradition. Auch ist danach zu fragen, ob der Apostel seiner eigenen Botschaft im Blick auf die Gemeinde Traditionsqualität beimißt. In 2Thess und Kol ist über die bereits behandelten Stellen hinaus zu fragen, welche Bedeutung die Tradition für diese Briefe hat und in welcher Weise sie aufgenommen wird. Dabei ist von Interesse, welche Rolle die paulinische Theologie nun ihrerseits für die nachpaulinischen Briefe spielt ⟨1⟩. Für die Frage des Übergangs von Paulus zu den Deuteropaulinen ist diese Frage von wesentlicher Bedeutung ⟨2⟩.

7.1) Das Verhältnis von Tradition, Evangelium und Offenbarung in Galater 1f und in 1Korinther 15,1-11

Bereits in der Frage des Apostelverständnisses haben Gal 1,15ff und 1Kor 15,1 Aufschluß gegeben ⟨3⟩. Sie sind für die Traditionsfrage bei Paulus die wichtigster Belege und deshalb unter diesem anderen Aspekt noch einmal zu behandeln.

Zum Traditionsverständnis bei Paulus gibt es eine breite Palette von Meinungen. *RANFT* sieht eine direkte Folge vom spätjüdischen zum nt.lichen Traditionsdenken und weiter zum katholischen Traditionsprinzip ⟨4⟩. Getreu seinem Lehrer Gamaliel gebe Paulus seine durch mündliche Überlieferung empfangene Botschaft in wörtlicher Treue weiter ⟨5⟩. Der wichtigste Grundsatz der Verkündigung des Evangeliums sei das Festhalten am Urbild der Lehre. *CULLMANN* konzediert die Ähnlichkeit der Methoden der Traditionsübermittlung ⟨6⟩, findet aber im NT dennoch ein völlig

----

⟨1⟩ Daß die Frage nach Überlieferung und Tradition nicht erst ein Problem von Kirchen- und Dogmengeschichte, sondern bereits im Urchristentum faßbar ist, hat die exegetische Forschung deutlich gezeigt, vgl *HAHN*, Schrift, S.456f; *CAMPENHAUSEN*, Entstehung. Die Frage nach der Tradition im NT gehört somit in die Vorgeschichte des nt.lichen Kanons. Auf diesen großen Zusammenhang kann hier nur hingewiesen werden. Vgl dazu den von *KÄSEMANN* herausgegebenen Sammelband: Das Neue Testament als Kanon; *CAMPEN-HAUSEN*, ebd, S.123ff sowie *BROX*, Pastoralbriefe, S.112-114; zum Traditionsprinzip des Jud vgl *HAHN*, Randbemerkungen; zu 2Petr vgl *VÖGTLE*, Schriftwerdung, S.297ff.

⟨2⟩ Daß das Traditionsproblem ein erhebliches kontroverstheologisches Potential bietet, sei am Rande vermerkt (vgl auf katholischer Seite bes. *RANFT*, Ursprung). Jüngere Arbeiten katholischer Autoren (vgl *GEISELMANN*, Schrift; *RAHNER-RATZINGER*, Offenbarung; *LENGSFELD*, Überlieferung) zeigen aber, daß gerade die Paulusexegese über dogmatisch festgeschriebene Standpunkte hinaus das Gespräch neu belebt hat.

⟨3⟩ Vgl oben, S.204ff.

⟨4⟩ *RANFT*, Ursprung, S.264.

⟨5⟩ ebd, S.249.

⟨6⟩ Tradition, S.11.15.23 uö.

anderes Traditionsverständnis, für das die Kraft und Wirksamkeit des erhöhten Herrn konstitutiv ist <7>. Zwischen Tradition und Offenbarung gebe es keinen prinzipiellen Unterschied, da sich in beidem der Herr als wirksam erweise.

Nach *SCHLIER* sind die Bekenntnisformeln wie etwa 1Kor 15,3ff Selbstoffenbarungen des Herrn in das Zeugnis der Zeugen hinein <8>. Damit ist die Verkündigung an das Kerygma und das heißt zugleich an die apostolische Paradosis gebunden und diese geht der Verkündigung normierend voraus. Tradition ist also nach *SCHLIER* der "authentische, zur Formulierung neigende, von der Sache zur Einheit drängende, normative, apostolische und den Christen als Paradosis vorgelegte Offenbarungslogos". Bei der Weitergabe ist folgerichtig auch auf die Authentizität des Wortlautes zu achten <9>.

Vergleicht man hierzu noch die Auffassung *BULTMANN*s, ist die Divergenz der Meinungen deutlich. Für ihn spielen wörtliche Konstanz oder eine regelrechte Traditionsvermittlung keine Rolle. Seiner Meinung nach ist Tradition "nicht die historische Überlieferung, die die Kontinuität des historischen Geschehens begründet, sondern die Predigt der Gemeinde, in der Jesus im Geist gegenwärtig ist" <10>. In diesem Sinne bedürfe die christliche Kirche der Tradition und des Berichtes über geschichtliche Ereignisse. Daß in diesem Bericht aber das Heil zu finden sei, könne nur in der konkreten Ansprache ausgesagt werden.

Eine Reihe von kleineren Beiträgen zum Thema hat die lange Zeit kontrovers geführte Diskussion in den vergangenen 25 Jahren ein gutes Stück weitergeführt. Sie sind in die folgende Erörterung eingearbeitet, sodaß hier nicht im einzelnen darauf einzugehen ist.

Ein methodisches Problem ist noch anzuzeigen, das an den Monographien von *WEGENAST* und *GERHARDSSON* exemplarisch deutlich wird. Beide leiden an einer gemeinsamen methodischen Schwäche: sie gehen von einer Analyse des jüdischen Traditionsdenkens aus <11> und untersuchen von hier aus das paulinische Verständnis von Tradition, freilich mit völlig entgegengesetzten Ergebnissen. Von seiner Bestimmung des jüdischen Traditionsdenkens aus befragt *WEGENAST* <12> die paulinischen Aussagen konsequent danach, ob sie sich mit diesem Denken in Einklang bringen lassen. Sein wesentliches Ergebnis ist: Paulus ist "kein Diener der Tradition, sondern ein Diener des κύριος, der ihm in einer Offenbarung begegnete. Als solcher steht er der Tradition in Freiheit gegenüber und ist im Grunde nur bedingt auf sie angewiesen" <13>. Trotz vieler wichtiger Einzelerkenntnis bleibt bei *WEGENAST*s Vorgehen problematisch, daß er das paulinische Traditionsdenken nahezu ausschließlich in Abgrenzung zum jüdischen beschreibt (also: Paulus ist *kein* Diener der Tradition etc.), kaum aber einmal anmerkt, welche positiv beschreibbare Rolle Tradition für Paulus hat. Im Gegensatz dazu ist es methodisch geboten, von Paulustexten selbst auszugehen und erst von ihrer Analyse her zurückzufragen nach Entsprechung oder Differenz zu voranliegenden Konzepten der Traditionsvermittlung <14>.

GERHARDSSON untersucht das Traditionsproblem auf dem Hintergrund des rabbinischen Traditionsverständnisses. Für ihn wird deutlich: "Paul ... considers that he is transmitting, not only in words, but also in his action, in other words, with his whole life. We recognize this fact from the views of the Rabbis" <15>. Tradition im

----

<table>
<tr><td><7></td><td>ebd, S.11.18.20.</td></tr>
<tr><td><8></td><td>Kerygma, S.216.</td></tr>
<tr><td><9></td><td>ebd S.214ff; Zitat S.215.</td></tr>
<tr><td><10></td><td>*BULTMANN*, Theologie, S.480.471ff.</td></tr>
<tr><td><11></td><td>Eine Anlehnung der Traditionsterminologie an die Mysteriensprache legt sich nicht nahe und wird heute nicht mehr vertreten (vgl hierzu die Angaben bei *DELLING*, Artikel λαμβάνω, S.13f).</td></tr>
<tr><td><12></td><td>*WEGENAST*, Verständnis, S.30.</td></tr>
<tr><td><13></td><td>Ebd, S.165; vgl S.44.91.120 uö.</td></tr>
<tr><td><14></td><td>Zur Kritik an *WEGENAST* vgl *WENGST*, Apostel, S.147, Anm.7. Fraglich ist, ob *WEGENAST* das jüdische Traditionsdenken hinreichend erfaßt hat. Es gibt nun zweifellos Aussagen, die seine These stützen (vgl zB. Eduioth I,3; Aboth II,8). Auf der anderen Seite hat er aber Aspekte des jüdischen Traditionsdenkens vernachlässigt. Dies gilt für den Rückbezug aller Tradition auf die Schrift (vgl hierzu *LEHMANN*, Tag, S.32, Anm.58 und S.274; *KÜMMEL*, Jesus, S.113ff), wobei die aktualisierende Tradition ihre Legitimation durch die Übereinstimmung mit der Schrift erhält. Überhaupt beachtet *WEGENAST* die Aktualisierungstendenz jüdischer Tradition nicht genügend. Das בתורה כלא von Pirque Aboth V,22, wonach alle Wahrheit schon in der Tora enthalten ist, schließt Interpretation und Aktualisierung ja notwendigerweise ein (vgl *MAASS*, Ursprünge, S.136f und *SCHÜRER*, Geschichte, S,392ff, besonders S,395).</td></tr>
<tr><td><15></td><td>*GERHARDSSON*, Memory, S.293.</td></tr>
</table>

NT setze die Existenz eines konkreten, methodischen Vorgehens voraus, dessen Konturen im Vergleich mit dem "surrounding Jewish milieu" und zwar einem pharisäischen, deutlich würden <16>. Das frühe Christentum habe ganz ähnliche Überlieferungstechniken gehabt, und zwar zunächst für die Evangelientradition. Sie sei als "Christus-Tradition" "basis, focus and point of departion for the work of the Apostle Paul. It is evident that he attempts to provide a firm basis in this centre even for what appear to be peripheral rules. But he does not pass on this focal tradition in his epistles. He presupposes it constantly, since it has already been delivered, ἐν πρώτοις" <17>.

Trotz des entgegengesetzten Ergebnisses geht *GERHARDSSON* von der gleichen Methode aus, die freilich Einseitigkeiten in starkem Maß fördert. Dagegen liegt der methodisch gebotene Weg darin, zunächst die paulinischen Aussagen für sich zu untersuchen. Erst wenn die Eigenart seines Verständnisses von Tradition erfaßt ist, ist ein Vergleich mit Erscheinungen der Umwelt angebracht.

7.1.1) Galater 1 und 2

In Gal 1 und 2 setzt Paulus sich explizit mit der Frage nach der Bedeutung von Tradition auseinander. Bereits in **1,1** ist das Thema angesprochen, das sich für den ganzen Brief als wesentlich erweist: Paulus ist Apostel οὐκ ἀπ' ἀνθρώπου ἀλλὰ διὰ Ἰησοῦ Χριστοῦ <18>. Die Auseinandersetzung mit den Gegnern in Galatien bestimmt den ganzen Brief und bereits die ersten Sätze.

Paulus weicht von der sonst üblichen Fd07orm des Präskriptes ab, indem er es mit einer Doxologie abschließt und dem Segenswunsch V.3 in ganz untypischer Weise einen Zusatz anfügt, der in Form einer kerygmatischen Aussage den Segenswunsch beleuchtet. Diese Aussage von V.4 ist eine christologisch-soteriologische Formel, die Paulus aus der Tradition übernimmt und die in 2,20 inhaltlich und terminologisch anklingt <19>. Sie dient dazu, den Galatern schon zu Beginn des Schreibens ins Gedächtnis zurückzurufen, was des Paulus Verkündigung und die ehedem gemeinsame Glaubensgrundlage ausmacht, die die Galater freilich im Begriff sind zu verlassen (V.6ff) <20>.

Obwohl Paulus in 1,1 sein Apostelamt von menschlicher Vermittlung freihält und auf Gott selbst zurückführt, faßt er seine Verkündigung mit einer ihm vorliegenden urchristlichen Formel zusammen. Offenbar steht das traditionelle Bekenntnis für ihn nicht im Gegensatz zu seiner Berufung διὰ Ἰησοῦ Χριστοῦ. Wie beides zusammengehört und welches Gewicht Offenbarung und Tradition jeweils tragen, wird des weiteren in Gal 1 verhandelt.

Wer anderes als Evangelium verkündet als das, was Paulus verkündigt hat, verfällt dem Fluch, und wenn es Paulus selbst einfiele (1,6ff) <21>. Inhalt der Verkündigung kann für ihn nur die Botschaft von der Gnade Gottes in Jesus Christus sein. Diese Botschaft ist der Verfügung des Verkündigers und der Gemeinde gerade enthoben <22>.

<16> Ebd, S.15ff.77. Zur Kritik vgl *SMITH*, Comparison, S.169ff und *LEHMANN*, Tag, S.32 Anm.59.
<17> S.295.296ff. Zur Kritik vgl *SMITH*, ebd, S.169.
<18> Der Wechsel der Präpositionen ist nach *BL-DEBR* § 210.223 ohne Bedeutung. *HAHN*, Apostolat, S.59 sieht in der ersten Wendung die Ablehnung eines Gemeindeapostolats, in der zweiten die Ablehnung einer Beauftragung durch einen Propheten. Auf jeden Fall ist nicht nur der Wechsel der Präposition, sondern auch der des Numerus zu beachten, sodaß bei der zweiten Wendung an eine besondere Art der Beauftragung zu denken ist.
<19> Vgl hierzu *MUSSNER*, Gal, S.50 mit Anm.38. Dort weitere Literatur.
<20> Die Formel steht also keineswegs nur aus "Formelzwang" da (gegen *MUSSNER*, Gal, S.50), sondern hat ihren Sinn in der sich andeutenden Auseinandersetzung.
<21> Auch der Einsatz mit θάνατος V.6 überrascht im Vergleich zu den übrigen Briefeingängen. Dies ist wiederum nur aus der besonderen Situation zu erklären.
<22> Vgl hierzu oben, S. 212f.

- 241 -

Das Evangelium haben die Galater übernommen in der Predigt des Paulus (παρελά-βετε **V.9**). παραλαμβάνειν bedeutet als Terminus der Traditionsübermittlung zunächst die Übernahme einer weitergegebenen Tradition ⟨23⟩. An dieser Stelle ist das παρ' ὅ παρελάβετε zu interpretieren in Verbindung mit dem Korrelatbegriff in V.8 εὐαγ-γελίζομαι. Das Evangelium ist eine Größe, die sowohl dem Verkündigen als auch dem Übernehmen vorausliegt. Deshalb redet die paulinische Botschaft auch keinem Menschen nach dem Mund. Dies wäre dem Evangelium völlig inadäquat: οὐδὲ γὰρ ἐγὼ παρὰ ἀνθρώπου παρέλαβον οὔτε ἐδιδάχθην **V.12** ⟨24⟩. Mit den Verben ist die Traditionsvermittlung überhaupt angesprochen: das paulinische Evangelium beruht nicht auf der Übernahme von Tradition in irgendeiner Form. Es ist dem Apostel zuteil geworden δι' ἀποκαλύψεως Ἰησοῦ Χριστοῦ. Der Satz ist unvollständig, kann aber durch keines der Verben ergänzt werden ⟨25⟩. Schon die Satzstruktur zeigt, daß die Verben auf die menschliche Seite gehören. δι' ἀποκαλύψεως Ἰησοῦ Χριστοῦ ist die Antithese zu κατὰ ἄνθρωπον ⟨26⟩. Christus ist einerseits Inhalt der Offen-barung, andererseits steht er dem παραλαμβάνειν und dem διδάσκεσθαι gegenüber als ihr Ursprung. In V.9 und 12 begegnet der Begriff παραλαμβάνειν also in unter-schiedlicher Akzentuierung: während er in V.9 als Korrelat zu εὐαγγελίζεσθαι in positiver Weise die Aufnahme des Evangeliums bezeichnet, steht er in V.12 für eine menschliche Überlieferung, die Paulus als Ursprung seines Evangeliums nicht aner-kennen kann. Dennoch liegt kein Gegensatz vor. Das, was Paulus nach V.8 verkün-det hat, ist ja das Evangelium Christi (V.7), und indem es verkündigt wird, begegnet Christus den Menschen. Die Annahme der Verkündigung ist damit zugleich die Auf-nahme Christi selbst. Dennoch ist die unterschiedliche Akzentuierung im Auge zu behalten.

Der weitere Verlauf der Darlegung ist eine Erläuterung zur These 1,11f in Form einer knappen, nur das aktuelle Thema pointierenden Biographie. Die betont jüdische Vergangenheit macht jegliche Beschäftigung mit der Christusbotschaft im Sinne des παραλαμβάνειν und διδάσκεσθαι unmöglich (**V.13f**). Aber auch nachdem der Apostel die Offenbarung empfangen hatte, erfolgte nichts dergleichen (**V.16f**) ⟨27⟩. Diese Aussagen geben biographisch nur wenig Aufschluß. Sie dienen ausschließlich dem Nachweis, daß der Apostel sein Evangelium nicht durch menschliche Vermittlung erhalten hat.

V.18 hat eine Fülle verschiedener Deutungen hervorgerufen, vor allem die Wendung ἱστορῆσαι Κηφᾶν.

⟨23⟩ Vgl hierzu unten, S.244f.
⟨24⟩ Die Präpositionen κατά und παρά betonen gleichermaßen das Stichwort ἄνθρωπος. Es ginge in jedem Fall um ein Evangelium, für das der Mensch das Maß abgibt. Die Variation in der Formulierung verstärkt. Das οὐδὲ γὰρ ἐγώ wird zu verstehen sein in Zusammenhang mit den Uraposteln (vgl *SCHLIER*, Gal, S.45). Das Verhältnis zu Jerusalem ist hier schon angedeutet.
⟨25⟩ So mit Recht *SCHLIER*, Gal, S.47, Anm.1 gegen *WEGENAST*, Verständnis, S.44, der παρέλαβον ergänzen will.
⟨26⟩ Zu ergänzen ist allenfalls ἐστίν, vgl *OEPKE*, Gal, S.56.
⟨27⟩ Dies belegen die beiden negativen und positiven Bemerkungen. εὐθέως ist durch die Stel-lung betont und wehrt vielleicht den Gedanken ab, Paulus habe besonders am Anfang seiner Wirksamkeit Schulung erhalten. σαρκὶ καὶ αἵματι bedeutet "von überhaupt nie-mandem" (vgl *SCHWEIZER*, Artikel σάρξ, S.128). Daß die Wendung die Jerusalemer Autoritäten abwerten soll, wie *STUHLMACHER*, Evangelium S.83 meint, kann ich nicht sehen. Die beiden Aussagen in V.16c und 17a ergänzen sich in ihrer Beweiskraft.

Bei vielen Autoren wird dabei abgewogen zwischen dem "Höflichkeitsbesuch" und dem Besuch mit der Absicht, Informationen über Jesus zu bekommen ⟨28⟩. Zweifellos war dieser Besuch mehr als ein bloßer Höflichkeitsbesuch. Aus 2,8 geht hervor, daß Petrus in Jerusalem eine herausragende Rolle spielt und daß Petrus und Paulus eine je eigene Vorstellung von Mission und den Missionsfeldern haben. Daß es auf der anderen Seite vorrangig um den Austausch von παραδοσις gehe, wie ROLOFF meint ⟨29⟩, ist ebenfalls zweifelhaft. Stellen wie Gal 4,4 oder 2Kor 5,16 machen es unwahrscheinlich, daß es Paulus vorrangig um persönliche Erinnerungen oder Überlieferungen vom irdischen Jesus ging. Außerdem steht V.18 immer noch bei dem Nachweis, daß Paulus keine menschliche Belehrung und Unterweisung empfangen hat. V.19 bestätigt dies: außer Petrus und zeitweise Jakobus hat Paulus keinen der anderen Urapostel zu Gesicht bekommen. Die Schwurformel V.20 schließt den Abschnitt vorläufig ab und bekräftigt zusammenfassend die Unabhängigkeit des Apostels.

Der Sinn des ἱστορῆσαι Κηφᾶν ist im Zusammenhang mit Kapitel 2 zu erkennen. Paulus kommt mit der Absicht nach Jerusalem, Petrus kennenzulernen. Er erkennt den zeitlichen Vorrang der Jerusalemer Autoritäten an (V.17). Gleichen Rang mit ihnen hat er dagegen im Blick auf sein Apostelamt und die Mission. Sie ist gemeinsame Aufgabe der Apostel und kommt bei dem "Apostelkonzil" zur Sprache (2,1ff). Es liegt jedoch nahe, die gemeinsame Verkündigung des Evangeliums schon in 1,18 als das "Thema" des Treffens zu sehen ⟨30⟩. Es geht also nicht um eine Unterweisung des Paulus, sondern um die Diskussion der gemeinsamen, wenn auch je spezifischen Wahrnehmung der apostolischen Missionstätigkeit ⟨31⟩.

Gal **2,1ff** führt die Argumentation mit anderer Akzentuierung fort. Die Eigenständigkeit des paulinischen Apostolats ist hier vorausgesetzt. Jetzt geht es um die Einheit des Evangeliums. Die bei der Zusammenkunft des Paulus mit Petrus und den anderen Jerusalemer Autoritäten ⟨32⟩ getroffene Abmachung (V.9f) ⟨33⟩ bekräftigt die faktisch bereits getroffene Aufteilung der Missionsgebiete ⟨34⟩. In der gleichen göttlichen Wirksamkeit an und in beiden Aposteln ⟨35⟩ hat die Einheit des Evangeliums und die trotz verschiedener Adressaten dennoch bestehende Missionsgemeinschaft ihren eigentlichen Grund. In der aktuellen Auseinandersetzung des Paulus mit den Galatern steht freilich die Anerkennung des paulinischen Evangeliums durch Jerusalem im Vordergrund.

Daß Paulus den Uraposteln sein Evangelium vorlegt (ἀνατίθημι 2,2), belegt nicht,

---

⟨28⟩ Vgl MUSSNER, Gal, S.91f.

⟨29⟩ So ROLOFF, Apostolat, S.86. Auch nach CULLMANN, Tradition, S.15 wollte Paulus von Petrus weitere Überlieferungen empfangen, und zwar wesentlich deshalb (vgl S.25), weil das Zeugnis jedes einzelnen Apostels für sich unvollständig sei und "einzig die volle Paradosis, zu der jeder Apostel etwas beigetragen hat, die Paradosis Christi" ausmache. Dies trifft weder das Traditionsverständnis des Paulus noch das der Jerusalemer Apostel.

⟨30⟩ Vgl dazu HAHN, Verständnis, S.39.

⟨31⟩ V.21-24 nehmen den Grundgedanken erneut auf: Paulus begibt sich in eigenständiger Mission in Gebiete, in denen noch nicht missioniert worden ist. Die chronologischen und geographischen Angaben sind sparsam und mit den Angaben von Apg 13ff nicht zu harmonisieren (vgl dazu MUSSNER, Gal, S.98 mit weiteren Literaturangaben).

⟨32⟩ Namentlich genannt sind Jakobus, Kephas und Johannes. Auf Grund der Voranstellung des Jakobus hat CULLMANN vermutet, Petrus sei "nunmehr Leiter der von Jerusalem" (sprich: von Jakobus) "direkt beaufsichtigten judenchristlichen Mission" (Artikel Πέτρος, S.110). Der Text läßt einen Rangunterschied aber nicht erkennen und sie gelten gleichermaßen als "Säulen" (v.9). δοκοῦντες στύλοι εἶναι V.9 bezeichnet einen engeren Kreis innerhalb der δοκοῦντες V.2.6; sie sind eventuell deren Repräsentanten (so SCHLIER, Gal, S.67).

⟨33⟩ δεξιὰς ἔδωκαν κτλ V.9 hat geradezu die Bedeutung "einen Vertrag schließen", vgl GRUNDMANN, Artikel δεξιός, S.37f. In der Näherbestimmung κοινωνία kommt die Einheit des Evangeliums und die Gleichrangigkeit der Heiden- und der Judenmission zum Ausdruck.

⟨34⟩ Das ἰδόντες V.7 spielt wohl auf die tatsächlichen Erfolge der paulinischen Heidenmission an, die die Jerusalemer Apostel wirklich" sehen" können.

⟨35⟩ Daß ein Rangunterschied zwischen Petrus und Paulus zur Sprache komme (vgl KLEIN, Galater 2, 6-9), kann ich nicht finden. V.8 schließt in seiner Begründungsfunktion Konkurrenz gerade aus.

daß diese darüber zu richten oder eine Legitimation zu erteilen hätten <36>. Allenfalls in dem Sinn kann sein Apostolat überprüft werden, ob er das Evangelium verkündet oder es verfälscht (vgl 1,8). Dieses Recht nimmt Paulus sich ja auch gegenüber den Uraposteln, wie die nachfolgende Petrusepisode 2,11ff zeigt (vgl V.14). Hier wird die dem Paulus offenbarte Botschaft zur Norm auch für die Jerusalemer Apostel.

Auch daß Paulus befürchte, tatsächlich "falsch gelaufen zu sein" (V.2) <37> und sich jetzt die Jerusalemer Bestätigung für seine Mission hole, gibt der Text nicht her. Die Reise geschieht κατὰ ἀποκάλυψιν 2,2 , das macht persönliche Zweifel des Paulus an seiner Wirksamkeit als Reisegrund unwahrscheinlich. Es geht ihm nicht um eine Legitimation seiner Botschaft oder seines Apostolats <38>, sondern um die Übereinstimmung mit den Uraposteln. Dies ist wichtig, weil sich darin das eine Evangelium, wenn auch durch verschiedene Apostel und für verschiedene Adressaten, Ausdruck verschafft <39> und auch deshalb, weil diese Einheit nun auch den Galatern die Rechtmäßigkeit des paulinischen Apostolats belegt.

Es bleibt festzuhalten:

- Das Verständnis der paulinischen Botschaft als des von Gott offenbarten Evangeliums schließt für Paulus jegliche menschliche Vermittlung aus (1,12). In der Auseinandersetzung mit seinen Gegnern (vgl 1,1.10f) kommt ihm alles auf den Nachweis der Christusunmittelbarkeit seines Evangeliums an.

- In seiner Mission und in der der Urapostel kommt der eine Herr zur Sprache. Die Botschaft richtet sich an verschiedene Adressaten, ist aber dieselbe Botschaft und gründet in derselben Beauftragung (2,8). Unterschiedliche Akzente gefährden nicht die Einheit. Wer sich aber gegen das Evangelium stellt (1,8) oder sich in seinem Verhalten davon entfernt (2,14), verfällt der Kritik eben dieses Evangeliums.

- Die Aufnahme der traditionellen Formel in 1,4 berührt nicht den Offenbarungscharakter der paulinischen Botschaft. Sie ersetzt nicht die Offenbarung, sondern hat ihren Ort in der Vermittlung der Botschaft, also der Verkündigung. Da das Christusgeschehen ihr Inhalt ist, belegt sie den Charakter der paulinischen Botschaft als εὐαγγέλιον τοῦ Χριστοῦ (1,7). Die Formel verbindet Paulus mit denen, die vor und neben ihm Christus verkündigen. Insofern bezieht sich das παραλαμβάνειν in 1,9 auch auf solche Tradition. Ursprung und Inhalt der Verkündigung ist aber Christus selbst. Wer deshalb die Verkündigung annimmt, der öffnet sich diesem Herrn. So geht es auch in Gal 1,9 nicht lediglich um die Übernahme bestimmter Glaubensformeln. Vielmehr zielt die Verkündigung darauf, daß Χριστὸς μορφωθῇ ἐν ὑμῖν (4,19).

7.1.1.1) 1Korinther 15,1-11

In 1Kor 15,1-11 findet sich eine Bekenntnistradition, die Paulus mit großer Intensität vorbereitet und einleitet. Er gibt hier seinem Verständnis von Tradition deutlichen Ausdruck. Im vorliegenden Zusammenhang ist weniger die Bekenntnistradition selbst <40>, als die paulinische Rahmung und Interpretation von Interesse.

<36> Gegen *SCHLIER*, Gal, S.68.
<37> Vgl *WENGST*, Apostel, S.155; *SCHLIER*, Gal, S.67f.
<38> Gegen *SCHLIER*, Gal, S.66.
<39> Titus V.3f fungiert als "Testfall", wie schon seine gesondert erwähnte Mitnahme nach Jerusalem anzeigt, 2,1. Was in der Übereinkunft geregelt wird, ist durch die Anwesenheit des Titus faktisch schon vorentschieden. Er ist der lebendige Beweis dafür, daß die paulinische Heidenmission mit der Botschaft der Urapostel in Einklang steht. Wegen dieser Beispielfunktion wird Titus gleich zu Beginn, gleichsam als Vorgriff auf die Abmachung genannt.
<40> Einen knappen Überblick und eine ausgewogene Beurteilung gibt *HAHN*, Hoheitstitel, S.197ff. Weitere Literatur ist angegeben bei *CONZELMANN*, 1Kor, S.294f.300f.

Mit ὅτι Χριστὸς ἀπέθανεν V.3 ist der Einsatz dieser Formel eindeutig bestimmt. Die sprachliche Form weist V.3b.4.5 als zur Tradition gehörig aus ⟨41⟩. In V.6 ist mit ἔπειτα ein Neueinsatz gegeben. Das Traditionsstück ist in sich geschlossen. Die erste und die dritte Zeile sind jeweils durch das Motiv der Schrifterfüllung und durch die parallel stehenden Zusätze ὑπὲρ τῶν ἁμαρτιῶν ἡμῶν und τῇ ἡμέρᾳ τῇ τρίτῃ betont, während sich Zeile zwei und vier bekräftigend anschließen ⟨42⟩. Die Bemerkung in V.6b ist dabei als paulinischer Zusatz zu sehen. Aber auch die in V.6a.7 erwähnten Erscheinungen vor den 500, vor Jakobus und den übrigen Aposteln gehören ebenfalls nicht zur ursprünglichen Tradition.

Die zitierte Tradition hat sich in dieser Richtung als erweiterungsfähig erwiesen. Der Reihe der Auferstehungszeugen schließt Paulus sich in einer zweifellos von ihm selbst konzipierten Passage an. Der Umfang der Formel beschränkt sich somit auf V.3b-5, während in V.6-8 Paulus weitere, ihm bekannte Christuserscheinungen anfügt. Das hohe Alter der Tradition ist unbestritten ⟨43⟩. Die Fragen ihrer Herkunft und sprachlichen Grundform hängen eng zusammen: nimmt man eine hebräische oder aramäische Vorlage für die Formel an, so ist Jerusalem als Entstehungsort wahrscheinlich ⟨44⟩, entscheidet man sich für eine ursprünglich griechische Textgestalt, dann ist sie aus einer griechisch sprechenden Gemeinde hervorgegangen, wobei häufig Antiochien genannt wird ⟨45⟩. Die Häufung unpaulinischer Wendungen und der semitischen Sprachfiguren sind immer wieder betont worden ⟨46⟩, wenngleich auch der Einfluß des Septuaginta-Griechisch unwiderlegbar ist ⟨47⟩. Ich gehe nicht notwendigerweise von einer wortwörtlichen Übersetzung eines semitischen Urtextes aus, gestehe aber der These der semitischen Urform die größere Wahrscheinlichkeit zu ⟨48⟩. Dafür sprechen neben den Beobachtungen zum Traditionsstück selbst, das hohe Alter der Formel und die Bemerkung in V.11, wo Paulus mit οὕτως κηρύσσομεν auf die Übereinstimmung seiner Botschaft mit der der Uraposteln hinweist. Damit ist Jerusalem als Entstehungsort des Traditionsstückes anzunehmen.

Aufschlußreich für das paulinische Traditionsverständnis ist die Rahmung des Traditionsstückes, besonders die Einleitung in **15,1-3a**. Paulus verwendet hier Begriffe, die der jüdischen Traditionsterminologie entlehnt sind.

Paulus bezeichnet an einigen Stellen das Weitergeben und die Übernahme von Tradition mit παραδιδόναι und παραλαμβάνειν ⟨49⟩. Für das Begriffspaar ist der jüdische Hintergrund prägend ⟨50⟩. Die hebräischen Äquivalente sind לְ מָסַר (παραδιδόναι) und מִן קִבֵּל (παραλαμβάνειν). Sie begegnen als Paar in der Einleitung des Mischna-Traktates Abot, in der die Traditionskette von Mose bis Hillel dargestellt wird. Für sich genommen sind beide Begriffe als Termini des Übergebens und Empfangens

---

⟨41⟩ Besonders zu nennen ist hier das viermal wiederholte ὅτι, mit dem die einzelnen Bestimmungen eingeleitet sind. Sie bilden jeweils zwei zusammengehörige Doppelaussagen.

⟨42⟩ Vgl *HAHN*, Hoheitstitel, S.199. Daß im Text zwei konkurrierende Erscheinungsreihen kombiniert seien (so besonders *HARNACK*, Verklärungsgeschichte, S.62ff), kann aus dem Text nicht herausgelesen werden, sondern entspringt einem bestimmten Bild der Urgemeinde. Vgl zur Kritik an *HARNACK CAMPENHAUSEN*, Ablauf, S.10, Anm.2; *GRASS*, Ostergeschehen, S.97.

⟨43⟩ Vgl *LEHMANN*, Tag, S.153.

⟨44⟩ So *CAMPENHAUSEN*, Ablauf, S.52; *HAENCHEN*, Leidensnachfolge, S.121 und viele andere. Auch *CONZELMANN*, Analyse, S.8 schließt dies nicht aus, obwohl er die semitische Grundform bestreitet.

⟨45⟩ So *DIBELIUS*, Formgeschichte, S.18f; vgl *WILCKENS*, Überlieferungsgeschichte, S.47f.

⟨46⟩ Vgl *CONZELMANN*, 1Kor, S.297ff und *LEHMANN*, Tag, S.97ff. Bedenkenswerte Gegenargument gegen eine semitische Urform sind zusammengetragen bei *CONZELMANN*, ebd, S.299.

⟨47⟩ Vgl dazu *LEHMANN*, Tag, S.90ff.97ff.

⟨48⟩ Vgl *LOHSE*, Bezüge, S.117.

⟨49⟩ Vgl noch 1Kor 11,2.23; παραλαμβάνειν noch in Gal 1,9.12; Phil 4,9; 1Thess 2,13; 4,1.

⟨50⟩ Zur Traditionsgebundenheit des jüdischen Denkens überhaupt vgl *KÜMMEL*, Jesus, S.110ff. 117 und *SCHÜRER*, Geschichte, S.384f; *BOUSSET*, Religion, S.178ff. Auch im griechischen Bereich wird das Verhältnis von Lehrer und Schüler als das des παραδούς zum παραλαμβάνων gekennzeichnet (vgl *DELLING*, Artikel λαμβάνω, S.11) und παρελήφαμεν erscheint als festgeprägte Formel. Im Vordergrund steht dabei nicht Wissensvermittlung, sondern die Weitergabe persönlich qualifizierter Erkenntnis durch den Lehrenden. In den Mysterienreligionen beschreiben die Begriffe den Empfang der Weihe und der esoterischen Lehren (vgl Corp Herm I,26b). Eine Beeinflussung des Paulus durch die Mysteriensprache liegt aber nicht vor.

mündlicher Tradition eher selten <51>. Häufig ist dagegen die Formel אֲנִי מְקֻבָּל mit folgendem מִן (es wurde mir überliefert von). Die Begriffe weisen hin auf eine ausgeprägte traditionstechnische Terminologie, von der man mit Recht annehmen kann, daß sie in ihren wesentlichen Zügen bereits in nt.licher Zeit ausgeprägt war <52>. Die schriftgelehrte Tätigkeit, als deren Niederschlag die Fachterminologie gelten kann, ergab sich konsequent aus der Notwendigkeit, die Aussagen des Gesetzes für die Gegenwart zu aktualisieren <53>. Neben die Tora trat die Halacha, neben das niedergeschriebene Gesetz das mündliche (vgl S.Schab 31a Bar), wobei man einerseits sagen konnte, daß Mose am Sinai neben der schriftlichen auch die mündliche Tora erhalten habe <54>, andererseits aber durchgängig sich bemühte, die Halacha auf die Tora zu beziehen: die halachische Tradition wies immer auf die Schrift als Offenbarung Gottes hin <55>. מִשְׁנָה als Bezeichnung der Sammlung der Halacha <56> deutet schon die starke Traditionsorientierung schriftgelehrter Tätigkeit an. שָׁנָה heißt wiederholen, (mündlich Überliefertes) lernen oder lehren, wobei Stellen wie Ab III,8 die Genauigkeit solchen Lernens verdeutlichen. Lange Zeit spielte die mündliche Weitergabe die wesentliche Rolle. Das שָׁנָה tritt in den Mittelpunkt. Genauigkeit ist oberstes Gebot und mnemotechnische Hilfen werden angewandt <57>. An Regeln der Weitergabe sind zu nennen: Wahrung des Wortlautes einer Tradition; Nennung ihres Urhebers oder wenigstens des unmittelbaren Lehrers (im Idealfall einer ganzen Tradentenreihe); Weitergabe durch einen ordinierten Rabbi. Das Gewicht der schriftgelehrten Tätigkeit und die zur "mündlichen Tora" sich verdichtenden Halachot führen zu einer ausgeprägten exegetischen Technik mit einer einschlägigen Terminologie und damit in vielen Teilen auch zu einem unübersehbaren Formalismus <58>.

Paulus bedient sich in V.1-3a, besonders V.3a, des rabbinischen Traditionsschemas, demzufolge Übernommenes als Tradition kenntlich zu machen ist. Schon die Beobachtung, daß die eigenständige Erweiterung der Formel V.6a nicht angezeigt wird, macht aber deutlich, daß Paulus sich nicht einfach an ein ihm vorgegebenes Traditionsschema hält. Diese formale Beobachtung wird gestützt durch eine wichtigere inhaltliche. Die Traditionstermini παραδιδόναι und πραλαμβάνειν stehen in V.1ff in deutlichem Zusammenhang mit den Verben εὐαγγελίζομαι und πιστεύειν. Offenbar stimmen in diesem Fall das Weitergeben einer Tradition und das Verkündigen des Evangeliums überein, wie auch ihre Annahme und das Glauben zusammenfallen. Die angeschlossenen Relativsätze ἐν ᾧ καὶ ἑστήκατε und δι' οὗ καὶ σώζεσθε verstärken dies <59>. In ihrer Zusammengehörigkeit weisen sie auf die Verkündigung und den Glauben. Gerade die Relativsätze erweisen sich so als Schlüssel zum Verständnis von V.1-3a.

ἐκτὸς εἰ μὴ εἰκῇ ἐπιστεύσατε bringt denselben Sachverhalt zur Sprache. Der Ausdruck steht in direktem Zusammenhang mit dem vorangehenden εἰ κατέχετε, aber auch mit ἐν ᾧ καὶ ἑστήκατε: beides beschreibt das über das bloße Übernehmen von

----

<51> Vgl BACHER, Terminologie; zu קָבַל vgl II, S.185; zu מָסַר vgl II, S.115.

<52> BACHER, ebd, S.Vf

<53> Vgl hierzu BOUSSET, Religion, S.178ff; SCHÜRER, Geschichte, S.381ff.

<54> Vgl Nidda 45a unten Bar, auch 40b und STRACK, Einleitung, S.8.

<55> Vgl Sanh 99a Bar; Nidda 45a; Sifre Deut 33,3.

<56> Vgl STRACK, ebd, S.1. Die außerkanonisch gesammelten Halachot nennt man Tosefta.

<57> Vgl SCHÜRER, Geschichte, S.385; STRACK, Einleitung, S.14f und Ab III,8;II,8; Ed I,3.

<58> Vgl hierzu WEGENAST, Tradition, S.28ff, dort auch Belegstellen. Es muß aber berücksichtigt werden, daß die prinzipiell unabgeschlossene Aufgabe der Schriftgelehrten die Fortführung und die Ausbildung des Rechtes war. Es ging nicht nur um die Auslegung eines literarischen Dokumentes, sondern um die Vergegenwärtigung des Wortes Gottes an die Menschen. Auf dieses Wort bezogen sie alle Auslegung (auch wenn natürlich manche kunstvolle Exegese mit der Tora nicht unbedingt viel gemeinsam hat) und sie bewahrt diesem Wort seinen jeweils konkreten Sinn (vgl LEHMANN, Tag, S.274).

<59> Es liegt eine enge inhaltliche Zusammengehörigkeit vor: das Übernehmen von Tradition allein wird nicht betont, sondern die Zusammengehörigkeit mit dem eigenständigen und aktiven "Darin-Stehen". Beides ist aufeinander bezogen und hat gemeinsam das σωθῆναι zur Folge. Es wäre eine grobe Verkürzung, das σωθῆναι lediglich auf ein rechtes παραλαμβάνειν zu beziehen.

Tradition hinausgehende Festhalten und Feststehen im Glauben. Vergeblich wäre deshalb der Glaube zu nennen, der nicht zum Feststehen, zum eigenen existenziellen Vollzug gelangt. εἰ κατέχετε ist freilich selbst eng bezogen auf τίνι λόγῳ εὐαγγελισάμην ὑμῖν. Der Inhalt dessen, was geglaubt und festgehalten wird, steht nicht in der Entscheidung der Glaubenden, sondern ist ihnen vorgegeben. Dabei ist λόγος nicht einzugrenzen auf eine bestimmte Formulierung. Der Formulierung kommt dann jedoch Bedeutung zu, wenn sie dem Heilsgeschehen gültigen Ausdruck verleiht <60>. Dies kommt schon im λόγος τοῦ σταυροῦ 1Kor 1,18 zur Sprache und gilt auch von dem das Heilsgeschehen zusammenfassenden Bekenntnis in 1Kor 15. Insofern ist der Glaube auf die Weitergabe und Übernahme des Wortes angewiesen.

Das Verhältnis von Tradition und Evangelium wird damit als Identität und Differenz beschreibbar. Evangelium ist die den Menschen konkret ansprechende und verändernde Botschaft, die in dem Heilsgeschehen der Auferstehung ihren Grund hat und in der der Auferstandene selbst wirkt. Tradition kommt dagegen immer von Menschen her. Wo die Tradition aber das Heilsgeschehen zusammenfaßt, stimmt sie mit der frohen Botschaft überein und kann als Evangelium bezeichnet werden (vgl V.1 mit V.3). Die Tradition tritt nicht an die Stelle des Heilsereignisses, aber sie verleiht ihm Ausdruck.

Das παραδιδόναι ist deshalb mehr als bloße Weitergabe einer Lehre. Es ist konkrete Ansprache in eine bestimmte Situation mit Hilfe einer geprägten Glaubensformel und hat also kerygmatischen Charakter. Das παραλαμβάνειν ist umgekehrt kein bloß formaler Akt, sondern die Übernahme der Bekenntnistradition führt zum eigenen Bekenntnis und damit zur Hoffnung auf das Heil.

Dabei ist die formulierte Glaubenstradition nicht beliebig. Paulus weiß sich darin einig mit den Uraposteln (V.11). Der Inhalt des Bekenntnisses ist der Gemeinde als übernehmender, aber auch den Aposteln als weitergebender Größe schon vorgegeben, indem es mit Tod und Auferstehung Jesu das Heilsgeschehen zusammenfaßt. Insofern geht es bei dem Bekenntnis um mehr als nur eine bestimmte Formulierung: es geht um den Grund der Botschaft, des Evangeliums und damit auch des Glaubens <61>. Die Bekenntnistradition soll deshalb auch nicht weitergegeben werden als zu tradierende, sondern als zu aktualisierende, den Glauben weckende Formel. Die Glaubensformel selbst bestätigt dies. Das Sterben Christi geschieht ὑπὲρ τῶν ἁμαρτιῶν ἡμῶν <62>. Sterben und Auferstehen beschreiben das jeglicher Formel vorausliegende Urdatum des Glaubens. Deshalb kann das Bekenntnis nicht beliebig verändert werden, sondern muß sich stets daran messen lassen. Das ὑπὲρ ἡμῶν bezieht dies auf die Bekennenden und weist darauf hin, daß man das Bekenntnis in rechter Weise nur sprechen kann, indem man die eigene Existenz mit diesem Geschehen von Kreuz und Auferstehung zusammenbringt: ὑπὲρ ἡμῶν ist das Sterben

----

<60> DIBELIUS, Formgeschichte, S.17 bezieht dagegen die Wendung auf den feststehenden Wortlaut der Formel.

<61> παρέδωκα ὑμῖν ἐν πρώτοις V.3 zeigt ebenfalls die Tradition als Hauptstück des christlichen Glaubens an. Der Begriff "Formel" ist für das Traditionsstück passend und unangemessen zugleich. Einerseits liegt in der sprachlich stark strukturierten Satzperiode eine bereits bewährte Formulierung vor. Andererseits erschöpft sich die Intention dieser Aussage nicht in der formalen Genauigkeit der Übernahme, sondern zielt auf den existentiellen Bezug zum Heilsgeschehen. Der Begriff der Formel darf also nicht formalistisch eingeengt werden. "Die 'Mitte' des Evangeliums ist zunächst keine 'Formel', sondern lebendige Predigt des Heils und zugleich 'Bekenntnis' " (LEHMANN, Tag, S.38; vgl auch S.43ff).

<62> Diese Wendung deutet Jesu Tod als Sühneopfer oder als stellvertretendes Opfer, vgl dazu CONZELMANN, 1Kor, S.300, Anm.59; HAHN, Hoheitstitel, S.201 und ausführlich KREMER, Zeugnis, S.33-35.

Jesu geschehen ⟨63⟩. Die Glaubensformel ruft in den existenziellen Bezug zum Heilsgeschehen.

Die an die Formel anschließenden Verse beschreiben denselben grundlegenden Sachverhalt. Dies wird schon daran deutlich, daß die Grenze zwischen Tradition und der paulinischen Weiterführung nicht deutlich markiert ist. Durch die Überleitung der Aussage von der Erscheinung vor Kephas und den Zwölfen über die vor 500 Brüdern, vor Jakobus und den Aposteln hin zu seiner eigenen Christusbegegnung werden Tradition und paulinische Weiterführung in einem einheitlichen Spannungsbogen zusammengehalten. V.11 bringt das existentielle Angesprochen-Sein erneut zum Ausdruck, indem er die Verkündigung des Evangeliums und dessen Annahme mit κηρύσσειν und πιστεύειν umschreibt. Die Weitergabe der Traditionsformel führt, da die Formel das Christusgeschehen selbst zum Inhalt hat, zum Glauben, zur eigenständigen Christusbeziehung. Damit ist V.1-3a aufgenommen und der Abschnitt 15,1-11 abgerundet.

Es bleibt festzuhalten: Paulus ordnet sich mit Hilfe des Traditionsstückes in die Zeugenreihe der Auferstehung ein, die ihn mit den Uraposteln verbindet und die Einheit der Verkündigung garantiert ⟨64⟩. Er zitiert das Bekenntnis auch mit der Absicht, die Übereinstimmung mit den Korinthern zu betonen und die Kommunikationsbasis herzustellen. Er geht mit dem Traditionsstück nicht in formaler Traditionstechnik um, sondern reiht es in die aktuelle Verkündigung ein. Das ist der eine wesentliche Aspekt: Paulus macht die Tradition zum aktuellen Bekenntnis. Sie dient dem ansprechenden und in Anspruch nehmenden Kerygma. Dies führt zum zweiten Aspekt: das Bekenntnis ist nicht beliebig austauschbar ⟨65⟩. Es beschreibt ja gültig das Heilsgeschehen und gibt damit den Grund des Glaubens und die Ermöglichung des Heils an. Deshalb hat die Aufnahme der Tradition hier nicht nur taktische Bedeutung für die Auseinandersetzung mit der Gemeinde in Korinth. Sie hat fundamentale Bedeutung für die Verkündigung, und zwar nicht darin, daß ein Wortlaut möglichst unverfälscht weitergegeben wird, sondern dadurch, daß das Bekenntnis in die lebendige Verkündigung als Ausdruck des grundlegenden Heilsereignisses hineingehört ⟨66⟩.

Die Traditionstermini παραλαμβάνειν und παραδιδόναι begegnen auch in 1Kor 11,2; 11,23 und Röm 6,17. **1Kor 11,2-16** befaßt sich mit der Frage der Kopfbedeckung der Frauen im Gottesdienst. Hinsichtlich dieser hat Paulus der Gemeinde eine παράδοσις erteilt. *WEGENAST* hebt in seiner Interpretation der Stelle hervor, daß hier keine Überlieferung weitergegeben wurde, sondern Paradosis neu entstehe und daß somit

---

⟨63⟩ Vgl Röm 5,8, auch 5,6; 14,15; 1Kor8,11; Gal 2,21. ὑπὲρ τῶν ἁμαρτιῶν ἡμῶν ist möglicherweise eine Weiterentwicklung eines ursprünglichen ὑπὲρ ἡμῶν.

⟨64⟩ Vgl *WENGST*, Apostel, S.156ff; *v.d.MINDE*, Schrift, S.181f. Daß der Apostel die Gemeinde damit auf eine Lehrtradition verpflichte (*v.d.MINDE*, ebd), trifft so freilich nicht zu.

⟨65⟩ Vgl *HAHN*, Schrift, S.460. Von hier aus ist Kritik angebracht an der These von *KAHL*, Traditionsbruch, daß die innere Kontinuität christlicher Verkündigung nur in der äußeren Diskontinuität konkreter Verkündigung gewahrt werden könne (vgl S.25.39). Wenn Paulus das grundlegende Heilsereignis in der Tradition gültig formuliert findet und aufgreift, wahrt er gerade auch die äußere Kontinuität und darin die Einheit des Evangeliums.

⟨66⟩ Wie Verkündigung und Lehre von einem prägnant formulierten Bekenntnis ausgeht, wird an der Fortsetzung in 1Kor 15,12ff deutlich. Das Bekenntnis in V.3bff ist die Basis für alles folgende. Ebenso versteht Paulus seine Ausführungen in Röm als Explikation des Bekenntnisses in Röm 1,1-4 (V.3b.4a; vgl hierzu *HAHN*, Schrift, S.460).

keine Rede von der Befolgung rabbinischer Traditionstechnik sein könne <67>. Im Zusammenhang des gesamten Abschnitts stellt sich V.2 aber doch etwas anders dar <68>. Inhaltlich ist als Anordnung erkennbar, daß die Frau im Gottesdienst eine Kopfbedeckung tragen soll, nicht aber der Mann. Dies wird mit verschiedenen Argumenten untermauert: mit dem Brauch in den Gemeinden Gottes (V.16), mit dem eigenen Urteilsvermögen und dem Hinweis auf die natürliche Ordnung (V.13ff) und schließlich mit Hilfe einer Bild-Abbild Reihe <69>, die Paulus hier christologisch füllt. Gerade das letzte Argument zieht sich durch den ganzen Abschnitt hindurch (vgl V.3.7ff.11ff). Die schöpfungsgemäße Ordnung ist der Hintergrund der Paradosis. Sie hat freilich eine christologische Spitze darin, daß ἐν κυρίῳ Frau und Mann aneinandergewiesen sind (V.11). Im Blick auf das Heil sind die Unterschiede aufgehoben, nicht im Blick auf die Geschöpflichkeit (V.12) – und dieser schöpfungsmäßigen Ordnung entspringt die Paradosis. V.16 macht wahrscheinlich, daß Paulus hier eine gemeindliche Sitte aufgreift und untermauert. Zwar will er sie als bindende Paradosis weitergeben, aber nicht als eigene Weisung, sondern als Brauch der Gemeinde, der schöpfungstheologisch begründet ist. Daß dieses Argument aber christologisch interpretiert (V.3.11f) und in Zusammenhang gebracht wird mit der eschatologischen Heilsordnung ἐν κυρίῳ (V.11), ist zu beachten und zeigt an, wie auch eine solche Frage von Paulus christologisch ausgerichtet wird <70>.

In **1Kor 11,23** begegnet wie in 15,1-3a das Begriffspaar παραδιδόναι und παραλαμβάνειν. Damit wird die Tradition eingeleitet, die von V.23b-25 reicht <71>. Sie ist eingebettet in den Abschnitt 11,17-34, in dem zunächst die Mißstände in Korinth geschildert, dann das Traditionsstück zitiert und schließlich in V.26-34 Interpretation und Anwendung angefügt werden. Wesentlich für die Bedeutung des Traditionsstückes ist das Verhältnis der Traditionstermini zu der Wendung ἀπὸ τοῦ κυρίου V.23 <72>. Bereits in der vorpaulinischen Gemeinde ist der Kyriostitel eng mit dem Abendmahl verbunden (vgl ὁ κύριος Ἰησοῦς V.23) <73>. Auch in der paulinischen Weiterführung in V.26 ist vom θάνατος τοῦ κυρίου die Rede. ἀπὸ <74> τοῦ κυρίου verbindet zwei Sachverhalte: hinter den überlieferten Abendmahlsworten steht die Autorität des irdischen Jesus. Er wird dadurch aber nicht lediglich zum ersten Glied einer Tradentenkette. Vielmehr wird die Überlieferung des Irdischen durch den Erhöhten bestätigt und für die Gegenwart aktualisiert. Sie hat Autorität dadurch, daß in ihr das Herrenmahlgeschehen seinen prägnanten Ausdruck findet, hinter dem der irdische Jesus selbst steht. Daß sie aber zum lebendigen Hineingenommen-Sein in die καινὴ διαθήκη führt, hat seinen Grund darin, daß der erhöhte Kyrios selbst die Worte der Tradition mit Leben füllt. Von hier aus ist auch der Wiederholungsauftrag verständlich. ἀνάμνησις wird ja durch τὸν θάνατον τοῦ κυρίου (11,26) interpretiert. Von der eigenen Zugehörigkeit zum neuen Bund soll die Gemeinde die Heilsbedeutung des Todes Jesu verkündigen. Indem sie das Mahl feiert, gibt sie die Worte, die sie selbst empfangen hat, weiter und läßt sie zugleich im Akt der sakramentalen Handlung zur lebendigen Anrede werden.

Auch **Röm 6,17** hat verschiedene Deutungen erfahren <75>. Am nächsten liegt es, in Anlehnung an die Taufhymnen des NT und die Überlieferung in 1Kor 15,3-5 für τύπος διδαχῆς eine Zusammenfassung des Evangeliums anzunehmen, die bei der Taufe weitergegeben wurde. "Von da bekommt es auch guten Sinn, daß nicht die

----

<67> Verständnis, S.111ff. Es zeigt sich erneut, daß *WEGENAST* zu stark an dem Verhältnis des Paulus zur jüdischen Traditionstechnik interessiert ist. Deshalb beurteilt er 11,2 zu sehr aus sich selbst und berücksichtigt den Zusammenhang mit dem ganzen Abschnitt zu wenig.

<68> Die Argumentation ist allerdings "einigermaßen durcheinander" und die Gedankenführung "ungeschickt" und "verdeckt" (so *CONZELMANN*, 1Kor, S.214.225).

<69> Vgl *CONZELMANN*, ebd, S.215f.220ff. Auch diese, im hellenistischen Judentum aus der griechischen Philosophie entwickelte Argumentation zielt ab auf die natürliche Ordnung des Kosmos und der Schöpfung.

<70> *CONZELMANN*, ebd, sieht in diesem Abschnitt den Niederschlag einer Schuldiskussion (wogegen allerdings gerade die mangelnde Stringenz der Argumentation spricht).

<71> Zur traditionellen Aussage vgl *CONZELMANN*, 1Kor, S.230ff.

<72> Zu den verschiedenen Deutungen vgl *WEGENAST*, Verständnis, S.93ff: *HAHN*, Hoheitstitel, S.93 und *KRAMER*, Christos, S.159ff.

<73> So *KRAMER*, ebd. Er spricht auch von der paulinischen Gewohnheit, innerhalb eines Abschnittes bei derselben christologischen Bezeichnung zu beharren.

<74> ἀπό weist hier auf den erhöhten Herrn hin, vgl *BORNKAMM*, Herrenmahl, S.321f.

<75> Vgl *KÄSEMANN*, Röm, S.172f; *WILCKENS*, Röm II, S.35ff. Bei *KÄSEMANN* ist die wichtigste neuere Literatur angegeben. Eine Glosse anzunehmen, wie *BULTMANN*, Glossen, S.202 wegen der Störung der Antithese V.17a.18 durch V.17b angenommen hat, wird heute weitgehend abgelehnt.

Übergabe der Tradition an den Täufling, sondern dieses an die Tradition festgestellt wird" <76>. Damit wird derselbe Doppelaspekt der Tradition erkennbar, der sich bereits bei den bisherigen Stellen ergeben hat: als gültige Zusammenfassung christlichen Glaubens hat der τύπος διδαχῆς Autorität und Gültigkeit. Das Evangelium findet in dieser Zusammenfassung seinen Ausdruck und wird darin weitergegeben. Der Zusammenhang mit der Taufe, der Hinweis auf das δουλεύειν τῇ δικαιοσύνῃ (V.18) und die Wendung ὑπακούσατε δὲ ἐκ καρδίας machen aber deutlich, daß das Aufnehmen des Evangeliums nicht ein formaler Akt, sondern ein konkretes und personales Geschehen ist <77>.

Gal 1,12 und 1Kor 15,1-3 scheinen sich auf den ersten Blick zu widersprechen <78>. Betont Paulus in Gal seine Unabhängigkeit von menschlicher Tradition, so faßt er in 1Kor seine Botschaft gerade mit einem traditionellen Bekenntnis zusammen. Dieser Widerspruch löst sich aber bei genauem Hinsehen schnell. Das traditionelle Bekenntnis in Gal 1,4, die Anerkennung des zeitlich vor Paulus liegenden Apostolates der Jerusalemer Apostel und die positive Aufnahme des Terminus παραλαμβάνειν in 1,9 weisen auf das Verständnis der Tradition als Zusammenfassung des Christusgeschehens hin. Umgekehrt zeigen in 1Kor 15,1-3a der Zusammenhang von παραδιδόναι und παραλαμβάνειν mit den Verben des Verkündigens und Glaubens und die bruchlose Weiterführung der Tradition durch eigene Gedanken, daß Paulus sich nicht einer bestimmten Traditionsautorität unterwirft; die Rahmung und die Formel selbst belegen, daß Verkündigung und Tradition auf den personalen Bezug zum Heilsgeschehen zielen. Eine unterschiedliche Akzentuierung beider Texte bleibt wohl bestehen, läßt sich aber durch die unterschiedliche Situation erklären <79>. Berücksichtigt man diese unterschiedliche Akzentuierung, so ist das Verhältnis von Offenbarung, Evangelium und Tradition in beiden Texten vergleichbar. Seinen Ursprung hat das Evangelium in der Begegnung mit dem auferstandenen Herrn (1Kor 15,8; Gal 1,15). Daß in Tod und Auferstehung Jesu Gott das Heil für die Menschen gewirkt hat, ist der Inhalt des Evangeliums. Es spricht die Menschen konkret an und nimmt sie in eine lebendige Beziehung zu Christus hinein. So ist in der Verkündigung und im Gläubig-Werden letztlich der Herr selbst wirksam. In diesem Sinn gehört Evangelium zu der Offenbarung selbst. Tradition kann in keiner Weise die ἀποκάλυψις Ἰησοῦ Χριστοῦ ersetzen (Gal 1,12). Die Verkündigung des Evangeliums bedarf aber des gesprochenen und weitergegebenen Wortes. Wo ein solches Wort in geprägter Formulierung den Inhalt des Heilsgeschehens tatsächlich zusammenfaßt, da fällt es inhaltlich mit dem Evangelium zusammen (vgl Gal 1,4; 1Kor 15,3b-5). Die Aussage ὑπὲρ τῶν ἁμαρτιῶν ἡμῶν richtet sich dabei aus auf die Bekennenden und bezieht sie in das Heilsgeschehen mit ein. Es gibt also eine inhaltliche Übereinstimmung von Tradition und Evangelium. Dennoch ist Tradition nicht einfach mit Evangelium identisch, sie dient der konkreten Verkündigung des Evangeliums.

<76> So *KÄSEMANN*, Röm, S.173.
<77> Zu Phil 4,9 und 1Thess 4,1, wo ebenfalls παραλαμβάνω als Traditionsterminus begegnet. vgl unten, S.258.
<78> In der Literatur ist dies immer wieder als nicht aufzulösender Widerspruch gesehen worden, vgl besonders *DINKLER*, Artikel Tradition, Sp.971. *BAIRD*, Kerygma, S.187ff hat sicher darin recht, daß man je nach Bevorzugung des einen oder anderen Textes zu unterschiedlichen Ergebnissen kommen kann. Wichtig ist aber, die in beiden Texten übereinstimmende Grundlage zu erkennen.
<79> Die Gegner in Galatien behaupten die Herkunft und Vermittlung des paulinischen Apostolats durch Menschen. In 1Kor 15 dient Paulus die Tradition als Basis für die Auseinandersetzung mit der gegnerischen These ὅτι ἀνάστασις νεκρῶν οὐκ ἔστιν (15,12) und V.13 macht deutlich, daß die Auferstehung selbst dabei nicht im Zweifel steht.

7.1.2) Die christologische Prägung der Tradition bei Paulus

Es geht nun in einem weiteren Schritt um die Frage, welche Traditionen Paulus zur Verkündigung seiner Botschaft aufgreift. Im Anschluß an 1Kor 15,3b-5 und Gal 1,4 sollen zunächst weitere urchristlichen Bekenntnisse untersucht werden. Herrenworte und Jesustradition bilden einen zweiten Abschnitt. Eng damit verbunden sind paränetische Traditionen. Bereits in 1Kor 15 ist von Tod und Auferstehung κατὰ τὰς γραφάς die Rede gewesen. Deshalb muß in einem vierten Abschnitt von der Tradition des AT die Rede sein.

7.1.2.1) Zusammenfassende Formeln für das Christusereignis

Die Texte, die hier zu behandeln sind, fassen wie Gal 1,4 und 1Kor 15,3b-5 das Christusgeschehen zusammen. In der Literatur werden sie unterschiedlich bezeichnet. So findet sich für 1Kor 15,3bff die Bezeichnung Glaubens- oder Pistis-Formel, ebenso aber auch kerygmatische Formel oder katechetische (wobei der Text näherhin zu den soteriologischen Formeln gerechnet wird) <80>. Gemeinsames Kennzeichen ist, daß sie das Ereignis von Jesu Tod und Auferstehung in Formeln zusammenfassen. Der Sitz im Leben dieser Formeln kann unterschiedlich sein. Man sollte dies aber im einzelnen nicht zu genau kategorisieren. Denn ein Text wie 1Kor 15, 3b-5 begründet in seinem gegenwärtigen Zusammenhang die paulinische Aussage in der Auseinandersetzung mit den Gegnern. Er ist ebenso gut denkbar in der Katechese und keineswegs abwegig ist es, in ihm eine Zusammenfassung des urchristlichen Auferstehungsglaubens und damit ein Bekenntnis zu sehen <81>. Und da das Verb εὐαγγελίζεσθαι mit der Formel in Verbindung steht, hat der Text natürlich auch kerygmatischen Charakter. Faktisch sind dieser und die anderen Texte Bekenntnis des Glaubens, das dann jeweils kerygmatisch, katechetisch, argumentierend oder liturgisch verwendet werden kann. Im vorliegenden Zusammenhang geht es nicht um die genaue Einordnung in den jeweils ursprünglichen Sitz im Leben, sondern um die Art und Weise, wie Paulus mit traditionellen Formeln umgeht. Es genügt deshalb die Charakterisierung dieser Formeln als Zusammenfassung (oder zusammenfassendes Bekenntnis) des Christusereignisses.

Es ist im Rahmen dieser Arbeit weder möglich noch nötig, auf alle Formeln dieser Art bei Paulus einzugehen. Ich beschränke mich auf die Behandlung einiger Formeln, die für die Frage nach der Bedeutung von Tradition bei Paulus besonders aufschlußreich sind.

Im Präskript des Röm nimmt Paulus ein traditionelles Bekenntnis auf (**Röm 1,3f**). Dies geht hervor aus dem antithetischen Parallelismus der beiden κατὰ-Wendungen, dem partizipialen Stil der beiden Verse und der auf semitischen Ursprung hindeutenden Voranstellung der Verben <82>. Die vorpaulinische Herkunft des Traditionsstückes ist unbestritten, während die Frage nach paulinischen Einschüben in die Formel unterschiedlich beurteilt wird.

<80>   Glaubensformel: *SEEBERG*, Katechismus, S.56; Pistisformel: *KRAMER*, Christos, S.17; Kerygmatische Formel: *SCHNEIDER*, Frage, S.92f; Katechetische Formel: *WENGST*, Formeln, S.55ff. *WENGST*, Apostel, S.12 hat darauf aufmerksam gemacht, daß hier auf eine sachentsprechende Terminologie zu achten ist. Glaubens-, Bekenntnis- und Verkündigungsformeln können auf Grund verschiedener formaler Beobachtungen und verschiedener inhaltlicher Akzente unterschieden werden (vgl hierzu *VIELHAUER*, Geschichte, S.14ff.23ff.28f). Dies im Rahmen der vorliegenden Arbeit im einzelnen zu begründen ist aber nicht möglich und auch nicht nötig.

<81>   Vgl hierzu *BAMMEL*, Herkunft, S.409 und *CAMPENHAUSEN*, Entstehung, S.128f. Faktisch stimmt hier auch *KÄSEMANN*, Traditionsgeschichte, S.140 umgekehrt zu, wenn er sagt, "daß 'Bekenntnis' sich neutestamentlich vielfach in Hymnen, Liedern, Akklamationen und Formeln entfaltet".

<82>   Vgl *NORDEN*, Theos, S.254ff; *KÄSEMANN*, Röm, S.8; *KRAMER*, Christos, S,105; eine Literaturübersicht findet sich bei *HAHN*, Hoheitstitel, S.251, Anm 3. Zur semitisierenden Sprache vgl *KRAMER*, Christos, S.105, Anm.363 und insgesamt *EICHHOLZ*, Paulus, S.125ff; *WILCKENS*, Röm I, S.56ff.

Als Subjekt, auf das sich die Formel bezieht, ist ursprünglich wohl nur 'Ιησοῦς anzunehmen ⟨83⟩. Der Sohnestitel (περὶ τοῦ υἱοῦ αὐτοῦ V.3a) hat hier deutlich eine übergeordnete, beide Aussagen der Formel verbindende Funktion und stammt in diesem Zusammenhang von Paulus. Die gleiche Bedeutung hat auch die anschließende Zusammenfassung 'Ιησοῦ Χριστοῦ τοῦ κυρίου ἡμῶν. Sie findet sich bei Paulus öfter in Präskripten (1Kor 1,9; 2Kor 1,3; 1Thess 1,3). Weitere, in das Traditionsstück selbst eingreifende paulinische Interpretamente anzunehmen, besteht kein Anlaß. Die beiden κατά-Wendungen hat SCHWEIZER in überzeugender Weise als nicht von Paulus stammend nachgewiesen ⟨84⟩ und auch ἐν δυνάμει kann nicht als paulinischer Einschub gewertet werden ⟨85⟩.

Das Bekenntnisstück bringt zwei christologische Vorstellungen in Verbindung, deren Schnittpunkt die Auferstehung ist. κατὰ σάρκα beschreibt die irdische Herkunft Jesu. Sie zielt auf die Auferstehung Jesu, die im Sinne einer Adoption den Davidssohn zum Gottessohn einsetzt ⟨86⟩. Die zweite Aussage geht von der Auferstehung aus und bezieht den Titel υἱὸς ϑεοῦ darauf: zum Sohn Gottes ist Jesus Christus eingesetzt ἐν δυνάμει ⟨87⟩. Paulus selbst denkt hier anders, wie Gal 4,4 und 2Kor 8,9 deutlich belegen. Indem Paulus nun die judenchristliche Formel mit περὶ τοῦ υἱοῦ αὐτοῦ einleitet und dem κύριος-Titel abschließt, akzentuiert er sie freilich in seinem Sinn ⟨88⟩. Auch als γενόμενος ἐκ σπέρματος Δαυὶδ κατὰ σάρκα ist Jesus Gottes Sohn (vgl Gal 4,4; 1,15; 2,20; Röm 8,3). Paulus bezieht sich also auf die ihm vorliegende Tradition von dem Jesus κατὰ σάρκα und κατὰ πνεῦμα, bringt sie aber in sein christologisches Denken ein und verändert sie im Vollzug der Verkündigung an die Heidenchristen in Rom.

Im folgenden legt er das Bekenntnis aus ⟨89⟩. Der Glaube der römischen Gemeinde und der Apostolat des Paulus sind in demselben Geschehen begründet, das seinen prägnanten Ausdruck in eben der Tradition findet. Das Verhältnis von Evangelium und Tradition wird im Zusammenhang von V.1f mit V.3f deutlich: Paulus ist ausgesandt εἰς εὐαγγέλιον ϑεοῦ. Dieses Evangelium ist bereits "vorverkündigt" worden durch die Propheten und die Schrift (V.2), wobei προεπηγγείλατο den Charakter der at.lichen Botschaft als ἐπαγγελία und "Prototyp des Evangeliums" ⟨90⟩ deutlich macht. Inhalt-

----

⟨83⟩ Vgl KRAMER, Christos, S.105; HAHN, Hoheitstitel, S.252.
⟨84⟩ πνεῦμα ἁγιωσύνης als Bezeichnung des Heiligen Geistes ist bei Paulus sonst nicht belegt. Hinzu kommt, daß das Schema κατὰ σάρκα – κατὰ πνεῦμα bei Paulus sonst nie zur Kennzeichnung zweier verschiedener Welten dient; vgl SCHWEIZER, Röm 1,3f; S.563ff.
⟨85⟩ Vgl HAHN, Hoheitstitel, S.252; KÄSEMANN, Röm, S.10; gegen KRAMER, Christos, S.107.
⟨86⟩ Bei der Betonung der irdischen Herkunft Jesu geht es nicht primär um eine Aussage der Niedrigkeit Jesu, wie etwa in Phil 2,6-8 (vgl KRAMER, Christos, S.105f; KÄSEMANN, Röm, S.9; WILCKENS, Röm I, S.58f). Der Davidssohn-Titel bezieht sich ja auf den Messiaskönig (vgl Ps Sal 17,21ff; 4QFlor zu 2Sam 7,11f) und deutet so die Messianität Jesu an. Es ist aber der Davidide, der in die Gottessohnschaft eingesetzt wird. In 2Tim 2,8 begegnet eine ähnliche Aussage, aber bezeichnenderweise wird dort der Auferstandene als Davidide ausgewiesen (vgl WILCKENS, Röm I, S.59f). In der Verbindung von Auferstehung und Davidssohnschaft liegt eine alte Interpretation der Auferstehung durch judenchristliches Denken vor.
⟨87⟩ Es liegt eine Verbindung vor von der ursprünglichen Aussage "Christus ist auferstanden" mit der Aussage "Der Auferstandene ist der Davidide, der Messias". Dies ist bereits ein zweites traditionsgeschichtliches Stadium. Zur weiteren Entwicklung der Tradition vgl WILCKENS, Röm I, S.60f.
⟨88⟩ So SCHWEIZER, Artikel πνεῦμα, S.415; KÄSEMANN, Röm, S.11; WEGENAST, Verständnis, S.74f; EICHHOLZ, Paulus, S.126.
⟨89⟩ So HAHN, Schrift, S.460, Anm.17.
⟨90⟩ So KÄSEMANN, Röm, S.7.

lich wird das Evangelium zur Sprache gebracht durch die traditionelle Formel ⟨91⟩.

Auch in dem wichtigen Abschnitt **Röm 3,21ff** finden wir in V.24f ein vorpaulinisches Bekenntnisstück, das Paulus durch eigene Zusätze interpretiert hat. Die Verse bieten eine ganze Reihe von Problemen, die nicht erörtert werden können. Hier ist wichtig, daß Paulus Tradition aufnimmt und wie er mit ihr umgeht.

In V.24f begegnen Termini, die für Paulus wenig charakteristisch sind ⟨92⟩, die Verse fallen durch die Häufung der Genitiv-Konstruktionen und der Präpositionen aus dem Duktus des Abschnitts heraus. Der Begriff des Blutes Christi begegnet bei Paulus sonst nur in übernommenem Gut, die Bezeichnung ἱλαστήριον für Christus ist ungewöhnlich. Zu nennen ist auch die Parallelität der Verse 25b und 26a auf formaler Ebene, nicht aber in der Sache ⟨93⟩. Die Distanz zwischen V.25 und 26a weist schon auf eigene Zusätze des Paulus in den ihm vorgegebenen Text hin. Dies gilt außer für V.26 noch für δωρεὰν τῇ αὐτοῦ χάριτι V.24 und διὰ πίστεως V.25. Die von Paulus übernommene Formel ist ein judenchristliches Bekenntnis.

Das Geschehen der Rechtfertigung wird gedeutet als ein Handeln Gottes (V.25): Gott hat Christus öffentlich kundgetan als ἱλαστήριον ⟨94⟩. Im Sterben Jesu erneuert Gott seinen Bund mit seinem Volk. Die Gerechtigkeit Gottes wird deshalb an dieser Stelle deutlich als seine Bundestreue ⟨95⟩. Paulus nimmt diesen Gedanken in V.26 auf, verschiebt ihn aber inhaltlich. Nun kommt die Gerechtigkeit als Rechtfertigung ἐκ πίστεως Ἰησοῦ in den Blick, die das Bundesvolk übergreift und jedem gilt, der an das göttliche Geschehen im Kreuzestod Jesu glaubt. Das ist die inhaltliche Umschreibung von ἡ ἀπολύτρωσις ἡ ἐν Χριστῷ Ἰησοῦ. In die gleiche Richtung weist bereits der paulinische Einschub διὰ πίστεως V.25, in dem V.22 wieder aufgenommen und die Brücke geschlagen ist zu καὶ δικαιοῦντα τὸν ἐκ πίστεως Ἰησοῦ V.26. Ähnliches gilt auch für δωρεὰν τῇ αὐτοῦ χάριτι, wobei χάρις und πίστις hier eng verwandt sind. Die traditionelle Aussage trifft für Paulus wohl das Christusgeschehen, macht freilich dessen Konsequenz noch nicht recht deutlich. Deshalb verstärkt er durch seine interpretierenden Einschübe die Intention des Bekenntnisses dahingehend, daß die Erlösung nicht in erster Linie der Zugehörigkeit zu einem Bundesvolk gegeben ist, sondern, dies umgreifend, im Glauben an Christus. Die Tradition wird also christologisch verstärkt. Tradition und Interpretation greifen eng ineinander. Von einer betonten Einführung des Bekenntnisstückes wie etwa in 1Kor 15,1-3a ist nichts zu spüren.

Den Abschluß von Röm 4 bildet eine christologische Formel, die einige Hinweise auf vorpaulinisches Traditionsgut enthält.

⟨91⟩ V.d.MINDE, Schrift, S.46 meint, daß das Evangelium auf Schrift und Tradition aufbaue und der Apostel die Bindung an diese beiden Größen verlange. Die traditionskritische Komponente des Evangeliums ist hier zu wenig berücksichtigt. Außerdem geht es nicht um ein "Aufbauen". Tradition wird da zum Evangelium, wo sie das Heilsgeschehen bekenntnishaft zusammenfaßt. Die Identität gilt aber auch nur da, wo die Tradition der frohen Botschaft Ausdruck verleiht und keineswegs für Schrift und Tradition generell.

⟨92⟩ Vgl die Worte πάρεσις, προγεγονότων ἁμαρτημάτων, προτίτεσθαι im hier vorliegenden Sinn. Vgl dazu KÄSEMANN, Verständnis, S.150f. Literatur zum Abschnitt findet sich bei KÄSEMANN, Röm, S.83f.

⟨93⟩ Vgl KÄSEMANN, Verständnis, S.151f und weiter MICHEL, Röm, S.102ff; STUHLMACHER, Gerechtigkeit, S.88; WENGST, Formeln, S.85; EICHHOLZ, Paulus, S.189ff.

⟨94⟩ Ob dabei die typologische Deutung auf den Deckel der Bundeslade (כַּפֹּרֶת Ex 25,17-22), der am Versöhnungstag mit Blut besprengt wird (Lev 16,14), sich nahelegt (so NOTH, 2.Buch Mose, S.166; GOPPELT, Typos, S.179; EICHHOLZ, Paulus, S.192f; WILCKENS, Röm I, S.193), ist nicht ganz eindeutig. Möglich ist auch, ἱλαστήριον im allgemeinen Sinn als Sühnemittel zu verstehen, vgl KÄSEMANN, Röm, S.91. WILCKENS, Röm I, S.183 sieht nur V.15.26a als traditionelle Formel an.

⟨95⟩ KÄSEMANN, Röm, S.94.

Zu nennen sind in **Röm 4,25** die formale Prägung durch den Parallelismus der beiden Zeilen, das Passiv παρεδότη, das auch in Röm 8,32 in einem traditionell geprägten Kontext, sonst aber bei Paulus nicht begegnet, die Relativkonstruktion von 4,25, die in feierlichem Stil gehaltene Einleitung in V.24 ⟨96⟩. Sicher klingt in der ersten Zeile Jes 53,5.12 an. Dies macht das absolut gebrauchte παρεδότη verständlich und auch die Konstruktion διά c.acc. ⟨97⟩, die hier anstelle des sonst bei Paulus üblichen ὑπέρ begegnet. Dies alles spricht für die vorpaulinische Herkunft der Formel. Allerdings ist diese Meinung nicht unumstritten. Zwar wird man nicht so weit gehen können, dem Satz jede Traditionalität abzusprechen ⟨98⟩. Denkbar ist jedoch die Möglichkeit, daß Paulus unter Verwendung traditioneller Motive den Vers selbst gebildet hat ⟨99⟩. In jedem Fall aber handelt es sich um traditionelle Motive, die hier in geprägter Form begegnen.

Die Erkenntnis ist von Bedeutung, daß erst durch die Christus-Aussage in V.25 das 4.Kapitel als Explikation von 3,21-31 abgerundet ist. Darin zeigt sich, daß Paulus die Wendung absichtsvoll an dieser Stelle einfügt und ihr damit Gewicht verleiht.

Ein kurzer Überblick über den Aufbau des 4.Kapitels macht dies deutlich. Röm 4 ist insgesamt eine Ausführung der Thesen von 3,21ff: die Rechtfertigung des Menschen vor Gott kommt aus dem Glauben (3,22.28); Sünder sind es, die gerechtfertigt werden; alle haben gesündigt (3,22bf); deshalb gilt die Rechtfertigung nicht nur für eine bestimmte Gruppe, sondern für alle, sofern sie glauben (3,22.29); dies wird vom Gesetz und den Propheten bezeugt (3,21b). Dem Nachweis dieser letzten These und damit gleichzeitig der ersten drei dient das 4.Kapitel mit seiner Auslegung von Gen 15,6 ⟨100⟩. In 4,1-8 führt Paulus den Nachweis, daß Abraham entgegen dem jüdischen Denken, das ihn als Vater der Gerechten aus dem Gesetz betrachtet ⟨101⟩, aus dem Glauben gerechtfertigt ist. Von hier aus begründet er in V.9-12 die Universalität der Rechtfertigung, die nicht an Zeichen wie die Beschneidung gebunden ist. Auch auf das Gesetz können sich die Juden nicht berufen, denn ἐκ πίστεως Ἀβραὰμ εἶναι ist universal und umfaßt auch die ἐκ τοῦ νόμου (V.13-16). Am Glauben Abrahams zeigt Paulus in V.17-22 schließlich das Wesen des Glaubens überhaupt (V.18. 20). So bezeugt die Tora selbst die δικαιοσύνη θεοῦ ἐκ πίστεως. Diese theologische Aussage wird in 4,23-25 mit der christologischen Aussage so verbunden, daß die Rechtfertigung aus Glauben ihren Grund hat in Tod und Auferstehung Jesu Christi. In V.23f wird der typologische Charakter der Argumentation besonders deutlich (vgl bei Paulus noch besonders deutlich 1Kor 10,11): das at.liche Geschehen wird als Vorausdarstellung der Rechtfertigung durch das Christusgeschehen aufgefaßt. Damit ist die Brücke geschlagen zu 3,24 und 3,26 δικαιοσύνη ἐκ πίστεως Ἰησοῦ. Der Abraham-Exkurs ist christologisch gerahmt und von hier aus gedeutet.

Den Christen aus Rom stellt Paulus Abraham als ersten Glaubenden und aus Glauben Gerechtfertigten vor Augen.

Er ist damit Vater der Glaubenden. Von Anfang an wird die Geschichte Gottes mit den Menschen als Heilsgeschichte erkennbar. Das δι' ἡμᾶς V.23 umgreift so alle Glaubenden, seien sie nun Nachkommen des Abraham κατὰ σάρκα (vgl 4,1) oder nicht. Grundlegendes Element des Glaubens ist dabei die Zusage und die Schöpfer-

----

⟨96⟩ Vgl *BULTMANN*, Theologie, S.49; *KÄSEMANN*, Röm, S.121f; *MICHEL*, Röm, S.127f; *SCHWEIZER*, Erniedrigung, S.73. *KRAMER*, Christos, S.112ff führt aus, daß die Dahingabe-Formel ursprünglich vom Kommen des Gottessohnes in die irdische Existenz überhaupt spricht und erst mit der Zeit auf Leiden und Sterben eingeengt wurde. Röm 4,25 gehört deshalb für ihn zu den "traditionsgeschichtlich jüngeren Stücke (n)" (S.114, Anm.396). Nach *POPKES*, Christus, S.251ff.258 hat Röm 4,25 dagegen als die älteste Formel im Corpus Paulinum zu gelten, die ihrerseits als Weiterführung von Mk 9,31 verständlich gemacht werden könnte. Zur Kritik an *POPKES* vgl *v.d.MINDE*, Schrift, S.93f.

⟨97⟩ Vgl *KÄSEMANN*, Röm, S.122; vgl *JEREMIAS*, Artikel παῖς θεοῦ, S.704, Anm.397.

⟨98⟩ So *KUSS*, Röm, S.195. *WILCKENS*, Röm I, S.280 macht geltend, daß die Aussage der Stelle traditionsgeschichtlich sehr isoliert dasteht. Er betont, daß erst in 4,25 das 4.Kapitel als Explikation von 3,21-31 durch die christologische Aussage abgerundet ist.

⟨99⟩ So *WILCKENS*, Röm I, S.280: *v.d.MINDE*, Schrift, S.95 gegen *WENGST*, Formeln, S.101-103. *KRAMER*, Christos, S.26ff geht davon aus, daß die 2.Zeile Analogiebildung zur ersten ist.

⟨100⟩ Paulus beschränkt sich auf das Gesetz, weil es ihm darauf ankommt, daß gerade die Tora der δικαιοσύνη θεοῦ χωρὶς νόμου nicht widerstreitet.

⟨101⟩ Vgl *STR.-BILL*, III, S.186f.

kraft Gottes, der gegen alle Wahrscheinlichkeit Abraham zum Vater eines Volkes macht und als ϑεὸς ὁ ζωοποιῶν τοὺς νεκρούς Jesus von den Toten auferweckt (V.17.24). Ob dabei von der Rechtfertigung her die Christologie interpretiert wird oder ob umgekehrt die Christologie die Rechtfertigung deutet, ist keine Alternative <102>, sondern eng aufeinander bezogen. Glaube und Rechtfertigung sind schon vor dem Christusgeschehen möglich, wie Paulus an Abraham zeigt. Aber dieser Glaube weist voraus auf das Christusgeschehen, insofern er an Gott glaubt, der den Toten Leben schafft und das Nichtseiende ins Sein ruft. In dem grundlegenden Heilsereignis von Tod und Auferstehung Christi offenbart sich die lebensschaffende Kraft Gottes <103>. Diese Beobachtungen machen es nun wahrscheinlich, daß Paulus mit einer dem hellenistischen Judenchristentum entlehnten christologischen Formel <104> den Bogen zu 3,21ff schlägt. Gottesgerechtigkeit und Rechtfertigung des Glaubenden beginnt schon mit der Rechtfertigung Abrahams, aber sie wird in ihrer universalen Bedeutung erst in dem christologischen Heilsereignis offenbar. Damit gibt Paulus durch den Rückgriff auf die christologische Formel dem Abrahambeispiel nicht nur die Rahmung, sondern auch die Richtung. Die Zusammenfassung des Heilsgeschehens durch die christologische Formel ist der Schlüssel zum Verständnis des Abraham-Exkurses.

Wie frei Paulus im Umgang mit geprägter Tradition ist, zeigt **Röm 8,31-29**. Hier findet sich unterschiedliches Formelgut, zu dem sicher die Dahingabe (V.32a), Tod und Auferstehung (V.34a.b) und die folgenden Relativsätze V.34c.d gehören <105>. Diese unterschiedlichen Wendungen hat Paulus in einem Abschnitt zusammengefaßt, der eine "engagierte Rhetorik" aufweist <106>, aber insgesamt doch von Paulus formuliert ist. Ein Übergang von geprägter Tradition zu paulinischer Formulierung ist nirgendwo ausdrücklich kenntlich gemacht. Paulus hat vielmehr die traditionellen Aussagen mit seinen eigenen Formulierungen zu einer organischen Aussage verbunden. Daß diese Freiheit im Umgang mit Tradition nicht von den Regeln jüdischer Traditionstechnik her zu erklären ist, liegt auf der Hand. Ebenso wird deutlich, daß Paulus Traditionsmaterial unterschiedlicher Herkunft zusammenstellen kann, wenn es der grundlegenden christologisch-soteriologischen Aussage entspricht (vgl V.32). Der Röm ist an eine Gemeinde geschrieben, die Paulus nicht persönlich kennt, wenn auch eine gewisse Bekanntschaft mit der römischen Situation anzunehmen ist <107>. Er will ihr seine Botschaft darlegen (vgl 1,1ff.16f). Er steht in keiner persönlichen Auseinandersetzung mit Gegnern. Die Entstehung der römischen Gemeinde zeigt, daß die Gemeinde mit judenchristlichem Denken vertraut ist. Von hier aus wird verständlich, daß Paulus an wesentlichen Stellen at.liche Tradition und judenchristliche Bekenntnisse aufgreift. Sie verleihen dem Evangelium zusammenfassenden Ausdruck. Fundament der paulinischen Botschaft ist freilich nicht die Tradition als solche, sondern die Tradition insofern, als sie das Heilsgeschehen in Christus treffend und zusammenfassend formuliert.

<102> Vgl *KÄSEMANN*, Röm, S.122.
<103> Daß in V.25 eine logische Differenz vorliegt, ist öfter herausgestellt worden (vgl *WILCKENS*, Röm I, S.278; *KÄSEMANN*, Röm S.122; *MICHEL*, Röm. S.127f). διὰ τὰ παραπτώματα ἡμῶν hat kausale Bedeutung, während διὰ τὴν δικαίωσιν ἡμῶν final das Ergebnis der Auferweckung Christi beschreibt. Daß aber Christus durch seine Auferstehung für die Glaubenden das Heil schafft, ist nur von seinem Tod her zu begreifen. Deshalb bedeutet die logische Differenz kein sachliches Auseinandertreten. Die verschiedene Zielrichtung des διά wird vielmehr durch den betonten Parallelismus der Formulierung verursacht sein.
<104> *HAHN*, Hoheitstitel, S.62f; *WENGST*, Formeln, S.56ff.101f.
<105> So *WILCKENS*, Röm II, S.171. Einen geschlossenen traditionellen Text nehmen *PAULSEN*, Überlieferung, S.141-147 (V.31-34) und *v.OSTEN-SACKEN*, Römer 8, S.20-25 (V.31-34. 35a. 38.35a) an. Zur Kritik hieran vgl *WILCKENS*, ebd; *KÄSEMANN*, Röm, S.238f.
<106> So *WILCKENS*, Röm II, S.172. Es finden sich hymnische Elemente, aber auch dialogischer Stil in V.31.34 und die Wortreihungen in V.35.38f.
<107> Vgl hierzu *WILCKENS*, Röm I, S.33-42, besonders die Ausführungen über die Entstehung der Gemeinde.

Im Rahmen des paränetischen Abschnitts Phil 1,27-2,18 zitiert Paulus in **2,6-11** einen Christushymnus ⟨108⟩, den er aus der heidenchristlichen Gemeinde übernimmt ⟨109⟩. Wesentlich ist die Zäsur zwischen V.8 und V.9. Die erste Hälfte des Liedes hat die Erniedrigung des Gottgleichen bis hin zum Tod zum Thema, von V.9 an werden seine Inthronisation zum Kyrios und seine Anerkennung vor dem Forum des Kosmos besungen. Das Schema von Erniedrigung und Erhöhung prägt den gesamten Hymnus. διό bezieht beiden Ereignisse eng aufeinander.

Die Präexistenz wird in der 1.Strophe nicht betont, aber der "von Haus aus bei Gott war" geht den Weg in die Niedrigkeit in letzter Konsequenz. Dies geht über jede biographische Aussage hinaus, nimmt aber doch die menschliche Existenz Jesu ernst. Die μορφὴ δούλου kennzeichnet die Gebundenheit des Menschen an die Macht des Kosmos ⟨110⟩, wie es ja in V.9 denn auch um die Entmachtung gerade dieser Mächte geht. Die Erniedrigung wird als aus freiem Gehorsam gewählte Entscheidung deutlich ⟨111⟩. Die Erhöhung des erniedrigten Jesus geschieht vor dem Forum des Kosmos und seinen Repräsentanten. Dem Thronbesteigungszeremoniell entsprechend wird der Kyrios-Name verliehen, der die Erhabenheit des Namensträgers hervorhebt ⟨112⟩. In der Proskynese wird der Erhöhte von den Mächten anerkannt, was die Akklamation κύριος 'Ιησοῦς Χριστός noch einmal unterstreicht. Der öffentliche und rechtliche Charakter dieses ganzen Geschehens ist offensichtlich.

Das Heilsgeschehen von Erniedrigung und Erhöhung Jesu hat kosmische Bedeutung: die Welt und der Mensch sind nicht mehr schicksalhaften Mächten unterworfen, deren Macht ist gebannt, Welt und Mensch können aufatmen in der Geborgenheit dessen, der im Gehorsam Mensch wurde und nun erhöht ist. Das unscheinbare paulinische Interpretament θανάτου δὲ σταροῦ V.8 ⟨113⟩ hat großes Gewicht. Es verstärkt die Niedrigkeitsaussage des Hymnus und ordnet den traditionellen Hymnus in die paulinische Botschaft ein. Die soteriologische Aussage des Hymnus wird unter den Schatten des Kreuzes gestellt und die Vollendung rückt unter den eschatologischen Vorbehalt des Kreuzes ⟨114⟩, wie im Hymnus selbst der Zusatz und 3,12 belegen. Daß darüber hinaus der Hymnus in den paränetischen Kontext begründend eingefügt ist, ist bereits deutlich geworden.

7.1.2.2) Traditionen, die auf den irdischen Jesus zurückgehen

Beleg für die Auffassung, daß Paulus am irdischen Jesus nicht interessiert sei, war häufig 2Kor 5,16 ⟨115⟩. Der Gegensatz zwischen V.16 und 17 ist aber keineswegs

---

⟨108⟩ Vgl *LOHMEYER*, Kyrios, S.8 uö.; *KÄSEMANN*, Analyse, S.345; *SCHWEIZER*, Erniedrigung, S.51; *HAHN*, Hoheitstitel, S.120f ua. Die wesentlichen Argumente hierfür sind die ausgeprägte, sich vom Kontext abhebende Gliederung des Stückes, das bei Paulus ungewöhnliche Vokabular, das Fehlen paulinischer Theologumena (so die Auferstehung und der ὑπὲρ ἡμῶν-Gedanke).

⟨109⟩ So *KÄSEMANN*, ebd, S.82ff; *HAHN*, ebd, S.120f; *KRAMER*, Christos, S.64 gegen *LOHMEYER*, ebd, S.8f. Zu den Gliederungsversuchen vgl *EICHHOLZ*, Paulus, S.134ff. Größte Wahrscheinlichkeit hat die Aufteilung in Dreizeiler, wie *LOHMEYER* und im Anschluß an ihn *KÄSEMANN* meinen.

⟨110⟩ Vgl *KÄSEMANN*, ebd, S.71ff und Röm 8,38ff; Kol 1,20; 1Tim 3,16; Hebr 1,6; 1Petr 3,22.

⟨111⟩ *EICHHOLZ*, ebd, S.145 weist mit Recht auf Röm 5 hin und versteht den Begriff des Gehorsams zusammenfassend als Grundhaltung des Christus im Gegensatz zur Grundhaltung des Menschen.

⟨112⟩ Vgl *BIETENHARD*, Artikel ὄνομα, S.272; *KÄSEMANN*, ebd, S.84f.

⟨113⟩ Dafür, daß hier Paulus selbst zu Wort kommt, spricht neben der Tatsache, daß der Einschub das Gleichmaß des Liedes sprengt, vor allem die Beobachtung, daß nach dem Hymnus das Sterben selbst den Tiefstpunkt der Entäußerung darstellt (vgl *LOHMEYER*, Kyrios, S.44). Für Paulus ist aber der Kreuzesgedanke konstitutiv.

⟨114⟩ Vgl hierzu *EICHHOLZ*, Paulus, S.150-154.

⟨115⟩ Vgl *HEITMÜLLER*, Problem, S.127f; *BULTMANN*, 2Kor S.158; *SCHMITHALS*, Paulus, S.159.

der Christus κατὰ σάρκα und ein Christus κατὰ πνεῦμα. Vielmehr steht εἰ καὶ ἐγνώκαμεν κατὰ σάρκα Χριστόν dem εἴ τις ἐν Χριστῷ gegenüber. ἐν Χριστῷ εἶναι bedeutet für Paulus, in das Christusgeschehen in Kreuz und Auferstehung hineingenommen zu sein. Χριστὸν γινώσκειν κατὰ σάρκα bedeutet demgegenüber ein Bekanntsein mit Jesus abgesehen von der Tatsache, daß Gott in ihm das Heil geschaffen hat <116>. So von Jesus zu reden, ist für Paulus seit der Begegnung mit dem Auferstandenen nicht mehr möglich <117>. Dies heißt nicht, daß damit die irdische Existenz Jesu irrelevant wäre. Wenn der Zusammenhang des irdischen Jesus mit dem erhöhten Kyrios geglaubt wird, dann ist Jesustradition für Paulus um dieses Zusammenhangs willen wichtig. Man kann dies an den Stellen erkennen, an denen er Traditionsgut aufnimmt, das auf den irdischen Jesus zurückgeht. Es sind quantitativ wenige, aber jeweils hervorgehobene Stellen <118>. Die Nähe paulinischer Paränese zu Worten Jesu ist an einigen Stellen offensichtlich (vgl 1Thess 5,13.15; Röm 12,17ff), wobei für Paulus eine Mahnung wie Röm 12,13f durch das Verhalten des Gekreuzigten motiviert ist (vgl Röm 5,8-10 und 12,16; Phil 2,8). Tod und Auferstehung rücken als grundlegendes Heilsereignis in die Mitte seiner Botschaft, in der er die Tiefendimension aller Kenntnis von Jesus erfährt <119>. Von dieser Mitte aus bekommt auch die Jesustradition ihr Gewicht, was sich im zentralen Liebesgebot oder in der Zusammenfassung der gesamten irdischen Existenz Jesu als Erniedrigung zeigt. In ihrer Eigenheit faßbar wird die Jesustradition bei Paulus hauptsächlich an den wenigen Stellen, an denen er Herrenworte aufnimmt.

In **1Kor 7,10ff** handelt es sich um eine Weisung des Herrn zur Ehescheidung (vgl Mk 10,10). Durch οὐκ ἐγὼ ἀλλὰ ὁ κύριος ist ein Herrenwort gekennzeichnet. Hierzu ist das Präsens παραγγελλεῖ zu ergänzen <120>: der Herr spricht gegenwärtig zu den Korinthern, und zwar durch ein überliefertes Herrenwort. Diese Herkunft vom irdischen Jesus ist für Paulus ein wesentliches Kriterium für die Gültigkeit des Wortes; aber als Jesuswort ist es nur gültig, weil Jesus der Kyrios ist. Dieser Doppelaspekt ist zum Verständnis des Wortes unerläßlich.

Von dem Herrenwort hebt Paulus in V.12 seine eigene Weisung im Blick auf die Ehe zwischen Christen und Nichtchristen ab (V.12ff). Sie hat nicht dieselbe Autorität wie das Herrenwort, geht aber von dort aus. Auf den Fall hin, daß der nichtchristliche Partner die Scheidung will, aktualisiert Paulus mit seiner eigenen Interpretation das Herrenwort. Es behält aber auch in dieser Situation seinen prinzipiellen Sinn (V.14. 16) <121>.

<116> So *MÜLLER*, Traditionsprozeß, S.208f.
<117> Eine persönliche Bekanntschaft des Paulus mit Jesus kann man aus dieser Stelle weder beweisen noch widerlegen, weil dies hier nicht gemeint ist.
<118> Die allgemeine Überlegung, daß Paulus bereits als Verfolger der christlichen Gemeinde Grundkenntnisse über die irdische Existenz Jesu gehabt haben muß, ist durchaus ernst zu nehmen. Ob Paulus in seinen Missionspredigten stärker als in seinen Briefen mit der "vita exemplaris Jesu" gearbeitet habe (so *MÜLLER*, ebd, S.208), muß offenbleiben.
<119> Vgl *MÜLLER*, ebd, S.210f.
<120> So auch *CONZELMANN*, 1Kor S.144; *CULLMANN*, Tradition, S.19; *WEGENAST*, Verständnis, S.105f; *GOPPELT*, Tradition, S.223. Es ist das Präsens vorzuziehen, gegen den sonst üblichen Aorist oder einer zeitlosen Zitationsformel. Den "grundlegende(n) Gegenwartsaspekt der Kyriosvorstellung" hat *KRAMER*, Christos, S.130 dargestellt.
<121> Den Zusammenhang von apostolischem Wort und Herrenwort hat *WEGENAST*, Verständnis, S.107 nicht berücksichtigt. In 7,25 erwähnt Paulus, daß er für die παρθένοι keine ἐπιταγὴ κυρίου hat, sondern seine Mahnung kundtut als einer, der vom Herrn dazu begnadet worden ist, vertrauenswürdig zu sein. ἐπιταγὴ κυρίου nimmt deutlich Bezug auf 7,10. Wesentlich ist, daß Paulus die in 7,26ff folgende eschatologische Begründung durch V.25b in Zusammenhang bringt mit der ἐπιταγὴ κυρίου.

In dem Abschnitt **1Kor 9,1ff** geht es von V.4 an um das Recht des Apostels auf Unterhalt ⟨122⟩. Nachdem Paulus in V.7 diesen Anspruch mit Beispielen alltäglicher Vernunft, in V.8-10 mit einem Schriftbeweis (Dtn 25,4) und in V.13 mit einer Regel des Kultgesetzes belegt hat, fügt er in V.14 eine Anordnung des Herrn zur Begründung hinzu. Die Einleitungswendung im Aorist weist auf ein in der Vergangenheit ergangenes Wort hin. Der Kyrios-Titel wiederum gibt dem Wort Autorität von dem gegenwärtigen Kyrios her. Daß das Wort als letztes in einer Reihe von Argumenten begegnet, zeigt den durchaus steigernden Charakter der Argumentationskette ⟨123⟩. Daß Paulus die Weisung des Herrn gleichwohl für sich nicht in Anspruch nimmt, liegt daran, daß er seinen Apostelauftrag als ἀνάγκη erfährt (V.16), unter der es nicht um eigenen Ruhm oder Lohn gehen kann. Die Autorität des Herrenwortes ist damit nicht aufgehoben. Seine Haltung ist jedoch in der Eigenart seines Apostelauftrages begründet.

Auf 1Kor 11,23 ist bereits oben eingegangen worden ⟨124⟩. Daneben ist noch in **1Thess 4,16.17a.b** auf ein Herrenwort bezug genommen ⟨125⟩, zu dem allerdings im Gegensatz zu den bisher behandelten Stellen keine Parallele aus den Evangelien herangezogen werden kann. Es legt sich nahe, von einer Offenbarung des Erhöhten auszugehen, die aber nicht an Paulus selbst ergangen ist, sondern die er übernommen hat. Wiederum sind sowohl eine Rahmung des Wortes (V.15.17c) als auch Eingriffe in den Wortbestand festzustellen (αὐτὸς ὁ κύριος, ἡμεῖς οἱ ζῶντες, πρῶτον-ἔπειτα). Paulus faßt in V.15 den λόγος κυρίου vorab zusammen und interpretiert ihn im Blick auf die Gemeinde. Die Schlußaussage V.17c konzentriert das apokalyptische Wort ganz auf πάντοτε σὺν κυρίῳ. Mit dieser Rahmung und den Einfügungen interpretiert Paulus die Tradition in seinem Sinn und ordnet sie in die Funktion des ganzen Abschnittes ein, die Hoffnung der Thessalonicher zu stärken. Schließlich ist in **2Kor 12,9** von einem Wort des Herrn die Rede. Es handelt sich weder um ein Wort des irdischen Jesus, noch um ein der Tradition entnommenes Wort des Erhöhten. Auch ein ekstatisches Erlebnis kann man ausschließen ⟨126⟩. Paulus trägt seine Bitte im Gebet vor und erfährt hier auch die Antwort (vgl παρεκάλεσα τὸν κύριον V.8 und καὶ εἴρηκέν μοι V.9). Für Paulus ist der Satz ἡ γὰρ δύναμις ἐν ἀσθενείᾳ τελεῖται in der Auseinandersetzung mit den Gegnern des 2Kor wichtig. Für das Traditionsverständnis des Paulus ist er aber insofern von Belang, als deutlich wird, daß der Herr für Paulus der gegenwärtig Handelnde und sich Mitteilende ist.

7.1.2.3) Herausgehobene paränetische Traditionen

Paulus nimmt in den paränetischen Abschnitten seiner Briefe Traditionsmaterial unterschiedlicher Herkunft auf.

An einigen Stellen führt er paränetisches Traditionsgut in betonter Weise als Tradition ein. Der Abschnitt 1Kor 11,2-16 ist oben bereits angesprochen worden ⟨127⟩. Die παράδοσις wird als Brauch der Gemeinde weitergegeben, der schöpfungstheologisch begründet, aber christologisch ausgerichtet ist durch die eschatologische Heilsordnung in Christus (V.11). Der Hymnus in Phil hat erkennen lassen, daß die ταπείνωσις des Herrn die Begründung und die inhaltliche Leitlinie für die umgebende Paränese ist. Auch in 1Thess 4,1.2 sind mit καθὼς παρελάβετε und τίνας παραγγελίας παρεδώκαμεν ὑμῖν Traditionstermini aufgenommen ⟨128⟩ und die

---

⟨122⟩ Vgl hierzu oben, S.163f.197f.209f.
⟨123⟩ Der Sache nach trifft sich dieses Wort mit Lk 10,7; vgl Mt 10,8ff.
⟨124⟩ Siehe oben, S.248.
⟨125⟩ Vgl hierzu ausführlich oben, S.25ff.
⟨126⟩ Vgl hierzu die umfassende Analyse des Verses bei *BULTMANN*, 2Kor, S.227ff.
⟨127⟩ Vgl oben, S.247f .
⟨128⟩ Vgl hierzu oben, S.136ff.

Mahnungen sind zusammengehalten durch ἐν κυρίῳ Ἰησοῦ und διὰ τοῦ κυρίου Ἰησοῦ V.2. Diese Formel, die in 1Thess stark variiert, verbindet den irdischen Jesus mit dem erhöhten Herrn und darf nicht einseitig festgelegt werden <129>. Gerade in der Paränese des 1Thess begegnen Worte des irdischen Jesus (vgl 5,13.15) und zugleich steht die Lebenspraxis der Christen insgesamt unter dem Einfluß des erhöhten Herrn. ἐν κυρίῳ Ἰησοῦ weist somit auf das Heilsereignis hin und zeigt zugleich an, daß die konkrete Lebensführung der Christen in dieses Ereignis eingeschlossen ist. Einzelne Mahnungen als Gebote des irdischen Jesus herauszustellen ist deshalb nicht generell notwendig, weil das Heilsgeschehen ja die Leitlinie für die Paränese insgesamt abgibt. Daß aber gerade in 5,13.15 auf Herrenworte angespielt ist, belegt die zentrale Bedeutung des Liebesgebotes Jesu.

In Phil 4,9 wird ein paränetischer Gedankengang, der in 3,17 einsetzt, abgeschlossen mit ἃ καὶ ἐμάθετε καὶ παρελάβετε καὶ ἠκούσατε καὶ εἴδετε ἐν ἐμοί, ταῦτα πράσσετε. Der Apostel kommt hier als Lehrer und Vorbild der Gemeinde in den Blick und bezieht sich auf die paränetische Unterweisung. Allerdings ist der Apostel nicht letzte Instanz, sondern selbst συμμιμητής (3,17), und dieser Vers bezieht sich wiederum zurück auf die Absage an das eigene Vertrauen und die Zielaussage in V.13f. Innerhalb des paränetischen Abschnitts selbst gibt das στήκετε ἐν κυρίῳ 4,1 an, wessen Nachahmer der Apostel und die Gemeinde sein sollen. Überhaupt ist der ganze Abschnitt durchzogen von Hinweisen auf den Herrn (vgl 3,18.20f; 4.1.2.4f.7) und auch der von hellenistischer Moralphilosophie geprägte V.8 ist in diese Hinweise eingebettet. Im παραλαμβάνειν, μανθάνειν und überhaupt in der Orientierung am Apostel geht es letztlich um das Bleiben im Herrn. Er bestimmt die Gegenwart der Christen (V.1) und ebenso ihre Zukunft <130>. Und das in seinem Sinn verstandene und in seiner Existenz verankerte Liebesgebot ist der Kristallisationspunkt der Paränese <131>.

7.1.2.4) Das Alte Testament als Tradition

An verschiedenen Stellen ist die Bedeutung des AT als Tradition für Paulus bereits angeklungen. Nach Röm 1,1ff wird das durch die Propheten und Schriften geweissagte Evangelium in V.3f mit einer christologischen Formel dargelegt. Der Abrahamexkurs in Röm 4 orientiert sich an Gen 15,6; 17,5 und belegt so aus dem AT die δικαιοσύνη χωρὶς ἔργων (V.6). Der Hinweis auf die Schrift und das Geschriebensein begegnet bei Paulus häufig, wobei besonders die Wendung καθὼς γέγραπται die Beziehung des im AT Veheißenen auf das Christusgeschehen verdeutlicht. In dem grundlegenden Bekenntnis in 1Kor 15,3b-5 findet sich bei der Sterbens- und bei der Auferstehungsaussage der Hinweis auf die Schriften <132>. κατὰ τὰς γραφάς

<129> Dies ist gegenüber *KRAMER*, Christos, S.178 einzuwenden. Es geht gerade in der Einleitung zum paränetischen Abschnitt in 4,1f nicht lediglich um die Beibehaltung einer christologischen Titulatur, sondern die Formel hat in beiden Aspekten inhaltliche Bedeutung.
<130> Vgl hierzu *HAHN*, Begründung, S.94.
<131> Ebd, S. 89f.
<132> Vgl *HAHN*, Problem, S.453; *LOHSE*, Bezüge, S.113.155f hat gezeigt, daß die Begrifflichkeit urchristlicher Bekenntnisformeln ("Christus starb - er wurde dahingegeben - um unserer Sünde willen - für uns - als Lösegeld - zur Gerechtigkeit - der neue Bund in seinem Blut") aus der Sprache des AT gewonnen ist.

bezieht sich dabei nicht lediglich auf die eine oder andere Schriftstelle, so sehr dies auch gemeint ist (vgl Jes 53,3ff). "Es wird vielmehr der Anspruch erhoben, die ganze Schrift zum Zeugen für die Wahrheit des Kerygmas aufzubieten" ⟨133⟩. Wer "die Schrift" liest, wird deshalb notwendig auf Christus hingewiesen. In diesem Prinzip ist die Gültigkeit, zugleich aber auch die Grenze des AT aufgezeigt ⟨134⟩. Mit dem Heilsereignis werden seine Schriften für Paulus zur παλαια διαθήκη (2Kor 3,14). In dem Abschnitt 3,7-18 legt Paulus eine midraschartige Interpretation von Ex 34,29-35 vor. Der at.liche Text dient als Ausgangspunkt für die Gegenüberstellung von "Dienst des Todes" (V.7) und "Dienst des Geistes" (V.8). In V.14-16 wird die Hülle auf dem Angesicht des Mose übertragen auf das AT bzw. auf die Herzen der Israeliten, die weggenommen wird durch die Bekehrung zu Christus: "Der Vorgang von Ex 34 ist also typisch: wie die Hülle auf dem Gesicht des Mose lag, so liegt sie weiterhin auf dem 'Mose' der Tora, bzw. wie nun mit völlig unanschaulicher Wendung des Bildes gesagt wird: auf der Verlesung der παλαια διαθήκη (dieser Begriff hier zum ersten Mal), namentlich im Synagogengottesdienst, in dem Mose ja immer präsent ist" ⟨135⟩. Durch die Hinwendung zum Herrn werden die Christen zu Dienern des neuen Bundes, οὐ γράμματος ἀλλὰ πνεύματος (V.6), und die vorläufige und jetzt vergangene Bedeutung des alten Bundes und der alten Bundesurkunde ist offenbar. Die Hinweisfunktion der alten auf die neue διαθήκη ist in einigen Versen des Abschnitts (V.7.9.10f) angedeutet ⟨136⟩. Paulus nimmt aber von der καινὴ διαθήκη aus das AT in den Blick ⟨137⟩. Das Neue, das sich im Heilsgeschehen Bahn bricht, ist so einschneidend, daß Paulus in 2Kor 5,17 auch das Stichwort καινὴ κτίσις verwenden kann. Sie wird Gal 6,15f als κανών bezeichnet für das ganze Leben der Christen. Diese Erkenntnis schränkt für Paulus den Gebrauch des AT keineswegs ein. Es wird im Gegenteil positiv aufgenommen, weil es vom Christusgeschehen her den Charakter der (nun erfüllten) Verheißung Gottes bekommt ⟨138⟩.

⟨133⟩ LOHSE, ebd, S.120, ebenso auch GOPPELT, Theologie, S.378.
⟨134⟩ Es ist zu beachten, daß zur Zeit des Paulus das AT als festgelegter Kanon noch nicht vorlag. Die Kanonisierung erfolgte erst am Ende des ersten christlichen Jahrhunderts. Dennoch galt auch vor der Kanonisierung die Sammlung der at.lichen Schriften bereits als begrenzt und im wesentlichen als feststehend (vgl CAMPENHAUSEN, Entstehung, S.6ff mit Literaturangaben).
⟨135⟩ BULTMANN, 2Kor, S.89.
⟨136⟩ BULTMANN, 2Kor, S.90 stellt zurecht fest, daß weder der Gedanke vom Gesetz als παιδαγωγός (Gal 3,19ff) noch vom νόμος als ἅγιος (Röm 7,12) vorliegt. Auch wenn auch der positive Sinn des Gesetzes nicht hervorgehoben ist, so zeigt sich doch die Hinweisfunktion des AT auf den neuen Bund.
⟨137⟩ HAHN, Problem, S.451: "Das Alte Testament hat Verbindlichkeit nur noch im abgeleiteten Sinn ... es weist voraus auf das endzeitliche Heilsgeschehen und empfängt von dort ein neues, zum rechten Verständnis unerläßliches Licht. Mit anderen Worten: es hat den Maßstab seiner Auslegung nicht in sich, sondern in einer Wirklichkeit außerhalb seiner selbst".
⟨138⟩ Vgl GOPPELT, Theologie, S.382f. Zum Verhältnis des AT zum NT vgl die Position von v.RAD, Theologie II, S.407 und VIELHAUER, Paulus, S.33ff.51.56. Die Erkenntnis v.RADs ist nicht von der Hand zu weisen, daß Israel sich von seinem Gott "durch immer neue Verheißungen auf immer neue Erfüllungen hin durch die Geschichte nach vorwärts getrieben" sieht (ebd. S.386) und "durch Gottes Reden und Handeln in eine fortgesetzte Bewegung versetzt war und daß es immer auf irgendeine Weise sich in einem Spannungsfeld von Verheißung und Erfüllung vorfand" (S.395). Insofern kann man auch mit Recht "von einer weissagenden Kraft der alttestamentlichen Vorbilder sprechen" (S.397). WILCKENS, Rechtfertigung, S.33ff hat dies in seiner Arbeit zu Röm 4 für Abraham herausgearbeitet. Dennoch ist nicht umkehrbar, daß Paulus das AT vom Christusgesche-

Auch die formalen Beziehungen zum AT zeigen einige wichtige Aspekte an: mit Abstand die meisten at.lichen Zitate finden sich in Röm (insgesamt 52, davon in Röm 9-11 28 Zitate); deutlich weniger sind es in 1Kor und vor allem in 2Kor; dagegen enthält der kürzere Gal wieder 10 Zitate; in Phil, 1Thess und Phlm fehlen direkte Zitate <139>. Hieran zeigt sich, daß es Paulus nicht primär um formale Anlehnung an die at.liche Autorität geht, sondern um inhaltliche Beziehungen zum jeweiligen Thema. Die Variabilität der Zitationsformeln deutet an, daß Paulus "der Schrift formal in großer Beweglichkeit gegenübersteht und das Entscheidende für ihn der Inhalt der einzelnen alttestamentlichen Aussagen ist" <140>. Paulus folgt in der Regel dem LXX-Text, entfernt sich aber oft von jeder verifizierbaren Textgrundlage. Auch Mischzitate sind für ihn charakteristisch. Gelegentlich benutzt Paulus Regeln der rabbinischen Exegese (so den Schluß a minore ad maius Röm 5,15.17 und den Analogieschluß Röm 4,3). Breite exegetische Entfaltung (vgl Röm 4) steht neben Versen, die ganz ohne Einleitung zitiert werden (Röm 12,20). Daran wird deutlich, daß Paulus keiner bestimmten Auslegungsregel folgt.

7.1.2.5) Zusammenfassung

1) Paulus greift eine Vielfalt von Traditionsstücken auf, die sich in Form und Inhalt ebenso unterscheiden wie hinsichtlich ihres Sitzes im Leben. Die unterschiedliche Verankerung all dieser Traditionsstücke im Leben der Gemeinde zeigt sich vor allem an den Formeln, die das Christusgeschehen zusammenfassen. Sie haben zunächst Bekenntnischarakter, werden aber in unterschiedlichen Situationen verwendet: im Rahmen der Taufkatechese und überhaupt der Lehre, im Gottesdienst, bei der Verkündigung, in der Paränese.

2) Die Traditionsterminologie macht deutlich, daß Paulus sich in einen Zusammenhang des Empfangens und Weitergebens hineinstellt. Der Grund hierfür ist die Einheit des Evangeliums. Deshalb geht es nicht an, seine Verkündigung und die der Jerusalemer Apostel auseinanderzureißen. Wo in der Gemeinde ein Bekenntnis in Gebrauch ist, das dem Heilsgeschehen von Tod und Auferstehung Jesu Ausdruck gibt, kann Paulus es aufnehmen und als autoritative Tradition weitergeben. Die traditionelle Formulierung hat aber nicht Autorität, weil sie Tradition ist. Grundlegend wichtig ist das Heilsgeschehen, das in ihr zum Ausdruck kommt. Von ihm aus gewinnt Paulus die Freiheit im Umgang mit dem Wortlaut. Da das Heilsgeschehen die Gegenwart der Christen prägt und bestimmt, wird aus der Tradition aktuelle Heilszusage und Verkündigung.

3) Das von Paulus aufgenommene Traditionsmaterial ist durchgehend christologisch geprägt. Die Bekenntnisformeln fassen das Grunddatum des Heilsgeschehens zusammen. Bei den Worten des irdischen Jesus ist der christologische Bezug unverkennbar. Auch andere paränetische Traditionen weisen einen engen Bezug zum Christusgeschehen auf, sei es darin, daß der Vorgang des Ermahnens ἐν κυρίῳ geschieht (1Thess 4,1f), daß das Verhalten Jesu als Begründung und inhaltliche Leitlinie dient

---

hen her deutet. Wohl weist das at.liche Heilsgeschehen über sich selbst hinaus; aber gerade 2Kor 3 zeigt, daß das Christusgeschehen nicht für jedermann notwendigerweise die Erfüllung der at.lichen Weissagungen ist. Auch die bei Paulus wie im ganzen NT zu findende Kritik am AT ist zu berücksichtigen. Sie schlägt sich bei Paulus in der Unterscheidung von Evangelium und Gesetz nieder: Christus ist das Ja Gottes zu allen Verheißungen (2Kor 1,20) und zugleich das Ende des Gesetzes (Röm 10,4); und die δικαιοσύνη θεοῦ, die bezeugt ist ὑπὸ τοῦ νόμου καὶ τῶν προφητῶν (eine Formel, die die Schrift insgesamt kennzeichnet) ist offenbart χωρὶς νόμου (Röm 3,21).

<139> Vgl hierzu die Zusammenstellung bei *MICHEL*, Paulus, S.12f.
<140> Vgl *GOPPELT*, Theologie, S.379f.

(Phil 2,6ff) oder daß das Liebesgebot Jesu im Hintergrund steht und expliziert wird ⟨141⟩. Das AT wird in seiner Gesamtheit vom Heilsgeschehen in Christus her als Verheißung auf Christus hin verstanden. Als Erfüllung der Verheißung ist das Christusgeschehen zugleich das Ende des Gesetzes. Hierin ist die Kritik am AT begründet, die bei Paulus auch immer wieder anklingt. Der Bezug aller Tradition zum Christusgeschehen ist konstitutiv. Die Tradition "ist nur verständlich als ein christologisches Phänomen" ⟨142⟩.

4) Der stetige Bezug zur Christologie weist über Tradieren und Dokumentieren hinaus. In der paulinischen Christologie geht es ja nicht um den Χριστὸς κατὰ σάρκα, sondern immer um das in Christus begründete Heil für die Glaubenden. Christus ist nicht in die Distanz zu überliefernder Sätze eingebunden, sondern verbürgt deren aktuelle Geltung und spricht durch die Verkündigung die Menschen an. Genau genommen prägt die Struktur des Christusgeschehens auch das Traditionsdenken bei Paulus: so wie der Χριστὸς κατὰ σάρκα für ihn keine Bedeutung mehr hat, so hat auch die Tradition als überlieferter Glaubenssatz keine Bedeutung. Die Tiefendimension christlichen Glaubens erschließt sich in der Offenbarung, nicht in der Tradition.

5) Zugleich dient dem Apostel die Tradition als Basis der Kommunikation mit den Gemeinden.

Dies zeigt sich besonders deutlich in Röm. 1,3f gibt mit Hilfe einer traditionelle Formel das Thema der folgenden Ausführungen an. Die Entstehungsgeschichte der römischen Gemeinde zeigt, daß dort die at.liche und judenchristliche Tradition als bekannt vorauszusetzen sind. Mit dem Rückgriff auf entsprechende Traditionen schafft Paulus sich gemeinsam die Basis zur Darlegung seiner Botschaft. Dasselbe gilt für die soteriologische Formel Gal 1,4 und dessen Bezüge zur at.lichen Tradition (vgl etwa 2,15f; 3,6). In der Auseinandersetzung mit den Gegnern in Korinth dient Paulus die Bekenntnisformel in 1Kor 15,3b-5 als Basis, von der er die These der Gegner (15,12ff) bestreitet.

Paulus wählt Tradition also auch daraufhin aus, ob sie geeignet ist, mit den jeweiligen Adressaten Kommunikation herzustellen. Daß er dabei einmal in ganz betonter Weise das AT in Anspruch nimmt, ein anderes Mal ganz auf at.liche Zitate verzichtet, belegt zugleich das selektive Verfahren der Traditionsaufnahme. Paulus wählt aus, was zur Verkündigung des Evangeliums dient. Und da das Evangelium für ihn immer konkrete Ansprache in konkrete Situationen hinein ist, wechselt für ihn dabei auch der Traditionsbezug.

6) Die Tradition dient auch dazu, die Einheit des Evangeliums aufzuzeigen. Paulus steht ja als Apostel keinesfalls über dem Evangelium (vgl Gal 1,6ff), und die Botschaft ist nicht der Beliebigkeit unterworfen. Es ist das eine Evangelium, mit dem Paulus beauftragt ist, ebenso wie auch die anderen Apostel (1Kor 15,11), wenn auch mit anderen Adressaten (vgl Gal 2,8). Indem Paulus in Röm und Gal judenchristliche Tradition aufgreift, bekennt er sich zur Einheit des Evangeliums. Die Einheit wird auch zum Ausgangspunkt der Lehre ⟨143⟩. Dies zeigt sich besonders deutlich an

---

⟨141⟩ Paränetische Traditionen, die den ethischen Standard der Umwelt widerspiegeln (vgl Phil 4,8 oder die Stichworte in 1Thess 4,3ff), sind eingebettet in das paulinische Verständnis der Ethik, das vom Heilsgeschehen geprägt ist (vgl oben S.148f.151f). Dies gilt entsprechend für den Umgang mit apokalyptischer Tradition (vgl 1Thess 4,13ff und oben S.39f).

⟨142⟩ BALZ, Probleme, S.201.

⟨143⟩ Vgl HAHN, Schrift, S.460; WENGST, Apostel, S.160.

der Formel in 1Kor 15,3b-5. Für sich genommen bekennt sie den Tod Christi als ein soteriologisches Geschehen ὑπὲρ τῶν ἁμαρτιῶν ἡμῶν, seine Auferstehung und Erscheinungen als dessen Bestätigung und beides zusammen als Ausgangspunkt für die Unterweisung und die Auseinandersetzung mit der korinthischen Irrlehre (15,12) ⟨144⟩ Gerade der Charakter solcher Formeln als Zusammenfassungen des Christusgeschehens wirkt in zweierlei Weise auf Lehre und Unterweisung hin: einerseits dienen sie der prägnanten Formulierung dieses Geschehens, auf die die Lehre angewiesen ist; andererseits macht die Prägnanz Explikation und Unterweisung notwendig. Als "Zusammenfassung des gemeinsam Geglaubten" ⟨145⟩ gibt Paulus die traditionellen Formeln weiter. Aber auch hier steht vor der Lehre und der Explikation der Glaube an den lebendigen Herrn.

7.2) Das Traditionsverständnis im 2. Thessalonicherbrief

Die Kernstelle ist 2,15 ⟨146⟩. Der Vers befindet sich an einer Nahtstelle des Briefes: 2,13-17 markiert den Übergang von der Eschatologie hin zur Paränese und das ἄρα οὖν V.15 zieht aus der Ausrichtung εἰς περιποίησιν δόξης die paränetische Konsequenz. Es geht nicht um Einzelmahnungen, sondern generell um das Festhalten von Überlieferungen. Sie sind in der Anfangsverkündigung des Apostels (vgl 2,5) und im vorliegenden 2Thess niedergelegt. Mit dieser Aufteilung ist der Traditionsvorgang selbst in den Blick genommen. Tradition wird gebunden an die Erscheinungsform von mündlicher Verkündigung und brieflicher Äußerung des Apostels ⟨147⟩. Die zeitlichen Hinweise in 2,5.14f machen deutlich, daß der Brief in die Gegenwart gehört und die ursprüngliche Verkündigung gültig aufnimmt. λόγος und ἐπιστολή des Apostels bekommen damit den Charakter von maßgebenden Quellen für die Tradition. Ihre Herkunft und der Modus des Überlieferns treten in den Vordergrund.

7.2.1) Das Material der Tradition im 2. Thessalonicherbrief

Das zentrale Thema der Eschatologie wird ausschließlich mit Hilfe apokalyptischer Tradition gestaltet ⟨148⟩. Wesentlich ist, daß die Tradition nicht einer konsequent christologisch geprägten Eschatologie dient. Christus selbst kommt ja nur als endzeitlicher Richter in den Blick (1,7bff; 2,8). Vielmehr wird die apokalyptische Tradition selbst zur eschatologischen Aussage. Die apokalyptische Tradition des Briefes ist so mit der Botschaft des Briefes identisch und bestimmt die eschatologische Verkündigung inhaltlich. Mit den Schwärmern teilt der Verfasser das apokalyptische Grundverständnis der Zeit und des Heils. Die Gemeindetheologie erweist sich als wesentlich zum Verständnis der eschatologischen Aussage des Briefes.

⟨144⟩ Auch in 1Thess 4,14 eint das Bekenntnis als Ausgangspunkt der Erörterung; vgl 1Kor 11,23f.

⟨145⟩ So *WENGST*, Apostel, S.160.

⟨146⟩ Vgl oben, S.156f. Durch seine Stellung im Kontext bekommt der Vers "etwas Programmatisches" (*TRILLING*, Untersuchungen, S.115ff). Die Frage nach der Bedeutung von Tradition in 2Thess ist in den bisherigen Kapiteln bereits mehrfach angeklungen, sodaß hier auf bereits gewonnene Erkenntnisse zurückgegriffen werden kann.

⟨147⟩ "So spricht ein Späterer, der die Paradosis als Gegenstand der kirchlichen Lehre (nur) in der Gestalt der Paradosis kennt" (*TRILLING*, Untersuchungen, S.115f). κρατέω findet sich nur in Kol 2,19 und hier im Sinne von Festhalten einer Tradition (vgl ähnlich noch Mk 7,3f.8).

⟨148⟩ Vgl hierzu oben, S.66.

In den übrigen Partien ist der Brief in starkem Maß abhängig von 1Thess. Dies ist in 2,13-17 gut zu erkennen. Aussagen des 1Thess werden bis in die Wortwahl hinein aufgenommen, zugleich aber im einzelnen abgeändert und durch die Kombination verschiedener Aussagen anders orientiert. Dies gilt in ähnlicher Weise für 3,1-5; 3,6ff und für den restlichen Brief. Neben den apokalyptischen Traditionsstücken ist 1Thess für 2Thess die wesentliche Bezugsgröße. Die Leitlinie für die Verwendung des Materials läßt sich der Verfasser aber nicht von Paulus vorgeben. Interessanterweise findet sich zu κρατεῖτε τὰς παραδόσεις ἃς ἐδιδάχθητε, εἴτε ... εἴτε keine Parallele in 1Thess. Hier ist das Traditionsverständnis des Briefes am deutlichsten zu fassen. Es geht um ein Festhalten der Überlieferung als παράδοσις und zugleich um die Größe der apokalyptischen Verkündigung und des Briefes als vermittelnde Instanz.

7.2.2) Die Tradition als apostolische Tradition

2Thess sieht sich als *die* Aussage und *den* Brief des Paulus an die Thessalonicher. Trotz aller Anlehnung bezieht er sich nie direkt auf 1Thess. Sein Bezugspunkt ist die Wirksamkeit des Paulus in der Gemeinde. In 2,5ff ist die Verkündigung des Paulus mit dem gegenwärtigen Wissen über die Endereignisse verbunden. Diese zeitliche Struktur findet sich auch in 1,10b und 2,15f. Das Wirken des Apostels prägt auch die Ethik des Briefes. Das Apostelbild dient dem Verständnis der eigenen Gegenwart (3,1-5). Die apostolische Lebensform wird zum konstitutiven Element der Paränese (3,6ff). Von παράδοσις ist in 3,6 im Blick auf das περιπατεῖν der Thessalonicher die Rede <149>. Die Lebensgestaltung des Paulus wird zum verpflichtenden Traditionssatz (3,7.9), von dem aus ethische Anweisungen erteilt werden können (παραγγέλλομεν V.6.12). Der Apostel ist Ausgangspunkt der Tradition und setzt ihre Inhalte. Tradition ist also im Grundsatz apostolische Tradition. Demgegenüber tritt die christologische Prägung der Tradition in den Hintergrund, und zwar wiederum in der Eschatologie und der Ethik. Von einigen Formeln abgesehen ist die Parusie die einzige christologische Aussage. Kreuz und Auferstehung finden im gesamten Brief keine Erwähnung. Der Mimesis-Gedanke in 3,7-8 richtet sich mit πῶς δεῖ μιμεῖσθαι ἡμᾶς auf den Apostel, nicht aber auf den Herrn. Die Klammer des ἐν ὀνόματι τοῦ κυρίου Ἰησοῦ Χριστοῦ und ἐν κυρίῳ Ἰησοῦ Χριστῷ in 3,6-12 bleibt inhaltlich blaß. Sachlich geht es um die Orientierung an dem παρελάβετε παρ᾽ ἡμῶν.
In 2Thess ist ein ausgesprochener Traditionswille erkennbar. Der Brief will paulinische Tradition bewahren und sachgemäß (also nicht wie die Anhänger der irrigen Ansicht über die Parusie 2,1f) weitergeben. Er tut dies, indem er den Apostel als Ursprung der Tradition einführt, von dem aus die verpflichtende παράδοσις in Form mündlicher Verkündigung und in der Schriftlichkeit des Briefes ausgeht <150> und an dem

---

<150> In 3,6 findet sich der Singular, in 2,15 der Plural. "Darin darf man wohl einen Hinweis darauf erkennen, daß II sowohl das Phänomen der (kirchlichen Lehr-)Überlieferung als solches wie auch die einzelne Überlieferung als deren konkreten Ausdruck kennt" (*TRILLING*, Untersuchungen, S.116).

<150> Es ist also nicht zutreffend, wenn *WEGENAST* feststellt, daß 2Thess "sich überhaupt über die Quelle und den Weg seiner Tradition" ausschweigt (Verständnis, S.117). Der Apostel als Quelle der Tradition wird vielmehr gerade betont und διὰ λόγου und δι᾽ ἐπιστολῆς gibt die Weise der Vermittlung an.

- 264 -

sie sich inhaltlich orientiert .

7.2.3) Die Tradition als Lehre

Die Eigenschaft der Tradition als Lehre rückt in den Vordergrund. In 2,15 ist von den παραδόσεις ἃς ἐδιδάχθητε die Rede. Der Wunsch V.16f wendet wohl die Mahnung auf Gott, der die Glaubenden tröstet und stärkt. Der Zusammenhang macht aber deutlich, daß das Trösten und Stärken eben im Festhalten der apostolischen Weisung erfolgt. Neben das Lernen tritt das Erinnern und Wiederholen der eschatologischen Aussagen (2,5) ⟨151⟩. Derselbe Sachverhalt ist in 1,10b mit ὅτι ἐπιστεύθη τὸ μαρτύριον ἡμῶν ἐφ' ὑμᾶς angezeigt. Die Begriffe μαρτύριον, ἀλήθεια und εὐαγγέλιον tragen einen deutlich lehrhaften Akzent. Dasselbe gilt für πιστεύειν τῇ ἀληθείᾳ (2,12.13). πίστις bekommt die Bedeutung von Treue und damit von Festhalten an dem, was die Gemeinde gelehrt worden ist. In gleicher Weise bekommt nun auch die Lebensführung des Apostels einen ausgesprochen pädagogischen Zug (vgl die Kombination μιμέομαι und τύπος 3,7f.9), der zugleich einen verpflichtenden Akzent trägt (πῶς δεῖ μιμεῖσθαι in V.7; παραγγέλλω 3,4.6.12). Im Brief ist die geltende apostolische Lehre niedergelegt, der gegenüber Gehorsam gefordert ist (3,14). Sie hat normierende Kraft für die Glauben und die Lebensgestaltung der Gemeinde ⟨152⟩.

7.3) Das Traditionsverständnis im Kolosserbrief

Der Traditionsterminus παραλαμβάνειν in Kol 2,6 gibt den Einsatzpunkt ⟨153⟩. ὡς οὖν παρελάβετε bezieht sich ausdrücklich auf 1,24-29 und 2,1-5: Christus ist der Inhalt des geoffenbarten Geheimnisses Gottes (2,2; 1,26f), und entsprechend der οἰκονομία Gottes (1,25) hat der Apostel die Aufgabe, Christus als das geoffenbarte Geheimnis allen Menschen zu verkündigen (1,28) ⟨154⟩. παραλαμβάνειν steht also im Zusammenhang mit der Verkündigung des Apostels. Der Inhalt des παραλαμβάνειν ist aber nicht festgelegt auf bestimmte Traditionssätze, sondern ist der κύριος Χριστὸς Ἰησοῦς. Mit dem Herr-Sein Christi ist seine Überlegenheit über alles ausgesagt, was auf das Leben der Gläubigen Anspruch erheben könnte. V.7 legt die Mahnung ἐν αὐτῷ περιπατεῖτε mit 3 Partizipien aus. Das Perfekt ἐρριζωμένοι ... ἐν αὐτῷ ist offenbar als Voraussetzung der Paränese genommen und darin dem παρελάβετε τὸν Χριστόν zu vergleichen, während ἐποικοδομούμενοι ἐν αὐτῷ und βεβαι-

---

⟨151⟩ 1Thess 2,9 steht im Hintergrund; dort ist allerdings auf das Wirken des Apostels abgehoben und nicht auf die Lehre. Zu μνημονεύειν vgl weiterhin 2Tim 2,8 und 2Petr 3,1f (vgl hierzu KÄSEMANN, Apologie, S.142 und BROX, Pastoralbriefe, S.242). Die christliche Wahrheit liegt nun vor und muß ordnungsgemäß tradiert werden. Bei Paulus begegnet μνημονεύειν in diesem Sinn nicht.

⟨152⟩ V.DOBSCHÜTZ, Thess, S.315ff parallelisiert diese Aussagen mit 1Kor 5,1ff; 2Kor 2,7f, verkennt dabei aber, daß es sich in 3,14 nicht um einen Einzelfall, sondern um eine Regel handelt (εἰ δέ τις), die sich zudem nicht auf ein Verhalten in bestimmten Situationen, sondern auf das Verhalten der apostolischen Lehre gegenüber bezieht. Das "apostolische Wort im Brief" ist damit zur vorausliegenden Norm geworden.

⟨153⟩ WEGENAST, Verständnis, S.121ff beschäftigt sich allein mit diesem Vers. Es geht ihm darum, nachzuweisen, daß παραλαμβάνειν an dieser Stelle nicht im Sinn der jüdischen Traditionstechnik verwendet wird, sondern den "Akt bezeichnet, in dem der Täufling in den Herrschaftsbereich Christi aufgenommen wird ..." (S.128).

⟨154⟩ Vgl hierzu oben, S.230f.

οὐμενοι τῇ πίστει in Analogie zu περιπατεῖτε Aufbau und Festigung der Gemeinde umschreiben. Indikativ und Imperativ hängen ähnlich eng zusammen wie in Gal 5,25; Röm 15,7; Phil 2,5. In βεβαιούμενοι τῇ πίστει καθὼς ἐδιδάχθητε klingt allerdings ein stärker lehrhaftes Verständnis des Glaubens an (vgl 1,23). "Man wird allerdings noch nicht scharf scheiden dürfen zwischen Glauben als Haltung des Menschen und Glauben als geglaubtem, für wahr gehaltenen Inhalt einer Bekenntnisformel" ⟨155⟩.

7.3.1) Das Traditionsmaterial im Kolosserbrief ⟨156⟩

Zwei Traditionsströmungen sind für den Brief maßgebend. Er ist insgesamt geprägt von hellenistisch-judenchristlichen Gedanken. Das zeigt sich am grundlegenden Hymnus ebenso wie an den paränetischen Traditionen (3,5.8.12; 3,18ff). Demgegenüber tritt apokalyptisches Traditionsmaterial stark in den Hintergrund. Es begegnet, von dem Anklang in 1,12 einmal abgesehen, nur im Revelationsschema 1,25-27, dient dort aber gerade keiner apokalyptischen Aussage. Die größere Einlinigkeit traditioneller Aussagen weist auf eine engere Bindung an diese Tradition. Die Versöhnungtradition des Hymnus wird zur bestimmenden Heilsaussage ⟨157⟩ und stellt die inhaltliche Leitlinie für den gesamten Brief dar. Das grundlegende Bild des Kosmos und des Heils hat der Verfasser dabei mit den bekämpften Gegnern gemeinsam. Auch hier prägt die Gemeindetheologie das Denken des Briefes wesentlich mit. Neben dieser kosmologisch-soteriologischen Tradition nimmt Kol in vielfältiger Weise paulinische Aussagen auf. Ethische Aussagen zeigen den Paulusschüler (vgl 3,5ff.11.12.14). Die Taufaussagen stehen in paulinischer Denktradition (vgl besonders 2,12 mit Röm 6,4). In den Hymnus selbst ist der zentrale paulinische Gedanke des Kreuzestodes eingefügt (1,20). Gerade hier und bei der Tauftradition zeigt sich aber deutlich, daß beide Traditionsstränge einander angeglichen werden: der Verfasser interpretiert in 1,20 den Hymnus paulinisch, die paulinischen Taufaussagen dagegen von dem soteriologischen Verständnis des Hymnus her. Dabei erweist sich die Interpretation vom Hymnus her als dominierend, zumal die ekklesiologische Interpretation des Hymnus in V.18 in die gleiche Richtung weist. Es wird also deutlich, daß der Verfasser bei den grundlegenden Aussagen zur Versöhnung und zur Bedeutung der Taufe paulinisches Denken aufnimmt und sichert. Er tut dies aber so, daß er die paulinischen Gedanken an sein Verständnis von Heil als kosmischer Versöhnung heranführt und damit auszugleichen versucht. Daß dies auch für die ethischen Traditionen gilt, wird exemplarisch sichtbar an 3,10f, wo die Aussagen des Hymnus bis in einzelne Formulierungen hinein aufgenommen sind. Der nachfolgende Tugendkatalog V.12 ist dagegen inhaltlich eng an Paulus angelehnt und was den Modus der Aufnahme paränetischer Traditionen angeht, so zeigt sich eine ähnlich große Freiheit im Umgang mit ihr, wie sie auch bei Paulus festzustellen ist. Die Einleitung der Haustafel durch 3,17 ist ein herausragendes Beispiel dafür.

⟨155⟩ *SCHWEIZER*, Kol, S.99.
⟨156⟩ Vgl hierzu oben, S.80.133f.187f.
⟨157⟩ Vgl *LÜHRMANN*, Rechtfertigung, S.440ff. Noch deutlicher wird dieser Sachverhalt in Eph 1,7ff; 2,13ff. *FINDEIS*, Versöhnung, S.388 spricht von einem kosmologischen Strukturmoment.

7.3.2) Die Apostolizität der Tradition

2,6 ist eng mit dem unmittelbar vorangehenden Abschnitt über die Wirksamkeit des Apostels ⟨158⟩ und damit auch mit dem Revelationsschema (1,26ff) verbunden. Paulus offenbart den Menschen das Geheimnis Gottes (1,28), ebenso geschieht die Belehrung im Glauben durch seine Verkündigung (2,7). Sie schließt auch die Menschen ein, die den Apostel selbst nicht (mehr) von Angesicht gesehen haben (2,1). Das παραλαμβάνειν wird an die Aussagen zum Apostolat des Paulus gebunden. Da in seiner Verkündigung das Geheimnis Gottes offenbar wird (1,27), gehört es zur Besonderheit des παραλαμβάνειν, daß es sich nicht im Übernehmen theologischer Sätze erschöpft, sondern ein Hineingestellt-Sein in den Herrschaftsbereich des Herrn ist. Die Verkündigung ist in 1,5 mit μανθάνειν (1,7) verbunden, das näher erläutert ist durch ἠκούσατε καὶ ἐπέγνωτε τὴν χάριν τοῦ θεοῦ ἐν ἀληθείᾳ. Zum Evangelium tritt hier der Aspekt der lehrbaren Wahrheit hinzu. Diese Orientierung ist für Kol möglich, da ja das Heil als Hoffnungsgut im Himmel bereits objektiv vorhanden ist ⟨159⟩.

Nun bezieht sich das μανθάνειν ⟨160⟩ der Kolosser an dieser Stelle aber nicht auf Paulus, sondern ist ein Lernen ἀπὸ Ἐπαφρᾶ (1,7). Er wird charakterisiert als ἀγαπητὸς σύνδουλος und als πιστὸς ὑπὲρ ἐμοῦ διάκονος τοῦ Χριστοῦ (1,7f). Zeigt die erste Wendung die Nähe des Epaphras zu Paulus, so nimmt die zweite geradezu den Titel in Anspruch, der in 1,23 dem Apostel selbst beigelegt wird: διάκονος Χριστοῦ. Derselbe Sachverhalt zeigt sich auch in 4,12ff ⟨161⟩. Epaphras erfüllt dieselbe Funktion wie der Apostel, wenn er den Kolossern die bereits eingetretene Versöhnung und Herrschaft Christi verkündet. Allerdings ist, wie μαρτυρῶ γὰρ αὐτῷ 4,13 zeigt, dieses Verständnis des Epaphras nur möglich dadurch, daß er sich mit seiner Verkündigung und Arbeit für die Gemeinde ganz in die Nachfolge des Paulus stellt. Selbst wenn die Kolosser Paulus nicht persönlich kennengelernt haben, so tritt ihnen doch in der Verkündigung des πιστὸς διάκονος Ἐπαφρᾶς die das Geheimnis Gottes offenbarende Verkündigung des Apostels entgegen. Damit ist zurückverwiesen auf das Revelationsschema in 1,26f und die umfassende Verkündigungsaufgabe 1,28. Die apostolische Verkündigung ist die erste Instanz des Evangeliums. In ihr ist das μυστήριον Gottes offenbar ⟨162⟩. Indem die Gemeinde dieses Evangelium von Epaphras "gelernt" hat, hat sie Teil an der Verkündigung des Apostels und ist im Glauben daran in den Herrschaftsbereich Christi eingetreten. So beziehen sich die Verben des Hörens, Lernens und Gefestigt-Seins in 1,5.6.7.23; 2,6.7 letztlich zurück

----

⟨158⟩ Die drei Partizipien in 2,7 nehmen inhaltlich die Wendung τὴν τάξιν καὶ τὸ στερέωμα τῆς εἰς Χριστὸν πίστεως V.5 auf.

⟨159⟩ Zu der begründenden Funktion der ἐλπίς in 1,5 vgl SCHWEIZER, Kol, S.35-37.

⟨160⟩ Vgl RENGSTORF, Artikel μανθάνω. Bei den Evangelien ist bezeichnend, daß μανθάνω gegenüber διδάσκω stark in den Hintergrund tritt, obwohl die Jünger als μαθηταί bezeichnet werden. Es ist demnach "das Merkmal des μαθητής nicht eigentlich das μανθάνειν sondern vielmehr das ἀκολουθεῖν ..." (S.408). Zum Gebrauch des Wortes in Kol 1,7 vgl Eph 4,20 (μανθάνειν τὸν Χριστόν), ebenso auch 2Tim 3,14. In den nachneutestamentlichen Schriften gewinnt μανθάνειν den Sinn des Lernens der Glaubenswahrheiten, so besonders in Barn, Hermas und bei den Apologeten.

⟨161⟩ Vgl hierzu oben, S.228f.

⟨162⟩ Der Ursprung der Offenbarung ist zweifellos Gott. Dies geht aus dem Stichwort ἐφανερώθη 1,26 hervor und aus den Kontextbezügen des Revelationsschemas. Der Apostel ist aber die erste Instanz der offenbarenden Verkündigung.

auf die paulinische Verkündigung als Anfangsinstanz der frohen Botschaft. In der Verbindung mit ihr mißt sich die Wahrheit des Evangeliums (1,5) und für die Gemeinde kommt es darauf an, bei dieser Wahrheit und damit im Bereich der Versöhnung zu bleiben.

7.4) Ergebnis
7.4.1) Die prägenden Traditionsströme

Im Blick auf die bestimmenden Traditionsströme unterscheiden sich 2Thess und Kol voneinander und von Paulus. In 2Thess herrscht die apokalyptische Tradition vor, in Kol ein kosmologisch orientiertes Verständnis des Heils, das von hellenistisch-juden-christlichem Denken geprägt ist. Die grundlegende Verschiedenheit beider Briefe wird exemplarisch deutlich am Revelationsschema in Kol 1,26f, das aus apokalyptischer Tradition stammt, in Kol aber gerade keiner apokalyptischen Aussage dient. Beide Verfasser weisen in ihrer jeweiligen Traditionsgebundenheit eine große Nähe zu den Gemeinden auf, denen sie entstammen. Sie teilen mit den Gegnern, die sie bekämpfen, bestimmte Grundpositionen. Die Gemeindetheologie ist zum Verständnis beider Briefe wesentlich.

Die Traditionsströme finden sich auch bei Paulus (vgl etwa 1Thess 4,16; 2Kor 5,18ff). Der Unterschied zwischen ihm und den beiden nachpaulinischen Briefen beruht also nicht in erster Linie auf verschiedenen Traditionen. Dies könnte allenfalls den Grad der Verschiedenheit erklären. Es gibt vielmehr tiefergehende Unterschiede im Traditionsverständnis.

7.4.2) Angleichung und Dominanz

2Thess hat eine relativ geringe materiale Kenntnis von Paulus. Außer 1Thess hat er keinen anderen Paulusbrief gekannt und mit einer Mission, die über 1Thess hinausgeht, ist er nicht vertraut. 1Thess benutzt der Verfasser als "Steinbruch". Er nimmt Sätze, Wendungen und Formulierungen auf, verändert sie teilweise und stellt sie neu zusammen. Dadurch entsteht der Eindruck paulinischer Diktion. Diese eklektische Methode zeigt sich im einzelnen mehrmals im paränetischen Teil und im Briefganzen an der Auslassung der eschatologischen Passagen des 1Thess. Sie werden durch apokalyptisches Material des Verfassers ersetzt. Auch für den insgesamt grundlegenden Vers 2,15 findet sich in 1Thess keine Parallele. So bleibt das paulinische Denken als Rahmen bestehen, es wird aber mit Hilfe anderer Vorstellungen sowohl "apoka-lyptisiert" als auch "apostolisiert".

Der Verfasser des Kol schöpft aus einer offenbar breiten Kenntnis paulinischen Denkens, wie die Taufaussagen (2,12), die Paränese (3,5ff) und besonders die Beibehaltung des paulinischen Verhältnisses von Indikativ und Imperativ zeigen. Beim Indikativ selbst setzt Kol allerdings andere Akzente. Die durch Christus geschehene Versöhnung des Alls wird zum inhaltlichen Zentrum des ganzen Briefes. Nun konzentriert der Verfasser auf der einen Seite den Hymnus auf das Kreuzesgeschehen (1,20). Auf der anderen Seite wird der Hymnus durch den Zusatz in V.18 ekklesio-logisch als Raum gedeutet, in dem die Herrschaft Christi verkündet, geglaubt und schon gelebt wird. Die Taufe ist verstanden als Ort, an dem der Glaubende in Berührung mit dem kosmischen Heilsgeschehen kommt. Dabei wird die paulinische Taufaussage verändert. So wird einerseits das kosmologische Material "paulinisiert" <163>, andererseits das paulinische Material "kosmologisiert". Beide Denktradition werden derart einander angeglichen, daß die Christologie eine kosmologische Grundlinie erhält, die dann ekklesiologisch ausgewertet wird. Das kosmologische Verständnis des Heils erweist sich dem paulinischen Denken gegenüber als dominierend.

7.4.3) Der Ort der apostolischen Tradition

Die Tradition bekommt dadurch einen anderen Stellenwert als bei Paulus. Indem in den paulinischen Briefen die Tradition das Evangelium zur Sprache bringt, dessen Einheit aufzeigt und die Kommunikationsbasis mit den Gemeinden herstellt, ist sie eine Funktion der Verkündigung des Evangeliums:

Offenbarung ———>-> E v a n g e l i u m ———>-> ἐν Χριστῷ εἶναι
↘ Tradition ↗

In 2Thess ergeht die Berufung Gottes durch das paulinische Evangelium (2,14). Das Evangelium rückt damit auf die Seite der Offenbarung. Der begründende Charakter des paulinischen Vorbildes für die Paränese rückt auch die Ethik unter den vorherrschenden Aspekt des Festhaltens der apostolischen Paradosis:

Berufung
+   Festhalten
apostolisches   ———>-> der   ———>-> endzeitliches
Evangelium   Tradition   Heil

Die Formulierung διάκονος τοῦ εὐαγγελίου Kol 1,23 gibt das Apostelverständnis des Paulus durchaus zutreffend wieder. Die Auslegung dieses Begriffs zeigt freilich die Unterschiede an. Diener der Kirche 1,25 ist eng verwandt und legt den Begriff aus. Die Ausdrücke des Bewahrens und Festhaltens belegen den Traditionscharakter des paulinischen Evangeliums. In der paulinischen Botschaft und in seiner Lebensführung nimmt die Christusbotschaft Gestalt an. Indem Paulus das Mysterium Gottes (1,26f) allen Menschen verkündigt (1,28), wird das Leben und die Verkündigung des Apostels selbst zum Bestandteil der Offenbarung <164>. Entsprechend wird die Aufgabe des Apostels in 1,28 der Bedeutung Christi in 1,22 parallelisiert. Diese apokalyptische Aufgabe führt selbst zu denen, die Paulus nicht (mehr) kennengelernt haben (2,1) und durch Männer wie Epaphras (1,7f; 4,12f) wird die Bindung an den Apostel gewahrt. Der Apostel gehört in das Mysterium des weltweit verkündeten Evangeliums mit hinein:

Geheimnis Gottes   Heil für alle Menschen,
im apostolischen   ———>-> apostolische Tradition ———>-> jetzt schon in der
Evangelium offenbart   Kirche erfahrbar

<163> So MERKLEIN, Theologie, S.63. Dies ist aber nur der eine Aspekt, vgl dagegen LÜHRMANN, Rechtfertigung, S.444ff.
<164> Vgl MERKLEIN, Theologie, S.30ff.

7.4.4) Die Apostolizität der Tradition

Indem in Kol und 2Thess das apostolische Evangelium sachlich zur Offenbarung hinzugehört, gewinnt dieses Evangelium den Akzent der wahren Botschaft und Lehre und damit die Bedeutung des Ausgangspunktes für die Tradition. Dies wird in beiden Briefen sehr unterschiedlich ausgeführt, was sich an der Terminologie, dem Inhalt der Tradition und ebenso den ekklesiologischen und missionarischen Konsequenzen offen zeigt. Die grundlegende Kennzeichnung der Tradition als paulinisch und damit apostolisch ist aber beiden Briefen gemeinsam. Damit ist eine Entwicklungslinie der nachpaulinischen Briefe kenntlich gemacht, die in ihrem weiteren Verlauf einmündet in die Entstehung eines "apostolischen" Kanons. Zugleich ermöglicht die Kennzeichnung der Tradition als paulinisch = apostolisch die Pseudonymität der Deuteropau- linen ⟨165⟩. Indem das apostolische Evangelium zur Offenbarung hinzugehört, spricht nun also "Paulus" zur Gemeinde. Die Pseudonymität ist so gesehen eine Konsequenz der Apostolisierung des Traditionsverständnisses in den Deuteropaulinen. Zugleich wird dadurch die Bindung aller Tradition an das Christusgeschehen aufgebrochen. Wohl ist in Kol der Christusbezug der Tradition im Hymnus und in den paränetischen Aussagen gewahrt. In 1,21ff.24ff; 2,1ff tritt zur Christusbeziehung aber der Bezug zum Apostel als für die Tradition und für die Erkenntnis des Geheimnisses Gottes (2,2) wesentlich hinzu. Noch stärker rückt dies in 2Thess in den Vordergrund, weil die Christologie in 2Thess insgesamt reduziert ist. Nicht Christus ist der Bezugs- punkt aller Tradition, sondern der Apostel, der das wahre Evangelium verkündet (hat). Diejenigen, die dieser Wahrheit glauben und sie bewahren, wird Christus bei seiner Parusie bestätigen und in seine Herrlichkeit aufnehmen (2,14). Bis dahin ist aber das Wort und der Brief des Apostels Orientierung und Richtlinie für die Glau- benden.

⟨165⟩ Vgl hierzu unten, S.313ff.318ff.

8) Anfänge der Paulusschule

In diesem Kapitel soll nun das Thema der Paulusschule direkt behandelt werden. Die bisherige Analyse theologischer Themen und ihrer Veränderung von Paulus zu den Deuteropaulinen wird dabei vorausgesetzt und hier im Blick auf die Paulusschule zusammengefaßt und ausgewertet. Sie bildet die Grundlage dieses Kapitels. Neben der Frage nach den theologischen Veränderungen sind freilich noch andere Fragestellungen notwendig, um das Phänomen der Paulusschule zu erfassen. Diese Fragestellungen ergeben sich aus einem Überblick über bisherige Versuche, die Paulusschule zu verstehen.

8.1) Lösungsversuche und Fragestellungen

Die Verfasser des Kol, Eph, 2Thess und der Past sind häufig als Paulusschüler bezeichnet worden <1>. In diesem Begriff kommt zum Ausdruck, daß die Verfasser ihre theologischen Einsichten im Austausch mit der paulinischen Theologie gewonnen und sich in seiner Nachfolge gesehen haben. Den verwandten Begriff der Paulus-Schule hat vor allem *CONZELMANN* in die Diskussion gebracht <2>. Ist bei dem Paulusschüler stärker die Individualität und das Verhältnis zu Paulus betont, so liegt bei der Paulusschule der Akzent auf der Organisation eines Schulbetriebes. Paulus selbst habe bewußt einen Lehrbetrieb organisiert, in dem Theologie als Weisheitsschulung betrieben worden sei <3>.

Dies zeigt sich nach *CONZELMANN* an dem Umgang des Paulus mit Tradition. In der Aufarbeitung christlicher Tradition lasse sich ein entsprechender Umgang mit jüdischer Weisheitstradition aufzeigen, zu der ein enger Motivzusammenhang bestehe und der die Aufnahme und Diskussion in einer Schule voraussetze. Diese These wird untermauert mit der allgemeinen Annahme, daß Paulus als ausgebildeter jüdischer Theologe nun auch als christlicher Lehrer einen Schulbetrieb organisiere, mit dem Hinweis auf den Diatribenstil in den Paulinen, mit einem vergleichbaren Befund bei Philo und im Hebr und schließlich mit dem Hinweis auf die Missionsmethode des Paulus, die - längere Zeit von einem Zentrum ausgehend - auf ausgebildete Gehilfen nicht habe verzichten können. Von der Notiz in Apg 19,9 her sei sowohl die Lehrtätigkeit als auch der Sitz der Schule in Ephesus belegt <4>. Kol, Eph, Past und 2Thess sieht *CONZELMANN* als Dokumente des Stils der Schule an, der sich aber auch in den Paulinen selbst niederschlage, wie vor allem 1Kor belege (3,7ff; 1,18ff; 2,6ff; 10,1ff; 11,2ff) <5>.

An dieser These ist verschiedentlich Kritik geübt worden <6>. Daß sich etwa in 1Kor 2,6ff; 11,2ff eine Schuldiskussion mit verschiedenen Voten niederschlage, ist ganz unwahrscheinlich. Die Beschäftigung mit Eschatologie und Ethik hat ergeben, daß Paulus keineswegs nur weisheitliche Tradition verarbeitet. Die unterschiedliche Provenienz der Tradition und der Umgang mit ihr von Christus als dem Zentrum des Glaubens her <7> sprechen gerade gegen ihre schulmäßige Verarbeitung. Nur verein-

---

<1>   Vgl z.B. *LIETZMANN*, Geschichte I, S.216; *KÜMMEL*, Einleitung, S.315.325.346f.
<2>   Weisheit, S.231ff. Der Ausdruck "Pauline school" findet sich bereits bei *PFLEIDERER*, Lectures, S.217.
<3>   *CONZELMANN*, Weisheit, S.233; *LUDWIG*, Verfasser, passim; vgl *BORNKAMM*, Paulus, S.102.
<4>   Alle Angaben ebd, S.233.
<5>   Ebd, S.234.235ff.
<6>   Vgl besonders *OLLROG*, Paulus, S.115-118; *LÜHRMANN*, Rechtfertigung, S.450ff.
<7>   *LÜHRMANN*, ebd, S.451f stellt mit Recht gegen *CONZELMANN* fest: der Einheitspunkt der paulinischen Theologie liegt nicht in der ihm vorgegebenen Tradition (dem Credo) und ihrer Auslegung, sondern in der Interpretation der Tradition vom Christusereignis her.

zelt weist Paulus auf die Traditionalität übernommener Stücke hin (vgl 1Kor 15,1ff);
dies wäre bei einer schulmäßigen Verarbeitung aber gerade zu erwarten. Daß Paulus
nicht als "rasender Reporter des nahen Endes" durch die Lande eilt, ist zweifellos
richtig <8>. Aber sein Bewußtsein, zu den Heidenvölkern gesandt zu sein (vgl Gal
1,16; Röm 1,10ff; 15,15ff), die Erwartung der baldigen Wiederkunft Christi (1Thess
4,13ff) und auch die vorläufige Art der Missionsfinanzierung sprechen eindeutig
gegen einen organisierten Schulbetrieb. Auch der positive Nachweis für eine solche
Schule aus Apg 19,9 ist nicht stichhaltig. Diese Notiz steht offensichtlich im Dienst
der öffentlichen Verkündigung (V.10) und die runde Zeitangabe von 2 Jahren (vgl
Apg 24,27 und 28,30) erweckt Zweifel. Vor allem aber bedeutet διαλέγεσθαι nach
Apg 17,2.17; 18,4.19; 20,7.9; 24,12 nicht das Schulgespräch, sondern die Predigt <9>.
Geht man schließlich von 2Thess und Kol aus und berücksichtigt, daß beide Briefe in
ganz unterschiedlichen Traditionsströmen stehen und ihre Traditionen zudem noch in
teilweise verschiedener Weise verarbeiten, wird die These *eines* fest *organisierten*
Schulbetriebes ganz unwahrscheinlich.

LUDWIG versucht, die These *CONZELMANN*s anhand von Kol zu belegen <10>. Im
Vergleich mit jüdischen Schriftgelehrtenschulen, hellenistischen Philosophenschulen
und ersten christlichen Schulen <11> sucht sie nach Indizien für eine paulinische
Schule in den Paulinen und der Apg. *LUDWIG* geht dabei in methodisch fragwürdiger
Weise von diesen Schulen aus und sucht entsprechende Belege bei Paulus. Die
Problematik dieses Vorgehens zeigt sich vor allem an ihren Ausführungen zu Metho-
de und Unterrichtsgegenstand der Paulusschule. Daß Paulus den Stil der Diatribe
und andere Formen antiker Rhetorik verwendet, wird bei ihr zu einem direkten
"Hinweis auf einen konstituierenden Bestandteil des antiken Unterrichts, den Lehrvor-
trag des Lehrers" <12>. In Röm 5,12ff; 1Kor 15,45ff; 10,1-20; 2Kor 3,7-18 sieht sie
Auslegungen, die nur in einem gebildeten Schülerkreis verständlich seien und die
Gegenstand der eigenen theologischen Ausbildung des Paulus sein könnten <13>. Röm
sei geradezu ein Lehrbuch des Paulus für seine Schüler <14>. Es fänden sich somit
alle konstituierenden Elemente des antiken Schulbetriebes: Schüler in einem persönlichen Verhältnis zum Lehrer, ein Schulort (Ephesus), die Unterrichtsform und literarische Dokumente, in denen sich der Unterricht niederschlägt <15>. Zwar sei der
Begriff der Paulusschule "ein hypothetischer, heuristischer Begriff" <16>, aber die
angeführten Paulusstellen werden faktisch als historische Belege für die Schule
behandelt.

Die These des von Paulus organisierten Schulbetriebs läßt sich in der vorgetragenen
Weise nicht halten. Sie hat gleichwohl die Diskussion angeregt und damit zur weiteren Erkenntnis des Verhältnisses von Paulus und den deuteropaulinischen Schriften
beigetragen. Das ist ihr Verdienst. Die nachfolgende Diskussion geht nicht nur um

----

<8> So *CONZELMANN*, ebd, S.233. Er wendet sich hier gegen *KÄSEMANN*, Paulus, S.244,
der vom "Fiebertraum eines Besessenen" spricht. Für *KÄSEMANN* steht das Erlöschen
der Naherwartung in engem Zusammenhang mit der Entstehung des Frühkatholizismus.
<9> Vgl *SCHRENK*, Artikel διαλέγομαι, S.94f. Das Wort ist hier nicht Sinne des Debattierens
und Disputierens wie etwa bei Epictet gebraucht (ebd). Vgl auch *OLLROG*, Paulus, S.117,
Anm.40.
<10> Verfasser, passim, bes. S.193ff. *LUDWIG* geht vom Verfasser des Kol als Paulusschüler
und von anderen Schülern des Apostels aus (Eph, 2Thess, Past) und schließt von ihnen auf
eine Paulusschule.
<11> Ebd, S.201ff. Vgl hierzu oben, S.3f.
<12> Ebd, S.216f.
<13> Ebd, S.221ff.224.
<14> Ebd, S.225ff.
<15> Ebd, S.228.
<16> Ebd, S.231.

den Begriff "Schule", sondern es geht um die damit bezeichnete Entwicklung ⟨17⟩. Daß dabei der Begriff ausgeweitet und flexibler wird, liegt gerade in der komplexen Natur der Sache ⟨18⟩. Die Ausweitung des Schulbegriffs wurde von verschiedenen Seiten aus betrieben. Ein Ausgangspunkt ist dabei die Sammlung und Redaktion der Paulusbriefe. *SCHENKE* weist darauf hin, daß bereits den Paulusbriefen selbst ein Sammlungscharakter innewohnt und daß die herkömmliche Alternative Ephesus oder Korinth als Ort der ersten Briefsammlung einem flexiblen Begriff von Paulusschule nicht gerecht wird ⟨19⟩. Vor der Redaktion und Sammlung steht nach *SCHENKE* die Paulussage, die erst das Interesse an Paulusbriefen wecke und bei seinen Nachfolgern den Anstoß zur Briefsammlung gebe ⟨20⟩. Daß die Brieflichkeit der Paulustradition bei seinen Schülern von Anfang an eine wesentliche Rolle spielt, zeigt sich freilich schon an der Briefform der deuteropaulinischen Schriften und wird an anderer Stelle von *SCHENKE* selbst gesehen ⟨21⟩. Ebenfalls mit dem Problem der Sammlung von Paulusbriefen setzt *ALAND* sich auseinander. Er lehnt die Vorstellung von einem einheitlichen Ur-Corpus der Paulinen und damit zugleich die Vorstellung von *einem* Redaktor ab ⟨22⟩ und kommt zu dem Ergebnis, daß mehrere, regionale "Klein-Corpora" zu "Ur-Corpora" zusammengefaßt wurden und schließlich hieraus ein "Gesamt-Corpus" entstand ⟨23⟩. Damit kommt eine dezentrale Entwicklung in den Blick. Einen anderen Ausgangspunkt nehmen *OLLROG* und *SAND*. Sie gehen von der Tatsache aus, daß Paulus ständig Mitarbeiter hatte, mit denen er in lebendigem Austausch stand. Sie bewahrten die Paulus-Korrespondenz zur eigenen Orientierung und als Basis eigener literarischer Produktion ⟨24⟩. Eigene Ansätze in der Missionsarbeit kommen in den Blick, wenn man die Mitarbeiter als eigenständige Theologen versteht ⟨25⟩. Über die Mitarbeiter kommen dabei zugleich die Gemeinden in den Blick

----

⟨17⟩ Gegen *LINDEMANN*, Paulus, S.37, Anm. 12. Die Begrifflichkeit versucht nur, dies prägnant zum Ausdruck zu bringen. Wenn *SCHENKE*, Einleitung, S.243 anstelle von Paulusschule den Begriff des Deuteropaulinismus vorschlägt und damit für einen flexiblen Begriff von Paulusschule plädiert, wird in dem Begriff ja schon die Abkehr von dem Gedanken des einen, fest organisierten Schulbetriebes deutlich. Bei *SCHENKE* wechseln aber die Begriffe Paulinismus und Deuteropaulinismus als Äquivalente für Paulusschule (vgl ebd, S.233. 234). Den Begriff des Paulinismus (vgl auch bei *DASSMANN*, Stachel, S.57; *MÜLLER* Theologiegeschichte, S.97) sollte man freilich für die nachpaulinische Entwicklung nicht verwenden, da er auch für die paulinische Theologie selbst verwendet worden ist (*PFLEIDERER*, Paulinismus, S.1; vgl *LINDEMANN*, Paulus, S.2, Anm.4).

⟨18⟩ Zur Ausweitung des Begriffs vgl *SCHENKE*, Einleitung, S.243; *GNILKA*, Kol, S.21.

⟨19⟩ Einleitung, S.233.243f. Vgl zur Ephesus-Hypothese *GOODSPEED*, Formation, S.20ff ders., Ephesians, S.285ff und *KNOX*, Philemon, S.38ff. Die Korinth-Hypothese wird im Anschluß an *HARNACK* vor allem vertreten durch *SCHMITHALS*, Paulus, S.185ff; ders. Abfassung, S.236ff. *SCHENKE* selbst unterscheidet zwischen einem europäischen stärker konservierenden, und einem asiatischen, stärker aktualisierenden Typ der Paulusschule (Einleitung, S.244). Dabei berücksichtigt er freilich nicht genügend, daß auch die Briefredaktionen des "europäischen Typs" in ihren Redaktionen zugleich theologische Akzente setzen.

⟨20⟩ Ebd, S.239f. Diese Sicht ist freilich problematisch, wenn man bedenkt, wie 2Thess 2,5 zwar auf die mündliche Paulusverkündigung rekurriert, sich in seinem Brief aber gerade auf die schriftliche Paulustradition stützt. Die Vorstellung vom Verschwinden der Briefe "in der Ablage" (*SCHENKE*, ebd) wird der gemeindeleitenden Funktion der paulinischen Briefe nicht gerecht. Vgl hierzu auch *SAND*, Überlieferung, S.18.

⟨21⟩ Ebd, S.244.

⟨22⟩ Entstehung, S.348.

⟨23⟩ Ebd, S.335. Ähnlich schon die "snowball-theory" von *MOULE*, Birth, S.203. Die Vorstellung von "Klein-Corpora" befragt auch *SCHENKEs* Vorstellung von der Ablage kritisch.

⟨24⟩ So *SAND*, Überlieferung, S.19.

⟨25⟩ Vgl hierzu vor allem *OLLROG*, Paulus, S.91f.201.203ff; *SAND*, Überlieferung, S.19.

die nicht nur Objekte des missionarischen Handelns sind, sondern ihrerseits Anteil nehmen an der Missionsarbeit <26>. Am Beispiel des Kol versucht *OLLROG* nachzuweisen, daß die deuterpaulinischen Briefe nicht Produkte eines für sich existierenden Schülerkreises sind, sondern in den paulustreuen Gemeinden entstehen <27>. Dieser Ansatz bestätigt einerseits die Dezentralisierung der Paulusschule und betont andererseits die Rolle der führenden Mitarbeiter und der Gemeinden als tragenden Größen der Paulusüberlieferung.

Von einem theologiegeschichtlichen Ausgangspunkt her beurteilt *MÜLLER* das Problem der Paulusschule <28>. Die paulinischen Gemeinden stehen nicht nur unter paulinischem Einfluß. Paulus selbst setzt sich mit Gegnern unterschiedlicher Provenienz auseinander. Auch nach seinem Tod stehen die Gemeinden in Auseinandersetzungen und werden dabei von anderen Auffassungen und Traditionsströmen mit geprägt. Auf jüdisch-judenchristlichen Einfluß geht das apokalyptische Denken des 2Thess zurück, das Weltbild der Gemeinde in Kolossae ist vom hellenistischen Judenchristentum geprägt. Von einem verstärkten Gewicht gerade der judenchristlichen Strömungen her beurteilt *MÜLLER* die theologischen Veränderungen (besonders das Zurücktreten der Rechtfertigungslehre) <29>. Als Ausgangspunkt wird auch die Analyse der Nachgeschichte einzelner paulinischer Themen gewählt, wobei vor allem das Thema der Rechtfertigung im Vordergrund steht <30>. Andere wesentliche Themen der paulinischen Theologie treten hinzu (Eschatologie, Ekklesiologie, Christologie) <31>. Dabei ist in letzter Zeit vor allem das Verhältnis von Paulus zu Kol und Eph behandelt worden.

Die vorliegende Arbeit hat sich von den beiden nachpaulinischen Briefen die Fragestellungen für den Vergleich mit Paulus vorgeben lassen. Das Schwergewicht ruht deshalb auf den theologischen Konzeptionen der Briefe und den Veränderungen zum Apostel. Hier haben die bisherigen Untersuchungen in den einzelnen Themenbereichen eine Reihe von Ergebnissen erbracht. Der Überblick über die bisherigen Arbeiten zum Phänomen der Paulusschule fügt nun noch weitere Aspekte hinzu, die zum Verständnis der Paulusschule beitragen. Es ergeben sich insgesamt drei Fragekomplexe.

1) In einem ersten Fragekomplex geht es um das theologische Profil der beiden nachpaulinischen Briefe in ihrem Gegenüber zu Paulus. Welche Entwicklungen und Veränderungen von Paulus zu den Deuteropaulinen sind festzustellen und wie sind sie zu begründen? Unter dieser Fragestellung werden die bisher gewonnenen Ergebnisse zu den theologischen Einzelthemen zusammengefaßt und für das Verständnis der Paulusschule fruchtbar gemacht. Zu diesem Fragekomplex gehört ebenso der Versuch, die Gemeindetheologie, wie sie in Thessalonich und Kolossae sichtbar wird, für das Verständnis beider Briefe heranzuziehen. Dies hat auch Auswirkungen auf

----

<26> *OLLROG*, ebd, S.118.
<27> Ebd, S.219ff.232f.
<28> Theologiegeschichte, S.86ff; vgl *SAND*, ebd, S.22f.
<29> *MÜLLER*, ebd, S.86f.
<30> Vgl etwa *LÜHRMANN*, ebd; *MERKLEIN*, Theologie, S.46ff; *HAHN*, Taufe, S.95ff.
<31> Vgl besonders *MERKLEIN*, ebd. *v.d.OSTEN-SACKEN*, Apologie, S.261f versteht die apostellose Zeit als das theologische Problem, das in den Deuteropaulinen verarbeitet wird.

die Verfasser der Briefe, die offensichtlich nicht nur von Paulus, sondern ebenso von den theologischen Anschauungen der Gemeinde geprägt sind.

2) Der zweite Fragenkomplex ist literarisch-situativ. Hierzu gehört die Frage nach der Bedeutung des paulinischen und des nachpaulinischen Briefes und es geht um das Problem der An- und Abwesenheit des Apostels in der Gemeinde. Weiterhin muß die Rolle der Mitarbeiter untersucht werden und schließlich die Frage nach Sammlung und Redaktion der Briefe. Der methodische Grundsatz, die Fragestellungen für den Vergleich aus den deuteropaulinischen Briefen selbst zu gewinnen, wird hier beibehalten.

3) Der dritte Abschnitt versucht, das pseudonyme Verfahren beider Briefe zu erklären. In einem abschließenden Kapitel werden die einzelnen Ergebnisse zum Ertrag der Arbeit zusammengefaßt.

8.2) Die theologischen Veränderungen

Die Geschichte des Paulusverständnisses ist als "einzige Kette von Mißverständnissen" bezeichnet worden <32>. Dies gelte besonders für die Rechtfertigungslehre als Herzstück der paulinischen Verkündigung. Zu dieser These sind verschiedene kritische Anmerkungen nötig. Zunächst ist daran zu erinnern, daß die paulinischen Briefe kein geschlossenes theologisches System darstellen, aus dem sich konsequent ein Thema als theologische Mitte ergäbe. Es hat sich wiederholt gezeigt, daß als Eigenart des paulinischen Denkens gerade die Verknüpfung der einzelnen Themen zu erkennen ist und daß Christologie, Soteriologie, Eschatologie und Ethik ebenso wie das Verständnis von Taufe, Kosmologie oder Apostolat einander in je verschiedenen Kombinationen zugeordnet sind. Im Mittelpunkt des paulinischen Denkens steht nicht eine bestimmte Lehre, sondern die Person Jesu Christi und das historische Geschehen von Tod und Auferstehung. In diesem Geschehen wird die Zuwendung Gottes zu den Menschen deutlich, der ihnen ohne Bedingungen das Heil schenkt. Wenn von der Rechtfertigungslehre als Zentrum der Theologie des Paulus die Rede ist, dann kann dies nur in diesem Sinn verstanden werden <33>, nicht aber im Sinne einer isolierbaren Lehre. Dieser Sachverhalt stimmt mit der Tatsache überein, daß die typische Rechtfertigungsterminologie (vgl Röm 1,16f; 4,1ff; Gal 3,1ff) in 1Thess, 1.und 2Kor und Phlm nicht erwähnt wird. Daß in Sätzen wie in 2Kor 5,17.18ff aber die bedingungslose Zuwendung Gottes zu den Menschen und damit dessen Rechtfertigung angesprochen ist, liegt auf der Hand und ebenso, daß das Thema der Freude, das sich durch 1Thess hindurchzieht, nur auf Grund dieser Zuwendung laut wird. Für Paulus geht es um ein Leben aus der Rechtfertigung, das durchaus in verschiedener Terminologie zur Sprache kommen kann. Diese Erkenntnis hat Konsequenzen für den Vergleich des paulinischen Denkens mit der nachpaulinischen Entwicklung. Es ist nicht ange-

----

<32>   SCHOEPS, Paulus, S.279.280f (im Anschluß an HARNACK und das Bonmot von OVER-
        BECK, Paulus habe nur einen einzigen Schüler gehabt, der ihn verstanden habe, Marcion -
        und der habe ihn mißverstanden; vgl OVERBECK, Christentum, S.218f). DASSMANN,
        Stachel, S.319 behauptet umgekehrt, daß das Fehlen der Rechtfertigungslehre in den
        nachpaulinischen Schriften regelmäßig mit dem Umstand zusammenhänge, daß diese
        paulinische Position in das Selbstverständnis der Gemeinden eingegangen und nicht mehr
        eigens betont worden sei.

<33>   Vgl hierzu HAHN, Taufe, S.121, Anm.107.

bracht, einen paulinischen Gedanken aus seiner Beziehung zur Christologie und der Interdependenz mit den anderen Themenbereichen herauszulösen und isoliert als Prüfstein rechten Paulusverständnisses zu sehen, oder Nähe und Differenz der Deuteropaulinen zu Paulus lediglich anhand von Wortstatistik und Einzelvergleichen zu bestimmen <34>. Zu fragen ist vielmehr danach, wie die Deuteropaulinen die für Paulus zentrale Heilszuwendung Gottes zu den Menschen in Jesus Christus aufnehmen <35> und wie sie die soteriologische Frage nach dem Heil und seiner Vermittlung in den Gesamtzusammenhang ihres theologischen Denkens integrieren. Für Paulus ist ja gerade die Durchdringung der einzelnen Themenbereiche von Christologie und Soteriologie her charakteristisch. Wie dieses Verhältnis sich in Kol und 2Thess darstellt, ist zu fragen. Die bisher gewonnenen Ergebnisse können hier herangezogen werden.

8.2.1) Der theologische Entwurf des 2.Thessalonicherbriefs

In 2Thess fehlen die Rechtfertigungs-, die Gnaden- und Sündenlehre und die Kreuzestheologie <36>. Dieses negative Urteil ist aber kein geeigneter Ausgangspunkt für die Frage nach dem theologischen Konzept des Briefes und den Veränderungen gegenüber Paulus. Auch die Konzentration des Briefes auf das Thema der Eschatologie und die Abblendung anderer Themen nimmt die theologische Entwicklung noch nicht genügend in den Blick. Es ist von dem Brief selbst und seinen tragenden Aussagen auszugehen. Diese liegen in dem Zusammenhang von Eschatologie, Ethik und Apostelverständnis vor.

1) Die Eschatologie ist formal und inhaltlich das Zentrum des Briefs <37>. Grundlegend ist für den Verfasser die (Paulus widersprechende) Zäsur zwischen Gegenwart und Zukunft. Das Heil ist eine ausschließlich zukünftige Größe. Es tritt mit der Parusie ein, die zugleich das Gericht sein wird (1,7bff; 2,8). Die Arbeitstechnik des Verfassers entspricht seiner Denkstruktur: indem er Gegenwartsaussagen in die Zukunftsaussagen einschiebt (1,10b; 2,6.11), betont er den Charakter der Gegenwart als Entscheidungszeit für die Zukunft. Wie die Soteriologie wird auch die Christologie innerhalb der Eschatologie abgehandelt. Die christologischen Aussagen haben ihren Ort in der Zukunft. Von ein paar formelhaften Wendungen abgesehen beschränken sie sich auf Parusie Christi und Gericht. Sie werden mit Hilfe at.licher Bilder ausgestaltet. Erst bei der Parusie wird es eine Beziehung der Glaubenden zu

---

<34> Richtig bleibt allerdings, daß das Fehlen von Stichworten wie Gerechtigkeit und Gesetz in der Auseinandersetzung mit der gesetzlichen Irrlehre des Kol auffällig ist (vgl *MERKLEIN*, Theologie, S.37). Auch ist die Beobachtung zu berücksichtigen, daß Kol in seiner Taufanschauung offensichtlich von Röm herkommt, das Rechtfertigungsverständnis des Paulus aber nicht aufnimmt.

<35> Die Weiterentwicklung des paulinischen Ansatzes bei seinen Schülern wird vornehmlich am Thema Rechtfertigung verhandelt, vgl *LÜHRMANN*, Rechtfertigung, S.437ff; *MÜLLER*, Theologiegeschichte, S.86ff; *HAHN*, Taufe, S.95ff.

<36> Dies betont *SCHULZ*, Mitte, S.98f sehr stark. Das Fehlen dieser Themen, der Akzent zur Moralisierung und die at.liche Haltung des Briefes sind für ihn Symptome des Frühkatholizismus. Nun fehlen zwar die genannten Themen in der Tat. Dennoch ist die These des Frühkatholizismus für 2Thess so keineswegs zu halten. Das Fehlen der Zukunftsperspektive vor dem Eschaton und der missionarischen Absicht sprechen gegen das "frühkatholische" Verständnis. Zu diesem Problem und zu *SCHULZ* vgl unten, S.316f.

<37> Vgl hierzu oben, S.65ff.

Christus geben (ἐπισυναγωγή 2,1). Dementsprechend ist die Gegenwart der Glaubenden nicht als eschatologische Existenz gekennzeichnet, sondern als apokalyptische
Erwartung. Kreuz und Auferstehung Christi, die bei Paulus im Zentrum stehen, sind
hier nicht erwähnt. Damit wird die Christologie reduziert auf ein apokalyptisches
Geschehen und in die Eschatologie integriert.

2) Das zweite grundlegende Thema des Briefes ist das Apostelverständnis. Es wird
innerhalb der Eschatologie angesprochen und innerhalb des ethischen Briefteils ausgeführt. Um die Gegenwart zu verstehen und das zukünftige Heil zu erlangen, ist es
notwendig, an der apostolischen Überlieferung festzuhalten (2,5). Die apokalyptische Verkündigung entspricht der verbürgten Lehre des Apostels. Überhaupt ist
der lehrhafte Charakter der Paulusbotschaft hervorgehoben (2,1f.3.5f.15) <38>,
besonders im ethischen Briefteil. Die durchgängige Aussage ist dort das Festhalten
an der apostolischen Paradosis. Durch die starken Hinweise auf das Verhalten und
das Beispiel des Apostels und besonders durch die fehlende Rückbindung an Christus
bekommt die Ethik einen ausgeprägt pädagogischen Zug. Lehre und Lebensbeispiel
des Apostels werden zum Orientierungspunkt für das Verhalten der Christen. In
seiner Verkündigung ist der Maßstab gesetzt für die Zukunftserwartung und die
gegenwärtige Lebensführung. Die starke Konzentration auf die apostolische Paradosis
führt dazu, daß die Ethik selbst insgesamt blaß und selbst bei der Mahnung an die
Unordentlichen (3,6ff) wenig faßbar bleibt. Deutlich schärfen dagegen die Rahmen-
aussage in 2,15; 3,14 das Festhalten an der apostolischen Überlieferung ein. Eine
christologische Begründung und Orientierung der Ethik ist nicht zu erkennen.

3) Eine Heilsaussage für die Gegenwart findet sich lediglich in 2,13ff. Gott hat die
Christen in Thessalonich zum Heil erwählt. Die Erwählung ist freilich zur Zukunft hin
noch offen und περιποίησις δόξης spricht die eigene Aktivität der Glaubenden an.
Wie περιποίησις inhaltlich zu füllen ist, zeigt die beigeordnete Wendung πίστις
ἀληθείας, die wie in 2,11f das Festhalten an der wahren Lehre betont. Wesentlich
ist die Verbindung von Berufung Gottes und paulinischem Evangelium. Die apostolische Tradition wird nicht an ein Offenbarungsgeschehen zurückgebunden und darin
begründet, sondern tritt selbst auf die Seite der Offenbarung und Erwählung Gottes.

4) Die apokalyptische Tradition wird im Verbund mit der Vorstellung des Apostolischen zur tragenden Schicht des Briefes. Daß 2Thess bis in die Formulierungen
hinein literarisch abhängig ist von 1Thess, ist wiederholt deutlich geworden. Die
eschatologischen Aussagen kommen aber gerade ohne Beziehung zu 1Thess aus.
Darin zeigt sich eine eklektische Methode im Umgang mit 1Thess. Sie ist bei dem
Thema der Eschatologie für den Gesamtaufbau des Briefes zu erkennen und wird in
den ethischen Abschnitten im einzelnen klar erkennbar. Der Verfasser interpretiert
den ihm vorliegenden 1Thess mit Hilfe der für ihn grundlegenden apokalyptischen
Tradition und der Rückbindung an die apostolische Paradosis.

8.2.2) Der theologische Entwurf des Kolosserbriefes

Der Hymnus in 1,15ff ist für das Verständnis des Briefes von grundlegender Bedeutung. Dies zeigt sich auf der literarischen Ebene an dem wiederholten Rückbezug

----
<38> Vgl hierzu oben, S.164.168.

auf seine Aussagen (vgl etwa 1,23.26f; 2,9f.17ff; 3,16) und inhaltlich an der Prägung aller Ausführungen des Briefes durch die hier vorgestellte, kosmologisch orientierte Christologie und Soteriologie. Durch die Zusätze in V.18.20 und die Rahmung in 1,12-14.21-23 bindet der Verfasser den Hymnus einerseits an das historische Ereignis des Kreuzes, verknüpft andererseits seine Kosmologie mit einer ekklesiologischen Aussage und stellt die Taufe als den Ort heraus, an dem der Mensch mit dem kosmischen Heilsgeschehen in Berührung kommt. Wer getauft ist, ist mit Christus gestorben und auferstanden und ist keiner anderen Macht mehr unterworfen. In der Ausgestaltung dieser Gedanken liegt die eigene theologische Leistung des Verfassers und zugleich die tragende Schicht seiner Theologie.

1) Die Christologie ist in Verbindung mit der Soteriologie das zentrale Thema. Beides ist durchgehend kosmologisch geprägt. Nicht daß Paulus den Kolosserhymnus nicht gekannt oder nicht verwendet hat, ist von Bedeutung, sondern der gegenüber Paulus grundlegend andere Stellenwert der kosmologischen Tradition ⟨39⟩. Sie bildet die Grundlinie des Briefes. Dabei geht eine Paulinisierung des traditionellen Hymnus Hand in Hand mit einer Veränderung der paulinischen Anschauungen durch das traditionelle Material ⟨40⟩. Die Paulinisierung des Hymnus zeigt sich in dem Zusatz 1,20 und im Bezug der Taufaussage 2,12 auf Röm 6, umgekehrt wird die Veränderung des paulinischen Denkens durch die Auferstehungsaussage in 2,12 und den ekklesiologischen Zusatz zum Hymnus in 1,18 deutlich. In der Angleichung der beiden Traditionsströme wird die Versöhnungsaussage des Hymnus zur bestimmenden Leitlinie für die Aufnahme und das Verständnis der verschiedenen Aussagen ⟨41⟩. Daß das Gedankengut des Hymnus sachlich dominiert, zeigt sich auch in dem paränetischen Briefteil. Zwar belegen 3,5ff.11f.14 eine breite Kenntnis des paulinischen Denkens. Aber die Traditionen in 3,5.8.12, die Haustafel in 3,18ff und besonders die wiederholten Rückgriffe auf den Hymnus zeigen, daß die Ausrichtung des Materials an der kosmologischen Versöhnungsaussage vorgenommen wird. Traditionen apokalyptischer Herkunft und in Zusammenhang damit Aussagen über die Zukunft des Heils treten demgegenüber auffallend in den Hintergrund.

Das Heil wird mit Hilfe der kosmologischen Konzeption zum Ausdruck gebracht: Christus hat die Welt versöhnt und den Kosmos befriedet (1,20), in ihm wohnt die Fülle des Gottseins (1,19; 2,9). Im Kreuz ist Frieden geschaffen und keine kosmische Macht ist in der Lage, dies noch einmal in Frage zu stellen (vgl 1,16; 2,10) ⟨42⟩. Dieses Verständnis des Heils wirkt sich auf die verschiedenen Themenbereiche aus.

2) Daß der Getaufte auf Christi Tod getauft wird und damit der Sünde gestorben ist, entspricht paulinischer Auffassung (Röm 6,2f). So von der Sünde befreit lebt der Christ im Glauben an das künftige Mit-Leben mit Christus (6,7f). Daß Kol in 2,12 die paulinische Sterbensaussage übernimmt, die Auferstehungsaussage aber

----

⟨39⟩ Vgl hierzu LÜHRMANN, Rechtfertigung, S.440ff.446.
⟨40⟩ Zur Paulinisierung vgl MERKLEIN, Theologie, S.38.63. MERKLEIN berücksichtigt aber nicht genügend, daß das kosmische Denken seinerseits die Rezeption paulinischer Theologie mit bestimmt.
⟨41⟩ Vgl hierzu oben, S.265.
⟨42⟩ Da die Beachtung verschiedener Gebote und religiöser Praktiken die Gesetzlichkeit der kol Irrlehre belegt, ist es auffallend, daß Kol das Heil in dieser Weise und nicht als Freiheit vom Gesetz beschreibt. Eine Paulinisierung des hymnischen Materials würde gerade in der Öffnung der kosmologischen Aussagen auf den Gedanken der Rechtfertigung bestehen.

aoristisch damit verbindet, ist nur möglich auf Grund seiner kosmologischen Denk-voraussetzung. Denn hier ist alles für das Heil Notwendige bereits geschehen und liegt als Hoffnungsgut im Himmel bereit (1,5; vgl 3,1ff). Entsprechend wird der Glaube in 1,23 von der Taufe her als Bleiben und Festhalten verstanden und in 2,7 mit der Unterweisung in Verbindung gebracht. Der Glaube bezieht sich zurück auf die Taufe und hält die empfangene Taufgnade fest (vgl 1,12-14; 2,12) ⟨43⟩.

3) Die Auswirkung auf die Ekklesiologie zeigt sich in der Verwendung von κεφαλή im Sinne der Herrschaft über die Mächte und Gewalten ⟨44⟩. Mit σῶμα bezeichnet der Verfasser (anders als der Hymnus) die Kirche (1,18): in ihr wird die Herr-schaft Christi verkündet, geglaubt und in der Taufe erfahren. Die Kombination des paulinischen Leib-Christi-Gedankens mit dem Grundansatz der kosmischem Christolo-gie führt nicht nur zu der terminologischen Verknüpfung von κεφαλή und σῶμα und damit zu der Vorstellung von der Kirche als dem Raum des Heils, sondern ebenso zum Gedanken der weltweiten Kirche und der Mission (vgl 1,6.27f; 2,1.19). Die Ekklesiologie ist eine Konsequenz des kosmologischen Grundansatzes und die pauli-nische Aussage wird hierfür in Anspruch genommen ⟨45⟩.

4) Die Struktur der ethischen Aussagen übernimmt Kol von Paulus. Die Begründung im und die inhaltliche Orientierung der Paränese am Christusgeschehen ist offen-sichtlich (vgl 3,12.14). Was im Hymnus besungen wird, formuliert die Paränese in Mahnungen an die Gemeinde um. Die Aussage von 2,12 (vgl 3,1) wird nicht enthusia-stisch verstanden ⟨46⟩. Der Ort der Christen ist noch "unten". Dennoch bewirkt die kosmologische Durchdringung der Christologie und der Soteriologie auch eine Veränderung der Ethik. Symptomatisch hierfür ist die Haustafel in 3,18-4,1. Sie ist in ihrer hellenistisch-jüdischen Traditionsgeschichte einbezogen in die kosmische Ord-nung ⟨47⟩. Im Gesamtzusammenhang des Briefes dient sie einer Ethik im Raum der (weltweiten) Kirche, die auch auf die Außenstehenden gerichtet ist (vgl 4,5). Der Mission im Blick auf alle Menschen (1,28) entspricht eine Ethik, die das Verhalten des Christen in der Welt umschreibt. So wirken inhaltliche und strukturelle Elemente des paulinischen Denkens sichtlich nach (vgl besonders 3,14); die kosmologische Orientierung der Haustafel setzt aber im Verbund mit dem Denkansatz des Hymnus den theologischen Akzent.

5) Auch die Eschatologie des Kol ist in diesem Gesamtrahmen zu sehen. Dies zeigt

----

⟨43⟩ Vgl hierzu *HAHN*, Taufe, S.99-101. Die σὺν Χριστῷ-Aussage kann deshalb von Kol auch auf die Gegenwart des Christen Anwendung finden und rückt inhaltlich eng an die ἐν Χριστῷ-Aussagen von 2,9f.11f heran.

⟨44⟩ Vgl hierzu oben S.119 f.

⟨45⟩ Bei Paulus begegnet die Leib-Christi-Vorstellung ausschließlich in paränetischem Kontext (vgl *SCHWEIZER*, Homologumena, S.291), und hat also keine soteriologische Funktion. Diese Funktion bekommt die Kirche in Kol aber dadurch, daß nur in ihr Christi Herrschaft über den Kosmos erkannt werden kann. *MERKLEIN*, Theologie, S.48.50 spricht im Blick auf Eph 2,1-10 wiederum von einer Paulinisierung. Dort fällt auf, daß wiederholt Begriffe verwendet werden, die bei Paulus im Rahmen der Rechtfertigungsaussagen begegnen (vgl besonders V.8f). Dies trifft auf Kol aber so nicht zu. Faktisch wird die Wendung vom Leib Christi der kosmologischen Aussage untergeordnet, nicht umgekehrt.

⟨46⟩ Hierin nimmt der Paulusschüler die paulinische Auseinandersetzung mit den enthusiasti-schen Gegnern auf.

⟨47⟩ Vgl *STUHLMACHER*, Verantwortung, S.177. Bemerkenswert ist besonders, daß im Rah-men der kosmologischen Konzeption des Verfassers und in der Auseinandersetzung mit der Irrlehre Schöpfungsaussagen nicht begegnen. Vgl zur Haustafel oben, S.178 ff.

sich an den Begriffen "auferwecken" und "leben" wie an dem Gegensatz von oben und unten und an der Interpretation der Begriffe Hoffnung und Erbteil (1,5.12; 3,24). Die Auferstehungaussage in 2,12 und das Mitleben mit Christus bereits in der Gegenwart ⟨48⟩ stehen in engem Zusammenhang mit dem räumlichen Schema von oben und unten. Die eigentlich Existenz des Christen (ἡ ζωὴ ἡμῶν 3,4) ist oben und sein Leben ist von dorther bestimmt. Entsprechend tritt die Parusie Christi in den Hintergrund und die Zukunftsaussagen werden mit Hilfe des Gegensatzpaares verborgen – offenbar zum Ausdruck gebracht ⟨49⟩. Die räumliche Spannung läßt freilich Raum für eine Bewährung in der Welt und ist so Ansatzpunkt für die Ethik (vgl besonders 3,1-4). Die Ekklesiologie kommt hier ansatzweise ins Spiel: was in der Kirche verkündigt wird (und wohinein die Christen bei der Taufe gestellt werden), das kommt bei der Offenbarung Christi ans Licht. Die zeitlichen Aussagen werden dabei in das räumliche Denken integriert ⟨50⟩, das sich als durchgängig erweist. Dies zeigt sich auch daran, daß das räumliche Schema traditionsgeschichtlich dem hellenistischen Judenchristentum entstammt ⟨51⟩ und sachlich mit dem Hymnus verwandt ist.

6) Daß apostolische Existenz Existenz im Schatten des Kreuzes ist, wird von Paulus übernommen, wie die Betonung der Gefangenschaft in 4,3.18 belegt. Hierin zeigt sich eine der beiden Hauptlinien des Apostelverständnisses ⟨52⟩. Paulus ist der, der sich unermüdlich für die Kirche einsetzt und im Dienst der Verkündigung Leiden auf sich nimmt. Das Leiden betont die Glaubwürdigkeit der Verkündigung und ist zugleich ein Leiden für die Kirche. Diese perspektivische Auffassung des Leidens deutet die zweite Hauptlinie an: Paulus ist *der* Verkündiger des Evangeliums. Seine Verkündigung ist Teil des Heilsplanes Gottes (1,25ff). Indem sie Christus bei allen Menschen bekanntmacht (Χριστὸς ἐν ὑμῖν 1,27), ist sie Teil der Offenbarung des Geheimnisses Gottes. Deshalb ist die paulinische Verkündigung Dienst an der Kirche und für diese unersetzbar. Auch der Auftrag des Apostels wirkt perspektivisch und damit missionarisch und in der Botschaft der Mitarbeiter kommt die Verkündigung des Paulus selbst zur Sprache (1,7f). Die Paulus persönlich unbekannte Gemeinde in Kolossae ist hierfür selbst Beleg (2,1). Die Züge der Verkündigung und des apostolischen Leidens erweisen sich in der Folge als grundlegend für das nachpaulinische Apostelbild. Daß sie hier eingeordnet sind in die kosmologische Soteriologie, entspricht dem Denkansatz des Verfassers.

⟨48⟩   Einen Schritt weiter geht Eph 2,5f, wo nun auch das Stichwort Rettung in die Gegenwart hereingeholt ist. Gleichzeitig fällt die Aussage vom Mitbegrabensein aus Kol 2,12 weg, dagegen wird das Mitsein im Himmel zugefügt (vgl *HAHN*, Taufe, S.101, Anm.25).

⟨49⟩   Was offenbar werden wird, ist dabei jetzt schon vorhanden. Das Präsens ist das die Gedanken leitende Tempus (vgl *MERKLEIN*, Theologie, S.44). Es trifft zu, daß die Spannung von verborgen und offenbar das Moment des Eschatologischen beinhaltet (ebd, Anm.76). Daß für Paulus selbst die Terminfrage bei seiner eschatologischen Erwartung nicht ausschlaggebend ist, hat sich gezeigt (vgl oben, S.40f). Das räumliche Denken des Kol kommt von anderen Voraussetzungen her, kann aber diese Offenheit in der Terminfrage aufnehmen. Dabei rückt es freilich von der zeitlichen Struktur der paulinischen Eschatologie nahezu ganz ab.

⟨50⟩   Daß mit dem Gegensatz verborgen – offenbar ein paulinisches Sachanliegen aufgenommen ist (*MERKLEIN*, ebd, S.43), soll nicht bestritten werden. Dennoch liegt nicht eine Paulinisierung des räumlichen Schemas vor, sondern das zeitliche Denken wird dem räumlichen untergeordnet.

⟨51⟩   Vgl hierzu oben, S.68ff.

⟨52⟩   Vgl oben, S.227ff.

7) Sämtliche Themenbereiche des Briefes weisen gemeinsam auf ein grundlegendes Verständnis der Welt und des Heils, wie es in der von Kol übernommenen hellenistisch-judenchristlichen Versöhnungstradition zum Ausdruck kommt. Dieses Heilsverständnis ist die Basis der Ausführungen, die grundlegende Prägung geht von hier aus. Die paulinische Theologie ist daneben der zweite Traditionsstrom, der das Schreiben insgesamt bestimmt. Stellenweise wird die hellenistisch-judenchristliche Tradition von Paulus her interpretiert und also paulinisiert (vgl 1,20; 2,14). Das Christusgeschehen bleibt für den Verfasser der Ort des Heils und wie Paulus hält er an dem Zusammenhang der einzelnen theologischen Themen und an ihrem Bezug zur Christologie fest. Indem Christologie und Soteriologie aber von der Tradition des Hymnus her in kosmologischem Sinn verstanden werden, erweist sich dieses Heilsverständnis als dominierend.

8.2.3) Zusammenfassung

Kol und 2Thess stehen gemeinsam in der Nachfolge des Paulus, weisen aber gänzlich verschiedene theologische Entwürfe auf. Kol stellt den Glauben in den Rahmen kosmischer Versöhnung, 2Thess in den Rahmen apokalyptischer Erwartung. Beide Briefe verändern das Heilsverständnis und die Christologie und im Zusammenhang damit Eschatologie, Ethik und das Apostelbild. Während Kol dabei die paulinische Struktur (Rückbindung der verschiedenen Themen an Christologie und Soteriologie; Begründung des Imperativ im Indikativ) beibehält und sich die Veränderungen aus dem veränderten Heilsverständnis ergeben, integriert 2Thess das Heilsverständnis und die Christologie in seine Eschatologie und verändert damit zugleich die paulinische Struktur. Entsprechend sind auch die Unterschiede zwischen Kol und 2Thess nicht auf einzelne Themen beschränkt, sondern umfassen die jeweiligen Entwürfe insgesamt. Dieser Sachverhalt macht es ganz unmöglich, beide Schreiben als Produkte *einer* Paulusschule anzusehen.

Trotz aller Unterschiedlichkeit gibt es aber in zwei Bereichen bedeutsame Übereinstimmungen zwischen 2Thess und Kol. Dies betrifft zunächst das Apostelverständnis. Zwar sind auch hier die Unterschiede nicht zu übersehen. Für Kol gründet der Auftrag des Apostels im Heilsplan Gottes und die weltweite Verkündigung ist Teil des Offenbarungsgeschehens <53>. Damit wird der Apostel zum Diener der gesamten Kirche. Dieser weite Horizont fehlt in 2Thess ebenso wie eine Begründung des Apostolates im Christusgeschehen. Im Blick auf die Bedeutung der Mitarbeiter unterscheiden sich die Briefe ebenfalls von ihren Grundpositionen aus. Dennoch gibt es Berührungspunkte. Beide Briefe stellen Paulus übereinstimmend als *den* Apostel dar, der sich rastlos einsetzt und wegen seines Dienstes Leiden auf sich nimmt. In diesem übereinstimmenden Zug beginnt sich das nachpaulinische Paulusbild auszuprägen. Noch wichtiger ist, daß beide Briefe die apostolische Verkündigung auf die Seite der Offenbarung ziehen. Damit gehört für Kol das paulinische Evangelium in den Vorgang der Offenbarung mit hinein, für 2Thess wird die göttliche Berufung an die

----

<53> Im Revelationsschema in Kol 1,26f ist apokalyptische Tradition aufgenommen, die aber keiner apokalyptischen Aussage dienstbar gemacht wird. Der gänzlich apokalyptisch orientierte 2Thess führt dagegen kein vergleichbares Schema an und schweigt zur Frage der Berufung des Apostels.

Erwählung im paulinischen Evangelium gebunden. Dies ist die Grundlage für die in beiden Briefen gesteigerte Bedeutung des paulinischen Apostolates und der apostolischen Tradition. Sie bekommt nun erheblich stärker den Charakter der Lehre und πίστις wird entsprechend interpretiert.

Eine wesentliche Übereinstimmung weisen beide Briefe schließlich darin auf, wie sie ihre leitenden Aussagen durch Tradition bestimmt sein lassen. In beiden Fällen gehen vom paulinischen Denken Impulse aus für das Verständnis des apokalyptischen bzw. kosmologischen Traditionsgutes ⟨54⟩. In der Kombination der Traditionsströme erweist sich die aus der jeweiligen Gemeindetheologie herkommende Tradition inhaltlich und formal als bestimmend. Dies gilt trotz der literarisch ganz verschiedenen Arbeitsweise beider Briefe. Dieser Sachverhalt ist für das Phänomen der Paulusschule von wesentlicher Bedeutung.

8.2.4) Gemeindesituation und Gemeindetheologie

Paulus hat sich in verschiedenen Gemeinden wiederholt mit Gegnern auseinanderzusetzen (vgl besonders 1Kor 15,12ff; 2Kor 10-13; Gal 1,6; 3,1ff; Phil 3,2ff) ⟨55⟩. In der Abgrenzung seiner eigenen Tätigkeit gegenüber Irreführung, Ruhmsucht und unlauteren Motiven in 1Thess 2,1ff spielt Paulus auf die Tätigkeit von Wanderpredigern an, die in der Gemeinde Einfluß zu gewinnen suchen. Die paulinischen Gemeinden stehen also von Anfang an in einer Auseinandersetzung um das rechte Verständnis des Glaubens und der christlichen Existenz. Dabei zeichnen sich zwei Hauptlinien der Gegnerschaft ab. Die eine Linie fordert eine Beachtung des jüdischen Gesetzes, wobei besonders die Beschneidungsforderung im Mittelpunkt steht ⟨56⟩. Die zweite Hauptlinie ist enthusiastisch. Darunter sind verschiedene Phänomene zu subsumieren: Sakramentalismus, Erkenntnis- und Freiheitsparolen, christologische Aussagen, ekstatische Phänomene ⟨57⟩. Schon die Tatsache, daß die Gegner in den beiden Korintherbriefen nicht einfach ineins gesetzt werden können, zeigt, daß die beiden Hauptlinien der Gegnerschaft in sich nicht einheitlich sind ⟨58⟩. Darüber, wie sich in den paulinischen Gemeinden nach dem Tod des Paulus diese Auseinandersetzungen weiterentwickelt haben, wissen wir auf Grund der Quellenlage nur wenig ⟨59⟩. Daß die Auseinandersetzungen in der nachpaulinischen Zeit weiterwirken, ist aber von vornherein anzunehmen.

⟨54⟩ In 2Thess betrifft dies das Festhalten an der Bedeutung der Gegenwart im Gegenüber zur eschatologischen Schwärmerei, in Kol besonders die paulinische Interpretation des Hymnus in 1,20.

⟨55⟩ In Röm setzt Paulus sich mit dem Judentum und seinem Heilsverständnis auseinander und insofern ist das Judentum "der Gegner" (so *BORNKAMM*, Paulus, S.110).

⟨56⟩ Diese grobe Charakterisierung stützt sich auf die Beobachtung, daß Paulus in Gal vor allem die Heilsbedeutung des Gesetzes kritisch hinterfragt (4,21; 5,4; 6,13 und 5,2; 6,12f). Der Hinweis auf die Weltelemente und die Kalenderfrömmigkeit rechtfertigt nicht die Annahme einer gnostischen Beeinflussung. Zu den unterschiedlichen Deutungen der galatischen Irrlehre vgl die Übersicht bei *MUSSNER*, Gal, S.11ff, besonders 14ff.

⟨57⟩ Zu den Gegnern in 1Kor vgl *CONZELMANN*, 1Kor, S.28-31. Nach 2Kor 11,22 rühmen sich die Gegner der jüdischen Herkunft. Im Vordergrund stehen der Besitz des Pneuma und dementsprechend geistgewirkte Rede und andere ekstatische Phänomene.

⟨58⟩ *CONZELMANN*, 1Kor, S.30: "Jüdische, griechische (popularphilosophische) Gedanken, wie sie auf der Straße aufzulesen waren, traditionelle Anschauungen der griechischen Religion, Mysterienwirkungen (Weihen, Ekstasen) - alles ist da und ist gar nicht reinlich zu sondern".

⟨59⟩ Vgl *BARRETT*, Controversies, S.230ff zu Galatien und Korinth.

1) Sowohl 2Thess als auch Kol stehen in einer Situation innergemeindlicher Auseinandersetzung. Von einer ausgesprochenen Irrlehre kann man in 2Thess nicht sprechen <60>. Es handelt sich eher um ein Verrennen in eine apokalyptische Erwartung, die für die Gegenwart keinen Raum mehr läßt. Da sich die Anhänger der irrigen Ansicht, der Tag des Herrn stehe unmittelbar bevor, auf einen Paulusbrief (2,2) und damit aller Wahrscheinlichkeit nach auf die eschatologischen Ausführungen des 1Thess berufen, kann man eine Entwicklung von 1Thess zu 2Thess erkennen. Die Antwort des Paulus auf die Anfrage aus der Gemeinde (1Thess 4,13ff) hat bei einigen Gemeindegliedern die apokalyptische Erwartung nicht gedämpft, sondern geschürt, so daß sie die Parusie Christi als unmittelbar bevorstehend erwarten (2Thess 2,2) und sich deshalb nicht mehr um ihren Lebensunterhalt sorgen (3,6ff). Mit dieser irrigen Ansicht und Lebenspraxis muß der Verfasser des 2Thess sich auseinandersetzen. Daß für den Verfasser die Auseinandersetzung mit dieser Ansicht und ihre Korrektur das wesentliche Anliegen ist, zeigt sich an der zentralen Stellung der eschatologischen Ausführungen in Kapitel 2, an dem langen Einschub über das Gericht (1,5-10) in die Danksagung 1,3ff und ebenso daran, daß im ethischen Briefteil der Hauptabschnitt 3,6-12 sich mit den durch die apokalyptische Verwirrung Unordentlichen befaßt. Dieser Verwirrung zu begegnen, ist das Ziel des Verfassers.

Die Irrlehre, mit der Kol sich auseinandersetzt, ist in 2,6-23 in einigen Zügen erkennbar <61>.

Es ist eine offensichtlich christliche Häresie, die aber neben Christus andere kosmische Mächte am Werk sieht, deren Satzungen auf dem Weg zum Heil zu befolgen sind. Hierzu gehören Speise- und Festgebote, Demut und die Verehrung von Engeln (2,16ff). Die Irrlehre bezeichnet sich selbst als Philosophie (2,8), sie weist Verbindungen zur Mysterienfrömmigkeit auf (2,18) und kennt die Beschneidung (2,11). Die zentrale Aussage ist in der Wendung von den Weltelementen zu finden (2,8.20). Sie sind als Mächte gedacht, deren Forderungen und Satzungen (2,14.20) auf dem Weg zum Heil zu erfüllen sind.

Die Häresie erkennt Christus als Heilsziel an, will aber den Weg zu Christus durch den Elementendienst sichern. In das synkretistische System sind hellenistische, jüdische und christliche Vorstellungen ebenso eingeflossen wie Elemente der Mysterienfrömmigkeit. Die Abwehr der Häresie ist das wesentliche Anliegen des Verfassers.

Durch den Hymnus und seine Rahmung und die Ausführungen über den apostolischen Dienst gewinnt der Verfasser die Basis für die Auseinandersetzung. Mit der Zusammenfassung in 2,6f wird übergeleitet zur konkreten Beschäftigung mit der Häresie. Dabei greift der Verfasser verschiedentlich auf Aussagen des Hymnus zurück (vgl 2,9). In 3,1-4 faßt Kol die bisherigen Aussagen zusammen und leitet über zur Paränese und also zur Darstellung eines Lebens aus der Versöhnung <62>. Dabei greift er sowohl auf die Auseinandersetzung mit der Irrlehre als auch indirekt auf die Aussagen des Hymnus zurück. Wenn man schließlich berücksichtigt, wie das Leben aus der Versöhnung beschrieben wird mit verschiedenen Rückgriffen auf die Basis des Hymnus und damit implizit im Gegensatz zu den Satzungen und Vorschriften der Häresie, wird deutlich, daß die Auseinandersetzung mit der Irrlehre das treibende Motiv des Verfassers ist.

2) Beide Verfasser sind in ihrer eigenen theologischen Überzeugung von Traditionen geprägt, die eine Nähe zu den Positionen der Irrlehrer aufweisen.

<60> Vgl oben S.43.
<61> Vgl hierzu oben, S.68 f. Der Einfluß der Häresie erstreckt sich auf die gesamte Region (vgl 2,1ff).
<62> Vgl zu dieser Gliederung *LÄHNEMANN*, Kolosserbrief, S.59f.

Der Verfasser des 2Thess stimmt mit den Anhängern der apokalyptischen Schwärmerei in der grundsätzlichen Beurteilung des Verhältnisses von Gegenwart und Zukunft überein. Er erwartet wie sie das Heil ausschließlich von der Zukunft und denkt gleichfalls in apokalyptischen Kategorien. Symptomatisch hierfür ist, daß er die apokalyptische Schwärmerei gerade mit Hilfe eines apokalyptischen Zeitplanes zu dämpfen versucht. Die abgekürzten Hinweise auf apokalyptische Ereignisse (vgl besonders 2,3.6f) zeigen darüber hinaus, daß er in der Gemeinde eine breite Kenntnis dieser Auffassungen voraussetzen kann. Dies ist allein von 1Thess her nicht zu begründen. Vielmehr ist ein judenchristlicher Einfluß vorauszusetzen, durch den der Gemeinde die apokalyptische Tradition und Denkweise vermittelt wird. Das apokalyptische Denken wird zum dominierenden Faktor der Gemeindetheologie. Eine Gemeindegruppe verrennt sich dabei - offenbar unter Berufung auf Paulus - in eine extreme Naherwartung, die aber nicht von der Gemeinde insgesamt geteilt wird <63>. Auch darin, daß der Verfasser die Gegenwart als Entscheidungszeit für das Eschaton betont, wird er also der Gemeindetheologie entsprechen, zumal dies ja dem Grundzug apokalyptischer Zeitauffassung entspricht.

Die theologischen Grundgedanken des Kol sind entwickelt in Auseinandersetzung mit der Häresie. Auf ihre Thesen wird teils angespielt, teils werden sie zitiert (2,6-23). Durch die Versöhnung in Christus hat für den Verfasser der Dienst an den Elementen seine Bedeutung grundsätzlich verloren. Das dieser Soteriologie zugrunde liegende Weltbild hat er freilich mit seinen Gegnern gemeinsam. Der Hymnus hat eine kosmologische Ausprägung, die mit dem Weltbild der Häretiker übereinstimmt, wenngleich sie den Mächten und Gewalten auf dem Weg zu Christus eine andere Bedeutung gaben. Der hellenistisch-jüdische Hintergrund des Hymnus begegnet auch in der Kombination der Elementenlehre mit der Observanz jüdischer Gebote, wie sie für die Häresie kennzeichnend ist. Der Verfasser kennt die Sprache und das Denken der Irrlehrer, wie die vielfachen Anspielungen in 2,6ff zeigen. Seine Auffassung entspricht der in der Gemeinde lebendigen Theologie. Er macht ein in der Gemeinde gesungenes Lied zum Ausgangspunkt seines Briefes. Der betonte Hinweis auf das Singen von Psalmen und Liedern in 4,16 ist von hier aus verständlich. Daß in allen Themenbereichen, die er behandelt, eine kosmologische Grundlinie erkennbar wird, zeigt ebenfalls, daß er sich hier mit der Gemeinde einig weiß. Als Paulusschüler hält er freilich am Kreuz Christi als dem Ort fest, an dem die Versöhnung erfahrbar wird und fügt einen entsprechenden Zusatz in den Hymnus ein (1,20). Ebenso hält er daran fest, daß auch die Glaubenden noch nicht "oben" leben, wenngleich der eschatologische Vorbehalt hier in ein räumliches Schema übertragen wird.

3) Interessanterweise haben wir es in zwei heidenchristlichen Gemeinden in der nachpaulinischen Zeit mit theologischen Auffassungen zu tun, die, wenn auch unterschiedlich, von judenchristlichen Einflüssen geprägt sind. Daß vorpaulinische Gemeindetheologie über Paulus hinaus wirksam ist, zeigt sich in der Taufauffassung des Kol, wo in den Stichworten ἀπολύτρωσις und ἄφεσις τῶν ἁμαρτιῶν (1,14) eine Anschauung aufgenommen ist, die schon Paulus aus der ihm vorliegenden Tradition übernimmt (vgl Röm 4,24f; 1Kor 1,30). Indem die ἀπολύτρωσις auf die Sündenvergebung

---

<63> Vgl hierzu 3,14. Auch die Mahnung, sich von den Unordentlichen zurückzuziehen (3,6), spricht nicht für eine Mehrheit für diese Ansicht in der Gemeinde.

bezogen ist, wird die Taufe als der Heilsort bestimmt. Diese Auffassung ist in Kol verbunden mit der kosmologischen Grundlinie, die vom hellenistischen Judenchristentum her bestimmend für die Theologie des Briefes wird.

In 2Thess ist es die apokalyptische Tradition des Judentums (vgl die Aufnahme von Daniel in 2,3f), die die Gemeinde und den Verfasser prägt. Über das palästinische und das hellenistische Judenchristentum bekommt die Apokalyptik auch Einfluß auf die christlichen Gemeinden <64>, die die jüdischen Apokalypsen übernehmen, aber auch eigene Werke dieser Literaturgattung schaffen, in die wiederum apokalyptische Traditionen des Judentums in starkem Maß eingehen <65>. In 2Thess zeigt freilich nicht nur die apokalyptische Tradition die Beziehung zum Judenchristentum, sondern ebenso die Übertragung alttestamentlicher Gottesprädikate auf Christus und die durchgehende Kyrios-Prädikation. Der paulinische Ansatz von der Rechtfertigung aus Glauben und auf Hoffnung hin wird so von hellenistisch-judenchristlicher Kosmologie einerseits und von judenchristlicher Apokalyptik andererseits in Frage gestellt und von beiden Konzeptionen her verändert. Daß für Paulus die Rechtfertigung aus Glauben und nicht aus Werken ein zentrales Thema ist, ist dabei für die hellenistisch-judenchristlich orientierten Gemeinden offenbar nicht mehr im Blickfeld <66>.

8.3) Literarisch - situative Ansätze
8.3.1) An- und Abwesenheit des Apostels und der Charakter der Briefe

In 2Thess 2,15; 3,14 ist die Bedeutung des Paulusbriefes ausdrücklich angesprochen. In Kol 2,5 wird das Thema der An- und Abwesenheit des Apostels behandelt. Im Blick auf diese Stellen sind zunächst die Paulusbriefe selbst auf vergleichbare Aussagen hin zu befragen.

1) Während der Zeiten seiner Abwesenheit erhält Paulus den Kontakt zu den Gemeinden mit Briefen aufrecht. An verschiedenen Stellen geht er ausdrücklich auf das Thema von An- und Abwesenheit ein (vgl 1Kor 5,3; 2Kor 10,1f.11; 11,9; 13,2.10; Gal 4.18.20; Phil 1,27). Dabei fällt Licht auf die Bedeutung, die er seinen Briefen beimißt. In **2Kor 10,1f.10f** nennt er am Beginn des Tränenbriefes Vorwürfe der Gegner: er sei im persönlichen Umgang ängstlich, seine Verkündigung sei armselig und er gebe sich nur aus der Ferne, durch seine Briefe, unerschrocken und mutig. Die Vorwürfe werden von Paulus durchleuchtet, ironisiert und entkräftet. Die Wendung διὰ τῆς πραΰτητος καὶ ἐπιεικείας τοῦ Χριστοῦ V.1 macht deutlich, daß der Vorwurf der Milde und Schwäche letztlich Christus selbst trifft. Dem entspricht V.3, da die "Waffen der Welt" schon mit V.1 als nicht christusgemäß abgetan sind <67>. Mit αὐτὸς Χριστοῦ V.7 nimmt Paulus ein Schlagwort der Gegner <68> im Sinne eines

---

<64> Vgl *VIELHAUER*, Apokalyptik, S.420.
<65> Dies läßt sich an der Offb deutlich zeigen. Sie ist voll mit at.lichen Bildern und Anspielungen und es finden sich zahlreiche Parallelen zu jüdischen Apokalypsen. Dabei liegen freilich in der Regel keine Zitate vor, sondern der Verfasser schöpft aus der gemeinsamen apokalyptischen Vorstellungswelt.
<66> Vgl hierzu *MÜLLER*, Theologiegeschichte, S.86ff; *FINDEIS*, Versöhnung, S.347f.
<67> V.4-6 nehmen dies positiv auf und beschreiben die Waffen des Christen als δύνατα τῷ θεῷ (V.4). Mit dem Hinweis auf den Gehorsam Christus gegenüber (V.5.6) ist wieder auf die Eingangswendung V.1 angespielt.
<68> Vgl 11,23. Eine direkte Beziehung zur Christuspartei 1Kor 1,2 ist nicht erkennbar. Eine Zugehörigkeit zu Christus,die andere ausschließt, gibt es nicht (vgl *WENDLAND*, 1.2Kor, S.229f). Der Vorwurf kommt von der pneumatischen Selbsteinschätzung der Gegner her und sagt wenig über die Überzeugungskraft des Apostels.

besonderen Christusverhältnisses auf und zugleich für sich in Anspruch. Auch ihm ist Vollmacht gegeben, freilich εἰς οἰκοδομήν (V.8) und also nicht zur Darstellung seiner Person. V.10 wiederholt den Vorwurf der Gegner und V.11 zieht den Schluß in der Weise daraus, daß Paulus auch bei seiner Anwesenheit seine ganze Autorität und sein Gewicht einbringen könnte. Das Verhältnis von λόγος und ἔργον ist dabei in V.11 gegenüber V.10 verschoben: in V.10 gehört das armselige Wort zur Anwesenheit dazu ⟨69⟩, während es in V.11 das (auch von den Gegnern bestätigte) machtvolle briefliche Wort und ἔργον das persönliche Wirken bei seiner Anwesenheit meint. So hängt das Thema von An- und Abwesenheit mit dem brieflichen Kontakt des Apostels mit der Gemeinde zusammen. Das Wort im Brief und die persönliche Wirksamkeit des Paulus haben beide die gleiche ἐξουσία εἰς οἰκοδομήν. Sogar seine Gegner erkennen an, daß seine Schreiben Autorität haben und versuchen, dies durch einen Hinweis auf sein persönliches Auftreten zu entkräften. Für Paulus kommt es umgekehrt darauf an, daß er, anwesend oder abwesend, durch λόγος oder ἔργον, die Gemeinde leitet und aufbaut. An der Vollmacht zum Aufbau mißt sich sein Wirken und seine briefliche Äußerung.

Am Ende des Tränenbriefes spricht Paulus in **13,2.10** noch einmal dieses Thema an. Es geht um die Übereinstimmung des geschriebenen Apostelwortes mit dem bei seiner Anwesenheit gesprochenen (vgl den Bezug auf Dtn 19,5 in V.1) und um die Wirkung des geschriebenen Wortes: der Brief als Mittel apostolischer Gemeindeleitung hat die Aufgabe, die Gemeinde zurechtzubringen, damit Paulus bei seiner Anwesenheit nicht Strenge gebrauchen muß; da er die Vollmacht zum Aufbau hat (10,8f), dient auch sein Brief eben diesem Ziel ⟨70⟩.

Die schwierige Wendung ἀλλάξαι τὴν φωνήν μου in Gal 4,20 ⟨71⟩ ist sinngemäß so zu verstehen, daß Paulus lieber selbst bei den Galatern wäre, um eindringlicher und überzeugender mit ihnen zu sprechen. Der ratlose Apostel befürchtet, daß sein Brief die äußere und innere Distanz zur Gemeinde nicht genügend aufhebt und das alte Vertrauensverhältnis (4,13-15) nicht bestärken kann. Er stellt freilich keinen Besuch in Aussicht, sondern umwirbt mit seinem Brief die Gemeinde mit Gutem (V.18) ⟨72⟩ und unternimmt von 4,21 an sogleich einen neuen Versuch der Überzeugung. Der Brief steht so an der Stelle des persönlich anwesenden Apostels. Während dessen Abwesenheit kommt ihm die Funktion zu, die Gemeinde zu leiten.
Leitende, sogar Recht setzende Autorität besitzt mit **1Kor 5,3f** das briefliche Wort des Apostels. In der Entscheidung des Unzuchtsfalles ⟨73⟩ kommt es nicht auf die persönliche Anwesenheit des Apostels an, sondern daß der Geist im Zusammenwirken des Apostels mit der Gemeinde zur Sprache kommt und so der Herr selbst letztlich der Handelnde ist ⟨74⟩. Apostel und Gemeinde stimmen in der Anrufung

----

⟨69⟩ Vgl 11,6. Es geht nicht lediglich um mangelnde rhetorische Fähigkeiten, sondern damit verbunden um einen Mangel an γνῶσις.
⟨70⟩ In 2Kor 11,8f geht es um das Recht (und den Verzicht) des Apostels auf Unterhalt. Auch in seinem Verzicht sieht man in Korinth die mangelnde Autorität des Paulus.
⟨71⟩ SCHLIER, Gal, S.215, Anm.1 hat die verschiedenen Auffassungen zur Stelle zusammengetragen. Für seine eigene Interpretation im Sinne eines Sprechens in Engelszungen weist er auf einige jüdische und hellenistische Stellen hin, die zwar das "Reden wie Engel" belegen, nicht aber die Wendung bei Paulus.
⟨72⟩ Das Umwerben mit Gutem bezieht sich sicher nicht nur auf den Brief, sondern meint ebenso das Hören auf diejenigen, die die apostolische Botschaft bewahren. Aber der Brief hat in dieser Situation die gleiche Funktion. FUNK, Language, S.271 erkennt in Gal 4,12-20 ein "travelogue-surrogate" (vgl S.281). In Gal 4 geht es freilich um das Problem von An- und Abwesenheit, da Paulus ja offenbar gerade nicht zur Gemeinde kommen kann. Die Gründe hierfür lassen sich nur vermuten (vgl hierzu MUSSNER, Gal, S.44, Anm.7).
⟨73⟩ Vgl hierzu CONZELMANN, 1Kor, S.116f.
⟨74⟩ Zur eschatologischen Orientierung dieser Rechtsauffassung (V.5) vgl KÄSEMANN, Sätze, S.72ff.

des Herrn so zusammen, daß Paulus den Rechtsakt beschließt und die Gemeinde, im gleichen Geist, akklamiert ⟨75⟩. Im Geist kann der Apostel mit der Gemeinde zusammenwirken, auch wenn er persönlich nicht in der Gemeinde anwesend ist.

In **Phil 1,27** kommt ein weiterer Aspekt hinzu. Der Vers ist mit ἀξίως τοῦ εὐαγγελίου πολιτεύεσθε eine Art Überschrift über die folgende Paränese. Er spricht sowohl die Mahnung als auch die dazu von Gott geschaffene Möglichkeit an. In dem eingeschobenen ἵνα-Satz ist auf das Vorangehende Bezug genommen (besonders 1,26). Die Gemeinde hat Gnade empfangen zum Glauben an Christus und zum Leiden für ihn (V.29). Dabei wird sie bestimmt und geleitet durch das Evangelium, das ihr von Paulus verkündet worden ist (1,5), und von seinem persönlichen Geschick, von dem sie erfährt (1,12ff). Der Besuch des Apostels wird zwar in Aussicht gestellt, ist aber für den Wandel der Philipper und ihre Bewährung im Glauben nicht konstitutiv. Sie sind ja nicht ohne das, was ihnen den Wandel ermöglicht: die Botschaft des Evangeliums und das Beispiel des Apostels. Indem der Brief darauf aufmerksam macht, ist er selbst apostolische Rede und ersetzt insofern die Anwesenheit des Apostels. 2,12 nimmt dies auf und verstärkt noch. Das Stichwort ὑπακούειν meint nicht Gefolgschaft des Paulus, sondern es geht in der Aufnahme des ὑπήκοος V.8 um den Gehorsam Christus gegenüber, von dem das Heil kommt ⟨76⟩ und zu dem Gott die Kraft gibt (V.13). Weil es um Christus geht und nicht um Paulusgefolgschaft, ist die Anwesenheit des Apostels nicht entscheidend. Gerade bei seiner Abwesenheit ist der Gehorsam der Christusbotschaft gegenüber um so wichtiger, aber auch, da Gott das Wollen und Vollbringen bewirkt, ebenso möglich. Der Brief ist in Zuspruch und Mahnung aktuelle Botschaft des Apostels.

Einige der hier besprochenen Texte gehören zu dem von *FUNK* als "travelogue" bezeichneten brieflichen Topos der Besuchsankündigung. Als Absicht der Ankündigung nennt *FUNK*: der Verfasser "adds to the written word, so to speak, the promise of an oral word" ⟨77⟩. Der Ton liegt dabei - dem Topos der Parusie im griechischen Brief entsprechend - auf der Gegenwart des Verfassers bei den Adressaten. In den Paulusbriefen ist dabei freilich folgendes zu beachten: das in Aussicht gestellte gesprochene Wort und die Aussagen des Briefes stimmen überein (vgl 2Kor 13,2.10). Bei der Anwesenheit des Apostels in der Gemeinde geht es also wohl um die Nähe und die persönliche Beziehung zu ihr, nicht aber um eine größere Autorität des gesprochenen Wortes. 1Kor 5,3f belegt dies deutlich. Daneben muß sich die Besuchsankündigung nicht auf Paulus selbst, sondern kann sich ebenso auf einen Mitarbeiter beziehen (vgl 1Kor 4,17f; Phil 2,19ff; 1Thess 3,1-8), der den Kontakt mit dem Apostel aufrecht erhält. Berücksichtigt man die Charakterisierung und Funktionsbeschreibung des Timotheus in 1Thess 3,2, so wird deutlich, daß er nicht nur Botschaften übermittelt und Kontakt herstellt, sondern selbst das Evangelium verkündet und die Gemeinde stärkt. In Gal 4,20 ist Paulus sich bewußt, daß er zum gegenwärtigen Zeitpunkt nicht zur Gemeinde kommen kann. In seiner Abwesenheit leidet er an ihr und versucht, sie zu überzeugen. Es geht in diesen Texten also nicht lediglich um eine Besuchsankündigung, sondern um Reflektion über das Problem von An- und Abwesenheit.

2) Die bisherigen Beobachtungen führen zu der Frage nach der Bedeutung der paulinischen Briefe überhaupt.

⟨75⟩ Voraussetzung für das Urteil im Blick auf das Urteil selbst wie auf die Akklamation der Gemeinde ist 3,16f. Es geht nicht um eine moralische Wertung, sondern um die Reinigung der Gemeinde.

⟨76⟩ Daß sich die Philipper mit Furcht und Zittern um ihr Heil mühen sollen, nimmt ebenfalls den Gedanken des Gehorsams auf (vgl *CONZELMANN*, Phil. S.112).

⟨77⟩ Language, S.264ff. Es geht um folgende Texte: Röm 15,14-33; 1Kor 4,14-21; 2Kor 12,14-13,13; Gal 4,12-20; Phil 2,19-24; 1Thess 2,17-3,13; Phlm 21f. Zitat auf S.265. *FUNK* sieht in der Beziehung von travelogue zum Hauptteil eines Briefes dasselbe Verhältnis wie in der Beziehung vom gesprochenen zum geschriebenen Wort.

DEISSMANN's Unterscheidung zwischen (privatem) Brief und (literarischer) Epistel <78> erwies sich in der anschließenden Diskussion zwar im Prinzip als brauchbar, im einzelnen aber als zu schematisch, um die Mannigfaltigkeit antiker und die Eigenartigkeit der paulinischen Briefe zu erfassen.

Das paulinische Briefformular lehnt sich an die Gepflogenheiten antiker Epistolographie an <79>, kann aber auch eigene Akzente setzen, wie vor allem das Prooemium paulinischer Briefe zeigt <80>. Übereinstimmungen zeigen sich weiter in Einführung und Abschluß des eigentlichen Briefinhaltes und seiner einzelnen Abschnitte und ebenso in der Entsprechung verschiedener Brieftopoi.

KOSKENNIEMI hat als charakteristische Topoi griechischer Briefe herausgearbeitet a) Philophronesis, d.h. Ausdruck der freundschaftlichen Beziehung zwischen Absender und Adressat; b) Parusia, d.h. Ersetzung der Anwesenheit des Adressaten bei dem Empfänger; c) Homilia oder Dialogos, d.h. Fortführung des Dialoges zwischen beiden <81>. In den griechischen Briefen ist dabei auch bei der Ausgestaltung dieser Brieftopoi eine starke Gebundenheit an die Briefkonvention festzustellen, der sich selbst private Briefe beugen <82>.

Die Paulusbriefe sperren sich gegen eine eindeutige Zuordnung zu den gängigen Briefgattungen der Antike (Privatbrief, Freundschaftsbrief, Lehrbrief etc). Es sind Schreiben an Gemeinden, in konkreten Situationen entstanden, die Bezug nehmen auf aktuelle Fragen. Verschiedentlich ist erkennbar, daß sie Teil einer breiteren Korrespondenz sind (vgl 1Kor 5,9.11; Phil 4,10ff; 1Thess 4,13). Trotz ihrer Aktualität und Konkretheit sind sie aber nicht reine Privatbriefe. Paulus schreibt als Apostel und Gemeindeleiter. Seine Vollmacht zum Aufbau der Gemeinde kommt in seiner Verkündigung wie in seinen Briefen zum Ausdruck (1Kor 10,f; 13,2.10). Er greift in Konflikte in den Gemeinden ein und erwartet in dem Unzuchtsfall in Korinth (1Kor 5,3f), daß seine Anordnung ausgeführt wird. Seine Schreiben sollen mit benachbarten Gemeinden ausgetauscht werden (2Kor 1,1, Gal 1,1). Sie haben offiziellen und autoritativen Charakter. Paulus entwickelt in der Korrespondenz seine theologischen Anschauungen und seine Briefe zeigen Anklänge an die Gattung der Lehrbriefe. Dennoch verweigern sie sich auch dieser Zuordnung, da die theologischen Ausführungen eingebettet sind in die Antwort auf konkrete Probleme. Wichtig ist die Beobachtung, daß Paulus in seinen Briefen lehrt, predigt und ermahnt und dabei geprägte Lieder, Bekenntnisse, paränetische Schemata etc aufgreift. Stücke dieser Art stammen aus gottesdienstlichen und katechetischen Zusammenhängen <83> und verweisen auf die gesprochene Sprache. Gleiches gilt für die Anklänge an den Dialogcharakter der Diatribe und manche sprachlichen Beobachtungen, die auf einen Sprechstil hinweisen <84>. Aus der Nähe zum gottesdienstlichen und gemeindlichen Reden erklärt sich die Lebendigkeit und Formenvielfalt der paulinischen Briefe.

<78> Licht, S.194ff.203. Terminologisch ist die Unterscheidung freilich nicht glücklich. Die sachlichen Einwendungen gegenüber *DEISSMANN* sind zusammengefaßt bei *DOTY*, Classification, S.189. Vgl zu *DEISSMANN's* Bedeutung auch *THRAEDE*, Grundzüge, S.1ff.

<79> Vgl hierzu *DOTY*, Letters, S.1ff.27ff und die Arbeiten von *THRAEDE* und *KOSKENNIEMI*.

<80> Die einzelnen Elemente sind in der antiken Epistolographie nachweisbar, die Formung als Dankgebet geht aber vermutlich auf Paulus selbst zurück; vgl die Zusammenfassung bei *VIELHAUER*, Geschichte, S.65f.

<81> Studien, S.35-47. Vgl zur Brieftopik auch *THRAEDE*, Grundzüge, S.109ff.

<82> Vgl *DOTY*, Letters, S.12 und das instruktive Beispiel eines Hochzeitsbriefes von Serapion (S.13).

<83> Vgl hierzu den Überblick über die vorliterarischen Formen bei *VIELHAUER*, ebd, S.9ff.

<84> Vgl *BULTMANN*, Stil, passim. *BERGER*, Apostelbrief, S.202 versucht den Nachweis einer gattungsmäßigen Analogie zu jüdischen Prophetenbriefen, schriftlichen Offenbarungsdokumenten und Testamenten (vgl S.207). Zum Sprechstil vgl die Berichtigung in 1Kor 1,16 und die Anakoluthe in Röm 5,12-14; Gal 2,4f.

Zugleich zeigt das ἀλλάξαι τὴν φωνήν μου Gal 4,20, daß Paulus auch den Brief als Anrede an die Gemeinde versteht. Nach 1Thess 5,27 geht er davon aus, daß sein Schreiben in der Gemeinde verlesen wird. Insofern der Brief das Wort des Apostels laut werden läßt, macht er den abwesenden Apostel in der Gemeinde präsent.

Unter literarkritischen Gesichtspunkten stellen die Paulusbriefe somit eine Mischform dar, die Züge des Privatbriefes, des Freundschaftsbriefes und des Lehrbriefes aufweist. Die formalen und inhaltlichen Elemente weisen jedoch alle eine Beziehung zum paulinischen Apostolat auf. In seinen Briefen begegnet Paulus den Gemeinden als Verkündiger, als Seelsorger und Mahner, als Lehrer und Leiter und in dem allem als Apostel. Die Paulusbriefe sind apostolische Botschaft. Sie richten sich an konkrete Gemeinden in konkreten Situationen, übergreifen diese jedoch zugleich und kommen zu Aussagen über die aktuelle Problematik hinaus. Die Abwesenheit des Apostels macht die schriftliche Fixierung notwendig, aber diese ist geprägt durch mannigfache Formen der mündlichen Verkündigung und Lehre. Von diesen Beobachtungen her kann man die Paulusbriefe als apostolische Briefe bezeichnen ⟨85⟩. Sie dienen in verschiedenen Situationen als Mittel der Gemeindeleitung in Zeiten seiner Abwesenheit (Anfragen, Konfliktlösung, Trost, Dank etc). Für Paulus selbst ist damit der Brief ein Mittel der Präsenz in der Gemeinde.

3) Kol 2,5 ist gleichzeitig geprägt durch Nähe und Distanz zu den Paulusbriefen. Offensichtlich nimmt Kol das Thema der Anwesenheit des Apostels auf ⟨86⟩, besonders den Gedanken der Präsenz des Apostels in seinem Brief. Gegenüber 1Kor 5,3f ist ἀπὼν τῷ σώματι hier zu τῇ σαρκὶ ἄπειμι abgeändert, wobei σάρξ nicht in theologisch gefülltem Sinn, sondern neutral gebraucht wird. Schon diese Veränderung läßt vermuten, daß der Ton anders liegt ⟨87⟩. Dies findet seine Bestätigung darin, daß der Geist in Kol an keiner Stelle (vgl 1,8f; 3,16) eine besondere theologische Bedeutung gewinnt. In 1Kor 5,3f liegt ein Urteilsakt vor, in dem der Geist Paulus und die Gemeinde zusammenschließt in der Kraft des Herrn. Von einer solchen Wirksamkeit des Geistes ist in Kol 2,5 keine Rede. Statt dessen sind sowohl mit χαίρων καὶ βλέπων als auch mit τάξις καὶ στερέωμα Dauer und Festigkeit betont. So ist in Kol 2,5 nicht von dem Wirken des Gottesgeistes die Rede, sondern von der geistigen Präsenz des Apostels bei körperlicher Abwesenheit ⟨88⟩. Mit seinem Brief ist der Apostel in der Gemeinde präsent. In der nachpaulinischen Situation geht es dem Verfasser darum, sich der fortwährenden Leitung der Gemeinde durch das apostolische Wort zu versichern. In dem Brief an die ihm persönlich unbekannten Kolosser

----

⟨85⟩ Auch wenn man nicht "eigens eine Gattung apostolischer Briefe erfinden" will (*VIELHAUER*, Geschichte, S.63), ist die Beziehung der Briefe auf den Apostolat des Paulus doch unverkennbar. *BERGER's* Definition (ebd, S.231) der Briefe als "schriftlich fixierte adressierte apostolische Rede" ist sachlich zutreffend, sprachlich aber umständlich. Vor den Chancen und Grenzen, die das Medium Brief im Kontakt zu den Gemeinden darstellt, handelt *BISER*, Zeuge, S.208ff. 213ff. Daß Paulus kein theologisches System entwirft, sondern konkrete Situationen theologisch erhellt, korrespondiert dem Medium des Briefes (vgl ebd, S.231).

⟨86⟩ *GNILKA*, Kol, S.114 sieht hier lediglich eine Anlehnung an die in den antiken Briefen übliche Floskel. Kol steht aber auch mit dieser Aussage deutlich in paulinischer Tradition.

⟨87⟩ So mit Recht *SCHWEIZER*, Kol, S.96. Fleisch und Geist sind bei Paulus meist als theologische Begriffe verwendet, oder aber beide rein anthropologisch (vgl 2Kor 7,1; 1Kor 7,34).

⟨88⟩ *SCHWEIZER*, Kol, S.96.

(2,1) zeigt der Apostel seine Verantwortung, seine geistige Vaterschaft und die Leitung auch dieser Gemeinde an <89>. Das Weiterwirken des apostolischen Briefes ist damit das Mittel der weitergehenden apostolischen Verkündigung.

In 2Thess 2,5f ist von der Anwesenheit des Apostels in der Gemeinde in der Vergangenheit die Rede. Hiervon ist die Gegenwart mit dem betonten νῦν V.6 abgehoben. Für die Orientierung in der Gegenwart (vgl 2,2) und das Verständnis der Zukunft (V.8ff) ist das in der Vergangenheit ergangene apostolische Wort maßgebend. Es ist in dem Brief des Paulus an die Thessalonicher niedergelegt (2,2). Wer sich an das apostolische Wort im Brief hält (3,14), hat deshalb Orientierung und wird das Heil gewinnen. Im Brief ist das apostolische Wort in der Gemeinde präsent. Anders als durch den apostolischen Brief ist die Kontinuität mit dem Apostel nicht zu wahren. In beiden Briefen wird so der Gedanke von An- und Abwesenheit des Apostels, des Kontaktes und der Gemeindeleitung durch Briefe aufgenommen und für die nachpaulinische Situation fruchtbar gemacht.

4) Die Brieflichkeit der Paulustradition wirkt sich auch in formaler Hinsicht aus und ist gleichzeitig eine Grenzbestimmung der Prägung durch Paulus. Die Deuteropaulinen übernehmen die Form des Paulusbriefes und damit auch die Form der theologischen Äußerung als konkrete Ansprache im Brief. Die Vertrautheit mit der "Brieflichkeit" des Paulus ist offenbar für die Paulusschule charakteristisch. Sie ist zugleich verbunden mit einer Vertrautheit mit dem theologischen Denken des Apostels, wie es sich in den Briefen niederschlägt. Wo die Kenntnis des Paulus der Briefe zurücktritt, ist offenbar auch eine Grenze der Paulusschule erreicht <90>. Daß die Apg keine Paulusbriefe erwähnt, steht in direktem Verhältnis zu dem dort vermittelten Paulusbild. Die Auseinandersetzung um die Heidenmission spielt für das Paulusbild der Apg keine Rolle und überhaupt tritt die Eigenständigkeit der paulinischen Theologie ganz in den Hintergrund. Demgegenüber steigert Apg die persönlichen und schicksalhaften Züge des Apostels, läßt Paulus als begnadeten Redner auftreten (21,1ff.40) und begibt sich damit in direkten Widerspruch zu der Auseinandersetzung des Paulus in Korinth (2Kor 10,1f.11). Gerade im Vergleich mit dem Paulusbild der Apg erweist sich die Bekanntheit mit der Brieflichkeit der paulinischen Tradition als für die Deuteropaulinen kennzeichnend.

8.3.2) Die Bedeutung der Mitarbeiter

Neben den Briefen stellen auch die Mitarbeiter des Paulus den Kontakt zu den Gemeinden her (vgl 1Thess 3,2) <91>. Timotheus ist von allen Mitarbeitern am deutlichsten zu erkennen und er begegnet auch in 2Thess und Kol. So empfiehlt es sich, mit diesem Mitarbeiter des Paulus einzusetzen.

1) Timotheus ist nach 1Kor 4,17 von Paulus bekehrt worden, hat seit dieser Zeit ein enges persönliches Verhältnis zum Apostel und begleitet ihn von da an (vgl Röm

---

<89> Nach *THRAEDE*, Grundzüge, S.105f handelt es sich in Kol 2,5 um eine "formgeschichtlich zu erklärende Ballung briefspezifischer Gemeinplätze", die nicht aus der Situation der Empfängergemeinde entwickelt, sondern der brieflichen Funktion wegen verwendet ist.

<90> Zur Frage, ob Apg Paulusbriefe gekannt hat und zum Paulusbild der Apg vgl oben, S.235.

<91> Vgl hierzu oben, S. 214f.

16,21; 1Thess 3,2) ⟨92⟩. Timotheus ist τέχνον ἀγαπητὸν καὶ πιστόν (1Kor 4,17; Phil 2,22) ⟨93⟩. 2Kor, Phil, 1Thess und Phlm nennen ihn als Mitabsender (in 2Kor, Phil und Phlm allein neben Paulus) ⟨94⟩. Verschiedentlich übernimmt er Aufgaben im Auftrag des Paulus (vgl 1Thess 3,2; 1Kor 4,17; 2Kor 1,19; 16,10; Phil 2,19). Wiederholt wird er ἀδελφός genannt (vgl 2Kor 1,1; Phlm 1; 1Thess 3,2). Darin kommt die Verbundenheit in Christus zum Ausdruck ⟨95⟩. Der Ausdruck συνεργός (vgl 1Thess 3,2) bezeichnet darüber hinaus den, der wie Paulus selbst am gleichen Werk arbeitet ⟨96⟩. Mitarbeiter Gottes ist Timotheus bei der Verkündigung der Christusbotschaft. In diesem Sinn betreibt er, wie Paulus selbst, das Werk des Herrn (1Kor 16,10) und ist ἰσόψυχος mit Paulus (Phil 2,20) ⟨97⟩. Auch daß Paulus sich mit Timotheus unter dem Titel δοῦλος zusammenschließt (Phil 1,1), drückt den gemeinsamen Dienst und die enge Beziehung zu Christus aus, zumal Paulus hier auf den Aposteltitel verzichtet (vgl 2,22). Diese Beobachtungen machen deutlich, daß Timotheus nicht als Gehilfe und Bote des Paulus anzusehen ist, sondern als Mitarbeiter Gottes am gleichen Werk, zu dem er in gleicher Verantwortung gesandt ist. Der Ausgangspunkt zur Mitarbeit ist die Berufung durch Gott zum Werk der Verkündigung ⟨98⟩.

⟨92⟩ Diese Aussage ist der Darstellung der Apg (16,1) vorzuziehen. Nach Apg 14,6ff hat Paulus bereits während der ersten Missionsreise in Lystra und Derbe gewirkt. Der Abschnitt ist freilich eine lukanische Bildung ohne großen historischen Wert (vgl *HAENCHEN*, Apg, S.363ff; *OLLROG*, Paulus, S.11, Anm.20). Timotheus wird nach Apg 16,2 von den Gemeinden in Lystra und Ikonium ein gutes Zeugnis ausgestellt. Im übrigen bleibt er in der Apg ganz im Hintergrund (vgl noch 20,4).

⟨93⟩ Mit τέχνον ist ein besonders enges Verhältnis gemeint, das nach Phil 2,22 auch von Timotheus aus gilt. Der psychologische Versuch, die Mitarbeiterproblematik bei Paulus zu erklären, sah in der Bindung der Mitarbeiter an Paulus dessen persönliches Bedürfnis nach Gemeinschaft (vgl *HADORN*, Gefährten, S.65, zur Kritik *OLLROG*, Paulus, S.111f). Die Mitarbeit bei Paulus orientiert sich aber nicht am Apostel, sondern am gemeinsamen Werk (συνεργός). Nach 1Thess 2,7; Gal 4,19 kann sich τέχνα auch auf die Gemeinde beziehen.

⟨94⟩ Das Fehlen des Namens in Röm und Gal läßt sich aus der Besonderheit dieser Briefe erklären. Nach 1Kor 16,10 ist Timotheus bereits unterwegs (vgl *CONZELMANN*, 1Kor, S.356).

⟨95⟩ Vgl *OLLROG*, Paulus, S.78. In diesem Sinn können die Briefempfänger als Brüder bezeichnet werden, ebenso aber auch Mitarbeiter wie Sosthenes (1Kor 1,1), Titus (2Kor 2,13) etc.

⟨96⟩ Vgl besonders *OLLROG*, ebd, S.63-72. Die Stelle ist eng verwandt mit 1Kor 3,9, wo besonders deutlich wird, daß der συνεργός vom gleichen Werk her definiert wird.

⟨97⟩ In diesem Wort schwingt die persönliche Beziehung mit, wie ja auch V.19 mit εὐψυχῷ das persönliche Verhältnis zu den Thessalonichern anspricht. V.22 fügt freilich mit δοκιμή und der Wendung "dem Evangelium dienen" zugleich die gemeinsame Missionsaufgabe hinzu.

⟨98⟩ Die mündige, die paulinische Arbeit mitverantwortende Rolle der Mitarbeiter hat vor allem *OLLROG* zutreffend herausgearbeitet (vgl besonders S.111-202). Daß Paulus mit seiner Verkündigung das Fundament gesetzt hat, ist dabei unbenommen. Auf dieser gemeinsamen Basis aber haben die Mitarbeiter eigene Verantwortung zu ihrer Aufgabe. Ein anderer Erklärungsversuch sieht die Bildung eines Mitarbeiterkreises bedingt durch die organisatorischen Erfordernisse der Mission (vgl *REDLICH*, Companions, S.2.48; *ELLIS*, Coworkers, S.439), wobei die Bildung dieses Kreises in Analogie zu militärischen Strukturen oder nach dem Muster des römischen Imperiums gesehen wird. Hieran ist die Erkenntnis richtig, daß die Bildung verschiedener Missionszentren durch Paulus (vgl *OLLROG*, Paulus, S.126ff) auch die Notwendigkeit zu einem Kreis von Mitarbeitern ergab. Aber diese Organisationsnotwendigkeiten sind gleichsam nur die Außenseite des Sachverhaltes, die Berufung zum und die Mitverantwortung am gemeinsamen Werk der Mission dagegen die innere Grundlage. Auch der pädagogische Gedanke steht bei der Mitarbeiterfrage nicht im Vordergrund (gegen *SCHLUNK*, Paulus, S.99). Eine (organisierte) Ausbildung der Mitarbeiter ist durch die Texte nicht belegbar.

Auch wenn Timotheus unter den Mitarbeitern herausragt, werden doch von anderen ganz ähnliche Aussagen gemacht. Wie Paulus selbst hat auch Barnabas von Antiochien aus Mission betrieben <99>. Beide werden in Apg 15,2ff als Delegierte der antiochenischen Gemeinde beim Apostelkonvent in Jerusalem genannt. Sie trennen sich nach 15,36-41, und Barnabas wird im folgenden in der Apg nicht mehr erwähnt. In den Paulinen ist Barnabas in 1Kor 9,6 und Gal 2,1.9.13 genannt. Nach 1Kor 9,6 gehört Barnabas vermutlich zum Kreis der Apostel <100>. Hinter Gal 2,13 ist noch die persönliche Enttäuschung des Paulus zu spüren, daß Barnabas sich im Streit um die gesetzesfreie Heidenmission nicht eindeutig auf seine Seite stellt <101>. Wenn dies auch die Nachrichten über Barnabas in den Paulinen überschattet, so ist seine Stellung als führender Missionar doch deutlich zu erkennen.

Silvanus wird in 1Thess als Mitabsender und in 2Kor 1,19 zusammen mit Timotheus und Paulus als Verkündiger Jesu Christi genannt <102>. Titus bekommt verschiedentlich ein enges Verhältnis zu Paulus bescheinigt (vgl 2Kor 2,13; 7,6f.13-16; 8,23; 12,18). Beim Apostelkonvent begegnet er als Begleiter des Paulus und Barnabas (Gal 2,1), der das gesetzesfreie Evangelium des Paulus in seiner Person repräsentiert (2,3). Er macht die Kollekte für Jerusalem zu seiner eigenen Sache (2Kor 8,17), offenbar um den Zusammenhalt von Juden- und Heidenkirche zu betonen <103>. Die Zusammenarbeit von Paulus und Apollos war nicht ohne Schwierigkeiten (1Kor 1,12; 3,1ff) und außerhalb des 1Kor findet er keine Erwähnung. Aber auch er gilt dem Paulus als Bruder und Mitarbeiter Gottes (1Kor 16,12; 3.9). Epaphroditus wird in Phil 2,25 ἀδελφός, συνεργός und συστρατιώτης genannt. Er hat die Unterstützung der Philipper überbracht (4,18) und anschließend im Auftrag der Gemeinde mit Paulus zusammengearbeitet <104>. Nach einer überstandenen Erkrankung schickt Paulus ihn in seine Heimatgemeinde zurück (2,28). Prisca und Aquila werden als συνεργοί μου ἐν Χριστῷ 'Ιησοῦ bezeichnet (Röm 16,3). Sie haben in Rom eine Hausgemeinde begründet und offensichtlich später Paulus in besonderer Weise unterstützt. Über diese Mitarbeiter hinaus finden sich in den Paulusbriefen Angaben über eine ganze Reihe anderer Personen, die zeitweise und mit verschiedenen Aufträgen mit Paulus zusammengearbeitet haben <105>.

Daß die Mitarbeiter des Paulus in eigener Verantwortung dem gemeinsamen Werk der Verkündigung verpflichtet waren, zeigt sich an ihrer Charakterisierung in den Paulusbriefen. Zugleich wird deutlich, daß sie in theologischen Fragen zum Teil anders denken als Paulus. Dies liegt auf der Hand für Barnabas, von dem Paulus sich über der Frage nach der Geltung des Gesetzes trennt. Daß Paulus dem Titus in 2Kor 8,16 eigene Initiative bei der Kollektensammlung bescheinigt, ist bereits erwähnt. Zur Verkündigung des Apollos können trotz der Bemerkungen in 1Kor 1-4 keine genauen Aussagen gemacht werden <106>. Immerhin wird deutlich, daß sich seine Verkündigung von der des Paulus doch so weit unterschied (von 1Kor 2,1-5

<99> Nach Apg 4,36 war Barnabas Diasporajude aus Zypern (vgl auch 13,3ff; 15,39). Er hat in Jerusalem vermutlich dem Stephanuskreis angehört (vgl Apg 11,20 und *HAENCHEN*, Apg, S.314ff). Lukas sieht in Barnabas einen Vermittler zwischen Jerusalem und Antiochien (11,22-24), da er nach 4,36 seine Beziehung zu Jerusalem und nach 13,1; 15,2 seine führende Stellung in Antiochien kennt. Apg 11,30 läßt sich freilich nicht mit Gal 1,18 vereinbaren.

<100> Vgl hierzu oben, S.206f.

<101> Seit dem Streit in Antiochia fühlt Paulus sich zunehmend allein für die Heidenmission verantwortlich (vgl Gal 1,16f gegenüber Plural in 2,9 und besonders Röm 11,13; 15,14ff).

<102> Silvanus ist mit dem Silas der Apg identisch, der nach 15,40 Begleiter des Paulus während der 2.Missionreise ist. Er ist hier freilich ebenfalls Statist und wird nach 18,5 nicht mehr erwähnt. Die Hervorhebung des Silas als eines der führenden Männer in Jerusalem entspricht der lukanischen Tendenz der Autorisierung von Jerusalem her (vgl auch Apg 9,30; 11,25f im Blick auf Paulus).

<103> Hierin lag der eigene Schwerpunkt des Titus (vgl *OLLROG*, ebd, S.33ff). Seine Arbeit ist insofern spezieller als die des Silvanus und Timotheus und er begegnet auch nicht als Mitabsender der Paulusbriefe.

<104> Vgl hierzu oben, S.218 ff.

<105> Vgl hierzu ausführlich *OLLROG*, ebd, S.9-63.

<106> Zieht man Apg 18,24f heran, wird die Verkündigung des Apollos als geisterfüllte Auslegung des AT im Blick auf Jesus erkennbar (vgl zu dieser Stelle *OLLROG*, Paulus, S.39f).

her geurteilt möglicherweise auch in ihrer Form), daß die Gemeinde in Korinth die Verkündiger gegeneinander ausspielte und sich in verschiedene Gruppen aufspaltete (vgl 4,6; 1,12). Daß Paulus Apollos zu einer erneuten Reise nach Korinth zu bewegen sucht (16,12), zeigt, daß er selbst dessen Verkündigung nicht als Gegensatz zu seiner eigenen verstanden hat (vgl auch 3,9). In der Gemeinde konnte dieser Eindruck gleichwohl entstehen. Aus diesen Angaben *die* Theologie eines der Paulusmitarbeiter zu entwickeln ist nicht möglich. Es zeigt sich aber, daß die Mitarbeiter nicht lediglich Sprachrohr des Paulus waren, sondern in ihrer Verkündigungsarbeit eigene theologische Schwerpunkte setzten.

Es ist noch auf die Frage einzugehen, welche Bedeutung die Nennung von Mitarbeitern in den Präskripten der Paulusbriefe hat. Hierzu ist wiederholt festgestellt worden, daß Mitabsenderschaft nicht Mitverfasserschaft bedeute ⟨107⟩. In der Nennung von Mitabsendern kann man dann eine Ehrung sehen ⟨108⟩, einen Hinweis auf die Bekanntheit bei den Adressaten oder Vermittlerschaft zu ihnen ⟨109⟩ oder auch den Versuch des Paulus, seinen Briefen größeres Gewicht oder einen offiziellen Charakter zu geben ⟨110⟩. Zu beachten ist, daß die in den Präskripten genannten Mitarbeiter sich im folgenden Briefkorpus nicht mehr finden bzw. daß von ihnen in der dritten Person die Rede ist (1Thess 3,2.6; 1Kor 4,17; Phil 2,19ff), daß Paulus häufig in der ersten Person Singular schreibt und sich selbst ab und zu mit Namen nennt (so etwa in 1Thess 2,18; 1Kor 1,13-17; Phlm 19), daß er schließlich mit Ausnahme von 1Thess und Phil sich in jedem Brief ausdrücklich als Apostel bezeichnet. Von hier aus unterliegt es keinem Zweifel, daß Paulus selbst seine Briefe verfaßt bzw. diktiert hat ⟨111⟩. Dennoch erschöpft sich die Bedeutung der Namensnennung nicht in bloßer Mitabsenderschaft, wie wiederum Timotheus zeigt. Neben Paulus ist er der Mitbegründer der Gemeinde in Philippi, Thessalonich und Korinth. In 1Thess und Phil vermeidet Paulus den Aposteltitel im Präskript, schließt sich in Phil 1,1 vielmehr mit Timotheus unter dem Ehrentitel δοῦλοι Χριστοῦ ’Ιησοῦ zusammen. Nach 1Kor 4,17 soll Timotheus die Gemeinde an das Anfangswirken unter ihnen erinnern. Er teilt die Verantwortung des Paulus für Mission und Verkündigung. In diesem Sinn ist die Mitverantwortung zwischen der bloßen Mitabsenderschaft und der Mitverfasserschaft anzusiedeln ⟨112⟩. In gleicher Weise verantworten die namentlich nicht genannten Brüder in Gal 1,2 mit Paulus die Verkündigung ⟨113⟩. Mitverantwortung der Mitarbeiter und paulinische Verfasserschaft der Briefe schließen sich nicht aus. Aus diesem Überblick ergibt sich: die Mitarbeiter des Paulus sind wie der Apostel selbst zur Missionsarbeit berufen. Wohl hat Paulus eine eigene, grundlegende und umfassende apostolische Aufgabe als der, der das Fundament legt (1Kor 3,5-17).

⟨107⟩ *BORNKAMM,* Paulus, S.22; *LIETZMANN,* Korinther, S.4; *CONZELMANN,* 1Kor, S.33, Anm.12. *CONZELMANN* urteilt in Weisheit, S.234 jedoch vorsichtiger; vgl auch *EICHHOLZ,* Paulus, S.15.

⟨108⟩ So *LIETZMANN,* ebd; *HADORN,* Gefährten, S.78.

⟨109⟩ Vgl *FRIEDRICH,* Phil, S.96; *SCHLIER;* Gal, S.29.

⟨110⟩ Vgl *GNILKA,* Phil, S.30 und insgesamt *OLLROG,* ebd, S.184.

⟨111⟩ Die Sekretärshypothese, derzufolge ein Sekretär im Auftrag des Paulus Briefe selbständig verfaßt habe (vgl *ROLLER,* Formular, S.21), läßt sich deshalb nicht halten.

⟨112⟩ Vgl besonders *OLLROG,* ebd, S.183ff. Vgl auch *GNILKA,* Phil, S.29; *CONZELMANN,* Weisheit, S.234.

⟨113⟩ Der Hinweis auf die Brüder soll nicht die Autorität des Paulus stützen, wie deutlich aus V.1 hervorgeht. Die Botschaft des Evangeliums wird aber von ihnen mitgetragen.

Auf diesem Fundament aber tragen die Mitarbeiter mit ihm gemeinsam Verantwortung für das Werk der Mission. Sie können hierzu von Gemeinden ausgesandt sein (vgl Epaphroditus, Phil 2,25ff). Dabei repräsentieren sie diese Gemeinden und sind, bei aller theologischen Bindung an Paulus, doch auch von dort geprägt. Jedenfalls sind bei einigen Mitarbeitern eigene theologische Schwerpunkte erkennbar. Die Gründung verschiedener Missionszentren fördert das Interesse an und den Austausch zwischen ihnen. Hierzu verfaßt Paulus seine Briefe (vgl besonders auch die Grußlisten) und setzt Mitarbeiter ein. Diese vermitteln den persönlichen Kontakt ebenso wie die apostolische Verkündigung, die sie wie Paulus wahrnehmen.

2) In 2Thess sind Σιλουανός und Τιμόθεος im Präskript als Mitarbeiter genannt. Das Präskript weist allerdings eine auffallende Ähnlichkeit mit dem des 1Thess auf und die literarische Analyse bestätigt die Abhängigkeit von 1Thess. Das sonstige Schweigen über Timotheus ist auffällig, da dieser in 1Thess gerade hervorgehoben ist (3,2ff). Seine Mitverantwortung am paulinischen Evangelium wird dort mit συνεργός bestätigt und seine Aufgabe in Thessalonich als Stärkung, Ermahnung und Trost beschrieben. Bei der Kenntnis und Abhängigkeit von 1Thess ist das Fehlen dieser Aussagen in 2Thess bedeutsam. Offensichtlich blendet der Verfasser die Bedeutung der Mitarbeiter und besonders des Timotheus bewußt aus. Umgekehrt wird Paulus zur alles beherrschenden Gestalt, wie vor allem in 2,5ff; 3,1ff deutlich wird. Die Nennung von Silvanus und Timotheus wird im Präskript aus literarischen Gründen beibehalten, der restliche Brief konzentriert sich aber ganz auf den Apostel selbst. Die Kontinuität mit ihm ist nicht über Timotheus, sondern nur über den apostolischen Brief zu wahren.

3) Ein völlig anderes Bild bietet Kol. Hier ist von mehreren Mitarbeitern zum Teil ausführlich die Rede. Wegen der Bedeutung des Timotheus in den Paulinen soll auch hier mit diesem Mitarbeiter eingesetzt werden.

Er ist im Präskript als Mitabsender genannt. Τιμόθεος ὁ ἀδελφός findet sich in gleicher Weise in Phlm 1 und 2Kor 1,1. Sonst begegnet Timotheus im übrigen Brief nicht. Es wird in jüngster Zeit öfter erwogen, daß Kol zu Lebzeiten des Paulus von Timotheus geschrieben sein könnte. Als Gründe hierfür werden angeführt: Timotheus erscheint in 4,7ff nicht unter den Grüßenden; er trägt das paulinische Missionswerk mit und ist auch sonst als Mitabsender von Briefen genannt, im Gegensatz zu allen in Kol genannten Mitarbeitern, er wird von Paulus auch sonst dazu beauftragt, die Angelegenheiten der Gemeinde zu regeln (vgl Phil 2,20) <114>. SCHWEIZER hält es für möglich, daß Timotheus den Brief während der Haft des Paulus in beider Namen verfaßte <115>. Wäre der Brief noch zu Lebzeiten des Paulus vefaßt und also nebenpaulinisch, so wäre auch dies eine Stütze für die These von Timotheus als Verfasser. Nun ist freilich die nebenpaulinische Herkunft des Kol unwahrscheinlich, wie besonders das veränderte Apostelverständnis belegt <116>. Und gerade bei Timotheus als Verfasser wäre zu fragen, warum der anerkannte Paulus-Vertraute und -Mitarbeiter nicht im eigenen Namen schrieb. Die übrigen Gründe aber lassen sich nicht aus Kol selbst erheben, sondern ergeben sich aus den Nachrichten über Timotheus in den Paulinen. Der Brief selbst macht die Verfasserschaft des Timotheus nicht undenkbar, spricht aber auch nicht in besonderer Weise dafür. Im übrigen scheidet Timotheus als Verfasser nicht aus, wenn man den Brief als nachpaulinisch beurteilt.

Wichtiger als die Frage nach Timotheus erweist sich die Beurteilung von Mitarbeitern, die in Kol ausführlich genannt werden. Hier sind vor allem Epaphras und Tychi-

---

<114> So OLLROG, Paulus, S.241, Anm.22. Vgl auch GNILKA, Kol, S.22.
<115> Kol, S.26.
<116> Vgl hierzu oben, S.17f (gegen SCHWEIZER, Kol, S.26; OLLROG, ebd, S.241). Zur Verwandtschaft der Grußliste des Kol mit der des Phlm vgl unten, S.296f.

kos zu nennen. Von Epaphras ist in 1,7f und 4,12f die Rede. Nach 1,7 hat Epaphras die Gemeinde über die Gnade Gottes unterrichtet ⟨117⟩. Offenbar haben wir es nach Kol 1,7 in Epaphras mit dem Gemeindegründer zu tun (vgl auch V.6 ἀφ' ἧς ἡμέρας ἠκούσατε). Im folgenden wird er mit verschiedenen Wendungen näher charakterisiert. Er ist mit dem Ehrentitel ἀγαπητὸς σύνδουλος mit Paulus zusammengeschlossen.

Knecht ist bereits im AT ein Ehrentitel. Knechte Gottes sind Abraham (Ps 105,42), Mose (2Kön 18,12; Ps 105,26 uö.), Josua (Jos 24,29; Ri 2,8), David (2Sam 7,5; Ps 89, 4.21 uö.). Der Knecht redet und handelt nicht aus eigenem Antrieb, sondern gibt das weiter, was ihm von Gott anvertraut wurde. In diesem Sinn ist auch der Apostel δοῦλος Χριστοῦ Ἰησοῦ (Röm 1,1; Gal 1,10; Phil 1,1). In Phil 1,1 wird Timotheus mit diesem Titel bezeichnet. σύνδουλος begegnet in den Paulinen nicht (vgl aber Offb 6,11; 19,10; 22,9).

Der σύνδουλος hat das gleiche Verhältnis zum Herrn wie der Apostel selbst. Das beigefügte ἀγαπητός deutet das Verhältnis zu Paulus an. Epaphras ist weiterhin πιστὸς ὑπὲρ ἡμῶν διάκονος τοῦ Χριστοῦ.

Die textkritische Entscheidung bezüglich des ὑπὲρ ἡμῶν ist nicht einfach. Diese Lesart ist durch P 46 und insgesamt besser bezeugt. In 4,12 ist aber zweimal ὑπὲρ ὑμῶν zu lesen ⟨118⟩. Dort ist ganz eindeutig von der Beziehung des Epaphras zur Gemeinde in Kolossae die Rede. Diese Beziehung ist in 1,7 so eindeutig nicht. Vielmehr ist im direkten Kontext der Aussage von der Beziehung des Epaphras zu Paulus die Rede (vgl ἀγαπητὸς σύνδουλος ἡμῶν; ὁ καὶ δηλώσας ἡμῖν ...). Dies spricht dafür, auch für die fragliche Wendung von der ersten Person auszugehen. Hinzu kommt schließlich die bessere Bezeugung dieser Lesart.

Zu πιστὸς διάκονος τοῦ Χριστοῦ (vgl 2Kor 11,23; 1Kor 3,5) bietet 1,23 eine ganz wichtige Parallele. Indem Paulus das Evangelium aller Schöpfung unter dem Himmel verkündet, ist er Diener des Evangeliums und der Kirche, und zwar nach dem Ratschluß Gottes (1,26). Die Parallelität von der Bezeichnung des Paulus und des Epaphras ist für das Verständnis der Wendung grundlegend. Indem Epaphras den Kolossern das Evangelium gebracht hat, ist er Diener Christi und auf die gleiche Weise in Dienst genommen wie der Apostel selbst. ὑπὲρ ἡμῶν weist ausdrücklich auf die Beziehung des Epaphras zu Paulus: an seiner Stelle ist er Diener Christi. "Epaphras ist der autorisierte Vertreter des Apostels in Kolossae" ⟨119⟩. Diese Deutung wird gestützt durch πιστός. Denn diese Bezeichnung der Treue fehlt bei Paulus, findet sich aber sowohl für Epaphras als auch in 4,7 für Tychikos. Die Beteuerung in 4,13 weist in die gleiche Richtung ⟨120⟩. ὑπὲρ ἡμῶν und πιστός unterstützen sich also gegenseitig: in der Botschaft des Epaphras hörten die Kolosser die apostolische Botschaft selbst. Die Rolle des Epaphras ist damit einerseits von Paulus her, andererseits parallel zu Paulus (διάκονος) gestaltet. Der Mitarbeiter ist ein vollgültiger Verkündiger, versehen mit der Autorität der apostolischen Botschaft und an Stelle

----

⟨117⟩ μανθάνειν im Sinne von "die Botschaft des Evangeliums annehmen" begegnet bei Paulus nur sporadisch (vgl Röm 16,17; Phil 4,9). Dagegen deutet sich 2Tim 3,14 σὺ δὲ μένε ἐν οἷς ἔμαθες bereits an, vgl auch die Charakterisierung der christlichen Botschaft als gesunde Lehre (2Tim 4,3). Daß Timotheus als direkter Paulusschüler gezeichnet wird, stößt sich mit dem Plural τίνων und ebenso mit den vielen Zeugen in 2,2. Das Timotheusbild der Pastoralen ist nicht einheitlich, da er, in einer bereits längeren Lehrüberlieferung stehend, doch als Schüler des Paulus dargestellt ist (vgl BROX, Past, S.260).
⟨118⟩ Hierauf stützt sich OLLROG, Paulus, S.101. Diese Lesart fügt sich zwar "maßgerecht" in die von OLLROG besprochen Texte zur Mitarbeiterproblematik, aber ἡμῶν fügt sich in den unmittelbaren Kontext. Welche Lesart als lectio difficilior anzusehen ist, ist kaum zu beantworten. Für ὑπὲρ ἡμῶν auch ZEILINGER, Träger, S.175.
⟨119⟩ LOHSE, Kol, S.54 gegen OLLROG, ebd, S.241, Anm.20.
⟨120⟩ In den Past bezeichnet πιστός die Zuverlässigkeit des Wortes (1Tim 1,15; 3,1; 2Tim 2,11; Tit 3,8).

des Apostels verkündigend.

Schließlich wird von Epaphras berichtet, daß er Paulus Nachrichten aus der Gemeinde gebracht hat. Offenbar befindet er sich zu Zeit der Abfassung des Briefes bei dem Apostel, da er in der Grußliste 4,12 wieder auftaucht. Mit dieser Bemerkung wird zweierlei erreicht: sowohl die enge Beziehung des Epaphras zu Paulus wird bestätigt, als auch – über Epaphras – die Beziehung der Gemeinde zu Paulus. Wesentlich ist das Gefälle, das in V.7f deutlich hervortritt: *Ihr* habt von Epaphras gelernt (V.7a) – *Er* ist ein treuer Diener (V.7b, und zwar an *unserer* Statt) – er hat *uns* kundgemacht eure Liebe im Geist (V.8). Indem die Kolosser die Verkündigung des Epaphras annehmen und "lernen", nehmen sie die apostolische Botschaft an. Umgekehrt kommt darin auch der Dienst des Paulus an der Kirche bei den Kolossern zu seinem Ziel.

4,12f läßt erkennen, daß Epaphras aus Kolossae stammt, aber auch enge Beziehungen zu den benachbarten Städten Laodizea und Hierapolis hat. Der Vergleich mit 1,7f macht deutlich, daß er (vermutlich von Paulus bekehrt) in seiner Heimat missioniert und die Gemeinde in Kolossae gegründet hat ⟨121⟩. Auch hier wird er wie in 1,7 in Analogie zu Paulus geschildert (vgl 2,1; 1,3). Im ἵνα-Satz steht πεπληροφορημένοι parallel zu ἵνα πληρωθῆτε ... in 1,9 (vgl 2,2) und τέλειοι findet sich in 1,28. Da in 2,9 das Stichwort πλήρωμα in Auseinandersetzung mit der Irrlehre begegnet, wird man nicht fehlgehen, in dem Kampf des Epaphras seinen Einsatz gegen die Irrlehre zu erkennen ⟨122⟩. Sein ständiger Einsatz für die Gemeinde und sein Kampf gegen die Irrlehre entsprechen dem apostolischen Handeln. Die Beteuerungsformel in V.13 bestätigt dies ausdrücklich ⟨123⟩. Das Wort des Epaphras bezieht sich nicht nur auf Kolossae, sondern ebenso auf Laodizea und Hierapolis. Auch damit wird der Mitarbeiter ganz in die Nähe des Apostels gerückt.

In Epaphras den Verfasser des Briefes zu sehen ⟨124⟩ ist ebensowenig beweisbar wie die Verfasserschaft des Timotheus. Immerhin ist Epaphras als Gemeindegründer und herausragende Persönlichkeit in der Gemeinde stark betont und daß er zur Abfassungzeit des Briefes nicht in die Gemeinde zurückgeht, spricht nicht notwendig

----

⟨121⟩ Vgl *SCHWEIZER*, Kol, S.178; *OLLROG*, Paulus, S.44. Wichtig ist der Hinweis von *GNILKA*, Kol, S.239, daß der Name Epaphras den Brief gleichsam einrahmt. Dies wirft Licht auf die Bedeutung dieses Mitarbeiters. ὁ ἐξ ὑμῶν kennzeichnet Epaphras im Sinne der Gemeindegesandten. Er ist darin den in 2Kor 8,23 und Phil 2,19ff Genannten vergleichbar. Dies gilt auch dann, wenn man in 1,7 ὑπὲρ ἡμῶν liest. Gerade die Tatsache, daß sich die Gemeinde in Kolossae (Laodizea und Hierapolis) offenbar als paulinisch versteht, obwohl Paulus nie persönlich anwesend war, ist ein starker Beleg für die Missionsarbeit der Paulus- Mitarbeiter von Missionszentren aus (so *OLLROG*, ebd, S.242, Anm.23). Zu 4,12 und zur Grußliste des Kol überhaupt vgl *ZEILINGER*, Träger, S.175ff.

⟨122⟩ Vgl *LOHSE*, Kol, S.243f; *GNILKA*, Kol, S.240.

⟨123⟩ Daß Epaphras viel Mühe um die Gemeinde hat, ist verschieden interpretiert worden. Die Formulierung erlaubt aber keine konkreten Schlüsse, sondern bestätigt letztlich die Aussage von V.12. Die starke Anstrengung und den leicht negativen Charakter des Wortes versuchte man durch verschiedene ähnliche Worte zu entschärfen (vgl *GNILKA*, Kol, S.241). Ob Epaphras die Gefangenschaft des Paulus teilt oder sich wegen Schwierigkeiten in der Gemeinde zu Paulus zurückziehen mußte (vgl *SCHWEIZER*, Kol, S.178), ist aus dem Text nicht zu entnehmen.

⟨124⟩ Dies wird erwogen von *LÄHNEMANN*, Kolosserbrief, S.181, Anm 82 und *SUHL*, Paulus, S.168, Anm.93. Der Brief sei dann während der ephesinischen Gefangenschaft des Paulus verfaßt und sei ein Beispiel für die Entfaltung paulinischer Schultheologie schon zu Lebzeiten des Paulus (*LÄHNEMANN*, ebd; vgl auch *ERNST*, Kol, S.152). So erwägenswert der Gedanke eigener theologischer Akzente bei den Paulus-Mitarbeitern bereits zu dessen Lebzeiten ist, so ist die Abfassung des Kol als pseudonymer Brief doch erst nach dem Tod des Paulus denkbar.

gegen eine Abfassung durch ihn <125>. Ein positiver Nachweis ist freilich nicht möglich. Wie bei Timotheus erweist sich aber auch hier die Frage nach dem Verfassernamen als letzten Endes unerheblich.

In gleicher Weise wie Epaphras wird in 4,7ff auch Tychikos <126> in Anlehnung an den Apostel beschrieben. Er ist ἀγαπητὸς ἀδελφός. Die Bruder-Anrede (vgl 1,2; 4,9) drückt wie bei Paulus die grundlegende Verbindung zu Christus aus. ἀγαπητός beschreibt das persönliche Verhältnis zu Paulus. πιστὸς διάκονος und σύνδουλος verweisen wie in 1,7; 4,12 auf den Apostel selbst, an dessen Dienst Tychikos teilhat. Er ist gesandt, damit er den Kolossern alles von Paulus kundtut. Sowohl πέμπειν als auch γνωρίζειν tragen offiziellen Charakter <127>. τὰ κατ' ἐμὲ πάντα bezieht sich deshalb auf die persönlichen Umstände des Paulus und seiner Umgebung (vgl V.8 τὰ περὶ ἡμῶν), weist aber auch schon voraus auf ἵνα παρακαλέσῃ τὰς καρδίας ὑμῶν und deutet an, daß das Geschick des Apostels und seine Botschaft eng aufeinander bezogen sind. Diese zweite Bestimmung des Auftrages von Tychikos ist erneut parallel formuliert zu dem Dienst des Paulus in 2,2 und schließt die treue Verkündigung der apostolischen Lehre mit ein.

Onesimus, der nach 4,9 Tychikos (bei der Überbringung des Briefes) begleitet, stammt wie Epaphras (4,12) aus Kolossae und ist somit als Gemeindegesandter verstanden. Seine Beschreibung ist nicht so detailliert wie die des Tychikos und besonders des Epaphras, es werden aber erneut dieselben Ausdrücke wie bei jenen verwendet. Wie Tychikos hat er die Aufgabe, Nachrichten von Paulus zu überbringen. Die Bemerkungen zu Epaphras, Tychikos und Onesimus sind Bestandteil der Grußliste in Kol 4,7-17. Neben diesen herausragenden Namen sind noch andere Namen von Grüßenden genannt (V.10f.14) und von zu Grüßenden (V.15-17). Die Nähe dieser Liste zu der in Phlm 23f spielt eine wichtige Rolle in der Frage der nach- oder nebenpaulinischen Herkunft des Briefes <128>. Es ist deshalb kurz noch auf den Gesamtzusammenhang der Grußliste einzugehen. Der Textvergleich <129> führt zu folgenden Beobachtungen: Archippus und Onesimus begegnen in Phlm 2,10f außerhalb der Liste. Alle Namen von Phlm 23f finden sich auch in Kol, dagegen fehlt Ἰησοῦς von Kol 4,11 in Phlm <130>. Die Reihenfolge stimmt in beiden Briefen nicht überein. συναιχμαλωτός ist in Phlm Epaphras, in Kol Aristarchos. In Phlm sind Markus, Aristarchos, Demas und Lukas συνεργοί, in Kol sind Markus, Jesus Justus und Aristarchos die alleinigen συνεργοὶ ἐκ τῆς περιτομῆς. Die Grußliste des Kol ist weit detaillierter als die des Phlm. Das heißt: die beiden Listen stimmen im Namensbereich praktisch überein. Auch die Kennzeichnungen συναιχμαλωτός und συνεργός begegnen in beiden Fällen. In der Reihenfolge und der Ausgestaltung im einzelnen ergeben sich freilich Differenzen. Wie ist diese Beziehung des Kol zu Phlm zu erklären?

LOHSE gibt der knappen Aufzählung in Phlm die zeitliche Priorität und sieht in der Liste des Kol eine anschauliche Ausgestaltung derselben <131>. OLLROG wendet ein, daß die unpaulinische Verfasserschaft nicht unhinterfragt mit der nachpaulinischen Herkunft ineins gesetzt werden dürfe und daß die situationsbezogenen Mitteilungen des Kol nicht die Zeichen der nachpaulinischen Zeit trügen <132>. Einige Bemerkungen setzen in der Tat eine Kenntnis der Situation voraus (V.10.15.17). Die Erwäh-

---

<125> Anders OLLROG, ebd, S.241, Anm 20
<126> In den Paulinen kommt er nicht vor. Vermutlich handelt es sich um einen Heidenchristen (vgl 4,10f). In den Deuteropaulinen ist er Delegat des Paulus mit bestimmten Aufgaben (Eph 6,21; 2Tim 4,12; Tit 3,12). Möglicherweise ist er erst nach dem Tod des Paulus hervorgetreten; vgl LINDEMANN, Kol, S.72; ZEILINGER, Träger, S.179ff.
<127> πέμπω wird von Paulus öfter im Sinne einer offiziellen Beauftragung verwendet (vgl 1Kor 4,17; 16,3; 2Kor 9,3; Phil 2,19.23; 1Thess 3,2.5). γνωρίζω (das in V.9 wieder aufgenommen ist) spricht öfter die Kundgabe des Evangeliums oder eines göttlichen Ratschlusses an (vgl 1Kor 12,3; 15,1; 2Kor 8,1; Gal 1,11).
<128> Vgl hierzu SCHWEIZER, Kol, S.23f.
<129> Eine Synopse findet sich bei LOHSE, Kol, S.246.
<130> Die Konjektur ZAHN's (Einleitung, S.321) schafft zwar Übereinstimmung, empfiehlt sich aber dennoch nicht.
<131> Kol, S.247; ders, Mitarbeiter, S.193f.
<132> Paulus, S.238f, Anm 14.

nung der drei judenchristlichen Mitarbeiter Aristarchos, Markus und Jesus Justus (V.10f) ist dadurch mit dem Briefteil verbunden, daß die bekämpfte Irrlehre jüdische Komponenten aufweist. Das durch seine sprachliche Härte betonte οὗτοι μόνοι bestätigt dies <133>. Richtig ist, daß die Mitarbeiter mit Wendungen beschrieben werden, die sich auch bei Paulus finden. Dennoch ist ihr Wirken eng in die Beziehung gesetzt zu dem Wirken des Apostels. Dies wird besonders deutlich an Tychikos und Epaphras, läßt sich aber auch bei den übrigen Mitarbeitern erkennen: Onesimus ist in Anlehnung an Tychikos beschrieben; den drei judenchristlichen Mitarbeitern wird ausdrücklich bestätigt, daß sie allein Paulus die Treue gehalten haben und so zu einem Trost für ihn geworden sind (V.12); Lukas wird wie andere mit ἀγαπητός bezeichnet (V.14); Archippos hat einen Dienst im Herrn übernommen und διακονία weist hin auf 1,7.28.25; 4,7. Die Beziehung zu Paulus ist so durchgängiges Merkmal der Grußliste. Sie weist hin auf die Autorisierung durch den Apostel und bestätigt die enge Bindung an ihn. Diese Bindung an den Apostel ist von dem συνεργός-Verständnis bei Paulus zu unterscheiden. Auch das Verständnis des Apostels selbst, wie es in 2,1-5 zum Ausdruck kommt, weist eine Typisierung auf und entfernt sich vom Apostelbild, wie es in den echten Briefen erkennbar ist <134>. Gerade die Ausführungen zum Apostel und zu seinen Mitarbeitern weisen in die Zeit nach Paulus. Schließlich ist auch die allgemeine Überlegung zu würdigen, daß Phlm von der kol Häresie nichts erwähnt, was bei einem gleichzeitigen Schreiben doch als ungewöhnlich anzusehen wäre <135>. Somit ist die Grußliste aus der nachpaulinischen Zeit zu erklären.

Die Beobachtung einiger situationsbezogener Bemerkungen in der Liste behält freilich ihr Recht. Nachpaulinisch kann deshalb nicht als längerer zeitlicher Abstand von Paulus verstanden werden, sondern der Brief ist nah an Paulus heranzurücken. Seit der Wirksamkeit des Paulus und der Grußliste des Phlm hat es keine grundlegenden Veränderungen im Mitarbeiterkreis gegeben. Aus der eigenen Vertrautheit mit der Situation ist deshalb die Verwandtschaft der beiden Briefe Grußlisten eher erklärbar als mit literarischer Abhängigkeit <136>.

Nach alledem ist festzuhalten: Kol lehnt sich bei der Beschreibung der Mitarbeiter in der Begrifflichkeit und in der Sache eng an paulinische Aussagen an, ist aber doch von ihnen unterschieden. Die Orientierung der Mitarbeiter wird durchgehend am Apostel vorgenommen. Damit werden die Mitarbeiter zum Bindeglied und zu Vermittlern zwischen Gemeinde und Apostel und in ihrer Verkündigung hört die Gemeinde das apostolische Wort. Umgekehrt erstreckt sich der Dienst des Paulus an der Verkündigung des Geheimnisses Gottes mit ihrer weltweiten Dimension (vgl 1,23) und sein Dienst an der Kirche in den Mitarbeitern auch auf die Gemeinde in Kolossae. Sein Dienst an dieser Gemeinde kommt in ihnen zum Ziel. So unterstreicht die terminologische Angleichung der Mitarbeitermission an die Mission des Paulus ihre gleichwertige, sich aber von Paulus her definierende Bedeutung. Es ist wohl richtig, daß sich die Beschreibung des Apostels wieder an Christus orientiert. Da Kol aber die apostolische Verkündigung in das Offenbarungsgeschehen mit hineinnimmt, wird die Charakterisierung von Epaphras und Tychikos an Paulus orientiert. Damit ist der Übergang vom Mitarbeiter des Paulus zu dem Nachfolger oder Schüler vollzogen.

4) Die Bedeutung der Mitarbeiter wird in 2Thess und Kol völlig unterschiedlich

----

<133> Bei dem Ausdruck βασιλεία τοῦ θεοῦ handelt es sich um eine formelhafte Wendung, die freilich im Kol entsprechend der Vorstellungen, wie sie in 3,1-4 begegnen, gefüllt sind.

<134> Gegen OLLROG, ebd, S.239, Anm 14.

<135> So mit Recht LOHSE, Kol, S.247.

<136> Daß die Hausgemeinde des Philemon in oder in der Umgebung von Kolossae zu denken ist, ist zwar nur durch die übereinstimmende Grußliste belegt, aber doch sehr wahrscheinlich. Für die Auffassung, daß eigentlich Tychikos der Herr des entlaufenen Onesimus sei und in Kol 4,17 zu dessen Freilassung gemahnt werde, und daß der in 4,16 genannte Brief aus Laodizea dementsprechend Phlm sei (so KNOX, Philemon), ergeben sich aus Kol keine Hinweise. Auch daß der Brief aus Laodizea in Kolossae verlesen werden soll (Kol 4,16), paßt nicht zu dem mehr privaten Charakter des Phlm und zu seinem Inhalt (so MARXSEN, Einleitung, S.67).

gesehen. 2Thess blendet die Person des Timotheus, von der Nennung im Präskript abgesehen, ganz aus und. läßt die enge Beziehung zur Gemeinde in Thessalonich unerwähnt. Statt dessen betont er die Bedeutung des apostolischen Briefes an mehreren Stellen <137>. Die Vermittlung der apostolischen Botschaft erfolgt durch den Apostel selbst oder durch seinen Brief. Das Herunterspielen der Mitarbeiter <138> steigert einerseits die Bedeutung des Briefes und läßt andererseits die Bedeutung der Mission in 2Thess zurücktreten. Auf der anderen Seite bestätigt die starke Betonung der Mitarbeiter in Kol die Bedeutung der Mitarbeitermission von Missionszentren aus. So erklärt sich auch die Entstehung der Gemeinde in Kolossae. Die starke missionarische Tendenz des Kol hängt so mit der Bewertung der Mitarbeiter in diesem Brief eng zusammen. Indem die Mitarbeiter als Nachfolger und Schüler des Apostels gezeichnet werden, wird die dem Paulus persönlich unbekannte Gemeinde zum Beispiel für die weitergehende apostolische Wirksamkeit.

8.3.3) Sammlung und Redaktion von Paulusbriefen

1) Die Fragen nach Zeitpunkt, Ort und den Gründen für die Sammlung von Paulusbriefen weisen in eine spätere Zeit als sie mit 2Thess und Kol gegeben ist. Eine umfassende Sammlung paulinischer Briefe wird erst greifbar in den Kanonverzeichnissen des 2. und des beginnenden 3.Jahrhunderts (Marcion, Irenaeus, Tertullian, Clemens von Alexandrien) <139>. Geht man zum Verständnis des Sammlungsvorgangs von diesen Verzeichnissen aus, kommt lediglich ein relativ spätes Stadium in den Blick, und es ergeben sich nur geringe Aufschlüsse über die Anfänge von Briefsammlungen. Bei diesem Ansatzpunkt wird zudem die Fragestellung oft zu stark konzentriert auf den Entstehungsort der Sammlung oder die Anzahl der gesammelten Briefe.

Nach *GOODSPEED* <140> wurde die erste Sammlung von Paulusbriefen um 95 in Ephesus zusammengestellt. Der Herausgeber sei mit Kol. und Phlm bekannt gewesen und durch die gerade erschienene Apg des Lukas dazu angeregt worden, nach weiteren Paulusbriefen zu forschen. Auf diese Weise sei eine Sammlung aus Röm, 1Kor, 2Kor, Gal, Phil, Kol, 1Thess, 2Thess und Phlm entstanden. Der Herausgeber habe die Briefe überarbeitet und Eph der Sammlung als Vorwort vorangestellt <141>. *GOODSPEED* identifiziert den Herausgeber mit dem Onesimus des Phlm, den er als späteren Bischof von Ephesus ansieht (vgl Ign Eph 1,3; 2,1; 6,2) <142>.

<137> Dies wirft auch ein Licht auf die Interpretation von 3,17 (vgl hierzu unten). Auch bei der Echtheitsbeglaubigung geht es um das Verständnis des Briefes als *der* apostolischen Kundgabe.

<138> Über die Gründe können nur Vermutungen angestellt werden. Denkbar wäre natürlich, daß etwa von Timotheus Theologie in einer Weise getrieben wird, die dem Verfasser mit Paulus nicht mehr vereinbar scheint. In diesem Fall würde sich für Timotheus freilich eine apokalyptische Denkweise andeuten, die mit einer Verfasserschaft des Kol nicht vereinbar wäre.

<139> Die Texte finden sich bei *ZAHN*, Geschichte; *LIETZMANN*, Fragment.

<140> Formation, S.20-32; Ephesians, S.285ff; Introduction, S.210-237.

<141> Das Problem, daß Eph in keinem der bekannten Kanonverzeichnisse an erster Stelle steht versucht *KNOX*, Marcion, S.53-73 so zu lösen, daß er einen der Länge nach geordneten und von Eph angeführten Originalkanon annimmt. Diesen habe Marcion übernommen, dabei aber aus dogmatischen Gründen die Stellung von Eph und Gal vertauscht, wodurch die bekannte Reihenfolge bei Marcion zustandegekommen sei.

<142> *MOWRY*, Circulation, S.79ff vermutet, daß vor der von *GOODSPEED* rekonstruierten Sammlung im "Asian hinterland", in Mazedonien und in Achaia Briefe ausgetauscht worden seien. Sie gewinnt dieses Ergebnis auf Grund redaktionsgeschichtlicher Erkenntnisse. Wichtig ist an dieser Weiterführung die Rückfrage an die Paulusbriefe selbst.

Diese These wirft eine ganze Reihe von Fragen auf <143>. Eph entfaltet eine eigene theologische Position und ist kein Einführungsschreiben in die paulinische Theologie <144>. Die Identifizierung des Eph mit dem Laodizenerbrief bei Marcion ist keineswegs gesichert. Es gibt kein Zeugnis dafür, daß Eph jemals an der Spitze der Briefsammlung gestanden hat. Die Konzentration der Paulusschülerschaft auf einen einzigen Herausgeber ist sehr problematisch. Grundsätzlich ist der Ausgangspunkt bei einem Kanonverzeichnis des 2.Jahrhunderts und die Rückfrage von dort aus methodisch bedenklich, da diese Fragestellung von vornherein zu stark auf die Einheit der Sammlung und die zentrale Entstehung fixiert ist und zudem die den paulinischen und deuteropaulinischen Briefen inhärenten Hinweise auf Austausch und Sammlung von Briefen nicht gerecht wird. Von daher kommt es zu einer Überbewertung der Brieflänge als Ordnungsprinzip, die überhaupt erst nach der Konsolidierung einer Briefsammlung möglich ist. Eine zweite Theorie nimmt von der Vorrangstellung von 1.2Kor bei Tertullian und im Kanon Muratori her Korinth als Entstehungsort der Sammlung an <145>. Bedeutung hat hier die Ordnung von 7 Hauptbriefen (1.2Kor, Gal, Phil, 1.2Thess und Röm). Die Siebenzahl steht nach SCHMITHALS in Verbindung mit der ökumenischen Adresse in 1Kor 1,2, läßt die Sammlung an die gesamte Christenheit gerichtet sein und unterstreicht ihre Katholizität. Alle 7 Briefe stammen für ihn aus der gleichen Zeit, demselben Raum und haben als einheitlichen Anlaß die Auseinandersetzung des Paulus mit seinen gnostischen Gegnern. Später sei diese Sammlung durch zwei Dreiergruppen von Briefen ergänzt worden (Eph-Kol-Phlm und 1.2Tim-Tit). Aber auch diese Theorie ist in verschiedener Hinsicht nicht befriedigend <146>. Die Entstehung der Sammlung in Korinth übernimmt SCHMITHALS von HARNACK, aber das Voranstehen der Korintherbriefe ist noch keine ausreichende Begründung dafür. Trotz der ökumenischen Adresse in 1Kor 1,2 geht es in der Korintherkorrespondenz um Probleme gerade dieser Gemeinde. Weiter ist die Stellung des Röm als letztem Brief der Sammlung für den Kanon Muratori nicht zutreffend und muß erst hergestellt werden. Die These ist insgesamt stark von der Siebenzahl abhängig. Diese Zahl wird aber dadurch erreicht, daß Phlm, Kol und Eph und ebenso die Pastoralen ohne wirklich hinreichende Begründung ausgeschieden werden. Ist aber diese Zahl so nicht zu halten, dann schwindet das Argument der Katholizität der Sammlung ebenfalls. Auch die antignostische Front der Sammlung ist auf keinen Fall für alle Briefe zu erkennen (vgl 1.2Thess, Röm oder Phil). Schließlich gilt auch hier derselbe methodische Einwand.

Es ist methodisch geboten, von den paulinischen und deuteropaulinischen Briefen selbst auszugehen und sie daraufhin zu befragen, ob sie Hinweise auf eine Briefsammlung geben. Zwar kommt mit dieser Fragestellung nicht die gesamte Entwicklungsgeschichte des Corpus Paulinum in den Blick, und eine Analyse der späteren Verzeichnisse bleibt notwendig. Aber sie gibt nicht nur Aufschluß über Tendenzen in den Briefen selbst, sondern vermeidet auch die Engführung auf einen bestimmten Entstehungsort, auf die Anzahl der Briefe oder die Einzelpersönlichkeit eines Herausgebers. Im Rahmen dieser Arbeit ergibt sich die Notwendigkeit einer solchen Fragestellung von Kol 4,16 und 2Thess 3,17 aus.

2) Nach 1Thess 5,27 soll der Brief allen Gemeindegliedern vorgelesen werden. Da sich ein Hinweis auf verschiedene Gruppen in der Gemeinde nicht ergibt <147>, wird man den Vers am ehesten aus der Sorge des Paulus erklären, daß jeder in der Gemeinde von seiner engen Bindung zu ihr und von seinen Mahnungen und dem Trost in der Frage nach dem Schicksal der Toten erfährt. Die Stelle macht deutlich, daß der Brief für die Gemeindeöffentlichkeit geschrieben ist und die Gemeindeglieder in die Pflicht nimmt, ihn allen zugänglich zu machen. Kol 4,16 geht einen Schritt

----

<143> Zur Kritik vgl besonders BUCK, Order, S.351ff; KÜMMEL, Einleitung, S.310ff; MOULE, Birth, S.199ff.
<144> Vgl GNILKA, Eph, S.46; LINDEMANN, Bemerkungen, S.241.
<145> Im Anschluß an HARNACK, Briefsammlung, S.8-10 vor allem SCHMITHALS, Paulus, S.185ff; ders., Abfassung, S.236f.
<146> Zur Kritik vgl besonders GAMBLE, Redaction, S.403ff; SCHENKE-FISCHER, Einleitung, S.237f; DAHL, Ordnung, S.50.
<147> Zur Auslegung der Stelle vgl v.DOBSCHÜTZ, Thess, S.232f.

darüber hinaus. Nach dieser Notiz soll der Brief nach Laodizea weitergegeben und der Brief von dort umgekehrt in Kolossae gelesen werden. ἡ ἐπιστολή in V.16a kann sich nur auf den vorliegenden Brief beziehen. Bei dem Brief aus Laodizea wird man folglich an einen Paulusbrief nach Laodizea zu denken haben <148>. Nun geht aus 2,1 hervor, daß der Dienst des Apostels für die Kolosser und in gleicher Weise für die Gemeinde in Laodizea gilt. Trotz körperlicher Abwesenheit ist er auch in dieser Gemeinde geistig präsent (V.5). Das Stichwort πιθανολογία V.4 und die Formulierung in 2,2f mit dem Hymnus und 3,14.16; 4,5 deuten auf eine ähnliche Situation für Kolossae und Laodizea hin. Die Irrlehre ist offenbar eine Bedrohung für die Gemeinden in der Region. In 4,13 wird Epaphras in gleicher Weise wie Paulus in Verbindung zur Gemeinde in Laodizea gesetzt. In Zusammenhang mit 1,7 kann man Epaphras als Missionar und Gründer auch dieser Gemeinde ansehen. Für den Brief ἐκ Λαοδικείας werden verschiedene Möglichkeiten erwogen:

- es kann ein echter Paulusbrief vorliegen, der aber verloren gegangen ist (vgl 1Kor 5,19) <149>. Die theologischen Differenzen zwischen Kol und Paulus lassen freilich erwarten, daß ein solcher Brief sich von Kol durchaus unterscheiden und so bei dem Austausch Probleme schaffen würde.
- es handelt sich um den Paulusbrief, den wir als Phlm kennen <150>. Erklärt man aber Phlm, wie es methodisch geboten ist, zunächst aus sich selbst, ergeben sich keine Hinweise auf eine solche Identifizierung.
- es kann sich um einen deuteropaulinischen Brief handeln <151>, für den aber keine weiteren Zeugnisse vorliegen. Die Aufforderung zum Austausch könnte einen ähnlichen Inhalt wie bei Kol nahelegen.
- Schließlich wird die Möglichkeit erwogen, daß ein solcher Brief niemals existierte und daß der Hinweis nur die paulinische Sorge für die Gemeinde betonen wolle <152>. Diese Erwägung setzt voraus, daß Laodizea als eigentliche Adresse des Kol angesehen wird: die Laodizener müßten dann den Eindruck gewinnen, daß der ursprüngliche Brief an sie zwar verloren gegangen sei, daß sie nun aber mit Kol ein Schreiben in Händen hätten, das ausdrücklich auch an sie gerichtet sei <153>. Gegen diese These spricht eindeutig, daß Paulus den Kolossern nicht persönlich bekannt ist, daß aber die paulinische Botschaft gerade in der Mission der Mitarbeiter zur Gemeinde kommt.

Es kann sich bei dem genannten Laodizenerbrief also entweder um einen Paulusbrief oder um ein deuteropaulinisches Schreiben handeln, in jedem Fall aber um einen verlorenen Brief. Obwohl damit das Problem des Laodizenerbriefes letztlich offen bleiben muß, ergeben sich aus 4,16 doch Hinweise auf das Sammeln paulinischer Briefe: der Brief des Apostels hat nicht nur Bedeutung für eine Gemeinde, sondern soll auch einer anderen zugänglich gemacht werden. Es handelt sich um eine Nachbargemeinde, die in einer ähnlichen Situation steht wie die in Kolossae. Geographi-

----

<148> Laodizea ist in Kol noch in 2,1 und 4,13 erwähnt, in 4,13 auch Hierapolis. Alle drei Städte liegen in geringer Entfernung voneinander im Lykos-Tal. Im 1.Jahrhundert n.Chr. ist Laodizea eine der bedeutendsten Städte Kleinasiens (vgl Tacitus, Annalen, 14,27). Nach dem Erdbeben im Jahr 61 kann Laodizea sich aus eigener Kraft helfen. Hierapolis, das sonst im NT nicht erwähnt wird, war eine wirtschaftlich und kulturell bedeutende Stadt. Die unterschiedlichen Deutungen dieser Stelle sind zusammengefaßt bei *LIGHTFOOT*, Kol, S.274ff.

<149> *SCHWEIZER*, Kol, S.179.

<150> *KNOX*, Phlm; zur Kritik vgl *LOHSE*, Kol, S.261f.

<151> Freilich nicht um den im 3.Jahrhundert verfaßten, hauptsächlich aus Phil-Stellen zusammengesetzten Laodizenerbrief (*HENNECKE-SCHNEEMELCHER* II, S.80-84), dessen direkter Anlaß Kol 4,16 ist (vgl ad Laod 19).

<152> So *LINDEMANN*, Kol, S.77, vgl S.12f.

<153> Der Brief hätte dann neben der falschen Verfasserangabe auch eine fiktive Adresse. Dieses Mittel wäre aber nur sinnvoll, um entweder mangelnde persönliche Bekanntschaft auszugleichen oder zu erklären, wieso der Brief erst nach länger zeitlicher Distanz bekannt wird. Beides ist für Kol nicht wahrscheinlich.

sche Nähe und vergleichbare Situation sind offenbar Voraussetzungen für den Austausch.

Dies findet vom echten Phlm her seine Bestätigung. Dessen Adressat Philemon ist mit seiner Hausgemeinde in Kolossae selbst oder in der Umgebung ansässig <154>. Die Ähnlichkeit der Grußlisten in Kol und Phlm beruht auf der Bekanntheit mit einer im wesentlichen gleich gebliebenen Situation <155>. Auch die ausführliche Sklavenparänese in Kol 3,22ff und der Fall des Onesimus in Phlm sind zu vergleichen. Die Nähe des Kol zu dem paulinischen Phlm zeigt, daß im Lykostal paulinsches Erbe vorhanden ist und bewahrt, dabei freilich auch verändert und interpretiert wird.

Schließlich kann man nun auch auf Eph hinweisen, allerdings im Sinne einer kleinen, regionalen Sammlung von Briefen. Eph ist nicht nur literarisch und theologisch von Kol abhängig, sondern gehört auch regional mit dieser Gemeinde zusammen <156>. Von diesen Beobachtungen her ergibt sich somit ein Hinweis auf das Austauschen und Sammeln von Paulusbriefen in den Gemeinden um Kolossae. Das paulinische Erbe, die geographische Nähe und die vergleichbare Situation sind die Voraussetzungen dafür.

Nun ergibt sich ein ähnlicher Sachverhalt nicht erst in dem nachpaulinischen Kol. In Gal 1,2 sind als Adressaten die ἐκκλησίαι τῆς Γαλατίας genannt <157>. Der Plural deutet darauf hin, daß es sich um einen Brief an verschiedene Gemeinden in Galatien handelt, die offenbar neben der gleichen Region auch eine ähnliche Situation aufweisen. Ob man dabei eher an das Zirkulieren des Briefes oder an mehrere Abschriften denkt, ist unerheblich. In jedem Fall soll der Brief den verschiedenen Gemeinden zur Kenntnis kommen. In 2Kor 1,1 sind neben der Gemeinde in Korinth auch alle Heiligen in ganz Achaia angesprochen. Dies ist ein Hinweis darauf, daß von Korinth aus in der umliegenden Region Mission betrieben wurde <158> und daß mit dem Paulusbrief nach Korinth zugleich die umliegenden Gemeinden mit angesprochen waren. Auch wenn an diesen beiden Stellen noch kein Austausch von Briefen im Blick ist, wird doch deutlich, daß der Brief des Apostels die Grenze der eigenen Ortsgemeinde überschreitet und sich an die Christen in der Region wendet. Die in Kol 4,16 begegnende Bedeutung des Paulusbriefes über die einzelne Gemeinde hinaus ist in den Präskripten von Gal und 2Kor bereits vorgezeichnet.

3) In 2Thess ist vor allem einzugehen auf 3,17. Hier fügt der Verfasser den eigenhändigen Gruß des Paulus an, den er als Zeichen jedes Briefes darstellt. Offensichtlich dient diese Bemerkung wie das οὕτως γράφω der Beglaubigung <159>.

Die Wendung ὁ ἀσπασμός τῇ ἐμῇ χειρὶ Παύλου entspricht 1Kor 16,21; Kol 4,18. Zieht man auch die beiden Stellen heran, an denen Paulus eigenhändig schreibt (Gal 6,11; Phlm 19) <160>, so begegnet auch hier die Dativ-Wendung τῇ ἐμῇ χειρί. Dies

<154> STUHLMACHER, Phlm, S.20.
<155> Vgl oben, S.296f.
<156> Ephesus liegt circa 170 km westlich von Kolossae und ist durch die wichtige Straße nach Tarsus mit dem Lykostal verbunden. Eph als Laodizenerbrief anzusehen empfiehlt sich wegen Kol 4,16 nicht, da Eph sicher später verfaßt ist als Kol.
<157> Die Frage, ob es sich bei Galatien um die Landschaft oder die Provinz handelt, braucht hier nicht erörtert zu werden (vgl ausführlich die Kommentare zur Stelle). SCHLIER, Gal, S.29 bezeichnet Gal als Zirkularschreiben.
<158> Vgl hierzu OLLROG, Paulus, S.128f und 2Kor 11,10; Röm 16,1. Neben die Mission am Ort treten die Verbindung zu den Heimatgemeinden der Mitarbeiter und die Mission der umliegenden Orte.
<159> Der Vers hat in der Echtheitsdebatte immer wieder eine wichtige Rolle gespielt. Vgl die kurze Zusammenfasung bei TRILLING, Untersuchungen, S.105f.
<160> In Phlm 19 hat die Aussage allerdings keine Grußfunktion, sondern bestätigt die Bereitschaft des Paulus, eventuelle Schulden des Onesimus zurückzuzahlen.

könnte auf eine Bekanntheit mit der paulinischen Formulierung schließen lassen. Von 3,9 her könnte man an eine Kenntnis des 1Kor bei dem Verfasser denken. Nun hat sich freilich gezeigt, daß für 3,9 eine solche Kenntnis des Wortlautes von 1Kor 9,4ff nicht wahrscheinlich ist <161> und die Stereotypie der Grußwendung weist auf eine allgemein gebräuchliche Formulierung hin. Eine Benutzung des 1Kor ist somit ganz unwahrscheinlich. Wohl aber kennt 2Thess das traditionelle Paulusbild, das ihm besonders in der Auseinandersetzung mit den Unordentlichen wichtige Dienste leistet.

Die Formulierung ist in verschiedener Hinsicht problematisch. Daß von jedem Brief die Rede ist, könnte auf die Kenntnis verschiedener Briefe bei dem Verfasser hindeuten. Dies ist jedoch nicht anzunehmen. Denn erstens läßt sich keine Beziehung zu einem anderen Paulusbrief als zu 1Thess nachweisen. Zweitens müßte der Verfasser dann zwar die aus einer ganz anderen Region stammenden Briefe Gal, Phlm (und Kol) kennen, nicht aber den Brief an die benachbarte Gemeinde in Philippi, der einen solchen Schlußgruß gerade nicht aufweist. Und drittens zeigt sich sehr deutlich, daß 2Thess an der Existenz anderer Gemeinden und entsprechend auch an dem Thema Mission nicht interessiert ist. Daß 2Thess andere Paulusbriefe weder erwähnt noch sie benutzt, läßt sich am einfachsten so erklären, daß er sie nicht kennt.

Nun spricht 2,2 von einem Brief ὡς δι' ἡμῶν. Für die irrige Ansicht, der Tag des Herrn sei da, kann sich niemand auf eine briefliche (oder sonstige) Äußerung des Paulus berufen <162>. Der negative Hinweis belegt, daß Gemeindeglieder sich mit ihrer Ansicht gerade auf Paulus, offensichtlich auch auf briefliche Äußerungen des Apostels beriefen. Da es sich aber um angebliche Äußerungen des Apostels handelt, können sie einer Überprüfung nicht standhalten. In diesem Zusammenhang ist 3,17 zu sehen: die eigenhändige Unterschrift bestätigt, daß der Brief von Paulus kommt und daß die darin niedergelegte eschatologische Belehrung die apostolische ist. Es ist dabei kaum zu unterscheiden zwischen der Echtheit des Briefes und der Autorisierung des Briefinhaltes <163>. Denn nur in dem echten Brief kann sich die apostolische Lehre finden. οὕτως γράφω ist weniger im Sinn von Gal 6,11 als typische Unterschrift zu verstehen, sondern bekräftigt τῇ ἐμῇ χειρί: wenn Paulus einen Brief schreibt, dann also mit einem persönlichen Schlußgruß als Beglaubigung der Apostolizität. Daß der Brief die apostolische Lehre wiedergibt, belegt auch das Stichwort ἐπιστολή; es begegnet nicht nur in 2,2; 3,17, sondern ebenso in 2,15; 3,14. Das autoritative apostolische Wort ist in dem vorliegenden Brief enthalten und der Briefinhalt stimmt mit der Anfangsverkündigung des Paulus in Thessalonich überein.

Nun kann das Fehlen des Schlußgrußes in 1Thess nicht übersehen werden. Bei der engen literarischen Abhängigkeit von diesem Brief ist dies kein Zufall. Dieser Sachverhalt steht aber nicht singulär da, sondern gehört mit der Tatsache zusammen, daß 2Thess an keiner Stelle 1Thess erwähnt, obwohl er ihn ausgiebig benutzt. Hinzu kommen die Beobachtungen, daß der Verfasser wiederholt verschiedene Stellen aus 1Thess herausgreift, sie miteinander kombiniert und ihnen dadurch eine andere Aussagerichtung gibt und auch, daß der Verfasser bei seinen eigenen eschatologischen Ausführungen in 1,5ff; 2,1ff sich gerade nicht auf 1Thess stützt. 3,17 ordnet sich in diese Reihe ein: der Verfasser benutzt 1Thess zwar intensiv, erwähnt dabei

<161> Vgl oben, S.164.
<162> Vgl hierzu oben, S.42f.
<163> Diese Unterscheidung findet sich bei *TRILLING*, Untersuchungen, S.106f.

den Brief aber in keiner Weise und erweckt den Eindruck des einzigen Briefes an die Gemeinde. Wenn der Schlußgruß das Zeichen für das apostolische Schreiben ist, dann kann 1Thess für den Verfasser nicht die apostolische Lehre wiedergeben. Diese verschiedenen Beobachtungen fügen sich dann zusammen, wenn man davon ausgeht, daß die Verwirrung über den Herrentag (2,2) sich offenbar auf die eschatologischen Aussagen des 1Thess sützt (4,13ff). Angesichts eines Spitzensatzes wie 1Thess 4,17 ist dies leicht erklärbar. Diesen Schluß aus 1Thess zu ziehen, entspricht nach 2Thess aber nicht der Auffassung des Paulus, und darin hat er in der Tat recht. So will der Verfasser die wahre eschatologische Verkündigung des Apostels verständlich machen und den innergemeindlichen Gegnern die Berufung auf den Apostel entwinden, ohne dabei die Botschaft des 1Thess aufzugeben. Er tut dies, indem er sich einerseits bis in wörtliche Übereinstimmungen hinein an 1Thess anlehnt, zugleich aber die eschatologische Verkündigung so abfaßt, wie sie seiner Überzeugung nach der Apostel verstanden hat und wie sie mit der Ursprungsverkündigung übereinstimmt (2,5). Dies könnte man fast eine zweite Auflage des apostolischen Briefes an die Gemeinde in Thessalonich nennen, bei der nach der Überzeugung des Verfassers die mißverständlichen Stellen der ersten Auflage bereinigt sind. So verstanden gehört 2Thess in die Redaktionsgeschichte von 1Thess <164>. Wenn diese Sicht von 2Thess zutrifft, dann ist der Brief mit anderen redaktionellen Überarbeitungen in den Paulusbriefen zusammenzusehen. Diese umfassende Problematik kann hier nicht im einzelnen dargestellt werden. Einige Beobachtungen machen aber Tendenzen dieser redaktionellen Arbeit deutlich. Dies zeigt sich zunächst an der Überarbeitung einzelner Stellen.

In Röm 1,7 und 1Kor 1,2 zeigt sich trotz genau entgegengesetzter Mittel die gleiche Redaktionsabsicht. Die Auslassung von ἐν Ρώμῃ in Röm 1,7 <165> erfolgt offensichtlich mit dem Ziel, die lokale Begrenzung des Schreibens aufzuheben und es für alle Christen bestimmt sein zu lassen. Umgekehrt erweist sich die sogenannte oekumenische Adresse in 1Kor 1,2b als redaktioneller Eingriff mit dem gleichen Ziel, den Brief allen Christen nahe zu bringen. Diese Ansicht ist nicht unumstritten, wird aber durch verschiedene Beobachtungen gestützt: einen ersten Hinweis gibt das Verb ἐπικαλέω. Es ist bei Paulus selten, in Röm 10,12-14 bedingt durch Zitat aus Joel 3,5 und in 2Kor 1,23 in einem anderen Sinn verwendet. Dagegen findet es sich in 2Tim 2,22; Hebr 11,16; Jak 2,7; 1Petr 1,17; Apg 9,14; 22,16 als Bezeichnung für die Christen. Die Wendung in 1Kor 1,2b steht diesem späteren Sprachgebrauch nahe. Diesem formelhaften Charakter des Ausdrucks entspricht die Wendung ἐν παντὶ τόπῳ. Während in 1Thess 1,8 diese Wendung die paulinischen Gemeinden anspricht und 2Kor 1,1 zeigt, wie eine Ausweitung über die Einzelgemeinde hinaus formuliert sein kann, geschieht hier eine generelle Ausweitung auf jeden Ort, was durch αὐτῶν καὶ ἡμῶν noch unterstrichen ist: an jedem Ort, ihrem und unserem. Schließlich bildet κλητός eine Klammer um 1,1.2a und zeigt damit an, daß sowohl der Apostolat des Paulus als auch das ἐκκλησία-Sein der Korinther seinen Grund in der Berufung Gottes hat. Daran schließt ἐπικαλέω zwar terminologisch an, jetzt aber im aktiven Sinn des Anrufens Christi als des Herrn. Das Kompositum zeigt den Wechsel an. So weisen alle diese Beobachtungen gleichermaßen auf die spätere Einfügung durch einen Redaktor, dessen Absicht es war, den Brief als an die gesamte Christenheit gerichtet erscheinen zu lassen <166>.

<164> Der Begriff der Gegenfälschung (BROX, Verfasserangaben, S.24f) trifft deshalb auf 2Thess nicht zu. Denn 2Thess wehrt sich nicht gegen einen gefälschten Paulusbrief, sondern gegen falsche eschatologische Auffassungen, die sich zu Unrecht auf einen echten Paulusbrief stützen.

<165> Vgl hierzu METZGER, Commentary, S.505. In 1,15 ist die gleiche Absicht festzustellen.

<166> An die Funktion eines Eröffnungsschreibens für das Corpus Paulinum braucht dabei aber nicht gedacht zu werden. Gegen LIETZMANN's Einwand (1.2Kor, S.5), Röm 1,7 sei plumper durchgeführt, ist festzuhalten, daß die Textkorrektur durch Auslassung einfacher erfolgen konnte und daß man nicht von einem einzigen Redaktor ausgehen kann. Später geht Kanon Muratori, Z.47-57 ausdrücklich davon aus, daß Paulus von Anfang an seine Briefe an die gesamte Kirche geschrieben hat.

An der Zusammenstellung verschiedener Briefe zu einem größeren wird als weitere Absicht der redaktionellen Arbeit - neben der Sammlung und Überschaubarkeit der Briefe - die Betonung der Paulusbriefe als apostolische Lehre erkennbar. Dies läßt sich exemplarisch an 2Kor zeigen.

Daß in 2Kor verschiedene Paulusbriefe zusammengestellt sind, ist heute weithin anerkannt <167>. Als einzelne Teile sind rekonstruierbar Kapitel 10-13 (Tränenbrief) 2,14-7,4 (Apologie, ohne 6,14-7,1); 1,1-2,13; 7,5-16 (Versöhnungsbrief); Kapitel 8 und 9 (zwei Kollektenschreiben). Im vorliegenden Zusammenhang interessiert besonders die Frage nach den Motiven der Redaktion. Dabei muß man den Sitz im Leben der ursprünglichen Briefe von dem zweiten Sitz im Leben unterscheiden, den die Briefe für den Redaktor haben <168>. In der nachpaulinischen Situation der Redaktion sieht sich die Gemeinde in der apostolischen Tradition und erkennt es als ihre Aufgabe, das Erbe des Apostels zu wahren. Paulus gilt als *der* Apostel und Missionar der Gemeinde dessen Botschaft verbindlich ist. Wenn man seine Briefe sammelt, kommt es deshalb auch auf Vollständigkeit an und die Absicht, die Paulusbriefe zugänglich und überschaubar zu machen, ist sicher für die redaktionelle Zusammenstellung anzunehmen Man kann aber noch weitere Motive recht deutlich erkennen. Der schroffe Tränenbrief würde, einzeln überliefert, die Gemeinde in Korinth kompromittieren. Wenn nun aber dieser Brief an das Ende der Briefsammlung gestellt wird, so geschieht das in Anlehnung an ein häufig feststellbares Kompositionsprinzip der urchristlichen Schriften demzufolge die Warnung vor Irrlehrern an das Ende eines Abschnitts oder einer Schrift rückt <169>. Damit hat nicht nur die Auseinandersetzung mit den Irrlehrern ihren literarischen Ort, sondern sie wird zugleich als eschatologische Auseinandersetzung verständlich, und der Apostel wird zum Garant der rechten gegen die falsche Lehre. Auch die Einfügung der Apologie in 2,14-7,4 ist absichtsvoll und dient der Betonung des Apostelbildes. Die Reise des Paulus 2,12, die in 7,5ff weiter beschrieben wird, paßt ja mit dem die Apologie einleitenden Hymnus wenig zusammen. Der Redaktor der Briefe konnte jedoch auch die überstürzte Reise des Apostels und die ihn umtreibende Sorge in das Bild des unermüdlich sorgenden Apostels und des Triumphes der apostolischen Botschaft einordnen. Der Einschub gerade an dieser Stelle betont die Bedeutung des Apostels <170>. Ein weiteres Motiv der Redaktion wird in dem Sachverhalt deutlich, daß der Redaktor den paulinischen Wortlaut der Briefe nicht verändert (die kleine apokalyptische Paränese 6,14-7,1 kann hier unberücksichtigt bleiben), sondern dessen Aussagen miteinander verbindet, ineinanderschiebt und damit systematisiert. Zuspruch, Polemik, ethische Mahnung, Kollektenwesen und die Ausführungen zum Apostolat in den einzelnen Briefen werden zusammengesehen und gewinnen nun insgesamt den Charakter der Lehre. Gerade weil die einzelnen Briefe dieser umfassenden Charakter nicht haben, werden sie zur apostolischen Lehre zusammengestellt. Als Gerüst für diese Zusammenstellung diente der Versöhnungsbrief. Der lange 1Kor konnte als Anregung für diese Komposition dienen. Auch in Phil hat man mit guter Gründen zwei ursprünglich kleinere Briefe erkannt. Zwischen 3,1 und 3,2 fällt ein Bruch auf und in 4,4 wird 3,1 weitergeführt. In 3,2-4,3 sind zudem ein anderer Ton eine andere Situation und eine verschiedene Zielsetzung erkennbar. Man wird deshalb 3,2- 4,3 als Fragment eines eigenen Briefes zu verstehen haben <171>. Auch hier ist die Frage nach den Motiven der Redaktion von Bedeutung. Hierzu ist aufschlußreich daß die Auseinandersetzung mit den Irrlehrern eingebettet ist in den Aufruf zur Freude. In 1,1-3,1; 4,2ff steht Paulus als Apostel und Gemeindegründer im Vordergrund

---

<167> Vgl hierzu neben den Einleitungen besonders *BORNKAMM*, Vorgeschichte; *VIELHAUER*, Geschichte, S.150ff. Die Abgrenzung im einzelnen und die Einordnung in die Gesamtkorrespondenz sind umstritten.

<168> Vgl hierzu *MARXSEN*, Einleitung, S.84f; *GNILKA*, Phil, S.16 zur Redaktion des Phil.

<169> So *BORNKAMM*, Vorgeschichte, S.180ff mit Belegen.

<170> Vgl ebd, S.184f.

<171> Vgl *GNILKA*, Phil, S.11f (anders neuerdings *LINDEMANN*, Paulus, S.24f). Die Zuordnung der Verse 4,2f ist schwierig. Wegen der Verbindung zu 2,2 neige ich dazu, die Verse dem Brief 1,1-3,1; 4,4ff zuzuschlagen. 4,4-9 verschiedenen Briefen zuzuordnen (vgl *GNILKA*, Phil, S.10), ist nicht ausreichend begründet. Auch sollte man keinen eigenen Dankbrief in 4,10-20 annehmen (so *BORNKAMM*, Philipperbrief, S.198ff). Paulus geht in 2,25ff auf Epaphroditus als Gesandten der Gemeinde in Philippi ein und fügt in 4,10ff seine persönliche Dankbarkeit an, die er zugleich ins Grundsätzliche ausweitet. 2,25ff und 4,10ff sind also durchaus in einem Brief vorstellbar.

seine Gefangenschaft und die Möglichkeit seines Todes. Man besaß in Philippi also ein Wort des Apostels aus dem Gefängnis, das durch den Grundton der Freude ein besonderes Gewicht hatte. Dieses Wort bekam in der nachpaulinischen Situation verstärkt Bedeutung. Indem nun die Irrlehrerpolemik nicht einfach an diesen Brief angehängt, sondern in ihn integriert wird, wird deutlich, daß die redaktionelle Absicht die der Ordnung und der Gewichtung der paulinischen Aussagen ist. Wo in der paulinischen Botschaft liegen die Schwerpunkte, wo hat die Auseinandersetzung mit der Irrlehre ihren Platz, dies sind die leitenden Fragestellungen der Redaktion. Neben der Sammlung und Bewahrung des paulinischen Erbes ist also auch hier die Systematisierung seiner Botschaft zu erkennen <172>.

So ist 2Thess in Verbindung zu sehen mit der redaktionellen Überarbeitung von Paulusbriefen. Die Stellung der Auseinandersetzung mit Irrlehrern in Phil und 2Kor weist auf unterschiedliche Methoden hin, die wiederum verschiedene Redaktoren und Orte wahrscheinlich machen. Die Betonung der apostolischen Botschaft als Lehre und die Systematisierung der paulinischen Gedanken ist aber in beiden Fällen festzustellen und stimmt auch mit 2Thess überein. In beiden nachpaulinischen Briefen ergeben sich somit Hinweise auf den weiteren Umgang mit Paulusbriefen. In Kol kommt der Austausch und damit ansatzweise die Sammlung von Briefen in den Blick, in 2Thess die redaktionelle Überarbeitung. Sowohl der Austausch von Briefen in Regionen als auch die Unterschiede bei den Briefredaktionen belegen die dezentrale Entwicklung. Ein weiterer Schritt ist dann die Ausweitung der Bedeutung eines Briefes auf die Christenheit überhaupt (vgl Röm 1,7.15; 1Kor 1,2). Beide Briefe geben damit Aufschluß über die frühe Sammlung und Beabeitung paulinischer und deuteropaulinischer Briefe in Richtung auf das Corpus Paulinum.

8.4) 2.Thessalonicher- und Kolosserbrief als deuteronyme Briefe

2Thess und Kol sind nicht von Pauus verfaßt, geben aber übereinstimmend Paulus als Verfasser an. Damit stellt sich das Problem der Verfasserangaben. Der Begriff der Pseudonymität <173> beschreibt den Sachverhalt unzutreffender Verfasserangaben insgesamt. Über die Tatsache pseudonymer Angaben im NT hat es in der Forschungsgeschichte verschiedene Auffassungen gegeben.

8.4.1) Bisherige Lösungsversuche

Die ältere Forschung sieht die Pseudonymität zunächst unter moralischen und ethischen Gesichtspunkten. Dies hängt eng zusammen mit der Zugehörigkeit biblischer Bücher zum Kanon der heiligen Schrift und zugleich mit dogmatischen Voraussetzungen, besonders der Inspiration, der Irrtumslosigkeit und der Glaubwürdigkeit der Schrift <174>. Wenn ein Werk "unbezweifelbare Anzeichen göttlicher Inspiration" aufweise, so sei der Anspruch auf einen bestimmten Verfassernamen anzuerkennen. Die Schwierigkeit, solche Anzeichen zu nennen, wurde jedoch zunehmend evident.

<172> Anders als in 2Kor wird hier also die Auseinandersetzung mit Irrlehrern nicht ans Ende gestellt. Dies ist zugleich ein Hinweis darauf, daß diese Redaktion nicht in Korinth, sondern aller Wahrscheinlichkeit nach in Philippi stattfand (vgl *VIELHAUER*, Geschichte, S.162).

<173> Der Begriff Pseudonymität bezeichnet den unzutreffenden Verfassernamen. Pseudepigraphie bezeichnet dagegen die Schrift als "Pseudos" und wertet damit stärker. Den Begriff der Fälschung sollte man nicht mehr verwenden. Auch die Bezeichnung "falsche Verfasserangaben" (*BROX*) kennzeichnet nicht den gesamten Sachverhalt.

<174> Vgl hierzu z.B. *CANDLISH*, Charakter, S.39; das folgende Zitat auf S.41.

Verwandt mit dieser Auffassung ist die psychologische Deutung, die die Verfasser der einzelnen Schriften in den Blick nimmt. Bedienen sie sich falscher Verfasserangaben, so müssen sie trotz eigener Bedenken von ihren religiösen Gedanken so überwältigt gewesen sein, daß sie nur unter fremdem Namen veröffentlichen konnten <175>. Eine andere Auffassung sieht die Pseudonymität als allgemeine literarische Ausdrucksmöglichkeit der Antike, die von Juden und Christen übernommen worden sei <176>. Die Tatsache pseudonymer Schriften im NT erkläre sich zwanglos aus der in der Umwelt beliebten schriftstellerischen Form. Beide Auffassungen sehen etwas Richtiges: das Faktum der Pseudonymität in AT und NT kann nicht losgelöst von vergleichbaren Erscheinungen außerhalb der Bibel verstanden werden. Zugleich ist deutlich, daß bei der Beurteilung der einzelnen Schrift die jeweilige Entstehungssituation auch die Motive dafür erhellt, daß der tatsächliche Verfasser sich eines anderen Namens bediente.

Für die neueren Arbeiten sind die Untersuchungen von *SPEYER* impulsgebend <177> Er unterzieht die Erscheinungsformen antiker Pseudonymität einer umfassenden Analyse und erbringt den Nachweis, daß schon die Antike eine ausgeprägte Echtheitskritik kannte <178>. Damit setzt er die ältere Anschauung von der Pseudepigraphie als gängiger literarischer Methode außer Kraft.

SPEYER grenzt die literarische Fälschung ab gegen die "echte religiöse Pseudepigraphie". Während bei der Fälschung ein dolus malus vorliege, sei das Kennzeiche echter religiöser Pseudepigraphie die religiöse Ergriffenheit, die einen Autor zu einem bestimmten Tun treibe. Echt ist für Speyer die religiöse Pseudepigraphie so lange "wie der Glaube an einen Gott als Offenbarer lebendig erlebt wird" <179>. Zu Fälschung werde sie da, wo ein Motiv außerhalb des Religiösen vorhanden sei. Daß *SPEYER* im Bereich der religiösen Pseudepigraphie spezifische Kategorien über die allgemein-antiken Vorstellungen hinaus zur Anwendung bringt, ist grundsätzlich zu bejahen. Die als Echtheitskriterium genannte Inspiration reicht freilich allein nicht aus. Überhaupt bleiben die Begriffe Inspiration und Religion bei *SPEYER* im allgemeinen und können z.B: die spezifische Problematik der deuteropaulinischen Schriften nicht hinreichend erklären. Auch die Gegenüberstellung von Ergriffenheit und Inspiration auf der einen, Rationalität auf der anderen Seite erweist sich als nicht sachgemäß, und zwar weder für die Deutung des Religiösen noch für die Erklärung der literarischen Pseudonymität.

Der Frage, welche spezifischen Kriterien aus Theologie und Geschichte des Urchristentums zur Erklärung der unzutreffenden Verfasserangaben im NT heranzuziehen sind, gingen im Anschluß an *SPEYER* verschiedene Exegeten nach. Für *ALAND* vollzieht sich im pseudonymen Schrifttum der Frühzeit des Christentums nichts anderes als eine Verlagerung der Botschaft vom Mündlichen ins Schriftliche. Ursprung der Botschaft und damit auch Ursprung einer urchristlichen Schrift sei der Geist selbst. Deshalb bedürfe mehr als das Faktum der Pseudonymität der andere Fall einer Erklärung, daß ein Verfasser sich selbst zu erkennen gebe <180>.

<175> Der Hauptvertreter dieser Deutung ist *TORM*, Psychologie, bes. S.112ff.123; vgl auch *MEYER*, Pseudepigraphie, S.262ff.
<176> Vgl hierzu *WENDLAND*, Kultur, S.377; *JORDAN*, Geschichte, S.140.
<177> Vgl besonders Fälschung, passim. Bereits 1960 erschien die Arbeit von *SINT*, Pseudonymi tät. *SINT* versuchte, die Motive darzustellen, aus denen ein Schriftsteller sich eines falschen Namens bediente und fand dabei das mythische Denken und die echte religiöse Ergriffenheit (S.162f). Allerdings bleibt *SINT* gerade bei diesem Fragekomplex sehr im allgemeinen und kommt zu keiner wirklich befriedigenden Lösung.
<178> Vgl Fälschung, S.122ff.176f.
<179> Ebd, S.13.35ff; Zitat S.36.
<180> Problem, S.29f.

Im Verlauf des zweiten Jahrhunderts ist nach *ALAND* das Reden aus unmittelbarem Geistbesitz zurückgetreten und entsprechend habe sich der Frühkatholizismus ausgebildet. Zugleich damit sei die Möglichkeit verlorengegangen, aus echter Inspiration des Geistes zu schreiben. Diese Unterscheidung *ALAND*'s ist problematisch, da er an die spätere Zeit mit kritischen Fragestellungen herangehen möchte, die er für die frühe Zeit bestreitet, und da er die echten Briefe mit Verfasserangaben aus seiner Untersuchung ausklammert. Mit seiner These betont *ALAND* allerdings einen Aspekt, der für die Entstehung anonymer Evangelientradition zu bedenken ist.

In anderen Arbeiten wird vor allem der Aspekt des Apostolischen hervorgehoben.

HEGERMANN befaßt sich besonders mit den Schriften, die im Anschluß an Paulus entstanden sind. Schon zu Lebzeiten habe Paulus in seine apostolische Autorität auch seine Mitarbeiter einbezogen und durch seine Briefe diese Autorität geltend gemacht. Auf diesem Hintergrund habe er in den Gemeinden eine Lehrtradition herausgebildet, die nach dem Tod des Paulus besondere Bedeutung erlangt habe. Die Kategorie des Apostolischen werde zum bestimmenden Faktor für die Pseudonymität innerhalb des NT. Die "Autorfiktionen erwachsen aus einer theologisch begründeten Anonymität und drücken das prophetisch-apostolische Selbstverständnis der urchristlichen Verkündiger und Gemeinden aus" <181>. In diesem spezifisch urchristlichen Phänomen sei keine Fälschungsabsicht enthalten. Auch für *BALZ* ist das Apostolische ein wesentlicher Faktor in der Beurteilung der Pseudepigraphie im NT. Generell bewege sich Pseudonymität in einem "nachklassischen Rahmen" <182>, und die Verfasser müßten sich im beginnenden Kampf mit der Irrlehre auf die geborgte Autorität des Apostels stützen. 1. und 2.Petr, Jak, Jud und 2Thess, vielleicht aber auch Eph und Kol sind deshalb nach *BALZ* nicht als Schulprodukte, sondern als Tendenzfälschungen anzusehen <183>. Im Gegensatz dazu stößt er bei den Namen der urchristlichen Verkündiger, an denen über die jeweilige Situation hinaus festgehalten wird, auf das Zeugenmotiv. Sie deckten ihre Verkündigung mit ihrer eigenen Existenz ab <184>. Die Person des Zeugen steht deshalb für *BALZ* am Anfang. Anonymität und Pseudonymität beurteilt er dagegen als "Flucht vor personal verantworteten theologischen Neuansätzen" <185>, die jeweils nur zu Reproduktion apostolischer Theologie, nicht aber zu neuer apostolischer Theologie führe.

Bei *FISCHER* rückt neben das Kriterium des Apostolischen die Bedeutung der kirchlichen Autorisierung.

Daß aus dem Zeitraum von 60-100 n.Chr. keine authentischen Schriften erhalten seien, lasse nur den Schluß zu, daß es in dieser Zeit keine Person oder Institution mit gesamtkirchlicher Autorität gegeben habe. Oekumenisch gültige Rede sei nur möglich gewesen unter den Namen, die von der Vergangenheit her Autorität besaßen. Den Beginn dieser Epoche sieht *FISCHER* in dem Abbau der ursprünglichen Missionsverbandes (Paulus, Jakobus), das Ende mit der Herausbildung relativ fester Ämter <186>. In dieser Zeit vollziehe sich die Scheidung von Orthodoxie und Heterodoxie, die Loslösung vom Judentum, die Lösung des Problems der Parusieverzögerung und das Bewußtsein verbindlicher apostolischer Tradition bilde sich heraus <187>.

Die Einbettung der Überlieferung individueller Lehre prominenter Gestalten in Schul-, Lehr und Überlieferungszusammenhänge betont *BROX* und kommt so zu der Katego-

----

<182> Anonymität, S.420 u.ö.
<183> Ebd, S.431f.
<184> Ebd, S.434f.
<185> Ebd, S.436. *BALZ* mißt die Literatur der nachapostolischen Zeit am Maßstab der personal verantworteten Verkündigung der ersten Zeugen und kommt deshalb zu keiner positiven Würdigung des Phänomens der Pseudonymität selbst. Auch die Bedeutung von Tradition wird von *BALZ* nicht genügend berücksichtigt.
<186> Anmerkungen, S.79.80.
<187> Insgesamt berücksichtigt *FISCHER* zu wenig, daß sich diese Fragestellung bereits in den Paulusbriefen andeutet. *FISCHER*'s Vorschlag, die in Frage kommende Zeit als "Zeit der neutestamentlichen Pseudepigraphie" zu bezeichnen (ebd, S.80f), leuchtet nicht ein. Die Pseudonymität ist ein literarisches Ausdrucksmittel, das Grundeinstellungen der Zeit erkennbar macht, aber nicht mit ihnen identisch ist.

<181> Ort, S.50ff; Zitat, S.55. Bei *HEGERMANN* wird in Abgrenzung des Prophetisch-Inspiratorischen vom Apostolischen zugleich deutlich, daß das apostolische Amt im Verständnis des Paulus Verbindungen aufweist zum prophetischen Selbstverständnis. Von hier aus kommt *HEGERMANN* zu dem Begriff des prophetisch-apostolischen Selbstverständnisses der urchristlichen Verkündiger.

rie des Transsubjektiven <188>. Sie drückt sich aus in der Überzeugung der Identität mit dem Ursprung und der Überlieferungskontinuität.

Eine nt.liche Schrift mit einer unzutreffenden Verfasserangabe muß einerseits aus sich selbst erklärt werden. Dies legt sich schon dadurch nahe, daß die pseudonymen Schriften des NT im Hinblick auf die Motive und die Durchführung der Verfasserfiktion keineswegs einheitlich sind. Daß die Pseudonymität als literarisches Phänomen im Zusammenhang mit vergleichbaren Erscheinungen außerhalb des biblischen Schrifttums untersucht werden muß, ist dadurch nicht aufgehoben. Allerdings ist die Differenziertheit dieses literarischen Phänomens zu beachten. Zwischen dem Gesamtrahmen antiker Pseudonymität und der Eigenart der einzelnen Schrift ist danach zu fragen, welche besonderen Faktoren die unzutreffenden Verfasserangaben in der urchristlichen Literatur beeinflußt haben.

8.4.2) Kritik und Legitimation der Pseudonymität außerhalb des Neuen Testaments

1) Bereits in der Antike hat es eine ausgeprägte Echtheitskritik gegeben. Dies belegen von Herodot an einschlägige Arbeiten und Bemerkungen ebenso wie schon die Vielzahl von Begriffen, die für die Kennzeichnung pseudonymer Schriften zur Verfügung stand. Methodisch finden sich Untersuchungen zum Stil (χαρακτήρ), zum Wortschatz und Inhalt einer Schrift, außerdem chronologische Berechnungen und die Beachtung äußerer Merkmale wie Schrift, Dialekt, äußere Bezeugung <189>. Auch wenn der Begriff des geistigen Eigentums noch nicht im modernen Sinn definiert war <190>, war man sich doch der schriftstellerischen Leistung und Eigenart eines Autors bewußt. Eine als pseudonym erkannte Schrift erlitt eine faktische Rangminderung und wurde als illegitim angesehen <191>. Dies macht die Sensibilität für das Problem in der Antike deutlich.

2) Neben dieser Kritik gibt es Stellungnahmen, die die Pseudonymität in Einzelfällen tolerieren.

Dabei ist eine gute und heilende Absicht vorauszusetzen. so lehnt Plato Lüge und Betrug entschieden ab, gesteht aber zu, daß es eine Unwahrheit gibt, die als φάρμακον χρήσιμον zu gelten habe, wenn sie der therapeutischen Absicht diene <192>. Cicero (Brutus XI,42) will den Rhetoren gestatten, in Geschichtsdarstellungen zum Zweck des stärkeren oder scharfsinnigeren Ausdrucks zu lügen. Solche Stellungnahmen hatten allerdings keine allgemeine Billigung und waren zudem nicht primär auf das Problem der Pseudonymität bezogen. Stärker gehört in diesen Zusammenhang die Beobachtung, daß in der Antike verschiedene Schriften bestimmten Autoren zugeordnet wurden. So veröffentlichte man medizinische Schriften unter dem Namen des Hippokrates; die anonymen Werke Ilias und Odyssee wurden Homer als *dem* Epiker zugeschrieben. Äsop galt als *der* Fabeldichter, Hesiod's Name war eng mit Genealogien verbunden. Solche Zuschreibungen konnten erfolgen, weil bestimmte Literaturgattungen aufs engste mit bestimmten Verfassernamen zusammengehörten. Das Motiv der Zuschreibung war nicht Fälschung, sondern in erster Linie Ein- und Zuordnung in einen bestimmten literarischen Zusammenhang <193>.

<188> Pseudepigraphie, S.320.328.331. In seinem Kommentar zu den Past versucht *BROX*, seine Sicht der Pseudepigraphie durchgehend zu verifizieren.
<189> Vgl hierzu im einzelnen *SPEYER*, Fälschung, S.16.114ff.124ff.
<190> Vgl hierzu *BROX*, Verfasserangaben, S.69ff.
<191> Vgl hierzu *SPEYER*, Fälschung, S.128.
<192> Polit II,382c; III, 414 c-e. Ähnliche Aussagen finden sich bei Sophokles, Xenophon und den Stoikern (vgl *SPEYER*, ebd, S.95f).
<193> Vgl hierzu *SPEYER*, ebd, S.39f.

3) Im Umfeld des Nt gibt es nun aber vor allem zwei Erscheinungen, bei denen Pseudonymität nicht nur toleriert wurde, sondern als legitim galt. Im griechischen Bereich ist dies die pseudonyme Praxis in den Philosophenschulen. Das wichtigste Beispiel hierfür ist die Schule des Pythagoras.

Von ihm selbst sind keine Schriften überliefert. Was aber seine Schüler schrieben, veröffentlichten sie in seinem Namen <194>. Als Motive werden Zuneigung und Anhänglichkeit der Schüler dem Lehrer gegenüber genannt, besonders aber die Vorstellung, daß das Werk des Schülers im eigentlichen Sinn Eigentum des Lehrers ist. Porphyrios scheidet kritisch echte von unechten Schriften des Pythagoras, kommt aber bei den authentischen noch einmal zu einer Unterscheidung: 80 davon seien von Pythagoras selbst, die restlichen von "reifen Männern", die zu den "Erben seines Wissens" gehörten <195>. Es handelt sich also nicht um eigene Werke des Pythagoras, aber auch nicht um Fälschungen. Hiervon sind sie durch die Qualität ihrer Autoren und durch ihr hohes Alter abgehoben.

In diesem Fall verursacht und rechtfertigt die enge Schulzugehörigkeit die Pseudonymität. Sie kann nicht nur wegen ihrer edlen Motive gebilligt werden, sondern ist ein Phänomen der Schulzugehörigkeit, in der ein besonderes Verhältnis zum Begriff des geistigen Eigentums gilt <196>. Dieser Sachverhalt ist für die urchristlichen Schriften zu berücksichtigen, weil sich im christlichen Bereich bisweilen ähnlich Bemerkungen finden.

So führt Tertullian das Markusevangelium über Markus auf Petrus zurück und das Lukasevangelium auf Paulus <197>, wobei in beiden Fällen die enge Beziehung des tatsächlichen Verfassers zu Petrus und Paulus betont wird. Ebenfalls bei Tertullian findet sich die Rechtfertigung, daß der Verfasser der Paulusakten "amore Pauli" die Schrift verfaßt habe <198>. Origines kann Hebr für paulinisch halten, weil seine Gedanken von Paulus stammen, obwohl Ausdruck und Stil auf einen anderen Verfasser hinweisen <199>.

Solche Bemerkungen sind zwar selten und lassen keine allgemeine Theorie zu; sie weisen aber ein ähnliches Verständnis von Pseudonymität auf, wie es in den antiken Philosophenschulen erkennbar ist.

In dieses Umfeld gehören auch pseudonyme Erscheinungen im AT. Es finden sich verschiedne Entwicklungslinien. Eine ist - der griechischen Antike vergleichbar - die Sammlung von Überlieferung unter dem Namen einer bestimmten Ursprungsgröße und die Autorisierung durch sie.

So werden Gesetzesüberlieferungen mit Mose in Verbindung gebracht bis dahin, daß Mose als Verfasser des Pentateuch angesehen wird <200>. Die Sammlung der Psalmen geschieht unter anderem unter dem Namen Davids, der von 1Sam 16,14ff; 18,10ff; 2Sam 1,18ff; 3,33ff her als Sänger und Psalmdichter galt <201>. Die Weis-

----

<194> Dies bezeugt Jamblichos, de vita Pythagorica, § 158.198. Von den Schülern des Sokrates berichtet Elias, der Schüler Olympiodors, ähnliches (vgl SPEYER, ebd, S.34, Anm.7f).
<195> Vgl hierzu BROX, Verfasserangaben, S.73f.
<196> Vgl MÜLLER, Kurzdialoge, S.20.
<197> Adv.Marc. IV 5,4: capit autem magistrorum videri quae discipuli promulgarint.
<198> De bapt 17, vgl hierzu HENNECKE—SCHNEEMELCHER II, S.222f.
<199> Fragment in Euseb, h.e., VI 25,11-14.
<200> Das deuteronomische Geschichtswerk tendiert bereits in diese Richtung. At.liche Belege finden sich in Mal 3,22 (4,4); Esra 3,2; 7,6; 2Chr 25,4; 35,12. Zu den verschiedenen Auffassungen von Mose in den Quellenschriften des Pentateuch vgl v.RAD, Theologie I, S.302ff. Voraussetzung hierfür ist das Zeitverständnis des hebräischen Denkens. Der historische Entstehungsprozeß tritt hinter die Autorisierung durch die Ursprungsgröße und damit hinter die Aktualisierung für die Gegenwart zurück (vgl BROCKINGTON, Problem, S.188f).
<201> Diese Tradition ermöglichte die Zuschreibung verschiedener Psalmen an David. Die Psalmensammlung ist freilich nicht in gleichem Maß von diesem Namen beherrscht wie die Gesetzessammlung von Mose.

heitsüberlieferung ist eng mit dem Namen Salomos verbunden <202>.

Integration und Autorisierung durch den einschlägigen Namen sind in allen drei Fällen erkennbar.

Eine andere Entwicklungslinie wird in den Prophetenbüchern erkennbar. Die Fixierung der prophetischen Botschaft läßt sich an einigen Stellen ablesen. Der erste Schritt war der Übergang von der mündlichen Botschaft zur schriftlichen Aufzeichnung, der von einigen Propheten noch selbst vollzogen wurde (vgl Jes 8,16-18; 30,8-17; Jer 36) <203>. In der Nachfolge der Propheten hat es dann Schülerkreise gegeben (vgl Jes 8,16) <204>, die das Wissen um die Aktualität der prophetischen Botschaft bewahrten. Dies läßt sich an Texten wie der Nathanweissagung (2Sam 7) und ihrer Aufnahme in Jes 55,3f und 1Chr 17,11 ebenso zeigen wie an Jes 23 und 11, 1-10 <205>. "Die Grundüberzeugung, die hinter diesem Überlieferungsprozeß stand, war die, daß ein einmal ergangenes Prophetenwort unter keinen Umständen hinfallen kann" <206>. In diesem Sinn konnten sogar Worte, deren Erfüllung offenbar war, als Weissagung über Israel aktuell bleiben und die andauernde und unmittelbare Lebendigkeit des Prophetenwortes bewahren. Diese Überlieferungskontinuität, in der das Prophetenwort aktualisiert wird, ist am besten mit dem Begriff der Deuteronymität zu bezeichnen.

In der jüdischen Apokalyptik <207> finden sich beide Entwicklungslinien wiedr. Der Apokalyptiker versteht sich als legitimer Nachfolger der Propheten, wie die Interpretation von Jes 25,1ff in Dan 9,2.20-27 zeigt. In diesem Sinn werden die apokalyptischen Zusätze in den Prophetenbüchern (vgl besonders Jes 24-37) als Interpretation und Aktualisierung verstanden <208>. Hier wirkt der deuteronyme Grundzug der Prophetentradition weiter. Auf der anderen Seite gehören als Verfasserangaben die Namen der Großen der Vorzeit zu den regelmäßig wiederkehrenden Elementen der apokalyptischen Schriften. Allerdings hat hier nicht eine einzelne Gestalt die apokalyptischen Vorstellungen an sich gezogen, sondern es begegnet eine ganze Reihe von Namen, besonders Daniel, Henoch, Esra, Baruch, Noah, die Patriarchen. Dies ist durch die Erscheinungsvielfalt der apokalyptischen Literatur bedingt <209>.

<202> Salomo gilt als exemplarisch weiser König und als Verfasser von Spruchgut (vgl 1Kön 3; 5,9ff; 10,1ff). Die Zuweisung von Spr, Pred und Weish an Salomo erfolgte, weil Weisheit von vornherein als "salomonisch" angesehen wurde (*BROCKINGTON*, ebd, S.190). Zur Herkunft von Spr und Pred vgl *FOHRER*, Einleitung, S.347.367.

<203> Dabei greift Jes 30 selbst über die aktuelle Situation hinaus auf fernere Hörer und Leser. Dies erklärt, daß die prophetische Botschaft "mit Israel weiter durch die Zeiten ging, auch wenn sich die geschichtlichen Verhältnisse, auf die sie abgestellt war, inzwischen verändert hatten" (*v.RAD*, Theologie II, S.50ff, Zitat S.53).

<204> Vgl hierzu auch die Abhängigkeit des Tritojesaja von Deuterojesaja (*FOHRER*, ebd, S.421f) und die Beeinflussung Jeremias durch Hosea, besonders in der ersten Periode seiner Wirksamkeit (*FOHRER*, ebd, S.440).

<205> Vgl zu diesen Texten *v.RAD*, Theologie II, S.54f. Möglich war auch die Umwandlung eines Gerichtswortes in ein Heilswort, was Jes 18,2.7 belegt. Ein besonders instruktives Beispiel für das Wachsen prophetischer Überlieferung ist Jes 22,15-25 (vgl *v.RAD*, ebd, S.56f).

<206> *V.RAD*, ebd, S.53f.

<207> Der Begriff "jüdische Apokalyptik" ist im Sinn spät- und nachat.licher Apokalyptik verwendet (vgl *HAHN*, Hoheitstitel, S.10; ders., Methodenprobleme, S.13; *BAUMGARTEN*, Paulus, S.11). Der Begriff spätjüdisch ist unangemessen; die Bezeichnung frühjüdisch hat manches für sich (vgl *PLÖGER*, Erbe, S.291ff), wird aber dem Selbstverständnis der Apokalyptik als Erscheinung der Endzeit nicht gerecht.

<208> Vgl *HENGEL*, Judentum, S.375. Ob die Apokalyptik aus der Prophetie oder aus der Weisheit abzuleiten ist, ist dahingehend zu beantworten, daß offensichtlich Einflüsse aus beiden Bereichen prägend waren (vgl *HENGEL*, ebd; *VIELHAUER*, Apokalypsen, S.420), wobei in der einzelnen Schrift die Beeinflussung durch diesen oder jenen Bereich überwiegen kann.

<209> Hierauf weisen die verschiedenen Eigenbezeichnungen im äth Hen (Bilderrede in 1,2; 37,5 u.ö.; Gesicht in 1,2; 37,1; Segensrede in 1,1; Weisheitsrede in 37,2). Apokalypsen können die Form einer Abschiedsrede haben (Ass Mos; sl Hen). Oft sind Gebete aufgenommen (Dan 9,4ff und besonders in 4Esra). Häufig begegnen Visionsberichte und Paränese.

Neben einer bereits in der griechischen Antike ausgeprägten Kritik an illegitimer Benutzung falscher Verfasserangaben und einer bisweilen erkennbaren Toleranz gegenüber einer Pseudonymität aus lauteren Motiven gibt es im griechischen wie im jüdischen Umfeld des NT Erscheinungsformen der Pseudonymität, die als legitim anerkannt werden und die sachgemäß mit dem Begriff der Deuteronymität zu bezeichnen sind <210>.

8.4.3) Unzutreffende Verfasserangaben im NT

Der Befund im NT ist uneinheitlich. Die ursprüngliche Textgestalt und die spätere Überlieferung sind auseinanderzuhalten. Es zeigt sich, daß ursprünglich orthonyme Verfasserangaben bald mit Namen aus der apostolischen Zeit in Verbindung gebracht werden. Dies gilt besonders für die Johannesoffenbarung.

Nach 1.1.4.9 ist die Offb das Werk einer bekannten Persönlichkeit mit Namen Johannes, der sich um des Evangeliums willen auf Patmos befindet (1,9). Bereits im 2. Jahrhundert wird dieser Johannes mit dem Zebedaiden Johannes gleichgesetzt, der auch als Verfasser des Evangeliums galt <211>. Auf Grund sprachlicher und inhaltlicher Beobachtungen können Evangelium und Offenbarung aber nicht von demselben Verfasser stammen und beide Verfasser nicht mit dem Zebedaiden identisch sein <212>. Die authentische Schrift wurde also erst durch diese spätere Identifizierung zu einem Werk mit einer "unzutreffenden Verfasserangabe".

Daneben gibt es eine Reihe weiterer Schriften im NT, die ihrem Selbstzeugnis nach anonym sind, die aber in der späteren Überlieferung ebenfalls bestimmten Autoren zugeschrieben werden.

Dies gilt für Lk und Apg. Nach Irenäus handelt es sich bei dem Verfasser um den Paulusbegleiter Lukas <213>, der in Phlm 24; Kol 4,14 und 2Tim 4,11 als Mitarbeiter genannt und nach der Kol-Stelle Arzt ist. Daß der Verfasser des Lk und der Apg Arzt war, läßt sich von seiner Sprache her weder nachweisen noch widerlegen. Daß er aber Mitarbeiter des Paulus war, ist aus einer Reihe von Unterschieden zwischen den paulinischen Aussagen und Lk und besonders der Apg auszuschließen <214>. Dies trifft auf jeden Fall für die uns überlieferten Werke zu. Ob sich dagegen in einer der Apg zugrundeliegenden Quelle ein Bericht eines Paulusmitarbeiters (Lukas) finden läßt, kann hier offen bleiben.
Auch die übrigen Evangelien sind anonym überliefert, werden aber schon früh mit bestimmten Verfassern in Verbindung gebracht. Mk und Mt werden zuerst von Papias mit diesen Namen belegt (bei Euseb, h.e., III 39,15f). Markus gilt als Mitarbeiter des Petrus. Die späteren Belege sind von dieser Papiasnotiz abhängig. Eine besondere Beziehung des Mk zu Petrus läßt sich jedoch nicht nachweisen <215> und eine Identifizierung mit dem Johannes Markus der Apg (12,12.25; 15,37.39) bleibt unsicher. Daß Markus mit Petrus in Verbindung gebracht wurde, läßt sich aber aus 1Petr 5,13 erklären <216>. Daß das Evangelium nicht auf einen der Apostel zurückgeführt wird, zeigt, daß der Name Markus offenbar bereits vor Papias mit dem zweiten Evangelium in Verbindung gebracht wurde. Der Verfasser des ersten Evangeliums ist nach der altkirchlichen Tradition Matthäus. Dieser Name ist in den Jüngerkatalogen der drei Synoptiker enthalten. Außerdem wird der berufene Zöllner nach Mt 9,9; 10,3 Matthäus und nicht wie in Mk 2,14; Lk 5,27 Levi genannt. Wenn-

---

<210> Vgl zu diesem Begriff im NT *GNILKA*, Kol, S.23 und unten, S.318.
<211> So zuerst Justin, Dial 81,4. Vgl hierzu *KÜMMEL*, ebd, S.162ff. Diese Theorie war in der alten Kirche nicht unbestritten (vgl zu den antimontanistischen Alogern *MÜLLER*, Offb, S.43ff), setzte sich aber durch und blieb bis in die Reformationszeit hinein bestimmend.
<212> Vgl hierzu die gängigen Einleitungen und Kommentare.
<213> Adv haer III 1; III 14; vgl Tertullian, Adv Marc IV,2; Euseb, h.e., III,4.
<214> Die Unterschiede zwischen Paulus und Apg sind besonders instruktiv, da sich beide auf die paulinische Mission beziehen. Sie sind zusammengestellt bei *HAENCHEN*, Apg, S.99ff.
<215> Vgl *KÜMMEL*, ebd, S.67f.
<216> 1Petr ist bei Polykarp (1,3; 8,1; 10,2) und Papias (nach Euseb, h.e., III 39,17) benutzt und demnach in Kleinasien bekannt (vgl auch 1Petr 1,1).

gleich die Abhängigkeit des Mt von Mk, seine griechische Sprache und das theologische Gedankengut des Verfassers deutlich gegen ein Mitglied des engsten Jüngerkreises sprechen, wird der Name Matthäus doch schon früh mit dem Evangelium verbunden gewesen sein.

Die Frage nach dem Verfasser des Joh ist sehr kompliziert. Das Evangelium selbst überliefert keinen Verfassernamen, erwähnt aber öfter den Jünger, den Jesus liebhatte (13,23ff; 19,26f; 20,2-8). Das Nachtragskapitel 21 ist von einem anderen angefügt worden; nach 21,24 ist nun der Lieblingsjünger zugleich der Verfasser des gesamten Evangeliums, wobei aber auch hier kein Name angegeben ist. Die altkirchliche Tradition vom Zebedaiden Johannes ist ab Irenäus faßbar (Haer III 1,2), ist aber im 2. Jahrhundert nicht unbestritten. Die Herkunft des Evngeliums von einem direkten Jesusjünger ist aber aus verschiedenen Gründen nicht zu halten <217>.

Auch Hebr bietet selbst keinen Hinweis auf einen Verfassernamen. Die alte Kirche hat eine Reihe von Zuordnungsmöglichkeiten erwogen und erst spät die Schrift als 14. Paulusbrief anerkannt <218>. Aus sprachlichen und inhaltlichen Gründen muß eine Abfassung durch Paulus allerdings ausscheiden.

Ursprünglich orthonyme Schriften konnten in der späteren Tradition mit einem Träger gleichen Namens identifiziert werden und ihrem Selbstzeugnis nach anonym überlieferte Schriften konnten als Verfasser den Träger eines bekannten Namens zugeschrieben bekommen. Allerdings haften offenbar bereits schon früh manchen Werken bestimmte Namen an (Mk, Mt, möglichrweise Lk/Apg). Es zeigt sich weiter, daß diese in der altkirchlichen Tradition überlieferten Verfassernamen entweder in den Jüngerkreis Jesu selbst zurückweisen (Matthäus, Johannes) oder aber mit einem der Apostel in Verbindung stehen (Markus, Lukas). In jedem Fall verweisen die Verfasserangaben auf Gewährsleute der evangelischen Botschaft.

Neben den orthonymen und anonymen Schriften gibt es im NT eine Reihe anderer, die selbst eine unzutreffende Verfasserangabe machen. Neben den Briefen, die sich auf Paulus berufen (Eph, Kol, 2Thess, Past) sind dies 1. und 2Petr, Jak und Jud. Es zeigen sich dabei Unterschiede in der Durchführung der Verfasserfiktion. 2Petr und die Past versuchen mit verschiedenen Mitteln, die Verfasserfiktion zu untermauern.

Diesem Ziel dient bereits die semitisierende Form des Namens in 2Petr 1,1. "Petrus" bringt persönliche Erinnerungen an Jesus vor (1,14.16-18), betont die Gleichrangigkeit mit Paulus (3,15f), redet testamentarisch und sagt seinen baldigen Tod vorher (1,13ff). Die literarische Beziehung zu Jud, die hellenistische Sprache und Denkweise, die Verteidigung der Parusie angesichts der sich dehnenden Zeit und eine bereits vorliegende Sammlung von Paulusbriefen machen aber eine Herkunft des Schreibens von Petrus unmöglich. Auch die Pastoralbriefe benutzen verschiedene Mittel der Echtheitsbeglaubigung. Situationsangaben, biographische und persönliche Details sollen die Herkunft der Briefe von Paulus unterstützen <219>.

In anderen Briefen ist die Verfasserfiktion in erheblich geringerem Ausmaß durchgeführt

1Petr greift auf Traditionen palästinischen Ursprungs zurück, für die Petrus und Silvanus als Sigel stehen können <220>. Petrinischer Einfluß ist aber allenfalls indirekt nachzuweisen. Offensichtlich ist der Brief aber auch durch die paulinische Tradition geprägt. Der in Jak 1,1 genannte Jakobus kann nur der Herrenbruder sein. Das gute Griechisch der Schrift, der Charakter von 2,14ff und die Stellung des

----

<217> Vgl im einzelnen KÜMMEL, ebd, S.200ff. Auch 1Joh ist anonym überliefert. Nach Irenäus, Haer II 17,5.8 und Kanon Muratori, Z.27ff stammt der Brief vom Zebedaiden und damit von demselben Verfasser wie das Evangelium. Sprache und Inhalt weisen den Brief aber in eine johanneische Tradition. 2. und 3Joh weisen als Verfasser einen πρεσβύτερος aus, was als Selbstbezeichnung offenbar genügte. Dieser "Alte" ist ebenfalls mit dem Zebedaiden identifiziert worden (vgl VIELHAUER, Geschichte, S.480f).

<218> Vgl hierzu KÜMMEL, ebd, S.290f; VIELHAUER, Geschichte, S.250f.

<219> Vgl die Zusammenstellung bei BROX, Verfasserangaben, S.19ff; ders., Pastoralbriefe, S.67ff.

<220> So GOPPELT, 1Petr, S.69. BROX, 1Petr, S.43ff.47ff betont stärker den paulinischen Einfluß.

Jakobus steht aber in Verbindung mit dem paränetischen Inhalt des Briefes <221>. Auch Jud will vom Herrenbruder geschrieben sein (vgl Mt 13,55; Mk 6,3), stammt jedoch fraglos aus späterer Zeit. Jud 17 blickt auf die Apostel als eine geschlossene Größe der Vergangenheit zurück, und Jud 3 spricht entsprechend von dem ein für alle Mal überlieferten Glauben. Die in die nachpaulinische Tradition gehörenden Briefe Eph, Kol und 2Thess nennen wie die Pastoralen Paulus als Verfasser. Von den drei Schriften ist Eph am weitesten von Paulus entfernt. Er kennt die anderen Paulusbriefe und weist z.T. wörtliche Übereinstimmungen mit ihnen auf <222>. Eine enge literarische Beziehung besteht zu Kol; 3,1; 4,1; 6,20 und 6,21f vermitteln die gleiche Situation, wie sie in Kol greifbar ist. Eph entfernt sich dabei freilich stärker von der Form des Briefes und stellt eher einen Traktat oder eine Predigt für die gesamte Christenheit dar. Auch die Nähe der in dieser Arbeit besonders behandelten Briefe Kol und 2Thess zu Paulus ist unterschiedlich und ebenso die Mittel, mit denen die Verfasserangabe belegt wird.

Es stehen also im NT usprünglich orthonyme und anonyme Schriften neben solchen, die selbst einen unzutreffenden Verfassernamen angeben. Die pseudonymen Schriften zeigen Unterschiede im Blick auf die Intensität und die Durchführung der Verfasserfiktion. Dieser differenzierte Befund belegt einerseits die Notwendigkeit, die pseudonymen Schriften des NT jeweils auf ihre eigenen Motive und Mittel der Verfasserfiktion zu untersuchen. Andererseits ergibt sich die Notwendigkeit, die größeren Zusammenhänge, die der Befund deutlich macht, zu befragen: wie läßt sich die Anonymität der Evangelientradition erklären? Was führt in der frühkirchlichen Tradition dazu, daß anonym und orthonym überlieferten Werken bestimmte Verfassernamen zugeschrieben wurden? Welche Beweggründe führen in der Briefliteratur des NT zur Benutzung eines anderen Verfassernamens?

8.4.4) Rahmenbedingungen neutestamentlicher Pseudonymität: Die Kriterien der Verkündigung und des Apostolischen

1) Form- und Traditionsgeschichte haben gezeigt, daß vor der schriftlichen Fixierung der Evangelien eine ausgedehnte mündliche Überlieferung steht, die ihre Funktion zum großen Teil im Gottesdienst hatte <223>. Nach und nach wurden diese Einzelstücke schriftlich fixiert und gesammelt. Dabei kommt ihrer Schriftlichkeit zunächst keine besondere Bedeutung zu: sie ersetzen die mündliche Predigt und ihre Verfasser sind in der Gemeinde bekannt <224>. Die Evangelienüberlieferung geschieht so anfänglich nicht in Verbindung mit einem Jüngernamen. Personenbezogen ist sie, insofern sie Überlieferung von Jesus ist. Als solche hat sie Verkündigungsfunktion und den Charakter des Allgemeingutes.

Der Lukasprolog (Lk 1,1-4) gibt Aufschluß über die Stufen des Traditionsprozesses, der über Augenzeugen, die zugleich ὑπερήται τοῦ λόγου, d.h. Verkündiger sind, und schriftliche Aufzeichnungen bis hin zum vorliegenden Evangelium geht. Am Ende dieser Stufenreihe kommt in ἔδοξεν κἀμοί V.3 die Person des Verfassers in den Blick. Soll der Hinweis auf diese Überlieferungskette auch die Zuverlässigkeit des

----

<221> Vgl DIBELIUS, Jak, S.15f. Die briefliche Einkleidung der Schrift ist nur oberflächlich. Man kann sogar von einer paränetischen Lehrschrift sprechen. BROX, Verfasserangaben, S.18, sieht in Jak eine intensivere Version der literarischen Fälschung. Es dürfte hier aber eher eine Erscheinung vorliegen, die der Sammlung etwa der Psalmen unter dem Namen Davids vergleichbar ist. Dem paränetischen Inhalt war "Jakobus der Gerechte" als Verfasser angemessen. VIELHAUER, Geschichte, S.580 spricht zutreffender von einer "ungewöhnlich zurückhaltenden Pseudepigraphie".
<222> Vgl die Listen bei MITTON, Eph, S.98ff.120ff.333ff.
<223> Vgl DIBELIUS, Formgeschichte, S.8ff; BULTMANN, Geschichte, S.1ff.
<224> BALZ, Anonymität, S.418f.428f; BARTH/STECK, Exegese, S.37ff.

Beschriebenen deutlich machen und als apostolisch ausweisen (V.2), so bleiben die Traditionen dennoch anonym und werden keinem bestimmten Gewährsmann zugeordnet. Das an die Gestalt Jesu gebundene Traditionsgut wird als christliches Zeugnis nicht mit einem bestimmten Tradenten in Verbindung gebracht, sondern im Sinne konkreter Verkündigung weitergegeben. Dies macht die Evangelientradition als christologisch begründete, anonyme Überlieferung verständlich <225>.

2) Ein weiterer Sachverhalt zeigt sich besonders in Lk und Apg. Hier kommt der Vorstellung der 12 Apostel große Bedeutung zu. Konstitutiv für diesen Apostelbegriff ist die Augenzeugenschaft des Wirkens, Sterbens und Auferstehens Jesu von Anfang an (vgl Lk 1,2; Apg 1,21). Mit dieser Bestimmung ist die Einmaligkeit und Unwiederholbarkeit des Zwölferapostolates gesichert. Damit ist zugleich die Tendenz einer Entindividualisierung verbunden: das Aposteldekret ist nach Apg 15,23 von den Aposteln und Presbytern erlassen (vgl 16,4). Es werden zwar Namen genannt, aber ein eigenes Profil bestimmter Personen läßt sich nur schwer ausmachen, selbst bei Petrus nicht. Die Apostel werden zunehmend zu einer kollektiven Instanz und damit zu einer Kategorie, die über das subjektive hinaus institutionellen Charakter bekommt <226>. Diese transsubjektive Größe der Apostel führt zur Qualifizierung einer Schrift als apostolisch <227>.

3) Die Anonymität der Jesusüberlieferung kann mit der transsubjektiven Größe des Apostolischen verbunden werden. Dabei verschieben sich die Akzente: betont die Anonymität den inhaltlichen Bezug zu Jesus und die Funktion als Verkündigung, so stehen beim Kriterium des Apostolischen die Bedeutung der Anfangszeit und die verbürgte Wahrheit im Vordergrund. Die Jesustradition kann damit nicht mehr als allgemein-christliches Gut betrachtet weden, sondern muß von den Aposteln ausgehen und von ihnen verbürgt sein.

In der weiteren Entwicklung gewinnt das Kriterium des Apostolischen herausragende Bedeutung. *ALAND* hat im Blick auf die Kanonbildung vom "Prinzip der Prinzipienlosigkeit" gesprochen <228> und dies am Kanon Muratori festgemacht. Nun ist zwar richtig, daß für diese frühe Kanonübersicht die Verfasser kanonischer Schriften nicht notwendig Apostel sein müssen (vgl Mk, Lk). Sie müssen aber das Kriterium des Apostolischen erfüllen. So werden gegen den Hirt des Hermas keine inhaltlichen Bedenken geltend gemacht und die Lektüre wird geradezu empfohlen <229>. Da aber Hermas die Schrift "erst kürzlich" verfaßt hat, erfüllt sie nicht das Kriterium des Apostolischen. In ähnlicher Weise hält Irenäus in Auseinandersetzung mit den Irrlehrern an der Verläßlichkeit und dem Alter der apostolischen Schriften fest <230>. Er betont, daß die wahre und glaubwürdige Überlieferung nur in der katholischen Kirche zu finden ist, so daß die Überlieferung der Schriften mit der kirchlichen Lehre in Einklang steht <231>. Zur Herkunft aus der apostolischen Zeit

----

<225> In der Wendung εὐαγγέλιον κατά ist dieser Sachverhalt, selbst wenn später Verfassernamen zugefügt werden, immer noch zu spüren (vgl hierzu *VIELHAUER*, Geschichte, S.255f). Die Jesusgeschichte dient dem Ziel der Verkündigung. Diese Funktion begründet die Anonymität eher als die Annahme der Verfasserschaft des Geistes. Deshalb mußte eine Namensnennung nicht sogleich als Verfälschung angesehen werden (gegen *ALAND*, ebd, S.29f). Die in Lk 1,1-4 begegnende Traditionskette weist auf die spätere Nennung eines Verfassernamens voraus. Zur Bestimmung des Mk sind die Begriffe Kerygma und Geschichte gleichermaßen wichtig, eine einseitige Zuordnung ist zu vermeiden (vgl *GNILKA*, Mk I, S.22-24).

<226> Vgl *BROX*, Verfasserangaben, S.115.

<227> Vgl *BROX*, Pseudepigraphie, S.331; *HENGEL*, Anonymität, S.284.

<228> Problem, S.144.

<229> Vgl hierzu ausführlich *CAMPENHAUSEN*, Entstehung, S.279ff.

<230> Vgl besonders haer III 1,ff.

<231> Vgl ausführlich *CAMPENHAUSEN*, ebd, S.222f. Die Echtheit erweist sich aus dem kirchlich anerkannten Inhalt.

tritt somit als Kriterium die Anerkennung und Verbreitung einer Schrift in der apostolischen Kirche hinzu, die die Überlieferung tradiert, aber auch garantiert. Diese Kriterien sind auch bei Euseb zu finden <232> und bei Origines <233> tritt die kirchliche Rezeption ganz in den Vordergrund. Das Selbstverständnis der Kirche als Hüterin der ursprünglichen Wahrheit und also als apostolische Kirche ergänzt das Kriterium der Apostolizität einer Schrift.

4) Hinter dieser Betonung des verbürgten Ursprungs liegt ein Wahrheitsverständnis, demzufolge die verläßliche Wahrheit in der Vergangenheit liegt <234>. Damit rückt die Tradition als vermittelnde Größe in den Mittelpunkt. Sie schafft die Kontinuität mit der Wahrheit des Anfangs. Die Gegenwart wird als nachapostolisch <235> verstanden und die Retrospektive wird zu ihrem bestimmenden Kennzeichen (vgl 2Thess 2,5f) <236>. Mit der fortschreitenden Zeit und der Notwendigkeit der Aktualisierung der Tradition tritt neben die Retrospektive aber zugleich die Perspektive, mit der die überlieferten Gedanken nicht einfach repristiniert, sondern in die neue Situation hinein interpretiert werden. Dabei erwächst die Überzeugung der Autoren von der Legitimität pseudonymen Schaffens aus ihrem Verständnis der apostolischen Wahrheit. Das Ziel ist die Wahrung der apostolischen Tradition und ihre gesicherte Aktualisierung.

5) In der Nachfolge de Paulus ist das Kriterium des Apostolischen gebunden an den Apostel. Der Ausgangspunkt ist das Apostelverständnis des Paulus selbst. Die christologische Mitte seines Apostolates hat ihren Grund in der Offenbarung Christi (Gal 1,12). Sein Apostolat hat dabei, ähnlich wie die Tradition, die er aufnimmt, eine dienende Funktion für das Evangelium. Das Evangelium bleibt auch für ihn die Größe, an der er sich messen lassen muß (Gal 1,8). Deshalb ist die mit seiner Existenz verbundene Verkündigung nicht seine persönliche Botschaft, sondern Evangelium Gottes, dessen Einheit er im gleichen Auftrag der Urapostel gewahrt sieht (1Kor 15,11; Gal 2,8). An die Stelle des Apostolischen als Ursprungsgröße und Bezugspunkt der Tradition tritt in der nachpaulinischen Entwicklung der Apostel. Die paulinische Botschaft rückt an das Offenbarungsgeschehen selbst heran. Zugleich wird aus der Tradition die paulinische = apostolische Tradition. In ihr spricht der Apostel selbst zu der gegenwärtigen Gemeinde. Mit diesen Hinweisen sind die Rahmenbedingungen nt.licher Pseudonymität beschrieben. Dies entbindet nicht davon, die Motive und den Ort der einzelnen Schrift innerhalb der apostolischen Tradition zu untersuchen. Bevor dies nun im Blick auf 2Thess

----

<232> Vgl h.e. III 3,2; 38,4; 25,6f; IV 12,2ff.
<233> *CAMPENHAUSEN*, ebd, S.370. Für Origines ist alle Lehre der Kirche wie auch Weisheit, Erkenntnis und Glaube von der Schrift her zu begründen (vgl comm Matth, ser 18). Die ganze Schrift ist beherrscht von Christus als dem Logos Gottes. Von hier aus kommt er zur Lehre von der Inspiration der Schrift, die mit der Auffassung von dem mehrfachen Schriftsinn und damit der allegorischen Methode eng zusammenhängt (vgl ebd, S.356ff).
<234> Vgl *BROX*, Pseudepigraphie, S.330; *HENGEL*, Anonymität, S.284. Dieses Verständnis von Wahrheit ist auch in der griechischen Antike und besonders im Judentum bekannt. Für das Judentum lag "die Norm ... grundsätzlich in der Vergangenheit" (*HENGEL*, ebd, S.233).
<235> Vgl hierzu unten, S.316f.
<236> *CONZELMANN*, Theologie, S.320: "Tradition gibt es von Anfang an. Jetzt aber besinnt man sich auf das Wesen von Tradition, indem man den eigenen Standort in ihr bestimmt". Die apostolischen Väter geben beredtes Zeugnis von dieser Situation (vgl etwa 1Klem, dort besonders 44; 47, 1.6; 63,3). Das Stichwort für diese Entwicklung liefert abschließend Euseb, indem er von den ἀποστολοκοὶ χρόνοι spricht (h.e. III 31,6; 32,7; vgl 1Tim 6,20). Die konkrete Ausgestaltung des Bildes der apostolischen Zeit ist freilich selbst ein Werk der sich als nachapostolisch verstehenden Autoren (vgl *CONZELMANN*, ebd, S.317ff; *BROX*, Verfasserangaben, S.37ff).

und Kol versucht wird, ist noch kurz auf den Zusammenhang der Pseudonymität mit der Gesamtentwicklung der nachapostolischen Zeit einzugehen.

Die Pseudonymität nachpaulinischer Schriften, die Vorstellung des Apostolischen und die Betonung der Tradition gehören zu den Erscheinungen, die man üblicherweise als frühkatholisch bezeichnet <237>. Dieser Begriff ist mit einer kontroverstheologischen Hypothek belastet <238>. Mit seiner Hilfe hat man sowohl alle nachpaulinischen Entwicklungen als Abfall von der paulinischen Rechtfertigungslehre als auch umgekehrt die Bestätigung dafür finden können, daß die gewordene katholische Kirche in ihren einzelnen Erscheinungen bereits vom NT her selbst erkennbar und begründet sei <239>. Dies hat zu Kritik an dem Begriff des Frühkatholizismus geführt bis hin zu dem Vorschlag, ganz darauf zu verzichten <240>. Das mit dem Begriff bezeichnete Sachproblem ist jedenfalls genau zu analysieren. Es handelt sich um die Entwicklung der Kirche in dem Zeitraum, der alle nt.lichen Schriften mit Ausnahme der echten Paulusbriefe bis hin etwa zur Mitte des 2. Jahrhunderts umfaßt. Die zu wählende Terminologie muß sich an dem Sachproblem orientieren.

1) Bei den unter dem Begriff des Frühkatholizismus subsumierten Erscheinungen handelt es sich um Entwicklungen, die sich in verschiedener Intensität und großer Variationsbreite abzeichnen. Diese Dynamik ist angemessen zu berücksichtigen. Es genügt nicht, ein Problem, etwa das der Parusieverzögerung, herauszugreifen und überall dort, wo ein Nachlassen der Naherwartung zu spüren ist, Frühkatholizismus zu konstatieren. Ebenso ist für die in Frage stehende Zeit der Übergangscharakter zu betonen <241>. Er zeigt sich darin, daß sich die Autoren auf die Vergangenheit zurückbeziehen, zugleich aber auf ein späteres Stadium der Kirche vorausweisen. Dieser Charakter ist nicht Mangel an eigenem theologischen Denken, sondern gerade die eigene Leistung der Periode. Insofern handelt es sich um eine Größe sui generis <242>.

2) Der Rückgriff auf, die Bewahrung von und die Aktualisierung der apostolischen Grundlegung kennzeichnet die Periode insgesamt. Es ist zu berücksichtigen, daß die Vorstellung einer apostolischen Zeit selbst bereits ein Produkt der sich als nachapostolisch verstehenden Autoren ist, wie besonders die Deuteropaulinen und das lk Doppelwerk zeigen. Die Wendung von den ἀποστολικοὶ χρόνοι (Euseb, h.e. III 31,6) markiert den Abschluß dieser Entwicklung. Die Entwicklung selbst ist aber von den frühen deuteropaulinischen Schriften (vgl Kol 2,1-5; 1,7f; 4,12f; 2Thess 2,5ff) bis hin zu den apostolischen Vätern mannigfach zu belegen. Die Vielfalt der Entwicklung ist zu betonen und die Vorstellung des Apostolischen im Sinne der reinen Lehre ist kritisch zu befragen. Dennoch ist in der normativen Ausprägung des Apostolischen das grundlegende Merkmal und die eigene Leistung der Periode zu finden. Andere, für die Periode kennzeichnende Entwicklungen treten hinzu, und zwar im Bereich der Ethik, der Rechtfertigung, des Verhältnisses von Geist und Amt <243>, der Eschatologie <244>. In allen Bereichen deuten sich Tendenzen an, die auf spätere kirchliche Lösungen vorausweisen, ohne daß bereits allgemein anerkannte Lösungen in Sicht sind.

3) Der Begriff des Frühkatholizismus kann wohl Einzelerscheinungen beschreiben, die

----

<237> Vgl WEISS, "Frühkatholizismus", S.13ff; LUZ, Erwägungen, S.90ff; HAHN, Problem, S.353ff. Die Auffächerung in 15 Merkmale des Frühkatholizismus bei SCHULZ, Mitte, S.80f, ist nicht nur unnötig zugespitzt, sondern in verschiedenen Bereichen auch sachlich unzutreffend (vgl ROHDE, Diskussion, S.41).

<238> Vgl hierzu den knappen Überblick bei ROHDE, ebd, S.29ff; dort auch weitere Literatur.

<239> Vgl zur ersten Auffassung KÄSEMANN, Paulus, S.240ff und überdeutlich SCHULZ, ebd, passim; zur Gegenposition etwa KÜNG, Frühkatholizismus, S.199.200ff. Zu der Diskussion darüber, ob das "Katholisch-Evangelische" auch das "Evangelisch-Katholische" ist, vgl SCHÜRMANN, Suche, S.71ff.89f. Zur Unterscheidung von werdender und gewordener Kirche ebd, S.73.75, TRILLING, Bemerkungen, S.65.

<240> Vgl ROHDE, ebd, S.44; TRILLING, Bemerkungen, S.68.

<241> Vgl TRILLING, ebd, S.65.

<242> So mit Recht LUZ, Erwägungen, S.92.

<243> Für LUZ, ebd, S.106 ist die Unterordnung des Geistes unter die Tradition das wesentliche Kennzeichen des Frühkatholizismus. In den Schriften dieser Zeit taucht das Problemfeld nun zwar ohne Zweifel auf, es hat aber noch keine dominierende Funktion und es gibt noch keine definitive Lösung (so mit Recht HAHN, Problem, S.355f).

<244> Auch sie ist nicht das allein bestimmende Problem der Epoche (gegen WERNER, Entstehung, passim; KÄSEMANN, Paulus, S.239f). Der Spitzensatz in 1Thess 4,15f und das Schweigen darüber in 2Thess macht aber wie auch die völlig andere eschatologische Konzeption des Kol deutlich, daß die eschatologische Problematik nicht unbedeutend ist.

als Frühform des Katholizismus erkennbar sind, eignet sich aber nicht zur Bezeichnung der gesamten Periode <245>. Neuerdings wird wieder verstärkt der Begriff
der nachapostolischen Zeit in Spiel gebracht <246>. Die berechtigte Kritik an diesem Begriff ist zu beachten <247>: er darf weder ein Idealbild der apostolischen
Zeit implizieren noch einen Abfall von diesem Ideal in der nachapostolischen Zeit; die
Abgrenzung der Periode muß nach rückwärts und vorwärts möglichst genau erfolgen <248>; und es ist schließlich zu bedenken, daß die historischen Kenntnisse über
"die Apostel", zumal als repräsentativer Größe, von Paulus abgesehen, fragmentarisch sind. Trotz dieser kritischen Anfragen erweist sich der Begriff der nachapostolischen Zeit zur Bezeichnung der Periode als sachgemäß: er beschreibt mit der
zeitlichen Kategorie des "nach" die grundlegende Bindung an das Heils- und Verkündigungsgeschehen der Vergangenheit; mit den Kriterium des "Apostolischen" ist die
eigene gedankliche Leistung erfaßt, und in diesem Kriterium sind zugleich Tendenzen
angedeutet, die auf ein späteres Stadium der Kirche hinweisen. Während "frühkatholisch" einseitig von der späteren Entwicklung her zurückdenkt und vor allem die
grundlegende Rückbindung an die Ursprungszeit unberücksichtigt läßt, betont "nachapostolisch" diese grundlegnde Beziehung zur Vergangenheit, ist aber zugleich offen
für Tendenzen, die in die Zukunft weisen und entspricht so dem Übergangscharakter
der Periode <249>.

4) Der Einschnitt, mit dem die nachapostolische Zeit beginnt, liegt in dem Jahrzehnt
von 60-70 n.Chr. <250>. In diese Zeit fallen der Tod des Paulus, des Petrus und
Jakobus, der jüdische Krieg und die Zerstörung Jerusalems und die sich abzeichnen-
de Verfolgung durch den römischen Staat. Für die Zeit vor diesem Einschnitt empfiehlt sich die Bezeichnung Urchristentum <251>. Damit wird der Tatsache Rechnung getragen, daß die Vorstellung der apostolischen Zeit selbst aus der nachapostolischen stammt. Das Urchristentum und die nachapostolische Zeit umschreiben gemeinsam den Zeitraum, in dem die die nt.lichen Schriften entstanden sind und
können deshalb als die Zeit des NT zusammengefaßt werden. Die Abgrenzung der
nachapostolischen Zeit zur folgenden fällt ungefähr mit den zeitlich letzten Schriften
des NT zusammen. Im 1Klem und in den Ignatianen liegen zur gleichen Zeit bereits
deutlichere Hinweise auf die Organisation der Kirche und die Bindung des Geistes an
das Amt vor. Man kann nun von der Zeit der frühen Kirche sprechen. Im Gegensatz
zu den deuteropaulinischen und den übrigen späten Briefen des NT (mit Ausnahme des
anonym überlieferten Hebr) stützen Clemens und Ignatius sich nicht auf die Autorität
eines Großen der apostolischen Zeit, sondern schreiben unter eigenem Namen <252>.

<245> So mit Recht *HAHN*, Problem, S.350. *WEISS*, "Frühkatholizismus", S.10 verwendet den
Begriff im Sinne eines Gefälles, wobei freilich zu beachten ist, daß dieses Gefälle nicht in
jeder Schrift dieser Periode gleichermaßen beobachtet werden kann.
<246> Vgl *HAHN*, ebd, S.348 und bereits *GOPPELT*, Zeit, S.93; ders., Theologie, S.485; *ROHDE*,
ebd, S.44.
<247> Vgl hierzu *KÄSEMANN*, Paulus, S.239; *CONZELMANN*, Grundriß, S.318; *TRILLING*,
Bemerkungen, S.65f.
<248> Vgl *KÄSEMANN*, ebd. Von dieser Kritik her vermeidet *GOPPELT*, Zeit, S.74 den Begriff
und spricht stattdessen von der "ausgehenden apostolischen Zeit". Dies empfiehlt sich
freilich nicht, da damit die apostolische Zeit faktisch bis ins zweite Jahrhundert hinein
ausgedehnt und nicht berücksichtigt wird, daß neu hervortretende Lebensfragen "eigenständig und grundlegend" gelöst werden (so *GOPPELT*, ebd).
<249> Die Bezeichnung nachpaulinisch kann verwendet werden für die Briefe in der Nachfolge
des Paulus. Sie beschreibt wie der Begriff des Nachapostolischen zutreffend die Rückbindung an Paulus. Allerdings ist zum einen zu bdenken, daß faktisch alle Schriften des NT
außer den echten Paulusbriefen nachpaulinisch sind und zum anderen, daß in der ganzen
Diskussion die Tendenz besteht, die gesamte Entwicklung nach Paulus an dessen Recht-
fertigungstheologie und -terminologie zu messen (vgl besonders *SCHULZ*, Mitte, S.130
u.ö.; er beurteilt Paulus und seine Gemeinden als frühprotestantisch und alles Nachfolgende als frühkatholische Domestizierung). Dies verbietet sich freilich, da die Rechtfertigungslehre nicht zum alleinigen Zentrum paulinischen Denkens gemacht werden kann und
da zum anderen das Thema der Rechtfertigung der Sache nach durchaus auch außerhalb
der echten Paulinen begegnet (vgl z.B. Mt 7,16-20 mit den Bemerkungen von *ROHDE*, ebd,
S.41, und weiter Lk 15,3ff.11ff; 19,1ff; Mk 2,15-17 u.ö.).
<250> So *HAHN*, Problem, S.347f; *GOPPELT*, ebd, S.74; vgl *CONZELMANN*, Geschichte, S.7.
<251> *HAHN*, ebd, S.347. Die Zeit des Urchristentums bis etwa zum Jahr 100 gehen zu lassen,
wie *CONZELMANN*, Geschichte, S.8 vorschlägt, ist nicht ratsam. Die zweite und dritte
christliche Generation versteht sich selbst ganz offensichtlich nicht mehr als Vertreter
der christlichen Ursprungszeit.
<252> Man sollte den Einschnitt zwischen nachapostolischer Zeit und früher Kirche bereits hier
sehen und nicht (wie *HAHN*, ebd, S.348) bis zu den Apologeten ausdehnen.

8.4.5) Die Deuteronymität des 2.Thessalonicherbriefes und des Kolosserbriefes

1) Der Begriff der Pseudonymität beschreibt allgemein den Sachverhalt, daß eine Schrift einen anderen als den tatsächlichen Verfasser angibt. Die Tatsache, daß 2Thess und Kol Paulus als Verfasser angeben, ist mit dem Begriff aber noch nicht hinreichend erfaßt. Es zeigt sich, daß dieser Name nicht an die Briefe herangetragen wird, sondern aus der Konzeption der Briefe selbst erwächst. Dieser Sachverhalt steht in Verbindung mit vergleichbaren Erscheinungen in griechischen Philosophenschulen und vor allem in der Prophetentradition ⟨253⟩. Der eigene literarische Standort wird in enger Überlieferungskontinuität zur Ursprungsgröße definiert. Dieser Sachverhalt ist mit dem Begriff der Deuteronymität bezeichnet ⟨254⟩. Dies ist im folgenden aufzuzeigen.

2) Für das Verständnis der Verfasserangabe des 2Thess ist die Situation des Briefes wichtig ⟨255⟩. Paulus schrieb in der Unruhe der Gemeinde wegen der Fragen nach den Verstorbenen und der Parusie einen Brief, in dem er das Ergehen der Christen ganz vom Christusgeschehen her sieht (1Thess 4,13ff). Dabei rechnet sich Paulus denen zu, die die Parusie Christi noch erleben werden (4,17), macht aber zugleich deutlich, daß das eschatologische Sein mit Christus unabhängig ist von der Frage nach dem Zeitpunkt der Parusie. Diese Antwort hat in der nachpaulinischen Situation bei eine Reihe von Gemeindegliedern offenbar eine in der Gemeinde vorhandene apokalyptische Grundströmung in der Hinsicht bestärkt, daß sie nun die Parusie als unmittelbar hereinbrechend erwarten und ihre Alltagspflichten vernachlässigen. Dabei berufen sie sich auf den Apostel als Gewährsmann. Dies führt zu einer Krise innerhalb der Gemeinde. In diese Situation ist die Verfasserangabe des 2Thess einzuordnen. Dabei lassen sich zwei Hauptlinien erkennen. Die erste ist die Abwehr der eschatologischen Schwärmerei. Da sich die Schwärmer gerade auf Paulus berufen, vermeidet der Verfasser jeglichen Bezug auf die eschatologischen Aussagen des 1Thess. Im gleichen Zusammenhang warnt er vor einem Mißverständnis des ganzen Paulus (2,2): weder mit einem prophetischen Wort noch in seiner Verkündigung überhaupt noch in einem Brief hat der Apostel eschatologische Aussagen gemacht, auf die sich die Schwärmer mit ihrer Haltung stützen könnten (2,2). Den Schwärmern die Berufung auf den Apostel als Gewährsmann unmöglich zu machen, ist als Absicht des Verfassers unverkennbar (vgl 3,17). So geht es in 2Thess um das rechte Verständnis des Paulus ⟨256⟩.

Die zweite Hauptlinie ist die Hervorhebung der apostolischen Autorität. Dies zeigt sich daran, daß die eschatologische Belehrung in 2,3ff; 1,5ff auf Paulus selbst zurückgeführt (2,5f), daß wiederholt die paulinische Verkündigung als die wahre Lehre gekennzeichnet (vgl 2,12.15; 4,14), daß sein Lebensbeispiel für das Verhalten der Christen als bestimmend angesehen wird (3,6ff) und schriftliche und mündliche Botschaft des Apostels übereinstimmen (2,5f.15). Die apostolische Autorität geht

---

⟨253⟩ Vgl oben, S.308ff.
⟨254⟩ Den Begriff hat *GNILKA*, Kol, S.23 vorgeschlagen, in Anlehnung an den gebräuchlichen Begriff des Deuteropaulinismus. Aber nicht nur dieser üblichen Verwendung wegen ist der Begriff sachgemäß, sondern mehr noch, weil für 2Thess und Kol der Paulusname gerade kein "Pseudos" ist. Im Brief der Späteren kommt Paulus selbst zu Wort.
⟨255⟩ Vgl hierzu oben, S.281ff.
⟨256⟩ Vgl oben, S.286ff.

auch aus dem literarischen Verfahren hervor, das der Verfasser wählt: er übernimmt nicht nur den brieflichen Rahmen des 1Thess, sondern lehnt sich bis in die Formulierungen hinein an diesen Brief an. Dieser Sachverhalt läßt sich nur so verstehen, daß der Verfasser die apostolische Autorität des 1Thess nicht anzweifelt, sondern gerade stützen will. Sein eigenes Verständnis von Wahrheit und rechtem Glauben gewinnt er von der apostolischen Botschaft her. Zum Problem wird aber, daß sich die Schwärmer mit ihren Parolen auf 1Thess berufen. So fügt nun der Verfasser die beiden Hauptlinien so zusammen, daß er einerseits den Schwärmern die Berufung auf den Paulusbrief unmöglich macht, andererseits aber die Apostolizität des Briefes beibehält. Deshalb übernimmt er das Briefschema des 1Thess und seine Formulierungen; deshalb vermeidet er andererseits jeden Anklang an die Aussagen des 1Thess, auf die sich die Schwärmer berufen könnten <257>. Dieses Vorgehen ist in der Tat als eine "zweite, verbesserte Auflage" zu verstehen. In der krisenhaften Situation der Gemeinde geht es dem Verfasser um das rechte Verständnis des Apostels. Der Name des Paulus als Verfasser ist für den tatsächlichen Verfasser notwendig, weil die wahre, apostolische Botschaft aus sich selbst heraus die Schwärmer widerlegt. In diesem Sinn versteht er sein Schreiben als deuteronymen Brief, in dem der Apostel selbst zu Wort kommt. Die ursprüngliche Verkündigung des Apostels (2,5) erweist in der Gegenwart (2,6) ihre Wahrheit und Bedeutung. Die Deuteronymität des Briefes versteht sich somit von der ursprünglichen apostolischen Wahrheit her, die in der Gegenwart festgehalten und gegen Fehlinterpretation bewahrt werden muß. Denn nur sie hilft dazu, Gegenwart und Zukunft zu bestehen <258>.

3) Auch Kol ist als deuteronymer Brief zu verstehen. Die Verfasserangabe wird dem Schreiben nicht von außen aufgesetzt, sondern erwächst aus der theologischen Konzeption des Briefes selbst. Die Gemeinde steht in einer krisenhaften Auseinandersetzung mit einer Irrlehre, die Christus als Heilsbringer anerkennt, neben ihm aber eine Reihe kosmischer Gewalten und Mächte verehrt, die auf dem Weg zum Heil Bedeutung haben. Demgegenüber steht für den Verfasser des Kol fest, daß im Geschehen von Kreuz und Auferstehung alles für das Heil Notwendige bereits geschehen und die Macht jeglicher anderen Herrschaft abgetan ist. Mit dieser Auffassung nimmt Kol die paulinische Botschaft in einem grundlegenden Sinn auf (vgl auch 1,20; 3,14). Zugleich paßt er das paulinische Denken an die kosmologische Grundlinie der Gemeindetradition an und verändert sie dabei erheblich. Die Beibehaltung der paulinischen Denkstruktur genügt freilich zur Erfassung der Deuteronymität des Briefes noch nicht. Zu ihrem Verständnis wesentlich ist die Weise, in der Kol über den

----

<257> Es handelt sich deshalb nicht im eigentlichen Sinn um eine Ersetzung des 1Thess (gegen *LINDEMANN*, Abfassungszweck, passim). Der Verfasser will die Apostolizität des 1Thess nicht aufgeben, sondern sie bewahren und lehnt sich gerade deshalb eng an ihn an. Es handelt sich aber auch nicht um eine Ergänzung und weiterführende Unterweisung der eschatologischen Botschaft des 1Thess (gegen *TRILLING*, 2Thess, S.25). Denn tatsächlich will der Verfasser die Aussagen aus 1Thess so ändern, daß die Schwärmer sich nicht mehr darauf berufen können, sie aber dennoch die paulinische Aussageabsicht behalten.

<258> Die sachkritische Frage, ob 2Thess dabei Paulus tatsächlich gerecht wird, ist auf dem Hintergrund der theologischen Differenzen insgesamt mit negativer Tendenz zu beantworten. Dies hebt freilich die Überzeugung legitimer Paulusinterpretation bei dem Verfasser nicht auf. Zur sachkritischen Anfrage vgl *MARXSEN*, 2Thess, S.112ff; *TRILLING*, 2Thess, S.161ff.

Apostolat des Paulus spricht. Nach 2,1 kennt der Apostel die Gemeinde selbst nicht und aus 1,7 geht hervor, daß Epaphras die Gemeinde gegründet hat. 2,1f macht zugleich deutlich, daß der Apostel sich auch für diese Gemeinde einschließlich des Umlandes verantwortlich weiß und sich um sie kümmert. In der Krise ist sie nicht allein, sondern die paulinische Botschaft erweist sich in ihr als lebendig und wirksam. Die betonte Übereinstimmung in der Beschreibung der Mitarbeiter und des Apostels zeigt, daß in der Verkündigung der Mitarbeiter die apostolische Botschaft laut wird. Diese Linie von Paulus zu seinen Mitarbeitern trifft sich mit der Beschreibung des apostolischen Dienstes an dem Punkt, daß die Verkündigung des Apostels auf alle Menschen zielt (1,28). Gemäß dem Heilsratschluß Gottes kommt dem Apostel die Aufgabe zu, das Wort Gottes zu erfüllen (1,25). Das Geheimnis Gottes ist der verkündigte Christus (Χριστὸς ἐν ὑμῖν) und die Verkündigung dieses Geheimnisses zielt auf die Völker (Vgl 1,23). Dieser Verkündigung entspricht die ekkelsiologische Ausweitung auf die weltweite Kirche, die der Brief vornimmt (vgl schon 1,18). Die Beschreibung des Apostels als Diener der Kirche (1,24f) überschreitet damit die Grenzen seiner persönlichen Wirksamkeit. Dies zeigt sich im allgemeinen Sinn an der umfassenden Beschreibung seiner Wirksamkeit (1,27f). Konkret zeigt sich dies an der Gemeinde in Kolossae. 2,1ff schließt somit konsequent an 1,24ff an. Es ist die paulinische Verkündigung selbst, die durch die Mitarbeiter in Kolossae laut wird und die zu dem Χριστὸς ἐν ὑμῖν führt. Der paulinische Dienst an der Kirche kommt in dem Brief an die Gemeinde in Kolossae an ein Ziel. So ergibt sich die Deuteronymität des Briefes aus dem Apostel- und dem Mitarbeiterverständnis und steht in Verbindung mit dem kosmischen Gesamtrahmen des Briefes. Die Verfasserangabe gehört konsequent in das Gesamtkonzept mit hinein.

4) 2Thess und Kol sehen sich gemeinsam in der Nachfolge des Paulus, weisen aber grundlegend verschiedene theologische Konzeptionen auf. Dies wirkt sich aus auf den Sachverhalt der Deuteronymität. Das deuteronyme Selbstverständnis des 2Thess ist, wie der Brief insgesamt, orientiert an der Retrospektive. Das Beharren bei Lehre und Vorbild des Apostels ist für den Verfasser zentral. Dem entspricht der Sachverhalt der literarischen Abhängigkeit von 1Thess. Die deuteronyme Ausführung des Kol ist dagegen perspektivisch. Er hat die weitergehende Mission im Blick, die in der Verkündigung der Mitarbeiter dennoch die paulinische Botschaft des offenbarten Geheimnisses Gottes bleibt.

9) Der Ertrag der Arbeit

1) Bei der Paulusschule handelt es sich um ein komplexes Phänomen, das sich einer einlinigen theologischen oder literarischen Erklärung widersetzt. Die Paulusschule überliefert und aktualisiert das Erbe des Paulus. Ihre Wurzeln reichen in die Wirksamkeit des Apostels selbst zurück. Gleichwohl ist die Paulusschule ein Phänomen der nachpaulinischen Zeit.

2) Die Allgemeinheit der Definition liegt in der Komplexität des Phänomens begründet. An 2Thess und Kol wird beispielhaft die Divergenz der Entwicklung und die Variabilität der Schule deutlich. Beide Briefe unterscheiden sich in ihrer Theologie und ihrem literarischen Selbstverständnis grundlegend. Beide verstehen sich jedoch gleichermaßen als Werke in der Nachfolge des Paulus. Diese Übereinstimmung rechtfertigt den Begriff der Schule; er muß jedoch zugleich der Verschiedenheit beider Entwürfe Rechnung tragen. Die negative Konseqenz hieraus ist, daß Paulusschule nicht im Sinne *eines*, einheitlich organisierten Schul-*betriebes* definiert werden kann, in dem mit bestimmten Methoden Theologie getrieben wird. Die Unterschiede im Traditionsverständnis und im Traditionsmaterial beider Briefe machen dies unmöglich. Die Ausweitung des Schulbegriffs, die sich in der Literatur bereits von verschiedenen Seiten aus ergeben hat, ist konsequent durchzuführen. Als positive Konsequenz ist der Begriff in der Lage, einen Entwicklungsstrang nachapostolischer Theologiegeschichte insgesamt zu umfassen, anstatt sie in verschiedene, divergierende Einzelentwicklungen aufzuspalten.

3) Die theologischen Entwürfe beider Briefe weisen nicht nur gelegentliche Abweichungen, sondern grundlegende Differenzen auf. Dies fällt um so mehr auf, als für beide ein Zusammenhang zwischen Soteriologie und Eschatologie besteht und beide die Ethik hervorheben und in diesen Zusammenhang mit einordnen. Die grundlegenden Orientierungslinien der Briefe zeigen jedoch ganz unterschiedliche Denkstrukturen an. 2Thess beschreibt den Glauben und die christliche Existenz im Rahmen apokalyptischer Erwartung. Im Verbund mit der Betonung des Apostolischen wird sie zur tragenden Schicht des Briefes. Die soteriologische Frage und die Ethik werden eng in den apokalyptischen Rahmen eingebunden. Die Christologie bekommt ihren Platz innerhalb der Eschatologie und tritt in ihrer Bedeutung für die Gegenwart der Christen zurück. Demgegenüber wird die Bedeutung des Apostels als Ursprungsinstanz des Glaubens und des christlichen Lebens hervorgehoben. Diese einzelnen Elemente ergeben eine in sich einheitliche Konzeption. Dem steht Kol gegenüber. Er beschreibt den Glauben und die christliche Existenz im Rahmen kosmischer Versöhnung. Christologie und Soteriologie werden eng an die kosmologische Grundorientierung des Briefes gekoppelt. Die Zukunftshoffnung geht nicht verloren, tritt aber dem Grundgedanken entsprechend stärker in den Hintergrund. Dagegen bekommt die Taufe als Mit-Auferstanden-Sein mit Christus und Eingliederung in seinen Leib herausragendes Gewicht und der Glaube wird als Festhalten der Taufgnade interpretiert. Alles zur Versöhnung Nötige ist bereits geschaffen und liegt im Jenseits bereit. Wer durch die Taufe in den Christusleib integriert ist, lebt bereits eine von der Transzendenz bestimmte Existenz. Indem das Apostelverständnis im Blick auf alle Menschen ausgeweitet und die Ethik mit Hilfe der Haustafel in einen kosmologischen Rahmen ein-

geordnet wird, entsprechen sie der Grundorientierung des Briefes.

4) Die Gründe für die Verschiedenheit der Briefe liegen auf drei Ebenen:

- Zunächst ist die Art der Beziehung zu Paulus und die materiale Kenntnis von ihm verschieden. Für 2Thess ist eine über 1Thess hinausgehende Kenntnis paulinischer Briefe, Theologie und Mission zwar nicht auszuschließen, aber auch nicht wirklich erkennbar [1]. Die starke literarische Anlehnung an 1Thess macht eine stärker literarisch vermittelte Kenntnis des Paulus wahrscheinlich. Die wiederholt festgestellte Armut an Gedanken in 2Thess hat (von der inhaltlichen Abblendung der Christologie einmal abgesehen) auch darin mit einen Grund, daß der Verfasser nur über eine begrenzte Kenntnis des paulinischen Denkens verfügt. Demgegenüber schöpft Kol aus einer offenbar größeren Bekanntheit mit Paulus, und zwar sowohl seiner Briefe und seiner Theologie als auch seines Wirkens. Dies belegen neben 1,20; 2,12f.14 der Zusammenhang von Indikativ und Imperativ, die inhaltliche Füllung der paränetischen Ausführungen und die Hinweise auf die Gefangenschaft des Paulus.

- Die Verschiedenheit der theologischen Entwürfe ist darüber hinaus eine Konsequenz der Aktualisierung der paulinischen Botschaft. Beide Briefe sprechen in verschiedene Situationen hinein und stehen in Auseinandersetzungen mit Gegnern. Bereits in den Paulusbriefen selbst zeigt sich, daß Paulus im Blick auf seine Adressaten unterschiedliche theologische Akzente setzt und auf unterschiedliches Traditionsmaterial zurückgreift [2]. Es hat sich gezeigt, daß für Paulus selbst die Tradition eine Basis der Kommunikation mit den Adressaten herstellt und daß sie sich deshalb mit unterschiedlichen Adressaten auch wandeln kann. Die Aktualisierung der Botschaft macht schon bei Paulus ihre Variabilität notwendig. Dementsprechend verlangt die Auseinandersetzung mit apokalyptischen Schwärmern in Thessalonich andere Argumente und Schwerpunkte als die mit den Philosophen in Kolossae.

- Hieraus ergibt sich - nun aber im Unterschied zu Paulus - die dritte und wichtigste Ebene der Verschiedenheit beider Briefe. Während Paulus sich in der Ansprache verschiedener Adressaten und der Verwendung unterschiedlicher Tradition stets an der christologischen Leitlinie von Tod und Auferstehung Christi und seiner Wiederkunft orientiert, wird in 2Thess und Kol die jeweils in der Gemeinde vorherrschende Theologie für die christolo- gische Aussage selbst bestimmend. Von der Gemeindetheologie her versteht der Verfasser des 2Thess das Heil ausschließlich unter dem Aspekt apokalyptischer Erwartung. Umgekehrt ordnet Kol ebenso wie die von ihm bekämpfte Häresie die Christologie und Soteriologie ein in ein grundlegend prägendes kosmologisches Denken. Die jeweilige Gemeindetheologie erweist sich so als ein bestimmender Faktor für die Theologie der Briefe. Dieser Sachverhalt verweist zum einen auf die Notwendigkeit, die Gemeinden als aktive, selbst Theologie und Mission betreibende Größen und nicht nur als Objekte der Mission zu sehen. Es besteht dabei eine Querverbindung zur Delegation von Gemeindegliedern für die Mission, wie sie im Apostelverständnis des Paulus noch erkennbar ist. Zum anderen ordnet

----

[1] Ein Hinweis auf eine Kenntnis weiterer Briefe ist allenfalls der Hinweis auf die Praxis, sich nicht von der Gemeinde versorgen zu lassen. Hier liegt aber viel eher eine Erinnerung an die Missionspraxis des Paulus vor, die dem nachapostolischen Paulusbild des unermüdlichen Verkündigers entspricht, als die Kenntnis von 1Kor 9.

[2] Vgl das Traditionsmaterial des Röm und Gal mit dem des Phil oder das Fehlen der Rechtfertigungsterminologie in einigen Briefen.

dieser Sachverhalt das Phänomen der Paulusschule ein in den größeren Zusammenhang der theologischen Einflußnahme und Entwicklung in der nachapostolischen Zeit,
in der die beiden heidenchristlichen Gemeinden in Thessalonich und Kolossae offenbar
auch verstärkten judenchristlichen Einflüssen ausgesetzt sind.

5) Steht damit die Variationsbreite der literarischen Produkte der Paulusschule fest,
so ist nun - um überhaupt von einer Paulusschule reden zu können - umgekehrt
notwendig, nach ihrem Einheitspunkt zu fragen. Er liegt in der paulinischen Theologie
und in der Größe des Apostels Paulus selbst.

- Die paulinische Theologie ist als Einheitspunkt nicht so zu verstehen, daß bestimmte paulinische Theologumena sich in den nachpaulinischen Briefen unverändert
durchhalten. Einend ist vielmehr die Tatsache der Besonderheit und Eigenständigkeit
der paulinischen Botschaft und ihr Verständnis als Evangelium. Die nachpaulinischen
Autoren stimmen darin grundlegend überein, daß die paulinische Theologie, so wie sie
sie kennen und verstehen, das Evangelium ist. So wird in 2Thess der "Erwerb der
Herrlichkeit" (2,14), in Kol die Offenbarung des Geheimnisses Gottes (1,25ff) mit
dem paulinischen Evangelium verbunden. Die paulinische Verkündigung rückt in beiden
Briefen an die Offenbarung heran und bekommt selbst Offenbarungscharakter. In
diesem umfassenden Sinn ist die paulinische Theologie für die Paulusschule bestimmend.

- Dies hängt eng zusammen mit der Vorstellung von Paulus als *dem* Apostel. Er ist
die Ursprungsgröße des Evangeliums. Er verkündigt nicht nur die Botschaft, sondern steht mit seiner Existenz dafür ein. Gerade im Paulusbild stimmen 2Thess und
Kol weitgehend überein und zeigen gemeinsam die nachpaulinische Situation an.
Enstprechend wird in 2Thess die Autorität des Apostels nicht eigentlich begründet,
sondern mit der Berufung durch Gott verbunden. Und in Kol wird die Verkündigung
des Apostels in das Offenbarungsgeschehen mit hineingenommen und mit den Begriffen "Diener des Evangeliums/der Kirche" auf die Kirche insgesamt ausgeweitet.
Die Vorstellung von Paulus als dem Apostel ist für beide Briefe konstitutiv.

6) Dem entspricht, daß in beiden Briefen nun das Problem der Tradition als solches
thematisiert wird. Es steht in engem Zusammenhang mit dem jeweiligen Apostelverständnis. Das paulinische Evangelium wird zur apostolischen Tradition. Das Traditionsproblem ist in 2Thess die ausdrückliche Berufung der Schwärmer auf die Verkündigung und den Brief des Apostels. Deshalb werden hier die Mittel der Traditionsübermittlung ausdrücklich hervorgehoben (2, 2.15). Wort und Brief des Apostels
rahmen den paränetischen Briefteil ein. Die ursprüngliche Verkündigung (2,5) des
Apostels liegt nun im Brief vor. Die Sicherung der Tradition wird in 2,2 und 3,17
angesprochen. In Kol besteht das Traditionsproblem in der persönlichen Unbekanntheit des Apostels mit der Gemeinde. Es ist eigens thematisiert in den beiden Abschnitten 1,24ff; 2,1ff. Diese Abschnitte bilden die Klammer zwischen dem grundlegenden Text des Hymnus und seiner Interpretation und der Auseinandersetzung mit
der aktuellen Situation (2,6ff). So wird in beiden Briefen die Bewahrung der apostolischen Tradition zu einem zentralen Anliegen.

7) Die Wahrung der Kontinuität wird mit verschiedenen Mitteln erreicht.

- Es gibt eine individualgeschichtliche Kontinuität der Paulusmitarbeiter. Sie greift
zurück auf die wichtige Funktion, die die Mitarbeiter des Paulus zu seinen Lebzeiten

ausüben. Bei Paulus selbst ist aber trotz seiner vorrangigen Bedeutung als Apostel die Gleichrangigkeit der Mitarbeiter als "Mitarbeiter Gottes" am gleichen Werk gewahrt, solange das Evangelium die gemeinsame Basis bleibt. Der gedankliche Übergang zum Paulus-Nachfolger oder Paulusschüler vollzieht sich in Kol. Er ist eng gekoppelt an den Gedanken des Apostels als Bezugsgröße des Evangeliums und der Tradition. Deshalb ist das Phänomen des Paulusschülers und der Paulusschule ein Phänomen der *nach*-paulinischen Zeit. Die individualgeschichtliche Kontinuität ist in Kol in der Bedeutung der Mitarbeiter, besonders des Epaphras und des Tychikos, deutlich zu erkennen. In 2Thess tritt dagegen diese Form der Kontinuität nicht nur zurück, sondern wird anscheinend bewußt vermieden. Demgegenüber bekommt hier der Brief die entscheidende Rolle der Traditionsvermittlung (vgl besonders 3,14).

– Nicht nur in 2Thess, auch in Kol wahrt der Brief die Kontinuität zu dem Apostel. Der Brief ist das literarische Medium der Paulusschule überhaupt. So wie der Apostel selbst seine Schreiben an die Gemeinden als Mittel der Gemeindeleitung angesehen hat, so greifen die Briefe der Paulusschule in Gemeindesituationen ein. Die apostolische Botschaft wird im apostolischen Brief laut. Die Übernahme des paulinischen Briefschemas und die Deuteronymität der Briefe ist von hier aus zu erklären. Sie hat in beiden Briefen eigene Bedingungen und Akzente, die mit der jeweiligen Gesamtkonzeption in enger Verbindung stehen. Ihre gemeinsame Grundvoraussetzung ist aber die Tatsache der Brieflichkeit der Paulusüberlieferung. Das Medium des Briefes als literarisches Mittel ist ein wesentliches Kennzeichen der Paulusschule. Es liegt darin zugleich eine Grenzbestimmung vor gegenüber einer Kenntnis und Bedeutung des Paulus in anderen Schriften der nachpaulinischen Zeit (vgl besonders Apg). Mit der Brieflichkeit der Paulustradition ist zugleich mehr oder weniger die Kenntnis paulinischer Theologie verbunden, und sie weist ebenso auf die Redaktion und die Sammlung der Paulusüberlieferung voraus.

– Es gibt auch eine Kontinuität der paulustreuen Gemeinden selbst. Daß im Lykostal trotz persönlicher Unbekanntheit des Apostels Gemeinden sich als paulinisch verstehen, ist nur von hier aus verständlich. In der Gemeinde steht durch die Vermittlung des Epaphras der Apostel als Ursprungsgröße des Evangeliums fest. Die Bedeutung der Gemeinde als Mit-Träger der Mission spielt erneut eine Rolle. Die paulustreue Gemeinde wirkt über den eigenen Rahmen hinaus in die Region (Laodizea). Auch in Thessalonich ist Paulus als Bezugsgröße des Evangeliums eindeutig, wie gerade die Berufung der Schwärmer auf ihn belegt. Inwieweit sich die Gemeinden dabei von der Theologie des Paulus tatsächlich entfernen, ist im Blick auf die einzelnen Themenbereiche zu überprüfen und sachkritisch zu befragen. Das eigene Selbstverständnis als paulinische Gemeinde dient jedoch als Mittel der Kontinuitätswahrung.

8) Das Verständnis der Tradition als apostolische Tradition fördert ihren lehrhaften Charakter. Die Begriffe des Bleibens und Festhaltens treten ebenso in den Vordergrund wie die des Lernens und der Traditionsübermittlung. 2Thess spricht von den Paradoseis, die die Gemeinde gelernt hat (2,15). Der Verfasser schiebt in die eschatologischen Aussagen in 2,5f und 1,10b Hinweise auf das Erinnern und Wiederholen der paulinischen Botschaft ein. Der Glaube bekommt – vor allem in der Verbindung mit der Wahrheit (2,12f) – die Bedeutung der Treue und des Festhaltens.

Die Lebensführung des Apostels weist in 3,6ff einen ausgesprochen pädagogischen Zug auf. Im Vergleich mit der Redaktionsgeschichte verschiedener Paulusbriefe wird deutlich, daß neben der Bewahrung und Sammlung der paulinischen Botschaft auch der Aspekt der Ordnung und Systematisierung zu berücksichtigen ist. Dies entspricht in 2Thess der eklektischen Methode, mit der er das Material aus 1Thess auswählt und zusammenstellt. Auch hier ist das Verständnis der paulinischen Verkündigung als Lehre leitend. Auch für Kol ist die apostolische Verkündigung die Ursprungsinstanz des Evangeliums. Indem die Gemeinde das Evangelium von Epaphras "gelernt" hat (1,7), hat sie Teil an der Verkündigung des Apostels. Dementsprechend treten die Verben des Hörens, Lernens und Gefestigt-Seins in den Vordergrund (1,5ff; 2,6f). Die Wahrheit des Evangeliums mißt sich am Bleiben bei seiner Anfangsinstanz. Die Sammlung und Systematisierung der paulinischen Botschaft erwächst aus diesem Verständnis der Paulusbotschaft. Die Lehre dient dem Ziel des Bleibens bei dem paulinischen Evangelium in einer veränderten Situation.

9) Ein Ort der Paulusschule im Sinne der Ephesus- oder Korinth-Hypothese läßt sich nicht angeben. Die Schule ist ja gerade kein organisierter, lokalisierbarer Schulbetrieb, sondern ein Überlieferungs- und Aktualisierungsphänomen in der Nachfolge des Paulus. In unterschiedlichen Regionen und Situationen erfährt sie verschiedene Ausprägungen. Ihre dezentrale Entwicklung ist von Anfang an zu erkennen. Die Schule hat in ihren verschiedenen Ausprägungen ihren Ort vielmehr in den paulustreuen Gemeinden, die sich in ihrer Existenz und ihrem theologischen Denken von Paulus her verstehen. Der Anstoß zur Produktion deuteropaulinischer Schriften geht dabei - zumindest in 2Thess und Kol - offenbar von der gemeindlichen Situation aus, die die Einprägung des apostolischen Wortes notwendig macht.

10) Diese Ergebnisse sind gewonnen aus der Beschäftigung mit 2Thess und Kol und den vergleichbaren paulinischen Aussagen. Sie beschreiben den Übergang von Paulus zu den frühesten deuteropaulinischen Schriften und damit die Anfänge der Paulusschule. Als Perspektive über diesen Rahmen hinaus ergibt sich einerseits, Eph und die Past als spätere literarische Produkte der Paulusschule zu untersuchen und damit die weitere Entwicklung dieses Überlieferungsstranges nachapostolischer Theologiegeschichte in den Blick zu nehmen. Auf der anderen Seite kann ein Vergleich mit den übrigen Schulphänomenen im NT die hier gewonnenen Ergebnisse in den größeren Rahmen nachapostolischer Theologie überhaupt stellen.

10) Abkürzungen und Literatur

Die Abkürzungen für die biblischen Bücher richten sich nach den Loccumer Richtlinien. Antike Literatur, Hilfsmittel etc. sind nach ThWNT X, S.53-85 wiedergegeben. Zeitschriften, Reihen etc. werden nach *SCHWERTNER*, Internationales Abkürzungsverzeichnis für Theologie und Grenzgebiete (TRE), 1976 angegeben. Kommentare werden im Text mit Verfasserangabe und der Abkürzung des jeweiligen biblischen Buches zitiert. Die übrige Literatur wird mit dem Verfassernamen und dem ersten Substantiv des Titels angegeben. Nur in Ausnahmefällen, die mißverständlich sind, wird ein anderes Substantiv gewählt. Artikel aus Lexika oder Wörterbüchern werden mit der Bezeichnung "Artikel" zuerst angeführt. Die Auflage eines Werkes wird nach dem Erscheinungsjahr in Klammern angegeben. Wo bei einem Werk zwei verschiedene Auflagen oder insbesondere bei Aufsätzen verschiedene Erscheinungsorte angegeben sind, wird in der vorliegenden Arbeit nach der ersten Angabe zitiert.

10.1) Texte und Hilfsmittel

ALAND, K.: Vollständige Konkordanz zum griechischen Neuen Testament unter Zugrundelegung aller modernen kritischen Textausgaben und des Textus receptus, Band 1, Teil 1.2 (in Verbindung mit H. RIESENFELD; H. U. ROSENBAUM; CHR. HANNIK; B. BONSACK), Berlin/New York 1983; Band 3 (in Verbindung mit H. BACHMANN; W. A. SLABY), Berlin/ New York 1978

APULEIUS: Metamorphosen oder der goldene Esel, hrsg. v. R. HELM, Darmstadt 1978 (7)

ARISTOTELES: Politica, recognovit brevique adnotatione critica instruxit W. D. ROSS (Scriptorum Classicorum Bibliotheca Oxoniensis), Oxonii MCMLVII

BAUER, Walter: Griechisch-Deutsches Wörterbuch zu den Schriften des Neuen Testaments und der übrigen urchristlichen Literatur, Berlin 1963 (Nachdruck der 5.Auflage 1958)

Biblia Hebraica Stuttgartensia, editio funditus renovata, cooperantibus H. P. RUGER et J. ZIEGLER ediderunt K. ELLIGER et W. RUDOLPH , Stuttgart 1976/77

BLASS, Friedrich / DEBRUNNER, Albert: Grammatik des neutestamentlichen Griechisch, bearbeitet von FRIEDRICH REHKOPF, Göttingen (14., völlig neu bearbeitete und erweiterte Auflage) (= BL-DEBR)

CICERO, MARCUS TULLIUS: Gespräche in Tusculum (lateinisch-deutsch), hrsg.v. OLOF GIGON, München 1976 (3)

- : Brutus (lateinisch-deutsch), hrsg. v., BERNHARD KYTZLER, München 1977

Corpus Hermeticum, ed. A. D. NOCK et A. J. FESTUGIERE, Band I.II Paris 1945, Band III.IV Paris 1954

DIELS, Hermann: Die Fragmente der Vorsokratiker, griechisch und deutsch, hrsg. v. W. KRANZ, Band 1 Zürich/Hildesheim 1974 (17); Band 2 1972 (16); Band 3 1984 (6. Nachdruck der 6.Auflage 1952)

DIOGENES LAERTIUS: Leben und Meinungen berühmter Philosophen, Buch 1-10, aus dem Griechischen übersetzt v. O. APELT (Philosophische Bibliothek Meiner 53/54), Hamburg 1967 (8)

EPICTETUS: The Discourses as reported by Arrian, the Manual and Fragments, with an English translation by W. A. OLDFATHER (The Loeb Classical Library, ed. by T. E. PAGE a.o.), London Band 1 1956, Band 2 1928

EUSEBIUS: Kirchengeschichte. Kleine Ausgabe, hrsg. v. E. SCHWARTZ, 1922 (3)

Evangelium Veritatis, hrsg. v. M. MALININE, H. C. PUECH, G. QUISPEL (Studien aus dem C.G.Jung - Institut VI), Zürich 1956

FISCHER, Joseph A.: Die apostolischen Väter (Schriften des Urchristentums, 1.Teil), Darmstadt 1970 (6)

FUNK, F. X./ BIHLMEYER, K.: Die Apostolischen Väter (Sammlung ausgewählter kirchen- und dogmengeschichtlicher Quellenschriften, 2.Reihe, 1.Heft, 1.Teil), Tübingen 1956 (2)

HENNECKE, Edgar: Neutestamentliche Apokryphen in deutscher Übersetzung, Band I: Evangelien, hrsg. v. W. SCHNEEMELCHER, Tübingen 1968 (4); II.Band: Apostolisches. Apokalypsen und Verwandtes, hrsg. v. W. SCHNEEMELCHER, Tübingen 1971 (4) (= HENNECKE-SCHNEEMELCHER)

HERODOT: Historien, 1.2 Band , hrsg. v. J. FEIX, München 1977 (2)

HIPPOLYTE: Commentaire sur Daniel, Introduction de GUSTAVE BARDY, Texte etabli et traduit par M. LEVEVRE (SC), Paris 1947

IRENAEUS episcopus Lugdunensis libros quinque adversus haereses, Tom. 1.2, ed. W. HARVEY , Cantabrigensis 1857

JAMBLICHUS: De vita Pythagorica, ed. WESTERMANN, Band I, Paris 1877

JUSTIN: Justini Philosophi et Martyris opera, quae feruntur omnia, ed. C. T. OTTO (Corpus Apologetorum Christianorum saeculi secundi, Vol I), Jena MDCCCLXXVI

JOSEPHUS: Flavii Josephi Opera, ed. et apparatu critico instruxit B. NIESE, Vol.I-VII, Berolini MCMLV (2)

KAUTZSCH, E.: Die Apokryphen und Pseudepigraphen des Alten Testaments, Band I und II, Darmstadt 1975 (unveränderter Nachdruck der Ausgabe Tübingen 1900)

LOHSE, E.: Die Texte aus Qumran. Hebräisch und deutsch, Darmstadt 1964

LUKIAN von Samosata: Die Hauptwerke. Griechisch und deutsch, herausgegeben und übersetzt v. KARL MRAS, München 1980 (2)

- : Sämtliche Werke, aus dem Griechischen übersetzt v. M. WEBER, Band I, Leipzig 1910; Band 2, Leipzig 1913

LUKIAN: De dea syria, hrsg. v. H. W. ATTRIDGE und R. A. ODEN (Texts and Translations 9, Graeco-Roman Series 1), Missoula 1976

MARC AUREL: Kaiser Marc Aurel. Wege zu sich selbst, ed. W. THEILER, Zürich 1974 (2)

MORGENTHALER, R.: Statistik des neutestamentlichen Wortschatzes, Zürich/Frankfurt 1958

MOULTON, W. F. / GEDEN, A. S.: A Concordance to the Greek Testament, according to the Texts of Westcott and Hort, Tischendorf and the English Revisers, Edinburgh 1963 (4)

Novum Testamentum Graece, post EBERHARD NESTLE et ERWIN NESTLE ed. K. ALAND, M. BLACK, C. M. MARTINI, B. M. METZGER, A. WIKGREN, Stuttgart 1985 (26)

ORIGINES: Origenis in Evangelium Matthaei Commentarium, Pars I.II, ed. C. H. E. LOMMATZSCH (Origenis opera omnia, Tomus III.IV), Berlin 1834

PHILO: Philonis Alexandrini opera quae supersunt, Vol. I-VII,2, ed. L. COHN et P. WENDLAND, Berlin 1962/63 (Nachdruck der Ausgabe Beroloni MDCCCLXXXVI-MCMXXX)

PLATON: Werke in acht Bänden. Griechisch und deutsch, hrsg. v. G. EIGLER, Darmstadt 1977

PLUTARCH: Plutarch's Moralia, in fifteen Volumes, with an English translation by F. C. BABBIT et al, (The Loeb Classical Library), London/Cambridge (Mass), 1960-1969

- : Plutarch's Lives, in eleven volumes, with an English Translation by B. PERRIN (The Loeb Classical Library), London/Cambridge (Mass) 1967

PORPHYRIUS: Porphyrii philosophi Platonici opuscula selecta, ed A. Nauck (Bibliotheca Scriptorum Graecorum et Romanorum Teubneriana), Hildesheim 1963 (Nachdruck der Ausgabe Leipzig MDCCCLXXXVI)

RIESSLER, Paul: Altjüdisches Schrifttum außerhalb der Bibel, Heidelberg 1966 (2)

SENECA : Seneca ad Lucilium epistulae morales, in ten volumes with an English translation by R. M. GRUMMERE, London/Cambridge (Mass) 1971

- : Moral Essays, with an English Translation by J. W. BASORE, in three volumes (The Loeb Classical Library), London/Cambridge (Mass) 1963-1964

Septuaginta. Id est Vetus Testamentum graece iuxta LXX interpretes ed. A. RAHLFS, Stuttgart 1971 (9)

STRACK,H./BILLERBECK,P.: Kommentar zum Neuen Testament aus Talmud und Midrasch, Band I-IV,2, München 1969 (5), Band 5 und 6 (Rabbinischer Index, Verzeichnis der Schriftgelehrten, Geographisches Register) hrsg. v. J. JEREMIAS und K. ADOLPH, München 1969 (=STR-BILL)

TACITUS: Cornelii Taciti annalium ab excessu divi Augusti libri, ed. C. D. FISHER (Scriptorum Classicorum Bibliotheca Oxoniensis), Oxonii 1956

- : Cornelii Taciti Historiarum libri, ed. C. D. FISHER (Scriptorum Classicorum Bibliotheca Oxoniensis), Oxonii 1959

Der babylonische Talmud mit Einschluß der vollständigen Mischnah, ed. L. GOLDSCHMIDT, Band I-IX, Haag 1933

TERTULLIAN: Adversus Marcionem, Edited and translated by E. EVANS, Band 1.2 (OECT 6), 1972

- : Tertulliani Opera, curante E. F. LEOPOLD, Band I (Bibliotheca Patrum Ecclesiasticorum Latinorum selecta, Vol IV, Pars I), Leipzig 1839

YOUNG, Douglas (Hrsg): Anthologia Lyrica Graeca, Leipzig 1961 (2)

10.2) Übrige Literatur

ALAND, Kurt: Die Entstehung des Corpus Paulinum, in: Neutestamentliche Entwürfe (ThB 63), München 1979, S.302-350

- : Das Problem der Anonymität und Pseudonymität in der christlichen Literatur der ersten beiden Jahrhunderte, in: Studien zur Überlieferung des Neuen Testaments und seines Textes (Arbeiten zur neutestamentlichen Textforschung II), Berlin 1967, S. 24-34

AUS, Roger D.: The liturgical background of the necessity and propriety of giving thanks according to 2Thess 1:3, in: JBL 92/1973, S.432-438
- : God's Plan and God's Power: Isaiah 66 and the Restraining Factors of 2Thess 2: 6-7, in: JBL 96/1977, S.537- 553

BACHER, Wilhelm: Die exegetische Terminologie der jüdischen Traditionsliteratur, Hildesheim 1965 (unveränderter Nachdruck der Ausgabe von Leipzig 1899)
BAHNSEN, Wilhelm: Zum Verständnis von 2Thess 2,3-12. Ein Beitrag zur Kritik des 2ten Thessalonicherbriefes, in: Jahrbücher für protestantische Theologie 6, Leipzig 1880, S. 681-705
BAIRD, W.: What is the Kerygma? A Study of 1Cor 15,3-8 and Gal 1,11-17, in: JBL 76/1957, S.181-191
BALTENSWEILER, Heinrich: Die Ehe im Neuen Testament. Exegetische Untersuchungen über Ehe, Ehelosigkeit und Ehescheidung (AThANT 52), Zürich/Stuttgart 1967
- : "Erwägungen zu 1.Thess 4,3-8", in: TZ 19/1963, S.1-13
BALZ, Horst R.: Anonymität und Pseudepigraphie im Urchristentum. Überlegungen zum literarischen und theologischen Problem der urchristlichen und gemeinantiken Pseudepigraphie, in: ZThK 66/1969, S.403-436
- : Heilsvertrauen und Welterfahrung (BevTh 59), München 1971
- : Methodische Probleme der neutestamentlichen Christologie (WMANT 25), Neukirchen 1967
BAMMEL, Ernst: Herkunft und Funktion der Traditionselemente in 1Kor 15,1-11, in: ThZ 11/1955, S.401-419
- : Versuch zu Col 1,15-20, in: ZNW 52/1961, S.88-95
BARRETT, Charles K.: Pauline Controversies in the Post-Pauline Period, in: NTS 20/ 1974, S.229-245
BARTH, Hermann / STECK, Odil Hannes: Exegese des Alten Testaments. Leitfaden der Methodik, Neukirchen 1972 (2)
BARTH, Karl: Die kirchliche Lehre von der Taufe (ThSt 14), Zürich 1953 (4)
BARTH, Markus: Die Taufe - ein Sakrament? Ein exegetischer Beitrag zum Gespräch über die kirchliche Taufe, Zollikon/Zürich 1951
BAUER, Karl-Adolf: Leiblichkeit. Das Ende aller Werke. Die Bedeutung der Leiblichkeit des Menschen bei Paulus (StNT 4), Gütersloh 1971
BAUERNFEIND, Otto: Artikel ἀπλότης, in: ThWNT I, S.385f
- : Artikel ἀρετή, in: ThWNT I, S.457-461
- : Artikel τρέχω κτλ, in: ThWNT VIII, S.225-235
BAUMBACH, Günther: Die Schöpfung in der Theologie des Paulus, in: Kairos NF XXI/ 1979, S.196-205
BAUMGARTEN, Jörg: Paulus und die Apokalyptik. Die Auslegung apokalyptischer Überlieferung in den echten Paulusbriefen (WMANT 44), Neukirchen 1975
BAUR, Ferdinand Christian: Paulus, der Apostel Jesu Christi. Sein Leben und Wirken, seine Briefe und seine Lehre. Ein Beitrag zu einer kritischen Geschichte des Urchristentums. Erster Theil, Leipzig 1866 (2)
- : Paulus, der Apostel Jesu Christi, sein Leben und Wirken, seine Briefe und seine Lehre. Ein Beitrag zur kritischen Geschichte des Urchristentums. 2.Theil, Leipzig 1867 (2)
BECKER, Jürgen: Auferstehung der Toten im Urchristentum (SBS 82), Stuttgart 1976
- : Erwägungen zur apokalyptischen Tradition in der paulinischen Theologie, in: EvTh 30/1970, S.593-609
- : Das Evangelium des Johannes. Kapitel 1-10 (ÖTK 4,1), Gütersloh/Würzburg 1979
BEDALE, Stephen: The meaning of κεφαλή in the Pauline letters, in: JTHST, New Series V/1954, S.211-215
BEHM, Johannes: Artikel ἔξω, in: ThWNT II, S.572f
- : Artikel νουθετέω κτλ, in: ThWNT IV, S.1013-1016
BEHM, Johannes / BAUMGÄRTEL, Friedrich: Artikel καρδία κτλ, in: ThWNT III, S.609-614
BERGER, Klaus: Abraham in den paulinischen Hauptbriefen, in: MThZ 17/1966, S.47-89
- : Apostelbrief und apostolische Rede. Zum Formular frühchristlicher Briefe, in: ZNW 65/1974, S.190-231
- : Exegese des Neuen Testaments. Neue Wege vom Text zur Auslegung (UTB 658), Heidelberg 1977
- : Die Gesetzesauslegung Jesu. Ihr historisches Umfeld im Judentum und im Alten Testament. Teil I: Markus und Parallelen (WMANT 40), Neukirchen 1972
BERTRAM, Georg: Ἀποχαραδοκία, in: ZNW 49/1958, S.264-270
- : Artikel ἔργον κτλ, in: ThWNT II, S.631-653
- : Artikel παιδεύω κτλ, in: ThWNT V, S.596-624
- : Artikel στερεός κτλ, in: ThWNT VII, S.609-614

- : Artikel φρήν κτλ, in: ThWNT IX, S.216-231
- : Artikel ὕβρις κτλ, in ThWNT VIII, S.295-307
- : Artikel ὕψος κτλ, in: ThWNT VIII, S.600-619
- : Artikel ὠδίν κτλ, in: ThWNT IX, S.668-675
BEST, Ernest: A Commentary on the First and Second Epistles to the Thessalonians (BNTC), London 1977 (2)
BETZ, Hans-Dieter: Lukian von Samosata und das Neue Testament. Religionsgeschichtliche und paränetische Parallelen (TU 76), Berlin 1961
- : Nachfolge und Nachahmung Jesu Christi im Neuen Testament (BhTh 37), Tübingen 1967
BETZ, Otto: Der Katechon, in: NTS 9/1962-63, S.276-291
BEYER, Hermann Wolfgang: Artikel βλασφημέω κτλ, in: ThWNT I, S.620-624
BIEDER, Werner: Die Verheißung der Taufe im Neuen Testament, Zürich 1966
BIETENHARD, Hans: Artikel ὄνομα κτλ, in: ThWNT V, S.242-283
BISER, Eugen: Der Zeuge. Eine Paulus-Befragung, Graz/Wien/Köln 1981
BJERKELUND, Carl: Parakalo: Form, Funktion und Sinn der parakalo-Sätze in den paulinischen Briefen (BTN 1), Oslo o.J.
BLANCHETTE, O.A.: Does the Cheirographon of Col 2,14 Represent Christ Himself?, in: CBQ 23/1961, S.306-312
BLINZLER, Josef: Die Brüder und Schwestern Jesu (SBS 21), Stuttgart 1967 (2)
- : Lexikalisches zu dem Terminus τὰ στοιχεῖα τοῦ κόσμου bei Paulus, in: AnBib 17-18/1963 S.429-443
BÖCHER, Otto: Christus Exorcista. Dämonismus und Taufe im Neuen Testament (BWANT 96), Stuttgart/Berlin/Köln/Mainz 1972
- : Dämonenfurcht und Dämonenabwehr. Ein Beitrag zur Vorgeschichte der christlichen Taufe (BWANT 90), Stuttgart/Berlin/Köln/Mainz 1970
BORNEMANN, W.: Die Thessalonicherbriefe (KEK (5/6) 10), Göttingen 1894
BORNKAMM, Günther: Artikel μυστήριον κτλ, in: ThWNT IV, S.809-834
- : Artikel πρέσβυς κτλ, ThWNT Band VI, S.651-683
- : Glaube und Vernunft bei Paulus, in: Studien zu Antike und Christentum (BevTh 28), München 1959, S.119-137
- : Die Häresie des Kolosserbriefes, in: ders., Das Ende des Gesetzes. Gesammelte Aufsätze Band I (BevTh 16), München 1966 (5), S.139-156
- : Herrenmahl und Kirche bei Paulus, in: ZThK 53/1956, S.312-349; jetzt in: ders.: Studien zu Antike und Christentum, Gesammelte Aufsätze II (BevTh 28), München 1959, S.138-176
- : Die Hoffnung im Kolosserbrief. Zugleich ein Beitrag zur Echtheit des Briefes, in: ders., Geschichte und Glaube II, Gesammelte Aufsätze IV (BevTh 53), München 1971, S.206-213
- : Der Lobpreis Gottes (Röm 11,33-36), in: Das Ende des Gesetzes. Paulustudien, Gesammelte Aufsätze I (BevTh 16), München 1966
- : Paulus, Stuttgart/Berlin/Köln/Mainz 1969
- : Der Philipperbrief als Paulinische Briefsammlung, in ders.: Geschichte und Glaube II, Gesammelte Aufsätze IV, München 1971, S.195-205
- : Die Sturmstillung im Matthäusevangelium, in: BORNKAMM, G./BARTH, G./HELD, H.J.: Überlieferung und Auslegung im Matthäusevangelium (WMANT 1), Neukirchen 1968 (5)
- : Taufe und neues Leben bei Paulus, in ders.: Das Ende des Gesetzes, Gesammelte Aufsätze I, München 1966 (5), S.34-50
- : Die Vorgeschichte des sogenannten zweiten Korintherbriefes, in ders.: Geschichte und Glaube II, Gesammelte Aufsätze IV (BevTh 53), München 1971, S.162-194
BORSE, Udo: Die Wundmale und der Todesbescheid, in: BZ NF 14/1970, S.88-111
BOUSSET, Wilhelm: Der Antichrist in der Überlieferung des Judentums, des Neuen Testaments und der Alten Kirche, Göttingen 1895
- : Kyrios Christos. Geschichte des Christusglaubens von den Anfängen des Christentums bis Irenäus (FRLANT 21), Göttingen 1913
- : Jüdisch-christlicher Schulbetrieb in Alexandria und Rom: Literarische Untersuchungen bei Philo und Clemens von Alexandria, Justin und Irenäus (FRLANT 6), Göttingen 1915
- / GRESSMANN, Hugo: Die Religion des Judentums im späthellenistischen Zeitalter (HNT 21), Tübingen 1966 (4)
BRAUMANN, G.: Vorpaulinische christliche Taufverkündigung bei Paulus (BWANT 82), Stuttgart 1962
BRAUN, Herbert: Artikel πλανάω κτλ, in: ThWNT VI, S.230-254
- : Gerichtsgedanke und Rechtfertigungslehre bei Paulus (UNT 19), Leipzig 1930
- : Zur nachpaulinischen Herkunft des zweiten Thessalonicherbriefes, in: ZNW 44/1952-53, S.152-156; jetzt in: ders.: Gesammelte Studien zum Neuen Testament und seiner Umwelt, Tübingen 1967 (2), S.205-209
- : Qumran und das Neue Testament, Band 1.2, Tübingen 1966

- : Spätjüdisch-häretischer und frühchristlicher Radikalismus. Jesus von Nazareth und die essenische Qumransekte, Band II (BHTh 24,II), Tübingen 1957

O'BRIEN, Peter Thomas: Introductory Thanksgivings in the Letters of Paul (NTS XLIX), Leiden 1977

BROCKHAUS, Ulrich: Charisma und Amt. Die paulinische Charismenlehre auf dem Hintergrund der frühchristlichen Gemeindefunktionen, Wuppertal 1972

BROCKINGTON, Leonhard H.: Das Problem der Pseudonymität, in: BROX, N. (Hrsg): Pseudepigraphie in der heidnischen und jüdisch-christlichen Antike (WdF 484), Darmstadt 1977, S.185-194

BROX, Norbert: Zu den persönlichen Notizen der Pastoralbriefe, BZ NF 13/1969, S.76-94
- : Die Pastoralbriefe (RNT 7, zweiter Teil), Regensburg 1969 (4)
- : Der erste Petrusbrief (EKK XXI), Zürich/Einsiedeln/Köln und Neukirchen 1979
- : (Hrsg) Pseudepigraphie in der heidnischen und jüdisch-christlichen Antike (WdF 484), Darmstadt 1977
- : Falsche Verfasserangaben. Zur Erklärung der frühchristlichen Pseudepigraphie (SBS 79), Stuttgart 1975

BRUCE, F.F.: 1 and 2 Thessalonians (World Biblical Commentary 45), Waco/Texas 1982

BUCK, Charles H: The Early Order of the Pauline Corpus, in: JBL 68/1949, S.351-357

BÜCHSEL, Friedrich: Artikel ἀγοράζω κτλ, in: ThWNT I, S.125-128
- : Artikel εἴδωλον, in: ThWNT II, S.373-377
- : Artikel θυμός κτλ, in: ThWNT II, S.167-173

BUJARD, Walter: Stilanalytische Untersuchungen zum Kolosserbrief als Beitrag zur Methodik von Sprachvergleichen (StUNT 11), Göttingen 1973

BULTMANN, Rudolf: Ist die Apokalyptik die Mutter der christlichen Theologie? Eine Auseinandersetzung mit Ernst Käsemann, in: Apophoreta. Festschrift für E.Haenchen (BZNW 30), Berlin 1964, S.64-69; jetzt in: ders.: Exegetica. Aufsätze zur Erforschung des Neuen Testaments (hrsg. v. E. DINKLER), Tübingen 1967, S. 476-482
- : Artikel ἐλπίς κτλ, in: ThWNT II, S.525-531
- : Artikel λύπη κτλ, in: ThWNT IV, S.314-325
- : Der zweite Brief an die Korinther (KEK Sonderband, hrsg. v. E. DINKLER) Göttingen 1976
- : Die Geschichte der synoptischen Tradition (FRLANT 29), Göttingen 1967 (7)
- : Geschichte und Eschatologie im Neuen Testament, in: ders., Glaube und Verstehen III, Tübingen 1965 (3), S.91-106
- : Glossen im Römerbrief, in: ThLZ 72/1947, Sp.197-202; jetzt in: ders.: Exegetica Aufsätze zur Erforschung des Neuen Testaments (hrsg. v. E. DINKLER), Tübingen 1967, S.278-284
- : Das Problem der Ethik bei Paulus, in: ZNW 23/1924, S.123-140; jetzt in: ders.: Exegetica. Aufsätze zur Erforschung des Neuen Testaments (hrsg. v. E. DINKLER), Tübingen 1967, S.36-54
- : Der Stil der paulinischen Predigt und die kynisch-stoische Diatribe (FRLANT 13) Göttingen 1910
- : Theologie des Neuen Testaments, Tübingen 1968 (6)
- / LÜHRMANN, Dieter: Artikel φαίνω κτλ, in: ThWNT IX, S.1-11

BURCHARD, Christoph: Der dreizehnte Zeuge. Traditions- und kompositionsgeschichtliche Untersuchungen zu Lukas' Darstellung der Frühzeit des Paulus (FRLANT 103), Göttingen 1970

BURGER, Christoph: Schöpfung und Versöhnung. Studien zum liturgischen Gut im Kolosser- und Epheserbrief (WMANT 46), Neukirchen 1975

CAIRD, G. B.: Paul's Letters From Prison (NCB), Oxford 1976

CAMPENHAUSEN, Hans v.: Der Ablauf der Osterereignisse und das leere Grab (SAH 1952/4), Heidelberg 1966 (3)
- : Kirchliches Amt und geistliche Vollmacht in den ersten drei Jahrhunderten (BHTh 14) Tübingen 1953
- : Der urchristliche Apostelbegriff, in: Das kirchliche Amt im Neuen Testment, hrsg.v. K KERTELGE, Darmstadt 1977, S.237-278
- : Die Entstehung der christlichen Bibel (BHTh 39), Tübingen 1968

CANDLISH, J.S.: Über den moralischen Charakter pseudonymer Bücher, in: BROX, N (Hrsg.): Pseudepigraphie, Darmstadt 1977, S.7-42

CARR, W.: Two Notes on Colossians, in: JThS 24/1973, S.492-500

CASEL, O.: Das christliche Kultmysterium, Freiburg 1948 (3)

COENEN, Lothar: Artikel κηρύσσω, in: TBLNT II, S.1276-1283

CONZELMANN, Hans: "Was von Anfang an war", in: Neutestamentliche Studien für Rudol Bultmann, BZNW 21/1954, S.194-201; jetzt in: ders.: Theologie als Schriftauslegung Aufsätze zum Neuen Testament (BevTh 65), München 1974, S.207-214
- : Artikel σκότος κτλ, in: ThWNT VIII, S.424-446

- : Artikel συνίημι κτλ, in: ThWNT VII, S.886-894
- : Artikel φῶς κτλ, in: ThWNT IX, S.302-349
- : Artikel χαίρω, in: ThWNT IX, S.350-405
- : Zur Analyse der Bekenntnisformel 1Kor.15,3-5, in: EvTh 25/1965, S.1-11; jetzt in: ders.: Theologie als Schriftauslegung. Aufsätze zum Neuen Testament (BevTh 65), München 1974, S.131-141
- : Der Brief an die Kolosser, in: Die kleineren Briefe des Apostels Paulus (NTD 8), 1970 (2)
- : Der erste Brief an die Korinther (KEK 5), Göttingen 1969 (11.Aufl., 1.Aufl. der Neuauslegung)
- : Gegenwart und Zukunft in der synoptischen Tradition, in: ZThK 54/1957, S.277-296; jetzt in: ders.: Theologie als Schriftauslegung. Aufsätze zum Neuen Testament (BevTh 65), München 1974, S.42-61
- : Geschichte des Urchristentums (NTD Ergänzungsreihe 5), Göttingen 1971
- : Grundriß der Theologie des Neuen Testaments (Einführung in die evangelische Theologie 2), München 1968 (2)
- : Paulus und die Weisheit, in: NTS XII/1965-66, S.231-244; jetzt in: ders.: Theologie als Schriftauslegung. Aufsätze zum Neuen Testament (BevTh 65), München 1974, S.177 -190
- : Die Rechtfertigung des Paulus: Theologie oder Anthropologie?, in: EvTh 28/1968, S.389-404; jetzt in: ders.: Theologie als Schriftauslegung. Aufsätze zum Neuen Testament (BevTh 65), München 1974, S.191-206
- / LINDEMANN, Andreas: Arbeitsbuch zum Neuen Testament (UTB 52), Tübingen 1977
CROUCH, James E.: The Origin and Intention of the Colossian Haustafel (FRLANT 109), Göttingen 1972
CULLMANN, Oscar: Artikel Πέτρος, in: ThWNT VI, S.99-112
- : Der eschatologische Charakter des Missionsauftrages und des apostolischen Selbstbewußtseins bei Paulus, in: ders., Vorträge und Aufsätze 1925-1962 (hrsg. v. K. FRÖHLICH), Tübingen/Zürich 1966
- : Christus und die Zeit. Die urchristliche Zeit- und Geschichtsauffassung, Zürich 1948 (2)
- : Der johanneische Kreis. Sein Platz im Spätjudentum, in der Jüngerschaft Jesu und im Urchristentum. Zum Ursprung des Johannesevangeliums, Tübingen 1975
- : Die Tradition als exegetisches, historisches und theologisches Problem, Zürich 1954
CULPEPPER, Alan R.: The Johannine School: An Evaluation of the Johannine-School-Hypothesis Based on an Investigation of the Nature of Ancient Schools (Society of Biblical Literature, Dissertation Series, Number 26), Missoula 1975

DAHL, Nils Astrup: Formgeschichtliche Beobachtungen zur Christusverkündigung in der Gemeindepredigt, in: Neutestamentliche Studien für Rudolf Bultmann (BZNW 21), Berlin 1954, S.3-9
- : Welche Ordnung der Paulusbriefe wird vom Kanon Muratori vorausgesetzt?, in: ZNW 52/1961, S.39-53
DASSMANN, Ernst: Der Stachel im Fleisch. Paulus in der frühchristlichen Literatur bis Irenäus, Münster 1979
DAUBE, David: Participle and Imperative in 1 Peter, in: SELWYN, EDWARD G.: The Epistle of St. Peter, London 1949 (3), S.467-488
DAUTZENBERG, Gerhard: Urchristliche Prophetie. Ihre Erforschung, ihre Voraussetzungen im Judentum und ihre Struktur im ersten Korintherbrief (BWANT 104), Stuttgart/Berlin/ Köln/Mainz 1975
- : Theologie und Seelsorge aus paulinischer Tradition. Einführung in 2Thess, Kol, Eph, in: Gestalt und Anspruch des Neuen Testaments (hrsg. v. J. SCHREINER), Würzburg 1969, S.96-119
DAVIES, W.D.: Paul and the People in Israel, in: NTS XXIV/1978, S.4-39
DEICHGRÄBER, Reinhard: Gotteshymnus und Christushymnus in der frühen Christenheit. Untersuchungen zu Form, Sprache und Stil der frühchristlichen Hymnen (StUNT 5), Göttingen 1967
DEISSMANN, Adolf: Licht vom Osten. Das Neue Testament und die neuentdeckten Texte der hellenistisch-römischen Welt, Tübingen 1923 (4)
- : Paulus. Eine kultur- und religionsgeschichtliche Skizze, Tübingen 1925 (2)
DELLING, Gerhard: Artikel ἄρχω κτλ, in: ThWNT I, S.476-488
- : Artikel θριαμβεύω, in: ThWNT III, S.159-160
- : Artikel καιρός κτλ, in: ThWNT III, S.456-465
- : Artikel λαμβάνω κτλ, in: ThWNT IV, S.5-16
- : Artikel πίμπλημι κτλ, in: ThWNT VI, S.127-134
- : Artikel πλεονέκτης κτλ, in: ThWNT VI, S.266-274
- : Artikel πλήρωμα, in: ThWNT VI, S.297-304

- : Artikel στοιχεῖω κτλ, in: ThWNT VII, S.666-687
- : Artikel συμβιβάζω, in: ThWNT VII, S.763-765
- : Artikel τάσσω κτλ, in: ThWNT VIII, S.27-49
- : Artikel τέλος κτλ, in: ThWNT VIII, S.50-88
- : Artikel χρόνος, in: ThWNT IX, S.576-589
- : Zusammengesetzte Gottes- und Christusbezeichnungen in den Paulusbriefen, in: ders.: Studien zum Neuen Testament und zum hellenistischen Judentum (hrsg. v. F. HAHN, T. HOLTZ, N. WALTER), Göttingen 1970, S.417-424
- : Zeit und Endzeit. Zwei Vorlesungen zur Theologie des Neuen Testaments (BSt 58), Neukirchen 1970
- : Die Zueignung des Heils in der Taufe. Eine Untersuchung zum neutestamentlichen "taufen auf den Namen", Berlin 1961
DIBELIUS, Martin: Der Brief an Jakobus (KEK 15), Göttingen 1956 (8)
- : Die Formgeschichte des Evangeliums, Tübingen 1966 (5; 2.Nachdruck der 3.Aufl., hrsg. v. G. BORNKAMM)
- : Geschichte der urchristlichen Literatur, Band I,II, Berlin/Leipzig 1926 (Neudruck unter Berücksichtigung der Änderungen der englischen Übersetzung von 1936, hrsg. v. F. HAHN (ThB 58), München 1975)
- : Die Isisweihe bei Apuleius und verwandte Initiationsriten, in: ders., Botschaft und Geschichte II, Tübingen 1956, S.30-79
- : Jungfrauensohn und Krippenkind, in: Botschaft und Geschichte, Gesammelte Aufsätze I, Tübingen 1953, S.1-78
- : An die Kolosser, Epheser. An Philemon (HNT 12), Tübingen 1953 (3), neubearbeitet von H. GREEVEN
- : An die Thessalonicher I II. An die Philipper (HNT 11), Tübingen 1937 (3)
DINKLER, Erich: Artikel Tradition im Urchristentum, in: RGG (3), VI, Sp.970-974
- : Zum Problem der Ethik bei Paulus. Rechtsnahme und Rechtsverzicht (1.Kor 6,1-11), in: ZThK 49/1952, S.167-200; jetzt in: ders.: Signum Crucis. Aufsätze zum Neuen Testament und zur christlichen Archäologie, Tübingen 1967, S.204-240
DOBSCHÜTZ, Ernst v.: Matthäus als Rabbi und Katechet, ZNW 27/1928, S.338-348
- : Die Thessalonicher-Briefe, mit einem Literaturverzeichnis von O. MERK hrsg. v. F. HAHN (KEK 10), Göttingen 1974 (Nachdruck der 7.Auflage 1909)
DODD, Charles Harold: Das Gesetz der Freiheit, München 1960
DOTY, William G.: The Classification of Epistolary Literature, in: CBQ 31/1969, S.183 -199
- : Letters in the Primitive Christianity (New Testament Series), Philadelphia 1973
DUPONT, Jaques: ΣΥΝ ΧΡΙΣΤΩ. L'union avec le Christ suivant St.Paul, I: Avec le Christ dans la vie future, Bruges/Louvain/Paris 1952

ECKART, K.G.: Exegetische Beobachtungen zu Kol 1,9-20, in: ThViat 7/1959-60, S.87-106
- : Der zweite echte Brief des Apostels Paulus an die Thessalonicher, in: ZNW 58/1961, S.30-44
EISSFELDT, Otto: Artikel Ugarit. 2, in: RGG (3) VI, Sp.102-106
EICHHOLZ, Georg: Die Theologie des Paulus im Umriß, Neukirchen 1972
- : Verkündigung und Tradition, in: EvTh 24/1964, S.565-586; jetzt in: ders.: Tradition und Interpretation. Studien zum Neuen Testament und zur Hermeneutik (ThB 29), München 1965, S.11-34
ELLIS, E.Earle: Paul and his Co-Workers, in: NTS 17/1971, S.437-452
ERNST, Josef: Die Briefe an die Philipper, an Philemon, an die Kolosser, an die Epheser (RNT), Regensburg 1974
- : Die eschatologischen Gegenspieler in den Schriften des Neuen Testaments (BU 3), Regensburg 1967
- : Pleroma und Pleroma Christi. Geschichte und Deutung eines Begriffes der paulinischen Antilegomena (BU 5), Regensburg 1970

FASCHER, Erich: Der erste Brief des Paulus an die Korinther. Erster Teil. Einführung und Auslegung der Kapitel 1-7 (ThHK VII/1), Berlin, 1975
FAW, Chalmer E.: On the Writing of First Thessalonians, in: JBL 71/1952, S.217-225
FINDEIS, Hans-Jürgen: Versöhnung - Apostolat - Kirche. Eine exegetisch-theologische und rezeptionsgeschichtliche Studie zu den Versöhnungsaussagen des Neuen Testaments (2Kor, Röm, Kol, Eph), Würzburg 1983
FISCHER, Karl Martin: Anmerkungen zur Pseudepigraphie im Neuen Testament, in: NTS 23/1967, S.76-81
- : Tendenz und Absicht des Epheserbriefes, Berlin 1973
FITZER, Gottfried: Artikel σύνδεσμος, in: ThWNT VII, S.854-857
- : Artikel φθάνω κτλ, in: ThWNT IX, S.90-94
FOERSTER, Werner: Artikel ἀρέσκω κτλ, in: ThWNT I, S.455-457

- : Artikel ἁρπάζω κτλ, in: ThWNT I, S.471-474
- : Artikel κτίζω κτλ, in: ThWNT III, S.999-1034
- : Artikel σατανᾶς, in: ThWNT VII, S.151-164
- : Artikel σέβομαι κτλ, in: ThWNT VIII, S.168-195
- : Artikel σῴζω κτλ, in: ThWNT VII, S.966-1024
FOHRER, Georg: Einleitung in das Alte Testament, Heidelberg 1969 (11)
FRAME, James E.: A Critical and Exegetical Commentary on the Epistles of St. Paul to
    the Thessalonians (ICC), 1946 (2)
FRANCIS, Fred O.: Humility and Angelic Worship in Col 2,18, in: Conflict at Colossae.
    A Problem in the Interpretation of Early Christianity, ed. by F. O. FRANCIS and W. A.
    MEEKS, Missoula 1975, S.163-195
FRIEDRICH, Gerhard: Artikel εὐαγγελίζομαι κτλ, in: ThWNT II, S.705-735
- : Artikel κῆρυξ κτλ, in: ThWNT III, S.682-717
- : Artikel σάλπιγξ, in: ThWNT VII, S.71-88
- : Der Brief an die Philipper (NTD 8), Göttingen 1970 (12), S.92-130
- : Die Gegner des Paulus im 2. Korintherbrief, in: Abraham, Unser Vater, Festschrift
    für O. Michel (hrsg. v. O. BETZ, M. HENGEL, P. SCHMIDT), Leiden/Köln 1963, S.181-
    215; jetzt in: ders.: Auf das Wort kommt es an. Gesammelte Aufsätze zum 70. Ge-
    burtstag (hrsg. v. J. H. Friedrich), Göttingen 1978, S.189-223
- : 1.Thessalonicher 5,1-11, der apologetische Einschub eines Späteren, in: ZThK 70/
    1973, S.288-315; jetzt in: ders.: Auf das Wort kommt es an. Gesammelte Aufsätze
    zum 70. Geburtstag (hrsg. v. J. H. FRIEDRICH), Göttingen 1978, S.251-278
FUCHS, Ernst: Hermeneutik? in: ders., Glaube und Erfahrung (Gesammelte Aufsätze
    III), Tübingen 1965, S.116-135
- : Die Zukunft des Glaubens nach 1Thess 5,1-11, in: Gesammelte Aufsätze III, Tübingen
    1965, S.334-363
FUHS, H. F.: Artikel הגה, in: ThWAT I, Sp.1004-1008
FUNK, Robert W.: Language, Hermeneutic and Word of God. The Problem of Language
    in the New Testament and Contemporary Theology, New York 1966
- : "The Apostolic Parusia. Form and Significance", in: Christian History. Studies Presen-
    ted to John Knox (ed. by W. R. FARMER, C. F. D. MOULE, R. R. NIEBUHR), Cambridge
    1967
FURNISH, Victor Paul: Theology and Ethics in Paul, Nashville 1978 (4)

GABATHULER, H.J.: Jesus Christus. Haupt der Kirche - Haupt der Welt. Der Christus-
    hymnus Colosser 1,15-20 in der theologischen Forschung der letzten 130 Jahre
    (AThANT 45), Zürich 1965
GÄUMANN, Niklaus: Taufe und Ethik , Studien zu Römer 6 (BevTh 47), München 1967
GAMBLE, Harry: The Redaction of the Pauline Letters and the Formation of the New
    Testament, in: JBL 94/1975, S.403-418
GEISELMANN, Josef. R.: Die Heilige Schrift und die Tradition (QD 18), Freiburg/Basel/
    Wien 1962
GEORGI, Dieter: Die Gegner des Paulus im 2.Korintherbrief. Studien zur religiösen
    Propaganda in der Spätantike (WMANT 11), Neukirchen 1964
- : Die Geschichte der Kollekte des Paulus für Jerusalem (Theologische Forschung
    XXXVIII), Hamburg 1965
GERHARDSSON, B.: Die Boten Gottes und die Apostel Christi, in: SvExArsb 27/1962,
    S.89-131
- : Memory and Manuscript. Oral Tradition and Written Transmission in Rabbinic Juda-
    ism and Early Christianity (ASNU XXII), Lund/Kopenhagen 1961
GIBBS, John H.: Creation and Redemption. A Study in Pauline Theology (NovTest Suppl
    XXVI), Leiden 1971
GIBLIN, Charles H.: The Threat of Faith. An exegetical and theological re-examination of
    2 Thessalonians 2 (AnBib 31), Rom 1967
GIESEN, Heinz: Naherwartung des Paulus in 1Thess 4,13-18?, in: SNTU (Serie A, 10), Linz
    1985, S.123-150
GNILKA, Joachim: Der Epheserbrief (HThK X/2), Freiburg/Basel/Wien 1971
- : Das Evangelium nach Markus (EKK II/1), Zürich/Einsiedeln/Köln und Neukirchen
    1978; (EKK II,2) 1979
- : Der Kolosserbrief (HThK X/1), Freiburg/Basel/Wien 1980
- : Der Philipperbrief (HThK X/2), Freiburg/Basel/Wien 1968
GOGUEL, Maurice: Le charactere, a la fois actuel et futur, du salut dans la theologie
    paulienne, in: The Background of the New Testament and its Eschatology, Festschrift
    für C. H. Dodd, Cambridge 1956, S.322-341
GOODSPEED, Edgar: Ephesians and the First Edition of Paul, in: JBL 70/1951, S.285-291
- : The Formation of the New Testament, Chicago 1927 (2)'
- : An Introduction to the New Testament, Chicago 1937

GOPPELT, Leonhard: Jesus und die "Haustafel"-Tradition, in: Festschrift für J. Schmid, Freiburg/Basel/Wien 1973, S.93-106
- : Der erste Petrusbrief (KEK XII/1, hrsg. v. F. HAHN), Göttingen 1978 (8)
- : Theologie des Neuen Testaments. Zweiter Teil: Vielfalt und Einheit des apostolischen Christuszeugnisses (hrsg. v. J. ROLOFF), Göttingen 1976
- : Tradition nach Paulus, in: KuD 4/1958, S.213-233
- : Die apostolische und die nachapostolische Zeit (K. D. SCHMIDT / E. WOLF (Hrsg): Die Kirche in ihrer Geschichte, Band 1, Lieferung A), Göttingen 1966
GRABNER-HAIDER, Anton: Paraklese und Eschatologie bei Paulus (NTA NF 4), Münster 1968
GRÄSSER, Erich: Kol 3,1-4 als Beispiel einer Interpretation secundum homines recipientes, in: ZThK 64/1967, S.139-168; jetzt in: ders.: Text und Situation. Gesammelte Aufsätze zum Neuen Testament, Gütersloh 1973, S.123-151
- : Das Problem der Parusieverzögerung in den synoptischen Evangelien und in der Apostelgeschichte (BZNW 22), Berlin 1956
GRASS, Hans: Ostergeschehen und Osterberichte, Göttingen 1964 (3)
GREEVEN, Heinrich: Artikel ζητέω κτλ, in: ThWNT II, S.894-898
GRIMM, W.: Die Echtheit der Briefes an die Thessalonicher, in: ThStKr 23/1850, S.753-813
GRUNDMANN, Walter: Artikel δεξιός, in: ThWNT II, S.37-39
- : Artikel κακός, in: ThWNT III, S.470-487
- : Artikel σύν - μέτα mit Genetiv usw., in: ThWNT VII, S.766-798
- : Artikel ταπεινός κτλ, in: ThWNT VIII, S.1-27
- / *RAD, G. von*: Artikel ἄγγελος κτλ, in: ThWNT I, S.72-79
- / et al: Artikel χρίω κτλ, in: ThWNT IX, S.482-576
GÜTTGEMANNS, Ehrhard: Der leidende Apostel und sein Herr. Studien zur paulinischen Christologie (FRLANT 90), Göttingen 1966
GUNKEL, Hermann: Schöpfung und Chaos in Urzeit und Endzeit. Eine religionsgeschichtliche Untersuchung über Gen 1 und Ap.Joh 12, Göttingen 1894
GUTBROD, Walter / et al.: Artikel Ἰσραήλ κτλ, in: ThWNT III, S.356-394
- / *KLEINKNECHT, Hermann*: Artikel νόμος κτλ, in: ThWNT IV, S.1016-1084
GUTHRIE, W. C. K.: Artikel Orpheus und die Orphiker, in: RGG (3), Band IV, Sp.1703-1705

HADORN, Wilhelm: Die Gefährten und Mitarbeiter des Paulus, in: Aus Schrift und Geschichte. Theologische Abhandlungen. Adolf Schlatter zum 70.Geburtstag, Stuttgart 1922, S.65-82
HAENCHEN, Ernst: Die Apostelgeschichte (KEK 3), Göttingen 1968 (15; 6.Auflage der Neuauslegung)
- : Leidensnachfolge, in: ders., Die Bibel und Wir. Gesammelte Aufsätze II, Tübingen 1968, S.102-134
- : Petrus-Probleme, in: NTS 7/1960-61, S.187-197; jetzt in: Gott und Mensch. Gesammelte Aufsätze, Tübingen 1965, S.55-67
HAHN, Ferdinand: Der Apostolat im Urchristentum. Seine Eigenart und seine Voraussetzungen, in: KuD 20/1974, S.54-77
- : Die christologische Begründung der urchristlichen Paränese, in: ZNW 72/1981, S.88-99
- : Christologische Hoheitstitel. Ihre Geschichte im frühen Christentum (FRLANT 83), Göttingen 1966 (3)
- : Methodenprobleme einer Christologie des Neuen Testaments, in: VF 15,1970 (Heft 2), S.3-41
- : Das Problem des Frühkatholizismus, in: EvTh 38/1978, S.340-357; jetzt in: ders., Exegetische Beiträge zum ökumenischen Gespräch, Gesammelte Aufsätze Band 1, Göttingen 1986, S.39-56
- : Das Problem "Schrift und Tradition" im Urchristentum, in: EvTh 30/1970. S.449-468, jetzt in: ders., Exegetische Beiträge zum ökumenischen Gespräch, Gesammelte Aufsätze Band 1, Göttingen 1986, S.9-28
- : Randbemerkungen zum Judasbrief, in: ThZ 37/1981, S.209-218
- : Rezension zu: S.SCHULZ, Die Mitte der Schrift, in: ÖR 26/1977, S.99
- : Die Schöpfungsmittlerschaft Christi bei Paulus und in den Deuteropaulinen, in: Parola e Spirito. Studi in onore di Settimio Cipriani (hrsg. v. C. MARCHESELLI), Brescia 1982, S.661-678
- : Die Heilige Schrift als älteste christliche Tradition und als Kanon, in: EvTh 40/1980, S.456-466, jetzt in: ders., Exegetische Beiträge zum ökumenischen Gespräch, Gesammelte Aufsätze Band 1, Göttingen 1968, S.29-39
- : Taufe und Rechtfertigung. Ein Beitrag zur paulinischen Theologie in ihrer Vor- und

Nachgeschichte, in: Rechtfertigung, Festschrift für E. Käsemann, Tübingen/Göttingen 1976
- : Das Verständnis der Mission im Neuen Testament (WMANT 13), Neukirchen 1963
- : Das Verständnis der Taufe nach Römer 6, in: Bewahren und Erneuern (Festschrift für Kirchenpräsident a.D. Prof. D.Theodor Schaller), Speyer 1980, S.135-153
HAHN, Hans-Christoph: Artikel ἔργον, in: TBLNT II (hrsg. v. L. COENEN, E. BEYREUTHER und H. BIETENHARD), S.1386- 1390
HAHN, Wilhelm Traugott: Das Mitsterben und Mitauferstehen mit Christus bei Paulus, Gütersloh 1937
HAMP, Vinzenz: Artikel ₪ַֹ, in: ThWAT I, Sp. 457-463
HARNACK, Adolf v.: Artikel κόπος (κοπιᾶν) im frühchristlichen Sprachgebrauch, in: ZNW 27/1928, S.1-10
- : Die Briefsammlung des Apostels Paulus und die anderen vorkonstantinischen christlichen Briefsammlungen. 6 Vorlesungen aus der altkirchlichen Literaturgeschichte, Leipzig 1926
- : Lehrbuch der Dogmengeschichte, Freiburg 1886/87; 5.Auflage Tübingen 1931
- : Militia Christi. Die christliche Religion und der Soldatenstand in den ersten drei Jahrhunderten, Tübingen 1905
- : Das Problem des zweiten Thessalonicherbriefs, in: SAW, Phil.-hist. Klasse XXXI, Berlin 1910
- : Die Verklärungsgeschichte Jesu. Der Bericht des Paulus 1Kor 15,3ff. und die beiden Christusvisionen des Petrus (SAB Phil-hist. Klasse), Berlin 1922, S.62-80
HARNISCH, Wolfgang: Eschatologische Existenz. Ein exegetischer Beitrag zum Sachanliegen in 1.Thessalonicher 4,13 - 5,11 (FRLANT 110), Göttingen 1973
- : Verhängnis und Verheißung der Geschichte. Untersuchungen zum Zeit- und Geschichtsverständnis im 4.Buch Esra und in der syr. Baruchapokalypse (FRLANT 97), Göttingen 1969
HARTMANN, Lars: Prophecy Interpreted. The Formation of some Jewish Apocalyptic Texts and of the Eschatological Discourse Mark 13 par. (CB NT 1), Lund 1960
HAUCK, Friedrich: Artikel ἀκάθαρτος κτλ, in: ThWNT III, S.430-432
- : Artikel θησαυρός κτλ, in: ThWNT III, S.136-138
- : Artikel κόπος κτλ, in: ThWNT III, S.87-829
- : Artikel μένω κτλ, in: ThWNT IV, S.578-593
- : Artikel ὅσιος, in: ThWNT V, S.488-492
- / KASCH, Wilhelm: Artikel πλοῦτος κτλ, in: ThWNT VI, S.316-330
- / SCHULZ, Siegfried: Artikel πόρνη κτλ, in: ThWNT VI, S.579-595
- / - : Artikel πραΰς κτλ, in: ThWNT VI, S.645-651
HAUFE, Günter: Die Mysterien, in: Umwelt des Urchristentums (hrsg. v. J. LEIPOLDT und W. GRUNDMANN), Band I: Darstellung des Neutestamentlichen Zeitalters, Berlin 1982 (6), S.101-126
HEDLEY, P.L.: Ad Colossenses 2,20-3,4, in: ZNW 27/1928, S.211-216
HEGERMANN, H.: Der geschichtliche Ort der Pastoralbriefe, in: Theol.Vers II, Berlin 1970, S.47-64
- : Die Vorstellung vom Schöpfungsmittler im hellenistischen Judentum und Urchristentum (TU 82), Berlin 1961
HEIDLAND, Wolfgang: Artikel ὀμείρομαι, in: ThWNT V, S.176
HEITMÜLLER, Wilhelm: Zum Problem Paulus und Jesus, in: Das Paulusbild in der neueren deutschen Forschung, hrsg. v. K. H. RENGSTORF (WdF XXIV), Darmstadt 1969 (2)
- : Taufe und Abendmahl bei Paulus, Göttingen 1903
HENGEL, Martin: Anonymität, Pseudepigraphie und "literarische Fälschung" in der jüdisch-hellenistischen Literatur, in: Pseudepigrapha I, (Fondation Hardt XVIII), Genf 1971, S.229-308
- : Judentum und Hellenismus. Studien zu ihrer Begegnung unter besonderer Berücksichtigung Palästinas bis zur Mitte des 2.Jahrhunderts vor Christus (WUNT 10), Tübingen 1969
HENNEKEN, Bartholomäus: Verkündigung und Prophetie im 1.Thessalonicherbrief (SBS 29), Stuttgart 1969
HILGENFELD, Adolf: Die beiden Briefe an die Thessalonicher, nach Inhalt und Ursprung, in: ZwissTheol 5/1862, S.225-264
- : Historisch-kritische Einleitung in das Neue Testament, Leipzig 1875
HOCK, Ronald F.: Paul's Tentmaking and the Problem of his Social Class, in: JBL 97/1978, S.555-564
HOFMANN, J. Chr. K.v.: Die heilige Schrift Neuen Testaments, Erster Teil, Nördlingen 1869 (2)
HOFFMANN, Paul: Die Toten in Christus. Eine religionsgeschichtliche und exegetische Untersuchung zur paulinischen Eschatologie (NTA NF 2), Münster 1966

HOLMBERG, Bengt: Paul and Power. The structure of authority in the primitive church as reflected in the Pauline epistles, Philadelphia 1980

HOLTZ, Traugott: Artikel ἀποκάλυψις, in: EWNT I, Stuttgart 1980, S.312-318

- : Der erste Brief an die Thessalonicher (EKK XIII), Zürich/Einsiedeln/Köln und Neukirchen 1986

- : Zum Selbstverständnis des Apostels Paulus, in: ThLZ 91/1966, Sp.321-330

HOLTZMANN, H.J.: Lehrbuch der historisch-kritischen Einleitung in das Neue Testament, Freiburg 1892 (3)

- : Zum zweiten Thessalonicherbrief, in: ZNW 2/1901, S.97-108

HORST, Friedrich: Gottes Recht. Gesammelte Studien zum Recht im Alten Testament (ThB 12), München 1961

HORST, Johannes: Artikel μέλος, in: ThWNT IV, S.559-572

JENNI, E.: Artikel Nasiräer, in: RGG (3), Band IV, Sp.1308-1309

JEREMIAS, JOACHIM: Artikel θύρα, in: ThWNT III, S.173-180

- : Artikel παῖς θεοῦ, in: ThWNT V, S.676-713

- : Die Gleichnisse Jesu, Göttingen 1962 (6)

- : Jerusalem zur Zeit Jesu. Eine kulturgeschichtliche Untersuchung zur neutestamentlichen Zeitgeschichte, Göttingen 1969 (3)

- : Unbekannte Jesusworte, Gütersloh 1965 (4)

JEREMIAS, Jörg: Theophanie. Die Geschichte einer alttestamentlichen Gattung (WMANT 10), Neukirchen 1965

JERVELL, J.: Imago Dei. Gen 1,26f im Spätjudentum, in der Gnosis und in den deuteropaulinischen Briefen (FRLANT 58), Göttingen 1960

JONAS, Hans: Gnosis und spätantiker Geist, Erster Teil: die mythologische Gnosis, Göttingen 1964 (3)

JORDAN, Hermann: Geschichte der altchristlichen Literatur, Leipzig 1911

JÜNGEL, Eberhard: Erwägungen zur Grundlegung evangelischer Ethik im Anschluß an die Theologie des Paulus, in: ZThK 63/1966, S.379-390; jetzt in: ders.: Unterwegs zur Sache. Theologische Bemerkungen (BevTh 61), München 1972, S.234-245

KÄSEMANN, Ernst: Kritische Analyse von Phil 2,5-11; in: ExVuB I, Göttingen 1970 (6), S.51-95

- : Die Anfänge christlicher Theologie, in: ExVuB II, Göttingen 1970 (3), S.82-104

- : Eine Apologie der urchristlichen Eschatologie, in: ExVuB I, Göttingen 1970 (6), S.135-157

- : Gottesgerechtigkeit bei Paulus, in: ExVuB II, Göttingen 1970 (3), S.181-193

- : Ketzer und Zeuge, in: ExVuB I, Göttingen 1970 (6), S.168-187

- : Die Legitimität des Apostels, in: ZNW 41/1942, S.33-71

- : Leib und Leib Christi. Eine Untersuchung zur paulinischen Begrifflichkeit, Tübingen 1933

- : Paulus und der Frühkatholizismus, in: ExVuB II, Göttingen 1970 (3), S.239-252

- : An die Römer (HNT 8a), Tübingen 1974 (3)

- : Sätze heiligen Rechts im Neuen Testament, in: ExVuB II, Göttingen 1970 (3), S.69-82

- : Eine urchristliche Taufliturgie, in: ExVuB Band I, Göttingen 1960 (2), S.34-51

- : (Hrsg.): Das Neue Testament als Kanon, Göttingen 1970

- : Zum Thema der urchristlichen Apokalyptik, in: ExVuB II, Göttingen 1970 (3), S.105-131

- : Konsequente Traditionsgeschichte, in: ZThK 62/1965, S.137-152

- : Eine paulinische Variation des "amor fati", in: ExVuB II, Göttingen 1970 (3), S.223-239

- : Zum Verständnis von Röm 3,24-26, in: ExVuB I, Göttingen 1970 (6), S.96-100

KAHL, Brigitte: Traditionsbruch und Kirchengemeinschaft bei Paulus. Eine exegetische Studie zur Frage des "anderen Evangeliums" (Arbeiten zur Theologie 60), Calw 1977

KAISER, Otto: Einleitung in das Alte Testament. Eine Einführung in ihre Ergebnisse und Probleme, Gütersloh 1969

- : Der Prophet Jesaja. Kapitel 13-39 (ATD 18), Göttingen 1973

KAMLAH, Ehrhard: Die Form der katalogischen Paränese im Neuen Testament (WUNT 7), Tübingen 1964

KASCH, Wilhelm: Artikel ῥύομαι, in: ThWNT VI, S.999-1004

KASTING, Heinrich: Die Anfänge der urchristlichen Mission. Eine historische Untersuchung (BevTh 55), München 1969

KATZ, Peter: ἐν πυρὶ φλογός, in: ZNW 46/1955, S.133-138

KAYE, B. N.: Eschatology and Ethics in 1 and 2 Thessalonians, in: NovTest XVII, S.47-57

KEHL, Nikolaus: Der Christushymnus im Kolosserbrief. Eine motivgeschichtliche Untersuchung zu Kol 1,12-20 (SBM 1), Stuttgart 1967

KERN, F. H.: Über 2Thess 2,1-12. Nebst Andeutungen über den Ursprung des 2.Briefes an die Thessalonicher, in: Tübinger Zeitschrift für Theologie 2/1839, S.145-214

KERST, Rainer: 1Kor 8,6 - ein vorpaulinisches Taufbekenntnis? in: ZNW 66/1975, S.130-139

KERTELGE, Karl: Das Apostelamt des Paulus, sein Ursprung und seine Bedeutung, in: BZ NF 14/1978, S.161-181

- : "Rechtfertigung" bei Paulus. Studien zur Struktur und zum Bedeutungsgehalt des paulinischen Rechtfertigungsbegriffs (NTA NS 3), Münster 1967

KILPATRICK, G. D.: Galatians 1,18 ἱστορῆσαι Κηφᾶν, in: New Testament Essays, Studies in Memory of T. W. Manson, Manchester 1959, S.144-149

KIRK, J. Andrew: Apostleship since Rengstorf: towards a Synthesis, in: NTS 21/1975, S.249-264

KITTEL, Gerhard: Artikel ἀκούω, in: ThWNT I, S.216-225

- : Artikel δόγμα κτλ, in: ThWNT II, S.233-235

- / et al: Artikel ἄγγελος κτλ, in: ThWNT I, S.79-87

- / et al: Artikel εἰκών, in: ThWNT II, S.378-396

KLEIN, Günter: Die Zwölf Apostel. Ursprung und Gehalt einer Idee (FRLANT 77), Göttingen 1961

- : Galater 2,6-9 und die Geschichte der Jerusalemer Urgemeinde, in: Rekonstruktion und Interpretation. Gesammelte Aufsätze zum Neuen Testament (BevTh 50), München 1969, S.99-118.118-128

- : "Das wahre Licht scheint schon": Beobachtung zur Zeit- und Geschichtserfahrung einer urchristlichen Schule, in: ZThK 68/1971, S.261-326

KLEINKNECHT, Hermann: Artikel θεῖος, θειότης, in: ThWNT III, S.122-123

KLÖPPER, A.: Der zweite Brief an die Thessalonicher, erläutert und kritisch untersucht, in: Theologische Studien und Stimmen aus Ostpreußen Band 2, Königsberg 1889, S. 73-140

KNOX, John: Marcion and the New Testament, Chicago 1942

- : Philemon Among the Letters of Paul. A New View of its Place and Importance, New York/Nashville 1959 (2)

KOCH, Klaus: Gibt es ein Vergeltungsdogma im Alten Testament? in: ders. (Hrsg.), Um das Prinzip der Vergeltung in Religion und Recht des Alten Testaments (WdF CXXV), Darmstadt, S.130-180

KÖSTER, Helmut: Artikel σπλάγχνον κτλ, in: ThWNT VII, S.548-559

KÖSTER, Helmut / ROBINSON, James E.: Entwicklungslinien durch die Welt des frühen Christentums, Tübingen 1971

KOSKENNIEMI, Heikki: Studien zur Idee und Phraseologie des griechischen Briefes bis 400 n.Chr. (AASF Ser. B, Tom 102,2), Helsinki 1956

KRÄMER, Helmut: Die Isisformel des Apuleius (Met XI 23,7) - eine Anmerkung zur Methode der Mysterienforschung, in: WuD 12/1973, S.91-104

KRAMER, Werner: Christos, Kyrios, Gottessohn. Untersuchungen zu Gebrauch und Bedeutung der christologischen Bezeichnungen bei Paulus und den vorpaulinischen Gemeinden (AThANT 44), Zürich 1963

KREDEL, E. M.: Der Apostelbegriff in der neueren Exegese, in: ZkathTH 78/1956, S.169-193.257-305

KREMER, Jakob: Was an den Leiden Christi noch mangelt. Eine interpretationsgeschichtliche und exegetische Untersuchung zu Kol 1,24b (BBB 12), Bonn 1956

- : Das älteste Zeugnis von der Auferstehung Christi (SBS 17), Stuttgart 1967 (2)

KÜMMEL, Werner Georg: Einleitung in das Neue Testament, Heidelberg 1980 (20)

- : Jesus und Paulus, in: ders.: Heilsgeschehen und Geschichte. Gesammelte Aufsätze, hrsg. v. E. GRÄSSER, O. MERK und A. FRITZ, (MThS 3), S.439-456

- : Jesus und der jüdische Traditionsgedanke, in: ZNW 33/1934, S.105-130; jetzt in: ders.: Heilsgeschehen und Geschichte. Gesammelte Aufsätze, hrsg.v. E. GRÄSSER, O. MERK und A. FRITZ (MThS 3), Marburg 1965, S.15-35

- : Das literarische und geschichtliche Problem des ersten Thessalonicherbriefes, in: Heilsgeschehen und Geschichte, Gesammelte Aufsätze, hrsg. v. E.GRÄSSER, O.MERK und A.FRITZ (MThS 3), Marburg 1965, S.406-416

KÜNG, Hans: Der Frühkatholizismus im Neuen Testament als kontroverstheologisches Problem, in: E. KÄSEMANN (Hrsg): Das Neue Testament als Kanon, Göttingen 1970, S.175-204

KUHN, Karl Georg: Artikel μαραναθά, in: ThWNT IV, S.470-475

- : Artikel ὅπλον κτλ: siehe bei OEPKE, A./KUHN, K.G.: Artikel ὅπλον κτλ

- : Rm 6,7, in: ZNW 30/1931, S.305-310

KUSCHKE, A.: Artikel Ugarit, in: RGG (3), VI, Sp.1100-1102.

KUSS, Otto: Der Römerbrief, Regensburg 1957 (Erste Lieferung), 1959 (Zweite Lieferung)

LÄHNEMANN, Johannes: Der Kolosserbrief. Komposition, Situation und Argumentation (Studien zum Neuen Testament 3), Gütersloh 1971

LANG, Friedrich: Die Briefe an die Korinther (NTD 7), Göttingen und Zürich 1986 (16; 1.Auflage der Neubearbeitung)

LARSSON, Edvin: Christus als Vorbild. Eine Untersuchung zu den paulinischen Tauf- und Eikontexten, Uppsala 1962

LAUB, Franz: Eschatologische Verkündigung und Lebensgestaltung nach Paulus. Eine Untersuchung zum Wirken des Apostels beim Aufbau der Gemeinde in Thessalonike (BU 10), Regensburg 1973

LEHMANN, Karl: Auferweckt am dritten Tage nach der Schrift. Früheste Christologie, Bekenntnisbildung und Schriftauslegung im Lichte von 1Kor 15,3-5 (QD 38), Freiburg/ Basel/Wien 1968

LENGSFELD, Peter: Überlieferung, Tradition und Schrift in der evangelischen und katholischen Theologie der Gegenwart (Konfessionskundliche und kontroverstheologische Studien III), Paderborn 1960

LIAGRE BÜHL, F. M. Th. de: Artikel Babylonien II. Babylonische und assyrische Religion. III Babylonische Traditionen und das AT, in: RGG (3), I, Sp.812-827

LIETZMANN, Hans: Geschichte der alten Kirche, Band 1, 1953 (3)

- : Das Muratorische Fragment und die monarchianischen Prologe zu den Evangelien (Kleine Texte 1), Bonn 1908 (2)

- : An die Korinther I.II (HNT 9), Tübingen 1969 (5, ergänzt von W. G. KÜMMEL)

- : An die Römer (HNT 8), Tübingen 1971 (5)

LIGHTFOOT, J. B.: Saint Paul's Epistles To The Colossians And To Philemon (Zondervan Commentary), Grand Rapids 1981 (16), Nachdruck der Ausgabe von 1879

LINDEMANN, Andreas: Zum Abfassungszweck des zweiten Thessalonicherbriefes, in: ZNW 68/1977, S.35-47

- : Die Aufhebung der Zeit. Geschichtsverständnis und Eschatologie im Epheserbrief (StNT 12), Gütersloh 1975

- : Bemerkungen zu den Adressaten und zum Anlaß des Epheserbriefes, in: ZNW 67/1976, S.235-251

- : Der Kolosserbrief (Zürcher Bibelkommentare NT 10), Zürich 1983

- : Paulus im ältesten Christentum (BHTH 58), Tübingen 1979

LINK, H.G.: Artikel ζητέω, in: TBLNT II, S.1190-1191

LÜHR, Gebhard: 1 Thess 4,15-17. Das "Herrenwort", in: ZNW 71/1980, S.269-273

LOHMEYER, Ernst: Die Briefe an die Philipper, die Kolosser und an Philemon (KEK 9), Göttingen 1964 (13)

- : Das Evangelium des Markus (KEK 2), Göttingen 1967 (17)

- : ΣΥΝ ΧΡΙΣΤΩ, in: Festgabe für A.Deißmann, Tübingen 1926, S.218-257

- : Kyrios Jesus. Eine Untersuchung zu Phil 2,5-11 (Sitzungsberichte der Heidelberger Akademie der Wissenschaften, Phil.-Hist. Klasse, Abhandlung 4), Heidelberg 1928

LOHSE, Eduard: Apokalyptik und Christologie, in: ZNW 62/1971, S.48-67; jetzt in: Die Einheit des Neuen Testaments. Exegetische Studien zur Theologie des Neuen Testaments, Göttingen 1973, S.125-144

- : Artikel πρόσωπον κτλ, in: ThWNT VI, S.769-781

- : Artikel σάββατον κτλ, in: ThWNT VII, S.1-35

- : Artikel χείρ κτλ, in: ThWNT IX, S.413-427

- : Ein hymnisches Bekenntnisfragment in Kolosser 2,13c-15, in: Melanges Bibliques en hommage au R. P. Beda Rigaux, Gembloux 1970, S.427-435; jetzt in: ders.: Die Einheit des Neuen Testaments. Exegetische Studien zur Theologie des Neuen Testaments, Göttingen 1973, S.276-284

- : Die alttestamentlichen Bezüge im neutestamentlichen Zeugnis vom Tode Jesu Christi, in: ders.: Die Einheit des Neuen Testaments, Exegetische Studien zur Theologie des Neuen Testaments, Göttingen 1973, S.111-124

- : Die Briefe an die Kolosser und an Philemon (KEK 9/zweiter Band), Göttingen 1968 (14)

- : Christologie und Ethik im Kolosserbrief, in: Die Einheit des Neuen Testaments. Exegetische Studien zur Theologie des Neuen Testaments, Göttingen 1973, S.249-261

- : Christusherrschaft und Kirche im Kolosserbrief, in: ders.: Die Vielfalt des Neuen Testaments. Exegetische Studien zur Theologie des Neuen Testaments, Göttingen 1982, S.262-276

- : Die Mitarbeiter des Apostels Paulus im Kolosserbrief, in: Verborum Veritas, Festschrift für G. Stählin (hrsg. von O. BÖCHER und K. HAACKER), Wuppertal 1970, S. 189-194

- : Taufe und Rechtfertigung bei Paulus, in: KuD 11/1965, S.308-324; jetzt in: ders.: Die Einheit des Neuen Testaments. Exegetische Studien zur Theologie des Neuen Testaments, Göttingen 1973, S.228-244

- : Umwelt des Neuen Testaments (NTD Ergänzungsreihe 1), Göttingen 1971
- : Ursprung und Prägung des christlichen Apostolates, in: ThZ 9/1953, S.259-275
- : Zu 1 Cor 10,26.31, in: ZNW 47/1956, S.277-280
- / et al: Artikel υἱός κτλ, in: ThWNT IX, S.334-402
LONA, Horacio E.: Die Eschatologie im Kolosser- und Epheserbrief (fzb 48), Würzburg 1984
LUDWIG, Helga: Der Verfasser des Kolosserbriefes. Ein Schüler des Paulus, Diss. Göttingen 1974
LÜDEMANN, Gerd: Paulus, der Heidenapostel. Band I: Studien zur Chronologie (FRLANT 123), Göttingen 1980
LÜHRMANN, Dieter: Das Offenbarungsverständnis bei Paulus und in paulinischen Gemeinden (WMANT 16), Neukirchen 1965
- : Rechtfertigung und Versöhnung. Zur Geschichte der paulinischen Tradition, in: ZThK 67/1970, S.432-452
LUZ, Ulrich: Erwägungen zur Entstehung des "Frühkatholizismus". Eine Skizze, in: ZNW 65/1974, S.88-111
- : Das Evangelium nach Matthäus (Mt 1-7) (EKK I,1), Zürich/Einsiedeln/ Köln und Neukirchen 1985
- : Das Geschichtsverständnis des Paulus (BevTh 49), München 1968

MAASS, Fritz: Von den Ursprüngen der rabbinischen Schriftauslegung, in: ZThK 52/ 1955, S.129-161
MALINA, Bruce: Does Porneia mean Fornication?, in: NT XIV/1972, S.10-17
MALHERBE, Abraham J.: "Gentle as a nurse". The Cynic Background to I Thess II, in: NT XII/1970, S.203-217
MARSHALL, J. Howard: 1 and 2 Thessalonians (New Century Bible Commentary), Grand Rapids/London 1983
MARTIN, Ralph P.: Carmen Christi: Philippians ii.5-11 (SNTS MS 4), Cambridge 1967
- : Colossians and Philemon (NCeB), Grand Rapids/London 1978
MARXSEN, Willi: Die Auferstehung Jesu von Nazareth, Gütersloh 1968
- : Auslegung von 1Thess 4,13-18, in: ZThK 66/1969, S.22-37
- : Einleitung in das Neue Testament, Gütersloh 1964 (3)
- : Der erste Thessalonicherbrief (Zürcher Bibelkommentare, NT 11,1), Zürich 1979
- : Der zweite Thessalonicherbrief (Zürcher Bibelkommentare, NT 11,2), Zürich 1982
MASSON, Charles: L'Épitre des Saint Paul aux Ephesiens (CNT IX), Neuchatel 1953
- : Les Deux Épitres des Saint Paul aux Thessaloniciens (CNT (N) XIa) Neuchatel/Paris 1957
- : L'epitre de Saint Paul aux Colossiens (CNT X), Neuchatel/Paris 1950
MATTERN, Lieselotte: Das Verständnis des Gerichts bei Paulus (AThANT 47) Zürich/ Stuttgart 1966
MAURER, Christian: Artikel πρᾶγμα, in: ThWNT VI, S.638-641
- : Artikel σκεῦος, in: ThWNT VII, S.359-368
MAYERHOFF, E.Th.: Der Brief an die Colosser, mit vornehmlicher Berücksichtigung der drei Pastoralbriefe kritisch geprüft, Berlin 1838
MEGAS, Georg: Das χειρόγραφον Adams. Ein Beitrag zu Col 2,13-15, in: ZNW 27/ 1928, S.305-320
MERK, Otto: Handeln aus Glauben. Die Motivation der paulinische Ethik (MThST 5) Marburg 1968
MERKLEIN, Helmut: Das kirchliche Amt nach dem Epheserbrief (StANT XXXIII), München 1973
- : Paulinische Theologie in der Rezeption des Kolosser- und Epheserbriefes, in: Paulus in den neutestamentlichen Spätschriften, hrsg. v. K. KERTELGE (QD 89), Freiburg/ Basel/ Wien 1981
METZGER, Bruce M.: A Textual Commentary on the Greek New Testament, London/ New York 1971
MEYER, A.: Pseudepigraphie als ethisch-psychologisches Problem, in: ZNW 35/1936, S.262-279
MICHAELIS, Wilhelm: Artikel κρατέω κτλ, in: ThWNT III, S.905-914
- : Artikel μιμέομαι κτλ, in: ThWNT IV, S.661-678
- : Artikel ὁράω κτλ, in: ThWNT V, S.315-381
- : Artikel πάσχω κτλ, in: ThWNT V, S.903-939
- : Artikel πίπτω κτλ, in: ThWNT VI, S.161-174
- : Artikel πρωτεύω, in: ThWNT VI, S.882-883
- : Einleitung in das Neue Testament, Bern 1961 (3)
MICHEL, Otto: Artikel ναός, in: ThWNT IV, S.884-895
- : Artikel οἰκοδομέω, in: ThWNT V, S.139-147

- : Der Brief an die Hebräer (KEK 14), Göttingen 1966 (12, 6.Aufl. der Neubearbeitung)
- : Der Brief an die Römer (KEK 4 (13)), Göttingen, 1966 (4)
- : Paulus und seine Bibel (BFchTh 2.Reihe, Band 18), Darmstadt 1972 (Nachdruck der Ausgabe Gütersloh 1973)
MINDE, Hans Jürgen v. d.: Schrift und Tradition bei Paulus. Ihre Bedeutung und Funktion im Römerbrief (Paderborner Theologische Studien 3), München/Paderborn/Wien 1976
MITTON, C. L.: Ephesians (NCeB), Greenwood 1976
- : The Formation of the Pauline Corpus, London 1955
MORGENTHALER, Robert: Statistik des neutestamentlichen Wortschatzes, Zürich/ Stuttgart 1973 (2)
MORRIS, Leon: The Epistles of St.Paul to the Thessalonians. An Introduction and Commentary (TNTC), Grand Rapids 1981 (2).
MOSBECH, H.: Apostolos in The New Testament, in: StTh 1949, S.166-200
MOULE, C. F. D.: The Birth of the New Testament, London 1962
- : The Epistles of Paul the Apostle to the Colossians and to Philemon (CGTC), Cambridge 1957
MOWRY, Lucetta: The Early Circulation of Paul's Letters, in: JBL 63/1944, S.73-86
MÜLLER, C.W.: Die Kurzdialoge der Appendix Platonica. Philologische Beiträge zur nachplatonischen Scholastik (Studia et testimonia antiqua 17), München 1975, S.9-44. 272-275. 316-319
MÜLLER, Paul-Gerhard: Der Traditionsprozeß im Neuen Testament. Kommunikations-analytische Studien zur Versprachlichung des Jesusphänomens, Freiburg/Basel/Wien 1976
MÜLLER, Ulrich B.: Die Offenbarung des Johannes (ÖTK 19), Gütersloh/Würzburg 1984
- : Zur frühchristlichen Theologiegeschichte. Judenchristentum und Paulinismus in Kleinasien an der Wende vom ersten zum zweiten Jahrhundert n.Chr., Gütersloh 1976
MÜNCHOW, Christoph: Ethik und Eschatologie. Ein Beitrag zum Verständnis der früh-jüdischen Apokalyptik mit einem Ausblick auf das Neue Testament, Göttingen 1981
MUSSNER, Franz: Der Galaterbrief (HThK IX), Freiburg/Basel/Wien 1973
- : Christus, das All und die Kirche. Studien zur Theologie des Epheserbriefes (TThSt 5), Trier 1968 (2)

NAUCK, Wolfgang: Das οὖν-paräneticum, in: ZNW 49/1958, S.134-135
NEIL, William: An Epistle of Paul to the Thessalonians (MNTC), New York 1950
NEPPER-CHRISTENSEN, Poul: Das verborgene Herrenwort. Eine Untersuchung über 1.Thess 4,13-18, in: StTh 19/1965, S.136-154
NEUFELD, K. H.: "Frühkatholizismus". Idee und Begriff, in: ZKTh 94/1976, S.1-28
NORDEN, Eduard: Agnostos Theos. Untersuchungen zur Formengeschichte religiöser Rede. Darmstadt 1956 (4)
NOTH, Martin: Das zweite Buch Mose (ATD 5), Göttingen 1968 (4)
- : Geschichte Israels, Göttingen 1966 (6)

OEPKE, Albrecht: Artikel παρουσία, πάρειμι, in: ThWNT V, S.856-869
- : Artikel παῖς κτλ, in: ThWNT V, S.636-653
- : Der Brief des Paulus an die Galater (ThHK 9), Berlin 1973 (3)
- : Urchristentum und Kindertaufe, in: ZNW 29/1930, S. 81-111
- / KUHN, Karl-Georg: Artikel ὅπλον κτλ, in: ThWNT V, S.292-315
OLLROG, Wolf-Henning: Paulus und seine Mitarbeiter. Untersuchungen zu Theorie und Praxis der paulinischen Mission (WMANT 50), Neukirchen 1979
OSTEN-SACKEN, Peter v. d.: Die Apologie des paulinischen Apostolates, in: ZNW 64/ 1973, S.245-262
- : Römer 8 als Beispiel paulinischer Soteriologie (FRLANT 112), Göttingen 1975
OVERBECK, F.: Christen und Kultur. Gedanken und Anmerkungen zur modernen Theologie, Basel 1919

PAULSEN, Henning: Überlieferung und Auslegung in Römer 8 (WMANT 43), Neukirchen 1974
PEARSON, B. A.: 1 Thessalonians 2, 13-16: A Deutero-Pauline Interpolation, in: HTR LXIV/1971, S.79-94
PERCY, Ernst: Die Probleme der Kolosser- und Epheserbriefe (SHVL 39), Lund 1946
PESCH, Rudolf: Die Entdeckung des ältesten Paulus-Briefes. Paulus - neu gesehen. Die Briefe an die Gemeinde der Thessalonicher (Her Bü 1167), Freiburg/Basel/Wien 1984
PESCH, Wilhelm: Artikel Vergeltung, in: HThG II, S.748-750
PETERSON, Erik: Artikel ἀπάντησις, in: ThWNT I, S.380
PFLEIDERER, Otto: Lectures on the Influence of the Apostle Paul on the Development of Christianity (zitiert nach: LINDEMANN, Paulus, S.36)

- : Der Paulinismus. Ein Beitrag zur Geschichte der urchristlichen Theologie, Leipzig 1873
- : Das Urchristentum, seine Schriften und Lehren in geschichtlichem Zusammenhang, Berlin 1887
PFITZNER, Victor E.: Paul and the Agon Motif. Traditional Athletic Imagery in the Pauline Literatur (Suppl.NT XVI), Leiden 1967
PLÖGER, Otto: Prophetisches Erbe in den Sekten des frühen Judentums, in: ThLZ 79/1954, Sp.291-296
PÖHLMANN, W.: Die hymnischen Prädikationen in Kol 1,15-20, in: ZNW 64/1973, S. 53-74
POHLENZ, Max: Paulus und die Stoa, in: ZNW 42/1949, S.69-104
POKORNY, Petr: Der Brief an die Kolosser (ThHK X/1), Berlin Ost 1986
POPKES, Wiard: Christus Traditus. Eine Untersuchung zum Begriff der Dahingabe im Neuen Testament (AThANT 49), Zürich 1967
PREISER, Wolfgang: Vergeltung und Sühne im altisraelischen Strafrecht, in: Festschrift für E. Schmidt (hrsg. v. P. BOCKELMANN und W. GARRAS), Göttingen 1961
PREISKER, Herbert: Artikel ἐμβατεύω, in: ThWNT II, S.531-533
- : Das Ethos des Urchristentums, Gütersloh 1949
PREUSS, H. D.: Artikel בוא, in ThWAT I, Sp.536-568

RAD, Gerhard v.: Theologie des Alten Testaments, Band I: München 1969 (6); Band II: München 1968 (5)
- / DELLING, Gerhard: Artikel ἡμέρα, in ThWNT II, S.945-956
RAHNER, Karl / RATZINGER, Josef: Offenbarung und Überlieferung (QD 25), Freiburg/Basel/Wien 1965
RANFT, Josef: Der Ursprung des katholischen Traditionsprinzips, Würzburg 1931
REDLICH, Edwin Basil: S.Paul an his Companions, London 1913
REICKE, Bo: Artikel Iran IV. Iranische Religion, Judentum und Urchristentum, in: RGG (3), III, Sp 881-884
REITZENSTEIN, Richard: Historia Monachorum und Historia Lausiaca. Eine Studie zur Geschichte des Mönchtums und der frühchristlichen Begriffe Gnostiker und Pneumatiker, Göttingen 1916
- : Das iranische Erlösungsmysterium, Bonn 1921
- : Die hellenistischen Mysterienreligionen nach ihren Grundgedanken und Wirkungen, Leipzig 1927 (3; Nachdruck Darmstadt 1977)
- : Die Vorgeschichte der christlichen Taufe, Leipzig 1929 (Darmstadt 1967 (2))
RENGSTORF, Karl Heinrich: Artikel ἀποστέλλω κτλ, in: ThWNT I, S.337-448
- : Artikel δοῦλος κτλ, in: ThWNT II, S.264-283
- : Artikel μανθάνω κτλ, in: ThWNT IV, S.392-465
- : Artikel σημεῖον κτλ, in: ThWNT VII, S.199-268
- : Mann und Frau im Urchristentum, in: Heft 12 der Arbeitsgemeinschaft für Forschung des Landes Nordrhein- Westfalen, Köln/Opladen 1954, S.7-52
REUSS, E.: Die Geschichte der Heiligen Schriften neuen Testaments, Erste Abtheilung: Geschichte der apostolischen Literatur, Braunschweig 1874 (5)
RIDDERBOS, Herman: Paulus. Ein Entwurf seiner Theologie, Wuppertal 1970
RIGAUX, Beda: Saint Paul. Les Epitres aux Thessaloniciens (Etudes Bibliques), Paris/Gembloux 1956
RISSI, Mathis: Die Taufe für die Toten (AThANT 42), Zürich 1962
ROBINSON, James M.: A Formal Analysis of Colossians 1,15-20, in: JBL 76/1957, S.270-287
ROBINSON, H. Wheeler: The Hebrew Conception of Corporate Personality, in: BZAW 66/1936, S.49-62
ROHDE, Joachim: Die Diskussion um den Frühkatholizismus im Neuen Testament, dargestellt am Beispiel des Amtes in den spätneutestamentlichen Schriften, in: ROGGE, J./SCHILLE, G.: Frühkatholizismus im ökumenischen Gespräch, Berlin 1983, S.27-51
ROLLER, Otto: Das Formular der paulinischen Briefe (BWANT 4), Stuttgart 1933
ROLOFF, Jürgen: Apostolat - Verkündigung - Kirche. Ursprung, Inhalt und Funktion des kirchlichen Apostelamtes nach Paulus, Lukas und den Pastoralbriefen, Gütersloh 1965

SAND, Alexander: Kanon. Von den Anfängen bis zum Fragmentum Muratorianum (HDG I,3a), Freiburg/Basel/Wien 1974
- : Überlieferung und Sammlung der Paulusbriefe, in: Paulus in den neutestamentlichen Spätschriften (QD 89), Freiburg/Basel/Wien 1981
SANDERS, Jack T.: Ethics in the New Testament. Change and Development, Philadelphia 1975
SASSE, Hermann: Artikel αἰών, αἰώνιος, in: ThWNT I, S.197-209
- : Artikel κοσμέω κτλ, in: ThWNT III, S.867-898

SATAKE, Akira: Apostolat und Gnade bei Paulus, in: NTS XV/1968, S.96-107

SCHADE, Hans-Heinrich: Apokalyptische Christologie bei Paulus. Studien zum Zusammenhang von Christologie und Eschatologie und den Paulusbriefen (Göttinger Theologische Arbeiten 18), Göttingen 1984

SCHELKLE, Karl Hermann: Das Neue Testament. Seine literarische und theologische Geschichte, Kevelaer 1963

SCHENKE, Hans-Martin: Der Widerstreit gnostischer und kirchlicher Christologie im Spiegel des Kolosserbriefes, in: ZThK 61/1964, S.391-403

- : Das Weiterwirken des Paulus und die Pflege seines Erbes in der Paulusschule, in: NTS 21/1975, S.505-518

- / FISCHER Karl-Martin: Einleitung in die Schriften des Neuen Testaments Band I: Die Briefe des Paulus und Schriften des Paulinismus, Gütersloh 1978

SCHILLE, Gottfried: Frühchristliche Hymnen, Berlin 1965

- : Die Apostelgeschichte des Lukas (ThHK V), Berlin 1983

- : Die urchristliche Kollegialmission (AThANT 48), Zürich/Stuttgart 1967

- : Die Liebe Gottes in Christus. Beobachtungen zu Rm 8,31-39, in: ZNW 59/1968, S.230-244

SCHLATTER, Adolf: Gottes Gerechtigkeit. Ein Kommentar zum Römerbrief, Stuttgart 1935

SCHLIER, Heinrich: Der Apostel und seine Gemeinde. Auslegung des ersten Briefes an die Thessalonicher, Freiburg/Basel/Wien 1972

- : Artikel ἀνέχω κτλ, in: ThWNT I, S.360-361

- : Artikel ἀνήκω, in: ThWNT I, S.361

- : Artikel θλίβω, θλῖψις, in : ThWNT III, S.139-148

- : Artikel δείκνυμι κτλ, in: ThWNT II, S.26-33

- : Artikel κεφαλή κτλ, in: ThWNT III, S.672-682

- : Artikel παρρησία κτλ, in: ThWNT V, S.869-884

- : Der Brief an die Epheser. Ein Kommentar, Düsseldorf 1971 (7)

- : Der Brief an die Galater (KEK 7), Göttingen 1971 (14; 5.Aufl. der Neubearbeitung)

- : Kerygma und Sophia. Zur neutestamentlichen Grundlegung des Dogmas, in: ders., Die Zeit der Kirche. Exegetische Aufsätze und Vorträge, Freiburg/Basel/Wien 1962 (3)

- : Vom Wesen der apostolischen Ermahnung - Nach Röm.12,1-2, in: Die Zeit der Kirche. Exegetische Aufsätze und Vorträge, Freiburg 1956, S.74-89

SCHLUNK, Martin: Paulus als Missionar (AMS 23), Gütersloh 1937

SCHMID, Lothar: Artikel κέλευσμα, in: ThWNT III, S.656-659

SCHMIDT, J. E. Chr.: Vermutungen über die beiden Briefe an die Thessalonicher, in: Bibliothek für Kritik und Exegese des Neuen Testaments (hrsg.v. J. E. Chr. SCHMIDT und K. Chr. L. SCHMIDT), Zweyten Bandes Drittes Stück, Hadamar 1801 (abgedruckt in TRILLING, Untersuchungen, S.159ff)

SCHMIDT, Karl Ludwig: Artikel θεμέλιος, in: ThWNT III, S.63f

- : Artikel θρησκεία, in: ThWNT III, S.155-159

- : Artikel καλέω κτλ, in: ThWNT III, S.488-539

SCHMITHALS, Walter: Zur Abfassung und ältesten Sammlung der paulinischen Hauptbriefe, in: ZNW 51/1960, S.225- 245

- : Das kirchliche Apostelamt. Eine historische Untersuchung (FRLANT 81), Göttingen 1961

- : Die Gnosis in Korinth. Eine Untersuchung zu den Korintherbriefen, Göttingen 1969 (3)

- : Paulus und die Gnostiker. Untersuchungen zu den kleinen Paulusbriefen (ThF XXXV), Hamburg 1965

- : Paulus und der historische Jesus, in: ZNW 53/1962, S.145-160

- : Die Thessalonicherbriefe als Briefkomposition, in: Zeit und Geschichte, Festschrift für R.Bultmann, hrsg. v. E. DINKLER, Tübingen 1964, S.295-315

SCHMITZ, Otto: Artikel παραγγέλλω κτλ, in: ThWNT V, S.759-763

- / STÄHLIN, Gustav: Artikel παρακαλέω, παράκλησις, in: ThWNT V, S.771-798

SCHNACKENBURG, Rudolf: Apostel vor und neben Paulus, in: ders., Schriften zum Neuen Testament. Exegese in Fortschritt und Wandel, München 1971, S.338-357

- : Baptism in the thought of St. Paul. A Study in Pauline Theology, Oxford 1964

- : Der Brief an die Epheser (EKK X), Zürich/Einsiedeln/Köln und Neukirchen 1982

- : Das Heilsgeschehen bei der Taufe nach dem Apostel Paulus (MThST 1. Abteilung, 1.Band), München 1950

- : Das Johannesevangelium, III.Teil. Kommentar zu Kap. 13-21 (HThK IV,2), Freiburg/Basel/Wien 1975

SCHNEIDER, Johannes: Artikel ἀναβαίνω κτλ, in ThWNT I, S.516-521

- : Artikel κολακία, in: ThWNT III, S.818

- : Artikel τιμή κτλ, in: ThWNT VIII, S.170-182

- : Artikel ὅμοιος κτλ, in: ThWNT V, S.186-198

SCHNEIDER, Norbert: Die rhetorische Eigenart der paulinischen Antithese (HUTh 11) Tübingen 1970

SCHNELLE, Udo: Gerechtigkeit und Christusgegenwart. Vorpaulinische und paulinische Tauftheologie (Göttinger Theologische Arbeiten 24), Göttingen 1983

SCHNIEWIND, Julius: Artikel ἀγγελία κτλ, in: ThWNT I, S.56-72

SCHOEPS, Hans-Joachim: Paulus. Die Theologie des Apostels im Lichte der jüdischen Religionsgeschichte, Darmstadt 1972 (unveränderter Nachdruck der Ausgabe Tübingen 1959)

SCHRAGE, Wolfgang: Artikel συναγωγή κτλ, in: ThWNT VII, S.798-850

- : Ethik des Neuen Testament (Grundrisse zum Neuen Testament, NTD Ergänzungsreihe 4), Göttingen 1982 (4; 1. Aufl. der Neufassung)

- : Der zweite Petrusbrief, in: BALZ, H./SCHRAGE, W.: Die katholischen Briefe (NTD 10), Göttingen 1973 (11)

- : Zur formalethischen Deutung der paulinischen Paränese, in: ZEE 4/1960, S.207-233

SCHRENK, Gottlob: Artikel ἄδικω κτλ, in: ThWNT I, S.150-163

- : Artikel διαλέγομαι κτλ, in: ThWNT II, S.93-98

- : Artikel εὐδοκέω κτλ, in: ThWNT II, S.737-748

- : Artikel ἱερός κτλ, in: ThWNT III, S.221-284

- : Artikel πατήρ κτλ, in: ThWNT V, S.946-1024

SCHRÖDER, D.: Die Haustafeln des Neuen Testaments, Diss. Hamburg 1959

SCHUBERT, Paul: Form and Function of the Pauline Thanksgivings (BZNW 20), Berlin 1939

SCHÜRMANN, Heinz: Das Lukasevangelium. Erster Teil (1,1-9,50) (HThK III), Freiburg/Basel/Wien 1969

- : Auf der Suche nach dem "Evangelisch-Katholischen". Zum Thema "Frühkatholizismus", in: J. ROGGE/G. SCHILLE (Hrsg): Frühkatholizismus im ökumenischen Gespräch, Berlin 1983, S.71-107; auch in: Kontinuität und Einheit. Festschrift für Franz Mußner, hrsg. v. P.-G. MÜLLER und W.STENGER, Freiburg/Basel/Wien 1981, S.340-375

SCHÜRER, Emil: Geschichte des jüdischen Volkes im Zeitalter Jesu Christi II: Die inneren Zustände, Leipzig 1907 (4)

- : The History of the Jewish People in the Age of Jesus Christ, revised and edited by GEZA VERMES, FERGUS MILLER and MATTHEW BLACK I/II, Edinburgh 1973/79

SCHÜSSLER FIORENZA, Elisabeth: The Quest for the Johannine School: The Apocalypse and the Fourth Gospel, in: NTS XXIII/1977, S.402-427

SCHULZ, Anselm: Nachfolgen und Nachahmen. Studien zum Verhältnis der neutestamentlichen Jüngerschaft zur urchristlichen Vorbildethik (StANT VI), München 1962

SCHULZ, Siegfried: Artikel σκιά κτλ, in: ThWNT VII, S.396-403

- : Die Mitte der Schrift. Der Frühkatholizismus im Neuen Testament als Herausforderung an den Protestantismus, Stuttgart/Berlin 1976

SCHWANTES, H.: Schöpfung der Endzeit (AZTH I 12), Stuttgart 1962

SCHWEITZER, Albert: Die Mystik des Apostels Paulus, Tübingen 1930

SCHWEIZER, Eduard: Artikel σῶμα κτλ, in: ThWNT VII, S.1024-1091

- : Artikel πνεῦμα κτλ, Teil D: Das Neue Testament, in: ThWNT VI, S.394-453

- : Der Brief an die Kolosser (EKK), Zürich/Einsiedeln/Köln und Neukirchen 1976

- : Die "Elemente der Welt" Gal 4,3.9; Kol 2,8.20, in: ders.: Beiträge zur Theologie des Neuen Testaments. Neutestamentliche Aufsätze (1955-1970), Zürich 1970, S.147-163

- : Erniedrigung und Erhöhung bei Jesus und seinen Nachfolgern, Neubearbeitung Zürich 1962

- : Zur neueren Forschung am Kolosserbrief (seit 1970), in: Theologische Berichte V, S.163-189

- : Gottesgerechtigkeit und Lasterkataloge bei Paulus (inkl. Kol und Eph), in: Rechtfertigung. Festschrift für Ernst Käsemann (hrsg. v. J. Friedrich, W. PÖHLMANN, P. STUHLMACHER), Tübingen/Göttingen 1976, S.461-477

- : Die Kirche als Leib Christi in den paulinischen Antilegomena, in: ders: Neotestamentica, Zürich 1963, S.293-316

- : Die Kirche als Leib Christi in den paulinischen Homologumena, in: ders.,: Neotestamentica, Zürich/Stuttgart 1963, S.232-292

- : Matthäus und seine Gemeinde (SBS 71), Stuttgart 1974

- : Die "Mystik" des Sterbens und Auferstehens mit Christus bei Paulus, in: EvTh 26/1966, S.239-257; jetzt in: ders.: Beiträge zur Theologie des Neuen Testaments. Neutestamentliche Aufsätze (1955-1970), Zürich 1970, S.183-203

- : Ethischer Pluralismus im Neuen Testament, in: EvTh 35/1975, S.397-401

- : Rezension zu: WALTER SCHMITHALS: Das Kirchliche Apostelamt, in: ThLZ 87/1962, S.837-840

- : Röm 1,3f und der Gegensatz von Fleisch und Geist vor und nach Paulus, in: EvTh 15/1955, S.563-571

- : Die Sünde in den Gliedern, in: Abraham unser Vater, Festschrift für O. Michel, Leiden/Köln 1963, S.437-439
- : Der zweite Thessalonicherbrief ein Philipperbrief? in: ThZ 1/1945, S.90-105
- / et al: Artikel σάρξ κτλ, in: ThWNT VII, S.98-151
- / et al: Artikel ψυχή κτλ, in: ThWNT IX, S. 604-667
SCROGGS, Robin: Romans VI,7, in: NTS X/1963-64, S.104-108
SEEBERG, Alfred: Der Katechismus der Urchristenheit, mit einer Einführung von F. HAHN (ThB 26), München 1966 (2)
SEESEMANN, Heinrich / BERTRAM, Georg: Artikel πατέω κτλ, in: ThWNT V, S.940-946
SIBER, Peter: Mit Christus leben. Eine Studie zur paulinischen Auferstehungshoffnung (AThANT 61), Zürich 1971
SINT, Joseph A.: Pseudonymität im Altertum. Ihre Formen und ihre Gründe, Innsbruck 1960
SMITH, Morton: A Comparison of Early Christian und Early Rabbinic Tradition, in: JBL LXXXII/1963, S.169-176
SODEN, Hans v.: Sakrament und Ethik bei Paulus, in: Das Paulusbild in der neueren deutschen Forschung (hrsg. v. K. H. RENGSTORF) (WdF XXIV), Darmstadt 1969
SPEYER, Wolfgang: Die literarische Fälschung im heidnischen und christlichen Altertum (HAW Erste Abteilung, zweiter Teil), München 1971
SPITTA, Friedrich: Zur Geschichte und Litteratur des Urchristentums I, Göttingen 1893
STAAB, Karl: Die Thessalonicherbriefe. Die Gefangenschaftsbriefe (RNT 7, Erster Teil), Regensburg 1969 (5)
STÄHLIN, Gustav: ἰσότης, in: ThWNT III, S.343-356
STAUFFER, Ethelbert: Artikel ἀγών κτλ, S.134-140
- : Artikel βραβεύω κτλ, in: ThWNT I, S.636-637
- : Artikel θεότης, in: ThWNT III, S.120
STEGEMANN, E.: Alt und Neu bei Paulus und in den Deuteropaulinen (Kol - Eph), in: EvTh 37/1977, S.508-537
STEMPVOORT, P. A. van: Eine stilistische Lösung einer alten Schwierigkeit in 1Thess V.23, in: NTS 7/1960-61, S.262-265
STENDAHL, Krister: The School of St. Matthew and its Use of the Old Testament (ASNU XX), Uppsala 1954
STRACK, Hermann / STEMBERGER, Günter: Einleitung in Talmud und Midrasch, München 1982 (7)
STRATHMANN, Hans: Artikel μάρτυς κτλ, in: ThWNT IV, S.477-520
- / MEYER, R. : Artikel λειτουργέω κτλ, in: ThWNT IV, S.221-258
STRECKER, Georg: Handlungsorientierter Glaube. Vorstudien zu einer Ethik des Neuen Testaments, Stuttgart/Berlin 1972
- : Paulus in nachpaulinischer Zeit, in: ders., Eschaton und Historie. Aufsätze, Göttingen 1979, S.311-319
STROBEL, August: In dieser Nacht (Lukas 17,34). Zu einer älteren Form der Erwartung in Lk 17,20-37, in: ZThK 58/1961, S.16-29
- : Untersuchungen zum eschatologischen Verzögerungsproblem auf Grund der spätjüdisch-urchristlichen Geschichte von Habakuk 2,2FF (NT.S II), Leiden/Köln 1961
STUHLMACHER, Peter: Erwägungen zum Problem von Gegenwart und Zukunft in der paulinischen Eschatologie, in: ZThK 64/1967, S.423-450
- : Das paulinische Evangelium. Band I: Vorgeschichte (FRLANT 87), Göttingen 1966 (2)
  - : Der Brief an Philemon (EKK), Zürich/Einsiedeln/Köln und Neukirchen 1975
- : Christliche Verantwortung bei Paulus und seinen Schülern, in: EvTh 28/1968, S. 165-186
SUHL, Alfred: Paulus und seine Briefe. Ein Beitrag zur paulinischen Chronologie (StNT 11), Gütersloh 1975
SYNOFZIK, Ernst: Die Gerichts- und Vergeltungsaussagen bei Paulus. Eine traditionsgeschichtliche Untersuchung (Göttinger theologische Arbeiten Band 8), Göttingen 1977

TACHAU, Peter: "Einst" und "Jetzt" im Neuen Testament. Beobachtungen zu einem vorchristlichen Predigtschema in der neutestamentlichen Briefliteratur und in seiner Vorgeschichte (FRLANT 105), Göttingen 1972
THRAEDE, Klaus: Grundzüge griechisch-römischer Brieftopik, München 1970
THÜSING, Wilhelm: Per Christum in Deum. Studien zum Verhältnis von Christozentrik und Theozentrik in den paulinischen Hauptbriefen (NTA NF 1), Münster 1969 (2)
- : Erhöhungsvorstellung und Parusieerwartung in der ältesten nachösterlichen Christologie (SBS 42), Stuttgart 1969
THYEN, Hartwig: Der Stil der jüdisch-christlichen Homilie (FRLANT 65), Göttingen 1955
- : Studien zur Sündenvergebung im Neuen Testament und seinen alttestamentlichen und jüdischen Voraussetzungen (FRLANT 96), Göttingen 1970

TILLMANN, F.: Die Wiederkunft Christi nach den paulinischen Briefen (BSt 14,1-2), Neukirchen 1909

TORM, F.: Die Psychologie der Pseudonymität im Hinblick auf die Literatur des Ur-christentums (Studien der Luther-Akademie 2), Gütersloh 1932

TRILLING, Wolfgang: Bemerkungen zum Thema "Frühkatholizismus". Eine Skizze, in: J.ROGGE/G.SCHILLE: Frühkatholizismus im ökumenischen Gespräch, Berlin 1983, S. 62-70

– : Der zweite Brief an die Thessalonicher (EKK XIV), Zürich/Einsiedeln/Köln und Neukirchen 1980

– : Literarische Paulusimitation im 2.Thessalonicherbrief, in: Paulus in den neutesta-mentlichen Spätschriften (QD 89), Freiburg/Basel/Wien, 1981, S.146-156

– : Untersuchungen zum 2.Thessalonicherbrief (Erfurter theologische Studien 27), Leipzig 1972

TRUMMER, Peter : Die Paulustradition der Pastoralbriefe (BET 8), Frankfurt/Bern/Las Vegas 1978

UNNIK, W. C. van : Die Rücksicht auf die Reaktion der Nicht-Christen als Motiv der altchristlichen Paränese, in: Judentum, Urchristentum und Kirche, Festschrift für J. Jeremias (BZNW 26), S.221-234

VIELHAUER, Philipp: Apokalypsen und Verwandtes, in: HENNECKE, EDGAR: Neutesta-mentliche Apokryphen in deutscher Übersetzung (hrsg. v. W. SCHNEEMELCHER) Band II, Tübingen 1971 (4), S.405-427.428-454

– : Geschichte der urchristlichen Literatur. Einleitung in das Neue Testament, die Apo-kryphen und die Apostolischen Väter, Berlin/New York 1975

– : Jesus und der Menschensohn, in: ders., Aufsätze zum Neuen Testament (ThB 31), München 1965

– : Oikodome. Aufsätze zum Neuen Testament Band 2, hsrg. v. G. KLEIN (ThB 65), Mün-chen 1979

– : Ein Weg zur neutestamentlichen Christologie. Prüfung der Thesen Ferdinand Hahns, in: Aufsätze zum Neuen Testament (ThB 31), München 1965, S.141-198

VÖGTLE, Anton: Das Neue Testament und die Zukunft des Kosmos, Düsseldorf 1970

– : Die Schriftwerdung der apostolischen Paradosis, in: Neues Testament und Geschich-te (Festschrift für O. Cullmann), Zürich/Stuttgart 1972, S.297-305

– : Die Tugend- und Lasterkataloge im Neuen Testament. Exegetisch, religions- und formgeschichtlich untersucht (NTA XVI, 4/5 Heft), Münster 1936

VOLZ, P.: Die Eschatologie der jüdischen Gemeinde im neutestamentlichen Zeitalter nach den Quellen der rabbinischen, apokalyptischen und apokryphen Literatur darge-stellt (2.Auflage des Werkes Jüdische Eschatologie von Daniel bis Akiba), Tübingen 1934

WAGNER, Günter: Das religionsgeschichtliche Problem von Röm 6,1-11 (AThANT 39), Zürich/Stuttgart 1962

WALTER, Niolaus: Die "Handschrift der Satzungen" Kol 2,14, in: ZNW 70/1979, S. 115-118

WARNACH, Victor: Taufe und Christusglaube nach Röm 6, in: ALW 3/1954, S.284-366

WEGENAST, Klaus: Das Verständnis der Tradition bei Paulus und in den Deuteropau-linen (WMANT 8), Neukirchen 1962

WEIDINGER, Karl: Die Haustafeln. Ein Stück urchristlicher Paränese (UNT 14), Leipzig 1928

WEISS, Hans Friedrich: "Frühkatholizismus" im Neuen Testament? Probleme und Aspekte, in: J. ROGGE /G. SCHILLE (Hrsg.): Frühkatholizismus im ökumenischen Ge-spräch, Berlin 1983, S.9-26

WEISS, Johannes : Das Urchristentum, Göttingen 1917

WEISS, Konrad: Artikel χρηστός κτλ, in: THWNT IX, S.472-481

WEIZSÄCKER, Carl: Das apostolische Zeitalter der christlichen Kirche, Tübingen/Leip-zig 1902 (3)

WENDLAND, Heinz-Dietrich: Ethik des Neuen Testaments. Eine Einführung (Grundrisse zum Neuen Testament, NTD Ergänzungsreihe 4), Göttingen 1970

– : Die Briefe an die Korinther (NTD 7), Göttingen 1968 (12)

WENDLAND, Paul: Die hellenistisch-römische Kultur in ihren Beziehungen zu Judentum und Christentum (HNT 1,2), Tübingen 1907

WENGST, Klaus : Der Apostel und die Tradition. Zur theologischen Bedeutung urchrist-licher Formeln bei Paulus, in: ZThK 69/1972, S.145-162

– : Der erste, zweite und dritte Brief des Johannes (ÖTK 16), Gütersloh/Würzburg 1978

– : Christologische Formeln und Lieder des Urchristentums (StNT 7), Gütersloh 1972

- : Versöhnung und Befreiung. Ein Aspekt des Themas "Schuld und Vergebung" im Lichte des Kolosserbriefes, in: EvTh 36/1976, S.14-26

WERNER, Martin: Entstehung des christlichen Dogmas, problemgeschichtlich dargestellt, Bern/Leipzig 1941

WESTERMANN, Claus: Das Buch Jesaja. Kapitel 40-66 (ATD 19), Göttingen 1966

WETTE, Martin Leberecht de: Lehrbuch der historisch-kritischen Einleitung in die kanonischen Bücher des Neuen Testaments, Berlin 1826

WIBBING, Siegfried : Die Tugend- und Lasterkataloge im Neuen Testament und ihre Traditionsgeschichte unter besonderer Berücksichtigung der Qumrantexte (BZNW 25), Berlin 1959

WILCKE, H.-A.: Das Problem eines messianischen Zwischenreiches bei Paulus (AThANT 51), Zürich/Stuttgart 1967

WILCKENS, Ulrich: Artikel ὑστερέω κτλ, in: ThWNT VIII, S.590-600

- : Die Bekehrung des Paulus als religionsgeschichtliches Problem, in: ZThK 56/1959, S.273-293

- : Der Brief an die Römer (EKK VI,I-III), Zürich/Einsiedeln/Köln und Neukirchen 1978/I; 1980/2; 1982/III

- : Die Missionsreden der Apostelgeschichte. Form- und traditionsgeschichtliche Untersuchungen (WMANT 5) Neukirchen 1974 (3)

- : Die Rechtfertigung Abrahams nach Römer 4, in: ders., Rechtfertigung als Freiheit. Paulusstudien, Neukirchen 1974, S.33-49

- : Der Ursprung der Überlieferung der Erscheinungen des Auferstandenen, in: Dogma und Denkstrukturen, Festschrift für E.Schlink, hrsg. v. W. JOEST und W. PANNENBERG, Göttingen 1963, S.56-95

- / FOHRER, Georg: Artikel σοφία κτλ, in: ThWNT VII, S.465-529

WINDISCH, Hans: Artikel βάρβαρος, in: ThWNT I, S.544-551

WOHLENBERG, G.: Der erste und zweite Thessalonicherbrief (KNT 12), Leipzig 1903

WOLFF, Christian: Der erste Brief des Paulus an die Korinther, Kap. 8-16 (ThHK VII/2), Berlin 1982

WREDE, William: Die Echtheit des zweiten Thessalonicherbriefes, Leipzig 1903

WRZOL, Josef: Die Echtheit des zweiten Thessalonicherbriefes (Bibl.Studien 19, Heft 4), Freiburg 1916

ZAHN, Theodor: Geschichte des neutestamentlichen Kanons, Zweiter Band, Erste Hälfte, Erlangen/Leipzig 1890

ZEILINGER, Franz: Die Träger der apostolischen Tradition im Kolosserbrief, in: Jesus in der Verkündigung der Kirche (SNTU Seria A, Band 1), Linz 1976

ZIMMERLI, Walter: Ezechiel. 2.Teilband. Ezechiel 25-48 (BK AT XIII,2), Neukirchen 1969